SEGURIDAD Y DERECHOS

Análisis de las amenazas, evaluación de las respuestas
y valoración del impacto en los derechos fundamentales

SEGURIDAD Y DERECHOS

Análisis de las amenazas, evaluación de las respuestas y valoración del impacto en los derechos fundamentales

Coordinadores

JOSÉ LUIS GONZÁLEZ CUSSAC
FERNANDO FLORES GIMÉNEZ

Autores

FEDERICO AZNAR FERNÁNDEZ-MONTESINOS
DAVID-ELEUTERIO BALBUENA PÉREZ
PAULO CÉSAR BUSATO
FABRIZIO CALDERÓN ANDRADE
ALICIA CEBADA ROMERO
ANTONIO FERNÁNDEZ HERNÁNDEZ
FERNANDO FLORES GIMÉNEZ
MAYDELÍ GALLARDO ROSADO
JOSÉ LUIS GONZÁLEZ CUSSAC
ELENA M. GÓRRIZ ROYO
JOSÉ LEÓN ALAPONT
NICOLÁS OXMAN VILCHES
CRISTINA PAUNER CHULVI
CARLOS PENEDO COBO
ROSARIO SERRA CRISTÓBAL
ANA VALERO HEREDIA
RENATO VARGAS LOZANO
CATY VIDALES RODRÍGUEZ
CHIARA VITUCCI

tirant lo blanch

Valencia, 2018

PROYECTO I+D DER 2015-65288 R
Ministerio de Ciencia, Innovación y Universidades
Fondo Europeo de Desarrollo Regional

Director de la colección:
JOSÉ LUIS GONZÁLEZ CUSSAC
Universidad de Valencia

© VVAA

© TIRANT LO BLANCH
EDITA: TIRANT LO BLANCH
C/ Artes Gráficas, 14 - 46010 - Valencia
TELFS.: 96/361 00 48 - 50
FAX: 96/369 41 51
Email:tlb@tirant.com
www.tirant.com
Librería virtual: www.tirant.es
DEPÓSITO LEGAL: V-3647-2018
ISBN: 978-84-1313-086-6
IMPRIME: Guada Impresores, S.L:
MAQUETA: Tink Factoría de Color

ÍNDICE

Capítulo II
RESPONDER A LAS AMENAZAS DEL SIGLO XXI
Federico Aznar Fernández-Montesinos

SEGUNDA PARTE
**POLÍTICA CRIMINAL
DE LA SEGURIDAD**

Capítulo III
LA NUEVA POLÍTICA CRIMINAL DEL ENEMIGO EN BRASIL
Paulo César Busato

Capítulo IV
LOS FLUJOS MIGRATORIOS. CONTRADICCIONES AL SISTEMA EUROPEO DE DERECHOS HUMANOS
Fabrizio Calderón Andrade

Capítulo V
ORIGEN Y CONSECUENCIAS POLÍTICO-CRIMINALES DE LA GUERRA CONTRA LAS DROGAS
Nicolás Oxman

CUARTA PARTE
ESPIONAJE Y DESINFORMACIÓN

Capítulo X
TUTELA PENAL Y PROCESAL DE LOS SECRETOS DE EMPRESA FRENTE AL ESPIONAJE ECONÓMICO
José León Alapont

Capítulo XI
LAS NOTICIAS FALSAS Y LAS CAMPAÑAS DE DESINFORMACIÓN COMO NUEVAS AMENAZAS PARA LA SEGURIDAD
Cristina Pauner Chulvi

QUINTA PARTE
TERRORISMO

Capítulo XII
LIBERTAD VIGILADA PARA TERRORISTAS. DOS MODELOS DE APLICACIÓN DE LA DOBLE VÍA COMO INSTRUMENTO POLÍTICO-CRIMINAL PARA EL INCREMENTO DE LA REPRESIÓN PENAL
DAVID-ELEUTERIO BALBUENA PÉREZ

Capítulo XIII
¿NULLUM CRIMEN SINE LEGE? EL IMPACTO DE LA REGULACIÓN PUNITIVA DE LOS DELITOS DE TERRORISMO EN LA SEGURIDAD JURÍDICA DE LOS CIUDADANOS
ANTONIO FERNÁNDEZ HERNÁNDEZ

Capítulo XIV
**¿ES POSIBLE INVOCAR EL DERECHO A PERMANECER EN
SILENCIO EN EL ÁMBITO DE LOS DELITOS DE TERRORISMO?**
MAYDELÍ GALLARDO ROSADO

Capítulo XV

CONTRATERRORISMO A RAÍZ DE LA DIRECTIVA (UE) 2017/541 Y EUROPEIZACIÓN DEL DERECHO PENAL DEL ENEMIGO: ¿NECESIDAD DE REFORMAS EN LA LEGISLACIÓN PENAL ESPAÑOLA?

Elena M. Górriz Royo

Capítulo XVIII
CIUDADANÍA Y DERECHOS HUMANOS EN LA LUCHA CONTRA EL TERRORISMO
Chiara Vitucci

PRESENTACIÓN

JOSÉ L. GONZÁLEZ CUSSAC
FERNANDO FLORES GIMÉNEZ

En los últimos años, un grupo de profesores que, desde distintos campos del mundo jurídico, trabajamos en torno a cuestiones relativas a los derechos fundamentales, hemos compartido, junto a otros profesionales y especialistas, nuestra inquietud por los cambios que en este ámbito está produciendo el cambio de paradigma en torno a la seguridad. La inestabilidad securitaria (debida fundamentalmente, pero no solo, al fenómeno terrorista global), que se ha instalado en la conciencia de las sociedades democráticas así como en las medidas de los poderes públicos para revertirla, están afectando de modo notable al ejercicio de los derechos y libertades de los ciudadanos.

Nuestras conversaciones y estudios sobre aspectos particulares de este problema nos conducían, sin embargo, a aproximaciones poco convincentes y, en todo caso, limitadas. Esto era —es, todavía— debido a que una parte esencial del contenido del conflicto (en realidad su origen, todo lo relativo a las amenazas que dan lugar a la inseguridad) no puede explicarse por los juristas, sino por especialistas en materias de muy distinta naturaleza (militares, de inteligencia, demógrafos, economistas…).

De otro parte, la posición central que ocupa el principio de eficacia y efectividad de las acciones de quienes trabajan para proteger al Estado y a las personas de las amenazas globales, coloca al mundo del Derecho —y al mundo de los derechos fundamentales— en un lugar accesorio y colateral, bien como instrumento formal con el que dar vida a las medidas defensoras de la seguridad, bien como incómodos obstáculos para que dichas medidas puedan desplegar toda su eficacia protectora.

Desde la perspectiva del Estado de Derecho, esta desconexión, y el consecuente desequilibrio, no resultan satisfactorios. Nos pareció, entonces, que sería recomendable incorporar de forma integrada en los análisis al efecto los tres elementos fundamentales que deben tenerse en cuenta, cada uno en su momento del recorrido securitario. A saber, las amenazas a la seguridad y los riesgos (probabilidades) que estas presentan en un momento y lugar determinado; las respuestas que implementan los Estados para hacer frente a aquellas; y el impacto que estas respuestas producen en la realidad de los derechos constitucionales, esencia misma de los Estados de Derecho.

En el fondo de todo ello se encuentra una pregunta que interpela al contenido democrático de nuestras sociedades: ¿estamos dispuestos —hasta dónde y por qué— a sufrir una reducción importante en nuestros derechos para enfrentar los riesgos y amenazas que se han hecho presentes entre nosotros en los últimos años? Esta pregunta no es retórica, es decir, no prejuzga la respuesta sino que trata de introducir o propiciar el momento de la "voluntad" ciudadana, es decir, el momento informado en que, siquiera por medio de representantes, se adoptan las decisiones que se convierten en norma o en política pública.

Las transformaciones globales que se están produciendo en los últimos años —las denominadas "revoluciones" tecnológica, demográfica y conservadora— cuestionan en profundidad el Estado constitucional, y en su marco, el elemento de la seguridad es un invitado esencial que afecta tanto al poder como a los derechos y libertades, ambos componentes básicos de ese mismo Estado.

Los trabajos que componen este libro tratan, primero desde una propuesta metodológica que aborde aquella pregunta, después desde el análisis de aspectos muy concretos de la gestión de la seguridad y los derechos, de proponer una mirada que ponga en común y equilibre los elementos securitarios con los propiamente jurídicos. Así, el libro se estructura en varias áreas temáticas, integradas por diversos capítulos. No están todas, pero el lector si encontrará las más significativas, como las relativas a los conflictos internacionales, política criminal de la seguridad (con materias estrechamente vinculada a la criminalidad organizada transnacional), espionaje y desinformación y terrorismo.

En este volumen se encuentran algunas de las reflexiones que, a lo largo de los tres últimos años, hemos venido trabajando en el marco del Proyecto "Seguridad Global y Derechos Fundamentales", DER2015-65288-R

(MINECO/FEDER). Lamentablemente, debido a razones de salud o a nuevos destinos públicos de máxima exigencia, no todos los integrantes del Equipo de Investigación o del Equipo de Trabajo han podido atender este último requerimiento para escribir en este libro. Sus aportaciones hubieran contribuido a una visión más amplia y completa de los problemas planteados. Sin embargo, su participación y apoyo durante este periodo ha sido fundamental para forjar un mejor conocimiento de las materias abordadas. En todo caso, pensamos que la obra ofrece suficientes enfoques e ideas para continuar el imprescindible debate en torno a la seguridad y a los derechos fundamentales. Tarea que nos concierne a todos, desde nuestras diversas especialidades, y que por nuestra parte deseamos continuar en los próximos años.

Nos ha correspondido el honor, en calidad de Investigadores Principales, de dirigir el Proyecto, los seminarios y otras publicaciones directamente conectadas al mismo. Por ello queremos agradecer a todos los integrantes, académicos, militares, analistas y periodistas su desinteresado esfuerzo, compromiso y dedicación. Y de forma muy especial a nuestras queridas compañeras de la Facultad de Derecho de la Universidad de Valencia, Rosario Serra y Elena Górriz, que han desarrollado un trabajo excepcional y sin el cual, ni el Proyecto ni el volumen que ahora presentamos, hubiera sido posible.

Nuestra finalidad al iniciar este estudio fue contribuir a una perspectiva de la seguridad que considerara como uno de sus objetivos esenciales la protección de nuestros derechos y libertades. Estamos confiados que el volumen que el elector tiene ante si sirva a este propósito, y cuanto menos que siga alimentando el debate.

Valencia, noviembre de 2018

PRIMERA PARTE

METODOLOGÍA

Capítulo I

SEGURIDAD GLOBAL Y DERECHOS FUNDAMENTALES. UNA PROPUESTA METODOLÓGICA*

JOSÉ L. GONZÁLEZ CUSSAC
Catedrático Derecho Penal
Facultad de Derecho. Universidad de Valencia
FERNANDO FLORES GIMÉNEZ
Profesor Titular Derecho Constitucional
Facultad de Derecho. Universidad de Valencia

1. APROXIMACIÓN CONCEPTUAL

1.1. *Reformulación del concepto de seguridad integral*

A finales de los años treinta del siglo pasado, Stefan Zweig describía cómo la época anterior a la Primera Guerra Mundial, en la que "todo parecía asentarse sobre el fundamento de la duración, y el propio Estado parecía la garantía suprema de la estabilidad", esa "edad de oro de la seguridad", se había derrumbado como un castillo de naipes[1].

Cien años después, ya instalados en el siglo XXI, asistimos de nuevo a la descomposición del contexto de seguridad europeo que poco a poco y con

---

*   Este texto es una versión ampliada del publicado bajo el título "*Una metodología para el análisis de las amenazas a la seguridad, la evaluación de las respuestas y su impacto sobre los derechos fundamentales*", Cuadernos de Estrategia 188, "Seguridad Global y derechos fundamentales", Madrid (IEEE. Ministerio de Defensa), 2017, pp. 15 a 63, ambos realizados en calidad de Investigadores Principales del Proyecto "Seguridad Global y Derechos Fundamentales", DER2015-65288-R (MINECO/FEDER).

[1] ZWEIG, Stefan, *El mundo de ayer. Memorias de un europeo*, Barcelona, Acantilado, 2001, p. 17.

muchas dificultades se fue construyendo tras la segunda gran contienda y la desconfianza de la Guerra Fría. Desde hace unos años, tras una época de cierta estabilidad y solidez social, política y económica, Europa redescubre la incomodidad del desequilibrio y la incertidumbre, integra en su vocabulario los conceptos de "modernidad líquida"[2] y "sociedad del riesgo[3], y trata de gestionar confusamente su miedo a la inseguridad. Y tal vez estas reflexiones son extrapolables a gran parte del mundo.

El protagonismo de esa inseguridad se muestra precisamente en la progresiva centralidad que está adquiriendo "la seguridad" y el interés por todo lo relacionado con ella. En prácticamente todos los ámbitos. Sin duda en el campo institucional, en el que tanto los Estados como las organizaciones supranacionales, notoriamente (aún con dificultades) la Unión Europea, vienen adoptando documentos, decisiones políticas y normativas de enorme impacto social y económico. Correlativamente, se está desarrollando una importante labor por parte de organizaciones académicas y centros de pensamiento (*think tanks*), que celebran incontables seminarios y elaboran numerosos estudios, análisis y propuestas en relación con los riesgos y amenazas, locales y globales. Y qué decir de los medios de comunicación. No hay información sobre cumbres diplomáticas, reuniones políticas, eventos deportivos o culturales, e incluso fiestas populares, en la que falte la sección que relate al detalle las medidas de seguridad establecidas para protegerlas. Como se verá más adelante, este sistema de intereses por la protección y la certidumbre de nuestras sociedades se realimenta y crece hasta provocar, no es exagerado afirmarlo, una adicción a la seguridad (si no una utilización interesada de la misma) que puede llegar a favorecer un desequilibrio respecto de otros bienes colectivos o intereses generales dignos de atención. Es en esa dirección hacia donde apunta nuestro escritor vienés cuando, en *Fouché*, argumenta que "nada rebaja tanto al hombre, y particularmente a la masa, como el miedo a lo invisible".

La preocupación por la seguridad no está, desde luego, injustificada. La nueva realidad del terrorismo (hasta hace unos años periférico, hoy

---

2   BAUMAN, Zygmunt, *Modernidad líquida*, México, Fondo de Cultura Económica, 2003.
3   BECK, Ulrich, *La sociedad del riesgo. Hacia una nueva modernidad*, Barcelona, Paidós, 2006.

desplazado hacia el centro de la civilización occidental), de los conflictos armados, del espionaje, del crimen organizado…, así como los nuevos métodos de acción (fundamentalmente tecnológicos y a través del ciberespacio) y sus consecuencias (inestabilidad financiera, cambio climático, escasez energética, flujos migratorios masivos), obliga a los Estados a reinventar los medios con los que combatir esas amenazas y cumplir así la función de protección ciudadana y del sistema constitucional que se espera de ellos. Es evidente que no resulta una tarea fácil.

En la actualidad, los Estados son conscientes de que el poder y la fuerza por sí mismos no se traducen en seguridad, por lo que su aproximación a ésta se realiza, o trata de realizarse, a través de una perspectiva integral y multifuncional. Esta perspectiva se refiere, de una parte, a la necesidad de llevar a cabo acciones conjuntas y coordinadas por parte de los Estados, para hacer frente con eficacia a los riesgos y amenazas globales más relevantes. De otra, suscribe un enfoque de la seguridad en el que se conjugan muchos elementos de diferente naturaleza; en el que, por ejemplo, la diplomacia, la inteligencia y la ayuda humanitaria comparten protagonismo con el enfoque puramente militar y policial. Se trata de un planteamiento comprensivo de la seguridad, que reconoce tanto una permeabilidad fronteriza entre las distintas áreas tradiciones de la seguridad (exterior-interior), como un equilibrio entre sus dimensiones políticas, económicas, social-culturales y ambientales[4].

Naciones Unidas es un ejemplo de este planteamiento multidisciplinar. Así, sus "misiones integradas" están lejos de abordar exclusivamente la vertiente militar de los conflictos, atendiendo igualmente a los desafíos de carácter humanitario, político (construcción y/o consolidación de sistemas

---

[4]   En este punto, véase BALLESTEROS, Miguel Ángel: *"En busca de una Estrategia de Seguridad Nacional"*, Madrid, IEEE-Ministerio de Defensa, 2016, pp. 103 y ss. También, una descripción clara y matizada de las distintas perspectivas de la seguridad la encontramos en LABORIE, Mario, *"La evolución del concepto de seguridad"*, *Documento marco del IEEE*, núm. 05/2011, p. 3. En él se señala cómo la "seguridad integral", al menos en sus orígenes, mantiene al Estado como objeto central de la seguridad, mientras que otras aproximaciones, como la "seguridad humana", opta por priorizar en su atención a la persona y sus derechos humanos, llegando a considerar al Estado como un elemento generador de inseguridad. Se trata, en cualquier caso, de visiones que han sufrido una evolución significativa en los últimos años.

democráticos) y económico[5]. También la Alianza Atlántica, que desde la Cumbre de Lisboa (2010) adopta sin ambages en enfoque integral para la reforma y gestión de la seguridad, es decir, asumiendo que cualquier solución estable a los conflictos sólo puede obtenerse si se conciertan las acciones y efectos de los ámbitos diplomático, militar, económico, político y civil. Y la Unión Europea, la cual, más allá de las dificultades prácticas para desarrollar una política exterior y de seguridad común[6], afirma en su Estrategia Global de Política Exterior y de Seguridad (2016) la necesidad de consolidarse como comunidad de seguridad en el "marco de un enfoque integrado en relación con los conflictos y las crisis"[7].

En España, esa visión integral se incorpora expresamente a la Estrategia de Seguridad Nacional (ESN, 2013). Desde esa perspectiva, afirma la ESN: "*la Seguridad Nacional es la acción del Estado dirigida a proteger la libertad y el bienestar de sus ciudadanos, a garantizar la defensa de España y sus principios y valores constitucionales, así como a contribuir junto a nuestros socios y aliados a la seguridad internacional en el cumplimiento de los compromisos asumidos*"[8]. En este punto la ESN plantea el enfoque integral de la seguridad desde la perspectiva de sus objetivos (proteger la libertad de los ciudadanos, defenderlos, salvaguardar los valores constitucionales, etc.)

---

[5] Puede verse al respecto CEBADA ROMERO, Alicia, "*Las misiones integradas de Naciones Unidas: un intento de organizar una comunicación eficaz entre los actores de construcción de la paz*", en VVAA.: *Los nuevos paradigmas de la seguridad*, CITpax-Ministerio de Defensa, Madrid, 2009, pp. 23 y ss.

[6] En la que Alemania y Francia está en condiciones de controlar los procesos de planeamiento estratégicos, industriales y militares colectivos; ARTEAGA, Félix: "*La defensa europea: hagan juego*", Comentario Elcano 36/2017, RIE, 27 de julio de 2017. http://www.realinstitutoelcano.org/wps/portal/rielcano_es/contenido?WCM_GLO-BAL_CONTEXT=/elcano/elcano_es/zonas_es/comentario-arteaga-defensa-euro-pea-hagan-juego

[7] En este punto es recomendable la lectura de COLOM PIELLA, Guillem, "*El enfoque integral aplicado a la Alianza Atlántica y la Unión Europea*", en VVAA.: "*Los nuevos paradigmas de la seguridad*", op. cit., pp. 39 y ss.

[8] *Estrategia de Seguridad Nacional. Un proyecto compartido*, Presidencia del Gobierno, 2013, p. 7. http://www.dsn.gob.es/estrategias-publicaciones/estrategias/estrategia-seguridad-na-cional. Véase, en este ámbito, BALLESTEROS, Miguel Ángel: "*En busca de una Estrategia de Seguridad Nacional*", op. cit.

pero, como se ha visto en lo referido más atrás, y se deduce de la propia letra de la Estrategia, esa visión incluyente debe hacer especialmente hincapié en el objeto de su atención (un objeto plural y multidisciplinar) y en el modo en el que se aborda el análisis, coordinación y disposición interna de sus elementos. Con la finalidad, es claro, de conseguir los objetivos a los que se refiere la ESN. En último término, como subraya ésta, el concepto de seguridad válido para el siglo XXI debe ser amplio y dinámico, dirigido a cubrir todos los ámbitos concernientes a la seguridad del Estado y de sus ciudadanos, que son variables según las rápidas evoluciones del entorno estratégico y abarcan desde la defensa del territorio a la estabilidad económica y financiera o la protección de las infraestructuras críticas.

A pesar de lo hasta aquí referido, o precisamente a causa de ello, llama la atención que, en este concepto integral de seguridad, "amplio y dinámico", no se haya incorporado hasta ahora de forma expresa una mirada sobre los riesgos que la propia dinámica de la seguridad puede suponer para la protección del orden constitucional y el Estado de Derecho. Es decir, se echa en falta esta idea: si es verdad que sin un Estado de Derecho fuerte no existe seguridad, pero el Estado, en su legítima y debida acción para preservar la seguridad de los ciudadanos frente a las riesgos locales y globales, puede erosionar los fundamentos del propio orden constitucional y convertirse en una amenaza para la propia seguridad que pretende garantizar, entonces, una visión integral de la seguridad debe tener muy presente el impacto que las respuestas estatales a las amenazas pueden producir sobre ese orden constitucional. En pocas palabras, en una visión integral de la seguridad no debe perderse de vista que la seguridad, ella misma, puede convertirse en una amenaza, y que sin Estado de Derecho y garantía efectiva de los derechos fundamentales no existe "seguridad integral".

1.2. ¿Se puede dar una respuesta integral a la seguridad?

Resulta obvio que los fenómenos que hoy se consideran oficialmente riesgos y amenazas tienen un impacto lesivo directo sobre los derechos y las libertades de los individuos, además del que comportan para la seguridad. Este "primer nivel de impacto" ha recibido desde hace tiempo y recibe hoy una atención puntual y omnicomprensiva, por lo que su estudio se encuentra muy desarrollado, tanto en la esfera académica como en la jurisprudencial. Además, es precisamente esa circunstancia (la afectación de los derechos y libertades por fenómenos como el terrorismo o el crimen organizado) la que sirve de justificación para llevar adelante las políticas públicas de defensa y seguridad, a la vez que se utiliza para fundamentar importantes modificaciones legislativas, especialmente en el área del derecho penal material y procesal. Sin embargo, junto a esta perspectiva sin duda esencial, que atiende al impacto inmediato, también ha de analizarse el efecto que las respuestas políticas y sobre todo normativas tienen justamente sobre el sistema de derechos y libertades[9]. Veamos por qué.

Si, como se ha señalado en el epígrafe anterior, existen visiones y estrategias integrales de seguridad es porque se aspira a dar una respuesta completa a los factores que la amenazan. Pero ¿es esto posible, se trata de una aspiración realista? ¿Qué fenómenos amenazadores deben ser tenidos en cuenta, cómo deben ser evaluados y gestionados, qué tipo de respuestas merecen, para considerar que efectivamente se está proporcionando una réplica global adecuada?

Como hemos visto, esa atención a los distintos ámbitos de la seguridad es hoy mucho más amplia que tiempo atrás, por lo que las políticas públicas y las reformas legislativas consecuentes muestran un calado (podríamos decir altamente "intromisivo"), hasta ahora desconocido.

Más allá de la complejidad que, como se abordará más adelante, añade la necesidad de tener en cuenta las distintas "áreas de seguridad"[10], lo que resulta evidente es que en la actualidad no se considera como elemento que forma parte de la protección de la seguridad de las personas —no se considera parte de su seguridad— la garantía de sus derechos fundamentales, cuando esta garantía se ve forzada por alguna de las respuestas (normativas o políticas públicas) que las instituciones, en el ejercicio de sus competencias, adoptan para contrarrestar los riesgos que, como el terrorismo o el crimen organizado, amenazan la seguridad. Las estrategias incorporan la descripción de las amenazas y la disposición de las respuestas, de las accio-

---

[9]   En sentido similar, recientemente, MORALES PRATS, F.: "*La utopía garantista del derecho penal en la nueva Edad Media*", Barcelona, Reial Academia de Doctors, 2015.
[10]   Véase infra apartado 3.

nes, que deben neutralizarlas, pero omiten cualquier interés sobre cómo éstas impactan sobre los derechos de los ciudadanos.

En España, la *Estrategia de Seguridad Nacional*, marco de referencia global y omnicomprensivo en materia de seguridad que integra la respuesta estatal a los riesgos y amenazas, identifica como tales al terrorismo, las ciberamenazas[11], el crimen organizado, la inestabilidad económica y financiera, la vulnerabilidad energética, los flujos migratorios irregulares, la proliferación de armas de destrucción masiva, el espionaje, las emergencias y catástrofes naturales, la vulnerabilidad del espacio marítimo[12], y la vulnerabilidad de las infraestructuras críticas y los servicios esenciales. Después, para cada riesgo y amenaza, la ESN define un objetivo y traza unas líneas de acción estratégica, de prevención, precaución, responsabilidad y anticipación. Este enfoque, en principio correcto, adolece sin embargo de una falta de referencia al respeto a los derechos fundamentales[13], es decir, a la consideración "jurídica" según la cual las líneas de acción estratégica para proteger la seguridad deben enmarcarse rigurosamente en el marco del Estado de Derecho y la legalidad internacional.

Esta carencia (compartida por la mayoría de estrategias nacionales europeas) parece superada tímidamente por la reciente *Estrategia Global de Política Exterior y de Seguridad de la UE*, que en su primer capítulo menciona la necesaria promoción de "los derechos humanos, las libertades fundamentales y el Estado de Derecho dentro de la Unión, siempre desde el respeto a la legislación nacional, europea e internacional en todos los ámbitos"[14]. Quizás parezca una referencia menor, pero la verdad es que no

---

[11]   Ya desarrollada en la Estrategia de Ciberseguridad Nacional, 2013.
       file:///Users/fernando/Downloads/estrategia%20de%20ciberseguridad%20nacio-
       nal%20(1).pdf
[12]   Desarrollada en la Estrategia de Seguridad Marítima Nacional, 2013.
       https://www.google.es/search?q=Estrategia+de+Seguridad+Mar%C3%ADtima+Na
       cional%2C+2013&oq=Estrategia+de+Seguridad+Mar%C3%ADtima+Nacional%2
       C+2013&aqs=chrome.69i57j0.2702j0j4&sourceid=chrome&ie=UTF-8
[13]   La ESN no hace referencia (como sí hacía la Estrategia Española de Seguridad, 2011)
       ni a la Carta de Naciones Unidas, ni a los principios de actuación internacional que
       tienen que ver con los derechos, como la legitimidad y legalidad internacional.
[14]   En la Estrategia Global de la UE —nos recuerda Alicia CEBADA ROMERO en
       "*Las respuestas de la comunidad internacional a los conflictos internacionales contempo-*

lo es. Debe tenerse muy presente que la referencia a la protección de los derechos fundamentales (bien como objetivo de la actuación del Estado en la defensa de la seguridad, bien como elemento susceptible de ser vulnerado por esa misma actuación) no comporta exclusivamente una valoración ética, que puede ser confrontada en su tensión con las necesidades de seguridad por medio de argumentos de la misma naturaleza, sino que incorpora también la perspectiva jurídico-constitucional, sometida a reglas propias y vinculantes, reglas sin duda más precisas y alejadas de la variable (y más "insegura") dicotomía política mayorías-minorías. En un contexto en el que, por ejemplo, una parte (cierto que todavía muy minoritaria) de la ciudadanía defiende la incompatibilidad entre la identidad musulmana y la ciudadanía democrática[15], mientras que otra (también poco numerosa pero creciente) propugna la limitación de la democracia para salvar el liberalismo[16], el pilar que para el Estado constitucional supone la garantía de las libertades fundamentales ha de ser tenido muy en cuenta.

Lo cierto es que, en la actualidad, los Estados, individualmente o en el marco de organizaciones regionales, están implementando nuevas respuestas para detectar, controlar o subvertir las nuevas amenazas contra la seguridad, nuevas respuestas que provocan impactos hasta ahora desconocidos y poco valorados en el ámbito de los derechos fundamentales. De

---

ráneos: el caso de Siria", en *Cuadernos de Estrategia 188*, "Seguridad Global y derechos fundamentales", Madrid, IEEE, Ministerio de Defensa, 2017, p. 247—, "*se declara expresamente que el compromiso con la gobernanza global debe traducirse en una decisión de reformar las Naciones Unidas, incluyendo el Consejo de Seguridad. Y hace un llamamiento a los miembros del Consejo a no bloquear acciones dirigidas a prevenir o poner fin a atrocidades*".

[15]   REINARES, Fernando: "*Yihadismo en Europa: matar para dividirnos*", *Comentario Elcano*, 33/2017, 5 de julio de 2017.
http://www.realinstitutoelcano.org/wps/portal/rielcano_es/contenido?WCM_GLO-BAL_CONTEXT=/elcano/elcano_es/zonas_es/comentario-reinares-yihadismo-europa-matar-dividirnos

[16]   BERMAN, Shery: "*Some argue that the West should limit democracy to save liberalism. Here's why they're wrong*", *The Washington Post*, 18 julio, 2017. https://www.washingtonpost.com/news/monkey-cage/wp/2017/07/18/some-argue-that-the-west-should-limit-democracy-to-save-liberalism-heres-why-theyre-wrong/?utm_term=.1ba2054abdeb; también ISAAC, Jeffrey C.: "*Is there iliberal democracy?*", *Eurozine*, 9 de agosto, de 2017. http://www.eurozine.com/is-there-illiberal-democracy/

esta suerte nos enfrentamos a una paradoja: para proteger a los ciudadanos de las amenazas que ponen en peligro sus derechos, los Estados recurren a políticas y leyes que a su vez recortan estos mismos derechos y, en consecuencia, provocan la erosión del Estado democrático de Derecho. Es decir, estamos ante una reacción que, si es desproporcionada, puede suponer una apuesta, consciente o inconsciente, por la liquidación del propio modelo que se trata de defender. Así, podría producirse el sinsentido de que la demolición del Estado de Derecho no procediera tanto de los factores externos que trata de neutralizar, sino más bien de la desmedida reacción interna ante las amenazas a la seguridad[17].

De modo que, como primera respuesta a la pregunta que titula este epígrafe, debe afirmarse que la singularidad fundamental sobre la seguridad que aporta la perspectiva jurídica (que dicha seguridad cumpla rigurosamente con los parámetros fundamentales del ordenamiento constitucional y la legalidad internacional, en concreto con la garantía de los derechos y libertades de las personas) no puede quedar fuera de una visión integral de la misma. Sin esta perspectiva, la seguridad no es integral. En consecuencia, una visión integral de la seguridad exige analizar, también, el efecto que las respuestas políticas y sobre todo normativas tienen sobre el sistema de derechos y libertades.

Pero debe añadirse una segunda respuesta a la cuestión planteada. Una visión integral de la seguridad no solo requiere incorporar todos los elementos que puedan determinarla. También exige un modo específico de pesarlos, de relacionarlos, de ponderarlos. Exige un método de análisis que sea integrador en su sentido más completo: que comprenda, que sume y que relacione (hasta donde esto sea posible) todos los componentes de la seguridad.

---

[17]   En este sentido, Federico AZNAR FERNÁNDEZ-MONTESINOS afirma en "Terrorismo y contraterrorismo", *Cuaderno de Estrategia 188, op. cit.*, p. 81: "*El terrorismo ... pretende instrumentar la respuesta del Estado en su propio beneficio, exhibir con ella sus contradicciones ... no puede destruir a las sociedades, es cierto, pero si puede, 'bien gestionado', cambiar un gobierno y subvertir el orden constitucional de un país, sus estructuras y alterar, aunque sea temporalmente, los valores que regulan su vida*".

2. LA NECESIDAD DE UN MÉTODO

La seguridad es poliédrica. Tomársela en serio supone no perder de vista ninguna de sus piezas, ni dejarlas sueltas. Se trata de un desafío extraordinario, porque estos ingredientes son muy diferentes en su naturaleza y en la realidad en que se desenvuelven, porque adquieren protagonismo en distintos momentos del proceso securitario concreto, y porque las circunstancias en las que aparecen son cambiantes y muchas veces imprevisibles.

Una metodología para el análisis de las amenazas y la evaluación e impacto de las respuestas que el Estado prevé para hacerles frente, debe tener unas características determinadas. Si carece de un acercamiento realista a los peligros, si desconoce qué factores los alimentan, si no lleva a cabo una estimación rigurosa de la eficacia de los remedios, si no relaciona cuidadosamente los riesgos con su contexto temporal y espacial, con las respuestas aplicadas, con las lecciones aprendidas respecto a su eficacia y eficiencia, con el ordenamiento constitucional e internacional vigente... Si el acercamiento a la seguridad, a esa visión omnicomprensiva y eficaz de la protección del Estado y las personas que viven en él, carece de estos rasgos, acaba sufriendo considerablemente en su enfoque. Y un análisis deficiente provocará decisiones inadecuadas, probablemente efectos estériles sobre la protección de los individuos, y no pocas veces un impacto desproporcionado sobre sus derechos.

Ciertamente, debe aceptarse como premisa que, al menos en el campo de las ciencias sociales, no puede alcanzarse un nivel de certeza absoluto por lo que, consecuentemente, no se puede aspirar, al menos en el plano cientítfico, a la verdad[18]. Menos aun cuando discurrimos (y así sucede con la seguridad) en un tiempo *ex ante*, es decir, en el de la predicción y por consiguiente en el de la anticipación. Nadie puede asegurar que conoce con exactitud el futuro, la evolución de un fenómeno social[19]. Todo lo más

---

[18]   Esta discusión debe insertarse en una mucho más amplia como es el entendimiento de la ciencia como verdad. Entre otros, VIVES ANTÓN, Tomás: *"Fundamentos del sistema penal"*, Valencia (Tirant), 2ª ed. 2011, especialmente p. 931 y ss.; RAMOS VÁZQUEZ: *"Ciencia, libertad y derecho penal"*, Valencia, 2013, pp. 181 y ss.

[19]   ANTÓN MELLÓN/MIRAVILLAS/SERRA DEL PINO: *"Inteligencia"* (coordinador González Cussac, J.L.), Valencia, 2012, pp. 387 y ss.

podemos aspirar a formar consensos estables, esto es a seguir el camino trazado por HABERMAS de una racionalidad procedimental de tipo ético, suficientemente conocida y desarrollada desde hace años[20]. A todo ello hay que añadir que incluso en tiempo presente, la concreción de alguna amenaza resulta imprevisible y de difícil acceso[21].

Sin embargo, a pesar de estos límites inherentes a la ciencia social, hemos de coincidir con INNERARITY en que "nuestras principales discusiones futuras van a girar en torno a esta cuestión de cómo valoramos los riesgos y qué conductas recomendamos en consecuencia"[22]. Siendo esto así, y asumiendo las limitaciones de las ciencias sociales, lo que se requiere como punto de partida es un acercamiento prudente y riguroso, tanto a las amenazas como a las propuestas de conductas que deben adoptarse frente a ellas.

A continuación se argumenta brevemente la justificación de la metodología propuesta, mientras que en los apartados siguientes se desarrollará, también en síntesis, su aplicación concreta.

2.1. Riesgos y amenazas

Desde el punto de vista metodológico, el primero de los aspectos relativos a la seguridad que debe abordarse es el de la consideración de los riesgos y amenazas. ¿Nos referimos a lo mismo cuando hablamos de unos y otros? ¿Existe acuerdo general en torno a qué fenómenos deben ser considerados riesgos y amenazas para la seguridad? Lo cierto es que la respuesta debe ser negativa en ambos casos.

La EES (2011) definió la amenaza como "toda circunstancia o agente que ponga en peligro la seguridad o estabilidad de España", y el riesgo como "la contingencia o probabilidad de que una amenaza se materialice

---

[20]   HABERMAS, Jürgen.: *"La lógica de las ciencias sociales"*, Madrid, Tecnos, 1996,

[21]   ENZENSBERGER, Hans Magnus.: *"El perdedor radical. Ensayo sobre los hombres del terror"*. Barcelona (Anagrama), 2ª ed., 2015, pp. 10-14.

[22]   INNERARITY, Daniel, SOLANA, Javier (eds.), *"La humanidad amenazada: gobernar los riesgos globales"* (del Prefacio de Innerarity), Paidós, Barcelona, 2011, pp. 12-13.

produciendo un daño". Es decir, los trata como conceptos relacionados pero diferentes. Sin embargo, en la ESN (2013) ambos términos se entremezclan y confunden hasta igualarlos. La creciente literatura sobre seguridad abunda en esta confusión conceptual, y esa confusión no siempre resulta inocua a la hora de medir las respuestas aplicables. Es por ello que, salvo que hablemos de forma general, en los análisis sobre los casos concretos resulta aconsejable distinguir cuando una amenaza supone un riesgo.

Tampoco existe absoluta coincidencia sobre las circunstancias o fenómenos que deben ser catalogados como amenazas. Las diferentes estrategias de seguridad nacionales, tanto en el ámbito europeo como en el anglosajón, difieren más o menos tímidamente en este punto, pues cada Estado tiene su propia visión sobre cuáles son sus principales desafíos en materia de seguridad (todos consideran el terrorismo como una amenaza, pero no perciben la misma intensidad de peligro ante el "riesgo nuclear"[23], el cambio climático o la "avalancha migratoria")[24]. De hecho, para algunos autores, la propia consideración de algunos fenómenos como amenazas contra la seguridad (así los flujos migratorios irregulares en la ESN) debería ser reconsiderada[25].

Por lo demás, ¿se puede saber en un momento determinado el alcance de las diferentes amenazas? Es decir, utilizando de forma rigurosa el término "riesgo": ¿se puede conocer la probabilidad de que una amenaza determinada se materialice en un momento preciso produciendo un daño concreto? La consideración de esa probabilidad, ¿cómo se percibe, cómo se intuye, con arreglo a qué criterios se anticipa?

---

[23] Sí es considerado por Francia en su Libro Blanco de la Defensa y Seguridad Nacional de Francia (abril de 2013), pero no así por España o EEUU. LABORIE, Mario: "*Las estrategias de seguridad nacional de Francia y España: un análisis comparado*", *Documento de análisis*, IEEE, 42/2013, 12 de julio de 2013.
http://www.ieee.es/Galerias/fichero/docs_analisis/2013/DIEEEA42-2013_LibroBlancoFrancia2013_MLI.pdf

[24] Al respecto véase SERRA CRISTÓBAL, Rosario y GÓRRIZ ROYO, Elena, "*Contraterrorismo: plasmación legislativa reciente e impacto en las libertades y derechos fundamentales*", en *Cuaderno de Estrategia 188, op. cit.*, p. 124 y nota 5.

[25] FLORES GIMÉNEZ, Fernando: "*La inmigración no debe ser un tema de seguridad*", *Al Revés y al Derecho*, 3 de marzo de 2014. http://blogs.infolibre.es/alrevesyalderecho/?p=2671

Sin duda los Estados poseen información y experiencia suficientes para justificar, al menos en parte, esas percepciones, así como para la adopción de medidas que las anticipen adecuadamente. No obstante, da la impresión de que en relación con algunos fenómenos (el terrorismo especialmente, pero no solo, piénsese en el espionaje a gran escala), la imagen de la percepción que se ofrece (o que se favorece) aparece en ocasiones desenfocada. Podría sospecharse que, incluso, interesadamente desenfocada. Quizás es ese el sentido con el que BECK nos advierte de que "es bien notoria la ley de que las *percepciones globales del riesgo* abren espacio a nuevas oportunidades transnacionales de poder"[26].

Una forma de enfocar con mayor nitidez el grado de riesgo que supone una amenaza en un momento determinado puede consistir, sin duda, en elaborar una serie de indicadores y medidores (estadísticas, estimaciones, cifras…) que ayuden a configurarla de forma más precisa. Pero también, entre otras circunstancias, en determinar quiénes pueden ser los actores que la provocan; en identificar los vectores que la potencian; en destacar los bienes o intereses estratégicos a los que la amenaza afecta, así como su importancia; en prever los costos de los perjuicios que su realización puede ocasionar… Particularidades que, a la vista de las eventuales consecuencias que las respuestas provocan, orienten al Estado de la mejor manera frente a los peligros que acechan su seguridad.

2.2. Las respuestas del Estado

El segundo de los momentos del proceso securitario —del método de análisis que se propone en este estudio— hace referencia a las respuestas del Estado frente a las amenazas, respuestas que se adoptan precisamente para impedir que esos peligros se lleven a efecto o para reaccionar a su consecución. Dos son al menos los aspectos que deben tenerse en mente cuando se examinan estas respuestas, su naturaleza y su eficacia.

La naturaleza de las respuestas nos conduce a distinguir las que toman la forma de políticas públicas de seguridad de las que se traducen en normas o criterios interpretativos justificados en esa misma seguridad.

---

[26] BECK, Ulrich: *"Poder y contrapoder en la era global"*, Barcelona, Paidós, 2004, p. 37.

2.2.1. Las políticas públicas

Las políticas públicas están formadas por el conjunto de acciones, fundamentalmente de los gobiernos, dirigidas a hacer frente a los problemas específicos que afectan a la seguridad, bien de las instituciones, bien de la sociedad. Dichas acciones deben estar respaldadas por un proceso previo de diagnóstico y viabilidad y sus objetivos son de interés público.

Por política pública de seguridad nacional podemos entender el tipo de necesidad colectiva que se busca satisfacer; el modo en que esta se realiza y desarrolla; y el resultado obtenido. De esta forma se facilita una evaluación de los resultados y se accede al conocimiento de los errores o desviaciones que permitirán emprender las modificaciones oportunas para mejorarlos. Es así como podemos aproximarnos al proceso de formalización, aplicación y valoración de una política pública de seguridad[27].

En primer lugar, una política pública de seguridad integral es un conjunto interrelacionado de decisiones adoptadas formalmente por instituciones públicas en relación a un conflicto social que supone una amenaza. En esta fase es crucial examinar la información manejada por las autoridades durante el proceso de decisión.

En segundo término, un enfoque de política pública de seguridad nacional resulta indispensable en la fase de evaluación. Esta etapa permite detectar los errores y así mejorar el proceso de toma de decisiones, tanto en lo referente a la asignación de recursos, como a la rendición de cuentas, a la eficacia de la organización pública competente y a la valoración del grado de cumplimiento de los programas desarrollados.

Es común medir las políticas públicas conforme a una serie de condiciones generales para que puedan tener éxito: coordinación y coherencia entre los sectores competentes; la capacidad de adaptación al contexto en el que se aplican y a los cambios; la estabilidad de las mismas, esto es, su duración y permanencia en el tiempo; la eficiencia[28].

---

[27]   LAHERA PARADA, E.: *"Introducción a las Políticas Públicas"*, Santiago de Chile, Fondo de Cultura Económica, 2002, p. 17.

[28]   SANCHO HIRANE, Carolina.: *"Democracia, política pública de inteligencia y desafíos actuales"*, Inteligencia y Seguridad: Revista de análisis y prospectiva, núm. 11, 2012, pp. 72-73.

2.2.2. Las normas jurídicas

En cuanto a las normas jurídicas, son manifestaciones de la actividad del Estado o de los entes supranacionales que se aprueban por medio de procedimientos conocidos, adoptan una forma determinada (normativa) y, por lo general, tienen un carácter vinculante. Así pues, acudimos a un criterio formal conforme al cual incluimos en esta categoría a todas las objetivizaciones de la actividad jurídica del Estado, o de un ente supranacional, que manifiestan su voluntad y son adoptadas a través de un procedimiento formalizado. Es decir, nos referimos a todas las fuentes formales de producción de normas jurídicas. También se incluye aquí, y es especialmente relevante en los conflictos que afectan a la materia securitaria, los criterios jurisprudenciales que aplican las citadas normas, singularmente los procedentes de tribunales constitucionales.

En el ámbito de la seguridad, las respuestas jurídicas conforman el "discurso normativo" que en nuestras sociedades democráticas articula el consenso social en este campo. Dicho esto, es importante no olvidar que las respuestas normativas que se establecen para luchar contra los peligros contra la seguridad se enmarcan en ordenamientos jurídicos ya existentes, ordenamientos que configuran Estados de Derecho constitucionales, donde el principio de legalidad, la limitación de poderes y la garantía de los derechos y libertades fundamentales son pilares básicos. Es por eso que resulta inquietante la inclinación que, en términos generales, apunta a una sobreabundancia de tipos penales, sobre todo para hacer frente al terrorismo[29].

El segundo aspecto a tener en cuenta en el momento de analizar las respuestas de los Estados y entes supranacionales frente a las amenazas a la seguridad, si se aspira a una metodología que configure seriamente una idea de seguridad integral, se refiere a la medición de su eficacia y eficiencia. Se trata de un ámbito que debe estudiarse a caballo entre el segundo momento del proceso securitario (las respuestas o medidas adoptadas para conjurar los peligros) y el tercero (el impacto de esas medidas sobre el Es-

---

[29] En este sentido REVENGA SÁNCHEZ, Miguel: "*Terrorismo y derecho bajo la estela del 11 de septiembre*", Valencia, Tirant lo Blanch, 2014, p. 18.

tado de Derecho y las libertades de las personas) pues, como se verá más adelante[30], se implican de manera directa.

Uno de los argumentos que suele esgrimirse para cuestionar la pertinencia de ciertas respuestas dirigidas a proteger la seguridad del Estado y sus ciudadanos es la utilidad real de las mismas, es decir, la capacidad de lograr el objetivo de reducir el riesgo o terminar con la amenaza (eficacia), y de hacerlo utilizando correctamente los recursos para lograrlo (eficiencia). Se trata sin duda de un aspecto muy importante de la legitimación política y social de la acción pública. Esto es especialmente relevante por lo que respecta a la protección de los derechos y libertades individuales. Como se verá más adelante, esa relación de causalidad entre los medios y el fin perseguido, así como la proporcionalidad entre lo legítimamente pretendido y los recursos consumidos (por lo que aquí interesa esos "recursos" también serían las limitaciones al normal funcionamiento del Estado de Derecho y a los espacios de libertad de las personas), resultan especialmente relevantes a la hora de decidir sobre la legalidad de aquéllos.

Sea como fuere, en una metodología como la que aquí se pretende diseñar, es imprescindible la introducción de mecanismos de supervisión (medición) que acompañen la ejecución de las medidas, valorar su impacto y ajustar la mezcla de libertad y seguridad a las circunstancias cambiantes en un proceso dinámico distinto del actual[31].

2.3. *El impacto sobre el Estado de Derecho y las libertades fundamentales*

Para finalizar, el tercer paso metodológico del análisis propuesto consiste en el estudio del impacto que las políticas públicas y las normas con que el Estado da respuesta a las amenazas infligen al Estado de Derecho y las libertades y derechos fundamentales.

---

[30]   Véase infra apartado 4.

[31]   ARTEAGA, Félix: "*La lucha contra el terrorismo en Europa: no se trata sólo de libertad y seguridad, sino también de medios*", *ARI-Elcano*, 12/2016.
http://www.realinstitutoelcano.org/wps/portal/rielcano_es/contenido?WCM_GLO-BAL_CONTEXT=/elcano/elcano_es/zonas_es/comentario-arteaga-lucha-contra-terrorismo-europa-libertad-seguridad-medios

En materia de seguridad las prevenciones suelen implicar prohibiciones o limitaciones que impactan bien en el desarrollo digamos "normal" del Estado de Derecho (piénsese en el estado de excepción), bien en la autonomía de las personas que viven en él. Estos impedimentos, en sociedades democráticas, deben establecerse a su vez de forma restrictiva. No se trata sólo de un deseo bienintencionado, es reiterada jurisprudencia de los tribunales constitucionales e internacionales de nuestro entorno[32].

Ya se ha señalado que un enfoque integral de la seguridad que prescinda de los efectos intromisivos que la lucha contra las amenazas plantea al Estado de Derecho y a las libertades fundamentales, resulta un enfoque incompleto. Eso no significa, también se ha subrayado, que las medidas que se adopten para asegurar precisamente la protección de las instituciones y los ciudadanos no puedan afectar negativamente a los mismos. Lo importante a la hora de equilibrar esta ecuación libertad-seguridad, nada nueva en la organización social y el ejercicio del poder, lo debido en el contexto de los Estados de Derecho, es la búsqueda y determinación de procedimientos que, conociendo y teniendo muy en cuenta la realidad securitaria (lo cual requiere la implementación de los dos primeros pasos —fundamentalmente el segundo— de esta propuesta metodológica), eviten que el precio a pagar por "un mundo más seguro" sea la degeneración del sistema democrático.

De este modo, ese tercer paso deberá observar, en primer lugar, qué derechos y libertades pueden verse afectados por las medidas propuestas para contestar a los riesgos y amenazas. Como se verá en su momento, pocos son los espacios de libertad personal y colectiva que no sufren la huella de las respuestas implementadas por los Estados. Después, identificados los derechos afectados, deberá establecerse el nivel de intromisión de la medida "pro-seguridad" sobre el derecho o derechos implicados, estimando a continuación el impacto sobre el conjunto del ordenamiento constitucional. Por último, habrá que resolver el conflicto de intereses entre estos derechos y la necesidad de proteger la seguridad y garantizar otros dere-

---

[32] Por ejemplo, la STC 119/90 (FJ.5) afirma que *"las leyes deben ser interpretadas de manera que se maximalice, en lo posible, la eficacia de los derechos fundamentales en un criterio hermenéutico derivado del 'mayor valor' de aquéllos (STC 66/85 FJ.2) que ha sido aplicado reiteradamente por este Tribunal".*

chos, por lo que será ineludible identificar los criterios que nos ayuden a solucionarlos. Con todo ello entre manos nos encontraremos en mejores condiciones para decidir si las medidas estatales adoptadas para garantizar la seguridad sobrepasan o no los límites de actuación para el poder que supone la existencia de todo Estado constitucional.

En resumen, la metodología aquí esbozada a partir de su justificación se dirige a establecer un enfoque verdaderamente integral de la seguridad, un enfoque que incorpore el respeto al Estado de Derecho y a la garantía de los derechos fundamentales. La fórmula se condensa en tres pasos: un análisis riguroso de las amenazas, para saber cuál es el problema y su proporción; la determinación de la respuesta, así como el seguimiento de su eficacia y eficiencia; y la valoración del impacto que la respuesta tiene sobre los derechos de las personas y el orden constitucional en su conjunto.

Como se comentará con más detalle en el capítulo siguiente, se trata de tres pasos que requieren diálogo y coordinación, que no pueden funcionar como si el resto no les afectase. Esto nos indica, por lo pronto, que es imprescindible y apremiante armar cuanto antes un diálogo continuo entre el mundo del Derecho y el mundo de la Seguridad. Un diálogo inter-institucional e interdisciplinar (mundo militar, de inteligencia y policial, universitario, de la abogacía y la sociedad civil…) que dé como resultado análisis útiles para realizar propuestas que mejoren las políticas públicas, los cambios legales y su aplicación concreta.

3. UN PASO PREVIO: LA NECESARIA PARTICULARIZACIÓN DE LAS DIFERENTES CLASES DE SEGURIDAD. EVOLUCIÓN CONCEPTUAL: DE LA SEGURIDAD PÚBLICA A LA SEGURIDAD NACIONAL

Llegados a este punto, y antes de proponer con más detalle una metodología de análisis tal y como se ha indicado en los epígrafes anteriores, quizás sea necesario plantear algo que ya ha sido señalado en otro punto y que puede parecer una obviedad. Es lo siguiente: para realizar un análisis correcto de las medidas para proteger la seguridad y su impacto sobre el

Estado de Derecho es fundamental la diferenciación de áreas, necesidades y políticas de seguridad[33].

Como punto de partida, es indudable que la seguridad es *"una radical necesidad antropológica humana"*[34]. A partir de esta idea común, se ramifica en varios aspectos, ámbitos o sectores, donde debe ir especificándose su contenido para adecuarlo a las necesidades respectivas. De modo que, en el sector vial, la seguridad requerirá un análisis y unas acciones determinadas, muy diferentes de las que la misma idea de seguridad precisará en el ámbito de la seguridad en el trabajo, en la seguridad ciudadana o en el de la seguridad ante riesgos catastróficos (nuclear, químico, bacteriológico).

Por consiguiente, la primera aproximación al concepto jurídico de seguridad pasa necesariamente por diferenciar las distintas áreas de la seguridad. Esta afirmación no deja de ser una obviedad, pero el problema es que en la actualidad la diferenciación se ha relativizado en exceso.

En efecto, como se ha destacado ya en un sector tan sensible como el derecho penal[35], en numerosas ocasiones ni siquiera se distingue entre *necesidades objetivas de seguridad* y *sensaciones subjetivas de inseguridad*. De suerte que, sin ulteriores matices, emerge la idea de seguridad como criterio legitimador de todas las políticas de intervención punitiva. Con ello se desarrolla un tratamiento "plano", homogeneizado y por tanto dúctil del concepto seguridad. Esta simplificación comporta una instrumentalización del concepto que sirve indistintamente tanto para legitimar decisiones de política criminal en el ámbito de la violencia doméstica, como también para justificar la política de defensa estratégica nacional. Pero como es evidente para cualquiera, las eventuales víctimas de una agresión doméstica demandan acciones muy diferentes a las que urgen las eventuales víctimas de un ataque externo con misiles balísticos de destrucción masiva. Sin lugar a duda, esta banalización de la idea de seguridad desemboca en aná-

---

33   GONZÁLEZ CUSSAC, J. L.: *"El Derecho penal frente al terrorismo. Cuestiones y perspectivas"*, en *Terrorismo y proceso penal acusatorio* (coord. J. L. Gómez Colomer y J. L. González Cussac), Valencia, Tirant lo Blanch, 2006, pp. 59-70.

34   PÉREZ LUÑO, A.E.: *"La seguridad jurídica"*, Barcelona, Ariel, 1991, p. 8.

35   Ampliamente NAVARRO CARDOSO, F.: *"El Derecho penal del riesgo y la idea de seguridad"*, en Libro "In Memoriam Alexandra Baratta", Universidad de Salamanca, 2004, p. 1138 y siguientes.

lisis equívocos, políticas sin sentido y reformas legales desproporcionadas e ineficaces. Sin matices y sin diferenciar las diversas demandas objetivas de seguridad, no resulta posible diseñar una política pública seria ni un modelo jurídico eficiente. Es imprescindible la particularización de las diferentes clases de seguridad. Solo después es metodológicamente adecuado examinar cualitativa y cuantitativamente las amenazas.

Conforme a una larga tradición doctrinal, ha sido común acudir a la noción de seguridad pública, históricamente vinculada a un concepto de *orden público* reelaborado desde presupuestos democráticos y conforme al desarrollo de la jurisprudencia constitucional.

El concepto de *orden público* hace referencia al orden externo y material necesario para la convivencia. El *orden público* no es un concepto equivalente a "paz pública", que no exige un funcionamiento ordenado de la vida pública, ni se opone a la noción de desórdenes públicos, sino que hace referencia a las ideas de tranquilidad y quietud.

Así por ejemplo, nuestra jurisprudencia —desde la STC 199/1987— en relación a los delitos de terrorismo, la ha definido "paz pública" como "*alteración grave de la paz pública*", *mediante el empleo de medios destructivos idóneos para atemorizar a la población* "*con tal intensidad, que pueda considerarse que se impide el normal ejercicio de los derechos fundamentales propios y la ordinaria y habitual convivencia ciudadana, lo que constituye uno de los presupuestos del orden político y de la paz social*". Así, mientras "la paz pública" equivale a las condiciones básicas generales para la convivencia ciudadana y a la seguridad en el ejercicio espontáneo de derechos y libertades, el concepto de "orden público" se refiere a la tranquilidad en el desenvolvimiento de las actividades ordinarias en espacios públicos[36]. En consecuencia se trata de dos conceptos de muy diverso contenido y extensión.

De otra parte, la noción de "seguridad ciudadana" ha venido siendo definida como "*actividad dirigida a la protección de bienes y personas y al*

---

[36]   ASÚA BATARRITA, A.: "*Concepto jurídico de terrorismo y elementos subjetivos de finalidad. Fines políticos últimos y fines de terror instrumental*", en *Estudios Jurídicos en Memoria de José María Lidón*, Bilbao, Universidad de Deusto, 2002, p. 79.

mantenimiento de la tranquilidad y el orden ciudadanos"[37]. Pero esta idea ha de ser reconducida al concepto de seguridad pública conforme a los arts. 104,1º y 149,1º CE. En esta línea, la STC 59/1990, de 29 marzo, al referirse a la exégesis constitucional de "paz pública", advertía que la seguridad pública engloba a los conceptos de orden público y seguridad ciudadana. El orden público debe ser interpretado conforme al art. 10,1º CE: los derechos fundamentales y el respeto a la Ley y a los derechos de los demás son su fundamento y el de la paz social. En cambio, la *"seguridad ciudadana"*, es una noción aún más concreta, que se equipara a la protección de personas y bienes frente a las acciones violentas, agresiones o situaciones de peligro. Por su parte, la "seguridad pública" es también un concepto más preciso que el de "orden público", porque se centra en la actividad dirigida a la protección de bienes y personas (seguridad en sentido estricto) y al mantenimiento de la tranquilidad u orden ciudadano[38].

Sin embargo, desde hace unos años el concepto ha evolucionado hasta llagar al emergente y a la vez consolidado de *seguridad nacional*. Comenzaremos con la exposición de lo que REVENGA SÁNCHEZ ha llamado "un intento de categorización". Y precisamente así lo denomina porque, como agudamente razona, no existen construcciones *nacionales* de lo que en cada caso se entiende por seguridad nacional o seguridad del Estado. De ahí que, en primer lugar, los diferentes conflictos surgidos en varias naciones acerca de la coexistencia de los sistemas de derechos con el límite de la seguridad, se asemejan como dos gotas de agua. Y en segundo término, porque nos encontramos ante una noción subdesarrollada en el plano conceptual, que en su plasmación práctica acaba muchas veces convertida en una suerte de herramienta multiusos, cargada de emotividad e irracionalismo, o correspondiéndose, sin más, con la idea de poder[39].

---

[37]   STC 33/1982 de 8 junio.
[38]   PORTILLA CONTRERAS, G.: *"Terrorismo de Estado: Los grupos antiterroristas de liberación (G.A.L.)"*, en el *Libro Homenaje al Profesor Marino Barbero Santos*, Cuenca, 2001.
[39]   REVENGA SÁNCHEZ, Miguel: *"Razonamiento judicial, seguridad nacional y secreto de Estado"*, en *"Acceso judicial a la obtención de datos"*, *Cuadernos y Estudios de Derecho Judicial*, nº 25, Madrid (CGPJ) 1997, p. 7.

El citado autor, desde esta aproximación y tras estudiar diferentes supuestos judiciales, concluye que en todos los casos el resultado es el mismo: el sacrificio de los derechos individuales en aras de la seguridad. Pero a continuación profundiza en los razonamientos contenidos en estas decisiones, lo que le permite diferenciar tres líneas de argumentación diferenciadas. La primera es la que recurre a un uso "simbólico-emotivo" del concepto de seguridad nacional, libre de cualquier análisis y que abona la conocida fórmula de la deferencia o cortesía judicial, esto es, se considera incompetente o ajena a entrar a controlar una esfera nítidamente política. La segunda orientación contrapone el interés general, identificado con el *interés del Estado*, al interés individual. Cuando así se plantea el conflicto, inevitablemente desemboca en la perversa lógica del "todo o nada". Es por ello que la tercera línea de razonamiento acuda al conocido canon de la ponderación de valores. Sin embargo, en su aplicación se observa a menudo que finalmente acude a los anteriores criterios o bien termina haciéndose teoría constitucional desde fuera de la Constitución. Ahora bien, esta forma de argumentar no permite, en sentido estricto, ni una renuncia total al control judicial ni un sacrificio incondicionado de los derechos fundamentales proclamados en el seno de los Estados democráticos. En todo caso, lo cierto es que hay pocos problemas tan necesitados de desarrollo normativo, jurisprudencial y doctrinal como la elaboración de un concepto de seguridad nacional compatible con el sistema de derechos fundamentales[40].

Las anteriores reflexiones a nuestro juicio se resumen en dos ideas esenciales: una, que las restricciones de derechos fundamentales acordadas en salvaguarda de la seguridad nacional *también* están sometidas a la ley fundamental, esto es, han de ser tomadas de "conformidad al derecho". Y dos, que es una materia absolutamente necesitada de desarrollo.

A estas ideas añadimos, además, don brevísimas observaciones. La primera relativa a la singular manera en que el conflicto entre seguridad nacional y derechos individuales se plantea en las actuaciones de los servicios de inteligencia, lo que merece un estudio profundo que aquí no corres-

---

[40]   REVENGA SÁNCHEZ, Miguel: *"Razonamiento judicial", op. cit.*, pp. 8 y 9.

ponde[41]. Y dos, con respecto a la necesidad de avanzar en la elaboración de un concepto de seguridad nacional compatible con nuestro sistema de libertades, nos parece oportuno recordar —con la sola finalidad de abrir un debate sobre su idoneidad a los efectos aquí señalados—, las clásicas categorías de "seguridad exterior" y de "seguridad interior". Basta pues un sencillo recordatorio de su formulación tradicional.

Históricamente la seguridad se venía definiendo como "exención de peligro, daño o riesgo", para después adjetivarse como "seguridad exterior" y "seguridad interior". La primera hacía referencia a los ataques al Estado considerado como miembro de la comunidad internacional, esto es, en su misma *personalidad* como Estado, y de este modo la "seguridad exterior" hacía referencia a sus elementos esenciales: territorio, pueblo y soberanía. Y de otra parte, la "seguridad interior" se proyectaba hacia los ataques a las instituciones concretas en que se expresa la organización del poder político[42]. De esta forma la idea liberal de "seguridad interior" reconstruía la denostada categoría de los delitos de "*lesa Majestad*" y daba nacimiento a un renovado entendimiento del Derecho penal político. En este contexto los delitos políticos se han definido desde un punto de vista objetivo como las extralimitaciones de la libertad frente al poder o viceversa, y siempre, por tanto, han gozado de una gran variabilidad y relativismo[43].

Como hipótesis, el concepto de "seguridad nacional" ha de elaborarse a partir de una fusión de los clásicos conceptos de "seguridad exterior" y de "seguridad interior", y que este concepto total contiene una mejor ex-

---

41   Por ejemplo, ver MARTIN, K.: "*Intelligence, terrorism, and Civil Liberties*", en *Human Rights Magazine*, Winter 2002, p. 1 y ss.; y en nuestra literatura, SANSÓ-RUBERT PASCUAL, D.: "*Seguridad vs. Libertad: el papel de los servicios de inteligencia*", en *Cuadernos Constitucionales de la Cátedra Fadrique Furió Ceriol*, núm. 48, 2004, pp. 85 y ss.; y GALVACHE VALERO, F.: "*La inteligencia de la amenaza global: presupuesto básico de la respuesta*", disponible en http//www. jihadmonitor.org/

42   Recordar en este sentido la STC de 8 abril 1981, que definía la seguridad interior como "*la preservación del funcionamiento del orden constitucional, el libre desarrollo de los órganos del Estado y el ejercicio pacífico de los derechos y las libertades ciudadanas*" (FJ 26).

43   Cfr. CUERDA ARNAU, María Luisa y GARCÍA AMADO, Juan Antonio: "*Protección jurídica del orden público, la paz pública y la seguridad ciudadana*", Valencia (Tirant lo Blanch), 2016.

presión de todos los valores e intereses amenazados por las nuevas y por las viejas amenazas. En la actualidad la seguridad nacional se formula como un concepto multidimensional y holístico: individual, social y nacional, referido a materias militares, políticas, económicas, sociales (identitaria), medioambientales. Pero en todo caso debe profundizarse y desarrollarse, huyendo de la simplificación del concepto de seguridad y su instrumentalización, distinguiendo y precisando las diferentes "áreas de seguridad"[44].

4. UNA PROPUESTA METODOLÓGICA

En este punto se va a aplicar los tres pasos de la metodología que brevemente hemos expuesto en el capítulo anterior. Se hará hincapié en el tercero de ellos, el que podríamos denominar "jurídico"; es decir, el relativo al impacto que las respuestas del Estado a las amenazas y riesgos produce o puede producir sobre los derechos y libertades fundamentales y el orden constitucional. Se hace de este modo porque es este tercer paso el que necesita a día de hoy de un mayor desarrollo y análisis combinado con los dos primeros momentos (los "securitarios"), especialmente con el relativo a las "respuestas", ambos más estudiados en la actual perspectiva de lo que se viene considerando (limitadamente) como seguridad integral. No obstante, previamente a este análisis puede ser conveniente exponer algunas ideas comunes para interpretar todo el proceso de estudio.

Lo primero que debe subrayarse es que dicho proceso, aun dividido en tres pasos, debe observarse de forma relacional (sobre todo en el análisis de todos sus ítems), y coordinada (fundamentalmente en las respuestas).

Señala SUBIRATS que uno de los retos más complicados a los que se enfrentan en la actualidad los Estados es que sus gobiernos están obligados a "articular políticas orientadas a resolver problemas globales interconectados, complejos, difusos y muchas veces contradictorios"[45]. Si los proble-

---

[44] GONZÁLEZ CUSSAC, J. L.: *"Nuevas amenazas a la seguridad nacional: el desafío del nuevo terrorismo"*, en "Retos de la política criminal actual", *Revista Galega de Seguridade*, nº 9, Xunta de Galicia, 2007, p. 233.

[45] SUBIRATS, Joan; KNOEPFEL, Peter; LARRUE, Corinne y VARONE, Frédéric: *"Análisis y Gestión de Políticas Públicas"*, Barcelona, Ariel, 2008.

mas son complejos y están interconectados, su estudio y solución deben estar, consecuentemente, relacionados y coordinados. Si son contradictorios, habrá que buscar la solución ponderada menos onerosa para el interés público. La aplicación de esta idea al campo de la seguridad y las libertades constitucionales es fundamental. De este modo, una correcta evaluación de las amenazas y de la probabilidad o riesgo de que las mismas actúen deberá proporcionar información y conocimiento procedente de distintos ámbitos, que sirva para determinar unas intervenciones (respuestas) que en muchas ocasiones habrán de ser complejas.

En segundo lugar, la integralidad de todo el proceso de seguridad, integralidad que no significa tratarlo todo en todo momento, sino hacerlo de forma vinculada, exige un acercamiento y diálogo multidisciplinar.

En los últimos años, arrastrados por un mundo interconectado, cambiante e incierto, se ha venido desarrollando una copiosa literatura en torno al mundo de la seguridad, de las amenazas y los riesgos globales y locales. De este modo, a la clásica perspectiva militar y policial, de mirada estatal, se ha sumado el acercamiento desde otras especialidades, como la ciencia política, la economía, la sociología, las relaciones internacionales, la geopolítica, y el Derecho. Las estrategias nacionales de seguridad hablan de aproximación multidisciplinar a la materia, y se constata que esa vecindad y comunicación es cada vez más estrecha. Sin embargo, debe insistirse en que, frente a las otras disciplinas, el diálogo de la seguridad y la defensa con la perspectiva jurídica presenta una característica esencial. El Derecho no es instrumental a la seguridad, o no es solo una herramienta de acción a su servicio para obtenerla. El ordenamiento jurídico se configura también (y sobre todo si la mirada es penal y/o constitucional) como un límite de obligado cumplimiento ante las acciones de poder de los poderes públicos (se presume que legítimas) dirigidas a combatir las amenazas y los riesgos contra aquélla. La supervivencia del Estado democrático de Derecho parte de este principio.

Por último, el seguimiento de un proceso metodológico como el que aquí se propone tiene también como objetivo dotar de mayor transparencia y legitimidad a las acciones públicas dirigidas a combatir las amenazas y reducir los riesgos contra la seguridad.

Más allá de su eficacia y su eficiencia, la acción política securitaria —
sea en virtud de políticas públicas o de normas jurídicas— se legitima por
el grado de apertura de la Administración, institución u organismo que
la adopta, por la transparencia de los procedimientos que la configuran,
por la calidad de las leyes que la determinan, así como por la aptitud de
la información que los ciudadanos reciben acerca de ella. La información,
tanto de los motivos que sostienen las decisiones en el ámbito de la seguridad como de los resultados que obtienen tendrán una repercusión directa
sobre la intensidad y calidad de la implicación de la sociedad (organizaciones civiles y corporativas, empresas, universidades...) en la discusión
y configuración de esas decisiones[46]. En este sentido, no puede dejar de
señalarse que, en el caso español, cabe una consideración más decidida en
este punto[47].

Teniendo presente las consideraciones hasta aquí consignadas, en las páginas siguientes se va a ofrecer un esquema básico como hipótesis de una metodología integral para enfrentar las amenazas globales, siguiendo la secuencia ya comentada en páginas anteriores: análisis del riesgo o de la amenaza;
la determinación de la respuesta del Estado; y la evaluación e impacto de la
respuesta, con especial consideración del efecto sobre los derechos ciudadanos. Toda la secuencia es importante, aunque, como se ha adelantado ya, se
esbozarán los dos primeros pasos y se destacará la relativa al impacto que las
respuestas producen sobre los derechos y libertades constitucionales.

---

[46] En este sentido, RUIZ MARTÍNEZ, Ana: *"Panorámica actual de la evaluación de las
políticas públicas"*, *Presupuesto y Gasto Público*, 68/2012, Madrid, Instituto de Estudios Fiscales, p. 14.

[47] En efecto, el texto de la Estrategia de Seguridad Nacional ha perdido, respecto de su
antecesora (EES), un párrafo que, a este respecto, no deja de tener importancia: *"El
libre acceso a la información y el desarrollo de una política de comunicación responsable
son cruciales para la seguridad. Las autoridades públicas deben fomentar la transparencia
informativa en estas cuestiones y hacer consciente a la ciudadanía de las amenazas y riesgos
a la seguridad, pero sin fomentar el discurso del miedo ni favorecer a los violentos dándoles
publicidad o ampliando el eco de sus actividades"*. Es decir, ha desaparecido cualquier
referencia a la transparencia y el derecho de acceso a la información en materia de lo
que podríamos denominar "cultura de seguridad y defensa". En torno a ésta es recomendable el *Cuaderno de Estrategia* núm. 155 del IEEE: "La cultura de Seguridad y
Defensa, un proyecto en marcha", noviembre 2011.

4.1. Análisis de la amenaza

El diagnóstico de una situación es importante para determinar el comportamiento a seguir para hacerle frente[48]. Cuando, además, la pauta a seguir afecta o puede afectar a los derechos fundamentales o al orden constitucional, ese diagnóstico se torna esencial. Para ello, en el ámbito de la seguridad, resulta imprescindible afinar el nivel de concreción de la idea de amenaza y sus posibilidades ciertas de realización. Es decir, saber de qué estamos hablando, quiénes son sus actores, su contexto y sus causas, los indicadores que nos ayudan a determinar su fuerza, los bienes e intereses estratégicos que pone en riesgo y los daños que aquella realización puede llegar a provocar.

No cabe duda de que son los expertos en seguridad y defensa los que deben ocuparse de la identificación y evaluación de las amenazas, y puede decirse que, a día de hoy, existen un buen número de especialistas y grupos de trabajo (en el campo militar, policial, geopolítico, diplomático…) que, tanto en España como en la Unión Europea —obviamente, también en los EEUU— investigan y producen estudios y propuestas de alto nivel, adecuados para la metodología que aquí se propone. El reto más importante ahora es establecer un diálogo continuo entre ellos y el mundo del Derecho.

A continuación, a modo de síntesis, se enumeran y describen sucintamente los parámetros esenciales que, a los efectos de su relación con el mundo jurídico, deben ser tenidos en cuenta en el análisis de las amenazas y los riesgos:

4.1.1. Identificación de las amenazas

En este punto inicial se trata de identificar y definir la amenaza. Primero, darle, podríamos decir, una armadura teórica: dotarla de un concepto que sea ampliamente aceptado, establecer causas, tipologías, clasificaciones, actores que la protagonizan, medios que utilizan para realizarla… Se-

---

[48] "Como primera y fundamental premisa, cada riesgo o amenaza requiere un proceso de análisis de factores con la finalidad de identificarlos y describirlos con el mayor detalle posible en sus múltiples facetas"; BALLESTEROS, Miguel Ángel: *"En busca de una Estrategia de Seguridad Nacional"*, *op. cit.*, p. 286.

gundo, decidir que ésta existe en un momento concreto, que afecta a una sociedad determinada y que lo hace con determinada intensidad.

La definición de una amenaza no resulta fácil para todos los casos. Ahí tenemos el *terrorismo*[49], la *guerra*[50], el *extremismo violento*[51], el *espionaje*[52], *la guerra económica*[53]... Incluso el término *ciberamenaza*, el cual, salvo en un ámbito bastante reducido (el relativo al peligro que puede cernirse sobre el mismo ciberespacio y sus actores), no indica en sí mismo una amenaza sino un medio —ese ciberespacio— a través del cual actúan otros peligros como el terrorismo, el crimen organizado o el mismo espionaje. En este sentido, parece exigible un esfuerzo que delimite con la mayor precisión posible tanto el contorno básico de los riesgos como el de los elementos vinculados a ellos. Y también la definición de los derechos a los que pueden afectar las medidas que se adoptan contra las amenazas. Como ha destacado el Relator de Naciones Unidas sobre el derecho a la privacidad, su reconocimiento por el Derecho internacional[54] no es suficiente para impedir la ineficacia de normas internacionales que protegen una privacidad cuyo alcance y comprensión (qué es lo que se acuerda proteger) no es claro.

---

[49] Sobre el concepto de terrorismo y la inflexión que supuso el 11S, véase SERRA CRISTÓBAL, Rosario y GÓRRIZ ROYO, Elena, *"Contraterrorismo: plasmación legislativa reciente e impacto en las libertades y derechos fundamentales"*, en *Cuaderno de Estrategia 188, cit. MADRID (IEEE. MINISTERIO DE DEFENSA)*, 2017, p. 125 y ss. Véase también, BALLESTEROS, Miguel Ángel: *"Yihadismo"*, Madrid (La Huerta Grande), 2016.

[50] Véase por ejemplo Federico AZNAR FERNÁNDEZ-MONTESINOS afirma en *"Terrorismo y contraterrorismo"*, *Cuaderno de Estrategia 188, op. cit.*, p. 67 y ss. También CEBADA ROMERO, Alicia en *"Las respuestas de la comunidad internacional a los conflictos internacionales contemporáneos: el caso de Siria"*, Cuadernos de Estrategia 188, "Seguridad Global y derechos fundamentales", Madrid (IEEE. Ministerio de Defensa), 2017, pp. 225 y ss.

[51] PATEL, Faiza, Singh, Amrit, *"The Human Rights Risks of Countering Violent Extremism Programs"*, *Just Security*, Thursday, April 7, 2016.
https://www.justsecurity.org/30459/human-rights-risks-countering-violent-extremism-programs/

[52] DÍAZ FERNÁNDEZ, Antonio M.: *"Conceptos fundamentales de inteligencia"*, Valencia, Tirant lo Blanch, 2016.

[53] Cfr. OLIER, Eduardo: *"Guerra económica global"*, Valencia (Tirant lo Blanch), 2018.

[54] En el artículo 12 de la Declaración Universal de los Derechos Humanos, y en el artículo 17 del Pacto Internacional de los Derechos Civiles y Políticos.

Como en la novela, aquí la pregunta clave es quién decide, en un determinado momento, lo que significan las palabras; por ejemplo, quién define (u oportunamente deja sin definir) lo que es un 'terrorista transnacional', o cuando debe de hablarse rigurosamente de "guerra"[55]. Esto es importante, porque la flexibilización y la falta de delimitación de los conceptos juega de forma favorable a la discrecionalidad de las respuestas estatales ante las amenazas, reduce la concreción necesaria de las normas jurídicas y bloquea las posibilidades de control del Derecho (nacional e internacional) sobre esas respuestas. Esa flexibilidad puede extenderse, además, a otros elementos que definen una amenaza, como pueden ser sus actores[56], con las mismas consecuencias indeseables desde la perspectiva del Derecho[57].

En segundo lugar, debe decidirse que la amenaza existe, que afecta a una sociedad determinada y que lo hace con determinada intensidad. Obviamente, *"ningún ser vive en la naturaleza con plena seguridad... lo que en la práctica implica la aceptación de un cierto umbral de riesgo..."*[58]. Pero una vez asumido esto hay que dar paso al juego de las percepciones y a la idea de cuánto riesgo razonable debe aceptarse en una sociedad avanzada. Tratándose de riesgos globales —caracterizados por la deslocalización (es-

---

[55]   Se lo pregunta BECK, Ulrich, *"Convivir con el riesgo global"*, *La humanidad amenazada...*, *op. cit.*, p. 23. Y AZNAR FERNÁNDEZ-MONTESINOS, afirma: *"las acciones yihadistas en Occidente tienen un gran valor político y en términos de seguridad, pero distan de ser una guerra y de constituir una amenaza existencial"*, en "Terrorismo y contraterrorismo", *Cuaderno de Estrategia 188, op. cit.*, p. 93.

[56]   Sobre los nuevos actores en el escenario internacional de la seguridad véase, por ejemplo, CEBADA ROMERO, Alicia en *"Las respuestas de la comunidad internacional a los conflictos internacionales contemporáneos: el caso de Siria"*, Cuadernos de Estrategia 188, "Seguridad Global y derechos fundamentales", Madrid (IEEE. Ministerio de Defensa), 2017, p. 225 y ss.

[57]   Señala BECK, refiriéndose a este punto, que "la flexibilización del concepto de enemigo desestatalizado, desterritorializado, permite, primero, el uso universal de la violencia armada con vistas a la 'defensa interior'...; segundo, la declaración universal de guerra contra Estados que no hayan atacado previamente; tercero, la normalización e institucionalización del 'Estado de excepción' en el interior y exterior; cuarto, la deslegalización no sólo de las relaciones internacionales y los enemigos terroristas, sino también de propio Estado de Derecho y de las democracias extranjeras", BECK, Ulrich, *"Poder y contrapoder en la era global"*, *op. cit.*, p. 37.

[58]   AZNAR FERNÁNDEZ-MONTESINOS: "Terrorismo y contraterrorismo", *Cuaderno de Estrategia 188, op. cit.*, p. 77.

pacial, temporal y social), la incalculabilidad y la no compensabilidad[59]—, la dificultad de determinar la intensidad con la que tales peligros afectan a un colectivo específico en un momento determinado puede ser alta, y los actores interesados en construir esa percepción pueden ser muchos, muy variados, con diferentes grados de poder y, a no olvidar, con diferentes (y no siempre legítimos) objetivos, todo lo cual no deja de complicar el problema. En último término, concluye INNERARITY, no cabe duda de que "nos hacen falta acuerdos en torno a los riesgos aceptables"[60].

Por lo demás, una identificación y caracterización correcta de la amenaza y su grado de riesgo exige también un análisis de sus actores[61], de su contexto y ámbito geográfico[62], de sus causas, de sus vectores y potencia-

---

[59]   BECK, Ulrich, "*Convivir con el riesgo global*", *La humanidad amenazada…, op. cit.*, p. 23.

[60]   INNERARITY, Daniel, "*La humanidad amenazada: gobernar los riesgos globales*", *La humanidad amenazada…, op. cit.*, pp. 12-13.

[61]   Por ejemplo, a partir de la caracterización sociodemográfica de los actores que protagonizan las amenazas. En este sentido, existen perfiles bastante detallados de las personas detenidas en España por su vinculación al terrorismo yihadista: "Una sucinta caracterización sociodemográfica de los detenidos indica que la gran mayoría son varones, tres cuartas partes de ellos de entre 18 y 38 años en el momento de su detención, y más frecuentemente casados que solteros; en proporciones muy similares, sobre todo de nacionalidad marroquí y española. Alrededor de la mitad son segundas generaciones descendientes de inmigrantes procedentes de países mayoritariamente musulmanes y, en un porcentaje algo menor, se trata de inmigrantes de primera generación con ese mismo origen. Uno de cada 10 de los detenidos es converso. Quienes han cursado estudios de educación secundaria triplican a los que, sin embargo, no pasaron de una escolarización primaria…"; en REINARES, Fernando, GARCÍA-CALVO, Carola y VICENTE, Álvaro, "*Dos factores que explican la radicalización yihadista en España*", *ARI 62/2017*, 8 de agosto de 2017. http://www.realinstitutoelcano.org/wps/portal/rielcano_es/contenido?WCM_GLO-BAL_CONTEXT=/elcano/elcano_es/zonas_es/ari62-2017-reinares-garciacalvo-vi-cente-dos-factores-explican-radicalizacion-yihadista-espana

[62]   A título de ejemplo: sobre yihadismo, en otros, recientemente BALLESTEROS, Miguel Ángel, "*Yihadismo*", Madrid, La Huerta Grande, 2016; o ROY, Oliver: "*Who are the new jihadis?*", *The Guardian*, 13 de abril de 2017 https://www.theguardian.com/news/2017/apr/13/who-are-the-new-jihadis?CMP=share_btn_tw. Sobre ámbitos geográficos, VVAA.: "África", *Cuadernos de Estrategia*, núm. 144, IEEE, febrero 2013; o sobre ámbitos de seguridad, VVAA.: "*Desafíos nacionales del sector marítimo*", *Documento de Seguridad y Defensa*, núm. 67, IEEE, marzo 2015.

dores[63], así como de los medios utilizados para llevarla a efecto[64]; esa caracterización será imprescindible para configurar las respuestas adecuadas. Sobre todo, ello existe abundante material (en el ámbito de unas amenazas más que en otros), que se actualiza constantemente y que debe ser puesto en relación con el resto de elementos del análisis.

Una de las técnicas que en los últimos años ha tomado fuerza —aunque no está tan clara su utilidad— en relación con la identificación de amenazas o "escenarios", es la de los trabajos prospectivos, es decir, aquellos que anticipan con base en estudios de diversos indicadores (políticos, económicos, demográficos…) los peligros que serán una realidad o se acentuarán en los años venideros. Habitualmente sus conclusiones son lo suficientemente generales —los desequilibrios demográficos, los flujos migratorios, el ascenso político-económico de Asia-Pacífico, la inteligencia artificial, el cambio climático, la repetición de crisis económicas, la creación de una nueva organización terrorista de alcance regional[65]— como para impedir la toma de decisiones concretas, pero subrayan los contornos, normalmente ya conocidos, de los riesgos o escenarios que pueden dar lugar a situaciones de inseguridad o desequilibrio de los Estados.

4.1.2. Cuantificadores de la amenaza: indicadores y medidores

¿Cómo se mide la amenaza? ¿Y la probabilidad/riesgo de que se lleve a cabo? La contestación a estos interrogantes, aunque sea aproximativa, resulta muy difícil de concretar, pero es de enorme importancia porque

---

[63] La ESS, en su Capítulo 3, identificaba seis potenciadores del riesgo: disfunciones de la globalización, desequilibrios demográficos, pobreza y desigualdad, cambio climático, peligros tecnológicos e ideologías radicales y no democráticas. Sobre este tema puede verse VVAA.: "*Los potenciadores del riesgo*", *Cuadernos de Estrategia*, núm. 159, IEEE, octubre 2015.

[64] Importancia de la comunicación y la utilización de redes sociales (los yihadistas cuentan con 46 agencias dedicadas a producir información en forma de más de 2.000 vídeos y tienen más de 70.000 cuentas abiertas entre Instagram, Twitter, Facebook…).

[65] JORDÁN, J., "*Grandes tendencias políticas y sociales de interés para la Seguridad y la Defensa*". *Documento de investigación 01/2017*, IEEE, Ministerio de Defensa, 2017, p. 23.

determina el tipo de prevenciones que los poderes públicos adoptan al respecto[66]. Como apunta BALLESTEROS, para llevar a cabo las líneas de acción que diseñan las estrategias de seguridad, "es conveniente atender a las probabilidades de materialización de cada riesgo y, más importante aún, las consecuencias que estos tienen para los intereses nacionales. En este análisis se deberá prestar especial atención a la hipótesis más peligrosa y a la más probable..."[67]. Sin duda, la experiencia y la información producto de las averiguaciones de inteligencia y policiales dan lugar a la adopción de aquellas líneas de acción y de un tipo de decisiones esenciales para la defensa contra la amenaza, pero la percepción del peligro viene determinada también por otros factores distintos a esas investigaciones.

Los otros factores que cuantifican la amenaza y su probabilidad de realización dependen sin duda de la naturaleza de ésta, de sus circunstancias concretas y de su impacto social. Eso no significa que, con arreglo a estos elementos, los poderes públicos cuantifiquen los peligros de la misma manera y con la misma intensidad que los ciudadanos, pero a la hora de decidir y aplicar las respuestas tienen muy en cuenta cómo el público los percibe.

En este sentido, la medición de cómo se siente el riesgo terrorista está directamente relacionada con el éxito de la "manipulación emocional"[68] que los actos terroristas pretenden, al tratar por esa vía de obtener un fuerte eco mediático y de influir en las reacciones y decisiones políticas (sean políticas públicas o normas jurídicas) que deben adoptarse. Sin embargo, la vigilancia masiva o espionaje a gran escala (tan intromisiva en el derecho a la privacidad de los ciudadanos: en su derecho a la intimidad, a la protección de datos, al secreto de las comunicaciones), al aparecer como

---

[66] Sobre la cuantificación de las amenazas en materia de terrorismo, AZNAR FERNÁNDEZ-MONTESINOS: *"Terrorismo y contraterrorismo"*, *Cuaderno de Estrategia 188, op. cit.*, pp. 78 y ss.

[67] BALLESTEROS, M.A.: *En busca de una Estrategia de Seguridad Nacional, op. cit.*, p. 286.

[68] AZNAR FERNÁNDEZ-MONTESINOS: *"Terrorismo y contraterrorismo"*, *Cuaderno de Estrategia 188, op. cit.*, pp. 72 y ss.

"indolora" para las personas y merecer una menor atención de los medios de información, no es percibida como especialmente dañina[69].

Obviamente, para el objeto de lo que se pretende analizar con nuestro estudio (el impacto que las respuestas del Estado a las amenazas producen sobre el Estado de Derecho y las libertades fundamentales) importa sobre todo la cuantificación de la amenaza y su riesgo por exceso[70], pues ésta provocará una respuesta asimismo excesiva y, probablemente, menos respetuosa con el orden constitucional y la garantía de las libertades públicas. En este sentido, "si al conocimiento extraído de la experiencia añadimos la imaginación, la sospecha, la ficción y el miedo"[71], nuestra percepción no se corresponderá con la realidad y nuestra reacción adolecerá de falta de eficacia, sacrificando innecesariamente bienes públicos valiosos.

Si tomamos como objeto la amenaza del terrorismo, comprobaremos cómo "las lecciones que hemos de extraer de las alarmas excesivas es que los programas para excluir absolutamente el riesgo generan efectos contraproducentes", porque, por ejemplo, "la construcción de imágenes terroristas del enemigo matan la pluralidad de la sociedad y de la racionalidad de los expertos, de la independencia de los tribunales y la validez incondicional de los derechos humanos"[72].

De este modo, es exigible una reflexión detenida acerca de los límites de la precaución. Una cuantificación ligera de la amenaza dejará desprotegidos a los ciudadanos, mientras que una percepción desproporcionada del riesgo provocará posiblemente la adopción de medidas tan ineficaces

---

[69] Véase SERRA CRISTÓBAL, Rosario y GÓRRIZ ROYO, Elena, "*Contraterrorismo: plasmación legislativa reciente e impacto en las libertades y derechos fundamentales*", en *Cuaderno de Estrategia 188, op. cit.*, pp. 179. Más concretamente, al respecto puede consultarse GÓRRIZ ROYO, Elena M.: "*Investigaciones prospectivas y secreto de las comunicaciones: respuestas jurídicas*", en González Cussac, José Luis y Cuerda Arnau, Mª. Luisa (dirs.), *Nuevas amenazas a la seguridad nacional*, Valencia, Tirant lo Blanch, 2013, pp. 243-283.

[70] Si esa cuantificación y percepción es por defecto, la seguridad y, consecuentemente, los derechos de los ciudadanos, sufrirán por el impacto que la realización de la amenaza mal medida les infligirá directamente.

[71] BECK, Ulrich, "*Convivir con el riesgo global*", *La humanidad amenazada…, op. cit.*, p. 25.

[72] BECK, Ulrich, "*Poder y contrapoder en la era global*", *op. cit.* p. 39.

como injustificadamente entrometidas en la libertad de las personas. La precaución debe, en definitiva, apoyarse en las circunstancias concretas de la amenaza, y estas circunstancias concretas han de determinarse, en la medida de los posible, a partir de indicadores objetivos y contrastables: informes policiales y de inteligencia, cifras, estadísticas, análisis comparados... y otros que los especialistas en seguridad y defensa consideren apropiados.

4.1.3. Bienes protegidos en riesgo e intereses estratégicos. Daños y efectos

La decisión de las medidas a adoptar contra una amenaza determinada tiene relación directa con los bienes que se intentan proteger con dichas medidas. A la hora de evaluar la ponderación de intereses en juego este punto es crucial.

Las medidas contra las amenazas protegen al Estado y sus ciudadanos. Esa protección se materializa sobre "activos" de muy distinta naturaleza —bienes físicos, recursos humanos, capital tangible e intangible...— y en muy diferentes escenarios. Así, por ejemplo, la amenaza conceptuada como "conflictos armados" (ESN), puede impactar a intereses estratégicos españoles pues, aun teniendo lugar en el territorio de otros Estados, cabe la posibilidad de que afecte a bienes tan esenciales como la seguridad energética propia. El terrorismo, por su parte, amenaza de manera directa la vida y la seguridad de los ciudadanos, "pretende socavar las instituciones democráticas y pone en riesgo nuestros intereses vitales y estratégicos, infraestructuras, suministros y servicios críticos" (ESN). Las ciberamenazas, en sentido estricto, afectan al uso seguro de las redes y a los sistemas de información; y en sentido amplio, se refieren a la materialización de otras amenazas por medio del ciberespacio, por lo que su realización puede dañar cualquiera de los intereses generales dignos de protección. A cada amenaza podríamos vincular uno o varios bienes o intereses estratégicos como susceptibles de ser dañados.

De este modo, con carácter general, el orden público, la fortaleza de las instituciones democráticas, los derechos y libertades de los ciudadanos, el crecimiento económico, la información sensible, las infraestructuras críticas y servicios esenciales, la paz y seguridad internacional... son activos, intereses estratégicos, bienes protegidos, que los Estados deben salvaguardar de los riesgos y amenazas globales y locales. Todos ellos se acaban concretando, cuando la amenaza es cierta, en bienes individualizados, como el transporte aéreo o ferroviario, la seguridad marítima, la privacidad de los ciudadanos, el buen funcionamiento en el abastecimiento de energía a las poblaciones, o la protección de grupos vulnerables (jóvenes[73], mujeres[74], inmigrantes[75]...). Esa acción de causalidad (relación clara entre el peligro y el bien a proteger) y precisión (concreción del mismo bien, no una mera apelación abstracta al mismo) es esencial en la metodología que aquí se propone.

Ya se ha comentado que a la hora de determinar las medidas a adoptar frente a la amenaza uno de los criterios más relevantes vendrá dado, además de por la inminencia del riesgo, por la importancia del interés protegido. Como se ha visto, entre estos intereses unos son muy generales (el orden público, la seguridad económica, los derechos de los ciudadanos...) y otros, en cambio, muy tangibles (el transporte aéreo, la privacidad, la integridad física de las personas, las reservas o el abastecimiento de gas...). Pues bien, la concreción por las autoridades del interés protegido, así como

---

[73]   GARCÍA-CALVO, Carola, REINARES, Fernando: "Procesos de radicalización violenta y terrorismo yihadista en España: ¿cuándo? ¿dónde? ¿cómo?", *Documento de Trabajo*, 16/2013, 18 de noviembre de 2013.
http://www.realinstitutoelcano.org/wps/portal/rielcano_es/contenido?WCM_GLOBAL_CONTEXT=/elcano/elcano_es/zonas_es/terrorismo+internacional/dt16-2013-reinares-gciacalvo-radicalizacion-terrorismo-yihadista-espana

[74]   GARCÍA-CALVO, Carola, *"No hay vida sin yihad y no hay yihad sin hégira: la movilización yihadista de mujeres en Espa*ña, 2014-2016", *ARI* 28/2017, 29 de marzo de 2017.
http://www.realinstitutoelcano.org/wps/portal/rielcano_es/contenido?WCM_GLOBAL_CONTEXT=/elcano/elcano_es/zonas_es/ARI28-2017-GarciaCalvo-movilizacion-yihadista-mujeres-Espana-2014-2016

[75]   Aunque, en el caso de los inmigrantes sin papeles (en España la ESN los considera amenaza), no queda claro que una posible conflictividad social (producto de su presunta marginalidad y falta de identidad), los guetos urbanos (a los que al parecer se verían *necesariamente* abocados los inmigrantes), o la vulnerabilidad de los propios inmigrantes (por su exposición a la radicalización extremista), sean argumentos suficientes para convertir a los flujos migratorios irregulares en una amenaza equiparable al terrorismo que pondría en peligro, se entiende, el bien público "paz social". Véase FLORES, Fernando, *"La inmigración no debe ser un tema de seguridad"*, op. cit.

su vinculación real con el peligro a combatir y los efectos y daños que éste puede provocar[76], resultan esenciales para realizar una correcta configuración de las medidas que deben adoptarse. La indeterminación del bien a proteger debilita la garantía de los derechos fundamentales frente a las respuestas y, en consecuencia, el Estado de Derecho.

4.2. Determinación de la respuesta del Estado y de los organismos internacionales frente a las amenazas y los riesgos

La existencia de amenazas y riesgos determina la adopción de respuestas por parte del Estado dirigidas a impedir que los peligros contra la seguridad se lleven a efecto, o para reaccionar a su consecución. Resulta imprescindible evaluar estas respuestas, pues su banalización de las mismas o una insuficiente respuesta puede generar una agravación del fenómeno en sí mismo y, además, favorecer la escalada de la violencia y la aparición de movimientos populistas[77]. Pero igualmente inapropiada puede ser una respuesta excesiva o desproporcionada, porque como certeramente expone ENZENSBERGER en relación al terrorismo islámico, "*la más peligrosa de las consecuencias del terror es la infección del adversario*"[78].

Para comenzar, debe quedar claro que, cuando hablamos de las respuestas del Estado (o de organizaciones supranacionales como la Unión Europea) ante los riesgos y amenazas, nos referimos a una multiplicidad de actores institucionales de naturaleza diversa. En el ámbito estatal, obviamente los poderes constitucionales: el Legislativo, el Judicial, el Cons-

---

[76]   Como ejemplo de perjuicios o daños sobre los bienes a proteger, sirva esta descripción: "La atomización del terrorismo, ciertamente, muestra la vulnerabilidad de las sociedades que lo padecen, genera incertidumbre, fractura la comunidad, hace de las claves religiosas el referente necesario, separando a los creyentes y sembrando la desconfianza hacia los musulmanes, en la esperanza de que una sobrerreacción del Estado o de la propia sociedad, alinee definitivamente a los musulmanes que viven ella con su relato propiciando un choque entre comunidades", AZNAR FERNÁNDEZ-MONTESINOS: "*Terrorismo y contraterrorismo*", *Cuaderno de Estrategia 188, op. cit.*, p. 91.

[77]   Así se expresa, en relación al extremismo islamista ENZENSBERGER, "*El perdedor radical…*", *op. cit.*, pp. 53-55.

[78]   *Ob. cit.*, pp. 64-65.

titucional y el Ejecutivo (y en el ámbito de éste la diplomacia, las Fuerzas Armadas, las Fuerzas y Cuerpos de Seguridad del Estado, los servicios de inteligencia, protección civil...); y también, en el marco de sus competencias, las Comunidades Autónomas y los Entes Locales. Todos estos actores, de una u otra manera y con mayor o menor relevancia, adoptan medidas relacionadas con la seguridad.

Después, la configuración de las medidas depende, claro está, de diversos factores: de la fuente institucional de que provengan, del peligro que desean atajar o responder y de la inmediatez de su necesidad. El actor institucional determinará la adopción de acciones públicas o normas jurídicas (o ambas), mientras que la naturaleza del peligro y su inmediatez determinarán el contenido concreto de las mismas; desde declaraciones institucionales hasta el refuerzo de dispositivos de seguridad, pasando por decisiones que afectan a la dotación de armamento, normas que dan cobertura a mayor acción policial o leyes penales que sancionan de forma más rigurosa determinadas conductas. Las posibilidades son, puede decirse, infinitas.

Sobre la naturaleza de las respuestas ya se ha indicado que pueden adoptar la forma de políticas públicas o normas jurídicas[79]. Ahora es pertinente subrayar un par de ideas en torno a la peligrosidad de la amenaza que se desea conjurar, a la cuestión de la pertinencia de la inmediatez de las respuestas para conseguirlo, y a la eficacia y eficiencia de las mismas. Empecemos con la inmediatez.

4.2.1. La inmediatez: un arma de doble filo

"Mientras el mal viaja por autopistas, el bien lo hace por carreteras secundarias", decía con ingenio BOLAÑO. Algo así sucede en el mundo de las amenazas a la seguridad y las garantías de los derechos. Uno de los rasgos de los procesos democráticos es que, con frecuencia, son demasiado "lentos" frente a la urgencia (político-mediática y, en consecuencia, de la opinión pública) para configurar las respuestas a peligros muy presentes en la realidad y en el imaginario social. Este aspecto es utilizado por algunos actores "titulares" de las amenazas en beneficio propio; fundamentalmente

---

[79]   Véase supra apartado 2.

por el terrorismo, aunque también para el crimen organizado. Así, afirma AZNAR, "*el atentado terrorista... busca su sobrepolitización, y con ella una respuesta inadecuada al reto planteado. Se trata de imponer al Estado la necesidad de una reacción y provocar con ello respuestas emocionales, irracionales y cortoplacistas que no respondan a una estrategia, desenmascaren al Estado y puedan ser utilizadas en beneficio del grupo. El peligro del terrorismo se sitúa habitualmente en la respuesta que se da a los retos que plantea*". De modo que para una amenaza como el terrorismo resulta imprescindible el manejo de la iniciativa, no dar tregua ni reposo al Estado para la reflexión y determinación de las políticas adecuadas, pues su lucha contra la democracia sólo puede prosperar cuando el Estado de Derecho comete errores en su batalla contra él[80]. Muchos errores se cometen, precisamente, por el deseo de responder "comunicativamente" de forma inmediata —con ello a veces precipitada —a la provocación de los agresores. "Una de las lecciones del 11S— afirma el ex Relator Especial de la ONU sobre Derechos Humanos y la lucha contra el terrorismo, MARTIN SCHEININ— es que el pánico produce una legislación deficiente", pues se suele aprobar sin analizar debidamente si legislación vigente en el momento del atentado es o no eficaz[81].

En no pocas ocasiones ese comportamiento imprudente tiene como consecuencia no solo la adopción de medidas podríamos denominar "simbólicas", ineficaces e ineficientes sino también, y esto es grave, la retorsión del orden constitucional y la violación de los derechos fundamentales de los mismos ciudadanos a los que se desea proteger. Por lo demás, las respuestas impulsivas suelen establecer situaciones de hecho y Derecho desde las que, políticamente al menos, es difícil dar marcha atrás, pues nadie quiere asumir la responsabilidad de hacerlo. En este sentido, la templanza de los titulares de las instituciones democráticas (ejecutivas, legislativas o jurisdiccionales; estatales o internacionales) y la lealtad institucional de los actores políticos (oposición y medios de comunicación especialmente) se convierten en elementos fundamentales a la hora de configurar las medidas

---

[80] AZNAR FERNÁNDEZ-MONTESINOS: "*Terrorismo y contraterrorismo*", *Cuaderno de Estrategia 188*, op. cit., p. 73.

[81] RIGHTS INTERNATIONAL SPAIN: *Entrevista a MARTIN SCHEININ (III)-Legislar tras ataques terroristas*, 10 de junio de 2015. https://www.youtube.com/watch?v=q-4srW6q8ec

adecuadas contra los peligros que las acechan. Decisiones como la generalización y extensión del Derecho de excepción, la creación de nuevos y más agresivos tipos penales, sanciones dudosamente constitucionales como la prisión permanente revisable, la consolidación de la figura del sospechoso, la extensión de la vigilancia, la restricción de la privacidad, la reducción del papel judicial en el control de las intervenciones sobre los derechos ciudadanos… de una u otra manera forman parte ya de la lista de medidas que la Europa democrática ha adoptado, quizás con precipitación, frente a la "necesidad" de repeler la "inminencia" de algunos riesgos.

Por último, cabe también la pregunta sobre si existe, en ciertas ocasiones o para determinadas amenazas, una lentitud innecesaria o incluso cierta inacción en las respuestas por parte de los poderes públicos. En un mundo tan complejo como el actual, con hegemonías múltiples, con tantos intereses estatales y público-privados interconectados, se puede constatar la dificultad de los Estados y de las organizaciones internacionales para adoptar medidas contra determinados riesgos bien ciertos. No obstante, resulta llamativo la incapacidad de los mismos para, por ejemplo, proteger la privacidad de las personas de amenazas como la vigilancia masiva que ejercen los servicios de inteligencia de los propios Estados sobre ciudadanos propios y de otros países[82]; o para defenderlas de las consecuencias de potenciadores de los riesgos como el cambio climático[83], igualmente presente y con consecuencias más que visibles; o para, como la ONU en el caso de Siria, ser incapaz de atajar la crisis después de dos años y cientos de miles de muertos y desplazados[84].

---

[82] FLORES GIMÉNEZ, Fernando: *"Nos vigilan en masa: ¿por qué no denunciamos?"*, *Al Revés y al Derecho*, 17 de marzo de 2016. http://blogs.infolibre.es/alrevesyalderecho/?p=4301

[83] ACNUDH, *"La inclusión y los derechos humanos son esenciales para actuar contra el cambio climático"*, 20 de octubre de 2016. http://www.ohchr.org/SP/NewsEvents/Pages/ClimateHumanRights.aspx

[84] "El caso de Siria está siendo claramente un ejemplo de la subordinación del Consejo a las exigencias de la geoestrategia …Hasta junio de 2017 el Consejo de Seguridad ha adoptado 21 Resoluciones relativas al conflicto sirio. En ellas, ha reclamado reiteradamente a las partes que facilitasen el acceso de la ayuda humanitaria. Por unanimidad, se decidió, junto con la Organización para la Prohibición del Uso de Armas Químicas, la creación del Mecanismo Conjunto de Investigación para Identificar a los Culpables del Uso de Armas Químicas en Siria. El Consejo ha declarado altos el

En fin, como se verá en un epígrafe posterior, el acierto en la determinación de la rapidez (la "urgente necesidad" o no) con que las medidas para responder a los riesgos deben ser adoptadas y puestas en marcha resulta de suma importancia para la ponderación de las mismas en su relación con los derechos y libertades fundamentales a los que pueden afectar.

4.2.2. La peligrosidad de la amenaza

También puede resultar significativo el acierto en determinar el grado de peligrosidad de la amenaza, pues este podrá afectar a su vez al grado de intromisión que la medida adoptada por el Estado tenga sobre los derechos fundamentales, justificándola o no. En este sentido, cabría distinguir cuatro ámbitos que pueden ayudarnos a configurar lo que entendemos por peligrosidad de una amenaza en un momento dado: la percepción, la vulnerabilidad, la probabilidad (el sentido estricto del riesgo) y las posibles consecuencias de su realización. Estos cuatro ámbitos, sumados, otorgando a cada uno de ellos el valor que se estime oportuno en cada caso, conformarían una especie de "ecuación del riesgo" que vale la pena despejar.

Ya se vio, al hablar de la "cuantificación de las amenazas"[85], la dificultad de medir la percepción sobre las mismas, pues se trata de un cálculo en buena parte subjetivo. En este sentido, parece bastante claro que los ciudadanos europeos sienten como muy cercano el peligro del terrorismo; sin embargo, parece traerles sin cuidado la violación "indolora" que sobre

---

fuego, que no han sido respetados, y ha requerido a las partes para que arbitrasen una solución política al conflicto. También la Presidencia del Consejo ha expresado reiteradamente su preocupación por el deterioro de la situación en Siria y ha hecho continuos llamamientos a que se aceptaran las propuestas de los mediadores internacionales, para que cesara la violencia, se facilitara el acceso de ayuda humanitaria y se prohibiera el tráfico ilícito de petróleo". CEBADA ROMERO, Alicia: "*Las respuestas de la comunidad internacional a los conflictos internacionales contemporáneos: el caso de Siria*", Cuadernos de Estrategia 188, "Seguridad Global y derechos fundamentales", Madrid (IEEE. Ministerio de Defensa), 2017, p. 230.

[85]   Véase supra 4 de este artículo.

su privacidad supone la generalización de la vigilancia y la monitorización masiva de sus vidas[86].

Justamente, esta idea central es lo primero que queremos subrayar. La ha descrito con claridad NOAH HARARI, exponiendo algunos datos muy reveladores. La violencia humana históricamente causaba alrededor del 15% de todas las muertes en el mundo. Esta cifra bajó al 5% durante el siglo XX. Y en el inicio del siglo XXI causa el 1% de la mortalidad global. Así, en 2012 murieron en todo el planeta 56 millones de personas, 620.000 a causa de la violencia: debido a la guerra 120.000 personas, al crimen otras 500.000, y al terrorismo en concreto cerca de 7.697. Es por ello que el citado autor se pregunta: "¿Cómo es posible, pues, que los terroristas consigan copar todos los titulares y cambiar la situación política en todo el mundo? Porque provocan que sus enemigos reacciones de manera desproporcionada (…). En la mayoría de los casos, esta reacción desmesurada ante el terrorismo genera una amenaza mucho mayor para nuestra seguridad que los propios terroristas"[87].

Desde luego estas reflexiones no pueden entenderse como una banalización del terrorismo ni del crimen organizado, especialmente por la tragedia humana que comportan, pero sí son significativas para insistir en que las respuestas deben ser adecuadas, y considerando siempre el impacto que causan en el Estado de Derecho, esto es, en la libertad individual, pilar de nuestra cultura.

En cuanto a la vulnerabilidad, debe entenderse que aparece cuando existe una debilidad o falta de control que puede permitir o facilitar que una ame-

---

[86]   SERRA CRISTÓBAL, Rosario: *"La opinión pública ante la vigilancia masiva de datos. El difícil equilibrio entre acceso a la información y seguridad nacional"*, Revista de Derecho Político, nº 92, 2015. En relación con la percepción del terrorismo, los datos confirman, por ejemplo, que Europa no es ni de lejos el territorio más castigado por el Estado Islámico. VIVED, Adela, ARAGÓ, Laura: *"Así afecta el terrorismo yihadista en Occidente y en el resto del mundo"*, La Vanguardia, 29 de agosto de 2017. http://www.lavanguardia.com/internacional/20170829/43798147540/terrorismo-yihadista-datos-occidente-mundo.html#?utm_campaign=botones_sociales&utm_source=twitter&utm_medium=social

[87]   NOAH HARARI, Yuval: *"Homo Deus. Breve historia del mañana"*, Barcelona, Debate, 2016, pp. 25-30.

naza actúe contra un bien protegido o un interés estratégico. Si aceptásemos los flujos migratorios irregulares como amenaza a la seguridad, la permeabilidad de las fronteras constituiría una vulnerabilidad. También lo sería la falta de medios de defensa adecuados para repeler un ataque cibernético (que podría dañar la red eléctrica, interrumpir el acceso o Internet o bloquear páginas web oficiales)[88], o la ausencia de una legislación armonizada en materia de ciberseguridad[89]. Y lo serían unas inadecuadas normas jurídicas para luchar contra la trata de seres humanos, una falta de transparencia de la Administración, o una carencia de cultura de seguridad y defensa por la sociedad, carencia que la inhabilite para comprender por qué es necesaria una política de seguridad y, consecuentemente, para hacer el seguimiento y control de la misma. Cada bien protegido tiene sus fortalezas y vulnerabilidades, y es misión del Estado identificarlas y adoptar las medidas para que las primeras superen a las segundas, aunque, como se verá, no a cualquier precio.

Sin duda, la probabilidad de que la amenaza fructifique (el riesgo en sentido estricto) tiene una relación directa con la peligrosidad de la misma y con las respuestas que los poderes públicos deben llevar a cabo. La determinación de esa probabilidad, es decir, el cálculo de las posibilidades que existen de que la amenaza se realice (o se siga realizando), está en manos de los servicios de inteligencia y las Fuerzas y Cuerpos de Seguridad del Estado, así como en los especialistas en los distintos campos desde los que se puede analizar cada amenaza. Como en el resto de elementos, un buen análisis del riesgo determinará una respuesta eficaz y ponderada en relación con la buena salud del Estado de Derecho y la garantía de las libertades fundamentales.

Por último, las consecuencias que puede provocar la realización de una amenaza sobre un bien protegido o interés estratégico forman parte de su peligrosidad. La violación de la vida de las personas y de sus derechos individuales, la destrucción de infraestructuras críticas, la alteración grave del

---

[88] YARNOZ, Carlos: "*Menos cazas, más antivirus*", *El País*, 17 de julio de 2017. https://elpais.com/internacional/2017/07/16/actualidad/1500239957_937328.html. En este artículo el autor se queja de que España se haya comprometido en la compra de 60 F-35 estadounidenses —120 millones de euros por unidad—, cuando la principal amenaza contra los europeos, la *ciberguerra*, no puede ser combatida con aviones.

[89] Tal y como reconoce nuestra ESN, *op. cit.*, p. 27.

orden público, la corrupción a gran escala, la pérdida de la confidencialidad y disponibilidad de los sistemas que soportan la prestación de servicios
del ciberespacio, las crisis económicas y financieras graves... Los efectos
que pueden causar las amenazas sobre estos y otros intereses públicos son
muchos y de diferente naturaleza, y todos de graves consecuencias para la
integridad y el buen funcionamiento del Estado. De nuevo, es por eso que
la determinación correcta del impacto que aquéllas puedan acarrear a éste
se convierte en una cuestión crítica en relación con el impacto que las decisiones estatales en respuesta a los riesgos para la seguridad puedan provoca
sobre los derechos fundamentales.

4.2.3. Eficacia y eficiencia de las políticas de seguridad

La evaluación de las políticas de seguridad y defensa debe enfrentarse
conforme al tradicional estudio de su eficacia y eficiencia. La eficacia de
esas políticas viene determinada por la capacidad de lograr el objetivo de
reducir el riesgo o terminar con la amenaza. La eficiencia, por su parte, se
refiere a la utilización correcta de los recursos para lograrlo.

En este punto, la legitimación social de la acción política está en juego,
y es por eso que resulta relevante tanto la percepción objetiva como la subjetiva de la eficacia de las respuestas. De ahí el valor simbólico y meramente
tranquilizador de determinadas medidas políticas, algunas de ellas, ya se
ha mencionado, ligadas más a la inmediatez que trata de demostrar que
se mantiene el control por los poderes públicos sobre la amenaza que a la
verdadera eficacia de la respuesta.

Pero además de esta legitimación comunicativa, la eficacia de las medidas securitarias deben relacionarse directamente con su legalidad, es decir,
con su legitimación normativa. Enseguida se abordará este punto, pero
vaya por delante que aquellas respuestas que, entrometiéndose en los derechos fundamentales de las personas, no incorporen claramente una relación causal (eficaz, por tanto) con el objetivo (que debe ser legítimo en
sociedades democráticas) para el que son adoptadas (es decir, no sirvan
para la finalidad para la que se establecieron), pueden ser contrarias a Derecho, y por tanto inválidas.

No cabe duda de que la eficacia de las medidas está sujeta a discusión, que éstas exigen una mirada casuística y que, en ocasiones, debe transcurrir cierto tiempo para poder evaluarlas. Pero no siempre se debe aguardar mucho para elaborar conclusiones sobre ellas. Así, Agnes Callamard, Relatora de Naciones Unidas contra las Detenciones Extrajudiciales, Sumarias y Arbitrarias, ha advertido recientemente que el código de conducta que Italia ha impuesto recientemente a las ONG (con el apoyo de la Comisión Europea), restringiendo las labores de búsqueda de inmigrantes que huyen hacia Europa desde Libia, "podría conducir a más muertes en el mar, y la pérdida de vidas (lo que) siendo previsible y prevenible, constituiría una violación de las obligaciones de Italia". La Relatora concluye que esta posición "sugiere que Italia, la Comisión Europea y los países de la UE consideran el riesgo y la realidad de las muertes en el mar un precio menor a cambio de disuadir a los inmigrantes y refugiados" de cruzar de Libia a Italia[90]. Por su parte, en Francia se está poniendo de manifiesto una oposición importante a la "criminalización de la solidaridad" que, desde 2015, supone la penalización a los ciudadanos que ayuden a inmigrantes en situación irregular[91]. El Defensor de los Derechos Humanos, la Comisión Consultiva de los Derechos Humanos —con la unanimidad de las sesenta asociaciones que reagrupa—, y ONG tan diversas como Amnistía Internacional, Cimade, Médicos del Mundo, Médicos sin fronteras y el Secours Catholique, han declarado contra lo que consideran una norma de claros efectos contraproducentes (con su aplicación no se está impidiendo el flujo migratorio y, en cambio, sí podría provocar fractura social), además de ser frontalmente contraria a la garantía de los derechos

---

[90]   UNOHC: "*Italy-EU search and rescue code could increase Mediterranean deaths, UN expert warns*", 15 de agosto de 2017. http://www.ohchr.org/EN/NewsEvents/Pages/DisplayNews.aspx?NewsID=21971&LangID=E

[91]   Por ejemplo, DEFENSEUR DES DROITS: "*Tribunal de Boulogne-ur-Mer: un citoyen britannique jugé pour avoir eu un acte de solidarité envers une petite fille afghane*", 14 de enero de 2016.
https://www.defenseurdesdroits.fr/fr/communiques-de-presse/2016/01/tribunal-de-boulogne-sur-mer-un-citoyen-britannique-juge-pour-avoir-eu
Más recientemente, sobre el caso del agricultor Cédric Herrou, que acoge inmigrantes para ayudarles a pedir asilo, puede verse FASSIM, Éric: "*Delito de solidaridad*", Ctxt, núm. 132, 30 de agosto de 2017.
http://ctxt.es/es/20170830/Politica/14660/Francia-delito-solidaridad-migrantes-Cedric-Herrou-EriC-Fassin.htm#.WacHolEspzk.twitter

fundamentales, tanto de los inmigrantes como de los ciudadanos europeos. En España se discute, con razón, sobre el impacto disuasorio que para los terroristas yihadistas que no temen inmolarse en los atentados puede tener una sanción como la prisión permanente revisable, cuya sospecha de inconstitucionalidad, sin embargo, no carece de fundamento[92]. En estos casos, nos encontraríamos ante medidas ineficaces (no solucionarían el problema para el que son adoptadas), e ineficientes, pues pondrían en cuestión activos (la acción de las organizaciones humanitarias, la autonomía de los ciudadanos, los principios constitucionales del ordenamiento jurídico) sin sacar provecho alguno de ello.

Sea como fuere, la valoración de la eficacia y la eficiencia de las respuestas estatales frente a las amenazas no puede realizarse de modo general, requiere un análisis caso a caso, medida a medida, y exige una evaluación combinada con el resto de elementos a tener en cuenta en el análisis jurídico de las mismas, una evaluación, no debe olvidarse, que habrá de prestar atención a las consecuencias no solo directas sino también indirectas, pues en este contexto cobra especial relieve la estimación de los posibles "daños colaterales" que las medidas securitarias puedan provocar.

Para terminar este punto o "paso metodológico" dedicado a las respuestas, debemos subrayar que se trata de un paso que necesariamente bascula entre el primero (la determinación de la amenaza) y el tercero (el impacto en los derechos y libertades de las personas), un paso "bisagra" que está obligado a buscar un equilibrio necesariamente inestable y en constante redefinición, propio de la misma dinámica cambiante del mundo de la seguridad. Como se va a ver a continuación, la relación de las respuestas estatales con las libertades pasa por someter las políticas públicas y las normas jurídicas a un análisis estricto en el que la legalidad (¿las medidas están adoptadas con la forma normativa correcta?), la necesidad (¿hay otras formas menos impactantes de responder a la amenaza concreta?), su finalidad (cuáles son los fines de la respuesta; los declarados y los no declarados), su causalidad (si la respuesta tiene efectivamente relación con la finalidad que se pretende), y su proporcionalidad (entre el impacto sobre los derechos y

---

[92]   CARBONELL MATEU, Juan Carlos: "*Otra vez sobre la reforma penal*", *Al Revés y al Derecho*, 25 de enero de 2015. http://blogs.infolibre.es/alrevesyalderecho/?p=3569

los fines perseguidos) encajen en el respeto al Estado democrático de Derecho que nuestras constituciones configuran.

Sin duda, la información correcta y actualizada, la experiencia, el análisis riguroso y no mediatizado (por la urgencia política, por algunos medios de comunicación), de parte de los especialistas, las "lecciones aprendidas"…, son referentes principales para configurar las respuestas adecuadas. Pero, a no olvidarlo, también lo son la garantía de los derechos y libertades fundamentales, y el respeto al orden constitucional. A partir de aquí: ¿Quién debe ocuparse de determinar las respuestas de los Estados frente a las amenazas? Los expertos en seguridad, pero teniendo muy presente (dialogando con) las evaluaciones del impacto que esas respuestas producen en los derechos fundamentales.

4.3. Evaluación e impacto de las respuestas sobre los derechos y libertades fundamentales

"Buena muestra del poder de la percepción del riesgo es que incluso *dentro* de las democracias desarrolladas hay derechos civiles y políticos fundamentales que de pronto resultan revocables (y revocados), y encima con el asentimiento de la arrolladora mayoría de una población democráticamente experimentada. Ante la alternativa entre seguridad y libertad, los gobiernos, parlamentos, partidos y población (que, si no, compiten y se bloquean recíprocamente) se deciden, tan unánime como rápidamente, a la restricción de las libertades fundamentales"[93]. Esta idea de BECK centra con claridad la realidad que experimentan los Estados democráticos de Derecho cuando se enfrentan a la gestión de las amenazas y riesgos contra la seguridad, y es que se ven "obligados" a limitar los derechos fundamentales, piezas del sistema político que constituyen nada menos que la *"expresión del supremo orden de valores de la convivencia"*[94].

Aunque es comprensible que resulte incómodo en términos pragmáticos para quienes se dedican a configurar las medidas que deben contrarrestar las amenazas, este momento del proceso de la política se-

---

[93]   BECK, Ulrich, *"Poder y contrapoder en la era global"*, op. cit. p. 39.
[94]   STC 2/82, de 29 de enero.

curitaria —la limitación de las libertades por las medidas contra las amenazas— no puede dejarse fuera de la consideración integral de la seguridad. Forma parte de él, porque los derechos fundamentales forman parte de la seguridad de las personas que aquellas medidas, aún adoptadas legítimamente, pueden llegar a vulnerar. De modo que, para cerrar metodológicamente el proceso securitario frente a los peligros globales, es necesario evaluar, jurídicamente, cómo impactan las respuestas del Estado en las libertades de sus ciudadanos, y decidir en cada caso si ese impacto es admisible.

Ciertamente existe una percepción muy antigua en el que la seguridad material, la paz pública y en general las *libertades civiles* son bienes primarios que satisfacen necesidades obvias y tangibles para cualquier ciudadano. Por el contrario, las *libertades constitucionales* conllevarían un refinamiento cultural que las hace menos accesible al conocimiento y valoración por la sociedad, salvo cuando se pierden o en situaciones críticas[95]. Pero en escenarios de graves atentados a la seguridad su defensa resulta impopular y hasta se reclama abiertamente que sean sacrificadas.

La transcendencia de los derechos fundamentales es de sobra conocida. Por tanto, aquí solo es menester recordar, con VIVES ANTÓN, que éstos "no son solamente garantías frente a los poderes públicos, ni concreción de una serie de valores sustantivos que la Constitución incorpora, sino que, tal vez de modo primario, representan las reglas básicas de procedimiento a las que ha de ajustarse la toma de decisiones en todo sistema democrático"[96]. Y éste sería precisamente una forma de gobierno donde "los procedimientos de decisión sólo pueden estimarse correctos si los ciudadanos han participado directamente o indirectamente en los mismos y si esa participación ha sido el fruto de una opción libre y racional"[97]. Estos argumentos ofrecen sólida base para optar por las ideas de democracia y Estado de Derecho (derechos fundamentales) como motor legitimador y

---

[95]   VIVES ANTÓN, Tomás: *"Fundamentos del sistema penal"*, 2ª edición, Valencia, Tirant lo Blanch, 2011, p. 678.

[96]   VIVES ANTÓN, Tomás: *"La reforma del proceso penal"*, Valencia, 1992, pp. 248-255.

[97]   Ob. y Loc. cit.

metodológico en la justificación y elaboración de cualquier análisis sobre seguridad y libertad[98].

En cualquier caso, aun partiendo de estos principios, debe admitirse que los derechos fundamentales pueden ser limitados, es decir, que ni son absolutos ni han de prevalecer necesariamente inamovibles en toda situación. Es más, puede decirse que la seguridad es uno de los bienes que tanto el Legislador como la jurisprudencia constitucional ha contemplado como justificador de políticas públicas y normas jurídicas que les afectan de forma restrictiva. Este aspecto, el de los límites a los derechos, y en concreto el de las restricciones a los mismos por razones de seguridad, va a ser descrito brevemente en los siguientes puntos. Más adelante nos detendremos en detallar aquellas libertades que se ven impactadas (limitadas) con mayor fuerza por las respuestas securitarias que se vienen adoptando frente a las amenazas. Para finalizar se establecerán los criterios que, desde el Derecho, deberán cumplir esas respuestas contra las amenazas para poder ser consideradas legítimas desde la mirada legal.

4.3.1. Los derechos fundamentales no son absolutos, pueden limitarse por causa de la seguridad

Se consideran "derechos fundamentales" los contenidos en el Capítulo II del Título I de la Constitución, es decir, los incluidos en el apartado primero del artículo 53 CE[99]. Por su parte, y para lo que aquí pretendemos explicar, se definen como "límites de los derechos fundamentales" aquellas acciones jurídicas que "entrañen o hagan posible una restricción de las facultades que, en cuanto derechos subjetivos, constituyen el contenido de dichos derechos[100].

---

[98] Sobre la superación de la contradicción entre "libertad de los modernos" y "libertad de los antiguos", HABERMAS, Jürgen: *"En la espiral de la tecnocracia"*, Madrid, Trotta, 2016, p. 59.

[99] Véase el desarrollo de esta conceptuación en CRUZ VILLALÓN, Pedro: *"Formación y evolución de los derechos fundamentales"*, *Revista Española de Derecho Constitucional*, núm. 25, 1989, p. 41.

[100] AGUIAR DE LUQUE, Luis: *"Los límites de los derechos fundamentales"*, *Revista del Centro de Estudios Constitucionales*, núm. 14, 1993, p. 10.

Nos dice el Tribunal Constitucional que no existen derechos ilimitados. En unas ocasiones es la propia Constitución la que establece sus límites mientras que, en otras, *"el límite deriva de una manera mediata o indirecta de tal norma, en cuanto ha de justificarse por la necesidad de proteger o preservar no solo otros derechos constitucionales, sino también otros bienes constitucionales protegidos"*[101]. Es decir, las restricciones a los derechos pueden derivar directamente del texto constitucional[102], o pueden derivarse de una especie de "competencia general" para limitar derechos atribuida al Legislador. Y aquí es donde aparece la verdadera dificultad, matizada según haya sido establecido el derecho. Si la Constitución define claramente el contenido del derecho fundamental, ese contenido es intangible para el Legislador (salvo que el propio texto fundamental le habilite para hacerlo); pero si no le da contenido (o en la medida que no se lo da), deja la configuración del derecho en manos de la mayoría cualificada[103] de los representantes y, al cabo, de las decisiones del Tribunal Constitucional.

Así que, llegados a este punto es natural que la cuestión que se plantee sea "hasta dónde" puede el Estado —el Legislador y, tras él, el resto de los poderes públicos— restringir o poner límites a los derechos fundamentales sin resquebrajar el Estado Democrático de Derecho[104]. No se trata de una cuestión fácil pues, como se ha dicho, el Legislador, aun estando limitado

---

[101]   STC 2/82, de 29 de enero.

[102]   "La Constitución española se encuentra entre las pocas que ya preveía la suspensión individual de los derechos de las personas investigadas por pertenecer a organizaciones terroristas, permitiendo que la ley estableciera una limitación mayor a determinados derechos (entre ellos el secreto de las comunicaciones) cuando un individuo fuera investigado por terrorismo (artículo 55.2 CE)"; en Cap. III, SERRA y GÓRRIZ (§ 2.2).

[103]   Los derechos fundamentales necesitan para su desarrollo legislativo la forma de ley orgánica (art. 81 CE), la cual requiere para ser aprobada la mayoría absoluta de los miembros de ambas cámaras.

[104]   En este sentido AZNAR FERNÁNDEZ-MONTESINOS, Federico: *"La lucha contra el terrorismo requiere de prevención e incluso de medidas específicas. La cuestión se sitúa en los límites en que se debe desarrollar esta. El margen será mayor o menor en función de la naturaleza de la amenaza, precisándose la tutela judicial como una garantía legitimadora, aunque sabiendo que, con todo, se dejará parte de la legitimidad en la lucha, porque la imposición de restricciones ayuda a su limitación"*, AZNAR FERNÁNDEZ-MONTESINOS: *"Terrorismo y contraterrorismo"*, Cuaderno de Estrategia 188, op. cit., p. 98.

por la forma en que la propia Constitución regula los derechos y libertades, es el recipiente de una soberanía popular que le obliga a tomar decisiones normativas que pueden restringirlos y, aunque, llegado el caso, el Tribunal Constitucional puede anular tales normas, *sólo* puede delimitar el camino dentro del cual la interpretación política que aquél hace de la Constitución resulta admisible o no arbitraria[105].

Para llevar a cabo esta tarea —la delimitación del alcance de las decisiones normativas (y por extensión las políticas públicas)— es menester someter tales decisiones a un *test de legitimidad* que nos ayude a determinar esos límites. De este modo, primero nos detendremos en el contenido de la norma y su *inteligibilidad*, y después, en su capacidad para limitar los derechos y libertades fundamentales. Más tarde, ya en el apartado 4.3.3, y tras haber hablado de la identificación de los derechos y libertades afectados por las normas, terminaremos con el análisis de los criterios para determinar la legalidad del impacto de las mismas sobre aquellos.

Llegados a este punto, se va a comprobar la importancia decisiva de la labor de los especialistas en materia de seguridad, en la parte del método (enunciada más atrás) de la que son responsables. Esta importancia se explica en que tanto la identificación de cada amenaza —su cuantificación, la determinación de los bienes e intereses estratégicos que singularmente ponen en peligro—, como la especificación del alcance de las respuestas estatales a las mismas —su inmediatez, su eficacia y eficiencia— solo pueden ser explicadas y detalladas por los expertos en temas de seguridad, no por los juristas. Como se verá a continuación, la labor de dichos especialistas es previa y esencial para que la que se atribuye al Derecho sea eficaz.

En este ámbito, lo primero que debe de hacerse es velar por la aplicación de la necesaria *inteligibilidad* —o *taxativi*dad— de la norma, que nos indica que ha de evaluarse el *qué* está prohibido y el *por qué* está prohibido. En este punto resulta conveniente conectar con lo que en otro epígrafe (4.1.1) llamamos la *"identificación de las amenazas"*. Como referíamos en él, en primer lugar, se trata de dotar a cada una de ellas de un concepto que pueda ser aceptado de forma general. Se trata, por tanto, de definirlas con

---

[105]   PRIETO SANCHIS, Luis.: *"Notas sobre la interpretación constitucional"*, en *Revista del Centro de Estudios Constitucionales*, núm. 9, 1991, p. 177.

nitidez, de establecer sus causas, sus tipologías, de determinar, en su caso, qué actores las protagonizan o que medios son utilizados para llevarlas a cabo. Resulta indudable que esa identificación tiene un alcance directo en la precisión de la norma y en la garantía de protección de los derechos fundamentales.

En efecto, la necesaria precisión de la norma —uno de los requisitos de su "calidad"—, depende en buena parte de la exactitud de los conceptos que la configuran. En este sentido, resulta esencial que estos conceptos determinen un contenido claro, un contenido que no pueda dar lugar a interpretaciones extensivas creadoras de una inseguridad jurídica que, en materia de seguridad y derechos tiene a estos como indudables perdedores. Así lo ponen de manifiesto PATEL y SINGH, por ejemplo, respecto de la falta de definición de lo que concretamente debe entenderse por *"violent extremism"*. Dicha carencia —argumentan—, provoca que, en muchas ocasiones, acciones que deberían contemplarse en el marco de esa definición (con la norma aplicable a la misma) son perseguidas, en cambio, en el marco de lo que define las acciones terroristas (cuyo régimen normativo es otro). Lo mismo sucede con el concepto *"radicalisation progress"*, presente en la mayor parte de los programas de lucha contra el extremismo violento[106].

A continuación, ha de enjuiciarse la capacidad de la norma de someter a límites los derechos concretos. Un juicio que, partiendo de la idea básica de maximalización de la libertad, precisamente exige valorar la autenticidad de los daños que aquella pueda producir.

En cuanto a la limitación por razones de seguridad, es evidente que las previsiones normativas que citan la seguridad como justificación de posibles restricciones son numerosas. El Convenio Europeo para la Protección de los Derechos Humanos y Libertades Fundamentales habla de la protección de la seguridad nacional, de la seguridad pública, de la defensa del orden y de la prevención del delito como posibles causas de restricción de la vida privada y familiar (art. 8), la libertad de expresión (art. 10), y las libertades de reunión y asociación (art. 11). También el Pacto Interna-

---

[106]   PATEL, F., SINGH, A., *"The Human Rights Risks of Countering Violent Extremism Programs"*, *Just Security*, Thursday, April 7, 2016.

cional de Derechos Civiles y Políticos, que se refiere a seguridad nacional y orden público para justificar las limitaciones establecidas por ley para el ejercicio de los derechos. Y la Constitución española, que en su art. 17.1 establece la seguridad personal como derecho fundamental, y menciona el orden público como posible limitador de la libertad religiosa y el derecho de reunión y manifestación en los arts. 16.1 y 21.2.

Es preciso recordar que en 1978 el Tribunal Europeo de Derechos Humanos tuvo que enfrentarse por primera vez a un caso que trataba de amenazas ciertas para la seguridad y respuestas estatales de hondo calado que impactaban muy directamente en los derechos fundamentales de los ciudadanos. Las amenazas eran el terrorismo y el espionaje, la respuesta era la "vigilancia exploratoria o general" en manos de los servicios de inteligencia y la policía, y el derecho afectado la privacidad. El Tribunal hizo su trabajo partiendo de una premisa, a saber, que las sociedades democráticas se encuentran amenazadas por formas complejas de espionaje y terrorismo, y que el Estado *"debe ser capaz de vigilar en secreto a los elementos subversivos que operan en su territorio"*. Una premisa que obligaba a admitir la existencia de disposiciones legislativas, hasta cierto punto discrecionales, que dieran cobertura a la vigilancia secreta de las comunicaciones (caso *Klass*[107]). No obstante, aclaró el Tribunal, debe tenerse muy presente que este planteamiento es excepcional, y que solo se justifica en la preservación en una sociedad democrática de la seguridad nacional (casos *Klass* y *Esbester1*[108]), la defensa del orden y la prevención de infracciones penales. Es por eso que aquella discrecionalidad no es ilimitada, y debe acompañarse siempre con garantías adecuadas y suficientes contra los posibles abusos (caso *Klass*, y casos *Krusling* y *Huvig*[109]).

---

[107]   Caso *Klass y otros contra Alemania*, de 6 de septiembre de 1978. Sobre este caso véase REVENGA SÁNCHEZ, Miguel: *"Derecho a la intimidad y servicios de inteligencia"*, *Revista Española de Derecho Constitucional*, núm. 61, 2001, pp. 68 y ss.

[108]   Caso *Esbester contra el Reino Unido*, de 2 de abril de 1993. En éste se considera que la indefinición de lo que es el "interés para la seguridad nacional" deja un margen de apreciación y discrecionalidad a los Estados.

[109]   Los casos *Krusling* y *Huvig contra Francia*, sentencias de 24 de abril de 1990. Un comentario más detenido y completo sobre estos casos puede consultarse en GÓRRIZ ROYO, Elena M., *"Intervenciones prospectivas y secreto de las comunicaciones: respuestas jurídicas"*, *op. cit.*

En España, la seguridad nacional, concepto "de contornos imprecisos y genéricos"[110], se define por la Ley de Seguridad Nacional como la *"acción del Estado dirigida a proteger los derechos, libertades y bienestar de los ciudadanos y a garantizar la defensa de España y de sus principios y valores constitucionales"*, una acción que englobaría, según la STC 104/1989, *"un conjunto plural y diversificado de actuaciones, distintas por su naturaleza y contenido, aunque orientadas a una misma finalidad tuitiva del bien jurídico así definido"*. Estas acciones para preservar la seguridad, como cualesquiera que hayan de limitar los derechos fundamentales, habrán de someterse, además de a la inteligibilidad y corrección ya comentadas, al llamado *juicio de proporcionalidad,* que no es sino el método para comprobar si aquellas acciones son lesivas o no para los derechos. Como se verá en el apartado 4.3.3 c) de este mismo epígrafe, dicho juicio se desglosa en tres componentes: (i) adecuación entre la restricción impuesta al derecho, y la finalidad que con ella se persigue; (ii) indispensabilidad del límite, y (iii) proporcionalidad en sentido estricto[111]. Pero antes de someter las medidas securitarias a estos test, hay que identificar los derechos impactados por ellas.

4.3.2. Los derechos y libertades afectados por las medidas de seguridad

A la hora de establecer las respuestas a las amenazas contra la seguridad, los poderes públicos deben determinar con rigor los derechos fundamentales que pueden a ser afectados por las mismas, es decir los espacios de libertad que de alguna manera van sufrir (en principio legítimamente) el impacto de esas medidas. Una vez determinado el derecho o derechos afectados, se procederá a un examen jurídico detallado de los mismos, que tome en consideración su contenido (titularidad, objeto, garantías que lo protegen, contenido esencial), pues ese contenido delimitará el "coto vedado" de cada derecho[112],

---

[110] STC de 3 de noviembre de 2016, dictada en resolución del recurso de inconstitucionalidad de la Generalitat de Cataluña contra la Ley 36/2015, de Seguridad Nacional.

[111] STC 136/1999, de 20 de julio (Caso de la Mesa de *Herri Batasuna*).

[112] DE OTTO, Ignacio: *"La regulación del ejercicio de los derechos y libertades"*, en MARTÍN-RETORTILLO, Lorenzo y DE OTTO, Ignacio: *Derechos fundamentales y Constitución*, Madrid, Civitas, 1988, p. 137.

sus características principales y el modo de relacionarse con las acciones de los poderes públicos. Esta identificación sustantiva es muy relevante.

Así como las amenazas a la seguridad y las medidas contra ellas son de muy diferente naturaleza, los derechos comprometidos por éstas no se reducen a unos pocos, sino que abarcan prácticamente la totalidad de los considerados fundamentales por nuestra Constitución. Ciertamente, el impacto de las respuestas a las amenazas recae sobre unos más que sobre otros (hay una comprensible concentración en los derechos vinculados a la privacidad, a saber, derecho a la intimidad, secreto de las comunicaciones, inviolabilidad de domicilio y protección de datos), pero no deben perderse de vista ninguno de ellos, sobre todo aquellos de carácter personalísimo (como la libertad personal o la libertad religiosa), aquellos que sostienen directamente el sistema democrático (la libertad de expresión, el derecho a la información, los derechos de reunión y asociación…), o los que hacen efectiva la misma garantía de los derechos (el derecho de defensa y las garantías judiciales).

Obviamente, nos encontramos ante una realidad casuística que debe considerarse medida a medida y derecho a derecho, pero cuyos contornos pueden dibujarse precisamente con algunos ejemplos sometidos a preguntas desde la perspectiva de los derechos fundamentales.

Así, si hablamos de detenciones y privación de libertad (art. 17.1 CE), puede comprobarse que, en España, entre 2004 y 2014 la Justicia sólo condenó a uno de cada diez detenidos por terrorismo islamista (más de 500 detenidos; 50 condenados)[113]. En algunos casos los detenidos suelen pasar

---

[113]   GARCÍA JAÉN, Braulio (y otros): "*La Justicia solo ha condenado a uno de cada diez detenidos por terrorismo islamista desde 2004*", *InfoLibre*, 9 de abril de 2014. https://www.infolibre.es/noticias/politica/2014/03/30/justicia_preventiva_fracaso_que_dura_diez_anos_15025_1012.html. Para este autor, "el relato oficial de la lucha contra el terrorismo islamista, y el del ministro del Interior en particular, ha sido a menudo desmentido por los hechos. La inmensa mayoría de los detenidos en operaciones preventivas eran inocentes"; cfr. ORTEGA DOLZ, Patricia: "*Un 21% de los acusados de yihadismo desde 2016 fueron absueltos*", *El País*, 10 de junio de 2017. https://politica.elpais.com/politica/2017/06/10/actualidad/1497117952_613789.html; también "*La propaganda preventiva de Fernández Díaz*", *Ctxt*, núm. 35, 21 de octubre de 2015. http://ctxt.es/es/20151021/Politica/2689/Al-Qaeda-Fernandez-DIaz-ONU-operacion-plomo-justicia-preventiva-wikileaks-EEUU.htm

meses o incluso años en prisión antes de ser liberados por falta de pruebas. Aquí las preguntas podrían ser: ¿Existe una especia de "justicia preventiva" en casos de sospechosos de terrorismo? ¿Es eficaz esa medida o provoca — vía internamiento en cárceles— más radicalización de los detenidos y de su entorno? El bien jurídico protegido en este caso es la libertad y la seguridad de las personas, que no pueden ser privadas de ella salvo lo establecido por la Constitución y la propia Ley, y nunca de forma arbitraria[114].

En Francia, desde hace dos años se vienen tomando medidas para evitar el avance del Islam más radical. El Gobierno ha ordenado el cierre de numerosas mezquitas y salas de rezo por considerarlas radicales, así como la investigación como sospechosos y expulsión de decenas de imanes[115]. Es un tema que, en España, tras el atentado de Barcelona de agosto de 2017, está en el escenario del debate y que, sin duda, afecta a la libertad religiosa y de culto (art. 16 CE). ¿Se pueden cerrar centros de culto religioso por ser transmisor de ideas radicales? ¿Solo los islámicos? ¿Se puede impedir la financiación de los mismos procedente de países u organizaciones salafistas? ¿Es constitucional la elaboración de un registro de imanes radicales? El bien protegido aquí es la misma libertad religiosa, así como el derecho a mantener lugares de culto y a practicarlo, tanto en el interior de los recintos como en el exterior, con el límite del orden público y los derechos de los demás.

En los Países Bajos una sentencia del Tribunal regional de La Haya determinó que la vigilancia (sin intervención judicial y con fines antite-

---

Véase SERRA CRISTÓBAL, Rosario y GÓRRIZ ROYO, Elena, *"Contraterrorismo: plasmación legislativa reciente e impacto en las libertades y derechos fundamentales"*, en *Cuaderno de Estrategia 188, op. cit.*, pp. 155 y ss.

[114] Véase la Directiva (UE) 2016/343 del Parlamento Europeo y del Consejo, de 9 de marzo de 2016, por la que se refuerzan en el proceso penal determinados aspectos de la presunción de inocencia y el derecho a estar presente en el juicio. La finalidad de la Directiva consiste en reforzar en el proceso penal el derecho a un juicio justo, estableciendo unas normas mínimas comunes relativas a determinados aspectos de la presunción de inocencia y al derecho a estar presente en el juicio.
http://eur-lex.europa.eu/legal-content/ES/TXT/?uri=CELEX%3A32016L0343

[115] TERUEL, Ana: *"Francia toma medidas para frenar el avance del islam radical"*, El País, 1 de agosto de 2016. https://elpais.com/internacional/2016/08/01/actualidad/1470080833_728998.html

rroristas) por parte de agencias de inteligencia a abogados constituía una infracción de sus derechos fundamentales (directamente el secreto de las comunicaciones, y de forma mediata el derecho a la defensa) y ordenó al Estado holandés que cesase en la vigilancia de las comunicaciones de los abogados[116]. ¿Era la medida legislativa y gubernamental proporcionada con el fin que pretendía? ¿Dejaba algún margen para la efectividad del derecho a la defensa? El bien constitucionalmente protegido aquí de forma directa era el derecho de los titulares (los abogados en este caso) a mantener el carácter reservado de una información privada o, lo que es lo mismo, a que ningún tercero pueda intervenir en el proceso de comunicación y conocer de la idea, pensamiento o noticia transmitida por el medio. Mediatamente el derecho protegido era el de defensa.

En Estados Unidos, las conclusiones del *Informe sobre el Programa de Detención e Interrogación de la CIA* presentadas por el Comité de Inteligencia del Senado de los EEUU en 2014 demostraron que, durante varios años, y tal y como se denunciaba desde diferentes organizaciones de derechos humanos, cientos de personas fueron torturadas, y algunas de ellas asesinadas, con el *legítimo objetivo* de "detener ataques y salvar vidas"[117]. Una de las conclusiones más llamativas del Informe destacaba que las torturas no habían producido resultados (habían sido ineficaces, es decir, ni habían detenido ataques ni habían salvado vidas), como si haberlos producido las hubiera justificado[118]. En este caso el bien protegido era la vida, la integridad física y psíquica de las personas, y el derecho es el de no ser sometido bajo ninguna circunstancia a "la causación", sean cuales fuere los fines, de padecimientos físicos o psíquicos ilícitos, infligidos de modo veja-

---

[116]   ABOGACÍA ESPAÑOLA: "La Abogacía Europea logra que la Justicia holandesa ordene el cese de las escuchas a abogados", 3 de julio de 2015.

[117]   HUMAN RIGHTS WATCH: *"EE. UU.: Demoledor informe del Senado sobre torturas y mentiras de la CIA", 11 de diciembre de 2014.* https://www.hrw.org/es/news/2014/12/11/ee-uu-demoledor-informe-del-senado-sobre-torturas-y-mentiras-de-la-cia. El informe completo puede consultarse aquí: http://s3.documentcloud.org/documents/1377115/sscistudy1.pdf

[118]   FLORES GIMÉNEZ, Fernando: *"Torturas sin resultados", Al Revés y Al Derecho*, 14 de diciembre de 2014. http://blogs.infolibre.es/alrevesyalderecho/?p=3446

torio para quienes los sufre y con esa propia intención de vejar y doblegar la voluntad del sujeto"[119].

Podrían sumarse muchos más ejemplos de medidas securitarias que impactan, además de contra el principio de legalidad, contra derechos como la libertad de circulación[120], el derecho a no ser discriminado por cuestión de raza, la libertad de información[121], las libertades de reunión y asociación[122], los derechos políticos, el derecho a un proceso con todas las garantías o el derecho al refugio… Si la valoración de estas medidas se lleva a cabo desde la consideración de la seguridad como bien fundamental al que necesariamente deben someterse los derechos y libertades constitucionales, estaremos ante un planteamiento equivocado. Ese apriorismo, que toma fuerza en los últimos años (y que probablemente siga creciendo), debe ser rechazado y sustituido por una mirada más acorde con el respeto al Estado de Derecho y la garantía de los derechos fundamentales. Esa mirada pasa por tener muy presentes, y aclarar o reforzar en su caso, unos criterios rigurosos que midan la legalidad de las respuestas estatales contra las amenazas a la seguridad.

4.3.3. Los criterios para medir la legalidad del impacto

Llegados a este punto (analizada la amenaza, prevista la respuesta y su cobertura legal y constitucional, e identificados los derechos afectados por la misma) debe establecerse el nivel de la intromisión de la medida sobre el

---

[119]   Definición de la STC 120/90, de 27 de junio (Caso Huelga de hambre de los GRAPO).

[120]   Sobre medidas antiterroristas y "Libertad de circulación", SERRA CRISTÓBAL, Rosario y GÓRRIZ ROYO, Elena, "*Contraterrorismo: plasmación legislativa reciente e impacto en las libertades y derechos fundamentales*", en *Cuaderno de Estrategia 188, op. cit.*, pp. 150 y ss.

[121]   Sobre medidas antiterroristas y "Obstáculos a la circulación de información y la actividad de los profesionales de la información", véase SERRA CRISTÓBAL, Rosario y GÓRRIZ ROYO, Elena, "*Contraterrorismo: plasmación legislativa reciente e impacto en las libertades y derechos fundamentales*", en *Cuaderno de Estrategia 188 op. cit.*, pp. 130 y ss., y pp. 143 y ss.

[122]   Véase SERRA CRISTÓBAL, Rosario y GÓRRIZ ROYO, Elena, "*Contraterrorismo: plasmación legislativa reciente e impacto en las libertades y derechos fundamentales*", en *Cuaderno de Estrategia 188, op. cit.*, p. 149.

derecho o derechos implicados, y posteriormente valorar el impacto en el conjunto del ordenamiento constitucional, y por tanto de una estimación cualitativa de su afectación al Estado de Derecho. Dado que toda restricción de un derecho se justifica en la necesidad de proteger la seguridad u otro derecho, nos adentramos en la teoría del conflicto entre principios o derechos. Resulta por consiguiente esencial concretar el criterio o criterios que han de emplearse en la solución de los conflictos normativos. Brevemente los describimos a continuación.

El primer criterio que debe cumplirse por la medida securitaria es el normativo, es decir, el cumplimiento del principio de legalidad. La intromisión de la respuesta securitaria en los derechos de las personas puede justificarse si la injerencia está recogida en una ley, es decir, en una norma elaborada y aprobada por un órgano específico (sede de la soberanía y políticamente plural) y por un procedimiento específico, características que la dotan de una posición jerárquica específica y superior en el sistema de fuentes. La legalidad es una garantía de los derechos y no puede pasarse por alto en ningún caso, pues las normas jerárquicamente inferiores (las del ejecutivo) permiten mayor potencial para el abuso y la arbitrariedad[123].

Aun así, la regulación parlamentaria de la medida pro-seguridad que limita los derechos no significa haber superado necesariamente el test de legitimidad al que debe someterse. Ciertamente, existe lo que el Tribunal Europeo de Derechos Humanos llama doctrina del "margen nacional de apreciación", lo que lleva a que este Tribunal (y también a los internos) sea extraordinariamente prudente cuando tiene que decidir asuntos que afectan a la seguridad nacional de los Estados, y/o éstos aducen circunstancias excepcionales justificadoras de un régimen legal de emergencia[124]. Sin embargo, ese margen discrecional de apreciación concedido al Legislador (y en su caso, al Ejecutivo), no puede dejar sin efecto la efectividad de los

---

[123] De una manera estricta describe este criterio la sentencia del TEDH que resuelve el *Caso Zakharov*, sentencia en la que se recoge toda la jurisprudencia anterior al respecto; ver en FLORES GIMÉNEZ, Fernando: *"La paranoia razonable: vigilancia masiva y derecho a la privacidad en la era digital"*, en *The European Convention on Human Rights in a Global World*, Strasbourg, 2018.

[124] REVENGA SÁNCHEZ, Miguel: *"Derecho a la intimidad y servicios de inteligencia"*, *op. cit.*, p. 70.

derechos. Es por eso que, además de la exigencia de que la norma reguladora de la medida securitaria limitadora de los derechos tenga un rango
legal específico, se requiere que la ley tenga una "calidad" mínima, que
tenga una "singular precisión", es decir, es exigible no sea tan flexible como
para dar cobertura a cualquier acción gubernativa, y que tenga la claridad
suficiente para que los ciudadanos puedan comprender los casos y las condiciones en que la autoridad puede legítimamente aplicar aquella medida.

Llevando esta argumentación a la práctica, el TEDH entiende que,
para la interceptación de comunicaciones, sin la "singular precisión legal"
de la que estamos hablando, no puede reconocerse la exigible disposición
de garantías suficientes contra los posibles abusos gubernamentales. Así,
para el Tribunal de Estrasburgo, los mínimos contenidos exigibles para
que se pueda hablar de que se respeta la legalidad en la intervención de las
comunicaciones, son, por ejemplo: el tipo de delitos que pueden justificar
una orden de interceptación; el tipo de personas susceptibles de que sus
teléfonos sean intervenidos; el límite temporal de la intervención de la comunicación; las precauciones que deben ser adoptadas para la transferencia
de los datos obtenidos; el modo en que las grabaciones deben ser borradas
o destruidas...[125].

El segundo criterio a aplicar, allí donde sea necesario, es el de la intervención judicial cuando las medidas afecten a determinados derechos
fundamentales. Varios preceptos constitucionales y leyes de desarrollo de
las libertades constitucionales contienen expresamente esta garantía[126]. Sin

---

[125] Puede verse con detalle esta exigencia para el caso de leyes que dan cobertura para
la vigilancia en FLORES GIMÉNEZ, Fernando: "*La paranoia razonable: vigilancia
masiva y derecho a la privacidad en la era digital*", *op. cit.* Aún así, el Tribunal ha considerado la posibilidad de admitir que una jurisprudencia nacional que complete normas imprecisas o insuficientes pueda salvar la legalidad de las medidas de vigilancia,
al entenderse que con ella puede estar cumplida la exigencia de la previsibilidad de la
ley; así en el Caso *Abdulkarid Coban contra España*, de 26 de septiembre de 2006.

[126] Así lo establece el art. 18.3 CE y, por ejemplo, la Ley Orgánica 2/2002, reguladora
del control judicial previo del Centro Nacional de Inteligencia; véase SERRA CRIS-
TÓBAL, Rosario y GÓRRIZ ROYO, Elena, "*Contraterrorismo: plasmación legislativa
reciente e impacto en las libertades y derechos fundamentales*", en *Cuaderno de Estrategia
188*, cit. MADRID (IEEE-Ministerio de Defensa), 2017, p. 133; y, GONZÁLEZ
CUSSAC, José Luis: "*Intromisión en la intimidad y CNI. Crítica al modelo español de*

embargo, remarca el Tribunal Europeo de Derechos Humanos, esa protección judicial no será suficiente si los jueces no ejercen un control garantista durante la ejecución de las medidas de seguridad propuestas por los poderes públicos. Por ejemplo, para autorizar una interceptación de las comunicaciones (más aún si esta se plantea de forma masiva) no es suficiente la sola justificación a partir de una abstracta "seguridad nacional", sino que se debe justificar (por el propio juez) la existencia de una sospecha razonable que justifique la aplicación de la medida securitaria[127].

En cuanto al resto de criterios para determinar la legitimidad de las respuestas, pueden conducirse, en principio, a la superación del ya mencionado juicio de proporcionalidad[128]; método que se desglosa en tres componentes que pueden desagregarse pero que deben entenderse de manera conjunta: la idoneidad de las medidas, la necesidad de las mismas, y la proporcionalidad entre su objetivo y el daño que producen.

a) Con respecto a la idoneidad. Ésta podría definirse como la adecuación entre la restricción impuesta al derecho y la finalidad que con ella se persigue, es decir, se refiere a si tal medida es susceptible de conseguir el objetivo propuesto, si es efectiva[129].

Esta relación de causalidad entre respuesta securitaria y finalidad es importante y ha de ser comprobada, pero también debe ser puesta en contexto pues, como señala REVENGA (en relación con los servicios de inteligencia), puede conducirnos a un "falso dilema", el dilema garantías versus eficacia. La fiabilidad, consistencia y la propia utilidad de los servicios de inteligencia en una sociedad democrática dependen de la medida en que se atengan a los términos de un mandato capaz de suscitar un amplio consenso, y en el que los obje-

---

[127] *control judicial previo"*, en *Inteligencia y Seguridad: Revista de Análisis y Prospectiva*, nº 15, 2014, pp. 151 a 186.

Así en el Caso *Román Zakharov contra Rusia*, de 4 de diciembre de 2015 (Gran Sala). Ver FLORES GIMÉNEZ, Fernando: *"La paranoia razonable…", op. cit.*

[128] Las SSTC 66/1995, 55/1996 y 207/1996 sintetizan, entre otras, los criterios para comprobar si una medida restrictiva de un derecho fundamental supera el juicio de proporcionalidad.

[129] Véase AZNAR FERNÁNDEZ-MONTESINOS, Federico: *"Terrorismo y contraterrorismo"*, *Cuaderno de Estrategia 188, op. cit.*, pp. 93 y ss.

tivos, los límites de los métodos de trabajo, así como la rendición de cuentas y el control externo, se encuentren claramente perfilados[130].

Más atrás, en el punto 4.2.3, se han descrito ejemplos de respuestas de países europeos ante presuntas amenazas cuya eficacia es discutida de otra forma. Así, las restricciones que Italia ha impuesto a la labor de búsqueda y ayuda de inmigrantes procedentes del norte de África; la denominada "criminalización de la solidaridad" que desde 2015 viene practicando Francia; o la tipificación de la prisión permanente revisable, en España, son medidas que impactan directamente en los derechos fundamentales de las personas y que, sin embargo, resultan dudosamente idóneas para el fin que son adoptadas.

b) En relación con el llamado "juicio de necesidad", se trata de determinar si la medida securitaria que impacta en los derechos fundamentales es imprescindible para terminar con la amenaza (y por ello son inevitables las restricciones de derechos que conlleva). O si, por el contrario, existen otros medios menos gravosos desde el punto de vista de la efectividad de los derechos, que pueden lograr el fin pretendido. Dicho de otro modo, el juicio de necesidad nos obliga a adoptar la perspectiva de la excepcionalidad de aquellas medidas que limitan las libertades fundamentales, pues de otra forma pierden su sentido.

Por ejemplo, resulta dudoso que un dispositivo administrativo como el que los Estados europeos establecen para cumplir con el Convención para el Estatuto de los Refugiados, repleto de medidas restrictivas de derechos (y que deja sin efecto la figura del asilo), sea "necesario" para frenar los flujos migratorios irregulares (admitiendo que estos deban ser considerados como amenaza)[131]. De igual

---

[130]   REVENGA SÁNCHEZ, Miguel: *"Derecho a la intimidad y servicios de inteligencia"*, *op. cit.*, p. 80.

[131]   Sobre este tema puede verse DE LUCAS, Javier: *Mediterráneo. El naufragio de Europa*, Valencia, Tirant lo Blanch, 2015; NAÏR, Sami: *Refugiados. Frente a la catástrofe humanitaria una solución real*, Madrid, Editorial Crítica, 2016. Sobre la posición insolidaria de la UE frente a la tragedia humana del conflicto en Siria, CEBADA ROMERO, Alicia: *"Las respuestas de la comunidad internacional a los conflictos inter-*

manera pueden entenderse las medidas de vigilancia masiva, inefectivas si en su "debe" incluimos tanto los costes económicos como el impacto que producen en los derechos de la privacidad, el de asociación e información de sociedades enteras[132]. Asimismo, los controles en las fronteras interiores de la UE son necesarios, pero, como se ha subrayado por LOPEZ AGUILAR en sede parlamentaria, dichos controles —y sus refuerzos— no deben ser sistemáticos ni prolongados en el tiempo, deben estar subordinados racionalmente a la seguridad, pues además de ineficaces si así se disponen, con ellos se limita de forma importante la libertad de circulación de los ciudadanos europeos[133].

c) En cuanto a la proporcionalidad en sentido estricto, esta significa que, ponderando en conjunto la gravedad de la intervención (la respuesta securitaria) en los derechos fundamentales, y lo imperioso de los motivos que la justifican, ha de velarse por el mantenimiento constante de los márgenes de lo que es razonablemente exigible[134], por derivarse de ella más beneficios o ventajas para el interés general que perjuicios sobre otros bienes o valores en conflicto.

El TJUE ha dejado algunas ideas relevantes en relación con la proporcionalidad de las medidas securitarias. Así, en la sentencia que resuelve la *Digital Rights Ireland Ltd contra Minister for Comunications, Marine and Natural Resources y otros*[135], el TJUE analiza la legalidad de la Directiva 2006/24, sobre la conservación de datos generados o tratados en relación con la prestación de servicios de comunicaciones electrónicas de acceso

---

nacionales contemporáneos: el caso de Siria", *Cuadernos de Estrategia 188, op. cit.*, pp. 228 y ss.

[132] Véase el Caso *Román Zakharov contra Rusia*, de 4 de diciembre de 2015 (Gran Sala). Sobre este punto, también, véase SERRA CRISTÓBAL, Rosario y GÓRRIZ ROYO, Elena, *"Contraterrorismo: plasmación legislativa reciente e impacto en las libertades y derechos fundamentales"*, en *Cuaderno de Estrategia 188, op. cit.*, pp. 129 y ss.

[133] "Refuerzo de los controles mediante la consulta de bases de datos". Intervención de LOPEZ AGUILAR en el Parlamento Europeo, 15 de febrero de 2017. https://www.youtube.com/watch?time_continue=79&v=JKdu_84e-DQ

[134] STC 136/1999, de 20 de julio (Caso de la Mesa de *Herri Batasuna*).

[135] Sentencia del Tribunal de Justicia de la Unión Europea (Gran Sala) de 8 de abril de 2014.

público o de redes públicas de comunicaciones, y la declara nula por contravenir varios artículos de la Carta de Derechos Fundamentales de la UE (concretamente los artículos 7 —vida privada y familiar—, 8 —protección de datos de carácter personal— y 52.1 —principio de proporcionalidad).

El TJUE, si bien admite que la eficacia de la lucha contra el terrorismo puede depender en gran medida de la utilización de técnicas modernas de investigación, entiende que la adopción de medidas que afecten práctica e indiscriminadamente a toda la población europea, si no incorporan unos sistemas de garantías muy estrictos que garanticen eficazmente la protección de los datos conservados, por muy legítimo que sea el fin de la norma, ésta no puede considerarse aceptable para el Derecho europeo[136].

Este recurso a la ponderación que supone la proporcionalidad es, sin ningún lugar a dudas, uno de los criterios de interpretación más frecuentemente empleados por los operadores jurídicos y, sobre todo, por los tribunales de justicia[137]. Sin embargo, se trata de un recurso sumamente discutible por muchas razones que se han expuesto en la doctrina jurídica. Así, resulta comprobable que cuando se aplica entre derechos fundamentales y seguridad nacional, el resultado siempre es favorable a la restricción del derecho, en beneficio de aquélla[138]. Pero incluso cuando la técnica de la ponderación se utiliza en hipotéticos o reales supuestos de conflictos entre derechos o libertades, este criterio muestra una alta indeterminación y por consiguiente aboca a la inseguridad jurídica[139]. En realidad, podría decirse que la ponderación es el reconocimiento de que el Derecho ha renunciado a expresar una regla para solventar un conflicto abandonándolo a la

---

136   Puede verse al respecto SERRA CRISTÓBAL, Rosario, "*Los derechos fundamentales en la encrucijada de la lucha contra el terrorismo yihadista. Lo que el constitucionalismo y el Derecho de la Unión Europea pueden ofrecer en común*", Teoría y Realidad Constitucional, núm. 38, 2016; o FLORES, Fernando: "La paranoia razonable...", *op. cit.*

137   GONZÁLEZ BEILFUSS, Markus, "*El principio de proporcionalidad en la jurisprudencia del Tribunal Constitucional*", Thomson-Aranzadi, Elcano (Navarra), 2003, p. 15.

138   REVENGA SÁNCHEZ, Miguel: "*Razonamiento judicial, seguridad nacional y secreto de Estado*", en "Acceso judicial a la obtención de datos", Cuadernos y Estudios de Derecho Judicial, nº 25, Madrid (CGPJ) 1997, pp. 7 y ss.

139   VIVES ANTÓN, Tomás: "*La libertad como pretexto*", Valencia, Tirant lo Blanch, 1995, pp. 387 y ss.

decisión del juez en cada caso. Así expuesto es una "no regla". De ahí que nos sumemos a quienes consideran preferible recurrir a un razonamiento jurídico de clase interpretativo-subsuntivo[140].

5. CONCLUSIÓN

Hasta aquí se ha desarrollado de forma breve y sistemática el método que, a nuestro modo de ver, debería seguirse para configurar un acercamiento integral a la seguridad, tal y como debe ser entendida en los sistemas democráticos contemporáneos. Como se ha visto, se trata de dar protagonismo a los derechos y libertades constitucionales afectados por las medidas contra las amenazas como parte de la seguridad que se desea proteger, no como un obstáculo incómodo que debe superarse para alcanzarla. Fundamentalmente, porque esos derechos y libertades forman parte de los pilares del pacto político que sostiene nuestras sociedades.

No cabe duda de que es tan deseable como posible un debate sobre la posición que han de ocupar los derechos fundamentales en la "sociedad de riesgo": ¿más garantista frente a la "amenaza estatal"? ¿más flexible ante las nuevas amenazas a "nuestro sistema de vida"? Eso se puede discutir y dar lugar a reformas constitucionales o legales, o a interpretaciones judiciales más o menos restrictivas, pero lo que de ninguna manera debe producirse es un vaciamiento *de facto* de aquéllos, menguando el Estado de Derecho hasta dejarlo como una carcasa vacía de contenido.

Ciertamente, como individuos que defendemos nuestras sociedades democráticas, debemos estar dispuestos a revisar el régimen de libertades sobre el que ellas se asientan. Porque el terrorismo internacional ha puesto de manifiesto nuestra vulnerabilidad, y porque por esa causa quizás supone un problema mayor que el Estado no sea capaz de garantizar la seguridad de sus ciudadanos que el hecho de tener que reconocerle capacidad de actuación en ciertos ámbitos de nuestra vida privada, o una cierta flexibilidad en la interpretación de las libertades de las que también es garante,

---

[140]   GARCÍA AMADO, J. A.: "*Conflictos de derechos: qué son y cómo se resuelven*", en *Razonar sobre derechos*, Valencia, Tirant lo Blanch, 2016, pp. 15 y ss.

si con ello cumple con su principal función. Pero esa capacidad de actuación, o esa flexibilidad en la interpretación, son circunstancias que han de producirse desde el más escrupuloso respeto a las normas que articulan las sociedades en cuya defensa se pide a los ciudadanos aquellas concesiones.

Es en este marco argumental en el que razonaría la propuesta de legalización de la tortura que, por detraerse del sistema de toma de decisiones democrático, puede suponer un serio problema en cuanto a la legitimidad de unas acciones que, en la medida que podrían evitar grandes catástrofes, llegaría a ser comprendida por los consumidores de la seguridad que el Estado proporciona[141].

Igualmente, IGNATIEFF comenzó justificando la necesidad de acciones enérgicas contra el terrorismo, incluso la práctica de una acción extralegal en situaciones extremas[142]. Su tesis inicial era bien clara: "*Tenemos que enfrentarnos a gente malvada y para acabar con ellos puede que necesitemos responder con la misma moneda. Si ése es el caso, ¿qué debemos hacer para que los males menores no se conviertan en mayores?*". Así, este autor, en una primera tesis, ponderando la validez y permanencia de los derechos, consideraba que las excepciones no destruyen la norma, sino que la salvan, siempre que sean temporales y estén justificadas como último recurso[143]. De esta manera pretendió establecer un equilibrio entre libertad y necesidad, entre el principio puro y la prudencia. Subrayaba que los Estados deben adaptarse no sólo a los criterios y estándares nacionales sino también a los internacionales, señalando cómo las democracias suelen sobre reaccionar ante un hecho terrorista comprometiendo con dicha reacción su

---

[141] GRAY, John: "*Contra el progreso y otras ilusiones*", Paidós, Barcelona, 2006. Comentario de RODRÍGUEZ BARTOLOMÉ, Virginia: "*El terrorismo internacional es lo que la política estadounidense ha hecho de él*", *Revista Académica de Relaciones Internacionales*, núm. 6, abril de 2007.
http://www.relacionesinternacionales.info/ojs/article/viewFile/79/70.html

[142] Acciones extralegales sometidas, sin embargo, a seis principios o pruebas que limitaran los excesos punitivos o represivos: la prueba de la dignidad, la de la conservación (hábeas corpus), la de la efectividad, la del último recurso, la de la revisión contradictoria abierta (el control legislativo o judicial tan pronto como lo permita la necesidad) y la de solidaridad internacional (la aprobación de los organismos y aliados). IGNATIEFF, Michael, "*El mal menor*", Madrid, Taurus, 2005.

[143] IGNATIEFF, Michael. "*El mal menor*", *op. cit.*, p. 9.

propia legitimidad, que es el envite real que deben soportar. Aunque, casi inevitablemente, esta primera postura nos hacía recordar a Carl Schmitt: *"soberano es el que decide la excepción."*[144]

Hasta cierto punto puede llegar a admitirse, con Ignatieff, que la suspensión de garantías sea un mal menor tolerable bajo determinadas circunstancias extremas, pues las excepciones no destruyen la norma (sobre todo si están previstas constitucionalmente). Pero una vez iniciado ese proceso de suspensión es fácil llegar al simple y frecuente escamoteo de las garantías, prorrogando indefinidamente, por ejemplo, el estado de excepción (Francia). Con ello se pierde cualquier fundamentación legal y entonces estamos ya ante un mal mayor. O como reconoce el mismo Ignatieff, *"los grandes principios y los escrúpulos morales pueden perder su influjo sobre los interrogadores de las prisiones secretas del Estado"*. Puede que empezaran "con ideales muy altos", pero es probable que acaben "traicionándolos", justamente porque son secretas esas cárceles.

Ignatieff mantuvo un tiempo esta postura pretendidamente equilibrada que obligaba a elegir entre el "mal mayor" (el terrorismo) y una serie de medidas que califica como "males menores", llegando a fundamentar (es verdad que con escrúpulos no exentos de notables contradicciones) limitaciones de determinados derechos, libertades y garantías propias del Estado de Derecho[145], la tortura ("el caso más difícil de la ética del mal menor"), el asesinato selectivo o la acción militar preventiva[146]. No obstante, después se arrepentiría y rechazaría estas fórmulas al constatar el alto precio de tal opción.

Los conflictos de la 'sociedad del riesgo' no exigen un estado de excepción en el sentido tradicional. Lo que exigen es, más bien, practicar toda la normalidad que sea posible en la gestión de las amenazas. En una demo-

---

[144]   SCHMITT, Carl. *"El concepto de lo político"*. Folios Ediciones, Buenos Aires.
[145]   IGNATIEFF, Michael. *"El mal menor"*, op. cit.
[146]   RODRÍGUEZ-VILLASANTE Y PRIETO, José Luis. *"El derecho internacional humanitario como instrumento en la lucha contra los actos de terror"*, Valencia, Tirant lo Blanch, 2007.

cracia hay, ocasionalmente, situaciones de excepción y lo que deseamos es que se gestionen para volver a la realidad (vs Carl Schmitt)[147].

Sin duda debemos tratar de huir del mito del "ciudadano impecable", que solo reclama seguridad y derechos, pero sin estar dispuesto a ningún sacrificio[148]. La seguridad comporta sacrificios y el mantenimiento de un régimen democráticos y de libertades también. La política es más una competición en torno a los peligros que en torno a las oportunidades. Sustituidos por el temor del mal *posible*, apenas se compite por imaginarios de lo que sería *deseable*[149].

Ciertamente la realidad social ha cambiado y este cambio puede generar la necesidad de adaptar los derechos. Pero antes de recortarlos es imprescindible verificar los cambios de la "nueva realidad". Por consiguiente, solo cabrá plantearse la revisión del contenido de los derechos fundamentales una vez analizados y contrastados los cambios, y consensuada la necesidad de modificar su contenido. Y desde luego deberá hacerse por el procedimiento legítimo que no es otro que la modificación constitucional.

No obstante, hay que advertir que nuestros derechos y libertades fundamentales no han sufrido ninguna modificación de rango constitucional. Por consiguiente, los recortes a su contenido no proceden del rango de la ley fundamental, sino que se originan en la legislación ordinaria y en ciertas interpretaciones judiciales. Esta tendencia restrictiva bordeando la Constitución merece una seria reflexión crítica. Especialmente grave resulta esta tendencia en el marco de un sistema de "constituciones normativas"[150].

En la actualidad, es indudable que vivimos un orden internacional de tendencias *hobbesianas,* no muy favorable al garantismo y a la sobrepro-

---

[147] INNERARITY, Daniel, "*La humanidad amenazada: gobernar los riesgos globales*", *La humanidad amenazad…, op. cit.*, p. 19.

[148] Del ÁGUILA, Rafael.: "*La senda del mal. Política y razón de Estado*", Madrid, Taurus, 2000, pp. 192 y ss.

[149] INNERARITY, Daniel, "*La humanidad amenazada: gobernar los riesgos globales*", *La humanidad amenazad…, op. cit.*, p. 13.

[150] VIVES ANTÓN, Tomás: "*Fundamentos del sistema penal*", Valencia, Tirant lo Blanch, 2011, pp. 665 y ss.

tección de los derechos humanos. Sin embargo, los derechos, se llamen *humanos* o *fundamentales,* son el material del que está hecha la democracia. Las bases del sistema constitucional español (artículo 53 CE), como las de la Unión Europea (artículo 2 TUE), pivotan sobre su garantía efectiva y determinan la identidad tanto de sus instituciones como de su ciudadanía, por lo que cualquier afectación estructural al mismo debe considerarse material extremadamente sensible.

Es importante tener presente que una afectación estructural del sistema de protección eficaz de los derechos no tiene por qué aparentar serlo. Esa afectación puede producirse por la convergencia de múltiples pequeños cambios, normativos o de comportamiento de los poderes públicos, que en principio solo contradicen a pequeña escala los estándares básicos de lo que se considera un Estado de Derecho, pero que sumados, provocan un auténtico cambio sistémico, casi una mutación constitucional, del ordenamiento democrático.

Hemos de ser conscientes, por lo tanto, de que con el motivo o excusa de defenderla, la democracia puede ser destruida. Es por eso que resulta imprescindible un acercamiento riguroso y transparente a todos los elementos que se combinan en la ecuación que amenazas —riesgos-respuestas del Estado— afectación de los derechos. Un acercamiento que permita alcanzar un equilibrio seguro que inestable pero siempre adecuado (adecuado por necesario, proporcionado y eficaz) entre el ejercicio por el individuo de sus derechos fundamentales y la necesidad vital de defender al Estado y a sus ciudadanos de los peligros para su seguridad.

En definitiva, por todo lo argumentado hasta aquí, de forma resumida y sistemática puede decirse que las medidas contra los riesgos y amenazas contra la seguridad recomendadas por los expertos necesitan:

a) Un estudio previo por ellos mismos, que identifique con la mayor precisión posible la amenaza concreta y el grado de peligrosidad que supone en un momento determinado. Es con arreglo a este análisis y diagnóstico —basado en la realidad, no en presunciones o necesidades de comunicación cortoplacistas— que las medidas deberán configurarse y adoptarse.

b) Un seguimiento exhaustivo dirigido a verificar su eficacia, así como su impacto en los derechos constitucionales. Es decir, de una parte, verificar *"si su diseño e implementación se adecuan a los objetivos perseguidos y si se alcanzan los resultados previstos a un coste razonable"*[151], y de otra, el grado y gravedad de su intromisión en la autonomía de las personas. Será, pues, con la base de esta evaluación y obtención de conocimiento (lo que en el ámbito militar se denominan "lecciones aprendidas") con lo que habrá de adoptarse el siguiente paso.

c) Modificarlas o rechazarlas, sistematizando la corresponsabilidad para definir la combinación de libertad y seguridad que se precisa.

d) Para llevar a cabo lo anterior de forma adecuada es necesario potenciar la interacción entre los especialistas en materia de seguridad y los expertos en el campo de los derechos y las libertades constitucionales.

e) Desarrollar mecanismos de investigación y lecciones aprendidas que permitan evaluar, por ejemplo, qué ha fallado en la UE entre los atentados de París, Bruselas y Barcelona, y qué se debería hacer en el futuro para evitarlo. En caso contrario, tendremos medidas, pero no tendremos política.

f) Lo medios. La disponibilidad o penuria de ellos condiciona la cantidad y calidad de seguridad y libertad que disfrutan los ciudadanos europeos. Mientras la abundancia de medios humanos, personales y tecnológicos permite ampliar los niveles de seguridad y libertad simultáneamente, su escasez obliga a elegir entre un extremo y otro.

El enfoque integral exige, en último término, conseguir una educación, mentalización, adiestramiento y financiación para que las estructuras y los organismos implicados en la seguridad puedan actuar integralmente[152].

---

[151] RUIZ MARTÍNEZ, Ana: *"Panorámica actual de la evaluación de las políticas públicas"*, *op. cit.*, p. 14.

[152] LISTA, Fernando, *"Seguridad y enfoque integral"*, *ARI-Elcano*, 20/2012.

6. BIBLIOGRAFÍA

ARTEAGA, F.: *"La lucha contra el terrorismo en Europa: no se trata sólo de libertad y seguridad, sino también de medios"*, ARI-Elcano, 12/2016.

ARTEAGA, F.: "La defensa europea: hagan juego", *Comentario Elcano*, 36/2017.

ASÚA BATARRITA, A.: "Concepto jurídico de terrorismo y elementos subjetivos de finalidad. Fines políticos últimos y fines de terror instrumental", en *Estudios Jurídicos en Memoria de José María Lidón*, Bilbao, Universidad de Deusto, 2002.

AZNAR FERNÁNDEZ-MONTESINOS, F.: "Terrorismo y contraterrorismo", Cuadernos de Estrategia 188, "Seguridad Global y derechos fundamentales", Madrid (IEEE. Ministerio de Defensa), 2017, p. 65 Y SS.

BALLESTEROS, M.A.: *Yihadismo*, Madrid, La Huerta Grande, 2016.

BALLESTEROS, M.A.: *En busca de una Estrategia de Seguridad Nacional*, Madrid, IEEE-Ministerio de Defensa, 2016.

BALLESTEROS, Miguel Ángel: *"Yihadismo"*, Madrid (La Huerta Grande), 2016.

BERMAN, S.: "Some argue that the West should limit democracy to save liberalism. Here's why they're wrong", *The Washington Post*, 18 julio, 2017.

BECK, U.: *Poder y contrapoder en la era global*, Barcelona, Paidós, 2004.

BECK, U.: *"Convivir con el riesgo global"*, en Innerarity, Daniel, Solana, Javier (eds.), *La humanidad amenazada: gobernar los riesgos globales*, Barcelona, Paidós, 2011.

CARBONELL, J.C.: "Otra vez sobre la reforma penal", *Al Revés y al Derecho*, 25 de enero de 2015.

CEBADA ROMERO, A.: "Las misiones integradas de Naciones Unidas: un intento de organizar una comunicación eficaz entre los actores de construcción de la paz", en VVAA.: *Los nuevos paradigmas de la seguridad*, CITpax-Ministerio de Defensa, Madrid, 2009.

CEBADA ROMERO, A.: *"Las respuestas de la comunidad internacional a los conflictos internacionales contemporáneos: el caso de Siria"*, Cuadernos de Estrategia 188, "Seguridad Global y derechos fundamentales", Madrid (IEEE. Ministerio de Defensa), 2017, p. 223 y ss.

CRUZ VILLALÓN, P.: "Formación y evolución de los derechos fundamentales", *Revista Española de Derecho Constitucional*, núm. 25, 1989.

CUERDA ARNAU, María Luisa y GARCÍA AMADO, Juan Antonio: *"Protección jurídica del orden público, la paz pública y la seguridad ciudadana"*, Valencia (Tirant lo Blanch), 2016.

DE OTTO, I.: "La regulación del ejercicio de los derechos y libertades"; en MARTÍN RETORTILLO, L. y DE OTTO, I.: *Derechos fundamentales y Constitución*, Madrid, Civitas, 1988.

DE LUCAS, J.: *Mediterráneo. El naufragio de Europa*, Valencia, Tirant lo Blanch, 2015.

DEL ÁGUILA, R.: *"La senda del mal. Política y razón de Estado"*, Madrid (Taurus), 2000.

DÍAZ FERNÁNDEZ, A.M.: *Conceptos fundamentales de inteligencia*, Valencia, Tirant lo Blanch, 2016.

ENZENSBERGER, H. M.: *El perdedor radical. Ensayo sobre los hombres del terror*, Anagrama, Barcelona, 2015.

FERNÁNDEZ RODRIGUEZ, J.J. y SANSÓ-RUBERT PASCUAL, D. (coord.), *Internet: un nuevo horizonte para la seguridad y la defensa*, Universidad de Santiago de Compostela, Santiago de Compostela, 2010.

FLORES GIMÉNEZ, F.: "La inmigración no debe ser un tema de seguridad", *Al Revés y al Derecho*, 3 de marzo de 2014.

FLORES GIMÉNEZ, F.: "Nos vigilan en masa: ¿por qué no denunciamos?", *Al Revés y al Derecho*, 17 de marzo de 2016.

FLORES GIMÉNEZ, F.: "La paranoia razonable: vigilancia masiva y derecho a la privacidad en la era digital", en *The European Convention on Human Rights in a Global World*, Strasbourg, 2018.

GALVACHE VALERO, F.: *"La inteligencia de la amenaza global: presupuesto básico de la respuesta"*, disponible en http//www. jihadmonitor.org/

GARCÍA AMADO, J. A. (coord.): "Razonar sobre derechos", Valencia (Tirant) 2016.

GARCÍA-CALVO, C.: "No hay vida sin yihad y no hay yihad sin hégira: la movilización yihadista de mujeres en España, 2014-2016", *ARI* 28/2017, 29 de marzo de 2017.

GARCÍA-CALVO, C. y REINARES, F.: "Procesos de radicalización violenta y terrorismo yihadista en España: ¿cuándo? ¿dónde? ¿cómo?", *Documento de Trabajo*, 16/2013, 18 de noviembre de 2013.

GONZÁLEZ BEILFUSS, M., *El principio de proporcionalidad en la jurisprudencia del Tribunal Constitucional*, Thomson-Aranzadi, Elcano (Navarra), 2003.

GONZÁLEZ CUSSAC, J.L.: "El Derecho penal frente al terrorismo. Cuestiones y perspectivas", en *Terrorismo y proceso penal acusatorio* (J. L. Gómez Colomer y J. L. González Cussac, coords.), Valencia, Tirant lo Blanch, 2006.

GONZÁLEZ CUSSAC, J. L.: *"Nuevas amenazas a la seguridad nacional: el desafío del nuevo terrorismo"*, en "Retos de la política criminal actual", Revista Galega de Seguridade, nº 9, Xunta de Galicia, 2007, p. 233.

GONZÁLEZ CUSSAC, J.L. (coord.): *Inteligencia*, Valencia, Tirant lo Blanch, 2012.

GONZÁLEZ CUSSAC, J. L.: "*Intromisión en la intimidad y CNI. Crítica al modelo español de control judicial previo*", en "Inteligencia y Seguridad: Revista de Análisis y Prospectiva", nº 15, 2014, pags. 151.

GONZÁLEZ CUSSAC, J. L. y FLORES GIMÉNEZ, F.: "*Una metodología para el análisis de las amenazas a la seguridad, la evaluación de las respuestas y su impacto sobre los derechos fundamentales*", Cuadernos de Estrategia 188, "Seguridad Global y derechos fundamentales", Madrid (IEEE. Ministerio de Defensa), 2017, pp. 15 a 63.

GÓRRIZ ROYO, E.M.: "Investigaciones prospectivas y secreto de las comunicaciones: respuestas jurídicas", en González Cussac, José Luis y Cuerda, Arnau, M. Luisa (dir.), *Nuevas amenazas a la seguridad nacional*, Valencia, Tirant lo Blanch, 2013.

GRAY, J.: *Contra el progreso y otras ilusiones*, Paidós, Barcelona, 2006.

HABERMAS. J.: *La lógica de las ciencias sociales*, Madrid, Tecnos, 1996.

HABERMAS, J.: *En la espiral de la tecnocracia*, Madrid, Trotta, 2016.

IGNATIEFF, M.: *El mal menor*, Madrid, Taurus, 2005.

INNERARITY, D., SOLANA, J. (eds.): "*La humanidad amenazada: gobernar los riesgos globales* (del Prefacio de Innerarity)", Barcelona (Paidós), 2011.

JORDÁN, J., "Grandes tendencias políticas y sociales de interés para la Seguridad y la Defensa". *Documento de investigación 01/2017*, IEEE, Ministerio de Defensa, 2017.

LABORIE, M.: "La evolución del concepto de seguridad", *Documento marco del IEEE*, núm. 05/2011.

LABORIE, M.: "Las estrategias de seguridad nacional de Francia y España: un análisis comparado", *Documento de análisis*, IEEE, 42/2013.

LAHERA PARADA, E.: *Introducción a las Políticas Públicas*, Santiago de Chile, Fondo de Cultura Económica, 2002.

LISTA, F.: "Seguridad y enfoque integral", *ARI-Elcano*, 20/2012, 22 de marzo de 2012.

MARSH, D. y STOKER, G. (ed.): *Teoría y métodos de la ciencia política*, Madrid, Alianza, 1998.

MARTIN, K.: "Intelligence, terrorism, and Civil Liberties", en *Human Rights Magazine*, Winter 2002.

NAÏR, S.: *Refugiados. Frente a la catástrofe humanitaria una solución real*, Madrid, Editorial Crítica, 2016.

NOAH HARARI, Y.: *Homo Deus. Breve historia del mañana*, Barcelona, Debate, 2016.

OLIER, Eduardo: "Guerra económica global", Valencia, Tirant lo Blanch, 2018.

PATEL, F., Singh, A., "The Human Rights Risks of Countering Violent Extremism Programs", *Just Security*, Thursday, April 7, 2016.

PORTILLA CONTRERAS, G.: "Terrorismo de Estado: Los grupos antiterroristas de liberación (G.A.L.)", en el *Libro Homenaje al Profesor Marino Barbero Santos*, Cuenca, 2001.

PRIETO SANCHIS, Luis.: "Notas sobre la interpretación constitucional", en *Revista del Centro de Estudios Constitucionales*, núm. 9, 1991.

RAMOS VÁZQUEZ, J.A.: *Ciencia, libertad y derecho penal*, Valencia, Tirant lo Blanch, 2013.

REINARES, F.: "Yihadismo en Europa: matar para dividirnos", *Comentario Elcano*, 33/2017, 5 de julio de 2017.

REINARES, F., GARCÍA-CALVO, C. y VICENTE, A., "Dos factores que explican la radicalización yihadista en España", *ARI 62/2017*, 8 de agosto de 2017.

REVENGA SÁNCHEZ, M.: *"Razonamiento judicial, seguridad nacional y secreto de Estado"*, en "Acceso judicial a la obtención de datos", Cuadernos y Estudios de Derecho Judicial, nº 25, Madrid (CGPJ) 1997.

REVENGA SÁNCHEZ, M.: "Derecho a la intimidad y servicios de inteligencia", *Revista Española de Derecho Constitucional*, núm. 61, 2001.

REVENGA SÁNCHEZ, M.: *"Terrorismo y derecho bajo la estela del 11 de septiembre"*, Valencia, Tirant) 2014.

RIGHTS INTERNATIONAL SPAIN: *Entrevista a MARTIN SCHEININ (III)- Legislar tras ataques terroristas*, 10 de junio de 2015.

RODRÍGUEZ BARTOLOMÉ, V.: "El terrorismo internacional es lo que la política estadounidense ha hecho de él", *Revista Académica de Relaciones Internacionales*, núm. 6, abril de 2007. http://www.relacionesinternacionales.info/ojs/article/viewFile/79/70.html

RODRÍGUEZ-VILLASANTE Y PRIETO, José Luis. *El derecho internacional humanitario como instrumento en la lucha contra los actos de terror*, Valencia, Tirant lo Blanch, 2007.

ROY, O.: "Who are the new jihadis?", *The Guardian*, 13 de abril de 2017.

RUIZ MARTÍNEZ, A.: "Panorámica actual de la evaluación de las políticas públicas", *Presupuesto y Gasto Público*, 68/2012, Madrid, Instituto de Estudios Fiscales, pp. 13-23.

SANCHO HIRANE, C.: "Democracia, política pública de inteligencia y desafíos actuales", *Inteligencia y Seguridad: Revista de análisis y prospectiva*, núm. 11, 2012.

SANSÓ-RUBERT PASCUAL, D.: *"Seguridad vs. Libertad: el papel de los servicios de inteligencia"*, en *Cuadernos Constitucionales de la Cátedra Fadrique Furió Cerol*, núm. 48, 2004, pp. 85 y ss.

SERRA CRISTÓBAL, R.: "La opinión pública ante la vigilancia masiva de datos. El difícil equilibrio entre acceso a la información y seguridad nacional", *Revista de Derecho Político*, núm. 92, 2015.

SERRA CRISTÓBAL, R. y GÓRRIZ ROYO, E., "*Contraterrorismo: plasmación legislativa reciente e impacto en las libertades y derechos fundamentales*", Cuadernos de Estrategia 188, "Seguridad Global y derechos fundamentales", Madrid (IEEE. Ministerio de Defensa), 2017, p. 121 y ss.

SCHMITT, Carl. *El concepto de lo político*. Folios Ediciones, Buenos Aires.

SPECK, U., "Kant vs Hobbes: elements of Germany's emerging grand strategy", ARI 67/2017, Real Instituto Elcano, 2017.

SUBIRATS, J.; KNOEPFEL, P.; LARRUE, C. y VARONE, F.: *Análisis y Gestión de Políticas Públicas*, Barcelona, Ariel, 2008.

VIVES ANTÓN, Tomás: "*La reforma del proceso penal*", Valencia, 1992.

VIVES ANTÓN, T.: *La libertad como pretexto*, Valencia, Tirant lo Blanch, 1995.

VIVES ANTÓN, T.: *Fundamentos del sistema penal* (2ª ed.), Valencia, Tirant lo Blanch, 2011.

VVAA.: *Los nuevos paradigmas de la seguridad*, CITpax-Ministerio de Defensa, Madrid, 2009.

VVAA.: "La cultura de Seguridad y Defensa, un proyecto en marcha" *Cuadernos de Estrategia*, núm. 155, IEEE, noviembre 2011.

VVAA.: "Los potenciadores del riesgo", *Cuadernos de Estrategia*, núm. 159, IEEE, febrero 2013.

YARNOZ, Carlos: "Menos cazas, más antivirus", *El País*, 17 de julio de 2017.

Capítulo II
RESPONDER A LAS AMENAZAS DEL SIGLO XXI

FEDERICO AZNAR FERNÁNDEZ-MONTESINOS
Capitán de Fragata. Analista Principal IEEE.

1. INTRODUCCIÓN

La vida militar tiene siempre un componente azaroso. Durante el tiempo en que serví como oficial de submarinos una de las lecciones más relevantes que aprendí es que las reacciones frente a una situación de peligro (una entrada de agua, un incendio…, simulacros incluidos), en no pocas ocasiones, generan un mayor riesgo que la situación a la que se trata de responder en sí.

Y es que las respuestas extraordinarias son arriesgadas, o mejor dicho, plantean un mayor riesgo que las ordinarias, porque han sido concebidas para situaciones límites, y se mueven dentro de parámetros permisibles aunque en su margen superior con vistas a forzar, deliberada y controladamente, el momento. Por tanto, provocar una respuesta frente a una amenaza —lo cual pasa por definirla y declararla— incorpora *per se* un riesgo y debe ser objeto, solo por ello, de una especial ponderación.

Un ejemplo que se va a utilizar mucho en este ensayo es el que proporciona terrorismo. El terrorismo es una metodología, una estrategia que, junto con otras, se pone al servicio de una concreta opción política. Es pues una herramienta, un instrumento ilegitimo del que puede servirse la política para sus fines. Implica acciones tácticas —la acción directa — llevadas a cabo para influir políticamente. La estrategia terrorista no puede buscar la victoria ya que por definición no cuenta con elementos suficientes para conseguirla, sino sería una fuerza convencional. Solo aspira a la negociación. Su estrategia clásica es la manida espiral acción-reacción. Una estrategia que se utiliza por la sencilla razón de que funciona y que viene a significar que el terrorismo no prospera tanto por sí mismo como por las estrategias que se adoptan para luchar contra él. No hay nada peor que aceptar y asumir las propuestas del enemigo— esto es, reaccionar como este ha previsto — así como los tiempos que este marca.

En fin, los elementos que definen las sociedades del siglo XXI son conectividad, la interrelación de las diferentes variables que sirven a su articulación. Esto genera una complejidad nebulosa y multiforme que es acorde al carácter de las sociedades. De hecho, si atendemos a nuestro siglo, la interacción de tres elementos claves como son el colapso del Estado-nación, los avances tecnológicos y los nuevos valores sociales han generado unos espacios autónomos, que constituyen oportunidades para la emergencia de nuevos tipos de amenazas[1].

En esta línea, la Estrategia de Seguridad Nacional promulgada en 2017 muestra como "a los tradicionales conflictos armados se unen formas adicionales de agresión e influencia, amenazas asociadas a la proliferación de armas de destrucción masiva y otras variantes de actos hostiles. Sofisticados sistemas de armas de alta precisión se combinan con la letalidad funcional de ciberataques y acciones de influencia y desinformación. La ambigüedad y la dificultad de atribución son factores constantes de los denominados conflictos híbridos, aquellos que incorporan operaciones de información, subversión, presión económica y financiera junto a acciones militares. Estas acciones, perpetradas tanto por actores estatales como no-estatales, tienen por objeto la movilización de la opinión y la desestabilización política"[2].

Estamos en un escenario compuesto. No se pretende derrotar a un eventual *inimicus* sino que cada parte pretende alcanzar sus propios objetivos en los diferentes campos; y para ello se sirven de medios legítimos e ilegítimos de todo tipo y especie. Su relación no es de enemistad pura, sino de divergencia de intereses por más que pueda darse una confrontación no

---

[1]   JAIME-JIMÉNEZ, Oscar, "Riesgos y respuestas desde la seguridad de un mundo globalizado," en S, Tulchin, Joseph et al (2006), *La seguridad desde las dos orillas*, Ediciones Bellaterra, Barcelona, p. 149.

[2]   GOBIERNO DE ESPAÑA (2017), *Estrategia de Seguridad Nacional 2017*, Presidencia del Gobierno, pp. 59-60.

sustancial de algunos de estos y en ciertos planos. Lo híbrido, directamente y *per se*, se sitúa en la más pura racionalidad de la política.

Y es que, en unas áreas existe complicidad, en otras complementariedad y, en algunas, puede darse hasta un punto de antagonismo. Reducir tan compleja condición a la ya aludida simplista y schimttiana de amigo-enemigo es equivocado, además, por supuesto, de contraproducente. La simplificación recorta el campo de percepción y viene a ser, de hecho, la fuente de la mayoría de los conflictos.

El siglo XXI requiere aproximarse a las cuestiones que plantea desde una pluralidad de ángulos como la ya referida complejidad demanda. Así, Rusia es un socio, un suministrador, un proveedor... por más que, en algunos aspectos sea o pueda ser un rival estratégico. Rusia no es la URSS por más que pueda presentársela como heredera de su legado histórico. Se mantienen relaciones de amistad junto a otras que no lo son tanto. Y, a veces, parece que, con quien se presume amigo, viene a pasar de alguna manera tres cuartos de lo mismo: en unas áreas existe asociación, en otras competición, en otras rivalidad, enemistad, cooperación,... y todo ello de un modo evolutivo

Definitivamente, no hay partes antagónicas, sino complejas, fruto de la adición de los distintos planos que convergen sobre ellas. En cada caso y en cada situación, cada actor busca la satisfacción de sus muy específicos intereses, sin que frecuentemente pueda llegar el mismo a una situación de compromiso y equilibrio entre todos ellos.

Simultáneamente la globalización es la que ha propiciado una puesta en común que justifica tal interacción; ha aproximado y hecho patentes las contradicciones al tiempo que proclamado la necesidad de una solución común ajena a las diferencias de las partes, una uniformidad fruto a su vez de una estandarización en apariencia beneficiosa y que dota de predictibilidad, compatibilidad y normas al conjunto del sistema. La plástica de los aeropuertos es un buen ejemplo de ello.

Como consecuencia, la globalización, que es la piedra angular que sirve a su definición, no puede ser un fenómeno pacifico pues implica, de partida, un proceso de racionalización cultural hecha sobre la cultura más fuerte que es la occidental y que, por dominante, se hace común y transparente.

Supone un incremento en las relaciones lo que, paralelamente, trae consigo un aumento de los conflictos (estos son fruto de la existencia previa de aquellas) por más que disminuya su intensidad, progresando sobre la base de una lógica discursiva y hegeliana a un tiempo: tesis, antítesis, síntesis; y así una y otra vez. El terrorismo puede ser considerado resultado de estos movimientos reactivos y de reflujo.

Una lógica de encuentro de la que no es posible sustraerse por los flujos que la acompañan pero también por los beneficios que genera; y es que estos propician, a su vez, la aparición de una suerte de dependencias estratégicas. La conflictividad, no en vano, también se ve atemperada por el incremento de relaciones como, ya en el siglo XIX, preconizaba el pensamiento liberal que hacía del comercio una fuente de paz. Más conflictos sí, pero de más reducido tamaño también.

La cuestión es que problemas locales, insertados en la lógica globalizadora, pueden crecer y hacerse globales, máxime si se considera la difusión de todo tipo de tecnologías, lo que supone un factor de riesgo para el conjunto del sistema por interconectado. Así pues, el mundo actual globalizado, líquido y dominado por flujos, se ha hecho pequeño y la vida local ha enlazado con las estructuras, procesos y eventos globales[3], ha acrecentado las consecuencias positivas y negativas de un inevitable encuentro. Y es que la globalización también globaliza lo indeseable.

En este marco de complejidad, interacción e intereses cruzados al que se suma la tecnología la indubitativa atribución de responsabilidades es difícil cuando no poco menos que imposible por el nivel de interrelaciones e intereses cruzados de todo tipo. En este sentido, las amenazas híbridas son amenazas inconcretas que, no pocas veces, no se formulan como tales y es difícil la atribución en su concreción.

Además en los Estados, a veces, aparecen instituciones y organismos oficiales junto a otros que no lo son y que se presentan como entes privados por más que actúen coordinados o en connivencia con las propuestas políticas de aquellos; como resultado, es difícil atribuir responsabilidades,

---

[3]   COKER, Cristopher, *Globalisation and Insecurity in The Twenty-First Century: NATO and the Management of Risk*, The International Institute for Strategic Studies, Oxford University Press, junio 2002ª Edición, Nueva York, p. 19.

acreditar su naturaleza estatal, y más aún en el nebuloso mundo de las redes e Internet.

2. EL OBJETO DE LA DEFENSA

Las amenazas lo son porque se ciernen sobre un objeto concreto. Un riesgo[4] es una eventual contingencia, que en el supuesto de alcanzar una forma concreta llega a ser percibido como un peligro; cuando el peligro se manifiesta abiertamente es una amenaza. Cuando ésta se materializa se produce un daño. Una sociedad está segura cuando se encuentra libre de riesgos, peligros, amenazas y daños[5]. Este objeto puede ser material o inmaterial pero, en cualquier caso, sustantivo. Su determinación resulta clave para poder articular la defensa.

El Estado se caracteriza por la existencia de un territorio, una población y un conjunto de normas articuladas en torno a unos valores que son su núcleo central e inspirador y que sirve a la integración del conjunto. Todos estos elementos son o pueden ser objeto de amenaza; la naturaleza de la amenaza resulta por tanto política. Como decía Bismarck, los intereses nacionales (vitales) son los más fríos de los intereses fríos.

Atendiendo a esta idea, el objeto de la Defensa de una amenaza convencional sería la integridad física de la nación, su territorio; y a eso, qué duda cabe, contribuyen las Fuerzas Armadas. La cuestión desbordaría al Estado para implicar al conjunto de la sociedad que debería sumar sus esfuerzos de todo tipo en pro de la causa. Los sucesos de Georgia o de Ucrania han demostrado que estos conflictos, hasta hace poco impensables, pueden volver.

Pero en los conflictos también se llevan a cabo acciones no militares. La guerra no es una actividad necesariamente sangrienta pero sí una actividad necesariamente política. Piénsese en los *"ataques"* del financiero George

---

[4]   BALLESTEROS MARTÍN, Miguel Ángel, "La Estrategia de Seguridad y Defensa" en VV.AA. *Monografía núm, 67 del CESEDEN, Fundamentos de la Estrategia para el siglo XXI*, p. 17.

[5]   *Ibidem*, p. 38.

Soros a algunas monedas o los embargos de fondos argentinos ejecutado por el Reino Unido durante la guerra de las Malvinas y que resultaron extremadamente dañinos para aquel país.

Así, también es muy común intentar anular la voluntad de combatir de la contraparte (la guerra es una actividad del espíritu que diría Clausewitz) y contribuir a asegurar la propia; es la dislocación del enemigo tan del gusto de Liddell Hart con la que se intenta deshacer su equilibrio, psicológica y físicamente, sin necesidad de un sangriento enfrentamiento directo. Con ello quedaba acreditado también la necesidad de proteger a la población propia[6].

Hitler decía que "todas nuestras verdaderas guerras se entablaron antes de que comenzaran las operaciones militares"[7] apuntando a que "nuestra estrategia consiste en destruir al enemigo desde dentro", mientras Lenin insistía en "retrasar las operaciones hasta que la desintegración moral del enemigo haga a la vez posible y fácil asestar el golpe definitivo."[8] León Trotsky lo expresaba gráficamente con la poco delicada figura del "puñetazo al paralítico."[9] Pero todo ello ya fue subrayado por Sun Tsu que recomendaba promover el desorden del contrario. Son precisamente con estos efectos psicológicos los pretendidos por el terrorismo a través de la asociación de violencia y presión mediática; para ello se sirve de pulsos discontinuos de terror que se prolongan en el tiempo[10].

El objeto de la Defensa también sería, por tanto, junto a la protección de los elementos materiales, la cohesión de la sociedad y los valores que sirven a su sustento. La amenaza a estos elementos por inconcreta e infrecuente ha venido a ser calificada habitualmente como no convencional, atendiendo fundamentalmente al hecho del carácter no militar de los

---

[6]   VERSTRYNGE, Jorge (1979), *Una sociedad para la guerra*, Centro de Investigaciones Sociológicas, Madrid, p. 368.

[7]   LIDDELL HART, B. H. (1989), *Estrategia: la aproximación indirecta*, Ministerio de Defensa, Madrid, pp. 208 y 209.

[8]   *Ibidem*, p. 153.

[9]   FRÍAS O'VALLE, José (1985), *Nuestra guerra y nuestra paz*, Colección Adalid, Móstoles.

[10] MÜNKLER, Herfried (2002), *Viejas y nuevas guerras,* Siglo XXI de España Editores, Madrid 2002, p. 143.

medios utilizados para su materialización; es decir, el uso o no, de medios no militares viene a definir el carácter convencional de la amenaza, con el riesgo de obviar que la guerra no es sólo el choque de fuerzas militares sino un choque de poderes, un acto político, aún es más, el más relevante. Volvemos otra vez a que la guerra es una actividad política antes que una actividad sangrienta. La hostilidad no precisa del derramamiento directo de sangre.

Estas amenazas pueden desarrollarse de un modo simultáneo y coordinado para adicionalmente complementarse con las convencionales. Y es que la guerra es un choque de poderes; sólo el simplismo plástico inherente al maquiavelismo de la estrategia confunde fuerza con poder.

Cuestiones como la posverdad o las *fake news,* esto es, la utilización sistemática y estratégica de informaciones falsas con el propósito de quebrar la cohesión social, son relevantes no sólo por la intencionalidad que revelan, que claramente también, sino porque juegan con el marco normativo y cultural establecido mientras someten a un estrés a las junturas que ligan las instituciones con la sociedad y corren el riesgo de desarbolarlas.

La posverdad según Roger Bartra se construye en cinco etapas: en una primera un sitio o persona difunde una información impactante; la noticia se difunde indiscriminadamente en redes sociales; por su impacto, los medios la retoman y la difunden por no quedar fuera del *"trending informativo"*; la noticia es desmentida pero tal cosa no tiene el mismo impacto que la noticia; la aclaración no se vuelve viral y la noticia queda en la mente de algunos, lo cual hace que sea una verdad a medias[11].

La posverdad se sirve de la emoción que suscitan las informaciones que facilitan para hacer llegar información falsa o falseada. Al golpear la duda —eje sobre el que se articula el conjunto del pensamiento de Occidente— utilizando para más ende los códigos axiológicos sobre los que se construyen las sociedades, se pone al sistema frente a sus propias contradicciones

---

11   ORTEGA, Octavio, "Favorece ignorancia posverdad en México," *Revista reforma* 26 de marzo de 2017.
https://www,reforma,com/aplicacioneslibre/preacceso/articulo/default,aspx?id=1073899&v=4&urlredirect=https://www,reforma,com/aplicaciones/articulo/default,aspx?id=1073899&v=4

internas que todo modelo llevado al límite incorpora, porque los sistemas están construidos sobre equilibrios que se visualizan. De este modo, también se hace dudar del modelo — que también se ve atacado — que sirve a la legitimidad del conjunto.

3. VALORACIÓN DE LA AMENAZA

El diseño de una estrategia requiere ineludiblemente la evaluación de los peligros a los que se debe hacer frente para situar la amenaza en sus justos términos y no sobre reaccionar o hacerlo emocionalmente como pretende el terrorismo. Si lo hacemos atentamente, seremos conscientes de que los derivados de una amenaza convencional son riesgos existenciales mientras que las amenazas no convencionales son riesgos sustanciales pero, por el contrario y, no pocas veces, pese a las apariencias, no son existenciales por más que acrediten una declarada actitud hostil que no puede ignorarse y se visualicen en términos más o menos dramáticos.

Por ello, y para la correcta evaluación de las amenazas, se requiere de unas claves diferentes de medida a las de uso; unas claves políticas, esto es, capaces de trascender a los hechos que sirven a su encuadramiento, de modo que sitúen la acción en el contexto en que debe ser considerada.

Así, el terrorismo supone el empleo sistemático y mediático de una cierta violencia en beneficio de un concreto proyecto político. Pero su violencia es simbólica; con ella se pretende desacreditar más que destruir. Es ficción de guerra en la medida en que es ficción de poder y se sirve de los medios de comunicación para poder escenificar este; el terrorismo es teatro. Se trata de controlar la imaginación del colectivo, más que propiciar su control físico y efectivo. En su fondo, es una lucha por la legitimidad. Fuerza es violencia sin legitimidad y autoridad es su ejercicio con aquella. Ese es el envite real.

Para ello le resulta imprescindible el manejo la iniciativa, no dar tregua ni reposo al Estado para la reflexión y determinación de las políticas adecuadas para propiciar su victoria y, mucho menos, a su implementación, al tiempo que marca los ritmos de los acontecimientos. Así, este, queda cautivo de la iniciativa de una contraparte mucho más ágil y eficaz en el empleo de la fuerza y que, además, dispone de un ciclo de decisión más corto que el suyo. El resultado es que el Estado, especialmente al principio, no puede romper con la dinámica que le envuelve y escapar, mientras el terrorismo consigue reconducir y hasta devolverle su propia y devastadora fuerza.

Los atentados no pueden medirse en términos materiales, sino en términos de impacto psicológico primero y político después, por más que su dimensión física siempre deba tenerse en cuenta para no olvidar que no nos encontramos en una guerra. Así, desde los atentados del 11-S, el número de fallecidos directos en atentados yihadista en Europa, no excede las 600 personas; sin embargo la repercusión económica de estos atentados —piénsese, por ejemplo, en los costos de todo tipo, del incremento de la seguridad en los aeropuertos— excede con creces el relativamente reducido número (sí se compara con una guerra, por ejemplo).

Pero nuevamente tampoco puede considerársele una cuestión menor; este carácter no debe hacernos dudar sobre la importancia que tiene el daño que puede hacer a las sociedades o al hecho de que puede propiciar su fractura e, incluso, promover luchas intercomunitarias.

Es decir, el terrorismo no ataca realmente a todos los individuos de un conjunto; ataca y amenaza al sistema de valores del grupo social, a las estructuras de gobernación y a las normas de que este se dota, al tiempo que promueve la anarquía y la disgregación. Su objetivo es cambiar las conciencias; de ahí el uso pedagógico de la violencia. Una enseñanza que sirve para imponer su narrativa y controlar a la población, haciendo que su voluntad flaquee al no mostrarse el Estado capaz de obtener la victoria. Su éxito, su desafío, radica simplemente en existir.

Se trata, a fin de cuentas, de una violencia simbólica con la que se golpea mediáticamente en las líneas de fractura, en las costuras de la sociedad, en puntos que la historia y experiencia del pasado han convertido en multiplicadores del dolor, la incertidumbre y la ansiedad y que son perfectamente identificables por los terroristas en tanto que miembros del mismo corpus social.

El terrorismo no puede destruir a las sociedades, es cierto, pero si puede cambiar un gobierno y subvertir el orden constitucional de un país, sus estructuras y alterar, aunque sea temporalmente, los valores que regulan su vida. Un atentado no hunde un Estado, pero la propaganda sí puede hacerlo. Además, desafía, siempre de paso, su concepción weberiana, su condición de detentador único de la violencia legítima, mostrando con ello su impotencia e ineficacia.

Con la posverdad, igualmente, se deconstruye, en su sentido derridiano, la verdad inicialmente y la sociedad como último estadio. Y es que la vocación de conjunto que tiene en si misma toda sociedad exige de la existencia de una cierta verdad compartida, lo cual trae consigo y como derivada que la fractura de la verdad puede provocar, a la postre, la fractura de la sociedad.

La desinformación también afecta a los cimientos de la democracia al alterar su base, pues esta se sustenta sobre las decisiones pretendidamente libres e incondicionadas de los ciudadanos que, de este modo, se ven condicionadas en los criterios para su adopción. Su relación con la posverdad es evidente. El mensaje que subyace en el fondo de todo es "no creas a nadie," o aún "no creas en nada;" se trata definitivamente de desestabilizar y desorientar debilitando el conjunto.

Es más quien tiene el poder tiene la verdad; y no es una cuestión menor pues la recíproca también es cierta. La transformación de un concepto no verdadero en algo que lo es, encarna la esencia de aquello que nos ocupa en tanto que ejercicio real del poder. La lucha por el significado de un término puede encubrir, en el fondo, una lucha por el poder. La dialéctica inherente a la guerra de la que el terrorismo es un auténtico sucedáneo propicia el cambio de roles de los contendientes: el terrorista es víctima y agresor al mismo tiempo; y el estado democrático represor.

4. LAS REFERENCIAS DE LA RESPUESTA

En el diseño de cualquier acción humana, especialmente en entornos complejos, la primera de las cuestiones que subyace se haya en las referencias, algo que en no pocas ocasiones viene o se presenta como dado, cuando realmente no lo está tanto. Los debates metacognitivos, como lo son los propios de las referencias, son los más relevantes pero también suelen ser poco frecuentes. Se dan por hechos y eso es un craso error. Su realización precisa de valor pues supone el cuestionamiento de los principios de una sociedad. Y es que las respuestas posibles quedan condicionadas por las referencias adoptadas.

Pensemos, por ejemplo, en el geocentrismo del Universo. En su lógica, en el movimiento de los astros, había algo que no terminaba de encajar, pero las referencias terrestres contaban hasta con protección religiosa. El traslado de la referencia al Sol permitió que gran parte del sistema encajase en un universo que a la postre perdió toda referencia. La primera cuestión, la más valiente, son así las referencias, lo que supone un debate cuasi metacognitivo y, por consiguiente, difícil, pues supone el cuestionamiento de todo un colectivo al poner en duda nada menos que sus fundamentos.

En esta línea y para el diseño de estrategias conviene tener presente lo apuntado por el general Julius von Verdy du Vernois[12]: "*Cuando se está decidido y se ha fijado la voluntad a ese respecto, entonces se pregunta uno lo que el adversario puede hacer para contrariarnos. Si se sigue el método inverso, es decir, si se busca primero lo que el adversario puede hacer y si de ellos se deduce lo que debemos hacer nosotros, se subordina uno a las intenciones del enemigo, se deja dictar la ley por él y se priva de uno de los medios más preciosos para triunfar en la guerra, es decir, la iniciativa.*"

Así, por ejemplo, si ponemos en el centro del problema de la lucha contra el terrorismo al propio terrorismo la respuesta será indefectiblemente un Estado policial y mutaremos los valores de la sociedad para alcanzar tamaño logro. Es decir, perderemos el objeto de protección y haremos que el plan diseñado acabe por darle la razón al adversario que además retendrá la iniciativa y fijará el plano de enfrentamiento.

La cuestión es, siguiendo la propuesta de von Verdy du Vernois, situar en el eje de la respuesta en los valores de la sociedad; a continuación fijar hacia dónde quiere ir esta; y entonces, y solo entonces, tomar en consideración el problema del terrorismo. Los valores de una sociedad están para los

---

[12]   VIDAL DELGADO, Rafael, "Método de planeamiento para un proyecto turístico," Ponencia del tema central día 19 de septiembre: organización de un proyecto turístico: metodología, medio ambiente/ecología y seguridad.

tiempos de conmoción y no para cambiarlos cuando llega una crisis. Sus valores no son aquellos que predica, sino aquellos de los que hace práctica.

En la lucha contra la posverdad, utilizando ahora también este ejemplo, tampoco podemos dejarnos por el camino ni la duda ni el pensamiento crítico, que son precisamente lo que han permitido que Occidente sea lo que de facto es hoy. Y es que la lucha contra la difusión de contenidos falsos puede arrastrar a las sociedades a la censura, y con ello, como corolario, a que se suprima el pensamiento crítico y se mengüen libertades y derechos; esto es, todo lo que ha hecho que Occidente sea lo que hoy es.

Para combatirlas es imperativo, al margen de los hechos, comprender sus razones e identificar a la fuente que las ha estimulado. Como ya apuntaba Derrida: "Lo relevante en la mentira no es nunca su contenido, sino la finalidad del mentiroso." No se trata de dar una respuesta en ese plano, sino una respuesta adecuada.

Por tanto, el control de la información no es necesariamente la piedra angular sobre la que construir la solución. Los costos exceden a los beneficios y, además, es poco menos que poner puertas al campo. La clave está, nuevamente hay que recordarlo, en interior de la sociedad y pasa en un primer estadio por resolver sus problemas efectivos, que para más inri son reales: un periodismo fuerte, falta de calidad de la clase política, escasa formación tecnológica de la ciudadanía…

Con el terrorismo viene a pasar lo mismo. La palabra contraterrorismo delata una dimensión negativa, en la medida en que plantea un carácter reactivo, surge y se define contra otro concepto. Es decir, no incorpora en sí misma sus razones, su ser, sino que estas le vienen de otro, del terrorismo al que se opone y que se cita como parte de la definición. Por eso, esta aproximación, de partida, resulta insuficiente.

La lucha contra el terrorismo debe ir más allá de este y ser, por el contrario, y como se ha subrayado una expresión de la continuidad de los valores del Estado, una necesaria derivada de los mismos sin disrupciones, de la cual ciertamente deben surgir razones que determinen su contención primero y represión, después, pero sin que tal cosa sea necesariamente una "lucha," ni una alteración de su orden sino la prolongación natural de las esencias. Se lucha sin luchar realmente, como se hace contra la delincuencia, esto es, sin romper la armonía y centralidad del Estado. Para ello es preciso, imprescindible, buscar una dimensión positiva y, por tanto articuladora, para poder primarla y dotarla de continuidad.

Los valores, el acervo de las comunidades se ven tensionados en la lucha contra estos fenómenos. Así, el problema de combatir los grupos radicales es que estos se constituyen en torno a imperativos morales, siendo en Occidente la moralidad un espacio sobre el que el Estado no tiene jurisdicción hasta que los principios que promueven no se materialicen en una actividad ilegal. Es más, estos grupos pueden hacer una vida independiente del Estado del que forman parte pues cumplen sus leyes; la cuestión es que su demanda moral les separa de la sociedad que los acoge. El derecho a la intimidad se encuentra en los pilares de Occidente.

El terrorismo también obliga a efectuar sacrificios en nombre de la seguridad, que afectan no sólo a la libertad. Un precio a veces excesivo para las ventajas reales que pueden obtenerse de tales renuncias. Por ello es preciso entender y valorar que, mientras sea tal, la amenaza no es militar, por más que aspire o simule serlo, sino política. Y eso es un aspecto esencial a la hora de diseñar la respuesta.

La lucha contra el terrorismo requiere de prevención e incluso de medidas específicas. La cuestión se sitúa en los límites en que se debe desarrollar esta. El margen será mayor o menor en función de la naturaleza de la amenaza, precisándose la tutela judicial como una garantía legitimadora, esto es, para minorar los daños que en este plano ineludiblemente se producen. De hecho, sí en un Estado democrático la población acepta mantener el margen de libertades aún en un entorno de menor seguridad, la batalla estará ganada pues la lucha, como apuntábamos antes, es una lucha por la legitimidad y los daños reales de terrorismo, escasos.

Y es que, una ficción deja de serlo cuando se considera real lo que, por otra parte, hace que la reacción sea siempre equívoca porque no deja de ser una ficción cuando ya la respuesta no lo es. Las medidas excepcionales deben ponderarse exquisitamente porque la mayor parte de las veces no son rentables y, desde luego, no se puede hacer de lo excepcional una norma habitual.

5. CARACTERÍSTICAS DE LAS ESTRATEGIAS DE RESPUESTA

Afrontar una amenaza pasa, en un primer estadio por corregir las vulnerabilidades de la sociedad que pueden ser explotadas por un posible agente. Son las vulnerabilidades propias, las fisuras, el eje de actuación de las amenazas toda vez que parte de su trabajo se encuentra ya hecho de antemano. Como afirmaba Stanislav Levchenko, un alto funcionario del KGB, "busca en tus vulnerabilidades y allí encontrarás el KGB."[13]

De hecho, en no pocas ocasiones, el problema no es la fortaleza del grupo terrorista, ni la eficacia de una eventual campaña de desinformación, ni siquiera la debilidad del Estado. El hecho decisivo es la debilidad de la sociedad, la existencia de profundas líneas de fractura en ella que impiden el establecimiento de un Estado fuerte. Una sociedad fuerte genera un Estado fuerte y viceversa. Los ataques, perfectamente dirigidos a las líneas de fractura, resaltan las debilidades y contradicciones de la sociedad, pero estas son reales y anteriores a ellos.

No se puede ser reactivo frente a las amenazas, no existen estrategias reactivas que merezcan el nombre de estrategias, esa idea es una contradicción en sí misma, no se está solo en contra; y menos aun cuando el adversario es quien decide que toca y cuando. Pero, al mismo tiempo, se debe ponderar mucho la oportunidad y conveniencia de ser proactivo en un entorno complejo cuya perturbación genera ondas de difícil control, particularmente sí se considera el largo plazo, lo que de partida aconseja un uso muy tasado y hasta residual de lo que es el poder.

Eso sí, en la respuesta hay que seguir una estrategia y desarrollar los propios movimientos con independencia de los de la contraparte. El desenganche estratégico es capital; el riesgo se sitúa no solo en que la otra parte marque los ritmos sino que se produzca una desviación de los objetivos de la sociedad y se pierda la referencia, y con ella la legitimidad, algo que la Historia enseña resulta más frecuente de lo que parece. Se debe seguir el propio juego, construir el proyecto político por el que la sociedad ha

---

[13] MILOSEVICH-JUARISTI, Mira, *El poder de la influencia rusa: la desinformación*, Real Instituto Elcano, ARI 7/2017-20/1/2017.

apostado y solventar las dificultades que tal proceso entraña. Las estrategias deben servir a la construcción y no a la oposición, eso las empobrece.

Deben formar parte a su vez no ya del corpus normativo de la sociedad, que por supuesto, sino derivarse directamente de los valores que desde ella se predican, con los que no puede entrar en contradicción. En este sentido las excepciones rompen con la continuidad de la lucha y tienen un precio en términos de legitimidad que debe ponderarse atentamente. La estrategia debe ser un todo completo, sólido y congruente. El camino más largo, contra lo que parece, es el camino más corto. O parafraseando a Saint-Exúpery, a veces cuando se quiere ir lejos no se puede ir en línea recta.

En consecuencia, centrada las referencias de actuación y los objetivos que la sociedad se ha dado a sí misma, procede responder a las amenazas que se le plantean y para eso deben preverse más que un conjunto de actuaciones, los principios rectores que sirvan para la adopción de decisiones. De esta manera se actuará sobre el problema sin hacerlo realmente, una lucha que ya no se plantea como tal sino como una forma de superación en sí misma. Se lucha sin luchar realmente mientras se corrigen las vulnerabilidades y se construye la sociedad, lo que es el hecho decisivo.

Debe tenerse muy en cuenta que la complejidad del siglo XXI hace que, en el ámbito de las políticas públicas, la mayoría de los problemas no puedan resolverse sino que se gestionen y conviene propiciar su transformación en claves que permitan la negociación y el compromiso. Es decir, no se pretende tanto su resolución como un correcto encauzamiento que los haga manejables.

Además de coherente, la estrategia debe ser integral, en el sentido de que debe permitir la resolución completa del problema tanto en su dimensión horizontal como vertical. El terrorismo, por ejemplo, pese a sus apariencias y por muy ilegítimo que resulte, es un fenómeno político y, por tanto, solo puede ser derrotado políticamente, esto es, integralmente. Y con la posverdad sucede lo mismo.

Horizontalmente se debe cubrir todo el espectro del problema, toda vez que sí algún flanco del mismo queda expedito (las redes sociales por ejemplo), se puede ser desbordado por el mismo; y verticalmente, en profundidad, debe ir, partiendo de las referencias adoptadas, desde lo político para ser inspiración de lo táctico y hacer del conjunto un todo.

Y siendo todo conflicto humano de naturaleza social, incorporar como eje una estrategia de comunicación. Utilizando las palabras Glucksmann respecto de la guerra, esta "... es un choque de discursos, que no gana el mejor...sino el que abarca el campo de batalla... no sólo establece las condiciones de toda comunicación: es en sí misma, comunicación"[14]. Los ataques deben ser contenidos, cosa que puede hacer la policía, por ejemplo, pero también superados, y ese proceso requiere de comunicación y hasta de pedagogía.

Y es que la pedagogía es un factor crítico en cualquier proceso social. El terrorismo al igual que la guerra, es una actividad del espíritu, en la que lo decisivo es la voluntad, la sugestión. Se está derrotado cuando se acepta tal cosa y nunca antes. Vencer es convencer sobre la inutilidad de continuar la lucha, abandonar cualquier expectativa de victoria. Con el terrorismo se acaba no solo deteniendo comandos sino, sobre todo, liquidando la narrativa terrorista que es la raíz que engrana el conjunto del sistema. Para terminar con la narrativa terrorista, a su vez, es preciso neutralizar sus símbolos movilizadores, pues con ello se liquida la violencia estructural. Sin la narrativa la violencia se transforma en un fenómeno irracional y ditirámbico. Todo lo social es pedagógico.

Una postura rompe con la continuidad antes aludida y además es un concepto estático, una forma que es difícil de aplicar a un fenómeno diverso y dinámico y que, por su rigidez, no termina de encajar con él en todos los casos. Con la ley general por el contrario se responde proporcionalmente en cada caso siguiendo de un modo reflejo los principios axiológicos que han permitido la conformación doctrinal de la democracia y que, como el agua, son adaptados a cada situación pero sin variar su esencia. Se combate al terrorismo y la posverdad de la misma manera, al mismo tiempo y con las mismas normas con que se actúa contra la pederastia.

---

[14]   GLUCKSMANN, André (1969) *El Discurso de la guerra*, Editorial Anagrama, Barcelona, p. 83.

En un contexto como este, el mayor peligro es la desmesura y el desenfoque a la hora de articular la respuesta y eso sólo es posible evitarlo asumiendo con radicalidad los propios principios. El poder es un tótem cuyo secreto es que se usa poco, toda vez que su empleo desgasta y tiene un precio en término de legitimidad. Cuanto más se utiliza más se resiente la forma de gobierno.

Así, el terrorismo, sólo es viable cuando es tomado en consideración, hasta el punto de que sí el Estado altera su normal funcionamiento, el grupo es, de alguna manera, realzado ante la sociedad en su conjunto y ante su grupo de apoyo especialmente; y con ello, paradójicamente, legitimado junto con su causa. Los terroristas, pese a todo, aspiran a ser reconocidos como soldados, por tanto, calificar la lucha contra el terrorismo como "guerra," de alguna manera legítima a este, al tiempo que eleva indebida e innecesariamente su estatus. Es, pues, un grave error.

La democracia es también un elemento clave ya que enmascara una fuerza arrolladora: la voluntad concertada de millones de personas. Como resultado, la actuación del Estado además de débil es tardía, aparenta ser ineficaz y puede, incluso, incitar a los agentes que lo combaten a tomar atajos. Esa lentitud es el precio que ineludiblemente ha de pagarse al tener que gestionar un poder tan inmenso. Y sucede que, perdidos en el fragor de la batalla, a veces se olvida este hecho pese a su naturaleza capital. Además la democracia incorpora per se una voluntad inclusiva, un esfuerzo por contentar aunque sea mínimamente a todos que ayuda a la articulación de los problemas.

La cooperación internacional es otra de las claves de la lucha porque en no pocas ocasiones los problemas son comunes y requieren de la acción concertada, la coordinación y el intercambio de información y de experiencia que aseguren un efecto sinérgico beneficioso para todos y en los diferentes planos, desde el nivel político hasta el táctico. Pero, la cooperación tiene unos efectos en términos de legitimación y reconocimiento que deben ser puestos en valor igualmente. El auxilio de la comunidad internacional, su implicación, supone una certificación de la justicia de una causa.

Y además alguna de estas estrategias contrarias y que podríamos calificar de híbridas, prosperarán y se concretarán en daño. Es preciso por ello contar con una población resiliente. De hecho, en un mundo globalizado las vulnerabilidades son tantas que es más eficaz y sobre todo más eficiente trabajar en mitigar los daños que, a la postre, se producirán. La clave se sitúa así en preservar el binomio sociedad-Estado y la comunicación entre ambos. La propia sociedad es el eje, el cuerpo cuya salud se debe preservar y que es la raíz de todo.

La resiliencia encarna un proceso, un conjunto de fenómenos armonizados. Es el arte de navegar en los torrentes. Habla de una combinación de factores que permiten al ser humano y por extensión a las sociedades afrontar exitosamente y superar los problemas y adversidades. Su naturaleza es dinámica, puede variar en el tiempo y con las circunstancias. Es el resultado de un equilibrio entre factores protectores, factores de riesgo y cultura cuando se encuentran referidas a un hecho social. No es un estado definido y estable es, como decíamos, un proceso, algo en permanente construcción para cada sociedad, en función tanto de sí misma como de su contexto. Su naturaleza compleja hace probablemente intervenir a la voluntad y, desde luego, a la psicología social; también nos hace olvidar los determinismos para abrir el campo a la voluntad, la creatividad o la libertad[15].

La resiliencia es central en la lucha contra las amenazas híbridas pues está asociada a la persistencia, a la paciencia estratégica y a la firmeza de convicciones en los propios valores, en la sociedad y en la democracia. Es crítica la capacidad de contenerse y que se manifiesta en una inacción expectante, esto es, en resistir la tentación y ceñirse estrictamente al plan diseñado escapando así de la espiral acción reacción que se pretende conseguir haciendo visible al mismo tiempo al Estado.

La posverdad no puede subsistir mucho tiempo por sí misma, pues es ajena a la realidad y esta, con el tiempo, acaba por imponerse. Y con el terrorismo sucede igual, el trampantojo que suponen los atentados dan una imagen de poder del grupo terrorista con el que en realidad no cuenta y que, a la postre, acabará por imponerse.

La debilidad de la posverdad y del terrorismo hace que sea más interesante defender el centro de gravedad propio que atacar el contrario,

15 MUÑOZ GARRIDO, Victoria; DE PEDRO SOTELO, Francisco, "Educar para la resiliencia. Un cambio de mirada en la prevención de situaciones de riesgo social," *Revista Complutense de Educación* Vol, 16 Núm, 1/2005, pp. 107-124.

entre otras razones porque la lucha contra ellos no puede ser considerada una suerte de guerra; el tiempo, el largo plazo, es siempre enemigo de la emocionalidad terrorista. La ley de la gravedad es universal: las cosas abandonadas a sí mismas, caen por su propio peso.

El problema es que la sociedad, en no pocas ocasiones, obliga a los decisores a dar una respuesta inmediata al reto planteado que satisfaga sus demandas de corte emocional; no en vano la política está ligada a las percepciones. Hay que educar a la población para que sea capaz de aguantar la tensión. La pedagogía es nuevamente un proceso clave para el logro de este propósito.

6. CONCLUSIONES

La complejidad de los escenarios del siglo XXI, en el contexto de una globalización ha logrado imponerse aunque parcialmente; como resultado, el mundo se haya profundamente interrelacionado, no hay blancos y negros, sino conjuntos de zonas grises conectadas entre sí. Los actores son complejos. Están construidos por sumatorios de intereses, cuya prelación resulta, en ocasiones, hasta dificultosa.

El carácter altamente desregulado del escenario internacional que se presenta como muy fragmentario, toda vez que el Derecho va muy por detrás de la globalización, en cierto sentido, ha traído de vuelta las viejas políticas de poder de estilo decimonónico. Las amenazas híbridas obedecen a este esquema al que se suman las dificultades para atribuir su concreción, por más que esta se intuya, y que resulta particularmente remarcable.

En este escenario, para afrontar las amenazas es imperativo un pensamiento estratégico que tome como referencia no ya aquello que trata de combatir sino los valores y la sociedad a la que se defiende y no la amenaza en si misma. Tal cosa, que es un error clásico, es un desenfoque notable de la cuestión y, a veces, es además el objetivo pretendido por la parte amenazante.

Las estrategias deben ser completas, es decir servir al encauzamiento del problema más que a su resolución, ser coherentes, integrales y buscar el reforzamiento legitimatorio que la comunidad internacional trae consigo. Y al mismo tiempo, considerando inevitables los daños, promover la resiliencia del conjunto. Para ello se precisa firmeza, serenidad y paciencia estratégica pero también de persistencia.

Como síntesis, la lucha ha de acometerse desde las propias referencias, sin alterar los valores sobre los que se cimienta la convivencia y que deben ir más allá de lo retórico, para ser la piedra angular en la que convergen Estado y sociedad. La población debe ser consciente de que se trata de una lucha a largo plazo, que esta es fruto, continuación y expresión de los valores de la sociedad, que la magia no existe y que todo requiere un esfuerzo. Los valores propios no pueden ser degradados para conseguir una puntual ventaja en una lucha para la que no hay soluciones a corto plazo o buscando unos niveles de seguridad inalcanzables para una población a la que se acaba por acostumbrar a la indolencia. Como decía Saint-Exúpery: "Haz de tu vida un sueño y de tu sueño una realidad."

7. BIBLIOGRAFÍA

BALLESTEROS MARTÍN, Miguel Ángel, "La Estrategia de Seguridad y Defensa" en VV.AA. *Monografía núm, 67 del CESEDEN, Fundamentos de la Estrategia para el siglo XXI.*

COKER, Cristopher, *Globalisation and Insecurity in The Twenty-First Century: NATO and the Management of Risk*, The International Institute for Strategic Studies, Oxford University Press, junio 2002, 1ª Edición, Nueva York.

FRÍAS O'VALLE, José (1985), *Nuestra guerra y nuestra paz*, Colección Adalid, Móstoles.

GLUCKSMANN, André (1969), *El discurso de la guerra*, Editorial Anagrama, Barcelona.

GOBIERNO DE ESPAÑA (2017), *Estrategia de Seguridad Nacional 2017*, Presidencia del Gobierno.

JAIME-JIMÉNEZ, Oscar, "Riesgos y respuestas desde la seguridad de un mundo globalizado," en S, Tulchin, Joseph et al (2006), *La seguridad desde las dos orillas*, Ediciones Bellaterra, Barcelona.

LIDDELL HART, B. H. (1989), *Estrategia: la aproximación indirecta*, Ministerio de Defensa, Madrid.

MILOSEVICH-JUARISTI, Mira, *El poder de la influencia rusa: la desinformación*, Real Instituto Elcano, ARI 7/2017-20/1/2017.

MÜNKLER, Herfried (2002), *Viejas y nuevas guerras,* Siglo XXI de España Editores, Madrid.

MUÑOZ GARRIDO, Victoria; DE PEDRO SOTELO, Francisco, "Educar para la resiliencia, Un cambio de mirada en la prevención de situaciones de riesgo social," *Revista Complutense de Educación,* Vol. 16, Núm. 1/2005.

ORTEGA, Octavio, "Favorece ignorancia posverdad en México," *Revista reforma* 26 de marzo de 2017.

https://www,reforma,com/aplicacioneslibre/preacceso/articulo/default,aspx?id=1 073899&v=4&urlredirect=https://www,reforma,com/aplicaciones/articulo/ default,aspx?id=1073899&v=4

VERSTRYNGE, Jorge (1979), *Una sociedad para la guerra,* Centro de Investigaciones Sociológicas, Madrid.

VIDAL DELGADO, Rafael, "Método de planeamiento para un proyecto Turístico," Ponencia del tema central día 19 de septiembre: organización de un proyecto turístico: metodología, medio ambiente/ecología y seguridad,

SEGUNDA PARTE

POLÍTICA CRIMINAL
DE LA SEGURIDAD

Capítulo III

LA NUEVA POLÍTICA CRIMINAL DEL ENEMIGO EN BRASIL

PAULO CÉSAR BUSATO
*Profesor de la Universidad Federal de Paraná-Brasil y de la FAE-Centro
Universitario Franciscano. Miembro del Ministério Público de Paraná, Brasil.*

*"– Entonces —continué— es propio de un hombre justo hacer mal a cualquier especie
de hombre.
– Precisamente. Se debe de hacer mal a los perversos y enemigos.
– ¿Cuándo se hace mal a caballos, ellos se vuelven mejores o peores?
– Peores.
[...]
– Necesariamente.
– Y en cuanto a los hombres, mi amigo, no tendremos que decir lo mismo: que, si se les
hace mal, ¿se vuelven peores con relación a la perfección humana?
– Exacto.
– ¿Pero la justicia no es la perfección de los hombres?
– También ello es obligado.
– Y, si se hace mal a los hombres, mi amigo, es obligado que ellos se vuelvan más injustos.
[...]
– Hacer mal no es la acción del hombre justo, ya sea hacia un amigo, ya sea a cualquie-
ra, sino todo el contrario, es la acción de un hombre injusto.
[...]
– Por tanto, si alguien dice que la justicia consiste en restituir a cada uno aquello que le
es debido, y con ello se quiere decir que el hombre justo debe hacer mal a los enemigos, y
bien a los amigos, quién así hablar no es sabio, ya que no dice la verdad".*[1]

1. INTRODUCCIÓN

Vivimos hoy en Brasil un verdadero movimiento político criminal del
terror estatal. Se trata del establecimiento de una política criminal cuyo eje

---

[1] PLATÃO. A República. Trad. de PIETRO NASSETTI. São Paulo: Editora Martin
Claret, 2003, pp. 21-22.

es la identificación de los criminales como enemigos. Es verdad que vivimos un momento en dónde el nivel de violencia de las bandas criminales ha llegado a un punto insoportable, pero también es verdad que una de las contribuciones esenciales para que se llegara a ello es la elección, por parte del Estado, de una política criminal igualmente violenta.

Desde los años 90 del Siglo XX, hemos optado por seguir una senda de legislar en el ámbito criminal aumentando las penas, anulando garantías procesales y creando nuevas incriminaciones. Pero, mientras en el principio ello ocurría al margen del discurso oficial, es decir, sin la búsqueda directa y anunciada del efecto simbólico de minimización del riesgo, hoy la realidad es todo el contrario. El gobierno sale a la calle para anunciar en los medios de comunicación —y con el soporte de ellos— que su política es justamente la de *combate a la criminalidad organizada* y de *guerra en contra del delito*. Las expresiones son por sí mismas clarificantes. Es más, se dice, sin medias palabras, que las herramientas de contención de la criminalidad son nuevas leyes de materia penal.

El mismo momento político de elecciones para presidente acoge en la disputa en segunda ronda, un candidato favorito[2] que tiene como puntos-clave de su propaganda política facilitar la compra de armas por particulares, la reducción del límite de edad para inicio de la imputabilidad penal, tolerancia cero como política pública de control de criminalidad y implicación del mismo ejército en tareas de mantenimiento del orden público. Es prácticamente una propuesta de guerra civil planificada.

Hemos llegado posiblemente al límite. La llamada *opinión pública*, absolutamente dominada por los medios de comunicación de masa, pide más Derecho penal y recibe de la clase política exactamente eso. Por otra parte, se ve claramente el incremento del delito que sobrepasa las medidas tomadas, empero, ni la gente de la calle ni las autoridades responsables parecen darse cuenta de que ello resulta justamente del aumento de las medidas penales y no de que estas hayan sido insuficientes. Resulta de tal desconocimiento la producción de más Derecho penal, formando un círculo vicioso.

---

[2]   Escribo después de la primera ronda de las elecciones presidenciales de Brasil, en octubre del 2018.

Para romperlo parece evidente la necesidad de poner de relieve algunos puntos que pueden desvelar el error de dicha política criminal. En primer lugar es necesario tener presente que el Derecho penal no sirve para la disminución de la criminalidad; en segundo lugar, hace falta percibir qué es la verdadera *criminalidad organizada*, para no confundirla con las bandas criminales; en tercer lugar analizar precisamente si es posible el empleo de control social penal para actuar en contra de la criminalidad organizada.

En este trabajo, dirigido esencialmente al público europeo, con vistas a darles noticia sobre la realidad del escenario político criminal brasileña, he optado por empezar por la descripción de las leyes penales recientemente aprobadas y de los proyectos de ley que se debate en el legislativo y, seguidamente, exponer mi punto de vista sobre las razones por las cuales pienso que esta opción, de adopción de una política criminal de enemigos, nos llevará hacia límites intolerables de incremento de criminalidad.

2. HACIA UNA POLÍTICA CRIMINAL DE ENEMIGOS

A principios de los años 90 del siglo XX, bajo el influjo de la entonces nueva Constitución Federal, se pretendía afirmar un modelo de Estado social y democrático de Derecho que, en Derecho penal, se expresaría no sólo por una obediencia al principio de legalidad (garantía de sumisión a la expresión de la voluntad general), sino también al principio de intervención mínima (intervenir tan sólo en dónde se hace necesario) y al principio de culpabilidad (responsabilidad personal y proporcional por el hecho). Pero, por otra parte, también es cierto que la realidad social de entonces ya contaba con cierta dosis de miedo, que es síntoma de la sociedad del riesgo[3]. Entonces, ya figuraba en la Constitución una referencia expresa a

---

[3] Respecto de ello, véase BECK, Ulrich. *La sociedad del riesgo*. Trad. de Jorge Navarro, Daniel Jiménez y María Rosa Borrás, Barcelona: Paidós, 1998. Sobre las tendencias más recientes de cambio de forma de vivir véase el póstumo BECK, Ulrich. *La metamorfosi del mondo*. Trad. de Marco Cupellaro, Bari: Tempi nuovi, 2017 y sobre la tendencia de rescate de un pasado utópico véase el también póstumo BAUMAN, Zygmunt. *Retrotopia*. Cambridge: Cambridge Polity Press, 2017.

la necesidad de establecer una política criminal diferenciada en contra de lo que entonces se ha denominado "crimes hediondos"[4].

No ha tardado el legislador en ofrecer, bajo un discurso endurecedor del sistema penal, una ley (8.072/90) que, además de ofrecer un rol de delitos que deberían ser considerados hediondos o a ellos deberían ser equiparados, prohibía al acusado la posibilidad de responder al proceso en libertad y también la posibilidad de progresión de régimen de cumplimiento de condena.

A partir de este punto empezó un permanente e increíble proceso de expansión del Derecho penal, no sólo a través de la creación de nuevas leyes incriminadoras (ley de delitos medioambientales, código del tráfico de vehículos, ley de tortura, ley de control de drogas, ley de control de armas, ley de violencia de género, feminicídio, reforma ampliativa del Código penal en tema de delitos en contra de la libertad sexual, etc.), sino también de todas las nuevas leyes con previsión de castigos claramente violadores del principio de proporcionalidad. Basta con algunos ejemplos para percibir la actitud político criminal del legislador: tenemos hoy la previsión de castigo a los malos-tratos a los animales[5] con pena mínima superior a la de los malos tratos a los seres humanos[6] y la omisión de socorro en supuestos de accidente de vehículo[7] con pena mínima igual a la pena máxima de cualquier otra clase de omisión de socorro[8]; la pena mínima de homicidio[9] es la misma de la violación[10]; la pena mínima del tráfico de drogas[11] es cinco veces mayor que la del homicidio imprudente consumado[12]. La

---

[4]   Sobre el debate en la época de la promulgación de la Constitución Federal de 1988, respecto de los criterios para establecer lo que debería ser el concepto de crímenes hediondos véase CERNICCHIARO, Luis Vicente y COSTA JÚNIOR, Paulo José da. *Direito penal na Constituição*. São Paulo: Revista dos Tribunais, 1990, pp. 164-167.

[5]   Art. 32 de la ley 9.605/98-pena: 3 meses a 1 año de prisión.

[6]   Art. 136 del Código penal-pena: 2 meses a 1 año de prisión.

[7]   Art. 304 de la ley 9.503/97-pena: 6 meses a 1 año de prisión.

[8]   Art. 135 del Código penal-pena: 1 a 6 meses de prisión.

[9]   Art. 121 del Código penal-pena de 6 a 20 años de prisión.

[10]   Art. 213 del Código penal-pena de 6 a 10 años de prisión. Redacción dada por la Ley nº 12.015, de 2009.

[11]   Art. 33 de la Ley 11.343/06-pena de 5 a 15 años de prisión.

[12]   Art. 121, § 3º del Código penal-pena de 1 a 3 años de prisión.

razón de ello es muy sencilla. En todos casos se trata de incriminaciones incorporadas por leyes recientes que se compara con las que pertenecen al Código penal de 1940.

Resulta evidente la clase de política criminal que se viene practicando en Brasil.

Pero, ahora, ya no basta más con la aprobación de nuevas leyes incriminadoras ni con el recrudecimiento de las penas.

Hemos llegado a lo más insoportable: la pretensión de mutilación del mismo sistema de incriminación. Lo que se trata de proponer ahora, viene en contra de la misma idea de un sistema de imputación que respecta los derechos fundamentales. Se avanza en el tema de la incriminación desesperada y desesperante.

Ya se modificó la ley de los llamados "crimes hediondos" para aumentar las exigencias de la progresión de régimen de cumplimiento de pena para esta clase de autores. Mientras que para cualquier condenado la exigencia objetiva para pasar de un régimen más leve es de cumplir 1/6 de la condena, para los autores de crímenes que pertenecen al rol de los *hediondos* la exigencia es de 2/5 y, si son reincidentes, 3/5. Es decir, no basta con la condena más grave que ciertamente se impone en la sanción del juez para aquél que comete el delito considerado socialmente importante, sino que también se desprecia completamente la idea de proporcionalidad e igualdad entre los ciudadanos en el cumplimiento de la condena, pues se pasa a suponer, sin más, que los objetivos de la pena (ya sean ellos resocialización, no desocialización o otra clase cualquiera) no se van a cumplir por igual cuando se trate de esa clase de autores. Una observación criminológica diría que no es un acaso el hecho de que la clase de delitos considerados hediondos sea justamente un rol de conductas comunes a una determinada clase social y no a otra.

Ahora, lo nuevo, que sigue en debate entre los Diputados es la aprobación de muchos proyectos que tienen en común la pretensión de rebajar la edad de presunción de inimputabilidad por criterio biológico. Es decir, la pretensión es llevar al Derecho penal común muchos supuestos que, hoy por hoy, se les trata en el Derecho penal de menores, que aquí se llama, eufemísticamente de *Derecho de los Niños y Adolescentes*.

No es la primera vez que el clamor popular en razón de un supuesto en concreto que ha llegado a los medios de comunicación lleva a esa clase de discusión. En noviembre del 2003, cuando un adolescente de 16 años violó y asesinó a una chica después de haber asesinado también a su novio en São Paulo, los medios de comunicación dieron una cobertura tan impactante al caso que mucha gente salió a la calle pedir por la reducción de los niveles de imputabilidad por edad. Lo mismo pasó en Araucária, Paraná, en el año 2006, cuando un chaval de 17 años disparó y asesinó a una niña de 9 años y ahora, otra vez con mucho más fuerza, en Río de Janeiro, en febrero del 2007, cuando un grupo de ladrones entre los cuales estaba un adolescente, durante un robo, al huir con el coche de las víctimas, arrastró por seis kilómetros, atrapado por el cinturón, un niño de siete años; y un sinfín de otros casos semejantes.

En poco tiempo la polémica estaba en todos los medios de comunicación y algunas horas después del hecho, muchos líderes políticos han manifestado su apoyo a la reducción del límite de presunción de imputabilidad penal. Los diputados y senadores, en los días siguientes también respondieron con la reactivación de antiguos proyectos de reducción de límites de edad para afirmar la responsabilidad penal, así como con la edición de tres nuevos proyectos, todos con el mismo contenido.

A la cumbre se ha llegado en el año de 2105, cuando la Cámara de Diputados ha llegado a discutir un proyecto de Enmienda Constitucional para el cambio del límite biológico de imputabilidad para 16 años, bajo el despreciable argumento de que la capacidad de comprensión respecto del delito de nuestro tiempo es muy diferente de la de 1940 (fecha de la última reforma del Código penal en tema de imputabilidad). La iniciativa, en un primer momento, ha sido rechazada por votación en el día 30 de junio de 2015 por 303 votos favorables (eran necesarios 305) y 184 votos contrarios. Seguidamente, en una maniobra altamente cuestionable desde el punto de vista del proceso legislativo constitucional, un grupo parlamentario liderado por el Diputado Eduardo Cunha (hoy acusado de corrupción y en la cárcel), en el día 01 de julio del 2015, ha promovido nueva votación de tema de la PEC 171 bajo forma de enmienda aglutinativa nº 16, que ha terminado aprobada por 323 votos favorables y 155 contrarios, simplemente restringiendo la presunción de imputabilidad a los 16 años de edad, únicamente para los llamados crímenes hediondos, homicidio doloso y lesión corporal seguida de muerte.

El texto aprobado por la Cámara de los Diputados no ha sido todavía aprobado por el Senado Federal. Pero, el candidato a Presidente de la República que tiene mayor intención de votos para la segunda ronda discursa abiertamente su soporte a dicha iniciativa.

Evidentemente, todas estas actitudes no pasan de una política de fraude. Por una parte, no es esta la criminalidad verdaderamente preocupante, sino la criminalidad organizada, esta si, endémica en la sociedad brasileña; por otra parte, las medidas legislativas, ahora incidentes sobre el mismo sistema de incriminación, son meramente simbólicas y tienen por objetivo desviar la atención de la población para lo que realmente interesa: la realización de políticas publicas capaces de enfrentar el gran problema de desigualdad social que tenemos en Brasil.

3. LA INFLUENCIA DEL DISCURSO DEL MIEDO GLOBALMENTE IMPUESTO

En estos tiempos de globalización progresiva de la modernidad reflexiva[13], en el cual nos toca vivir, cada vez más percibimos los fenómenos de migración, tanto de capitales cuanto de personas, lo que ha provocado un gran número de situaciones nunca antes afrontadas por la humanidad. Tales situaciones, además, ocurren en un tiempo en que el aumento ilimitado de la circulación de las informaciones, un mercado mucho mas volátil, afectando las cuestiones como el valor económico de objetos e inversiones, la fragilidad del empleo, la mundialización de la actividad criminal y la consciencia creciente de los problemas ambientales potencian el miedo de las personas[14].

---

[13] El término es de Ulrich Beck y traduce la situación de la sociedad actual que se enfrenta con los riesgos que son nada más que reflejo de la actividad de desarrollo del mismo hombre moderno. Cf. BECK, Ulrich. *La Sociedad del Riesgo...cit.*

[14] Véase al respecto los comentários de BAUMAN, Zygmunt. *Tempos Líquidos.* Trad. de Carlos Alberto Medeiros, Rio de Janeiro: Jorge Zahar Editor, 2007, pássim, especialmente, pp. 11 y ss.

El resultado de esta combinación no siempre resulta positivo, ya que está representado en una postura de rechazo hacia la alteridad que se expresa bajo la forma de adopción de un modelo punitivo clasificado según las condiciones personales de los destinatarios, que identifican como *enemigo* preferencial el otro, a veces identificado como el extranjero[15], a veces como otras minorías. En general, nosotros brasileños nos vemos inmersos en este contexto, desde un punto de vista de la víctima de un proceso de discriminación, es decir, en la posición de blanco preferencial del sistema punitivo[16]. Consecuentemente, como suele ser, no tardamos en desarrollar una inflamada postura crítica, clamando por igualdad dentro de la condición de humanidad básica que nos resulta común a todos.

Estoy, personalmente, en el grupo de no conformados. Tengo, seguidamente, mentenidos discursos antiexclusión, bajo cualquier pretexto.

Ocurre que desde un punto de vista filosófico uno solamente puede afirmar su misma existencia bajo un proceso de exclusión respecto a su entorno, lo que ciertamente estimula a que veamos como mucho mas fácil la crítica de lo externo que la de nosotros mismos. Sufrimos una grave limitación argumentativa cuando miramos la crítica hacia un punto que nosotros mismos no cuidamos de evitar. Así, pretendiendo preservar la capacidad de crítica y de indignación, en favor del grito del menos favorecido, las consideraciones que siguen buscan poner de relieve la necesidad de empezar el camino de afirmación democrática primero internamente, para solo entonces, de mano de la razón, volver nuestras baterías críticas para el mundo exterior.

Así, de lo que aquí se cuida es precisamente de demostrar que, por una comodidad práctica de repetir antiguas posturas autoritarias, la política

---

[15] Cf. BRANDARIZ GARCÍA, José Ángel. *Política Criminal de la Exclusión*. Granada: Comares, 2007, p. 129.

[16] "El estatuto jurídico reservado para los migrantes —extracomunitarios o, mejor dicho, del sur y del este— les atribuye un riesgo permanente de ilegalidad, que los ubica ya en una zona gris próxima a la criminalidad, principal determinante de su identificación como categoría prioritaria de riesgo. Esa sospecha permanente de ilegalidad contribuye de forma notable a construir una categoría de riesgo que precisa adoptar perfiles ontológicos, co-criminales, desatiende, por apenas relevante, el dato de la comisión o no por parte del migrante de conductas delictivas". Idem, p. 133.

criminal brasileña padece hoy de graves problemas de distorsión de los hechos y de los objetivos legítimos de la sociedad, adecuándose a una postura discursiva propia del llamado *derecho penal del enemigo*[17].

El mundo de la llamada post-modernidad o modernidad reflexiva tiene como marca la dimensión de mundo. Con ello quiero decir que ya hace mucho, la realidad social cotidiana ha sobrepasado los límites físicos y políticos del Estado Nación. Mientras tanto, el patrón jurídico sigue manteniendo aquél superado estereotipo.

Ya se reconoce que estamos viviendo un momento de transición en los patrones de la ciencia jurídica[18]. Vivimos, por fin, lo que Thomas Kuhn[19] calificaría de ciencia nueva, ciencia extraordinaria o ciencia revolucionaria.

La presión sobre la cuestión jurídica, como siempre, deriva de los cambos sociales que conducen, cada vez más, rumbo a una idea de que los problemas humanos y sus regulaciones deben de ser globales. Algunas realidades inexorables como las facilidades de cambio de informaciones, especialmente por la vía cibernética, los efectos globales de decisiones relacionadas con elementos fundamentales para la preservación de la vida humana como el clima, la geología, los alimentos y las facilidades para el tráfico de personas por todo el globo, componen una nueva realidad en que se insieren todos los fenómenos sociales, incluso, necesariamente[20], el delito.

---

[17]   Sobre la vertiente procesal del Derecho Penal del enemigo, véase MUÑOZ CONDE, Francisco. *Las prohibiciones probatorias al Derecho procesal penal del enemigo.* Buenos Aires: Hammurabi, 2008.

[18]   "La creciente globalización va mucho más allá del ámbito de la economía y de las finanzas. Cuando este proceso traspasa no sólo fronteras nacionales sino también socioculturales, se plantea urgentemente la pregunta de cómo han de reaccionar los órdenes jurídicos ante las personas que traspasan esas fronteras". HÖFFE, Ottfried. *Derecho intercultural.* Trad. de Rafael Sevilla, Barcelona: Gedisa, 2008, p. 17.

[19]   El término es de KUHN, Thomas. *A estrutura das revoluções científicas.* Trad. de Beatriz Vianna Boeira e Nélson Boeira, 9ª ed., São Paulo: Perspectiva, 2005, pp. 122-123.

[20]   Como bien observa Durkheim, el delito es um fenómeno normal e inexorable en todas las sociedades. DURKHEIM, Émile. *As regras do método sociológico.* Trad. de Paulo Neves, São Paulo: Martins Fontes, 2003, p. 68. Por tanto, responde inmediatamente al fenómeno de la globalización.

Las estrategias jurídico-penales deberían responder a este fenómeno también con una transformación, de preferencia en el sentido de un reduccionismo uniformizante y globalizado del control social penal. Pero, lo que se nota es una postura exactamente a la inversa.

Un ejemplo es la respuesta al incremento global de circulación de las informaciones con la creación de una creciente sociabilidad virtual, llevando a un incremento de vigilancia y de violaciones de la intimidad de las personas nunca antes visto, representado por las legislaciones que permiten un control sobre as informaciones almacenadas en servidores de *internet*, control del flujo de *e-mails* y hacia el mismo control sobre el uso de *internet*, todas ellas tomadas en el ámbito de los Estados naciones.

En relación con las crecientes catástrofes ecológicas registradas en los últimos años, con efectos globales terribles, al contrario de una política de restricciones a las decisiones políticas potencialmente capaces de causar polución, basadas en políticas de ajustes internacionales de explotación de los recursos naturales terrestres, se responde con una inocua creación de una avalancha de tipificaciones que tan solo aparentemente se dirigen a la protección del ambiente, mientras en realidad recortan, de modo verdadero e intenso las garantías fundamentales de los individuos incriminados. Además, es obligado reconocer que no hay protección al ambiente que se pueda derivar de una incriminación penal, justamente porque la intervención penal solo puede darse después del hecho, lo que implica necesariamente ya haber sido causado, previamente a la intervención penal, el riesgo o el daño al ambiente, cosa que parece ser justamente el que el discurso dice querer impedir.

Finalmente, en cuanto al flujo global de personas, al contrario de responder con una unificación de las cuestiones laborales, buscando generar igualdad de oportunidades y de participación en la sociedad para todos, aplacando las ilegalidades que puedan impedir ese flujo, lo que se ve es una reacción brutal, exagerada y xenófoba de los Estados, con frecuente uso de su aparato mas brutal: el sistema penal. De ahí derivan, por ejemplo, el llamado *USA Patriot Act*[21], que legitima "la posibilidad de detención de un

---

[21]   Siglas que significan *Uniting and Strenghtening America Patriot Provide Appropiate Tools Required to Intercept and Obstruct Terrorism Act.*

ciudadano extranjero por un plazo máximo de siete días, sin necesidad de presentar cargos contra él, detención que puede convertirse en detención por plazo indefinido en el caso de migrantes irregulares para los cuales resulte inviable la expulsión a sus países de origen, sea por desconocerse esta procedencia, sea por tratarse de apátridas o porque sus estados niegan aceptarlos, y ello sin necesidad de relacionar el sujeto con actos de terrorismo"[22]. En el mismo sentido reciente derogación de la normativa aprobada en 23 de octobre del 2016, que restringía las posibilidades de aceso de los provedores de internet a los datos de los usuarios, bajo el argumento de facilitar el control de investigaciones. También la otorga del gobierno Trump para la CIA y el Pentágono de lanzar ataques con drones en acciones supuestamente antiterroristas en el Oriente Medio. En el Reino Unido, el *Anti-Terrorism, Crime and Security Act,* que permite control absoluto de las comunicaciones del sujeto investigado. Así también las medidas como las de prisión cautelar por dieciocho meses como recepción a los migrantes venidos del tercer mundo, adoptadas por la Unión Europea y las recientes restricciones a recibir refugiados que han dividido Europa hasta convertirse en un punto de anclaje del Brexit.

De todas estas reacciones, igualmente exageradas y tributarias de un proceso de expansión del control social — incluso penal —, la que parece ser mas brutal es la que se orienta a impedir el flujo de personas. Ello porque, a par del desastrado ejercicio de incremento del sistema penal, se basa fundamentalmente en dos pilares igualmente execrables: primeramente la idea de que una determinada parte del globo terrestre puede ser reservada para ser ocupada tan solamente por un determinado grupo de personas y, después, la adopción necesaria del presupuesto de

---

22   BRANDARIZ GARCÍA, José Ángel. *Política Criminal de la Exclusión...cit.*, p. 215. La sección 411 del referido diploma, por ejemplo, despoja completamente los migrantes de los derechos al debido proceso y aún utiliza conceptos vagos para *actividad terrorista, colaboración con actividad terrorista,* y *organización terrorista,* de modo a poder abarcar con estos conceptos simplemente cualquier actividad de un extranjero. Por ejemplo, la práctica de cualquier actividad empleando arma o instrumento peligroso puede ser calificado de actividad terrorista, la solicitud de ingreso como miembro de una organización que sea considerada terrorista, ya es considerada *colaboración* y organización terrorista se define como cualquier organización en donde dos o mas individuos, organizados o no, hayan realizado actos considerados actos terroristas.

desigualdad entre las personas, el cual no se propone eliminar, sino preservar o hacia incluso incrementar. Si, porque las medidas se orientan a mantener la exclusividad del uso del territorio en donde se encuentran las mejores condiciones de vida para aquellos que ya detienen una mejor condición cultural, económica y social, marginando —en todos los sentidos posibles de la palabra, incluso penal— aquellos que no gozan de tales privilegios.

Esta crítica debe de ser dirigida hacia todas las instancias en que se pretenda el empleo del sistema penal como forma de discriminación entre personas, como forma de exclusión y de sumisión a la degradación humana.

4. EL DERECHO PENAL Y LA PREVENCIÓN DE CRIMINALIDAD

Ante todo debe presentarse el contexto sobre el cual se desarrolla la discusión actual respecto de la criminalidad, justamente para poner acento en sus limitaciones.

Una buena parte, si no casi todas las propuestas de soluciones para el problema de la criminalidad, se vinculan al Derecho penal. Es importante, entonces, dibujarlo en sus límites y características fundamentales.

Hay un primer error de concepción de los políticos respecto de lo que "es" el Derecho penal. El Derecho penal no es simplemente una categoría restringida del ámbito jurídico en general que constituye simplemente una forma de control social, sino que él es, en si mismo una garantía.

A efecto de la discusión que aquí se propone, el Derecho penal debe de ser concebido como un instrumental de reglamentación de la posibilidad de control, por parte del Estado, de las actividades de los ciudadanos. Por ello, no se estará tratando de Derecho penal simplemente como conjunto de leyes que regulan conductas prohibidas, sino que se estará tratando de todo el sistema de control social de que se vale el Estado para intervenir de modo grave en la vida del individuo y que, por tal razón, debe de tener bastante claros los límites a que queda sometido.

Así, en primer hace falta tener presente que el Derecho penal es, en si mismo, violencia, y por ello, debe estar regulado y limitado por el principio de intervención mínima. En palabras de Muñoz Conde "el Derecho Penal solamente debe de intervenir en los supuestos de ataques muy graves a los bienes jurídicos más importantes"[23].

El Derecho penal, entendido como instrumento de control, se traduce por la imposición de la pretensión del estado sobre la pretensión individual, utilizando el medio coercitivo más impresionante de que dispone el Estado: la privación de la libertad[24]. La intervención sobre el individuo tendrá lugar siempre y cuando en el ámbito de las relaciones sociales haya una situación de tal intolerabilidad cuyo único recurso disponible para su control sea el empleo del Derecho penal.

Se parte, pues, de que el Derecho penal es una violación del Estado en contra del hombre, una violencia y, por ello, debe de ser utilizado tan sólo bajo un nivel máximo de control y de limitaciones, so pena de convertirse él mismo en delito.

Se puede decir que, tal como el antídoto para el veneno de las serpientes, el Derecho penal se compone él mismo de la misma violencia que le justifica, empero, dicha violencia debe de estar bajo rígido control.

El veneno retirado de las serpientes es diluido para inocularse en el cuerpo de caballos que producirán los antígenos para el combate al veneno. Es sabido que la dilución del veneno va disminuyendo, según las sucesivas aplicaciones, pero, nunca se llega a aplicar el mismo veneno sin dilución, pues ello acarrearía daños, hasta la misma muerte del animal.

De manera igual, siendo el Derecho penal el instrumento aplicado para el control de la violencia irrefrenable por otra vía, no se puede pretender de este mismo instrumento idéntico grado de violencia, so pena de condenarlo a su misma muerte. Así, todo el discurso volcado al embrutecimiento

---

23 MUÑOZ CONDE, Francisco. *Introducción al derecho penal.* Barcelona: Bosch, 1975, p. 59.

24 Conviene apuntar que han sido otros medios todavía más crueles, como la pena de muerte —que lamentablemente pervive en algunas sociedades culturalmente menos avanzadas— las mutilaciones, las galés y los destierros, por ejemplo.

del Derecho penal guardará, en el fondo, la necesaria consecuencia de su falencia.

Importa recordar que el modelo de Estado constitucional occidental tiene sus bases en las concepciones del contrato social, vinculada a la Ilustración, especialmente a la obra de Rousseau.

Rousseau empieza su clásica obra, *El Contrato Social*, tratando de la diferencia entre el estado natural del hombre y su organización social. Esencialmente, sostiene que el instinto del hombre pretende atender sus deseos y la preservación de su libertad. Al revés, la organización social se basa en convenciones. Pero, Rousseau reconoce que las mismas convenciones tienen origen en la necesidad de autopreservación, para equilibrar lo que él llama la "desigualdad natural entre los hombres"[25].

Tomando las premisas de Rousseau, es decir, que el hombre, en naturaleza es desigual, y que las convenciones humanas, comenzando por la organización de la familia tienen por objetivo equilibrar estas desigualdades, parece claro que el propósito de la organización jurídica de las relaciones entre los intereses personales debe de ser volver iguales los hombres[26].

Ello se lleva a cabo, según Fernando Henrique Cardoso[27], por la vía de la democracia, es ella la que, desde su origen en las ciudades-estado griegas del siglo V expresa libertad, en el sentido de igualdad material.

---

[25] Véase, respecto de ello, ROUSSEAU, Jean-Jacques. *Discurso sobre el origen y los fundamentos de la desigualdad entre los hombres y otros escritos*. 4ª ed., 2ª reimp., trad. de Antonio Pintor Ramos, Madrid: Tecnos, 2002.

[26] "Ningún hombre tiene autoridad natural sobre su semejante, ya que la fuerza no posee derecho algún, resta entonces las convenciones como base de toda la autoridad legítima entre los hombres". ROUSSEAU, Jean-Jacques. *O Contrato Social*. 3ª ed., 5ª tir., trad. de Antônio de Pádua Danesi, São Paulo: Martins Fontes, 2003, p. 13.

[27] "El régimen democrático de Atenas tomó, a mediados del Siglo V, su forma definitiva y así ha permanecido hasta el fin de la independencia griega. Orgullosos de ser ciudadanos libres, los atenienses sienten más orgullo todavía por ser ciudadanos iguales. La igualdad es para ellos, incluso, la condición de la libertad. Las únicas palabras que en su lengua distinguen el régimen republicano de los demás son: isonomia, igualdad ante la ley, e isegoria, igual derecho de hablar. El Estado no conoce familias, sino únicamente individuos, todos útiles y con los mismos derechos." CARDOSO, Fernando Henrique; MARTINS, Carlos Estevam. *Política e Sociedade. Volume 1.*São Paulo: Companhia Editora Nacional, 1979, pp. 229 e 230.

La regulación convencional de la estructura de los derechos individuales es realizada a través de la creación de un ente regulador, que representa una fuerza común a la cual las libertades individuales son entregadas. En realidad, según Rousseau, los hombres, solos, no pueden mantener sus libertades, porque el esfuerzo necesario para ello es mucho más grande que sus capacidades e sus recursos. Así, queda claro y evidente que el objetivo principal de la composición del Estado es la preservación de las libertades individuales, es la manutención de los derechos de los ciudadanos. En resumen: el Estado existe como un ente creado en función de los individuos, para la preservación de sus intereses. En ese sentido, Bobbio, refiriendo la lección de Humbolt, ha afirmado que:

> "[…] el Estado no es un fin en si mismo, sino tan sólo un medio "para la formación del hombre". Si el Estado tiene un fin último, ese es el de "elevar a los ciudadanos al punto de poder ellos mismos perseguir espontáneamente el fin del Estado, movidos por la única idea de la ventaja que la organización estatal a ellos ofrece para el alcance de los mismos objetivos individuales"[28].

Rousseau entiende que el contrato social es el resultado de la necesidad de asociación entre los hombres para la composición de una fuerza común que defienda adecuadamente los intereses de cada uno. Debe de existir una concreta protección de la persona y sus bienes, sin que ello implique la supresión de la libertad o la sumisión a la voluntad ajena.

El resultado es la creación de un Estado que existe para el individuo y en función de él. No es un Estado titular de Derechos, sino un Estado *manager* de Derechos ajenos. El Estado, por si sólo, no es titular de nada, sino simplemente un mandatario que tiene por función proteger los Derechos fundamentales y libertades de todos.

Así, si por un lado, los ciudadanos tienen obligaciones para con el Estado, las tienen simplemente por tenerlas en razón de que el Estado representa los Derechos de los demás. Al revés, el Estado, formado a partir del pacto social, no se puede desviar del interés de cada uno de los ciudadanos, pues, el único Derecho que tiene, es de mantener los Derechos de los indi-

---

[28]   BOBBIO, Norberto. *Liberalismo e Democracia*. Trad. Marco Aurélio Nogueira. São Paulo: Editora Brasiliense, 2000, p. 25.

viduos. En ese sentido, Rousseau[29] es explícito al afirmar que "el soberano, formado tan sólo por los particulares que le componen, no tiene ni puede tener interés en contra de ellos".

Queda, pues, establecida una contradicción: Rousseau a un sólo tiempo pretendía la igualdad material como base del pacto, firmada a través de la completa entrega de todos los intereses individuales en manos del Estado, y paradójicamente, pretendía también un Estado de mínima intervención, que jamás sobrepase la protección de los intereses individuales.

Por ello, Rousseau[30] afirmaba que el vínculo que se forma a través del contrato social solo puede pretender someter el puro interés individual al interés colectivo, con el objetivo de equilibrar fuerzas entre el colectivo y el individuo. Es la búsqueda de ese delicado equilibrio que basa los sucesivos intentos de ajustar el modelo de Estado constitucional firmado desde el periodo de las Revoluciones.

El poder del Estado en el contrato social es pleno, pero no absoluto. Esta aparente contradicción en términos es percibida por el mismísimo Rousseau[31], que no tarda en explicarla:

> "[...] El soberano, de su parte, no puede ser oneroso a los súbditos con ninguna pena inútil a la comunidad; no puede siquiera desearlo, pues, bajo la ley de la razón, no menos que bajo la de la naturaleza, nada se hace sin causa."
> "Los compromisos que nos conectan al cuerpo social tan solo son obligados por ser mutuos, y su naturaleza es tal que, al cumplirlos, no se puede trabajar para el otro sin trabajar también para uno".

El límite de intervención del poder público es la obediencia al interés de la comunidad, que por su turno, no es más que el interés de cada uno.

En la medida en que actúa fuera de la estricta obediencia al interés de la comunidad, el soberano contraria originalmente su misma razón de existir.

Ello confronta totalmente el discurso que ahora aparece en el debate respecto de las políticas públicas en el ámbito penal, cuyas proposiciones

---

29   ROUSSEAU, Jean-Jacques. O Contrato Social...*op. cit.*, p. 24.
30   ROUSSEAU, Jean-Jacques. O Contrato Social...*op. cit.*, p. 29.
31   ROUSSEAU, Jean-Jacques. O Contrato Social...*op. cit.*, pp. 39-40.

son invariables en el sentido de endurecimiento del tratamiento sancionador penal en una flagrante violación del equilibrio, siempre en contra del ciudadano.

La convención establecida propone que el binomio libertad e igualdad debe de ajustarse de forma equilibrada. La preservación, tanto de una cuanto de otra, debe de ser la finalidad última de reglamento jurídico.

> "Si indagamos en qué consiste precisamente el más grande de todos los bienes, que debe de ser el fin de cualquier sistema de legislación, llegaremos a la conclusión que él se reduce a estos dos objetivos principales: la *libertad* y la *igualdad*. La libertad, porque toda dependencia particular es igualmente fuerza sacada del cuerpo del Estado; la igualdad, porque la libertad no pode subsistir sin ella"[32].

Conviene referir que la propuesta de Rousseau, como de gran parte de los autores de la Ilustración, busca claramente objetivos dignos, cuya concreción hasta hoy queda pendiente. *El Contrato Social* es una de las obras más representativas de este período histórico, pero sus argumentos jamás encontraron su plenitud práctica, y vienen siendo aplicados tan sólo en parte, o distorsionados en favor de los intereses dominantes.

Es que la pretensión expresada en el discurso citado es de evidente dependencia de la libertad con relación a la igualdad. Es decir: para que haya libertad, antes debe de existir igualdad. Esta orden, obligada, expresada en el discurso de Rousseau es plenamente justificada. El establecimiento de la orden inversa entre los principios, fue lo que efectivamente ha ocurrido en la historia de la humanidad y condujo a la actual falencia del modelo de Estado burgués[33].

---

[32] ROUSSEAU, Jean-Jacques. O Contrato Social...*op. cit.*, p. 62.

[33] En el momento de la Revolución Francesa, los discursos panfletarios como el de Sièyes se volvían hacia una gruesa camada de la población, alijada del poder político. La distinción entre clases sociales se establecía según estas bases, incluyendo el primero y segundo Estados (nobleza y clero) y excluyendo el pueblo. Pero, dentro del "pueblo" se encontraba tanto el dueño del barco de pesca cuanto el pescador. Al no hacer diferencia interna entre los componentes del "pueblo", sino preocupándose únicamente con la igualdad política entre los tres Estados, hubo simplemente una equiparación formal entre las personas (igualdad formal) preservando un elemento diferenciador consistente en la capacidad económica. Así, la "Revolución" ha dejado de promover la igualdad material, efectiva, que era propuesta en el discurso de los

Evidentemente, cuanto más se interviene en la vida en sociedad con normas penales incriminadoras, más se amplia el ámbito en el que el Estado afirma su intervención, por igual, en contra de todos. Y lo hace sin tener en cuenta que la condición natural de las personas implicadas en el mismo contrato social no es igual. Cuanto más se amplia el ámbito de intervención sometiendo a todos a una misma norma, más se amplía la igualdad formal y consecuentemente se reduce el espacio de afirmación de la igualdad material.

Por ello la importancia crucial de los principios como límites de intervención penal. Cuanto más respeta el Derecho penal en su regulación los límites impuestos por los principios, más se puede afirmar la idea de igualdad material buscada por el pacto social.

El Derecho penal, considerado a partir de un Estado de Derecho, debe obedecer, como mínimo, al principio de legalidad. Simplemente ello ya basta para determinar que no es posible al Derecho penal controlar la criminalidad.

Los infinitos supuestos en concreto frecuentemente citados en el discurso que pretenden justificar una intervención penal más intensa no sirven absolutamente para justificarla. Es que no se puede aplicar retroactivamente las normas incriminadoras en perjuicio del reo. Es decir: no se alcanza los hechos habidos con anterioridad. El Derecho penal no sirve de solución para los problemas del pasado.

La exigencia de *lex praevia*, es decir, de la anterioridad de la ley, para incriminar a las personas basta para demostrar que el Derecho penal sólo alcanza los hechos a los cuales es previo. Es decir, nuevas incriminaciones no sirven para resolver supuestos del pasado. Ello bastaría para hacer evidente la irracionalidad de los que, bajo la bandera de los supuestos graves que han ocurrido, pretenden nuevas incriminaciones.

---

pensadores, como Rousseau. Escaparía del objeto del presente trabajo, demandando quizás una larga investigación histórica, establecer si lo que ha ocurrido fue o no a propósito. Es decir, si habían o no condiciones para la percepción de la existencia de un cuarto Estado, consistente en el proletariado, que aunque haya participado de la revolución como masa de maniobra, terminó, como antes, alijado de las instancias del poder.

Es más. También el principio de lesividad, derivado del principio de culpabilidad, establece que sólo se puede incriminar a alguien después de que el hecho delictivo haya ocurrido. Es decir, no se puede incriminar o castigar con antelación. Nadie puede suponer que otro vaya a cometer un delito, y en base a tal suposición castigarlo. Si es así, tenemos como obligado concluir que el Derecho penal sólo interviene después que el hecho ha ocurrido y el bien jurídico se ha dañado o puesto en peligro. El Derecho penal llega solamente después del resultado, con lo cual, no sirve, en absoluto, para prevenirlo.

Tal es, por ejemplo, el fundamento de la crítica a la técnica de incriminación del delito de peligro abstracto.

La incriminación de los delitos de peligro abstracto rompe con el principio de lesividad porque no hay una violación en concreto del bien jurídico, con lo cual la incriminación se traduce en un adelantamiento de barreras de imputación.

Pero si la intervención del Derecho penal tiene lugar solamente cuando ya se hizo el delito, es evidente la incapacidad del Derecho penal para impedirlo.

El Derecho penal no es simplemente el instrumento menos eficiente en el combate a la criminalidad. Es un instrumento totalmente ineficiente. El Derecho penal, en definitiva, no sirve para prevenir absolutamente nada, menos todavía los supuestos delictivos.

5. LA CRIMINALIDAD ORGANIZADA Y LAS BANDAS CRIMINALES

El segundo argumento del discurso político criminal que ampara el proceso de expansión del Derecho penal no es menos falso. Se le puede llamar la retórica del miedo. Se dice que hace falta más Derecho penal para combatir la llamada "criminalidad organizada" que aumenta todos los días, generando más inseguridad ciudadana.

Pero, ¿qué es, de verdad, la criminalidad organizada?

La búsqueda por encontrar un concepto de *criminalidad organizada* puede ser, en este cuadro, una decisiva contribución para la definición de como el Derecho penal se debe de comportar en relación a ello. Es decir, al definir los contornos del objeto es posible una mejor adecuación en la elección de medidas para resolverlo y al mismo tiempo resguardarnos de los nefastos efectos colaterales de las políticas que se adopta presentemente en este campo[34].

5.1. La vaguedad del concepto popular y legal de criminalidad organizada

Lo que normalmente se considera 'criminalidad organizada' por los medios de comunicación o por el análisis del ciudadano común no es más que la formación de bandas para la realización reiterada de delitos comunes. La adopción de este punto de vista es, sin embargo, disfuncional. Ello por una razón bastante simple: si consideramos la 'criminalidad organizada' como nada más que la criminalidad callejera, realizada en el ámbito de bandas criminales, no tendremos presente ninguna 'nueva clase de criminalidad', sino la misma criminalidad desde siempre conocida. Si es así, no está legitimada, de ningún modo, la adopción de medidas excepcionales, tanto más si estas medidas son violadoras de garantías fundamentales. Si no estamos delante de un fenómeno completamente nuevo, los instrumentos disponibles de represión hacia la criminalidad deberían bastar. Por otra parte, si hay algo de nuevo en este concepto, si la 'criminalidad organizada' es algo nuevo y distinto de la criminalidad común, hace falta definirla para solo entonces verificar qué medidas se pueden o deben tomar para combatirla, dentro, obviamente, de los límites tolerados por un Estado social y democrático de Derecho.

---

[34] Ha sido un rotundo fracaso, en ese sentido, el intento de imponer conceptos a través de una nueva Ley de Organizaciones Criminales, tal como la propuesta en Brasil por la Ley nº 12.850/2013, que ha generado larga polémica respecto del tipo penal de organizaciones criminales. Véase, respecto de ello BITENCOURT, Cezar Roberto y BUSATO, Paulo César. *Comentários à lei de organização criminosa*. São Paulo: Saraiva, 2014.

5.2. La importante diferencia entre criminalidad organizada y criminalidad de masa

La delimitación empieza, por tanto, por la exclusión. 'Criminalidad organizada' no puede ser la colectivización de la actividad criminal común. Hace falta formular un concepto 'útil' de criminalidad organizada, y para ello, es necesario "aislar un potencial de amenaza cualitativamente nuevo"[35].

Hassemer ha presentado una proposición de concepto de 'criminalidad organizada' que, si no es algo absolutamente nuevo, al menos presenta características que le diferencian de la criminalidad común: él sustenta que 'crimen organizado' es aquél que realiza una mutilación en la misma estructura de combate al crimen[36]. Para él, "solamente cuando sea posible influenciar la elucidación o el juicio de violaciones penales es que la estructura criminal se tendrá estabilizado"[37].

Este recorte es bastante sugerente, en la medida en que vuelve evidentes dos puntos-clave respecto de la criminalidad organizada. El primero es que no se justifica la violación de garantías individuales para el combate a una criminalidad ya desde hace mucho conocida y ya dotada de instrumentos penales y procesales suficientes. En segundo lugar, revela que las mismas instituciones estatales dedicadas al combate a la criminalidad, no están indemnes a la infiltración. En estos momentos, ello es cada vez más evidente en Brasil, cuando ya se ha detectado una enorme cantidad de políticos y personajes públicos, así como algunos de los principales empresarios del país, involucrados en graves y complejos esquemas de corrupción[38].

---

[35] HASSEMER, Winfried. "Segurança pública e Estado de Direito", *in Revista Brasileira de Ciências Criminais*, n° 5. São Paulo: Revista dos Tribunais, Jan./Mar. de 1994, p. 59.

[36] "Propongo por tanto utilizar la expresión 'criminalidad organizada' solamente cuando el brazo con el cual pretendemos combatir toda y cualquier forma de criminalidad sea paralizado: cuando Legislativo, Ejecutivo o Judicial se vuelven susceptibles a extorsión o venales". HASSEMER, Winfried. "Segurança pública e Estado de Direito",... *op. cit.*, p. 58.

[37] HASSEMER, Winfried. "Segurança pública e Estado de Direito",...*op. cit.*, p. 59.

[38] Para un ámplio panorama respecto de la corrupción en Brasil, véase BUSATO, Paulo César. "Historia y perspectivas respecto de la corrupción en Brasil", *in Revista Penal n° 36, julio de 2015*. Valencia-Huelva: Tirant lo Blanch, 2015, pp. 14-35.

Si admitimos el concepto propuesto por Hassemer, el paso siguiente consiste en contextualizar el incremento de las medidas persecutorias de la criminalidad organizada, es decir, una vez admitido que el 'crimen organizado' no es más que la contaminación de las instancias estatales de combate a la criminalidad por el mismo crimen, resta saber que representa, verdaderamente, las propuestas represivas de persecución frecuentemente presentadas. La corrupción de esta estructura por el delito, significará, por una parte, la superposición de aquellos que participan de la actividad criminal en relación con las instancias de persecución y por otro lado, la vuelta de los mecanismos de persecución hacia aquellos que, en puridad, no participan de la actividad criminal organizada.

Lo que se llama comúnmente criminalidad organizada no pasa de la actividad propia de las bandas de criminales que en grupo realizan los delitos propios de la criminalidad callejera.

La prensa destaca todos los días supuestos de violencia callejera, consiguiendo que las personas pasen a identificarse con las víctimas de esta violencia individual y conecten su miedo a ello.

Pero, mucho más grave, con muchas más víctimas y mucho más imparable, es la verdadera criminalidad organizada, de la cual por cierto Brasil también padece, que es aquella que, por la vía de la corrupción, se infiltra en las instancias de poder. Esta verdadera criminalidad organizada es mucho más grave porque tiene la cobertura de las instituciones, alcanza mucho más víctimas porque sus ataques suelen ser indirectos, pero, al mismo tiempo anchos y de larga duración y es mucho más imparable porque contamina e incluye los mismos órganos que, en situaciones normales, serían encargados de su persecución.

El tema asume crucial interés en Brasil justo ahora, cuando bandas criminales han sido detenidas y tienen, entre los sospechosos, no sólo policías, sino también magistrados, incluso dos ministros del Superior Tribunal de Justicia.

En este punto, debemos partir de dos preguntas: la primera es: ¿en qué medida —si es posible tolerar— podremos admitir recortes de garantías individuales para el tratamiento de la criminalidad infiltrada en las instancias del sistema penal? La segunda es: si nuestra estructura de control de la criminalidad se encuentra ya afectada por las organizaciones criminales, ¿en qué medida estos mecanismos de control de la criminalidad, violadores de garantías fundamentales, no son ellos mismos un instrumental de practicas delictivas?

Procuraré, en los apartados siguientes, abordar las dos cuestiones.

5.3. *La autodestrucción del Estado social y democrático de Derecho*

Si es que entendemos 'criminalidad organizada' como criminalidad infiltrada en los sistemas de control social, entre ellos, en el sistema penal, esto es claramente un fenómeno diferente de la criminalidad común.

La cuestión que se pone es: en contra de esta criminalidad, ¿es legítimo o eficaz el empleo de medios coercitivos y persecutorios que representan recortes de garantías fundamentales? ¿En qué medida?

No está de más recordar que la organización social se basa en una estructura colectiva pensada con el objetivo de preservar los derechos de los individuos que la componen. Si los criminales organizados detienen los mismos medios de persecución del delito, acaban evidentemente a salvo de cualquier mecanismo de control de la criminalidad que pueda partir de estas mismas instancias. Se sitúan, para utilizar un eufemismo cinematográfico, 'por encima de la ley'. Es que el control social penal es institucionalizado, es decir, pertenece y depende del mismo Estado. Por ello, aquellos que participan del filtraje y direccionamiento del instrumental de control, obviamente se ponen a salvo de ello.

Lo que no se salva, evidentemente, es la misma estructura política. La violación de garantías duramente conquistadas en proceso de estructuración de un Estado social y democrático de Derecho, poco a poco, se difumina. Cuando se admite la violación de los derechos a la intimidad a través de grabaciones por medios electrónicos o la participación en la práctica de delitos por el mismo agente público, diluyendo la barrera que separa la moral que debe guiar las acciones del Estado y aquella que rige la actividad criminal, se vilipendian garantías fundamentales que no repercuten en exclusión de la criminalidad organizada justamente porque ella es quien dirige la misma actividad violadora de estos derechos. Cuando se admite en los Tribunales la validez de pruebas ilícitamente obtenidas o la producción de pruebas mediante preservación de testigos que implica un recorte de las posibilidades de defensa, no se está alcanzando la verdadera criminalidad organizada, sino restringiendo derechos del ciudadano, ya que él, y no la verdadera criminalidad organizada, sufre las consecuencias.

Este proceso lleva hacia una erosión del modelo de Estado social y democrático de Derecho promovida por sus mismos mecanismos, en un proceso de autodestrucción que solo deja fuera aquél que se ubica arriba de la misma instancia de control: la criminalidad organizada. Peor todavía, se trata de un proceso legitimado hasta incluso requerido por la sociedad[39].

Es curioso notar, como observa Hassemer[40], que aunque haya una permanente reivindicación de nuevos medios de coerción en contra del crimen organizado, no exista la correspondiente prestación de cuentas respecto de la efectividad de la utilización de los medios ya concedidos. Ello vuelve todavía más evidente la intención de ocultar la realidad que consiste en la incapacidad de estos medios para alcanzar el verdadero crimen organizado. "Salta a los ojos que las intervenciones amplias hacia ahora concedidas por el legislador no son tan eficazmente amplias desde el punto de vista criminalístico"[41].

---

[39]   Es de Hassemer la advertencia de que "el actual debate público sobre Política criminal trasmite la impresión de que la solución del problema consiste en conferir a las autoridades de seguridad pública, de una vez por todas, todos los medios e instrumentos necesarios que siempre reivindicaron, a fin de que puedan adueñase de la C.O.". HASSEMER, Winfried. "Segurança pública e Estado de Direito",...*op. cit.*, p. 60.

[40]   "Es muy difícil formar una opinión fundamentada sobre las reivindicaciones de las autoridades de seguridad pública en el sentido de más medios coercitivos, en cuanto no se sabe lo que de positivo o negativo han traído los medios coercitivos ya disponibles. La misma circunstancia de que no se presten cuentas de los pasos ya dados, antes que nuevos pasos en la misma dirección sean autorizados, ya vuelve las reivindicaciones altamente dudosas". HASSEMER, Winfried. "Segurança pública e Estado de Direito",...*op. cit.*, p. 61.

[41]   HASSEMER, Winfried. "Segurança pública e Estado de Direito",...*op. cit.*, pp. 61-62.

6. A MODO DE CONCLUSIÓN: ¿QUIÉN ES EL ENEMIGO?

Todavía hay que contestar a la pregunta sobre si el mismo mecanismo de control no se ha convertido en criminalidad organizada y su utilización sistemática ya no consiste, ella misma, en una actividad criminal. Vivimos un momento en que el Derecho penal se ha deparado con un callejón sin salida. La dimensión política y la contundencia que son sus características le han llevado a convertirse en un instrumento de permanente utilización por parte de los que detienen el poder, como forma de, a un solo tiempo, contestar a una inducida sensación de inseguridad social y demarcar claramente los espacios sociales correspondientes a distintas clases de personas. Todo en obediencia a intereses de discursos que transformaron la idea de riesgo en punto de referencia para la organización político-criminal, generando lo que se ha convenido llamar de Derecho penal del enemigo o Derecho penal del terror. Quizás la misma banalización de la violencia en tiempos modernos haya contribuido para la abertura de este espacio o, por otro lado, también puede ser que el empleo institucionalizado de un instrumento de control más violento haya estimulado la práctica de más violencia. El qué es lo que ha venido primero en ese círculo vicioso es indefinible.

Se puede partir de una sencilla constatación empírica: estamos viviendo un momento de orientación global hacia el recrudecimiento de la represión. No hay dudas sobre el hecho de que esta situación deriva, en cierta medida de factores como la globalización y la revolución tecnológica.

La quiebra de la bipolaridad del poder a nivel mundial, además de la globalización económica, y por fuerza de ella, cultural, ha llevado la humanidad a un discurso más o menos hegemónico dictado a partir de una fuente bien conocida. Este discurso es el discurso de la inseguridad social, de la ruptura de cualquier patrón en favor de una pretendida seguridad que nunca llega.

El establecimiento de una única potencia mundial al lado del crecimiento de las organizaciones supranacionales[42] y el poder de que se re-

---

[42] En lo que refiere a las organizaciones supranacionales, véase comentario en PRITT-WITZ, Cornelius. "O Direito penal entre Direito penal do Risco e Direito Penal do

visten las decisiones tomadas tanto por una cuanto por otras son factores determinantes en la adopción de una política criminal uniforme a nivel mundial, especialmente en ámbitos de intereses colectivos, como el medio ambiente, el tráfico de vehículos, el contrabando de armas o la economía. Del mismo modo, el crecimiento de la importancia de la prensa incrementa la difusión de las ideas dictadas por este modelo[43].

Conviene notar que es justamente en la economía donde brota antes el proceso de globalización, que solo mas tarde se vuelve político y jurídico. No es una novedad que la expansión de los mercados siempre es la primera opción de crecimiento económico, desde la instalación del proceso de revolución industrial[44]. Pero, dicha actividad económica supranacional atrae también la ansia por el lucro ilícito, con lo cual, la pretensión de delincuencia alcanza, de la misma forma, aspiraciones globales, en especial en los ámbitos societarios.

A parte de ello, las actividades cotidianas de la sociedad, cada vez mas, se perciben asociadas a un patrón elevado de riesgos que huyen del control de aquél que se arriesga. No hay duda ninguna de que en el periodo medieval, por ejemplo, una persona estaba mucho más expuesta a enfermedades, la violencia y a toda la suerte de problemas que llevaban a una vida de sobresaltos y dificultades. Por otra parte, la comodidad de nuestros días en utilizar energía eléctrica, en moverse en coches y utilizarse teléfonos celulares, implican riesgos de funcionamiento de las centrales nucleares o termoeléctricas, se traduce en las enormes cifras de accidentes de tráfico y en el depósito altamente contaminante de las baterías de los teléfonos. La diferencia está en que estos riesgos, al contrario de los medievales, están

---

Inimigo", in Revista Brasileira de Ciências Criminais, nº 47. Trad. Helga Sabotta de Araújo e Carina Quito, São Paulo: Revista dos Tribunais, março-abril de 2004, p. 32.

[43]   Véase el comentario de Prittwitz en PRITTWITZ, Cornelius. "O Direito penal entre Direito penal do Risco e Direito Penal do Inimigo",...*op. cit.*, p. 32.

[44]   Es ilustrativo el comentario de Hobsbawn en el sentido de que "en Inglaterra de finales del siglo XVIII, dos cosas eran necesarias: primero, una industria que ya ofreciera recompensas excepcionales para el fabricante que pudiera expandir su producción rápidamente, siendo necesario a través de innovaciones sencillas y baratas, y, segundo, un mercado mundial ampliamente monopolizado por una única nación productora". In HOBSBAWN, Eric. A Era das Revoluções. 18ª ed., trad. de Maria Tereza Lopes Teixeira e Macos Penchel, Rio de Janeiro: Paz e Terra, 2004, p. 56.

distantes del nuestro control. La verdad es que nuestra media de vida es muy superior a la del hombre medieval, pero también es verdad que tenemos mucho menos control sobre las fuentes del riesgo.

La distancia con las fuentes de riesgo genera una falsa sensación de inseguridad, que hace que el hombre común migre en la búsqueda de una seguridad que le es presentada falsamente con el embalaje del Derecho penal.

No es sin razón, conforme observa Herzog, que "en muchas leyes del Derecho penal moderno se emplea la palabra "lucha" (contra la criminalidad económica, contra la criminalidad ambiental, contra la criminalidad organizada). Como si el Derecho penal pudiera vencer el mal y alejar el caos mediante la violencia"[45].

El discurso que aparece entonces es el de la necesidad absoluta de seguridad, que hace justificar un tratamiento diferenciado y recrudescente al delincuente, convirtiendo el modelo de control social del intolerable en un modelo intolerable de control social, y trasformando un Derecho penal del riesgo en un Derecho penal del enemigo[46]. Y, para alcanzar este objetivo inabarcable de paladino control de la violencia, el Derecho penal "ha dejado caer el bagaje democrático, el cual es un obstáculo en la realización de las nuevas tareas"[47].

Entretanto, la pretensión de que el Derecho penal pueda representar algún tipo de solución para estos problemas es absolutamente falsa, ya que se sabe de antemano que, por un lado, el Derecho penal solamente actúa con posterioridad, cuando el hecho dañino ya se produjo, y que él es incapaz de representar la solución más adecuada para prevenir riesgos, y mucho menos para promover cualquier especie de intimidación en contra de la realización de prácticas delictivas.

---

45   HERZOG, Félix. "Algunos riesgos del derecho penal del riesgo", en Revista Penal, Barcelona: Praxis, 1999, p. 54.

46   Cf. PRITTWITZ, Cornelius. "O Direito penal entre Direito penal do Risco e Direito Penal do Inimigo",...op. cit., p. 32.

47   Esta es la expresión utilizada por Hassemer en HASSEMER, Winfried. "Características e crises do moderno Direito penal" in Revista de Estudos Criminais nº 8. Porto Alegre: Notadez Editora, 2003, p. 59.

El Derecho penal se convierte, así, en un mero *Derecho penal simbólico*, incapaz de alcanzar siquiera los propósitos a que se propone.

En Brasil, además de las consecuencias normales que acarrea una tal política, la desigualdad social crea identidades y verdaderas castas de delincuentes. Los delitos de escasa lesividad, como pequeños hurtos, perturbación de la tranquilidad, embriaguez, uso de drogas, etc., proceden casi siempre de una parte bien determinada de la población, compuesta esencialmente por los menos favorecidos económicamente, abriendo hueco cada vez más para un discurso de inversión del análisis criminológico de la escuela crítica.

Así, parece que otra vez no hay duda respecto de contra quien se vuelve modernamente el aparato penal: los desajustados, los vagabundos, los pobres, los excluidos del sistema social, y ahora, incluso los menores de edad.

Es importante notar que la actitud político criminal reciente en Brasil, de persecución penal de las minorías ni siquiera se disfraza más, sino que, por el contrario, se hace alarde de la necesidad de combatir con rigor la llamada "criminalidad de la miseria" pero nadie habla de combatir la misma miseria como endemia social.

Esta es la opción preferencial de los gobiernos modernos y es la que también se emplea en Brasil. El Derecho penal utilizado como instrumento de depuración de la sociedad, a través de la exclusión del ámbito de nuestros ojos, de las personas que no pertenecen a un determinado estamento social. Esta realidad criminológica es de conocimiento general de todos los juristas, especialmente de los penalistas. Nadie ignora que las orientaciones de recrudecimiento político-criminal están en el orden del día en los países centrales, que dominan el modelo político-criminal a nivel mundial, influenciando, por vía directa o indirecta, la política criminal manejada en todos los sitios del globo.

7. BIBLIOGRAFÍA

BAUMAN, Zygmunt. *Retrotopia*. Cambridge: Cambridge Polity Press, 2017.
BAUMAN, Zygmunt. *Tempos Líquidos*. Trad. de Carlos Alberto Medeiros, Rio de Janeiro: Jorge Zahar Editor, 2007.

BECK, Ulrich. *La metamorfosi del mondo*. Trad. de Marco Cupellaro, Bari: Tempi nuovi, 2017.

BECK, Ulrich. *La sociedad del riesgo*. Trad. de Jorge Navarro, Daniel Jiménez y María Rosa Borrás, Barcelona: Paidós, 1998.

BITENCOURT, Cezar Roberto y BUSATO, Paulo César. *Comentários à lei de organização criminosa*. São Paulo: Saraiva, 2014.

BOBBIO, Norberto. *Liberalismo e Democracia*. Trad. Marco Aurélio Nogueira. São Paulo: Editora Brasiliense, 2000.

BRANDARIZ GARCÍA, José Ángel. *Política Criminal de la Exclusión*. Granada: Comares, 2007.

BUSATO, Paulo César. "Historia y perspectivas respecto de la corrupción en Brasil", *in Revista Penal nº 36, julio de 2015*. Valencia-Huelva: Tirant lo Blanch, 2015.

CARDOSO, Fernando Henrique; MARTINS, Carlos Estevam. *Política e Sociedade. Volume 1*.São Paulo: Companhia Editora Nacional, 1979.

CERNICCHIARO, Luis Vicente y COSTA JÚNIOR, Paulo José da. *Direito penal na Constituição*. São Paulo: Revista dos Tribunais, 1990.

DURKHEIM, Émile. *As regras do método sociológico*. Trad. de Paulo Neves, São Paulo: Martins Fontes, 2003.

HASSEMER, Winfried. "Características e crises do moderno Direito penal" in Revista de Estudos Criminais nº 8. Porto Alegre: Notadez Editora, 2003.

HASSEMER, Winfried. "Segurança pública e Estado de Direito", *in Revista Brasileira de Ciências Criminais*, nº 5. São Paulo: Revista dos Tribunais, Jan./Mar. de 1994

HERZOG, Félix. "Algunos riesgos del derecho penal del riesgo", en Revista Penal, Barcelona: Praxis, 1999.

HOBSBAWN, Eric. A Era das Revoluções. 18ª ed., trad. de Maria Tereza Lopes Teixeira e Macos Penchel, Rio de Janeiro: Paz e Terra, 2004.

HÖFFE, Ottfried. *Derecho intercultural*. Trad. de Rafael Sevilla, Barcelona: Gedisa, 2008.

KUHN, Thomas. *A estrutura das revoluções científicos*. Trad. de Beatriz Vianna Boeira e Nélson Boeira, 9ª ed., São Paulo: Perspectiva, 2005.

MUÑOZ CONDE, Francisco. *Introducción al derecho penal*. Barcelona: Bosch, 1975.

MUÑOZ CONDE, Francisco. *Las prohibiciones probatorias al Derecho procesal penal del enemigo*. Buenos Aires: Hammurabi, 2008.

PRITTWITZ, Cornelius. "O Direito penal entre Direito penal do Risco e Direito Penal do Inimigo", in Revista Brasileira de Ciências Criminais, nº 47. Trad. Helga Sabotta de Araújo e Carina Quito, São Paulo: Revista dos Tribunais, março-abril de 2004.

ROUSSEAU, Jean-Jacques. *Discurso sobre el origen y los fundamentos de la desigualdad entre los hombres y otros escritos.* 4ª ed., 2ª reimp., trad. de Antonio Pintor Ramos, Madrid: Tecnos, 2002.

ROUSSEAU, Jean-Jacques. *O Contrato Social.* 3ª ed., 5ª tir., trad. de Antônio de Pádua Danesi, São Paulo: Martins Fontes, 2003.

Capítulo IV

LOS FLUJOS MIGRATORIOS. CONTRADICCIONES AL SISTEMA EUROPEO DE DERECHOS HUMANOS

FABRIZIO CALDERÓN ANDRADE
Abogado. Doctorando en derecho penal. Universidad de Valencia

1. INTRODUCCIÓN

Como nunca antes el control de los flujos migratorios pone de manifiesto el problema de la dignidad de la persona, los Derechos humanos y la titularidad de tales. Porque más allá de la existencia de sendos tratados, declaraciones y estudios sobre los mismos, en el estado actual de las cosas, tenemos que "hay millones de personas para quienes se trata solo de derechos en un papel"[1]. Por lo mismo, ya no se puede analizar solamente *la inmigración como un problema moral*[2], ya que podemos vislumbrar en sen-

---

[1]   SQUELLA, Agustín. ¿Qué puesto ocupan los derechos humanos en el Derecho? En SQUELLA, Agustín y LÓPEZ CALERA, Nicolás. *Derechos humanos: ¿invento o descubrimiento?* Madrid, Fundación coloquio jurídico europeo, 2010, p. 77.

[2]   VIVES ANTÓN, Tomás Salvador. *La inmigración como problema moral.* Ante la problemática de la regularización de los inmigrantes en España de finales de 2004 y las acusaciones al entonces Gobierno de de España encabezado por Rodríguez Zapatero de irresponsabilidad y del efecto llamada como principal consecuencia, el profesor Vives nos lleva a reflexionar entre otro tópicos lo siguiente: "Planteado así el debate no parece posible llegar a través de él a un auténtico consenso; sino, a lo sumo, a alguna triste componenda, que nada resolvería pues, como intentaré defender, el problema requiere no sólo un acuerdo interno cuasi-constitucional; sino también otro externo, de algún modo supraconstitucional, si es que los derechos que proclaman las Constituciones de los países occidentales han de tener realidad y sentido". Documento *(Tol 991620)*, fecha 10/2006. Disponible en: http://www.tirantonline.com

tencias, informes y múltiples instrumentos emanados de la más variadas instituciones llamadas a intervenir, una serie de contradicciones, tanto en el marco regulatorio de las inmigraciones como en la del asilo, que lo que hacen es poner en vilo todo el sistema de Derechos humanos europeo. Es así que, solicitado el auxilio de distintas instancias para garantizarlos, cada vez más firmemente podemos sostener, que ante la situación del éxodo masivo desde África y Oriente próximo, no se dan soluciones justas al drama humanitario. Y lo más grave, es que en esta relación de europeos/ no-europeos, no ha sucedido todavía lo peor. Con las irrupciones de partidos políticos xenófobos en los distintos Estados de la Unión Europea (en adelante UE) el tema de la inmigración tiende a transformarse en un foco de unidad ya no solo retórico, sino que hace del rechazo el punto de fuga para muchos, incluso de los que por principios están obligados a lo contrario. Por lo mismo, urge dejar en claro que "no se trata de un problema de partido, ni siquiera de una cuestión de Estado; sino de una encrucijada de toda la Humanidad."[3]

Si ya se hablaba de *La crisis migratoria en Europa*[4] con las 1,2 millones de solicitudes de asilo que recibió la UE en 2016, de las que más de un cuarto provinieron, en este orden, de Siria, con Afganistán e Irak, respectivamente, y aun cuando durante 2017 se formularon 728.470 solicitudes de protección internacional en la UE, cifra que representó un descenso del 44% con respecto a 2016[5], era evidente que la disminución no venía de la paz en aquellas regiones asoladas por guerras e inestabilidad política derivada de las intervenciones militares y por la amenaza terrorista. Por el contrario, deviene esta del endurecimiento de las políticas de control fronterizo. Si bien el mecanismo de asignación de cuotas en la distribución de refugiados fracasó, y la externalización del control fronterizo de acceso del espacio Schengen puede estar en tela de juicio, lo que está por venir aún no es mensurable. Y no es de extrañar, puesto que se anuncia que los permisos de accesos y visado serán cada vez más severos, en donde los acuerdos con

---

[3] VIVES, T.S. (2006)
[4] http://www.europarl.europa.eu/news/es/headlines/society/20170629STO78631/la-crisis-migratoria-en-europa
[5] http://www.europarl.europa.eu/news/es/headlines/society/20170629STO78630/la-crisis-migratoria-en-cifras

los terceros países serán reforzados. A la luz de las declaraciones de Juncker, el camino es el blindaje de las fronteras.

Para esto, anunció el actual jefe del ejecutivo comunitario, en el pleno del Parlamento Europeo en Estrasburgo, ad portas del fin de su mandato, una batería de propuestas legislativas para afrontar el reto migratorio, cuya columna vertebral será la creación de un cuerpo de fronteras europeo, con 10.000 agentes en el 2020 y recursos propios[6]. Política migratoria que parece morigerada con palabras que hacen ver un *nuevo estado de cosas*, porque además se apostará por una renovación en los votos en la relación de la UE con África. Esta nueva perspectiva de trato conlleva una nueva alianza entre *iguales con África con un acuerdo de libre comercio con el continente*. "África no necesita caridad, necesita una asociación equilibrada, una verdadera asociación. Y nosotros necesitamos del mismo modo esa asociación (…) 'invertir más' en las relaciones con África, un continente que en 2050 tendrá 2.500 millones de habitantes, y que ya no puede ser tratado únicamente desde el prisma de la ayuda al desarrollo. 'Mantener ese enfoque sería humillante para África' (…) La Unión Europea cuenta ya con un fondo para la inversión en África que se lanzó hace dos años y cuyo reto es movilizar 44.000 millones de euros en inversión pública y privada. Los proyectos ya comprometidos o previstos suman 24.000 millones (…) apostar por la formación de los jóvenes africanos y ha prometido que en el horizonte de 2020 la Unión Europea habrá dado apoyo a 35.000 estudiantes e investigadores africanos"[7].

> "Wittgenstein sostenía que, al entender el modo en que un 'estado de cosas' particular existe, uno era capaz de entender lo que no existía. Es decir, identificar la existencia de las cosas también identifica lo que no existe. En consecuencia, la realidad se compone de todos los 'estados de cosas' que existen y son posibles, así como todo lo que el 'estado de cosas' excluye de la existencia"[8].

---

6   https://www.elperiodico.com/es/internacional/20180912/juncker-prepara-el-blindaje-de-europa-con-un-nuevo-cuerpo-de-guardafronteras-no-tocar-7029829

7   https://www.europapress.es/internacional/noticia-juncker-reclama-nueva-alianza-iguales-africa-acuerdo-libre-comercio-continente-20180912105222.html

8   ROBINSON, James. *Wittegestein, sobre el lenguaje.* [A todas las referencias, Consultadas 16-09-2018] Disponible en: http://eltalondeaquiles.pucp. edu.pe/wp-content/uploads/2017/03/wittgenstein-sobre-el-lenguaje-robinson.pdf

El relato en torno a los flujos migratorios no puede enmarcarse en los lindes ni de la filosofía ni del Derecho penal ni Internacional ni Constitucional ni exclusivamente en de la Política Criminal, sino que una aproximación de todos estos ángulos, al triste espectáculo que fomentan la prensa, las directrices de la UE y nuestra propia indolencia respecto del drama migratorio, para comprender el "estado de cosas" que se involucran cuando aludimos a la migración ilegal. Por lo mismo, se hace necesario que España busque un nuevo paradigma a la luz de sus experiencias y del TEDH, luego de la dictación de las Sentencias, no firmes al término de este trabajo, ASUNTO N.D. Y N.T. c. ESPAÑA (Demandas nº 8675/15 y 8697/15)[9]. De hecho, de los muchos factores que intervienen y las mismas respuestas del sistema, se patentiza que "la inviolabilidad de los derechos y libertades básicas"[10] sobre la cual se cimentaba todo el edificio del Estado social y

---

[9]   Las "expulsiones en caliente" se ha transformado en un foco de atención que esperemos no sea solo un tópico de análisis en las facultades sino que deseamos que cada estudio sea fuente que haga patente toda una cadena que, lamentablemente, encuentra favorable acogida en las autoridades de la UE, que frente al fenómeno de ingresos irregulares al espacio Schengen la ven como la más eficaz herramienta de control de los "flujos migratorios". Dos interesantísimos y recientes trabajos me permito citar, uno es el de SOLER GARCÍA, Carolina, *La prohibición de las expulsiones colectivas de extranjeros en la jurisprudencia del tribunal europeo de derechos humanos: especial referencia al caso de España*, publicado en *la Revista General de Derecho Europeo* Número 45 (2018). Disponible en: http://hdl.handle.net/10045/77765. Además de SOLANES CORELLA, Ángeles, *La protección judicial de los extranjeros frente a las expulsiones colectivas o las devoluciones en caliente*, aparecido en Cuadernos Electrónicos de Filosofía del Derecho (CEFD) Número 36 (2017). Por lo mismo, se hace necesario un *nuevo paradigma* a encarar por España frente a un marco regulatorio atentatorio a la dignidad del humana. Consúltese íntegramente la sentencia condenatoria en primera instancia del Tribunal Europeo de Derechos Humanos. Disponible en: http://www.mjusticia.gob.es/cs/Satellite/Portal/1292428561527?blobheader=applic ation%2Fpdf&blobheadername1=Content-Disposition&blobheadername2=Grup o&blobheadervalue1=attachment%3B+filename%3DSentencia_N.D._y_N.T._c__ Espa%C3%B1a.pdf&blobheadervalue2=Docs_TEDH

[10] VIVES ANTÓN, Tomás Salvador. *Fundamentos del sistema penal*. Valencia, Tirant Lo Blanch, 2ª Edición, 2011. El planteamiento de los "derechos del hombre" abarca el análisis final de la teoría de la *acción significativa* formulada por el autor, quien nos dice: "La cuestión de los derechos del hombre, pues a ellos me refiero al mencionar los derechos y libertades básicas, calificándolos con adjetivos muy rotundos: inalienables, irrenunciables, inviolables… Tanto hay quienes piensan que esa terminología

democrático de Derecho, aparece casi completamente derruido o en franca decadencia. Se hace necesario analizar y distinguir que las soluciones a las "entradas por lugares no habilitados", plasmado en un órdago de normas ponen en vilo, con esta supuesta legalidad, a la dignidad de la persona humana. Porque más allá de las normas administrativas que regulaban los "flujos migratorios", la directriz europea obligó abordar la problemática criminalizando la situación, y haciendo, por tanto, todo mucho más complejo. La utilización y huida al Derecho penal simbólico, hizo de España "el alumno aventajado"[11], pues, rápidamente asumió tal recomendación.

Tras una serie de sucesivas reformas al Código penal, que movió incluso a crear un nuevo Título, Título XV bis, "con la rúbrica 'Delitos contra los derechos de los ciudadanos extranjeros', que contiene un único precepto, el art. 318 bis[12]", es sin dudarlo, la síntesis de este nuevo paradigma. Podemos observar, que se incurre en el típico fraude de etiqueta, ya que no queriendo ser más explícito respecto del real bien jurídico a proteger, que es, el ingreso al país por lugares no habilitados[13], se optó por no mencionar el real objeto que se aspira garantizar. Complementa la norma en comento con una serie de preceptos de orden interno, para adecuarse a las directrices

---

tan contundente es pura retórica, verborrea ampulosa que refleja una inconfesable debilidad", pp. 1029 y ss.

11   MARTÍNEZ ESCAMILLA, Margarita. *La inmigración como delito. Un análisis político-criminal, dogmático y constitucional del tipo básico del artículo 318 bis*. Barcelona, Atelier, 2007. Aun cuando no es se encuentra actualizada la edición, se trata de un trabajo que pone de manifiesto que asistimos a una "muy preocupante devaluación del Derecho penal y a una banalización de la pena de prisión" y que ya avizoraba que más allá de la inconstitucionalidad, declarada o no, ya la norma merecía "una clara reprobación".

12   MARTÍNEZ-BUJÁN PÉREZ, Carlos. *Delitos contra los derechos de los ciudadanos extranjeros*. En GONZÁLEZ CUSSAC, José Luis (coordinador), *Derecho penal. Parte especial*. Valencia, Tirant Lo Blanch, 5ª Edición, 2016. Para un conciso análisis del artículo en comento reformado por la LO 1/2015, pp. 541 y ss.

13   CONDE-PUMPIDO TOURÓN, Cándido. *Delitos contra los derechos de los extranjeros*. En *Extranjería y Derecho Penal, Cuadernos de Derecho Judicial*, Consejo General del Poder Judicial. Madrid, 2004, pp. 283 y ss. Para reforzar esta idea nos añade el autor *el absoluto cinismo del legislador,* para más adelante indicarnos que: "Sin desconocer que como trasfondo subyace también el interés estatal en utilizar el instrumento penal para reforzar la efectividad de las prohibiciones de entrada ínsitas en la legislación migratoria", p. 297.

europeas. Estamos, por tanto, frente a un problema más complejo que el aparente, puesto que se llega a modificar incluso los límites territoriales, como argucia para los "rechazos en frontera". Y es que parece ser que el único real bien jurídico que interesa proteger es el ingreso al país de manera legal, consecuencialmente el control de los flujos migratorios.

Rorty dijo: "los filósofos tenemos una habilidad en tender puentes entre las naciones y en hacer propuestas de carácter cosmopolita, pero el narrar historias no es asunto nuestro (…) Nuestra función profesional es servir como honestos intermediarios entre las generaciones, entre diferentes ámbitos del acontecer cultural y entre tradiciones. Ahora bien, esta clases de actividad reconciliadora no se puede realizar en el estilo que Lévi-Strauss llamó en cierta ocasión desdeñosamente el 'cosmopolitismo UNESCO', una forma de cosmopolitismo que se conforma con el mantenimiento del status quo y al que trata de defender en nombre de la diversidad cultural… La forma más despreciable de dicho cosmopolitismo es la que da a entender que los derechos humanos están bien diseñados solo para las culturas eurocentristas, mientras que para las otras culturas resulta más adecuada una policía secreta eficiente que disponga no solo de vigilantes de prisión y torturadores, sino también de dóciles jueces, profesores universitarios y periodistas."[14]

2. MIGRACIÓN Y POLÍTICA CRIMINAL

"His accensa super, iactatos aequore toto Troas, reliquias Danaum atque immitis Achilli, arcebat longeatio, multosque per annos errabant, acti fatis, maria omnia/circum[15]".

No puede negarse que existe una estrecha relación entre los discursos políticos y los medios de comunicación, por lo mismo destacar la encomia-

---

[14] RORTY, Richard. *Filosofía y futuro*. Madrid, Gedisa, 2000. Pp. 23 y 24.
[15] VIRGILIO MARÓN, Publio. *Eneida*. Introducción y traducción FONTÁN BARREIRO, Rafael. Alianza Editorial, S. A., Madrid, 1990. Vv. 29-32. *"Más y más encendida por todo esto, agitaba a los de Troya/por todo el mar, resto de los dánaos y del cruel Aquiles,/y los retenía lejos del Lacio. Sacudidos por los hados/vagaban ya muchos años dando vueltas a todos los mares".*

ble labor de investigación que realizó doña Mercedes Barrutia Navarrete, la que concluyó con en su tesis doctoral titulada "Nacimiento y evolución de la legislación de extranjería en la prensa española. La especialización periodística como respuesta académica a la Comunicación Pública y al Derecho a la información"[16]. Esta voluble mezcla en tiempos de populismos es nefasta, porque a todo puede revestirlo con visos de verdad en tiempos de turbulencia económica y social. Pero también es útil, porque permite adquirir una postura escéptica ante la pasión desbordada que hace que todo sea blanco o negro y se haga creer que el que no está conmigo está en mi contra[17] de la cual la historia reciente puede servirnos de ejemplo.

Hablar de los primeros textos de migraciones en la historia occidental es hablar de poesía. Y la analogía es útil cuando nos sirve para comprender el fenómeno de las migraciones y más cuando surcar los mares ha sido el *leit motiv* más recurrente. Por ejemplo, y por nombrar solo algunas obras, Odisea, Las argonáuticas y Los Lusíadas, en nuestra tradición occidental o del Arca de Noé, de la tradición judeo-cristiana. Siempre está presente en la memoria de las más diversas civilizaciones las embarcaciones abarrotadas de (des)esperanzados.

En este caso, la *Eneida* nos resulta por la contingencia, la más actual de las obras clásicas. Su enseñanza puede resumirse, *grosso modo*, como la de la Fundación de Roma, deudora del valor de unos desventurados que se ven obligados a abandonar su tierra tras la cruenta lucha de Ilión con la liga de naciones de occidente. Esta ocasionó tal catástrofe, que destruyendo los hogares troyanos, estos para sobrevivir, se echan a la mar. Tras deambular por el Mediterráneo, incluidas las costas de Libia, las de Sicilia, terminan

---

[16] BARRUTIA NAVARRETE, Mercedes Judith. *Nacimiento y evolución de la legislación de extranjería en la prensa española. La especialización periodística como respuesta académica a la Comunicación Pública y al Derecho a la información.* Tesis doctoral, Programa Oficial de Doctorado en Ciencia Jurídicas. Granada, Editor Universidad de Granada, 2017. Disponible en: http://digibug.ugr.es/handle/10481/48076

[17] El discurso de G.W. Bush tras el atentado del 9/11 en Nueva York, que hacía que todo el que no respaldara su discurso un enemigo paráfrasis de las palabras contenidas en el Evangelio según San Marcos. 9,40. Disponible en: www.vatican.va/archive/ESL0506/_PVB.HTM

su largo padecer en las riberas del Tíber, finalmente, asentándose en la región del Lacio.

Y es que no puede dejarse arrumbado en algún empolvado diván el texto del mantuano Títiro. Menos ahora, por la *cuestión italiana*, promovida por su Ministro del Interior, *Matteo Salvini*, quien gracias a su impostura, la hace revivir. Su actitud precisamente, no semeja la del rey *Latino*, que brinda favorable acogida, al de la *estirpe de Anquises y Venus*, y a los pobres amigos suyos, ofreciéndole incluso la mano de su hija *Lavinia*, al recién llegado en la *patera*, Éneas. Muy por el contrario, podemos decir que Salvini encarna a un moderno *Turno*, rey de los rótulos, que inspirado como este, por la furia *Alecto* y la irritación de *Juno*, asume belicosa postura, tal cual el despreciado primer prometido, alegando preminencia y anterioridad al derecho de gozar de su propia *Lavinia*, esta sociedad occidental.

Parece una ironía lo que acontece en Italia, pero es quizás la muestra de la mayor de las desgracias modernas, la cara más visible, de que lamentablemente hoy el espíritu de *Turno* está en muchos. Podemos preguntarnos, cuáles son las causas de esta actitud y, si es posible encontrar soluciones al fenómeno migratorio dentro de la Unión Europea. Por desgracia, España con sus políticos y prensa tampoco se alejan de esta fobia *túrnica*, e identificables son también los mismos vicios del *rey de los rótulos* en normas y muchas decisiones de los tribunales. Pero la realidad es más cruenta si escrutamos nuestro entorno sin esperar beneficios ni aplausos. Se nos ha hecho creer partícipes de cierto tipo de privilegio o poder, que nos lleva a sentir de que somos capaces de controlar todo, incluso erigirnos distantes y ajenos al problema de la migración, llegando al desprecio, como si no hubiese sido el sino siempre de España o de Europa, víctima de los regímenes totalitarios durante el siglo pasado, vivir de este tipo de padecimientos y tener que migrar forzosamente, la experiencia la tenemos tan a la mano (nuestros amigos o familiares)[18].

---

[18] El drama actual, con las cifras entregadas por el Ministerio del Interior del Gobierno de España, según los datos acumulados del 1 de enero al 15 de septiembre de 2018 nos arrojan lo siguiente: "Entrada de inmigrantes irregulares a España. *Inmigrantes llegados por medio de embarcaciones [vía marítima]:* Total: 33.215; *Inmigrantes llegados por vía terrestre:* Total: 4.764. Total General (vía marítima y terrestre): 39.979. Lo que representa un aumento respecto del año anterior de un 136%". Disponible en:

Vislumbramos escasísima posibilidad de solución en la voz de los que buscan rédito político, porque como el cántico de las sirenas, pregonan que mientras más severa sea la ley con el problema, solo así será posible acabar con él. Insertos en un debate político-criminal que parece llamar a no reflexionar, el legislador se vale de manera casi exclusiva de los fines preventivos de la norma penal, la panacea populista, y nos olvidamos, sin más, del principio de intervención penal mínima, para lograr la protección de los intereses generales de la sociedad.

Con lo anterior, lo peor. Tendemos cada vez más, a una creciente utilización del recurso de la pena de prisión para todo cuanto altere el orden de la sociedad, desatendiendo los indicadores y estudios que pueden dar por los suelos con este tipo de estrategias. En este orden de ideas, Díez Ripollés nos dice que lo realmente aconsejable para un adecuado modelo de política-criminal, es un *modelo de moderación punitiva garantista* con "convincentes principios a respetar en la determinación de los objetos de tutela penal, en la persecución penal, en la configuración y dilucidación procesal de la responsabilidad penal, y en el desarrollo del sistema de penas y su ejecución[19]". Sin duda, muy contrario a la opción que se viene ejecutando y que tanto rédito político lleva aparejado. El ejemplo más claro es el de los Centros de Internamiento de Extranjeros (CIE) que como paradigma del actual sistema, es el culmen del actual modelo de respuesta a las migraciones ilegales.

Y aquí puede residir el *quid* del asunto, en poder establecer si es acertada la opción por la que se decanta el legislador, la de querer acudir al Derecho penal como *EL* instrumento para regular la problemática de la inmigración y si se justifica a la luz de datos derivados de políticas públicas para prevenir delitos, políticas sociales, estadísticas, etc., que ilustran la relación delincuencia/exclusión social/grupos sociales, hipótesis que en definitiva, se traducirían en una mayor o menor intervención penal.

---

http://www.interior.gob.es/documents/10180/9247573/17_infome_quincenal_acumulado_01-01_al_15-09-2018.pdf/f8be86a7-48ea-4126-ad87-b02455258c5e

19   DÍEZ RIPOLLÉS, José Luis. *El abuso del sistema penal*. Revista Electrónica de Ciencia Penal y Criminología (en línea). 2017, núm. 19-01, p. 4. Disponible en: http://criminet.ugr.es/recpc/19/recpc19-e01.pdf

Arendt, referente cuando se habla de atrocidades y denunciante de cómo la sociedad hace de cómplice, retrató lo que hoy creíamos erradicado. Sus experiencias durante el III Reich, nos llevan a afirmar que no son cosas del pasado, esto que comprobamos en los CIEs. Citarla, incluso con todas nuestras agravantes: "Hablo de una realidad incómoda; y empeora las cosas el hecho de que, para probar mi punto de vista, no disponga de los únicos argumentos que hoy en día impresionan a la gente: las cifras[20]". He aquí lo aberrante. Las cifras ya no nos impresionan.

Aunque estamos por ahora muy por debajo de los números que nos arrojó el año 2006, que superó los cuarenta y seis mil personas que irregularmente hicieron ingresó al Reino de España, a la luz del reciente informe del Servicio Jesuita a Migrantes-España, sí podemos emitir un pronunciamiento:

"*A lo largo de 2017 entraron irregularmente en España 28.572 personas: 21.971 personas por vía marítima y 6.293 por vía terrestre. Se dictaron 20.672 órdenes de devolución, de las que se ejecutaron 5.272: 4.249 por entrada ilegal, 1.022 por quebrantamiento de la prohibición de entrada y una salida obligatoria sustitutiva de expulsión. Fueron detenidas por su situación irregular en España 18.794 personas. Fueron incoados 21.834 expedientes de expulsión: 18.081 por estancia irregular y 2.062 por condena previa. Fueron dictadas 4.917 órdenes de expulsión, de las que se ejecutaron 4.054: 3.041 desde un CIE (75,01%) y 1.013 sin previa medida de internamiento. Se internó a 8.814 personas en CIE: 7.559 en procedimientos de devolución (85,76%), 1.203 de expulsión administrativa (13,65%) y 57 de expulsión judicial (0,65%). Hubo 396 mujeres y se identificó oficialmente a 48 menores. Dentro de los CIE destacan tres nacionalidades: argelina (2.775, 31,48%), marroquí (1.608, 18,24%) y marfileña (1.215, 13,78%). Se presentaron 1.381 solicitudes de protección internacional, de las 395 fueron admitidas a trámite. Hubo 4.284 personas puestas en libertad por falta de identificación: primera causa de salida del CIE. La segunda causa fue la repatriación forzosa, que sufrieron 3.287 personas, un 37,23% de las internadas[21]*".

---

[20]   ARENDT, Hannah. *Nosotros los refugiados*. De *En el presente*. *Ensayos políticos*. Traducción de RAMOS FONTECOBA, Roberto. Barcelona, Edición Página Indómita S.L.U., 2017, p. 21.

[21]   SERVICIO JESUITA A MIGRANTES-ESPAÑA. *Sufrimiento inútil. Informe CIE 2017*. Pág. 5. Todos los datos contenidos en el presente informe vienen dados por el Ministerio del Interior y no hacen más que dejar de manifiesto que existe una innecesaria utilización de estos que no es más que la denominación eufemística a un tipo de prisión, que aun siendo ilegal, no solo vulnera principios del Derecho penal y administrativo, sino que goza de un lugar preponderante en la política de migración.

Vergüenza es que no parecen ser argumentos suficientemente objetivos los expuestos, pues nos hacemos igualmente los ciegos e insensibles, porque para "buena parte de la población, la inmigración incontrolada se le atribuyen muy variados inconvenientes: una merma de la seguridad ciudadana, cuando se la relaciona con un aumento de la delincuencia, e incluso una merma de la seguridad nacional, en cuanto irresponsablemente se la pone en conexión con el terrorismo internacional, aunque para rebatir tan injusta imputación bastaría para argumentar que el terrorismo internacional, así como con las grandes mafias saben perfectamente como dotarse de documentación legal en sus movimientos transnacionales. En el plano socio-económico y sociolaboral se le imputa un incremento de los gastos sociales, así como una presión a la baja de los salarios…"[22]

Entonces, conociendo los números, las conductas descritas y las opiniones que nos permiten realizar un discurso o un procedimiento que hacen imposible justificar la respuesta, debemos de preguntarnos si podemos elaborar lógicamente un procedimiento, que constitucionalmente se ajuste a una necesidad de transformar una infracción administrativa, ya suficientemente reglada, en objeto de protección penal[23]. La respuesta no es naturalmente tan sencilla, *a fortiori* entendemos que debe ser afirmativa: porque nos lo ordenan las directrices de la UE[24].

Las cifras hacen de este el más inmoral de los mecanismos solo comparables con los campos de concentración de los regímenes totalitarios. Finalmente, en su página 23 se resume el cuadro de los ingresos/egresos en los Centro de Internamiento de Extranjeros: "Podría decirse que hay dos causas de baja principales: la puesta en libertad y la ejecución de la devolución o de la expulsión. En el conjunto de CIE, a lo largo de 2017 se produjeron 8.645 salidas, de las que 5.358 fueron por puesta en libertad (61,98%) y 3.287 por repatriación forzosa (37,29%)". Disponible en: https://sjme. org/wp-content/uploads/2018/06/Informe-CIE-2017-SJM.pdf

[22] MARTÍNEZ ESCAMILLA (2007) p. 86.

[23] VIVES ANTÓN (2011). Para un acercamiento a la noción de bien jurídico como la encarnación paradigmática de la razón jurídica, véase Capítulo vigésimo tercero, y en particular el párrafo *El concepto de bien jurídico: relato de un fracaso*", pp. 1004 y ss.

[24] LO 1/2015 que vino a modificar el antiguo artículo 318 bis y que vino a plasmar aquello que mandaba la Directiva 2002/90/CE. Sin embargo, a lo que deberemos de atender es a las consecuencias que en relación con esta *política criminal* ocasiona la LO 4/2015 y la respuesta frente a las denominadas *expulsiones en caliente,* que es sin duda, la afrenta mayor a la persona humana, porque ya no se puede tenerla como una

Con una cuestionable técnica legislativa, en un ininteligible potpurrí de tipos penales, ínsito en un solo artículo, ubicado en el título denominado *"Delitos contra los derechos de los ciudadanos extranjeros"*, se anunció con bombos y platillos, poner coto al fenómeno migratorio y atacar de raíz las causas de la cuestión. Y como en todos los excesos, se deja de lado lo que es realmente importante, la dignidad de la persona humana, relegándola como algo menos que secundario.

Se demuestra una dependencia tal al Código penal, *punitivismo populista*, que solo ahonda la problemática. Más allá de discutir si el bien jurídico digno de protección son los derechos de los ciudadanos extranjeros, constatamos que tras de todo esto, hay una velada forma de regular los flujos migratorios. Justo lo que no se enuncia en el Título XV bis del CP como merecedor de protección penal. Queda claro que es la manifestación de esta nueva adicción, el incremento de las dosis de sanciones penales. El Derecho penal es para el legislador puro rédito en las urnas. Y sabiendo de su afán, no cabe sino concluir que esta huida no es más que un fraude.

3. LOS RECHAZOS EN FRONTERA. LA INSTITUCIONALIZACIÓN DE LA INMORALIDAD

> *"¿Qué es el dolor? ¿Qué es el pobre? ¿Qué somos nosotros?*
> *Si damos a cada una de estas preguntas su verdadera respuesta;*
> *si la meditamos y nos identificamos con ella, entraremos a visitar al*
> *pobre en tal situación de espíritu, que ocuparemos siempre el lugar*
> *que nos corresponde, y haremos todo el bien que debemos hacer"[25]*

Los rechazos en frontera, devoluciones o *expulsiones en caliente* es "la actuación de las Fuerzas y Cuerpos de Seguridad del Estado consistente en la entrega a las autoridades marroquís por vía de hecho de ciudadanos extranjeros que han sido interceptados por dichos Cuerpos y Fuerzas de Seguridad del Estado en zona de soberanía española sin seguir el procedi-

problema de mera moralidad sino que de legitimidad como lo veremos con mayor detención en los capítulos siguientes.

[25] ARENAL, Concepción. *El visitador del pobre*. En Obras completas, tomo I. Madrid, Atlas Ediciones, 1993, p. 7.

miento establecido legalmente ni cumplir las garantías internacionalmente reconocidas."[26] Es decir, es la concretización de una infracción administrativa cometida por un extranjero al haber ingresado al país de manera ilícita, que conlleva, la apertura de expediente sancionador, y cuya sanción es expulsión del territorio español, pero sin tenerlo por ingresado.

Lo expuesto no es una respuesta contemplada exclusivamente por España, sino que corresponde al actual paradigma global y, que por lo demás, es una práctica tolerada e incluso puede decirse aconsejada por las políticas migratorias de la UE bajo el designo de la externalización del control de las fronteras.

La evocación del *régimen nazi*[27], aun cuando existen las evidentes distancias de esa Europa unida bajo la égida de Hitler, con este sistema de expulsiones y los CIE, nos lleva a comprender que existe un evidente paralelismo. Y es que el horror al que están sometidos los extranjeros, negándoseles los atributos mínimos de dignidad humana y afectándose incluso los más básicos de los derechos fundamentales, como son el de la vida, libertad ambulatoria o a no recibir tratos crueles, inhumanos o degradantes, hace que esto de conculcarse garantías procedimentales no parezca tan grave. "Todos los hechos pueden ser cambiados y todas las mentiras pueden ser convertidas en verdad. El sello nazi en la mente alemana consiste fundamentalmente en este adiestramiento, a causa del cual la realidad ha dejado de ser la suma total de los crudos e ineludibles hechos, y se ha convertido en un conglomerado de sucesos y eslóganes siempre cambiantes en el que la misma cosa puede ser verdadera hoy y mañana falsa"[28] y el fenómeno migratorio es uno de ellos.

---

[26] MARTÍNEZ ESCAMILLA, Margarita y otros. *"Expulsiones en caliente": cuando el estado actúa al margen de la ley.* Informe promovido desde el Proyecto I+D+i IUS-MIGRANTE (DER 2011-26449). Disponible en: http://www.mugak.eu/news/expulsiones-en-caliente-cuando-el-estado-actua-al-margen-de-la-ley-presentacion

[27] ARENDT (2017). *Las secuelas del régimen nazi: un reportaje desde Alemania. (1950).* Deja en manifiesto las mentiras de la propaganda totalitaria, pero por sobre todo, nos pone en evidencia que a consecuencia de este trabajo publicitario de quien detenta el poder es que *más allá de lo reconocible, la gente sigue hablando y comportándose como si no pasara nada,* pp. 67 y ss.

[28] ARENDT (2017). *Las secuelas, op. cit.,* p. 76.

Ya se hace un lugar común el acudir a la sentencia del TEDH "ASUN-TO N.D. Y N.T. c. ESPAÑA", que condenó al Estado español en primera instancia. Pone de manifiesto los vicios incentivados por ciertos pasquines informativos y grupos políticos que hacen ver que la securitización del problema migratorio es la solución. Ahora bien, la modalidad que se asume son las tramitaciones exprés de *expulsión* de extranjeros, en apariencia, la más acertada determinación para frenar la cuestión de los ingresos ilegales al país de los que no son ciudadanos europeos. Es suficientemente ilustrativa esta sentencia del tenor de las ilegalidades institucionalizadas de las que estamos participando como sociedad. De no ser por la labor académica, jurídica, humanitaria de los diversos intervinientes y ONGs que quedaría solo como una más de las tantas inmoralidades de nuestro sistema.

Estamos ante un todo orgánico y coherente, que no permite hablar de ilegalidad porque el marco normativo está dado y así se permite. Y es que querámoslo o no, entrar en el debate se hace necesario, porque hay cuestiones mínimas, que al menos deben movernos a reflexión.

Un factor determinante es la de las delimitaciones fronterizas. Las relaciones entre los distintos Estados y lo relativo a sus límites, es un entramado tan complejo, que la historia de Europa durante el siglo XX es la muestra más clara. Sin embargo, hoy tenemos una manera de resolver el tema más sencillamente gracias al ingenio malentendido. Sin duda, todos queremos que las guerras sean algo del pasado, mas España con Marruecos crearon una fórmula *administrativa*. Tanto es así, que hay un *Protocolo* de actuación de control fronterizo de la Guardia Civil de 26 de febrero de 2014, que ha sido capaz de hacer más que una guerra sangrienta y un tratado tras una *paz armada*. No se trata, por tanto, de un simple problema moral, sino que la institucionalización de la ilegalidad. Se creó un nuevo concepto, el de la *frontera operacional*. Expuesto este en un acápite de la sentencia en comento, dice lo siguiente:

> *"Con dicho sistema de vallado, existe la necesidad objetiva de determinar cuando la entrada ilegal ha fracasado o cuando se ha producido. Es necesario definir la línea que delimita, a los solos efectos del régimen relativo a los extranjeros, el territorio nacional: esta línea se materializa por la valla en cuestión. De esta forma, cuando los intentos de los inmigrantes en superar ilegalmente esta línea son contenidos y rechazados por las fuerzas de seguridad encargadas de la vigilancia de la frontera, se considera que no se ha producido ninguna entrada ilegal efectiva. No se considera que la entrada ha*

tenido lugar hasta que el inmigrante ha superado la citada valla interior, de modo que ha entrado en territorio nacional y que por tanto se le aplica el régimen relativo a los extranjeros (...)"[29]

Mucho podría añadirse en torno a este punto, pero nada es más claro que la ley. Por ejemplo, corroborando el *Protocolo*, la Ley Orgánica 4/2015 de 30 de marzo de 2015 de protección de la seguridad ciudadana modificando la Ley Orgánica 4/2000 de 11 de enero del 2000 sobre derechos y libertades de los extranjeros en España y su integración social ("la LOEX"), en su Disposición adicional décima, añadida, y que dice relación con el artículo 25 de la LOEX, tenemos que dice:

"1. Los extranjeros que sean detectados en la línea fronteriza de la demarcación territorial de Ceuta o Melilla mientras intentan superar los elementos de contención fronterizos para cruzar irregularmente la frontera podrán ser rechazados a fin de impedir su entrada ilegal en España.
2. En todo caso, el rechazo se realizará respetando la normativa internacional de derechos humanos y de protección internacional de la que España es parte.
3. Las solicitudes de protección internacional se formalizarán en los lugares habilitados al efecto en los pasos fronterizos y se tramitarán conforme a lo establecido en la normativa en materia de protección internacional."

Con estas normas citadas tenemos las líneas maestras. Nos lavamos las manos, y no nos vamos a responsabilizar —parece decir la autoridad y muchos prohombres, porque la misma UE nos da luz verde. Todo aquel, sin importar las motivaciones, ingrese por un lugar no habilitado o quebranta la legalidad que regula los flujos migratorios del país, ya no puede ser sujeto de Derecho, y menos aún, ser tratado como persona.

De Lucas dijo en su libro "Mediterráneo: el naufragio de Europa" de "que la UE practica una verdadera xenofobia institucional, convirtiendo a unos y otros en amenazas, hasta el límite perverso de identificar en ellos al enemigo que justifica la prioridad de blindar nuestras fronteras y, aún más,

---

[29]   Sentencia TEDH "ASUNTO N.D. Y N.T. c. ESPAÑA", p. 5. Disponible en: http://www.mjusticia.gob.es/cs/Satellite/Portal/1292428561527?blobheader=applic ation%2Fpdf&blobheadername1=Content-Disposition&blobheadername2=Grup o&blobheadervalue1=attachment%3B+filename%3DSentencia_N.D._y_N.T._c__ Espa%C3%B1a.pdf&blobheadervalue2=Docs_TEDH

convertir la legislación de inmigración en un Derecho de excepción"[30], adelantándose a la sentencia en comento. Las políticas migratorias hacen aguas. Hay, consiguientemente, carta blanca para no hacernos responsables de aquellos que huyen de la miseria, de la guerra o porque son perseguidos, sino que al contrario, el subterfugio del vallado del vallado, una especie de gongorismo fronterizo, una solución barroca, pero de concertina. Esta yuxtaposición de una frontera otra frontera para solo efectos administrativos y policiales. Un sofisma, pues no reconocemos que han ingresado a España las personas que lo hacen *ilegalmente*, ya que saltando las vallas de Ceuta y Melilla, por mar es cuento aparte, son la puesta en escena de este ardid. Lo que se hace es enseñar que la inventiva de las autoridades fue superior a todo el Derecho internacional y que el aplauso la UE es la recompensa de esta lealtad mal entendida.

Nunca fue tan fácil deshacerse de los indeseables, dice el coro de la nueva tragedia. Entreguemos a Marruecos a estas infrapersonas (subsaharianos, en su mayoría gente de color) que ellos harán con esto lo que mejor les plazca, que ya bastante hacemos con enviarles dinero para externalizar las fronteras. De esto va el control de los flujos migratorios: me tapo los ojos. A fin de cuentas, ya nadie se acuerda de Fray Bartolomé de las Casas, porque son subsaharianos, y para ellos no aplica, y el coro de la tragedia nuevamente, nunca fue tan fácil…

Aquellos que cuando son encuestados se dicen católicos, están en la primera línea siempre, pero no por sus virtudes piadosas, pues muchos justifican la aberración de no dejarlos entrar, y otros progresistas convencidísimos, comparten el mismo predicado contra estos infractores. Y al grito de ¡Santiago, y cierra España! Lo único que cierto es cierre de fronteras, olvidando lo que realmente enseñó Santiago:

> *"¿De qué le sirve a uno decir que tiene fe, si no tiene obras? (…)Esto pasa con la fe: si no tiene obras, está muerta por dentro (…)Alguno dirá: —Tú tienes fe y yo tengo obras. Enséñame tú."*[31]

---

[30]   DE LUCAS, Javier. *Mediterráneo: El naufragio de Europa*. Valencia, Tirant Humanidades, 2ª Edición, 2016, p. 111.

[31]   Santiago 2:14-18. Disponible en: www.vatican.va/archive/ESL0506/_PVB.HTM

Pero volvamos, los rechazos en frontera, esta denegación de entrada y su correlato, la devolución, es la cara más grotesca, de las *expulsiones sui generis*. El "*Artículo 23. Devoluciones,* —dice así:

> *1. De conformidad con lo establecido en el artículo 58.3 de la Ley Orgánica 4/2000, de 11 de enero, no será necesario un expediente de expulsión para la devolución, en virtud de resolución del Subdelegado del Gobierno, o del Delegado del Gobierno en las Comunidades Autónomas uniprovinciales, de los extranjeros que se hallaran en alguno de los siguientes supuestos:*
>
> *a) Los extranjeros que habiendo sido expulsados contravengan la prohibición de entrada en España.*
>
> *A estos efectos, se considerará contravenida la prohibición de entrada en España cuando así conste, independientemente de si fue adoptada por las autoridades españolas o por las de alguno de los Estados con los que España tenga suscrito convenio en ese sentido.*
>
> *b) Los extranjeros que pretendan entrar irregularmente en el país. Se considerarán incluidos, a estos efectos, a los extranjeros que sean interceptados en la frontera o en sus inmediaciones.*
>
> *2. En el supuesto del párrafo b) del apartado anterior, las Fuerzas y Cuerpos de Seguridad del Estado encargadas de la custodia de costas y fronteras que hayan interceptado a los extranjeros que pretenden entrar irregularmente en España los conducirán con la mayor brevedad posible a la correspondiente comisaría del Cuerpo Nacional de Policía, para que pueda procederse a su identificación y, en su caso, a su devolución.*"[32]

La justificación a la no aplicación del proceso de expulsión viene dada por el Acuerdo suscrito en Madrid, febrero 13 de 1992 por los *Reino de España y Reino de Marruecos*, sobre la circulación de personas, tránsito y readmisión de extranjeros entrados ilegalmente[33]. Se reviste de legalidad una situación de hecho justificada por el ingreso irregular para verificar la *devolución*, en vez de corroborar de si estas formas de solución es hacer justicia con los más abandonados, a los *refugiados de manual*[34]. Es decir,

---

[32] Art. 23.2 del Texto Consolidado, Real Decreto por el que se aprueba el Reglamento de la Ley Orgánica 4/2000, sobre derechos y libertades de los extranjeros en España y su integración social. Disponible en: https://www.boe.es/buscar/act.php?id=BOE-A-2011-7703

[33] La aplicación provisional de este conforme al BOE núm. 100, de 25 de abril de 1992, y la definitiva, del 21 de octubre de 2012, BOE núm. 299, de 13 de diciembre de 2012.

[34] DE LUCAS, J. (2016), p. 87. Esta denominación es la respuesta a la insensibilidad que nos hace creer que todo extranjero es un *inmigrante*, lo que da visos de normalidad y general aceptación, pero que sin embargo, hace aplicable una norma de excep-

tabula rasa al contenido en el "Instrumento de Adhesión de España a la Convención sobre el Estatuto de los Refugiados, hecha en Ginebra el 28 de julio de 1951, y al Protocolo sobre el Estatuto de los Refugiados, hecho en Nueva York el 31 de enero de 1967"[35], desentendiéndonos de lo mandado por el artículo 96.1 de la C.E. que dice:

> *"Los tratados internacionales válidamente celebrados, una vez publicados oficialmente en España, formarán parte del ordenamiento interno. Sus disposiciones sólo podrán ser derogadas, modificadas o suspendidas en la forma prevista en los propios tratados o de acuerdo con las normas generales del Derecho internacional"[36].*

Pero al discutir sobre la moralidad o ilegalidad de estos Acuerdos, Tratados internacionales y del rango constitucional, lo evidente es que nos desentendemos del principal derecho humano: *El derecho a la vida*. Esta indiferencia viene dada porque quien clama la protección de sus Derechos Universales vulnerados avasallados, más que por ser de una etnia o ser extranjero, son unos migrantes pobres. *Manifestación superlativa del odio*, mayor a la supuesta xenofobia institucional, "lo cierto es que las puertas se cierran ante los refugiados políticos, ante los inmigrantes pobres, que no tienen que perder más que sus cadenas, ante los gitanos… Las puertas de la conciencia se cierran ante los mendigos sin hogar, condenados mundialmente a la invisibilidad."[37] En esto consiste la aporofobia. Neologismo acuñado por Adela Cortina, el rechazo al pobre, fobia que es más que el simple racismo o xenofobia, y que antes era más difícil de plantarle cara, porque ha existido siempre, pero que al tener ahora nombre se hace más fácil a su identificación. "La aporofobia es un tipo de rechazo peculiar, distinto de otros tipos de odio o de rechazo, entre otras razones porque la pobreza involuntaria no es un rasgo de la identidad de las personas."[38]

---

ción. La realidad, dice el autor "son *refugiados de manual*, pues huyen de guerra civiles (Siria), o de países donde padecen persecuciones y atroces violaciones de derechos (Eritrea, Somalia, Mali)".

[35] https://www.boe.es/buscar/doc.php?id=BOE-A-1978-26331

[36] Constitución Española. Disponible en: https://www.boe.es/buscar/act.php?id=BOE-A-1978-31229

[37] CORTINA, Adela. *Aporofobia, el rechazo al pobre. Un desafío para la democracia.* Barcelona, Paidós, 2017, p. 21.

[38] *Ibidem*, p. 42.

Por lo mismo, no es una simple xenofobia o racismo el de las instituciones, es *aporofobia institucional*. Por ejemplo, este cuadro: llamadas a intervenir las instituciones en las islas mediterráneas y en las costas andaluzas, vemos a las policías contemplar impávidas cuando en las noches, principalmente, se toman por asalto pequeñas, y otras no tanto, localidades, hordas de exultantes extranjeros. Motivados quizás, por el solo hecho pisar tierra hispana, y querer olvidar sus desgraciadas vidas se pueden ver sus muestras incontenibles de felicidad. Por otro lado, los muy preocupados servicios médicos hacen ronda para ayudar a cientos de mujeres y hombres extranjeros exánimes, que apenas pueden darse a entender. Sin duda, también se debe al denodado esfuerzo, que llevó a la casi inconsciencia a estas personas. Un furor que poco o nada podrá hacerles recordar que arribaron, gracias al buen tiempo, a las playas españolas o quizás su memoria atesore estos momentos como los más más dichosos de sus existencias. Y he aquí que no siempre es igual el trato con los migrantes. Porque estos son turistas británicos, y bien se hace con brindarles custodia y asistencia, sin necesidad de traductores ni especiales operativos de seguridad ni de asistencia sanitaria extraordinaria. Tampoco se requirieron gases lacrimógenos para dispersarlos, y no hay concertina que los restrinja, porque son más peligrosos para ellos la libertad y los balcones.

La dignidad humana está, por tanto, supeditada, se ensaña contra los subsaharianos, migrantes pobres, que llegan sin más patrimonio que unas ilusiones, que también buscan en España liberación y olvido de sus miserias humanas. Visten incluso tan poca ropa y de las mismas marcas como aquellos, pero al no ser turistas, se establecen irremediables distancias y los hacen merecedores de otros tratamientos. Porque estos buscan que la vida les dé una oportunidad ante la opresión, la muerte y la pobreza. Sin embargo, esta aporofobia institucionalizada y enraizada en nuestra sociedad, hace que *"todo se nos va(ya) en la grosería del engaste o cerca de este castillo"*[39], haciendo a unos sean poseedores de todas las garantías y derechos del sistema jurídico, y a otros en cambio, si llegan a ser oídos, claman por ser entendidos y tenidos por personas.

---

[39]   TERESA DE JESÚS. *Las moradas o castillo interior.* Moradas primeras, Capítulo 1. Disponible en: http://hjg.com.ar/teresa_moradas/moradas_1_1.html

4. FLUJOS MIGRATORIOS. NUEVO PARADIGMA

*"Quién ha mentido? El pie de la azucena
roto, insondable, oscurecido, todo
lleno de herida y resplandor oscuro!
todo, la norma de ola en ola en ola,
el impreciso túmulo del ámbar
y las ásperas gotas de la espiga!"*[40]

La UE agrupa el flujo de individuos que llegan a su espacio en tres grandes grupos: 1) migrantes intracomunitarios (ciudadanos de otros Estados de la UE); 2) refugiados y desplazados, al abrigo de la Convención Internacional para los Refugiados, y 3) Migrantes (regulares e irregulares) de terceros países[41]. El 16 de agosto del año en curso, emitió un *Informe de la Comisión al Parlamento Europeo y al Consejo, relativo a la aplicación del Reglamento (CE) nº 862/2007, sobre las estadísticas comunitarias en el ámbito de la migración y la protección internacional*[42]. El principal objetivo del Reglamento (CE) nº 862/20071 ("el Reglamento") es la recogida y la elaboración de estadísticas europeas sobre migración y protección internacional., en el que los principales ámbitos contemplados son:

• los flujos migratorios internacionales desagregados por grupos de nacionalidades, grupos de países de nacimiento, grupos de países de residencia habitual anterior/posterior y por edad y sexo (artículo 3);

• los totales de población desagregados por grupos de nacionalidades, grupos de países de nacimiento y por edad y sexo (artículo 3);

• la adquisición de nacionalidad por país de nacionalidad anterior (artículo 3);

• las solicitudes de asilo, las decisiones en primera instancia y en un procedimiento de recurso de concesión o retirada de diferentes for-

---

[40] NERUDA, Pablo. *Reunión bajo las nuevas banderas*. Vv. 1-6. En *Tercera residencia*. Obras Completas, tomo I. Barcelona, RBA Coleccionables S.A., 2005, p. 364.

[41] RODRIGUES, Teresa; FERREIRA, Susana; GARCÍA, Rafael. *La inmigración en la península ibérica y los dilemas de la seguridad (1990-2030)*. Madrid, Instituto Universitario General Gutiérrez Mellado, 2015, p. 68.

[42] https://ec.europa.eu/transparency/regdoc/rep/1/2018/ES/COM-2018-594-F1-ES-MAIN-PART-1.PDF

mas de estatuto de protección internacional, desglosadas por nacionalidad (artículo 4);

- las solicitudes de asilo de menores no acompañados, desagregadas por nacionalidad (artículo 4);
- las estadísticas sobre la aplicación del Reglamento de Dublín III por parte de los Estados miembros (artículo 4);
- los nacionales de terceros países a los que se haya denegado la entrada al territorio del Estado miembro en la frontera exterior y los nacionales de terceros países encontrados en situación ilegal en el territorio del Estado miembro de acuerdo con la legislación nacional relativa a la inmigración, desagregados por nacionalidad (artículo 5);
- los permisos de residencia expedidos a nacionales de terceros países, desagregados por nacionalidad, período de validez del permiso y motivo (categoría de inmigración) para la expedición del permiso (artículo 6); y
- los nacionales de terceros países sometidos a una orden de abandonar el territorio del Estado miembro con arreglo a la legislación en materia de inmigración y los nacionales de terceros países respecto a los cuales se haya registrado que han abandonado el país después de que se haya dictado una orden de este tipo, desagregados por nacionalidad (artículo 7).

Para acometer esta misión se contempla un procedimiento en que son los Institutos Nacionales de Estadísticas, los que informan a la Comisión (Eurostat) de los datos sobre flujos migratorios y totales de población. Ahora bien, también está la posibilidad que respecto a los datos derivados de controles fronterizos y *los traslados de migrantes no autorizados*[43] puedan suministrarlas los Ministerios del Interior o las Agencias de Inmigración, o bien las autoridades policiales.

---

[43]   RODRIGUES (2015): Nuevo concepto acuñado para denominar eufemísticamente a los indeseables, *los traslados de migrantes no autorizados,* ya no como un producto de la prensa nacional, sino que emanado del seno de la institucionalidad. Véase página 2 del "Informe".

"Desde el informe de 2015, la Comisión (Eurostat) ha alcanzado varias mejoras metodológicas. Se han centrado en i) el análisis de la clasificación errónea de los sucesos demográficos; ii) la inclusión/exclusión de solicitantes de asilo y refugiados; iii) la coherencia con los datos de asilo y permisos de residencia; iv) garantizar un equilibrio demográfico consistente. Estas mejoras técnicas han dado lugar a una validación y un tratamiento de los datos más eficientes."[44]

Es vital analizar para determinar la pertinencia de los datos estadísticos, la calidad de estos. Solo así podremos hacer frente y dotar de mejores herramientas a los agentes solucionadores. "Dentro de la Comisión, el principal usuario de las estadísticas de protección internacional es la Dirección General de Migración y Asuntos de Interior. Sin embargo, otras Direcciones Generales de la Comisión, en concreto la Dirección General de Empleo, Asuntos Sociales e Inclusión y la Dirección General de Justicia y Consumidores, también hacen un uso frecuente de estas estadísticas. Se ha hecho un importante uso de estas estadísticas en el marco de la asignación anual de la dotación presupuestaria para cada Estado miembro en relación con los Fondos de Solidaridad y Gestión de los Flujos Migratorios. Como en años anteriores, estos fondos se basan en el Fondo de Asilo, Migración e Integración (FAMI), establecido en virtud del Reglamento (UE) nº 516/201411, y el Fondo de Seguridad Interior (FSI), establecido en virtud del Reglamento (UE) nº 515/201412, para el período 2014-2020. Debido a los acuerdos de financiación plurianual en el marco de estos nuevos fondos, los datos han dejado de comunicarse anualmente. Las asignaciones se han calculado sobre la base de las estadísticas suministradas previamente, con excepción del FSI, donde es necesaria una revisión intermedia."[45]

Para ejemplificar, la ONU estima que el 3,2% de la población mundial participa de las migraciones internacionales, esto es 232 millones aproximadamente. Lo cual sin duda representa un fuerte impacto en el sistema de los equilibrios internacionales, pero atención, que migraciones son la excepción de la movilidad, porque la elección solo correspondería a la mí-

---

[44] RODRIGUES (2015) p. 3.
[45] RODRIGUES (2015) p. 5.

nima parte[46]. Es decir, estamos ante uno de los mayores desafíos, porque a los flujos migratorios lo encarnan un crisol de motivos.

"La economía dicta las reglas del mundo actual. Los diferentes ritmos de crecimiento económico, las simetrías en los patrones de desarrollo humano, las discrepancias de desarrollo regional, juntamente con las desiguales tendencias demográficas desafían el balance geopolítico y continúan sustentando la movilidad humana (…) estos flujos contribuyeron a mejorar los niveles de vida de muchos países. Sin embargo, el desarrollo económico acentuó la distancia entre países ricos y pobres. Lo que para Moses constituye una de las paradojas de la globalización: (…) a la medida que el mundo se junta en torno de la estela del notable mercado tecnológico y de los acontecimientos políticos, está siendo rasgado por desigualdades crecientes."[47]

Y es acá donde debemos centrar nuestra atención porque "las migraciones irregulares son asociadas con facilidad a cuestiones de inseguridad en los discursos políticos y en los medios de comunicación (…) es al poder político al que cabe declarar si la entrada de un extranjero es regular o irregular. Asimismo, en una situación de irregularidad el inmigrante se convierte en el enemigo político"[48].

Por lo mismo, es intrínseco al discurso de la *securitización* del fenómeno migratorio, el asociarlo a la trata de seres humanos, la explotación laboral o sexual. Algo no se puede negar, y es que consecuencialmente, la condición de vulnerabilidad lleva a la exclusión social. Y este es el panorama: "casi todos los países del mundo se ven afectados por el fenómeno de las migraciones, sea como país de origen, de tránsito o de destino (…) Es verdad que las regiones más desarrolladas económica y socialmente de forma progresiva se harán más dependientes de los flujos migratorios. Si es cierto que el siglo XXI será el siglo del envejecimiento demográfico, en tanto fenómeno global, este hecho solamente se volverá preocupante para aquellas sociedades que sean incapaces de crear nuevos equilibrios inter-

---

[46]   RODRIGUES (2015) p. 43.
[47]   RODRIGUES (2015) p. 45.
[48]   RODRIGUES (2015) p. 53

generacionales, en especial para asegurar la supervivencia alimenticia y el acceso de sus ciudadanos a los cuidados de la salud pública"[49].

Y la prensa es hoy quien con mayor propiedad, mas sin autoridad, construye y enseña *la existencia de las cosas*, induciéndonos a identificar lo que existe y lo que no, y el cómo enfrentamos la cuestión de los flujos migratorios o la predisposición hacia ello, es sin dudarlo su mayor creación. Es cosa de comparar dos realidades tan inmediatas como cercana lo permite la geografía, del cómo comprenden el problema migratorio Portugal o España. El *concepto* Estratégico de Defensa Nacional de Portugal y la Estrategia de Seguridad Nacional de España donde se atribuye diferente importancia a la relación entre migraciones y seguridad. Fácilmente explicable por documentos oficiales señalados tienen distinta panorámica. Las migraciones no son consideradas como amenaza a la seguridad en Portugal y tal cinco de ocho españoles consultados no comparten el diagnóstico de las autoridades de su país estableciendo ese vínculo. Estos últimos consideran que se trata de una "'caracterización inadecuada y estigmatizante': 'la amenaza depende del origen de los flujos' y 'en la actualidad no, en la época de más crecimiento de la economía, si, podría ser una amenaza'"[50]. Identificados 4 vectores en este mismo texto, a saber, el político, impacto de la crisis económica, social y demográfico, la respuesta para los portugueses se encuentra en la inclusión de los migrantes, para así evitar la exclusión social y los eventuales conflictos que ello podría acarrear. En cambio acá, seguridad, solucionarlo con Derecho penal y expulsiones colectivas, y mientras esperan estos irregulares tenerlos un CIE, con el *añadido barroco* de la frontera yuxtapuesta con Marruecos, pero en territorio español.

En *El Informe CIE 2017, El sufrimiento inútil*, El Servicio Jesuita a Migrantes-España (SJM-E), enfáticamente exclama: En 2017, los CIE funcionaron como nuevos lazaretos, en los que padecieron un sufrimiento inútil miles de migrantes recién llegados a España irregularmente, antes de ser puestos, mayoritariamente, en libertad. Las cifras son espeluznantes, porque el 80% de los migrantes llegados en pateras a las costas españolas

---

[49]   RODRIGUES (2015) pp. 57-60.
[50]   RODRIGUES (2015) p. 171.

finalmente son puestos en libertad[51]. Hay un deber moral: existe la imperiosa necesidad de cerrarlos, y nadie puede permitirse el lujo de creer que son una solución. Ante esta realidad, las palabras de la más autorizada: "El infierno ya no es una creencia religiosa ni una fantasía, sino algo tan real como las casas, las piedras y los árboles. Según parece, nadie quiere saber que la historia contemporánea ha creado un nuevo tipo de seres humanos: aquellos que son confinados en campos de concentración por sus enemigos y en *centros* de internamiento por sus amigos"[52].

Sin embargo, somos nosotros los que instaremos a buscar "Protección contra las amenazas y garantías de las libertades", no como clisé, porque no hay transferencia de responsabilidades ni a la UE ni sobre nadie, son nuestras instituciones las que actúan, y el camino es arduo si no nos centramos en los derechos fundamentales. Un ejemplo de esto es la "Comunicación de la Comisión al Parlamento Europeo, al Consejo Europeo y al Consejo, Informe sobre la aplicación de la Agenda Europea de Migración"[53], Bruselas, 14 de abril de 2018. Centrar la preocupación en el descenso de la utilización de las rutas migratorias para que esta *no sea un boleto abierto de ingreso a Europa,* nada tiene de malo, así como tampoco el análisis del control de fronteras, gestiones operativos y contingente de reacción rápida, menos lo es la cuestión de la reubicación, reasentamiento y vías legales para el favorecimiento de migraciones, mas, el problema radica en el *sistema de dos velocidades o de Europa a la carta,* que otorga espacio a que los Estados miembros se desentiendan de casi todo, pero de buena fe, de los compromisos o deberes que ilustra a la UE. En este mismo orden de ideas, el "Manual sobre la utilización de los fondos de la UE para la integración de las personas de origen migrante"[54], recomienda cómo hacer para gastar de

---

51 http://www.europapress.es/epsocial/migracion/noticia-cie-recluyen-inutilmente-80-migrantes-llegan-patera-denuncia-informe-servicio-jesuita-20180607170432.html

52 ARENDT (2017) *Nosotros*. La cursiva es nuestra porque el traductor ocupó la palabra "campos" y la reemplacé por centros, pp. 17 y 18.

53 www.europarl.europa.eu/meetdocs/2014_2019/.../COM_COM20170820_ES.pdf

54 http://ec.europa.eu/regional_policy/en/information/publications/guides/2018/toolkit-on-the-use-of-eu-funds-for-the-integration-of-people-with-a-migrant-backgound

manera más idónea los recursos, que no pasa de ser una instancia y compromiso con metas inciertas.

Lo grave es centrar el problema en la financiación para impedir los ingresos ilegales, desatendiendo los derechos fundamentales, que llevó a que la Comisión Europea respaldara en su oportunidad las devoluciones en caliente, porque se adecuaban a la Directiva de retorno[55]. "Palabras del Comisario Avramopoulos sobre la gestión de la migración", en Bruselas del 21 de junio del 2018, siempre contumaz y fiel a su concepto de solidaridad europea[56], no ceja en transmitir que todo debe ser seguridad en las fronteras, no obstante, señalar las debilidades del sistema de asilo. Las nuevas tendencias de asilo nos arrojan las siguientes cifras entregadas por la European Asylum Support Office (EASO) de 29 de agosto de 2018, que señala respecto julio de 2018 se habían presentado 357. 500 solicitudes de asilo, un 14% menos que en el mismo período de 2017[57]. Y otra vez el contrasentido, que todo es más grave en voz de la prensa, *los agentes autorizados llamados a informar,* cuando las cifras indican sino una estabilización, al menos una disminución. Pero la colectividad que está ávida de leer titulares de más guardias fronterizos, más inversión para prohibir que vengan a vivir el Estado de Derecho y civilización europea. Ante esta enorme incoherencia, es la voz del TEDH en sus sentencias, la que pone a España en la palestra, por ser quién más al dedillo sigue las directrices de la UE.

La pregunta es si cuando hablamos de la inmigración hay manga ancha o efectivamente hay un problema al entender *la justicia como lealtad ampliada.* "¿Qué deben hacer las democracias ricas ante este panorama? ¿Deben mantenerse leales consigo mismas y entre ellas y asegurar la continuidad de sociedades libres para una tercera parte de la humanidad a costa de los dos tercios restantes? ¿O deben renunciar a los beneficios de la libertad política a favor de una justicia económica equitativa? (…) ¿Debemos restringir el ámbito a favor de la lealtad o ampliarlo a favor de la justicia?[58]": La respuesta es contundente por el *Consejo Europeo* de 28

---

[55]   https://www.eldiario.es/desalambre/Comision-Europea-Ceuta-Melilla-Directi-va_0_486451518.html

[56]   https://ec.europa.eu/spain/sites/spain/files/20180621.pdf

[57]   https://www.easo.europa.eu/latest-asylum-trends

[58]   RORTY (2000) *La justicia como lealtad ampliada,* pp. 81 y 82.

de junio de 2018[59] en sus conclusiones finales (en adelante *Conclusiones*) en lo atingente fueron: "1. El Consejo Europeo reitera que un requisito imprescindible para que la política de la UE funcione correctamente se sustenta en un planteamiento general sobre la migración que combine un control más efectivo de las fronteras exteriores de la UE, una mayor acción exterior, así como los aspectos internos, en consonancia con nuestros principios y valores". Donde si bien se hace imprescindible controlar los flujos, que se reconoce ha disminuido en un 95% respecto de 2015 los cruces ilegales, se hace imperativa la aplicación de otras medidas, al simple control fronterizo y de ayuda a los países que están en primera línea de contención para el ingreso a Europa. Sin embargo, en lo vago e impreciso están siempre los abusos, y que hacen dudar de lo contenido en el art. 2° del TUE: "*La Unión se fundamenta en los valores de respeto de la dignidad humana, libertad, democracia, igualdad, Estado de Derecho y respeto de los derechos humanos*"[60]. Se minimizan las causas que hacen querer entrar a este espacio común europeo, porque el tráfico de seres humanos no siempre lo es. Es demasiada compleja la trama, pero ahí vamos con lo que nos hace temer respecto de las *Conclusiones*: "3. (…) Asimismo, intensificará el apoyo al Sahel, a la guardia costera de Libia y a las comunidades del litoral y del sur, y fomentará en mayor medida condiciones de acogida humanas, retornos humanitarios voluntarios, la cooperación con otros países de origen y tránsito, así como el reasentamiento voluntario. Todos los buques que operan en el Mediterráneo deben respetar la legislación aplicable y no obstaculizar las operaciones de la guardia costera de Libia"[61]. El temor, ya está instalado, porque si fue visto con buenos ojos esto de las rechazos en caliente o expulsiones en frontera, surge un nuevo eufemismo *retornos humanitarios voluntarios*. Será en serio que se puede pensar que podemos hallarnos ante figuras de este tipo o es similar a las declaraciones de las brujas en medio del procedimiento de tortura. Sin entrar a pronunciarnos respecto de figuras delictivas que pueda en un futuro quedar al descubierto como lo ha sido con la STEDH que condenó a España, por ejemplo, podremos per-

---

59   http://www.consilium.europa.eu/media/35940/28-euco-final-conclusions-es.pdf

60   Tratado de la Unión Europea, versión consolidada. https://www.boe.es/doue/2010/083/Z00013-00046.pdf

61   http://www.consilium.europa.eu/media/35940/28-euco-final-conclusions-es.pdf

seguir a los funcionarios que participan de estas expulsiones en frontera, será que con sus resoluciones o actos cometen o no delitos administrativos, sea la emisión de informes, sea en la tramitación de expedientes[62], que podrían importar una subsunción en el "clásico delito de prevaricación de autoridad o funcionario público", o bien en las denominadas "prevaricaciones específicas". O quizás, delitos contra la integridad moral[63] en sus modalidades comisivas u omisivas, y no solo por lo que se dice en el *Sufrimiento inútil. Informe CIE 2017*, o la STEDH, ASUNTO N.D. Y N.T. c. ESPAÑA a los que ya aludimos, que debería de tener por consecuencia, de confirmarse, la modificación de la ley de 2015, además "En enero, un tribunal de apelaciones reabrió la investigación de las muertes de 15 inmigrantes en las aguas de Ceuta en febrero de 2014, después de que agentes de la Guardia Civil dispararan pelotas de goma y gases lacrimógenos al agua". *Informe Mundial 2018, Human Right Watch*[64].Y estas cuestiones claramente sí que nos atañen antes que instancias internacionales condenen a España. Porque el desafío que debemos asumir es lograr desvincular la inmigración de la seguridad rompiendo con ese binomio de securitización que se ha prodigado en los últimos tiempos asumiendo, por el contrario políticas migratorias capaces y viables en el corto plazo que permitan gestionar los muchos problemas que se derivan de la recepción de un número significativo de extranjeros en la sociedad española. Pues debemos dar un paso más allá de lo señalado por Rorty en su conclusión de su *Justicia como lealtad ampliada*: "Pienso que por muchas razones parece aconsejable abandonar el racionalismo que aún nos queda como herencia de la Ilustración (…) abandonar la retórica racionalista permitiría a Occidente acercarse al mundo no-occidental con el papel de alguien que puede contar

---

[62]   GONZÁLEZ CUSSAC, J.L. *Delitos relacionados con la emisión de informes y la tramitación de expedientes*. Separata. Revista aragonesa de Administración pública, n° 11, 1997.

[63]   GONZÁLEZ CUSSAC, J.L. *De las torturas y otros delitos contra la integridad moral.* Separata del libro *La declaración Universal de los Derechos Humanos en su 50 aniversario.* Barcelona, Editorial Bosch, S.A., 1999. CUERDA ARNAU, MARÍA LUISA. *Tortura y otros delitos contra la integridad moral. Trata de seres humanos.* En GONZALEZ CUSSAC, J.L. (coord.), *Derecho Penal Parte Especial*, Valencia, Tirant Lo Blanch, 5ª Edición, 2016. Pp. 177 y ss.

[64]   https://www.hrw.org/es/world-report/2018/country-chapters/313653

una historia instructiva, y no con el papel de alguien que presume hacer un uso mejor de una capacidad humana universal"[65].

Tenemos que asumir un rol activo de obras, con o sin fe, y no de resentimiento, romper con la fórmula, contra lo que se apetece en razón de bien, que es recurrir al *Abuso del mal*[66], cesar de justificarlo con acciones u omisiones, para realizar un compromiso absoluto con la libertad y la justicia, porque no es solo algo de juristas, filósofos, sociedades de beneficencia y almas caritativas, sino que debe de ser de la sociedad. Obtener información no es un privilegio, está a un click y el dolor no puede ser nunca ajeno, menos cuando este no es un mero relato, sino que es una realidad que nos llega cotidianamente y nos da de lleno en la cara, mientras jugamos paleta a orillas del mar, en la televisión o en nuestro móvil como notificación de noticias en alguna de las plataformas en las que tenemos perfil o respecto de quienes somos seguidores.

Ese temor de que la economía se vaya a la ruina por recibir a subsaharianos, es más racismo que cualquier otra cosa. Porque si analizamos el envejecimiento de la población europea, es menester que la población se renueve. Son un aporte desde el punto que se mire la llegada de gente joven, y el promedio de edad de los que se aventuran a desafiar la muerte, los tormentos y el hambre así lo señala. Seamos enfáticos, los *Balances de Criminalidad del Ministerio del Interior*[67] están ahí, y estas alarmantes noticias de la *invasión* de pateras no ha significado que España deje de estar bajo la media de los índices de criminalidad de Europa, huelga decir, que es uno de los países más seguro del mundo.

En fin, hay muchas maneras de adquirir sensibilidad, ya no digo ocupar solo la razón para entender el problema de la migración. Comprender que hay personas que merecen ser tratadas con el mayor de los cuidados y de que la autoridad debe ser más diligente y eficaz, sin importar la etnia o su

---

[65]   RORTY (2000) *La justicia*, p. 97.
[66]   VIVES (2011), paráfrasis extraída del Capítulo vigesimotercero, III. Alegato en favor de las libertades constitucionales, D) Seguridad material vs. Libertad, 2. *El abuso del mal*, en directa alusión a la obra de R. Bernstein. *La corrupción de la política y la religión desde 11/9*, pp. 1064 y ss.
[67]   http://www.interior.gob.es/prensa/balances-e-informes/2018

posición económica, que merecen mayor prioridad, que se juegan la vida y son *refugiados*. Se pueden realizar obras filantrópicas, voluntariados y otros quizás recurrir a la experiencia estética como forma de tomar conocimiento del drama migratorio cuando se es pobre, si es que no tuvo ya en su propia familia que padecerlo. Siempre se agradecerá que así sea; por ejemplo: en Santiago de Compostela se realiza un poco divulgado MICE. Mostra Internacional de Cinema Etnográfico. Esta versión 2018, la XIII del festival, una de las cintas parte de la muestra fue *"La Nuit éclaire la nuit"* de Lo Thivolle. Este film de 2017 deja traslucir de una manera doblemente interesante el problema de un africano en Europa. Relatos en que hay uno que decide padecerlo para estudiarlo como fenómeno sociológico y, otro, para expresarlo en el celuloide. Narraciones entrecruzadas que dejan ver la miseria, pero jamás el odio en los ojos de quien narra, muy por el contrario.

Pero así como está el séptimo arte, lo están las letras y el hombre que las transmuta por antonomasia, el mayor poeta del siglo XX, o al menos en lengua española, que participó activamente: Pablo Neruda. Atañe citarlo y no dejarlo en el olvido, ya que adolecemos de una *Frágil Memoria*, con su aporte, el Winnipeg[68].

Para concluir, con todo este temor o desprecio al migrante pobre y esencialmente subsahariano, por sobre la impostura de Salvini y de otros innombrables, del resurgimiento de las nuevas derechas xenófobas, que merecen no solo ser combatidas desde la razón, sino que desde una ilustración llegada por diversas vertientes. Insistir que la migración no es un problema de seguridad; es una cuestión de humanidad y de justicia, para la cual el Estado social y democrático de Derecho debe estar a la altura, lo mismo la UE. Porque se deben seguir rescatando vidas en el mar, responder a las llegadas masivas favoreciendo las reubicaciones, poniendo especial énfasis a las personas desplazadas reasentándolas, no solo haciendo hincapié en la protección de las fronteras exteriores, sino que fomentando una sólida política de asilo, maximizando realmente las políticas económicas en los países de orígenes. Sobre todo, no hacer que las ampulosas declaraciones como el favorecimiento de las migraciones legales sean el más duro escollo que haga todo letra muerta, porque esto ya se anunciaba

---

[68]   http://nerudavive.cl/index.php/pablo-neruda/207

en Bruselas 2015[69], y no obstante, estamos en lo mismo con esto de la Europa a la carta.

Suramérica, las Indias occidentales, con su historia de oleadas de migraciones y el mismo Neruda pueden servirnos de colofón al *estado de las cosas* de los flujos migratorios para ayudarnos a cambiar de paradigma: "Tienen sombra, transparencia, peso, plumas, pelos, tienen de todo lo que se les fue agregando de tanto rodar por el río, de tanto transmigrar de patria, de tanto ser raíces... Son antiquísimas y recentísimas... Viven en el féretro escondido y en la flor apenas comenzada... Estos andaban a zancadas por las tremendas cordilleras, por las Américas encrespadas, buscando patatas, butifarras, frijolitos, tabaco negro, oro, maíz, huevos fritos, con aquel apetito voraz que nunca más se ha visto en el mundo... Todo se lo tragaban, con religiones, pirámides, tribus, idolatrías iguales a las que ellos traían en sus grandes bolsas... Por donde pasaban quedaba arrasada la tierra... Pero a los bárbaros se les caían de las botas, de las barbas, de los yelmos, de las herraduras, como piedrecitas, las palabras luminosas que se quedaron aquí resplandecientes... el idioma. Salimos perdiendo... Salimos ganando... Se llevaron el oro y nos dejaron el oro... Se lo llevaron todo y nos dejaron todo..."[70].

Europa necesitará de millones de migrantes en las próximas décadas. Ante esta verdad, debe ser absolutamente indiferente que sean negros, amarillos o del color que fueren, y esta cuestión se sostiene por el simple hecho de la subsistencia, porque si no hay natalidad Europa morirá. Por lo mismo, negarse a la universalidad de los derechos humanos es la mayor de las negaciones, puesto que negándole la dignidad y no valorando a quienes se juegan su vida por llegar a Europa, es participar de la incivilización. No puede ser la vida un privilegio ni menos justificarse que existe un moderno contractualismo que hay que seguir a pie juntillas, porque la norma, TUE y TFUE, garantiza los *valores de respeto de la dignidad humana, libertad, democracia, igualdad, Estado de Derecho y respeto de los derechos humanos,*

---

69   https://eur-lex.europa.eu/legal-content/ES/TXT/PDF/?uri=CELEX:52015DC0240&from=ES

70   NERUDA, PABLO. *Confieso que he vivido.* Seix Barral, p. 24. *http://www.librosmaravillosos.com/confiesoquehevivido/pdf/Confieso%20que%20he%20vivido%20-%20Pablo%20Neruda.pdf*

incluidos los derechos de las personas pertenecientes a minorías (art. 2 TUE), pero solo a ciudadanos europeos.

Por último, hay que ser enfáticos, no se puede seguir avalando *la promesa incumplida de la Ilustración*[71], la de la universalidad de los derechos humanos. Porque "Despojada del rasgo de la universalidad, la noción de derechos humanos se desvirtúa, pierde sentido y significado propio, su poder emancipador y protector (…) la renuncia a la universalidad en el terreno de los principios opera siempre en detrimento de los más débiles, de los peor situados que son los que más necesitan protección y la legitimación para reivindicar la igualdad que proporciona la idea de derechos universales"[72]. Por lo mismo, debemos ser la voz del que no la posee, la palabra que da cuenta del estado de las cosas y esto sucederá cuando no hagamos diferencias respecto de quienes más necesitan que el Estado los asista, sin importar su origen, sino por su propia naturaleza de persona. Las declaraciones pomposas y sin garantías ni acciones tornan en letra muerta todo derecho que se proclame, y los Derechos Humanos no pueden ser la contradicción en el sistema europeo.

5. BIBLIOGRAFÍA

ARENAL, Concepción. *El visitador del pobre*. En Obras completas, tomo I. Madrid, Atlas Ediciones, 1993

ARENDT, Hannah. *En el presente. Ensayos políticos*. Traducción de RAMOS FONTECOBA, Roberto. Barcelona, Edición Página Indómita S.L.U., 2017.
– Nosotros los refugiados (1943)
– Las secuelas del régimen nazi: un reportaje desde Alemania (1950)

CONDE-PUMPIDO TOURÓN, Cándido. *Delitos contra los derechos de los extranjeros*. En *Extranjería y Derecho Penal*, Cuadernos de Derecho Judicial, Consejo General del Poder Judicial. Madrid, 2004.

CORTINA, Adela. *Aporofobia, el rechazo al pobre. Un desafío para la democracia*. Barcelona, Paidós, 2017.

---

[71] FERNÁNDEZ RUIZ-GÁLVEZ, Encarnación. *Igualdad y Derechos Humanos*. Madrid, Editorial Técnos, 2003. "La universalidad: promesa incumplida de la ilustración", pp. 30 y ss.

[72] FERNÁNDEZ RUIZ-GÁLVEZ (2003) p. 29.

CUERDA ARNAU, MARÍA LUISA. *Tortura y otros delitos contra la integridad moral. Trata de seres humanos.* En GONZALEZ CUSSAC, J.L. (coord.), *Derecho Penal Parte Especial,* Valencia, Tirant Lo Blanch, 5ª Edición, 2016

DE LUCAS, Javier. *Mediterráneo: El naufragio de Europa.* Valencia, Tirant Humanidades, 2ª Edición, 2016.

FERNÁNDEZ RUIZ-GÁLVEZ, Encarnación. *Igualdad y Derechos Humanos.* Madrid, Editorial Técnos, 2003.

GONZALEZ CUSSAC, J.L. (coord.), *Derecho Penal Parte Especial,* Valencia, Tirant Lo Blanch, 5ª Edición, 2016.

– Delitos relacionados con la emisión de informes y la tramitación de expedientes. Separata. Revista aragonesa de Administración pública, n° 11, 1997.

– De las torturas y otros delitos contra la integridad moral. Separata del libro La declaración Universal de los Derechos Humanos en su 50 aniversario. Barcelona, Editorial Bosch, S.A., 1999.

MARTÍNEZ-BUJÁN PÉREZ, Carlos. *Delitos contra los derechos de los ciudadanos extranjeros.* En GONZÁLEZ CUSSAC, J. L. (coordinador), *Derecho penal. Parte especial.* Valencia, Tirant Lo Blanch, 5ª Edición, 2016.

MARTÍNEZ ESCAMILLA, Margarita. *La inmigración como delito. Un análisis político-criminal, dogmático y constitucional del tipo básico del artículo 318 bis.* Barcelona, Atelier, 2007.

NERUDA, Pablo. *Tercera residencia.* En *Obras Completa I.* Barcelona, RBA Coleccionables S.A., 2005

RODRIGUES, Teresa; FERREIRA, Susana; GARCÍA, Rafael. *La inmigración en la península ibérica y los dilemas de la seguridad (1990-2030).* Madrid, Instituto Universitario General Gutiérrez Mellado, 2015.

RORTY, Richard. *Filosofía y futuro.* Madrid, Gedisa, 2000.

– La justicia como lealtad ampliada.

SQUELLA, Agustín. ¿Qué puesto ocupan los derechos humanos en el Derecho? En SQUELLA, Agustín y LÓPEZ CALERA, Nicolás. *Derechos humanos: ¿invento o descubrimiento?* Madrid, Fundación coloquio jurídico europeo, 2010.

VIRGILIO MARÓN, Publio. *Eneida.* Introducción y traducción FONTÁN BARREIRO, Rafael. Alianza Editorial, S. A., Madrid, 1990.

VIVES ANTÓN, Tomás Salvador. *Fundamentos del sistema penal.* Valencia, Tirant Lo Blanch, 2ª Edición, 2011.

RECURSOS ON LINE

BARRUTIA NAVARRETE, Mercedes Judith. *Nacimiento y evolución de la legislación de extranjería en la prensa española. La especialización periodística como respuesta académica a la Comunicación Pública y al Derecho a la información.* Tesis doctoral, Programa Oficial de Doctorado en Ciencia Jurídicas. Granada,

Editor Universidad de Granada, 2017. Disponible en: http://digibug.ugr.es/handle/10481/48076

DÍEZ RIPOLLÉS, José Luis. *El abuso del sistema penal*. Revista Electrónica de Ciencia Penal y Criminología (en línea). 2017, núm. 19-01, http://criminet.ugr.es/recpc/19/recpc19-e01.pdf

MARTÍNEZ ESCAMILLA, Margarita y otros. *"Expulsiones en caliente": cuando el estado actúa al margen de la ley*. Informe promovido desde el Proyecto I+D+i IUSMIGRANTE (DER 2011-26449). http://www.mugak.eu/news/expulsiones-en-caliente-cuando-el-estado-actua-al-margen-de-la-ley-presentacion

NERUDA, PABLO. Confieso que he vivido. Seix Barral. http://www.librosmaravillosos.com/confiesoquehevivido/pdf/Confieso%20que%20he%20vivido%20-%20Pablo%20Neruda.pdf

ROBINSON, James. *Wittegestein, sobre el lenguaje* http://eltalondeaquiles.pucp.edu.pe/wp-content/uploads/2017/03/wittgenstein-sobre-el-lenguaje-robinson.pdf

SOLER GARCÍA, Carolina. *La prohibición de las expulsiones colectivas de extranjeros en la jurisprudencia del tribunal europeo de derechos humanos: especial referencia al caso de España*. Revista General de Derecho Europeo Número 45 (2018). http://hdl.handle.net/10045/77765

SOLANES CORELLA, Ángeles. *La protección judicial de los extranjeros frente a las expulsiones colectivas o las devoluciones en caliente*. Cuadernos Electrónicos de Filosofía del Derecho (CEFD) Número 36 (2017). http://www.mjusticia.gob.es/cs/Satellite/Portal/1292428561527?blobheader=application%2Fpdf&blobheadername1=Content-Disposition&blobheadername2=Grupo&blobheadervalue1=attachment%3B+filename%3DSentencia_N.D._y_N.T._c__Espa%C3%B1a.pdf&blobheadervalue2=Docs_TEDH

TERESA DE JESÚS. *Las moradas o castillo interior*. http://hjg.com.ar/teresa_moradas/moradas_1_1.html

VIVES ANTÓN, Tomás Salvador. *La inmigración como problema moral*. Documento *(Tol 991620)*, 10/2006. Disponible en: http://www.tirantonline.com

- http://www.europarl.europa.eu/news/es/headlines/society/20170629STO78631/la-crisis-migratoria-en-europa
- http://www.europarl.europa.eu/news/es/headlines/society/20170629STO78630/la-crisis-migratoria-en-cifras
- https://www.elperiodico.com/es/internacional/20180912/juncker-prepara-el-blindaje-de-europa-con-un-nuevo-cuerpo-de-guardafronteras-no-tocar-7029829
- https://www.europapress.es/internacional/noticia-juncker-reclama-nueva-alianza-iguales-africa-acuerdo-libre-comercio-continente-20180912105222.html
- http://digibug.ugr.es/handle/10481/48076

- www.vatican.va/archive/ESL0506/_PVB.HTM
- http://www.interior.gob.es/documents/10180/9247573/17_infome_quincenal_acumulado_01-01_al_15-09-2018.pdf/f8be86a7-48ea-4126-ad87-b02455258c5e
- https://sjme.org/wp-content/uploads/2018/06/Informe-CIE-2017-SJM.pdf
- www.vatican.va/archive/ESL0506/_PVB.HTM
- https://www.boe.es/buscar/act.php?id=BOE-A-2011-7703
- https://www.boe.es/buscar/act.php?id=BOE-A-1978-31229
- https://ec.europa.eu/transparency/regdoc/rep/1/2018/ES/COM-2018-594-F1-ES-MAIN-PART-1.PDF
- http://www.europapress.es/epsocial/migracion/noticia-cie-recluyen-inutilmente-80-migrantes-llegan-patera-denuncia-informe-servicio-jesuita-20180607170432.html
- www.europarl.europa.eu/meetdocs/2014_2019/.../COM_COM20170820_ES.pdf
- http://ec.europa.eu/regional_policy/en/information/publications/guides/2018/toolkit-on-the-use-of-eu-funds-for-the-integration-of-people-with-a-migrant-backgound
- https://www.eldiario.es/desalambre/Comision-Europea-Ceuta-Melilla-Directiva_0_486451518.html
- https://ec.europa.eu/spain/sites/spain/files/20180621.pdf
- https://www.easo.europa.eu/latest-asylum-trends
- http://www.consilium.europa.eu/media/35940/28-euco-final-conclusions-es.pdf
- https://www.boe.es/doue/2010/083/Z00013-00046.pdf
- http://www.consilium.europa.eu/media/35940/28-euco-final-conclusions-es.pdf
- https://www.hrw.org/es/world-report/2018/country-chapters/313653
- http://www.interior.gob.es/prensa/balances-e-informes/2018
- http://nerudavive.cl/index.php/pablo-neruda/207
- https://eur-lex.europa.eu/legal-content/ES/TXT/PDF/?uri=CELEX:52015DC0240&from=ES

SENTENCIAS CITADAS

ASUNTO N.D. Y N.T. c. ESPAÑA (Demandas nº 8675/15 y 8697/15) http://www.mjusticia.gob.es/cs/Satellite/Portal/1292428561527?blobheader=application%2Fpdf&blobheadername1=Content-Disposition&blobheadername2=Grupo&blobheadervalue1=attachment%3B+filename%3DSentencia_N.D._y_N.T._c__Espa%C3%B1a.pdf&blobheadervalue2=Docs_TEDH

Capítulo V

ORIGEN Y CONSECUENCIAS POLÍTICO-CRIMINALES DE LA GUERRA CONTRA LAS DROGAS

NICOLÁS OXMAN
Profesor de Derecho Penal
Universidad Central de Chile

1. INTRODUCCIÓN

Desde un punto de vista político-criminal la denominada "guerra contra el narcotráfico" constituye en Estados Unidos una forma de concreción del discurso legitimador de la ideología de la seguridad nacional[1]. A este ideología se le unieron dinámicas internas que reclamaban un populismo penal promovido por todos los sectores políticos[2].

En efecto, los inicios de este fenómeno se caracterizan por la definición política transversal de un "enemigo interno" estereotipado, en la medida que se caricaturizó mediáticamente a los ciudadanos y comunidades americanas de hombres blancos como las "víctimas", con dinero suficiente para consumir y comprar la cocaína que presuntamente traficaban exclusiva o primordialmente afroamericanos y latinos. Todo lo anterior, en contraste con un "enemigo externo" representado por traficantes y gobernantes de países pobres, sin duda, "corruptos" que toleraban el cultivo indiscrimi-

---

[1]   Fundamental, BUSTOS RAMÍREZ, Juan. *Coca-Cocaína. Política Criminal de la Droga*. Ed. Jurídica Cono Sur, Santiago, 1995, pp. 118 y ss.

[2]   Se trata de un fenómeno donde los partidos políticos, tanto de izquierdas como de derechas, pretenden apartarse de la política tradicional y mostrar en los medios de comunicación que han elegido una "nueva política" cercana a la gente, apartada de la forma tradicional y de las presiones internas ideológicas, PRATT, John. *Penal Populism*, Routlege, London, 2007, p. 10.

nado de la hoja de coca y promovían presuntivamente la producción de droga, legitimando la proliferación de la violencia[3].

Esta opción político criminal por un derecho penal de emergencia, se materializaría en un conjunto de leyes penales destinadas a "reforzar" el tratamiento de los delitos de tráfico de drogas en Estados Unidos, en cuanto expresión de una *overcrimnalization*, con aplicación de las penas privativas de libertad de cumplimiento total efectivo, o bien, asegurando un tiempo mínimo de permanencia en prisión. En el plano sustantivo, leyes penales relativas al tráfico de drogas fueron legitimadas por profundas variaciones en los precedentes jurisprudenciales que desembocaron de forma progresiva en interpretaciones extensivas de los tipos penales y, al mismo tiempo, en el plano procesal constituyeron una disminución de la posibilidades de defensa, con técnicas de investigación lesivas de derechos fundamentales, legitimando la prueba ilícita, con escasa vigencia real de la presunción de inocencia durante el proceso penal.

En el plano penitenciario, el resultado de esta política criminal de guerra contra las drogas en Estados Unidos ha devenido en el encarcelamiento masivo de personas, entendido como una manifestación de una lucha contra la criminalidad de naturaleza neorretribucionista, que impone penas desproporcionadas, sin derecho a sustitución de condenas o sin posibilidades de optar a regímenes de cumplimiento alternativo en libertad[4].

---

[3]   Al respecto, por cierto, DEL OLMO, Rosa. *La Cara Oculta de la Droga*, Ed. Temis, Bogotá, 1998, pp. 50 y ss. Sobre la construcción del estereotipo cultural de la desviación por parte de los medios de comunicación, ATHEIDE, David L. "Desviance and the Mass Media", *The Handbook of Deviance*, John Wiley & Sons, Inc., New Jersey, 2015, pp. 298-310.

[4]   La "guerra" requería a nivel interno del incremento sostenido de recursos a nivel estatal y federal, especialmente en el período de instalación, por ello, desde el Gobierno de Reagan se incrementó el presupuesto carcelario pasando de 1.5 millones de dólares en 1981 hasta los 17 millones en 1999. GARLAND, David. *Mass Impresionment. Social Causes and Consequences*, Sage Publications, London, 2001, pp. 5-6. En cuanto, al incremento del gasto en las agencias gubernamentales, según explica Alexander entre 1980 a 1984, los fondos para la sección antidrogas del FBI se incrementaron en de 8 a 95 millones de dólares. El gasto del Departamento de Defensa aumentó de 33 millones de dólares en 1981 a 1.042 millones en 1991. Por su parte, la DEA en el mismo período pasó de gastar 86 millones hasta llegar a los 1.026 millones de dólares. En contraste, el presupuesto para educación, prevención y tratamiento de las drogas

2. EL ORIGEN DE UNA NUEVA POLÍTICA CRIMINAL DE LA DROGA EN ESTADOS UNIDOS

El origen de la declaración de guerra se sitúa en un discurso de Nixon de 1971, en el cual anunció a la prensa y al congreso de Estados Unidos la necesidad de restaurar, conforme lo venía expresando en su campaña presidencial desde 1968, la denominada política de ley y orden[5], declarando que la droga era una "maldición moderna de la juventud estadounidense", que habían de ejecutarse acciones contra los productores y comercializadores de la droga "cualquiera sea el lugar en que se encuentren", reforzando las fronteras contra la "pestilencia" de los narcóticos[6]. Así, durante la administración de Nixon se creó en 1973 la DEA (*Drug Enforcement Administration*), aunque se puso más énfasis en la prevención del consumo, se crearon los cimientos para el desarrollo posterior de una política intervencionista en Latinoamérica, en especial, en los países productores[7].

Tal como apunta Alexander, este proceso fue el resultado de una reconstrucción de la denominada política de "ley y orden", que surgió a fines de la década de los cincuenta, como una respuesta retórica de los políticos del sur de Estados Unidos, frente al movimiento de derechos civiles, en especial, de las minorías de origen afroamericano. En este esquema todo aquello que significaba defender la causa de los derechos civiles, era visto como una recompensa a los infractores de leyes, entendiendo por tales, los agitadores sociales de masas[8].

Los gobiernos de Gerlad Ford y Jimmy Carter tienen importancia en la medida que impulsaron modificaciones legales tendientes a reforzar la

---

se redujo abruptamente de 274 millones de dólares en 1981 a una cifra entre los 3 y los 14 millones de dólares en los noventa. ALEXANDER, Michelle. *The New Jim Crow:* p. 50.

[5] SIMON, Jonathan. *Governing Through Crime: How the War on Crime Transformed American Democracy and Created a Culture of Fear*, Oxford University Press, New York, 2007, p. 10

[6] GALEN, Ted. *Bad Neighbor Policy. Washington's Futile War of Drugs in Latin America*, Palgrave-Macmillan, New York, 2003, p. 11.

[7] GALEN, *Bad Neighbor*, p. 15.

[8] ALEXANDER, Michelle. *The New Jim Crow: Mass Incarceration in the Age of the Colorblindness*, The New York Press, New York, 2011, pp. 40-44.

idea de que respecto del tráfico de drogas los jueces debían aplicar lo que se denominó *sentencias de prisión con un mínimo de cumplimiento efectivo u obligatorio*[9], en una época donde el crimen ya había sido estereotipado por los medios de comunicación como la consecuencia de factores estructurales de clase y raciales, caracterizando a la criminalidad como una cuestión callejera, asociada al tráfico de drogas, cometido por bandas de delincuentes de origen afroamericano, que cometían todo clase de delitos menores[10].

En la época de Reagan lo que hasta entonces había sido una simple declaración de guerra se materializó en una serie de políticas públicas que incrementaron sostenidamente la persecución criminal más allá de las fronteras de Estados Unidos, creándose así una suerte de "histeria colectiva" asociada a la droga, con el apoyo del Congreso y las agencias policiales y, por cierto, con los medios de comunicación como aliados en la creación del estereotipo asociado al traficante, al convertir la persecución penal en un espectáculo[11]. Con el tiempo, se unió a lo anterior un discurso altamente moralizante donde se culpaba a la droga de la pérdida de los valores de la familia, de las tradiciones morales y la religión, al mismo tiempo que el mismo mandatario culpaba a la droga, por los medios de comunicación, de ser la responsable de los robos, los hurtos y de todos los delitos contra la propiedad entendidos como la consecuencia de las adicciones.

En el fondo, se trata de una retórica que gira en torno a dos clases de discursos, por un parte, están todos aquellos que quieren intensificar la "guerra" atribuyendo todos los delitos, en especial, los robos y hurtos callejeros, pero también la corrupción estatal o el peligro de que ella pueda tener lugar, como también, los asesinatos y el crimen organizado a las drogas y a todo lo relacionado con ellas. Y, por otra parte, están los que actúan en

---

9   GALEN, *Bad Neighbor*, p. 16.
10 ALEXANDER, *The New Jim Crow*, pp. 45 y ss. DEL OLMO, Rosa. "Drogas: ¿percepciones o realidad?", *Nuevo Foro Penal*, nº 47 (1990), pp. 100 y ss.
11 La disposición de Ronald Reagan hacia el problema de las drogas se manifestó desde que asumió el mandato. Desde el año 1981, el discurso político presidencial se orientó decididamente a "identificar" los componentes estratégicos a nivel nacional e internacional en relación al tráfico de drogas, acusando a que el problema de la droga era la causa de la expansión de la criminalidad en Estados Unidos. GALEN, *Bad Neighbor*, p. 19.

la lógica propia de la legalización o despenalización progresiva, afirmando, que el problema no son las drogas sino que la "criminalización" de la droga y las soluciones al denominado problema de la droga[12].

Tal como explica Simon en Estados Unidos el populismo penal se instaló en la agenda pública desde la campaña presidencial de Nixon como una decisión política que involucraba a todos los partidos sin distinción, donde el bienestar social fue asociado a una lucha agresiva contra el crimen, en especial, contra las drogas[13].

Fijar estos hitos históricos es importante porque permite establecer el inicio de una nueva política criminal en relación a las drogas, una política criminal que antepone la idea de seguridad por sobre los derechos fundamentales. Así, progresivamente se irán dictando leyes cuya aplicación se verá reforzada por criterios jurisprudenciales que decantaron en un progresivo recorte de libertades individuales.

Al mismo tiempo, en el plano internacional la política criminal de guerra contra la droga, se tradujo en una intervención progresiva en los gobiernos latinoamericanos, al punto de que se ha denunciado[14] la existencia de un objetivo general, destinado a la erradicación de los cultivos de hoja de coca, para lo cual se facilitó la formación de fuerzas antinarcóticas paramilitares, a lo que se unió una política exterior dispuesta incluso a sobornar a los gobiernos latinoamericanos, o bien, obligándolos a aceptar las imposiciones de la DEA bajo amenaza de fuertes sanciones económicas[15].

La influencia de la política criminal de guerra contra las drogas en el exterior se ve especialmente reflejada en la expansión en Latinoamérica, de los criterios establecidos en la denominada *Anti-Drug Abuse Act of 1986*, donde se expresa la idea de la droga como amenaza a la seguridad nacional,

---

12   DUKE, Steven; GROSS, Albert. *America's Longest War. Rethinking Our Tragic Crusade Against Drugs*, E-reads, 1999, pp. 1 y ss.

13   En Estados Unidos, la denominada "guerra contra el crimen" ha estado presente en todas las campañas políticas presidenciales desde 1968 y en aquellas que no se centraron excesivamente en cuestiones político criminales (1976, 1992 y 2000), los programas políticos de los candidatos en materia de criminalidad ofrecían incrementos punitivos similares. SIMON, *Governing*, p. 44.

14   GALEN, *Bad Neighbor*, pp. 40 y ss.

15   BUSTOS, *Coca-Cocaína*, pp. 109 y ss.

el entendimiento de la droga como parte del crimen organizado, la necesidad de evitar los beneficios económicos asociados al tráfico de drogas, la criminalización de la posesión de droga, el castigo del consumo en público, la persecución penal donde se autoriza la utilización de agentes encubiertos, el secreto durante la investigación, la interceptación de comunicaciones, entre otras medidas limitativas de derechos fundamentales que pasaron de ser la excepción a convertirse en la regla ordinaria de investigación.

2.1. La legitimación del discurso de la "nueva amenaza" en el contexto internacional

A fines de los años ochenta del siglo pasado, Estados Unidos comienza una nueva etapa en la guerra contra las drogas, encaminada a la destrucción y erradicación del "enemigo" en su origen, para evitar el ingreso de cocaína a Estados Unidos. Así, a fines del gobierno de Bush se ideó una política de intervención en Latinoamérica cuya característica principal consistió en erradicar los cultivos de coca y combatir a los carteles en sus países de origen, para lo cual se impulsó la denominada militarización de la lucha contra el narcotráfico. El origen de esta nueva etapa estuvo marcada por dos eventos: primero, la invasión a Panamá cuya justificación estuvo en las actividades de narcotráfico llevadas a cabo por el presidente Noriega (lo que daría origen al concepto de narcoestado) y la decisión de instalar de modo permanente un portaviones americano en aguas territoriales de Colombia, con la finalidad de interceptar los envíos de cocaína por parte de los carteles de Medellín y Cali a Estados Unidos[16].

La influencia de Estados Unidos en las legislaciones latinoamericanas se iría manifestando progresivamente, en particular, desde la adaptación que hiciera Bolivia de la referida *Drugs Acts*, a través de la Ley de Régimen de

---

[16]   El presidente Bush ofrecería apoyo económico y militar a cualquier gobierno de Latinoamérica que lo requiriera, cuya primera manifestación serían los 65 millones de dólares que ofrecería a Colombia, en la denominada "iniciativa Andina", con la finalidad de colaborar militarmente en la erradicación del cartel de Medellín después del asesinato del candidato presidencial Luis Carlos Galán en 1989. Al respecto, GALEN, *Bad Neighbor*, pp. 33 y 36 y ss.

Coca y Sustancias Controladas de 19 de julio de 1988 (Ley N° 1008)[17]. En esta misma época, se elabora la Convención de Naciones Unidas contra el Tráfico Ilícito de Estupefacientes y Sustancias Sicotrópicas de 1988[18], cuya finalidad fue centrar la preocupación en los efectos de las drogas en la salud física de la población, como también, el darle a las drogas un tratamiento económico, en la medida que se centra en la privación de los beneficios económicos del tráfico ilícito de estupefacientes.

En efecto, la Convención se decanta por una estrategia penal de respuesta al problema del narcotráfico y lo hace desde la perspectiva de un derecho penal máximo, en la medida que encarga a los estados la creación de una legislación más eficaz, operativa y flexible, que pueda servir para erradicar el tráfico ilícito, sosteniendo en el preámbulo que el tráfico de drogas es una actividad que genera ganancias económicas, "corrompe las estructuras de la administración pública, las actividades comerciales y financieras lícitas y la sociedad en todos sus niveles"[19]. En otros términos, la Convención marca un punto de inflexión en la política criminal de la droga, desde el instante en que se ofreció "una poderosa excusa para otorgar preferencia absoluta a la guerra contra las drogas"[20], legitimando el debilitamiento de los principios del derecho penal en los modernos estados constitucionales y democráticos de derecho[21].

La Convención consolida la "nueva amenaza" como expresión de un imaginario colectivo y del paternalismo moral propio del populismo penal

---

17   Sobre la evolución de la política criminal de la droga en Bolivia, por todos: STIPPEL, Jörg; SERRANO, Juan. "La nacionalización de la lucha contra el narcotráfico en Bolivia", *Política Criminal*, n° 15 (2018), pp. 273 y ss.

18   El texto está disponible en el sitio web: https://www.unodc.org/pdf/convention_1988_es.pdf [visitado el 08.09.2018].

19   Véase, el Preámbulo de la Convención de Naciones Unidas contra el Tráfico Ilícito de Estupefacientes y Sustancias Sicotrópicas de 1988.

20   LAURENZO COPELLO, Patricia. "Drogas y Estado de Derecho. Algunas reflexiones sobre los costes de la política represiva", *Jueces para la Democracia*, N° 24 (1994), p. 11.

21   Sobre la forma en que se adoptó en España y en Europa, en general, el discurso de las Naciones Unidas, desprestigiando la experiencia despenalizadora de algunos países como Holanda, puede verse: DÍEZ RIPOLLÉS, José Luis "Principios inspiradores de una nueva política sobre drogas", *Nuevo Foro Penal*, n° 42 (1988), pp. 464-465.

norteamericano[22]. En primer lugar, porque se asume la imagen de una aparente impunidad del tráfico de drogas, con la consecuente demanda por una inseguridad ciudadana asociada a la exigencia de una respuesta punitiva intensificada alejada de la prevención especial positiva. En segundo lugar, porque lo anterior se construye sobre la base de asumir *ad conditionaliis* una serie de binomios no comprobados: i) que el consumir de drogas conduce irremediablemente a una dependencia irreversible en una escala progresiva y proporcional en intensidad a la peligrosidad de las drogas; ii) que todo consumidor de drogas pertenece o potencialmente habría de pertenecer dado el riego inherente de estas sustancias a una subcultura alejada de la moral propia de las personas "normales", donde los adictos no participan de la vida productiva[23]. El paternalismo moral propio de la política penal ideada desde el gobierno de Reagan se fundamenta en la falacia naturalista de confundir "bueno" con aquello que efectivamente puede ser "lo bueno", entiendo por esto último un tipo específico de ciudadano respetuoso de las leyes y los valores morales tradicionales de la clase media de Estados Unidos[24].

Así, las Naciones Unidas asumió el "problema de la droga" como una cuestión ligada a la eficacia en la persecución y represión, sobre la base del paternalismo moral y la directrices jurídicas que imponía Washington, lo que supuso la internacionalización de los postulados básicos de lo que hasta entonces había sido solo una guerra interna. Lo anterior, se concretiza desde el momento en que la ONU pone definitivamente el acento en la droga como un problema a la salud pública necesitado de una respuesta penal, en circunstancias que el enfoque debería estar situado en la pérdida de la autonomía individual del consumidor; distinguiendo entre drogas lícitas e ilícitas, ampliando los márgenes de las últimas por vía adminis-

---

[22]   BOVILLE, Belén. *The Cocaine War in Context: Drugs and Politics*, Algora Publishing, New York, 2004, p. 17.

[23]   Sobre este punto, BARATTA, Alessandro. "Introducción a la criminología de la droga", *Nuevo Foro Penal*, n° 41 (1988), pp. 329 y ss. ZILIO, Jacson. "La criminalización de las drogas como política criminal de la exclusión", *Pensamiento Penal* (2014), pp. 4 y ss.

[24]   Sobre este punto desde la psicología moral, ELÍAS, Francisco. *Debates y paradigmas de las políticas de drogas en el mundo y los desafíos para Colombia*, Ediciones SAS, Bogotá, 2015, pp. 43 y ss.

trativa, asociándolas a la idea de organizaciones o grupos criminales de narcotraficantes que afectan o pueden afectar la institucionalidad de diversos Estados, su estabilidad democrática y el mercado, en la medida que se aprovechan o benefician de la corrupción para blanquear las ganancias obtenidas del tráfico ilícito[25].

La Convención de 1988 implicó la adopción progresiva por parte de los Estados miembros de la política criminal norteamericana plasmada en su momento en la *Anti-Drug Abuse Act of 1986*[26]. Así, tal como lo dispone esta normativa, la Convención propone la penalización de conductas constitutivas de meros actos preparatorios como tipos penales autónomos[27], en particular, en relación con el denominado delito de tráfico de precursores o precursores químicos necesarios para la elaboración o producción de la droga, con escasas exigencias probatorias del aspecto subjetivo del tipo penal[28]. Este criterio se extiende, a la criminalización de la asociación ilícita para el tráfico de drogas como tipo autónomo, a lo que se le une la penalización de la proposición y la conspiración para cometer delitos contra la salud pública, la mera pertenencia a una agrupación criminal y la penalización de la posesión de drogas cuando no se justifique su tenencia o porte para el consumo personal[29].

---

[25]   DÍEZ RIPOLLÉS, "Principios inspiradores…", pp. 472 y ss. Del mismo, "El control penal del abuso de drogas: una valoración político-criminal", *Revista de Derecho*, n° 1 8 (2005), pp. 203 y ss.

[26]   En particular, esto puede verse en las legislaciones latinoamericanas, particularmente, en el caso de Argentina, Bolivia, Brasil, Chile, Colombia, Ecuador, México y Perú. Al respecto, AAVV., *La Adicción Punitiva. La desproporción de leyes de drogas en América Latina*, Antropos, Bogotá, 2012, pp. 19 y ss.

[27]   Véanse el art. 3 de la Convención de Naciones Unidas contra el Tráfico Ilícito de Estupefacientes y Sustancias Sicotrópicas de 1988.

[28]   En especial, porque resulta difícil distinguir el alcance que debe dársele al tipo doloso en la medida que suele ampliarse su aplicación a supuestos que en realidad son propios de la imprudencia y, además, porque en relación con esta última modalidad no queda claro si ella es aplicable solo a quienes tienen un deber extrapenal de control de sustancias, o bien, puede extenderse la imputación a toda clase de personas. Sobre este problema. OXMAN, Nicolás. "El tipo subjetivo del delito de tráfico de precursores", *Pensamiento Jurídico Central*, n° 2 (2018).

[29]   Incluso, algunos Estados Latinoamericanos como Colombia asumieron derechamente la normativa contenida en la Drugs Act penalizando en la denominada Ley N° 30 de 1986 el mero consumo de drogas con todos los problemas de constitucionalidad

2.2. La intervención de Estados Unidos en la política criminal de los países andinos

> *"Nuestro mensaje a los cárteles es el siguiente: ayudaremos a cualquier Gobierno que solicite nuestra ayuda. Cuando se nos pida, los recursos de nuestras fuerzas armadas estarán disponibles".* G. W. Bush. (septiembre de 1989, Washington DC).

Bajo la vigencia de estos discursos, comenzaría la instauración de la denominada "Iniciativa Andina", que consistió en plan estratégico promovido a fines de la administración de Bush en 1990, cuya finalidad era limitar y controlar el cultivo de la hoja de coca en laderas de la cordillera de Los Andes, a cambio de beneficios económicos y apoyo militar para los tres principales estados productores: Bolivia, Perú y Colombia. En estos países el cultivo agrícola tradicional fue abandonado progresivamente desde los años setenta, en la medida que los campesinos cultivadores hasta ese entonces de plátanos y otros productos agrícolas decidieron quemar y desforestar la selva para reemplazar la agricultura tradicional por el cultivo de hoja de coca[30].

---

que ello implica en relación con el ejercicio de la libertad individual y los límites racionales al derecho penal dentro de un Estado democrático de Derecho. Aunque, posteriormente, dicha norma fue declarada inconstitucional por la sentencia de la Corte Suprema C-211 de 1994. Con referencias, ZULUAGA, Diana. "Tendencias actuales de los sistemas penales: consideraciones en torno a la criminalización de conductas relacionadas al consumo de drogas", *Jurídicas*, n° 1 (2008), p. 169.

[30] Estos tres países andinos producían el 98% de la cocaína que se consumía en el mundo, por esta razón y en ejercicio de la citada "iniciativa andina", tuvo lugar una reunión en Cartagena de Indias a principios de 1990, que fue bautizada como "La 'Cumbre' contra la droga", donde Estados Unidos se reunió con los citados países andinos con la finalidad concreta de concientizar a los gobiernos de Latinoamérica sobre la seria amenaza que significaba la cocaína para "el bienestar, la economía y la seguridad nacional de Estados Unidos". Diario El País, edición impresa del jueves 15 de febrero de 1990, disponible en el sitio web: https://elpais.com/diario/1990/02/15/internacional/635036403_850215.html [visitado el 01.09.2018]. En esta reunión los cuatro países se comprometieron a crear una estrategia multilateral integral contra el tráfico de drogas, por una parte, los países andinos se obligaron a perseverar en la persecución del desvío de precursores, evitando el desvío de los mismos para así desalentar la producción de cocaína y, por otra parte, Estados Unidos se comprometería

Los años noventa, marcarían para Colombia el uso de un derecho penal de excepción, donde la justicia militar pasaría a juzgar los delitos de tráfico de drogas, se daría paso a las masivas conformidades o juicios abreviados, a la limitación del ejercicio del *habeas corpus*, a la instauración de la prisión preventiva como regla general en el proceso penal, a la consagración de la delación compensada como atenuante de la responsabilidad penal, a la confiscación por parte del Estado de todos los bienes decomisados con motivo del narcotráfico, a la extradición directa a requerimiento de Estados Unidos, entre otras medidas que suponen la consagración de una limitación progresiva de los derechos fundamentales en el proceso penal, que en el caso de Colombia fueron vistas en su momento como una limitación a las necesidades propias de un derecho penal de emergencia, como quedó de manifiesto en las recomendaciones adoptadas en la Conferencia Internacional sobre Protección Judicial, celebrada en Washington los primeros días de 1989, donde se afirma que la garantía constitucional de presunción de inocencia, el principio de contradicción de la prueba e incluso el garantía constitucional de legalidad de los delitos y de las penas, constituyen en el caso de Colombia "dificultades prácticas" para la persecución eficaz del narcotráfico[31].

En este país el cultivo de la hoja de coca pasó de ser inexistente en los años setenta a ocupar más de 160.000 hectáreas a fines de los años noventa[32]. La situación se mantiene debido al fracaso de una política criminal que buscaba reconvertir a los campesinos a otra clase de trabajos, por cierto, con fondos norteamericanos, pese a la circunstancia innegable que no hay cultivo que en Los Andes pueda ser más rentable para los campesinos que la coca, a lo que se sumaba una histórica inestabilidad política que ha originado áreas territoriales controladas por la guerrilla y grupos paramilitares.

---

económicamente para otorgar asistencia militar y desarrollar alternativas rentables para los campesinos cultivadores de hoja de coca. Con estadísticas, que muestran como en Perú, Bolivia y Colombia, el cultivo de la hoja de coca pasó a ser el 98% de la producción agrícola en 1998 y se triplicó la cantidad de hectáreas de selva amazónica cultivada, BOVILLE, *The Cocaine*, p. 69

[31] BUSTOS, *Coca y Cocaína*, p. 121.

[32] En 1998 el cultivo de la hoja de coca se había extendido por toda la selva amazónica colombiana. Al respecto, con referencias, BOVILLE, *The Cocaine*, p. 75.

En la actualidad, se calcula —hasta dónde han podido medir las organizaciones internacionales[33]— que la superficie de cultivos de hoja de coca
supera las 171.000 hectáreas ilegales[34].

En el caso de Perú, la hoja de coca se ha producido tradicionalmente
en la zona altiplánica contigua a la selva amazónica, en concreto, en
Cuzco. Actualmente, el cultivo de la hoja de coca es controlado, desde
los años ochenta del siglo pasado, por el Estado, que inició un proceso
de nacionalización y control de la producción, lo que incluye la explotación y comercialización de la hoja de coca y sus derivados[35], con un

---

[33]   Las zonas donde actualmente se encuentran los cultivos de coca fueron colonizadas
       después del período denominado como *La Violencia*, iniciado el 09 de abril de 1948
       con el asesinato del jefe del partido liberal Jorge Gaitán y que desencadenó una ver-
       dadera guerra civil no declarada con los sectores conservadores. En este contexto, los
       campesinos se organizaron en grupos armados y se refugiaron en zonas no coloniza-
       das de las amazonas que, posteriormente, se convirtieron en bastiones del partido co-
       munista colombiano que, posteriormente, prestaría su apoyo para el nacimiento, en
       los años sesenta del siglo pasado, de grupos armados como las Fuerzas Armadas Re-
       volucionarios de Colombia (FARC). Así, mientras la guerrilla protegió los cultivos de
       los campesinos, los terratenientes apoyados por los sectores conservadores se armaron
       con paramilitares, que favorecieron la transformación de la agricultura y los cultivos
       tradicionales por extensas plantaciones de hoja de coca. Al respecto, CARTAGENA,
       Catalina. "Los Estudios de la Violencia en Colombia antes de la Violentología", *Diá-
       logos*, vol. N 17, n° 1 (2016),p p. 69 y ss.

[34]   UNODC (Oficina de las Naciones Unidas contra la Droga y el Delito), *Colombia.
       Monitoreo de Territorios afectados por cultivos ilícitos* 2017, Bogotá (2018), p. 8. El
       informe se encuentra disponible en el sitio web: https://reliefweb.int/sites/reliefweb.
       int/files/resources/Informe_de_Monitoreo_de_Territorios_Afectados_por_Culti-
       vos_Ilicitos_2017_FINAL.pdf [visitado el 12.09.2018].

[35]   La empresa se llama Enaco SA., fue constituida en 1982, actualmente, es una corpo-
       ración de derecho privado, financiada con fondos públicos. Según los datos oficiales
       al año 2011, produce 2650 toneladas métricas de hoja de coca. Al respecto puede
       verse el sitio web: http://www.fonafe.gob.pe/UserFiles/File/portalDirectorio/Memo-
       ria2011/data/es/desktop/cap5_6_3_enaco.html [visitado el 02.08.2018]. Si bien la
       empresa se integra con participación de los campesinos productores de hoja de coca,
       no alcanza a todos. En especial, porque hay extensas áreas de Alto Huallaga, San Mar-
       tín, el valle de Apurímac y Aguaytía que no son controladas, al mismo tiempo que se
       ha producido en ellas un crecimiento demográfico ostensible desde los años ochenta,
       desaparecieron también, de forma progresiva los cultivos tradicionales siendo reem-
       plazados casi en su totalidad por la hoja de coca. Los ajustes económicos originados
       en la liberalización económica en Perú durante los años noventa, favorecieron tam-

área neta de cultivos de coca que se estima alcanza las 43.900 hectáreas[36] declaradas.

En Bolivia los cultivos no controlados se han concentrado desde los años sesenta del siglo XX en la zona tropical del Chapare, más específicamente, en Cochabamba donde la extensión de las hectáreas ilegales experimentó hasta los años noventa un crecimiento controlado[37]. Sin embargo, a medida que se expandía la superficie de cultivos, las políticas públicas promovidas con fondos de Washington destinadas a la reconversión laboral del campesinado indígena fueron fracasando todas estrepitosamente. Todo ello, pese a la activa participación de las autoridades locales que promovieron incluso obras y proyectos de mejoras en infraestructura. En la selva amazónica boliviana, la guerra contra la droga significó tolerar una intervención militar de Estados Unidos que se concentró en erradicar las plantaciones a través del incendio descontrolado de miles de hectáreas donde no se distinguía entre cultivos y selva virgen[38]. Lo anterior, provocó el evidente descontento social de los campesinos dedicados al cultivo de la coca ("los cocaleros")[39], que tomaron la decisión de organizarse políticamente, exigiendo la expulsión de la DEA y de los militares norteamericanos.

Con el lema: "marcha por la vida, la coca y la soberanía nacional", el campesino Evo Morales organizó en 1994 un nuevo frente político que incluía a las comunidades indígenas, hasta entonces completamente mar-

---

bién la ausencia de control estatal sobre la producción y comercialización de la droga, en la medida que las propuestas de una nueva microeconomía para los campesinos se hicieron inviables. BOVILLE, *The Cocaine*, pp. 70 y 71.

[36]   UNODC (Oficina de las Naciones Unidas contra la Droga y el Delito), *Perú. Monitoreo de Territorios afectados por cultivos ilícitos* 2016, San Isidro (2017), p. 8. El informe se encuentra disponible en el sitio web: https://www.unodc.org/documents/crop-monitoring/Peru/Peru_Monitoreo_de_coca_2016_web.pdf [visitado el 12.09.2018].

[37]   La producción en 1996 superaba las 50.000 hectáreas, con 350.000 personas empleadas directa o indirectamente en el negocio de la coca. En esta época, la intervención militar de Estados Unidos, no pudo erradicar la producción de cocaína, pese a todos los controles que impedían el paso de precursores químicos desde Argentina y Chile, los campesinos encontraron en la orina y en otros desechos orgánicos la forma de producir por sí mismos sustancias químicas esenciales para transformar la hoja de coca en cocaína. Al respecto, BOVILLE, *The Cocaine*, pp. 73 a 74.

[38]   BUSTOS, *Coca-Cocaína*, pp. 45 y ss.

[39]   STIPPEL; SERRANO, "La nacionalización", pp. 282 y ss.

ginadas de representación política y gubernamental. Para las elecciones presidenciales de 2005, Morales obtuvo la mayoría absoluta con el apoyo de los cocaleros organizados en el partido político Movimiento al Socialismo-Instrumento Político por la Soberanía de los Pueblos (MAS-IPSP). Con la llegada de Evo Morales a la presidencia se expulsó a la DEA y a los militares norteamericanos en 2008; se consagró constitucionalmente la protección de la hoja de coca y los cultivos en la reforma constitucional de 2009[40]. Al menos desde el año 2011, Bolivia controla sin supervisión extranjera la cantidad de hectáreas de hoja de coca cultivada, que según el informe de UNODC del año 2017, alcanzaba a 12.000 hectáreas en el año 2016[41]. En el año 2017, junto con derogarse la antigua ley Nº 1008 de 1988[42] (impuesta por Estados Unidos y mera adaptación de la Anti-Drug Abuse Act of 1986), se promulgó la Ley Nº 913, de 16 de marzo, denominada: "Ley de Lucha contra el Tráfico Ilícito de Sustancias Controladas", que en su artículo 6 declara la nacionalización de la "lucha contra el tráfico ilícito de drogas", como un "modelo de gestión que recupera la soberanía y dignidad en la lucha contra el tráfico de drogas, sin injerencia extranjera", estableciendo "la participación social, la regionalización, el respecto a los derechos humanos y de la madre tierra"[43].

Estos tres países andinos, aprobarían por intervención directa de Estados Unidos leyes especiales relativas al tráfico de drogas antes que el mo-

---

[40]   El artículo 384 de la Constitución del Estado Plurinacional de Bolivia de 2009, señala lo siguiente: "El Estado protege a la coca originaria y ancestral como patrimonio cultural, recurso natural renovable de la biodiversidad de Bolivia, y como factor de cohesión social; en su estado natural no es estupefaciente. La revalorización, producción, comercialización e industrialización se regirá mediante la ley". El texto constitucional está disponible en el sitio web: https://www.oas.org/dil/esp/Constitucion_Bolivia.pdf [visitado el 11.09.2018].

[41]   UNODC (Oficina de las Naciones Unidas contra la Droga y el Delito), *Estado Plurinacional de Bolivia. Monitoreo de Cultivos de Coca 2016* (2017), p. 5. El informe se encuentra disponible en el sitio web: https://www.unodc.org/documents/crop-monitoring/Bolivia/2016_Bolivia_Informe_Monitoreo_Coca.pdf [visitado el 12.09.2018].

[42]   A través de la dictación de la ley Nº 906, de 8 de marzo de 2017, denominada *Ley General de la Coca*, disponible en el sitio web: http://senado.gob.bo/sites/default/files/LEY%20906-2017.PDF [visitado el 13.09.2018].

[43]   La ley vigente se puede consultar en el sitio web: http://www.dgsc.gob.bo/normativa/leyes/Ley913.pdf [visitado el 12.09.2018].

delo contenido en la Convención de Viena de 1988 se expandiera por el resto del mundo occidental[44].

Estas leyes contenían disposiciones traducidas de modo literal de la citada *Anti-Drug Abuse* Act de 1986 que —con excepción del caso de Bolivia— se mantienen vigentes en sus principios inspiradores; es más, las sucesivas reformas (en el caso de Perú y Colombia) han venido a consagrar desde fines del siglo pasado y, en particular, desde la primera década del presente una todavía más intensa hipertrofia neopunitivista, caracterizada en el plano sustantivo por el incremento progresivo de acciones punibles o verbos rectores en los tipos penales que en algunos casos paradigmáticos dentro del continente llega a cerca de cuatrocientas conductas criminalizadas[45]. Este fenómeno que supone la materialización en la actualidad de una actividad legislativa que recurre a un derecho penal sustantivo máximo y de *prima ratio* que abusa de la legalidad penal para producir una lesión a las garantías constitucionales con la finalidad de que ninguna conducta quede impune[46]; lo que viene denunciándose desde principios de los noventa como expresión de una legislación expansiva, errática, inexpresiva de coherencia o racionalidad político criminal[47].

---

[44]   Colombia mediante la Ley N° 30, de 31 de enero de 1986 por el cual se regula el Estatuto Nacional de Estupefacientes y se dictan otras disposiciones. En el caso de Perú a través del Decreto Ley N° 22095, de 02 de marzo de 1978 que sancionó la Ley de Represión del Tráfico Ilícito de Drogas. Bolivia con la referida ley N° 1008 de 1988.

[45]   Es el caso de Brasil. Al respecto, con gráficos, AAVV., *La Adicción Punitiva*, p. 25.

[46]   ZAFFARONI, Eugenio Raúl. "La legislación antidroga latinoamericana: sus componentes de Derecho Penal Autoritario", en MORALES VITERI, Juan Pablo; PALADINES, Jorge Vicente (editores), *Entre el control social y los derechos humanos-Los retos de la política y la legislación de drogas.* Homenaje a Juan Bustos Ramírez, Ministerio de Justicia y Derechos Humanos, Quito, 2009, pp. 6 y ss.

[47]   ESCOBAR, Juan. "La realidad social del 'narcotráfico' en Colombia: Discursos y políticas criminales. Perspectiva socio-jurídica", *Nuevo Foro Penal*, n° 47 (1990), p. 58.

3. LEGITIMACIÓN Y EXPANSIÓN *IN ACTION* DEL PUNITIVISMO EN MATERIA DE DROGAS

Según se ha indicado, Estados Unidos implementó un plan estratégico de política internacional en relación con el tráfico de drogas, cuyo resultado fue la respuesta favorable por parte de los organismos internacionales (en especial, de la ONU), todos los cuales apoyaron el discurso de necesidad de unificación normativa y colaboración estratégica en materia de políticas públicas de seguridad nacional e internacional en relación con el tráfico de drogas. Así, el modelo de legislación penal contenido tanto en las *Anti-Drug Abuse* Act of 1986 y en *la Anti-Drug Abuse Act of* 1988, se consolidó en la década de los noventa, en la medida que la mayoría de las legislaciones positivaron los lineamientos generales trazados en dicha normativa.

A partir de ahí, las reformas legales destinadas a la creación de un derecho penal de excepción se instalaron en EEUU como una estrategia de seguridad nacional que necesitaba por cierto de la legitimación del sistema judicial; es decir, requería de la materialización *in action* del punitivismo penal a través de la concreción de la flexibilización de las interpretaciones que conducían a expandir el ejercicio irracional del poder penal. En otros términos, pese a que Estados Unidos declaró oficialmente el fin de la guerra contra las drogas en el año 2009[48], lo que significó en el plano internacional el abandono progresivo de la intervenciones militares en los países Andinos y, al mismo tiempo, el remplazo de su política criminal interna por una estrategia nueva ligada a la prevención juvenil y a la educación con miras a disminuir las estadísticas de consumo, aún están ahí presentes los estragos de la lucha contra el narcotráfico y hay quienes postulan que la guerra no ha acabado, sino que se ha reconstruido sobre la base de una nueva estrategia discursiva que pretende hacer frente a la aparente necesidad de mayor seguridad ciudadana[49].

---

[48]   MARTÍNEZ VALENZUELA, César. "The 'War on Drugs', and the 'New Strategy' identity constructions of the Unites States U.S. drug user and Mexico", *Mexican Law Review* n° 2 (2013), p. 245.

[49]   SCHERLEN, Renee. "The never-Ending Drug War: Obstacles to Drug War Policy Termination", *Political Science and Poli*tics, vol. 45 n° 1 (2012), pp. 67-73.

Hasta las elecciones presidenciales de 1992, el partido demócrata no había logrado consolidar un discurso claro en relación con la criminalidad, predominaba el orden conservador y la demagogia punitiva consagrada como estrategia eleccionaria en tiempos de Reagan. La campaña se decidiría a favor de Bill Clinton debido a una serie de propuestas contenidas en su programa presidencial relacionadas con la necesidad de endurecer las penas privativas de libertad. Así, durante su gobierno, se propagó la mediática consigna de "quitar a los delincuentes violentos de las calles", que conllevó la aprobación de la *Violent Crime Control and Law Enforcement Act* of 1994, que modificó al § 924 (e) del capitulo 18 United State Code, consagrando la cadena perpetua para la comisión del tercer delito, sin distinción de proporcionalidad o referencia alguna a la posibilidad de prescripción; la modificación se redujo a la frase: "three strikes and your are out"[50].

Esta ley contiene disposiciones que modificaban la referida *Anti-Drug Abuse Act of* 1988 agrupadas bajo la denominación *truth in sentencing* ("endurecimiento de la penas" o "veracidad en las sentencias"), con la finalidad de garantizar una condena obligatoria para el caso de delitos de posesión y tráfico de drogas, reforzando el tiempo mínimo de permanencia en prisión contenido en la ley de drogas, lo que se denominó *mandatory minumus*[51], en concreto, se requería el cumplimiento efectivo de al menos el 85% de la sentencia, lo que ha contribuido al incremento exponencial de condenados por drogas en prisiones federales y de los costos asociados a la prisión. Así, a mediados de 2016, el 49,1% de las personas encarceladas en esta clase de establecimientos penales estaba por drogas y el 72,3% fueron condenados por un delito que exigía un mínimo obligatorio de permanencia en prisión. Al mismo tiempo, mientras en 1986 el costo de encarcelamiento en las prisiones federales alcanzaba los 550.014 millones en el año 2016 el costo era de US 6.751 mil millones de dólares[52].

---

[50] Al respecto, 1032. *Sentencing Enhancement-*"Three Strikes" Law-USAM-Department of Justice: https://www.justice.gov/jm/criminal-resource-manual-1032-sentencing-enhancement-three-strikes-law [visitado el 12.09.2018].

[51] WHITLEY, Joe. "Three Strikes and you're out: More Harm tan Good", *Federal Sentencing Reporter*, N° 2 (1994), pp. 63-65.

[52] DOYLE, Charles. "Mandatory Minimum Sentencing of Federal Drug Offenses", *Congressional Research Service* (2018), p. 1.

A fines del año 2015, Clinton renegó de la ley de *three strikes* indicando junto al presidente Obama que esta normativa había sido un gran error en el marco de la guerra contra las drogas[53], en particular, porque había provocado la expansión desmesurada de las tasas de encarcelamiento, a lo que las investigaciones agregan el uso del sistema judicial para reproducir la segregación racial de la población afroamericana y latina[54].

Con todo, la Corte Suprema en el caso *Johnson v. United States*[55].declaró en el año 2015 que la regla de "tres veces fuera" no era constitucionalmente obligatoria para los jueces. Aunque ha sido una situación excepcional, donde a la Corte le tocó juzgar a un supremacista blanco, esta sentencia dice que esta regla de aplicación de pena privaticas de libertad vulnera la garantía de legalidad penal en su manifestación de derecho a un debido proceso legal, desde el instante en que una ley con tales características restringe "el derecho a la libertad personal", porque esta ley penal es "tan imprecisa que no da a las personas comunes una advertencia justa sobre la conducta que se conmina con una pena" y establece un estándar tan bajo —en términos de requisitos legales para su aplicación— que "termina por ser impuesta de modo arbitrario por parte de los jueces penales"[56].

3.1. La variación del case law: legitimación de un derecho penal sin garantías

Ahora bien, según se ha indicado, el caso anteriormente expuesto ha de ser catalogado como una excepción, en la medida que los cambios legislativos llevaron a la consolidación en Estados Unidos de un modelo de legislación especial con una serie de precedentes jurisprudenciales sobre temas procesales que todavía se mantienen vigentes. En el *case law* ameri-

---

[53]   BBC, 16 de julio de 2015: https://www.bbc.com/news/world-us-canada-33545971 [visitado el 08.10.2018].

[54]   Casi el 75% de la población carcelaria corresponde a estos grupos. Sobre las causas de la configuración de la cárcel como un sistema de exclusión social en EEUU, ALEXANDER, *The New Jim Crow*, pp. 180 y ss

[55]   *Johnson v. United States* (2015), nº 13-7120, 26 de junio de 2015. Disponible en el sitio web: https://www.supremecourt.gov/opinions/14pdf/13-7120_p86b.pdf. [visitado el 12.10.2018].

[56]   *Johnson v. United States* (2015).

cano prevalece el discurso de la necesidad de "compromiso judicial" con la neutralización del riesgo que el tráfico de drogas implica para la salud pública, anteponiendo así intereses y necesidades de seguridad ciudadana frente a la posible restricción o limitación de derechos y garantías constitucionales individuales.

Lo anterior, se concretó en una tensión entre los derechos y garantías individuales y la alegación de ilicitud de la prueba. Por ejemplo, en el supuesto que la policía registre un automóvil puede hacerlo sin autorización del conductor si existe una mera sospecha de que probablemente pueda portar o poseer algún tipo de sustancia o droga ilícita. Hasta el caso *California v. Acevedo* (1991)[57] esta clase de interpretaciones había sido considerada como una violación al derecho a la intimidad personal en la medida que se decía que era insuficiente con un indicio de flagrancia vinculado al porte o transporte de sustancias ilícitas. En esta sentencia la Corte modifica su criterio estableciendo que la policía está autorizada a registrar un automóvil sobre la base de la probabilidad, sin que ello suponga o implique transgredir lo dispuesto en la cuarta enmienda de la Constitución. Con ello, se legitimaron los criterios actuariales de detención y control judicial preventivo donde priman los factores de riesgo asociados al origen racial de los imputados[58].

En el caso *Florida v. Bostick* (1991)[59] se discute precisamente sobre la legalidad de los controles preventivos practicados en autobuses del Estado de Florida. En estos controles, implementados desde fines de los años ochenta, la policía seleccionaba a determinados pasajeros de acuerdo a un perfil definido (color, edad, apariencia física, etc.), eligiendo de ese modo a los "sospechosos", a los cuales se les solicitaba registrar su vestimenta y equipaje, sin que necesariamente constara que existía autorización expresa. En este contexto, Bostick fue descubierto portando cocaína y su defensa

---

[57] *California v. Acevedo*, 500 U.S. 565 (1991). Disponible en el sitio web: https://www.loc.gov/item/usrep500565/[visitado el 14.10.2018].

[58] Al respecto, HARCOURT, Bernard. "The Shaping of Chance: Actuarial Model and Criminal Profiling at the Turn of the Twenty-First Century" *The University of Chicago Law Review*, 105 (2003), pp. 108 y ss.

[59] *Florida v. Bostick*, 501 U.S. 429 (1991). Disponible en el sitio web: https://www.law.cornell.edu/supct/html/89-1717.ZS.html [visitado el 11.10.2018].

alegó que la prueba de la posesión era ilícita, porque el hallazgo había sido obtenido mediante una coacción irracional, en la medida que no podía apartarse ignorando a la policía. El fallo de mayoría estimó que no se había vulnerado sustancialmente el derecho a la libertad ambulatoria y la intimidad personal, en la medida que el actuar de los policías había sido racional. Por su parte, los tres votos disidentes sostienen que esta forma de controles policiales es discriminatorio, desde el momento en que vulnera el derecho a la igualdad ante la ley, desde el momento en que tales las técnicas de investigación se concentran en las personas pobres y en las minorías raciales. Finalmente, sostiene que Bostick pudo sentirse racionalmente intimidado por los policías, desde el momento en que lo acorralaron en la parte trasera del autobús y no constaba que se le representara su derecho a consentir en ser registrado.

En *Harmelin v Michigan* (1991)[60], la Corte Suprema determinó que la imposición de una condena sin posibilidad de optar a la libertad condicional, como consecuencia de las leyes de drogas que imponen un tiempo de permanencia mínimo en prisión (*mandatory minimum*), no constituye un caso de pena cruel e inhumana y no afecta el principio de proporcionalidad de las penas. Harmelin había solicitado a la Corte se pronunciara expresamente sobre este punto, haciendo aplicación de los principios de proporcionalidad de las penas ligados a la imposición de la pena de muerte, en la medida que había sido sorprendido en posesión de 670 gramos de cocaína, sin que constaran indicios suficientes del propósito de traficar, por lo que estimaba que la pena era cruel e inusual y, por ende, las leyes del estado de Michigan contravenían lo dispuesto en la octava enmienda de la Constitución. Sin embargo, la Corte entendió que la negación de la libertad condicional como régimen de sustitución de la pena en el caso del delito de posesión de drogas, suponía la imposición de la cadena perpetua y, pese a ser una pena cruel, no podía ser estimada inusual en los términos en que se establece en el texto constitucional. El argumento que se impuso, en el voto de mayoría, fue el del juez Scalia (reconocido reaccionario conservador y propuesto para el cargo por Reagan), quien sostuvo que la expresión "cruel e inusual" utilizada en el texto de la constitución se refería a

---

[60]   *Harmelin v. Michigan*, 501 U.S. 957 (1991). Disponible en el sitio web: https://supreme.justia.com/cases/federal/us/501/957/[visitado el 01.10.2018].

un castigo que no solo era desproporcionado, en términos de comparación entre el crimen y el castigo, sino que debía ser "ilegal", esto es, que se impusiera fuera del principio de legalidad de las penas en sentido puramente formal; es una pena que no está prevista en el ordenamiento jurídico, o bien, en su defecto no se aplica con frecuencia. En cambio, aquí se trataba de un régimen de cumplimiento de condena expresamente previsto por la ley de drogas.

Los criterios actuariales ligados al actuar policial fueron legitimados en el caso *Whren v. United States*[61]. En esta sentencia la Corte Suprema sostiene que la policía puede efectuar controles preventivos en materia de tráfico rodado con la finalidad de pesquisar el tráfico ilícito de drogas y habilita para realizar una detención sin que ello vulnere de modo sustancial el contenido constitucional de la cuarta enmienda de la constitución de Estados Unidos que prohíbe las detenciones arbitrarias, particularmente, en los supuestos en que del contexto puede racionalmente sospecharse sobre el actuar ilícito del conductor. Aquí se trataba de determinar si el hallazgo visible de droga en el auto de Whren al actuar de modo sospechoso (detenerse por más de veinte segundos en un semáforo en rojo) que no alcanzaba a constituir una infracción de tráfico, podía ser considerado como una pesquisa ilegal por carecer de una orden expresa de registro, o bien, si por el contrario debía establecerse la ilegalidad de la detención debido a la circunstancia que los funcionarios policiales, actuaron solo en consideración a que la zona de la ciudad que patrullaban era conocido como un sitio de tráfico de drogas. El Juez Scalia sostuvo que la circunstancia de que los acusados huyeron al ver a la policía por sobre el límite de velocidad y sin un motivo suficiente, es un hecho que razonablemente habilita a los funcionarios a detener al infractor de tráfico y, en tales circunstancias, el hallazgo involuntario de la droga no es una causa suficiente para estimar que la detención es ilegal y, por ende, la prueba de la posesión de drogas presumiblemente destinada al tráfico no puede ser estimada inconstitucional.

---

[61]   *Whren v. United States*, 517 U.S. 806 (1996). Disponible en el sitio web: https://supreme.justia.com/cases/federal/us/517/806/[visitado el 03.10.2018].

3.2. La más visible de las consecuencias: encarcelamiento masivo

Según Garland[62], el encarcelamiento masivo consiste en que la cárcel deja de ser un lugar de prisionización individual y se convierte en un sitio en el que se encierra sistemáticamente a un grupo de la población que, en el caso de Estados Unidos, está compuesto por jóvenes afroamericanos varones que viven en los centros urbanos, para estos grupos la cárcel se vuelve un lugar normalizado, una "parte predecible de la experiencia" y no en un hecho extraño o infrecuente. Aunque se suele discutir sobre su origen, al menos se está de acuerdo en que este fenómeno es el resultado de la combinación de dos factores: primero, es la consecuencia de varios cambios culturales en la política de Estados Unidos que se reflejaron en que el delito pasó a ser un problema política y, segundo, es el resultado de la denominada "guerra contra la drogas", que desdibujó las garantías de los ofensores susceptibles de ser arrestados y al mismo tiempo contribuyó a la creación de una categoría específica de delincuente[63].

En Latinoamérica el encarcelamiento masivo se manifiesta también focalizado en los sectores marginados de la población, aunque no se pueda descartar a priori una discriminación de carácter racial como en Estados Unidos, lo cierto es que el aumento de tasas de población sujeta a privación de libertad (con y sin condena), sirve tal como ocurre en el país del norte, para contribuir a un sistema de reproducción de discriminación y control de las clases bajas, que contribuye al mismo tiempo a la economía del sistema neoliberal[64]. En este sentido, el encarcelamiento masivo puede ser también visto como una "la diferencia entre el número de personas que entra en la cárcel y el número —mucho menor— que sale de ellas"[65].

Ahora bien, la ideología de la seguridad nacional termina por privilegiar en la sociedad neoliberal una indiferencia moral manifestada por la ba-

---

[62]   GARLAND. *Mass Impresionment,* p. 2.
[63]   Al respecto, SIMON, Jonathan. "Fear and Loathing in Late Modernity: Reflections on the Cultural Sources of Mass Imprisonment in the United States", *Mass Impresionment. Social Causes and Consequences,* Sage Publications, London, 2001, p. 15
[64]   Al respecto, WACQUANT, Loïc. *Punishing the Poor. The Neoliberal Government of Social Insecurity,* Duke University Press, Durham, 2009, pp. 41 y ss.
[65]   CUNEO, Silvio. *El Encarcelamiento Masivo,* Didot, Buenos Aires, 2017, p. 125.

nalidad del mal[66] que representa el encierro de los pobres y marginados[67]; es una desigualdad institucionalizada de grupos completos de la población que son considerados inferiores y, por ende, su libertad y dignidad personal puede ser sacrificada en beneficio de la idea de neutralización de todos los peligros asociados a la criminalidad[68].

En este lugar es importante destacar que en realidad el aumento de las tasas de encarcelamiento y el encarcelamiento masivo de un determinado grupo de personas, ya sea por segregación racional como en Estados Unidos, o bien, como una segregación económica en los países de Latinoamérica, no es un fenómeno que responda al aumento de las tasas de criminalidad sino que es el resultado de una decisión de política criminal de los Estados neoliberales[69], donde se ha privilegiado la idea de seguridad ciudadana expresada en un conjunto de leyes punitivas que suponen un recorte de los derechos fundamentales en beneficio de una política penal de "ley y orden", favorecida por el populismo político penal y la citada banalidad con que los medios de comunicación abordan el problema de la criminalidad[70].

---

[66]   En la medida en que entendemos que este fenómeno es una consecuencia "normal" del sistema de reglas de la sociedad actual. ARENDT, Hannah. *Eichmann en Jerusalén. Un estudio sobre la banalidad del mal*, Lumen, Barcelona, 2003, pp. 83 y ss.

[67]   Como explica Cuneo "los perfiles de los prisioneros coinciden, en sus generalidades en contextos muy diversos. Se trata principalmente de varones jóvenes, de extracción obrera y con poca instrucción". CUNEO, *El encarcelamiento*, p. 129.

[68]   FERRAJOLI, Luigi. "Criminología, crímenes globales y Derecho Penal: El debate epistemológico en la Criminología Contemporánea", *Revista Crítica Penal y Poder*, n° 4 (2013), pp. 3 y ss.

[69]   En el sentido de debilitamiento del estado de bienestar a favor del control social estatal altamente formalizado que supone disciplinar a las clases obreras a través del derecho penal como política pública prioritaria del estado neoliberal. WACQUANT, *Punishing the Poor*, pp. 76 y ss. También, CHRISTIE, Nils. *La Industria del Control del Delito ¿La nueva forma del Holocausto?*, Ed. Del Puerto, Buenos Aires, 1993, pp. 87 y ss.

[70]   Fundamental, BRANDARIZ GARCÍA, José Ángel. *El Gobierno de la Penalidad. La Complejidad de la política Criminal Contemporánea*, Dykinson, Madrid, 2014, pp. 202 y ss.

En este sentido, los estudios demuestran que frente a iguales niveles o tasas de criminalidad algunos Estados[71], en particular, los de ideología neoliberal deciden prisionizar utilizando la cárcel como respuesta única y prioritaria
al delito, canalizando de este modo sus políticas públicas y el gasto fiscal[72],
en la medida que la "prisión funciona en el debate público como un símbolo
que demuestra efectivamente la preocupación política por el crimen"[73].

El resultado de este tipo de política criminal es la prisionización en
Estados Unidos de más de 2.14 millones de personas, lo que supone una
tasa de 693 presos por cada 100.000 habitantes[74], donde el 46,1% corresponde a delitos de tráfico o posesión de drogas y solo el 0.3% corresponde
a delitos bancarios o contra el mercado de valores[75].

En otros países de Latinoamérica que abiertamente han implmentado
las públicas de Estados Unidos, como es el caso de Chile y que además
cuenta con estadísticas accesibles, los niveles de encarcelamiento, superan
las 42.118 personas[76], lo que supondría que la tasa de prisionización en el
caso de Chile supera los 230 presos por 100.000 habitantes[77].

---

[71] En Alemania y Finlandia, la tasa de encarcelamiento ha disminuido progresivamente en las últimas dos décadas (más del 4% y 41% respectivamente), con niveles de
delincuencia similares a Estados Unidos. CUNEO, *El Encarcelamiento*, p. 140. Sin
embargo, en Estados Unidos la tasa se cuadriplico superando desde el año 2003, los
dos millones de personas encarceladas, principalmente, como una consecuencia de la
guerra contra las drogas, generando una nueva forma de marginalidad, pobreza y exclusión social, racial y económica, un nuevo Jim Crow implícito e institucionalizado,
ALEXANDER, *The New Jim Crow*, pp. 178 y ss. WACQUANT, *Punishing the Poor*,
pp. 80 y ss.

[72] En especial, para el caso de Estados Unidos, TONRY, Michael. "Has the Prison a
Future?", *The Future of Impresionment*, Oxford University Press, Oxford 2004, p. 4.

[73] TONRY, *The Future*, p. 4.

[74] World Prison Brief (WPB): http://www.prisonstudies.org/country/united-states-
america [visitado el 01.09.2018].

[75] Al respecto, puede verse la estadística al 25 de agosto de 2018, en la página del Federal
Bureau of Prisions. https://www.bop. gov/about/statistics/statistics_inmate_offenses.
jsp [visitado el 01.09.2018].

[76] Cfr. Con las estadísticas de población carcelaria en Chile al 31.08.2018, según el
sitio web de Gendarmería de Chile: http://www.gendarmeria.gob.cl/estadisticas.jsp
[visitado el 01.09.2018].

[77] World Prison Brief (WPB): http://www.prisonstudies.org/country/chile [visitado el
01.09.2018].

En los países andinos tradicionalmente reconocidos como productores de cocaína, la tasas de encarcelamiento son similares, en Colombia el número total de encarcelados alcanza los 117.692 personas, con una tasa de prisionización de 238 presos por 100.000 habitantes[78]. En Perú, el número de personas en prisión es de 86.800 alcanzando una tasa de encarcelamiento de 269 presos por 100.000 habitantes[79].

El país latinoamericano con los mayores niveles de encarcelamiento es El Salvador con una tasa que alcanza las 605 personas por 100.000 habitantes, con un total de 38.771 personas privadas de libertad[80]. Otros países tradicionalmente asociados al tráfico de drogas, como México también alcanzan índices de encarcelamiento elevado, aunque muy por debajo de los casos citados, con 164 personas encarceladas por 100.000 habitantes, con una población penal que supera las 204.422 personas[81].

La vulneración de derechos fundamentales se produce desde el momento en que en todos estos Estados citados, existe exceso de población carcelaria, con centros de reclusión que no alcanzan el estándar mínimo de cumplimiento de las normas de tratamiento de los reclusos de Naciones Unidas, menos aún puede considerarse que en ellas se realicen programas de rehabilitación o reinserción social, en la medida que en estos Estados se constata la renuncia a la misma como fin de la pena, abriéndose paso a un punitivismo retribucionista como a criterios de prevención general negativa, orientados, todos ellos al cumplimiento efectivo de penas privativas de libertad de larga duración.

---

[78] World Prison Brief (WPB): http://www.prisonstudies.org/country/colombia [visitado el 01.09.2018].

[79] World Prison Brief (WPB): http://www.prisonstudies.org/country/peru [visitado el 01.09.2018].

[80] World Prison Brief (WPB): http://www.prisonstudies.org/country/el-salvador [visitado el 01.09.2018].

[81] World Prison Brief (WPB): http://www.prisonstudies.org/country/mexico [visitado el 01.09.2018].

4. CONCLUSIONES

La guerra contra las drogas se originó como una estrategia de legitimación política, por parte de las partidos políticos de Estados Unidos y sus respectivos gobiernos, desde la época de Nixon. A partir de esa época, la política criminal de la droga se caracterizó por sobredimensionar el "problema de la droga", lo que se tradujo en un punitivismo desenfrenado que impulsó cambios legislativos que se materializaron en leyes especiales destinadas a combatir el narcotráfico como un problema interno definido así por los discursos de la seguridad nacional, cuyos lineamientos en términos de creación de un derecho penal de excepción, con limitación sustancial de garantías constitucionales se mantiene aún vigente. Es más, esta política criminal fue legitimada posteriormente por los tribunales, en la medida que se han mostrado reticentes a la declaración de inconstitucionalidad de las normas ligadas al cumplimiento efectivo de penas por el delito de posesión y tráfico de drogas.

En los años ochenta y noventa del siglo pasado, Estados Unidos decidió internacionalizar la guerra contra las drogas, asumiendo un papel protagónico en la legitimación de la necesidad de neutralizar el narcotráfico desde su origen, interviniendo política, legislativa y económicamente en los países andinos, en la medida que son los principales productores de hoja de coca. Así, Bolivia, Perú y Colombia, asumieron los principios generales de las *Anti-Drugs Acts* (1986 y 1988), en su ordenamiento jurídico interno, dictando leyes especiales que reprodujeron las políticas de limitación de derechos y garantías constitucionales que operaban dentro de Estados Unidos. Esto significó la materialización de las políticas públicas de seguridad, su positivización en los ordenamientos jurídicos de diversos Estados, en la medida que tales lineamientos encontraron reconocimiento en las Naciones Unidos y se concretaron en la Convención de Viena de 1988.

Ante la imposibilidad de poder frenar el cultivo de hoja de coca, pese a todos los esfuerzos económicos, Estados Unidos decidió abandonar su intervención en Latinoamérica, reforzando su discurso punitivo en el orden interno. Tal decisión implicó nuevas reformas que incrementaron los tiempos mínimos de permanencia en prisión para los delitos de posesión y tráfico de drogas, en especial, con la dictación de ley de "three strikes", que también sería legitimada por la propia Corte Suprema de Estados Unidos, desde el momento en que sostenido —salvo alguna excepción— que tal régimen especial de cumplimiento de condenas no lesiona el principio de proporcionalidad ni implica una vulneración al principio de legalidad de las penas.

El resultado de la guerra contra las drogas, en los países que implementaron las políticas y los principios legislativos promovidos en su momento por Estados Unidos, se ha concretado en el encarcelamiento masivo de personas, conforme lo describen las estadísticas referenciadas.

5. BIBLIOGRAFÍA

AAVV., *Justice. Sentencing Enhancement-*"Three Strikes" Law-USAM https://www.justice.gov/jm/criminal-resource-manual-1032-sentencing-enhancement-three-strikes-law [visitado el 12.09.2018].

AAVV., *La Adicción Punitiva* (2012), *La desproporción de leyes de drogas en América Latina*, Antropos, Bogotá.

ALEXANDER, Michelle (2012), *The New Jim Crow: Mass Incarceration in the Age of the Colorblindness*, The New York Press, New York.

ARENDT, Hannah (2013), *Eichmann en Jerusalén. Un estudio sobre la banalidad del mal*, Lumen, Barcelona.

ATHEIDE, David L. (2015), "Desviance and the Mass Media", *The Handbook of Deviance*, John Wiley & Sons, Inc., New Jersey.

BARATTA, Alessandro (1988), "Introducción a la criminología de la droga", *Nuevo Foro Penal*, n° 41.

BOVILLE, Belén (2004), *The Cocaine War in Context: Drugs and Politics*, Algora Publishing, New York.

BRANDARIZ GARCÍA, José Ángel (2014), *El Gobierno de la Penalidad. La Complejidad de la política Criminal Contemporánea*, Dykinson, Madrid.

BUSTOS RAMÍREZ, Juan (1995), *Coca-Cocaína. Política Criminal de la Droga*. Ed. Jurídica Cono Sur, Santiago.

California v. Acevedo, 500 U.S. 565 (1991), Disponible en el sitio web: https://www.loc.gov/item/usrep500565/[visitado el 14.10.2018].

CARTAGENA, Catalina (2016), "Los Estudios de la Violencia en Colombia antes de la Violentología", *Diálogos*, vol. N 17, n° 1.

CHRISTIE, Nils (1993). *La Industria del Control del Delito ¿La nueva forma del Holocausto?*, Ed. Del Puerto, Buenos Aires, 1993

CUNEO, Silvio (2017), *El Encarcelamiento Masivo*, Didot, Buenos Aires, 2017.

DEL OLMO, Rosa (1988), *La Cara Oculta de la Droga*, Ed. Temis, Bogotá, 1998

DEL OLMO, Rosa (1990), "Drogas: ¿percepciones o realidad?", *Nuevo Foro Penal*, n° 47 (1990)

DÍEZ RIPOLLÉS, José Luis (1988), "Principios inspiradores de una nueva política sobre drogas", *Nuevo Foro Penal*, n° 42.

DÍEZ RIPOLLÉS, José Luis (2005), "El control penal del abuso de drogas: una valoración político-criminal", *Revista de Derecho*, n° 18.

DOYLE, Charles (2018), "Mandatory Minimum Sentencing of Federal Drug Offenses", *Congressional Research Service*.

DUKE, Steven; GROSS, Albert (1999). *America's Longest War. Rethinking Our Tragic Crusade Against Drugs*, E-reads.

El artículo 384 de la Constitución del Estado Plurinacional de Bolivia de 2009, señala lo siguiente: "El Estado protege a la coca originaria y ancestral como patrimonio cultural, recurso natural renovable de la biodiversidad de Bolivia, y como factor de cohesión social; en su estado natural no es estupefaciente. La revalorización, producción, comercialización e industrialización se regirá mediante la ley".

El texto constitucional está disponible en el sitio web: https://www.oas.org/dil/esp/Constitucion_Bolivia.pdf [visitado el 11.09.2018].

ESCOBAR, Juan (1990), "La realidad social del "narcotráfico" en Colombia: Discursos y políticas criminales. Perspectiva socio-jurídica", *Nuevo Foro Penal*, n° 47.

Federal Bureau of Prisions. https://www.bop.gov/about/statistics/statistics_inmate_offenses.jsp [visitado el 01.09.2018].

FERRAJOLI, Luigi (2013). "Criminología, crímenes globales y Derecho Penal: El debate epistemológico en la Criminología Contemporánea", *Revista Crítica Penal y Poder*, n° 4

Florida v. Bostick, 501 U.S. 429 (1991). Disponible en el sitio web: https://www.law.cornell.edu/supct/html/89-1717.ZS.html [visitado el 11.10.2018].

GALEN, Ted (2003). *Bad Neighbor Policy. Washington's Futile War of Drugs in Latin America*, Palgrave-Macmillan, New York.

GARLAND, David (2001). *Mass Impresionment. Social Causes and Consequences*, Sage Publications, London,

HARCOURT, Bernard (2003). "The Shaping of Chance: Actuarial Model and Criminal Profiling at the Turn of the Twenty-First Century" *The University of Chicago Law Review*, 105.

Harmelin v. Michigan, 501 U.S. 957 (1991). Disponible en el sitio web: https://supreme.justia.com/cases/federal/us/501/957/[visitado el 01.10.2018].

Johnson v. United States (2015), n° 13-7120, 26 de junio de 2015. Disponible en el sitio web: https://www.supremecourt.gov/opinions/14pdf/13-7120_p86b.pdf. [visitado el 12.10.2018].

LAURENZO COPELLO, Patricia (1994), "Drogas y Estado de Derecho. Algunas reflexiones sobre los costes de la política represiva", *Jueces para la Democracia*, N° 24.

MARTÍNEZ VALENZUELA, César (2013), "The 'War on Drugs', and the 'New Strategy' identity constructions of the Unites States U.S. drug user and Mexico", *Mexican Law Review* n° 2.

OXMAN, Nicolás (2018), "El tipo subjetivo del delito de tráfico de precursores", *Pensamiento Jurídico Central*, n° 2.

PRATT, John (2007), *Penal Populism*, Routlege, London.

SCHERLEN, Renee (2012). "The never-Ending Drug War: Obstacles to Drug War Policy Termination", *Political Science and Politics*, vol. 45 n° 1.

SIMON, Jonathan (2001), "Fear and Loathing in Late Modernity: Reflections on the Cultural Sources of Mass Imprisonment in the United States", *Mass Impresionment. Social Causes and Consequences*, Sage Publications, London.

SIMON, Jonathan (2007), *Governing Through Crime: How the War on Crime Transformed American Democracy and Created a Culture of Fear*, Oxford University Press, New York.

STIPPEL, Jörg; SERRANO, Juan (2018), "La nacionalización de la lucha contra el narcotráfico en Bolivia", *Política Criminal*, n° 15.

TONRY, Michael (2004), "Has the Prison a Future?", *The Future of Impresionment*, Oxford University Press, Oxford.

UNODC (Oficina de las Naciones Unidas contra la Droga y el Delito), *Colombia. Monitoreo de Territorios afectados por cultivos ilícitos* 2017, Bogotá (2018), p. 8. El informe se encuentra disponible en el sitio web: https://reliefweb.int/sites/reliefweb.int/files/resources/Informe_de_Monitoreo_de_Territorios_Afectados_por_Cultivos_Ilicitos_2017_FINAL.pdf [visitado el 12.09.2018].

UNODC (Oficina de las Naciones Unidas contra la Droga y el Delito), *Perú. Monitoreo de Territorios afectados por cultivos ilícitos* 2016, San Isidro (2017), El informe se encuentra disponible en el sitio web: https://www.unodc.org/documents/crop-monitoring/Peru/Peru_Monitoreo_de_coca_2016_web.pdf [visitado el 12.09.2018].

UNODC (Oficina de las Naciones Unidas contra la Droga y el Delito), *Estado Plurinacional de Bolivia. Monitoreo de Cultivos de Coca 2016* (2017), El informe se encuentra disponible en el sitio web: https://www.unodc.org/documents/crop-monitoring/Bolivia/2016_Bolivia_Informe_Monitoreo_Coca.pdf [visitado el 12.09.2018].

WACQUANT, Loïc (2009). *Punishing the Poor. The Neoliberal Government of Social Insecurity*, Duke University Press, Durham.

WHITLEY, Joe (1994), "Three Strikes and you're out: More Harm tan Good", *Federal Sentencing Reporter*, N° 2.

Whren v. United States, 517 U.S. 806 (1996), Disponible en el sitio web: https://supreme.justia.com/cases/federal/us/517/806/[visitado el 03.10.2018].

ZAFFARONI, Eugenio Raúl (2009), "La legislación antidroga latinoamericana: sus componentes de Derecho Penal Autoritario", en MORALES VITERI, Juan Pablo; PALADINES, Jorge Vicente (editores), *Entre el control social y los derechos humanos-Los retos de la política y la legislación de drogas*. Homenaje a Juan Bustos Ramírez, Ministerio de Justicia y Derechos Humanos, Quito.

ZILIO, Jacson (2014), "La criminalización de las drogas como política criminal de la exclusión", *Pensamiento Penal*.

ZULUAGA, Diana (2008), "Tendencias actuales de los sistemas penales: consideraciones en torno a la criminalización de conductas relacionadas al consumo de drogas", *Jurídicas*, nº 1.

Capítulo VI

EL LAVADO DE ACTIVOS Y LA SEGURIDAD GLOBAL[*]

RENATO VARGAS LOZANO[**]
Doctor en Derecho por la Universidad de Valencia (España).
Investigador del Grupo de Investigación en Ciencias Penales
y Criminológicas Emiro Sandoval Huertas de la Universidad
Sergio Arboleda (Bogotá, Colombia). Profesor de la Universidad
Pontificia Bolivariana (Medellín, Colombia). Abogado en ejercicio

1. INTRODUCCIÓN

La seguridad, que alude a la idea de ausencia de riesgos o amenazas, constituye uno de los compromisos más importantes asumidos por los Estados contemporáneos; en especial, en sociedades como las actuales, no en vano llamadas del riesgo[1], donde se ha generalizado el sentimiento de inseguridad y en las que el miedo impulsa buena parte de las políticas públicas.

El concepto de seguridad, sin embargo, es dinámico y se ha transformado a lo largo de la historia a la par de los riesgos a precaver; por ende, hoy en día no se limita a la defensa de la integridad física de los individuos, donde la capacidad militar propia y ajena es el tema más relevante, sino que alcanza otros fenómenos —'riesgos' —políticos, sociales o económicos. Además, no se circunscribe a lo local —la 'seguridad nacional'—, sino

---

[*] El presente trabajo hace parte de mis actividades como investigador en el proyecto de investigación Derecho Penal, Parte Especial y legislaciones complementarias (La tutela penal del patrimonio económico) y constituye mi colaboración al proyecto I + D Seguridad global y derechos fundamentales, dirigido por los profesores José Luis González Cussac y Fernando Flores

[**] Correo electrónico: renato.vargas@alvarovargasabogados.com

[1] BECK, U. (2006). *La sociedad del riesgo. Hacia una nueva modernidad*. Barcelona: Paidós.

que trasciende a lo global, de tal forma que las estrategias y las políticas de los Estados —individuales o asociados— se proyectan fuera de sus fronteras; por ello, la 'seguridad global' hace parte de la agenda de la Comisión de la ONU a cargo de la gestión de los asuntos públicos.

A esa nueva dimensión mundial ha contribuido de modo determinante la globalización, al amparo de la cual algunos riesgos se tornan 'globales'. Así acontece con el crimen organizado y el (ciber)terrorismo; el deterioro del medio ambiente, el cambio climático y la disputa por los recursos naturales o el espacio ultraterrestre; los flujos de personas —inmigrantes 'ilegales' y refugiados—; la seguridad alimentaria; el control de epidemias y de pandemias; la pobreza o, en fin, el desarrollo y la estabilidad económica[2].

Con base en lo expuesto, no es difícil establecer la conexión entre el lavado de activos y la seguridad nacional y global, atendida la relación estrecha del primero con el crimen organizado y la amenaza que representa para la estabilidad económica y financiera de los Estados. Esta última, por cierto, está ligada a los flujos financieros internacionales y es particularmente sensible a todo lo que pasa en otras latitudes, debido a la interconexión de los mercados que potencia las consecuencias de las crisis y aumenta las posibilidades de contagio.

Ahora bien, en cuanto a los efectos del blanqueo, pueden diferenciarse los económicos propiamente dichos y los que carecen de tal connotación. Los primeros, están relacionados con su capacidad para afectar la gestión macroeconómica, dificultar la asignación eficaz de los recursos, distorsionar los precios y el consumo, generar problemas de competencia, alterar las importaciones y las exportaciones, incidir negativamente sobre la inversión y el crecimiento o producir volatilidad en las tasas de cambio; los segundos, por su parte, son los de fomentar la corrupción, minar la credibilidad institucional e incrementar la delincuencia.

La entidad de estos riesgos hace perentorio, en aras de garantizar la seguridad, desarrollar e implementar una serie de medidas —nacionales e internacionales— orientadas a impedir, por una parte, que los delincuentes

---

2   Presidencia del Gobierno (2017). *Estrategia de Seguridad Nacional*. Disponible en http://www.dsn.gob.es/sites/dsn/files/Estrategia_Seguriad_Nacional_2017.pdf; LABORIE, M. A. (2011). *La evolución del concepto de seguridad*. Madrid: Instituto Español de Estudios Estratégicos, p. 2

disfruten de las ganancias obtenidas por la realización de actividades ilícitas y, por la otra, que tales bienes puedan ser reinvertidos en la preparación o en la ejecución de delitos futuros.

Esta estrategia requiere, además del concurso de una serie de instituciones y actores nacionales —Unidades de Inteligencia Financiera, supervisores sectoriales, autoridades judiciales, etc.— y extranjeros —el grupo Egmont, el Grupo de Acción Financiera GAFI, la Organización de Naciones Unidas, la Organización de Estados Americanos, en especial, la CICAD—, de un elaborado marco normativo que, en no pocas ocasiones, es el resultado de acciones económicas o diplomáticas orientadas a la persuasión antes que a la coacción, en el marco de lo que se denomina *soft* y *smart power*[3].

Las líneas venideras se ocupan de presentar, críticamente, el escenario normativo que, a propósito de la idea de seguridad, se ha delineado a nivel global y nacional frente al lavado de activos, enfatizando en las consecuencias que ello ha tenido para las garantías penales, debido a la flexibilización y la relativización de los principios de proporcionalidad, legalidad, determinación y lesividad[4].

2. UN RIESGO PARA LA SEGURIDAD GLOBAL

En materia de lavado de activos se produce un fenómeno que no es exclusivo de este tipo de delincuencia, pero que se manifiesta con especial intensidad a propósito de ella: se trata de la aparición de una especie de política criminal trazada desde las instancias internacionales que es ejecutada, de forma más o menos armónica y generalizada, al interior de los Estados[5].

---

3   NYE, J. (1990). *Bound to lead: The changing nature of American Power*. New York: Basic Books.

4   Atendida la extensión máxima permitida a este escrito, es imposible desarrollar con detalle todas y cada una de las cuestiones propuestas. Adicionalmente, también por razones de espacio, se prescinde de relacionar las sentencias citadas en el acápite destinado a la referencia.

5   VARGAS, R. (2016). La política criminal internacional en materia de lavado de activos y su desarrollo en Colombia. En *Problemas actuales del derecho penal. Volumen I. 2012-2015*, pp. 179-206. Bogotá: Universidad Sergio Arboleda.

Dicha política criminal internacional se caracteriza, primero, por su punto de partida, esto es, que el crimen no paga; segundo, por la generación de una conciencia sobre la existencia de un problema de alcance 'global' que, tercero, exige una respuesta 'común' y, por ende, unas normas estandarizadas producto de un consenso pretendidamente voluntario.

2.1. Impedir el aprovechamiento de las ganancias ilícitas o su reinversión en actividades delictivas

En los últimos tiempos, los organismos internacionales y las autoridades nacionales han centrado su atención en la recuperación de los activos derivados de la realización de conductas delictivas y, a tono con ello, han perfilado e implantado lo que podría ser una política —criminal— internacional dirigida a desincentivar a los delincuentes demostrando que 'el crimen no paga'. La idea que subyace a esta estrategia es la de enfrentar la delincuencia desde lo económico, impidiendo el aprovechamiento de las ganancias ilícitas y evitando su reinversión en nuevas actividades delictivas.

Por razones perfectamente comprensibles, esta vía resulta importante frente a los delitos que producen utilidades más o menos importantes para quien los realiza o, bien, en aquellos otros que precisan ingentes cantidades para financiarse, p. ej., la delincuencia económica, la corrupción, la criminalidad organizada o el terrorismo[6]. En todos estos casos, la finalidad de la intervención es, sobre todo, preventiva, pues se trata de disuadir a los delincuentes de cometer delitos al negarles la posibilidad de disfrutar del

---

[6]   ABANTO, M. A. (2015). Evolución de la criminalización del lavado de activos en la doctrina y práctica de Perú y Alemania. En: *Lavado de activos y compliance. Perspectiva internacional y derecho comparado*, pp. 27 a 90. Lima: Jurista editores, p. 32; NÚÑEZ, M. Á. (2009). Criminalidad, capital y corrupción. Orígenes delincuenciales y precisiones contemporáneas. En *I Congreso de prevención y represión del blanqueo de dinero*, pp. 263-281. Valencia: Tirant lo Blanch; WINTER, J. (2015). La regulación internacional del lavado de activos y el financiamiento del terrorismo. En: *Lavado de activos y compliance. Perspectiva internacional y derecho comparado*, pp. 91 a 142. Lima: Jurista editores, p. 103.

producto de sus crímenes e impedir la financiación de actividades criminales futuras[7].

En orden a cumplir con tal propósito, se han diseñado dos tipos de herramientas: de un lado, las que hacen responsables penalmente a quienes aprovechan los bienes ilícitos o los ocultan (receptación, lavado de activos, testaferrato o enriquecimiento ilícito) o financian ciertos delitos (el terrorismo o el concierto para delinquir cuando su objetivo es, justamente, financiar actividades ilícitas). Del otro, están las medidas administrativas o penales que afectan los bienes vinculados con actividades delictivas y permiten extinguir el derecho de dominio sobre ellos o decomisar los activos relacionados con su ejecución.

2.2. El lavado de activos como un problema de alcance 'global'

La globalización, apuntalada en los avances que permiten las telecomunicaciones, tiene innegables efectos positivos, pero, al mismo tiempo, produce una serie de consecuencias negativas. Dentro de estas últimas cabe, por supuesto, la atinente a la llamada globalización de la delincuencia, en tanto el entorno aludido facilita la realización de delitos, así como el aseguramiento de su producto.

En dicho contexto debe situarse la reflexión sobre el lavado de activos, pues, en no pocas ocasiones, la legalización de los bienes de origen ilícito se efectúa mediante operaciones internacionales[8], más o menos sofisticadas, enderezadas a distanciar los activos de su origen ilícito y dificultar su persecución a las autoridades nacionales. Con todo, si bien el papel del sistema financiero en el blanqueo no es exclusivo ni excluyente, lo cierto es que es fundamental, puesto que, gracias a la interconexión de los mer-

---

[7]   MANSO, T. (2011). El blanqueo de capitales entre la dogmática y la política criminal internacional: resultados desde una perspectiva de derecho comparado. *Estudios Penales y Criminológicos, XXXI*, 305-324; ALBRECHT, H. J. (2001). *Criminalidad transnacional, comercio de narcóticos y lavado de dinero* (Ó. J. Guerrero Peralta, Trad.). Bogotá D.C.: Universidad Externado de Colombia, pp. 36 y ss.

[8]   ABEL, M. (2002). *El blanqueo de dinero en la normativa internacional: especial referencia a los aspectos penales*. Santiago de Compostela: Universidad de Santiago de Compostela, pp. 42-44.

cados de este tipo y a las posibilidades en materia de telecomunicaciones, actualmente es posible mover los recursos de un lugar a otro del globo en cuestión de segundos.

Con este punto de partida, parece inobjetable que se trata de hechos con un evidente alcance transnacional[9] y, por consiguiente, de difícil detección, investigación y juzgamiento.

2.3. La necesidad de una respuesta 'común': la formación de consenso general y la producción de normas estandarizadas

Esta peculiaridad es la que ha permitido concienciar a los miembros de la comunidad internacional sobre la conveniencia de articular una respuesta conjunta[10] que, en un primer momento, concrete el marco de la intervención en esta materia a partir del consenso de los gestores de la política internacional sobre las características que debe tener la lucha contra el blanqueo y, en un segundo momento, desarrolle esos lineamientos supranacionales del modo más generalizado y homogéneo posible en las legislaciones nacionales correspondientes.

Lo último resulta de singular importancia, porque el éxito de esta estrategia depende de reducir el número de Estados reacios a tomar parte activa en ella, dado que la existencia de 'puertos seguros' haría inútiles los esfuerzos de los demás miembros de la comunidad internacional[11]. Se parte, pues, de un marco normativo propuesto —y, en ocasiones, impuesto— por los actores internacionales[12], cuya incorporación a los derechos

---

9   ARIAS, D. P. (2011). *Aspectos político-criminales y dogmáticos del tipo de comisión doloso de blanqueo de capitales (art. 301 CP)*. Madrid: Iustel, pp. 37-38; De la Cuesta, J. L. (2006). Principales lineamientos político-criminales de la Asociación Internacional de Derecho Penal en un mundo globalizado. *Eguzkilore*, p. 6; FARALDO, P. (2014). Antes y después de la tipificación expresa del autoblanqueo de capitales. *Estudios penales y criminológicos*, 34, p. 43.

10   ABEL, M., *op. cit.*, p. 56; MARTÍNEZ-BUJÁN, C. (2004). La dimensión internacional del blanqueo de dinero. *Estudios de derecho judicial* (61), pp. 179-270.

11   VOGEL, J. (2005). Derecho penal y Globalización. *Anuario de la Facultad de Derecho de la Universidad Autónoma de Madrid* (9), pp. 118-119.

12   Los ejemplos más relevantes son: las recomendaciones del Comité de Ministros del Consejo de Europa (1980); la Convención de las Naciones Unidas contra el Tráfico

internos estandariza las disposiciones nacionales[13] y, por esta vía, al menos en teoría, facilita la persecución de esta forma de criminalidad, al tiempo que permite articular la cooperación internacional y mejorar las estrategias para combatirla.

Como consecuencia de lo expuesto, el del lavado de activos constituye un ejemplo bastante ilustrativo de la forma en que las decisiones —políticas— adoptadas por los actores internacionales influyen en los ordenamientos nacionales y los homogeneizan, pues la mayoría de los Estados que introdujo el delito de blanqueo de capitales lo hizo atendiendo las instrucciones impartidas por las instancias supranacionales[14] y replicando, con apenas modificaciones, el modelo propuesto por la Convención de las Naciones Unidas contra el Tráfico Ilícito de Estupefacientes y Sustancias Psicotrópicas de 1988.

Al margen de los resultados positivos de este proceso unificador, es indiscutible que ese complejo entramado de disposiciones internacionales

---

Ilícito de Estupefacientes y Sustancias Psicotrópicas, suscrita en Viena (1988); la Declaración de Principios de Basilea (1989); el Convenio sobre Blanqueo, Detención, Embargo y Confiscación de Productos del Delito (1990); la Directiva del Consejo de las Comunidades Europeas (1991); la Declaración Política y Plan de Acción Mundial de Nápoles contra la Delincuencia Transnacional Organizada (1994); la Conferencia internacional sobre la prevención y la represión del blanqueo del dinero y el producto del delito (1994); el Modelo de legislación sobre blanqueo de activos y decomiso de drogas (1995); la Declaración de principios y Plan de Acción de Buenos Aires (1995); el Plan de Acción suscrito por los Jefes de Estado y de Gobierno asistentes a la Segunda Cumbre de las Américas (1998); la Declaración Política y el Plan de Acción contra el Blanqueo de Dinero (1998); las leyes modelo sobre Blanqueo, decomiso y cooperación internacional en lo relativo al producto del delito (1999) y sobre el blanqueo de dinero y los productos del delito (2000); la Convención de las Naciones Unidas contra la Delincuencia Organizada Trasnacional (2000); la Declaración del Plan de Acción III Cumbre de las Américas (2001); las 40 Recomendaciones del Grupo de Acción Financiera (GAFI) con sus revisiones de 1990, 1996, 2003 y 2012 o, en fin, las Recomendaciones de la Comisión Interamericana contra el abuso de las drogas (CICAD).

13   DE LA CUESTA, J. L., *op. cit.*, p. 6.
14   ALBRECHT, H. J., *op. cit.*, p. 48; Ambos, K. (2011). *Internacionalización del derecho penal: el ejemplo del "lavado de dinero"*. Bogotá: Universidad Externado de Colombia, pp. 11 y ss.; Arias, D. P., *op. cit.*, pp. 37-38; FARALDO, P. Antes y después ... cit., p. 43; MANSO, T., *op. cit.*, p. 314; MARTÍNEZ-BUJÁN, C., *op. cit.*

—incluidas las *de soft* law— produce, cuando menos, cuatro consecuencias que deben destacarse y que no necesariamente son positivas[15]: en primer lugar, la coexistencia de un número plural de preceptos, de diversos rangos, procedencias o fuerza vinculante, que integran la llamada 'interlegalidad', cuyo efecto principal es el de multiplicar los presupuestos que deben atenderse a la hora de crear, aplicar e interpretar las normas.

En segundo lugar, no puede perderse de vista la falta de legitimación democrática connatural a las decisiones adoptadas por los organismos supranacionales —todavía más evidente tratándose del *soft* law— y que no puede entenderse suplido con el mero consenso de los Estados que las aprueban e incorporan a su ámbito interno. En tercer lugar, la exigencia de una respuesta global que involucre a todos los Estados y a sus respectivas autoridades, basada en el interés que cada uno tiene en perseguir el lavado de activos, provoca alguna confusión en cuanto a la jurisdicción competente o el alcance de la prohibición del *non bis in idem*.

Por último, en cuarto lugar, no puede dejar de mencionarse que el marco supranacional está compuesto por preceptos que, en no pocas ocasiones, riñen con los principios internos, pues, en esta materia, se siente con especial fuerza la tensión entre los derechos 'moderno' y 'clásico'[16]; así ocurre a propósito de la sanción de conductas que apenas suponen un peligro abstracto para los bienes jurídico penales tutelados, la asimilación de las formas de autoría y participación a efectos de su sanción o, en el mismo sentido, la equiparación de los actos de asociación, tentativa y consumación[17].

Ahora bien, el éxito de esta política criminal depende de ciertos organismos internacionales encargados de supervisar e impulsar el cumplimiento de las directrices internacionales, en especial, del Grupo de Acción Financiera —GAFI—, el cual elabora unas recomendaciones carentes de fuerza vinculante, pero tan importantes o más que las contenidas en los tratados o en las convenciones, y emplea medios de presión muy eficaces, como la

---

[15]   VOGEL, J. (2005)., *op. cit.*, pp. 117 y ss.
[16]   VOGEL, J. (2005)., *op. cit.*, p. 119.
[17]   NIETO, A. (2007). ¿Americanización o europeización del Derecho Penal Económico? *Revista Penal* (19), pp. 130 y 131.

inclusión de los Estados no cooperantes en listas 'negras' o la publicación de evaluaciones o informes periódicos que son tenidos en cuenta, de ahí su importancia, por los actores políticos para asignar recursos de cooperación internacional y por los agentes económicos a la hora de decidir con quién o dónde hacer negocios.

Todo esto, afirma con razón un autor, supone una cierta coacción que sugiere que la adhesión al sentir universal sobre el asunto y el proceso de homogeneización normativa surtido en los ordenamientos nacionales no son del todo voluntarios[18].

3. UN RIESGO PARA LA SEGURIDAD NACIONAL, PERO, SOBRE TODO, PARA EL SISTEMA DE GARANTÍAS PENALES

Inicialmente, la 'lucha' contra el lavado de activos en Colombia se orientó por las directrices internacionales que interpretaban y adaptaban las autoridades nacionales de forma más o menos armónica, pero sin un marco interno que evidenciara una estrategia interna sobre el particular. Esta situación, desde luego inconveniente, se superó con la expedición del documento CONPES[19] 3793 de 2013, cuyo objetivo es el de coordinar el sistema nacional antilavado y fortalecer la prevención, la detección, la investigación y la judicialización del lavado de activos, en el contexto de una política pública, cuyo actor principal es, sin duda alguna, la Unidad de Inteligencia y Análisis Financiero —UIAF—.

A propósito de esta última entidad, conviene recordar que la Ley 1621 de 2013 precisa que es un organismo que lleva a cabo la función de inteligencia y contrainteligencia (art. 3°) y que por tal función debe entenderse la desarrollada por "los organismos especializados del Estado del orden

---

18   WINTER, J., *op. cit.*, p. 128.
19   Son documentos expedidos por el Consejo de Política Económica y Social (Conpes), que es la máxima autoridad nacional de planeación, y constituyen una herramienta con la que cuenta el Gobierno Nacional para la formulación e implementación de la política pública. El señalado, es el primero que se ocupa de la política para enfrentar el lavado de activos y la financiación del terrorismo.

nacional, utilizando medios humanos o técnicos para la recolección, procesamiento, análisis y difusión de información, con el objetivo de proteger los derechos humanos, prevenir y combatir amenazas internas o externas contra la vigencia del régimen democrático, el régimen constitucional y legal, la seguridad y la defensa nacional, y cumplir los demás fines enunciados en esta ley" (art. 2°).

Con esto a la vista, es innegable la importancia que, desde el punto de vista legal, se concede a la UIAF y a su rol en el ámbito de la seguridad nacional. No obstante, es pertinente aclarar que el éxito del sistema antilavado depende en un porcentaje muy alto de la participación de los particulares, quienes tienen el encargo de identificar las operaciones inusuales y reportar las sospechosas, al tiempo que, en el ámbito de lo penal propiamente dicho, la atención se centra, sobre todo, en la acción de la Fiscalía General de la Nación.

Ahora bien, la tipificación del delito de lavado de activos en el ordenamiento colombiano, en la misma línea de lo acontecido en el derecho comparado, se debió a la incorporación de la Convención de Viena de 1988 al ordenamiento interno (Ley 67 de 1993) y, como consecuencia de ello, la concreta inclusión en el Código Penal de las conductas respectivas se produjo a través de la Ley 90 de 1995 (art. 31), si bien como una modalidad especial de receptación.

Un par de años más tarde, la Ley 365 de 1997 (art. 9°), expedida para combatir la delincuencia organizada, provocó un gran cambio en la regulación del lavado de activos, pues lo independizó de la receptación y lo ubicó entre los delitos que atentaban contra el orden económico social (Título VII del Libro II de la época). El estado último de esta evolución es el artículo 323 del Código Penal (CP), en vigor, Ley 599 de 2000, el cual, dicho sea de paso, ha experimentado varias modificaciones (arts. 8 de la Ley 747 de 2002, 14 de la Ley 890 de 2004, 17 de la Ley 1121 de 2006, 42 de la Ley 1453 de 2011, 33 de la Ley 1474 de 2011 y 11 de la Ley 1762 de 2015), incluida una declaratoria —parcial— de inexequibilidad.

Desde la reforma de 1997, no han cambiado su denominación ni su ubicación en el CP, pero, como viene de advertirse, su texto ha sufrido varias modificaciones que suelen explicarse en función de los compromisos internacionales adquiridos por el Estado colombiano; por eso, es viable afirmar que la inestabilidad de la regulación interna es consecuencia de la revisión constante de la normativa internacional, en aras de, sobre todo, evitar baches de punibilidad y mejorar las herramientas para enfrentar ciertas formas de criminalidad. Naturalmente, también se esgrimen argumentos relativos a la satisfacción de intereses o requerimientos susceptibles de calificarse como 'locales'.

Así, p. ej., la separación entre la receptación y el lavado de activos, surtida por la Ley 365 de 1997, cuya trascendencia ya se indicó, ilustra con claridad lo dicho: en efecto, la creación del 'nuevo' delito de 'lavado de activos', venía impuesta, según se dijo, por la especialidad de sus componentes estructurales y la necesidad de cumplir con las obligaciones internacionales adquiridas por el Estado colombiano, en el sentido de tipificar como delitos las conductas señaladas en la Convención de Viena[20].

Además, los legisladores de 1997 agregaron otros dos motivos: primero, satisfacer los requerimientos del principio de proporcionalidad, pues la pena de la receptación, tras la inclusión en 1995 de las formas de blanqueo de la Convención de Viena, era mayor que la de los delitos patrimoniales (mientras la pena de prisión del hurto era de uno a seis años, la de la receptación oscilaba entre tres y ocho). El segundo, sin duda más fuerte, era el de castigar ejemplarmente a los autores de ciertos punibles, *v. g.*, el narcotráfico, considerado en aquel momento una verdadera calamidad pública, lo cual era imposible al amparo de la receptación, ya que las reglas de esta última no permitían sancionar al autor del delito previo que generaba el 'activo' cuando él mismo realizaba los actos posteriores orientados a su 'legalización'[21].

Esta decisión, que muestra cómo las consideraciones políticas se imponen a las teóricas, es decir, a las dogmáticas, resulta cuestionable porque,

---

[20] Gaceta del Congreso Núm. 284 del 23 de julio de 1996. Exposición de motivos, Proyecto de ley núm. 18 de 1996, Senado, p. 8.

[21] Gaceta del Congreso Núm. 284 … cit., pp. 4-12; VARGAS, Á., & VARGAS, R. (2017). Lavado de activos y receptación: ¿una distinción artificiosa? En Á. VARGAS y R. VARGAS LOZANO, *El lavado de activos y la persecución de bienes de origen ilícito*, pp. 95-123. Bogotá: Universidad Sergio Arboleda; SINTURA, F., MARTÍNEZ, W. & QUINTANA, F. (2014). *Sistema de prevención de lavado de activos y de financiación del terrorismo*. 2 ed. Bogotá: Legis, pp. 25 y 26.

de una parte, era innecesaria y, de otra, propone una contradicción con algunos de los principios del ordenamiento interno, tributarios de la filosofía ilustrada, más preocupada por las garantías y los derechos de los individuos que por la satisfacción de un requerimiento de seguridad colectiva. La regulación actual en materia de lavado de activos refleja, sin duda alguna, un viraje radical en esta concepción —tradicional— del derecho penal.

3.1. La vulneración del principio de proporcionalidad

Entre la receptación y el lavado de activos existe una relación de género a especie[22] y, de hecho, el propio legislador colombiano señaló expresamente que el segundo era una modalidad de la primera[23]. Tal aire de familia es manifiesto puesto que los bienes objeto de ambos punibles son los muebles e inmuebles originados de forma mediata o inmediata en un delito; las conductas incriminadas se enderezan a ocultar o encubrir el origen ilícito de dichos activos, o a lograr su aprovechamiento; son pluriofensivos; se castigan al margen del delito previo y, su incriminación obedece, de modo general, a las finalidades político criminales —preventivas— de evitar el disfrute de los bienes originados en un ilícito anterior y de neutralizar sus posibles efectos criminógenos.

En cuanto a las diferencias, éstas radican, fundamentalmente, en que el lavado de activos protege un bien jurídico penal diferente; incluye una mayor variedad de verbos rectores; circunscribe los delitos previos a un grupo determinado o determinable de actividades delictivas; su realización conlleva una pena bastante más severa; no tiene carácter residual o subsidiario y, por último, permite sancionar al autor del delito previo.

Esta última cuestión es, precisamente, la que dio pie a la separación entre el lavado de activos y la receptación. En este sentido, conviene examinar brevemente si tal decisión legislativa satisface las exigencias del principio

---

[22] VARGAS, Á., & VARGAS, R., *op. cit.*; GARCÍA, M. (2004). De la receptación y otras conductas afines. En J. Córdoba Roda, & M. García Arán, *Comentarios al Código Penal. Parte Especial* (Vol. I, pp. 1133-1172). Madrid-Barcelona: Marcial Pons, p. 1142.

[23] Gaceta del Congreso Núm. 284 … cit., p. 8.

de proporcionalidad o de prohibición de exceso, con sus subprincipios de necesidad, idoneidad y proporcionalidad en sentido estricto[24], verdaderos límites al ejercicio de la libertad de configuración del legislador y fundamento del control de constitucionalidad[25].

Partiendo del marco propuesto por el principio de proporcionalidad, parece difícil, por decir lo menos, aceptar que el delito de lavado de activos, tal y como está regulado en Colombia, sea 'constitucional'[26]: en primer lugar, es innecesario, porque sanciona los mismos comportamientos que ya estaban previstos en el tipo penal de la receptación (el ocultamiento o el encubrimiento del origen ilícito de los bienes que, de modo mediato o inmediato, provienen de un delito previo) y las razones generales para su prohibición son las mismas que justifican la punición de la receptación (evitar el provecho de los bienes de origen ilícito o su empleo en delitos posteriores).

La inclusión del lavado de activos, recuérdese, no tenía por objeto punir comportamientos que, de no existir tal delito, quedaban sin castigo, pues era posible sancionarlos al amparo de la receptación. Cosa diferente es que esta última fuera considerada insuficiente para cumplir con los compromisos internacionales o de cara a determinado objetivo político;

---

[24]   COBO, M., & VIVES, T. (1999). *Derecho Penal. Parte General* (5 ed.). Valencia: Tirant lo Blanch, pp. 81-90; CORCOY, M. (2012). Expansión del Derecho Penal y garantías constitucionales. *Revista de Derechos Fundamentale*s(8), 45-76, p. 48; LAS-CURAÍN, J. A. (2014). El control constitucional de las leyes penales. En F. Velásquez V., & R. Vargas Lozano, *Derecho Penal y Constitución*, pp. 11-44. Bogotá: Universidad Sergio Arboleda; LOPERA, G. P. (2012). Posibilidades y límites del principio de proporcionalidad como instrumento de control del legislador penal. En S. Mir Puig, J. J. Queralt Jiménez, & S. Fernández Bautist*a, Constitución y principios del Derecho penal: algunas bases constitucionales*, pp. 105-137. México D.F.: Tirant lo Blanch; MIR, S. (2012). El principio de proporcionalidad como fundamento constitucional de límites materiales del Derecho penal. En Mir Puig, Queralt Jiménez & Fernández Bautist*a, Constitución y Principios del Derecho Penal*, pp. 67-104. México D.F.: Tirant lo Blanch; NAVARRO, I. (2010). El principio de proporcionalidad en sentido estricto: ¿principio de proporcionalidad entre el delito y la pena o balance global de costes y beneficios? *InDret. Revista para el análisis del Derecho*(2), s/p.

[25]   Sentencias C-022/96, C-093/01, C-226/02, C-802/02, C-916/02, C-822/05, C-417/09.

[26]   VARGAS, Á., & VARGAS, R., *op. cit.*

por eso, su inclusión se explicó, sobre todo, en función de sancionar de modo ejemplar a los autores de ciertos delitos graves, en especial, de tráfico de estupefacientes, que se aprovechaban de los bienes originados en su actividad delictiva.

Según las reglas de la receptación, es imposible sancionar al autor del delito previo y ello obedece a una razón dogmática que, pese a su seriedad, fue desatendida por el legislador sin oposición alguna por parte de los académicos. El asunto causa extrañeza, debido a que los actos de aprovechamiento son, acorde con su entendimiento teórico, una consecuencia normal del ilícito antecedente, su agotamiento; en esa medida, son intervenciones posdelictuales que, en todo caso, no son impunes, pues su desvalor bien puede incluirse en el del delito antecedente[27].

En Colombia, conforme se desprende de la revisión de los antecedentes legislativos, la discusión sobre la posibilidad de sancionar el 'autoblanqueo' no pasó por debatir si teóricamente ello era posible, sino sobre la necesidad política de hacerlo[28]. Ahora bien, al margen del silencio del legislador interno, algunos autores señalan, a favor de criminalizar el 'autoblanqueo', la importancia de ajustar el ordenamiento interno a las disposiciones internacionales; que los bienes jurídicos protegidos son diferentes o, en fin, la necesidad de imponer una pena más grave a quien normaliza los activos derivados de esos delitos —previos— considerados de especial gravedad[29].

---

[27] SERRANO, A., & SERRANO, A. (2013). *Derecho Penal Parte Especial* (16 ed.). Madrid: Dykinson, p. 563; QUINTERO, G. (2010). Sobre la ampliación del comiso y el blanqueo, y la incidencia en la receptación civil. *Revista Electrónica de Ciencia Penal y Criminología*(12-r2); VIDALES, C. (2012). Blanqueo, ¿qué es blanqueo? (Estudio del artículo 301.1 del Código Penal español tras la reforma de la L.O. 5/2010). *Revista General de Derecho Penal*(18), pp. 79.

[28] VARGAS, R. & RUIZ, C. E. (2017). El delito de lavado de activos en Colombia. En Á. Vargas y R. Vargas Lozano, *El lavado de activos y la persecución de bienes de origen ilícito*, pp. 15-47. Bogotá: Universidad Sergio Arboleda.

[29] MUÑOZ, F. (2009). Consideraciones en torno al bien jurídico protegido en el delito de blanqueo de capitales. En *I Congreso de prevención y represión del blanqueo de dinero*, pp. 157-174. Valencia: Tirant lo Blanch, p. 159; Blanco, I. (2007). Principios y recomendaciones internacionales para la penalización del lavado de dinero. Aspectos sustantivos. *En Combate del lavado de activos desde el sistema judicial*. Washington D.C.: Organización de los Estados Americanos, República Bolivariana de Venezuela y Banco Interamericano de Desarrollo; Faraldo, P. (2006). Los autores del delito de

No obstante, aunque ello es compatible con los propósitos preventivos de la política que inspira esta figura, lo cierto es que, como se indicó antes, su fundamento dogmático es discutible y, además, los argumentos señalados están lejos de tener la fuerza que se les atribuye: por una parte, los instrumentos internacionales no imponen el castigo del 'autoblanqueo' e, incluso, algunos permiten dejarlo impune [p. ej., los arts. 23.2.e) de la Convención de Mérida y 6.2.e) de la Convención de Palermo] y, por la otra, las razones atinentes a los bienes jurídicos diferentes o a la gravedad de la pena son artificiales, en tanto producto de decisiones legislativas que, por lo menos en Colombia, no han sido objeto de ninguna explicación por parte del legislador.

En segundo lugar, su idoneidad es cuestionable, por cuanto no parece la forma más adecuada de proteger el orden económico social, pues, aunque se ha insistido en los efectos nocivos del blanqueo de capitales en clave económica, lo cierto es que existen posiciones muy críticas sobre el particular. Adicionalmente, no puede perderse de vista que, en definitiva, el efecto disuasivo atribuido a la sanción del aprovechamiento de los bienes originados en un delito previo contribuye, ante todo, a reforzar la tutela de los bienes jurídicos afectados por esos punibles antecedentes.

En tercer lugar, resulta una intervención claramente desproporcionada, dado que las penas previstas para el lavado de activos son muy superiores a las que hay lugar por causa de la receptación e, incluso, en no pocas ocasiones, mayores a las previstas para los delitos fuente[30], cuya gravedad, en la generalidad de los casos, está fuera de discusión. Una diferencia tan marcada con la receptación y con los delitos fuente en este punto no es razonable; por cierto, atendidas las penas respectivas, puede concluirse que, para el legislador colombiano, es más grave normalizar los bienes procedentes de un delito que la realización del punible que los origina[31].

---

blanqueo de bienes en el Código Penal español. Especial alusión a los proveedores de bienes y/o servicios: el caso de los abogados y asesores fiscales. *Anuario de Derecho Penal y Ciencias Penales*, LIX, pp. 142-143; Quintero, G., *op. cit.*

[30]   VELÁSQUEZ, F. (2013). *Manual de Derecho Penal. Parte General* (5 ed.). Bogotá D.C.: Ediciones Jurídicas Andrés Morales, p. 662.

[31]   VARGAS, Á., & VARGAS, R., *op. cit.*

3.2. Una regulación en constante expansión que vulnera los principios de legalidad y lesividad

Las modificaciones experimentadas por el tipo penal de lavado de activos colombiano revelan una tendencia expansiva en esta materia, debido al aumento de los verbos rectores, de los delitos fuente y, por supuesto, de las penas[32].

Esa misma línea viene reforzada por el alcance amplio que, desde los puntos de vista legal, judicial y doctrinal, se le concede al hecho de que los bienes objeto de blanqueo sean los originados en una actividad delictiva, pues aquéllos pueden ser muebles o inmuebles y tener su origen mediato o inmediato en un delito fuente, previo o antecedente. Adicionalmente, ya que el lavado de activos conlleva, atendida su naturaleza, la sustitución o la trasformación de unos bienes por otros, se aceptan el lavado en cadena y el sustitutivo[33].

Otro tanto puede decirse de la relación del bien con la actividad ilícita previa, pues no se exige una declaración judicial afirmando la realización del delito antecedente, de tal forma que basta con la posibilidad de inferir una relación[34] entre los bienes objeto de normalización y la actividad —expresión empleada por el legislador colombiano— que los origina[35]. Debido a esto, la Corte Suprema de Justicia colombiana entiende que es suficiente

---

[32] HERNÁNDEZ, H. (2011). *Los delitos económicos en la actividad financiera.* Bogotá: Ibáñez, pp. 499 y ss.; RUIZ, C. E., VARGAS, R., CASTILLO, L., & CARDONA, D. F. (2015). *El lavado de activos en Colombia. Consideraciones desde la dogmática y la política criminal.* Bogotá: Universidad Externado de Colombia.

[33] FARALDO, P. (1998). Aspectos básicos del delito de blanqueo de bienes en el Código Penal de 1995. *Estudios Penales y Criminológicos* (21), 117-166, pp. 133-134; MUÑOZ, F. (2010). *Derecho Penal. Parte Especial* (18 ed.). Valencia: Tirant lo Blanch, p. 556.

[34] Corte Suprema de Justicia, Sala de Casación Penal, Sentencias Rads. 23174 de 28 de noviembre de 2007; 23754 de nueve (09) de abril de 2008; 27144 de dos (02) de febrero de 2011; 34377 de 17 de julio de 2013; 39220 de cuatro (04) de diciembre de 2013; 43388 (SP6613-2014) de 26 de mayo de 2014; 41427 (SP7816-2016) de ocho (08) de junio de 2016.

[35] MANSO, T., *op. cit.*, p. 316.

verificar "que los bienes provienen de alguna de esas actividades"[36], "aunque no se pueda establecer de manera plena la actividad ilegal subyacente (fuente del recurso)"[37]; la tarea de establecer tal conexión le corresponde al propio funcionario encargado de investigar o juzgar el lavado de activos.

Lo dicho, desde luego, acarrea una inversión de las reglas de la carga de la prueba y resiente la presunción de inocencia, por más que se insista en lo contrario[38]. La verdad es que el señalado es un riesgo evidente, más aún, cuando la propia Corte indica que el presunto responsable tiene la obligación de acreditar la tenencia legítima de los bienes en supuestos como, p. ej., los de ocultar o encubrir el origen de los bienes ilícitos[39].

Además, pese a que la fórmula empleada por el legislador colombiano sugiere la existencia de un listado cerrado de 'actividades' delictivas, lo cierto es que la taxatividad de dicha enunciación es apenas relativa, en la medida en que, primero, se alude a grupos más o menos amplios de delitos, *v. gr.*, los que atentan contra la administración pública o el sistema financiero y, segundo, se incluyen como delitos fuente otros que amplían exponencialmente la lista, p. ej., los delitos realizados bajo concierto para delinquir o el enriquecimiento ilícito, mediante el cual se castiga el aumento patrimonial injustificado.

Ahora bien, para algunos autores[40], los instrumentos internacionales permiten identificar tres tipos penales básicos de lavado de activos que se corresponden, en general, con la pretensión de sancionar todos y cada uno de los diferentes momentos o fases del proceso de normalización de los bienes de procedencia ilícita: la colocación o *placement*, el encubrimiento o *layering* y la integración o *integration*.

---

[36] Corte Suprema de Justicia, Sala de Casación Penal, Sentencia Rad. 34377 de 17 de julio de 2013.

[37] Corte Suprema de Justicia, Sala de Casación Penal, Sentencia Rad. 23174 de 28 de noviembre de 2007.

[38] Corte Suprema de Justicia, Sala de Casación Penal, Sentencias Rads. 22179 de 9 de marzo de 2006 y 36448 de 24 de julio de 2013.

[39] Corte Suprema de justicia, Sala de Casación Penal, Sentencias Rads. 23174 de 28 de noviembre de 2007; 27224 de 13 de mayo de 2009; 43388 (SP6613-2014) de 26 de mayo de 2014.

[40] AMBOS, K., *op. cit.*, p. 14.

Esto, según la Corte Suprema de Justicia, le da una mayor cobertura al delito[41], pero, por más que elimine eventuales lagunas de punibilidad y estreche el cerco sobre los 'lavadores', provoca otros efectos que no son positivos: amplía de forma inusitada los comportamientos relevantes y da lugar a distinguir entre los conceptos estricto —dar apariencia de legalidad a unos bienes de origen ilícito— y amplio —la adquisición, la posesión o el uso de esos mismos bienes— de lavado de activos[42], siendo el último muy cuestionado al incluir actos que, además de ser equívocos, pueden considerarse preparatorios —o de colaboración— del lavado en sentido estricto y solo de forma muy excepcional generan un peligro efectivo para el bien jurídico del orden económico social.

A propósito del bien jurídico protegido, es importante advertir que, una vez salvada la objeción formulada por quienes estiman que prohibir el lavado de activos es improcedente, ya que no produce perjuicio alguno[43], su determinación es objeto de una acalorada controversia. La decisión por el orden económico social fue impuesta por el legislador colombiano sin mayores explicaciones[44] y, si bien esa es la opinión mayoritaria al respecto, no puede ignorarse que su castigo contribuye a tutelar los bienes jurídicos de los delitos antecedentes y, por supuesto, el de la administración de justicia, tal como ocurre con la receptación.

Ahora bien, los partidarios del orden económico social encuentran necesario identificar un interés mucho más concreto, como la libre competencia, el mercado o el sistema financiero[45]. Ello explica que, por lo menos

---

41   Corte Suprema de Justicia, Sala de Casación Penal, Sentencia Rad. 23174 de 28 de noviembre de 2007.

42   VIDALES, C., *op. cit.*

43   BAJO, M. (2009). El desatinado delito de blanqueo de capitales. En M. Bajo, & S. Bacigalupo, *Política criminal y blanqueo de capitales*, pp. 11-20. Madrid: Marcial Pons, p. 13; CARO, J. A. (2015). Los abogados ante el lavado de activos: recepción de honorarios sucios y deber de confidencialidad. En: *Lavado de activos y compliance. Perspectiva internacional y derecho comparado*, pp. 193 a 248. Lima: Jurista editores, p. 212.

44   Gaceta del Congreso Núm. 284 … cit.

45   FARALDO, P. Aspectos básicos … cit.; BOTTKE, W. (1998). Mercado, criminalidad organizada y blanqueo de dinero en Alemania. *Revista Penal* (2), 1-16; BLANCO, I. (2001). La lucha contra el blanqueo de capitales procedentes de las actividades

en Colombia, las posiciones de las cortes Suprema de Justicia y Constitucional sean divergentes en este punto, decantándose, la primera, por la tutela de la competencia, con algún matiz que remite a una cierta regla moral económica, consistente en la exigencia de negociar con recursos lícitos[46], mientras que, la segunda, en la misma línea de la OEA y la CICAD[47], alude a la necesidad de proteger el sistema financiero[48], es decir, de precaver riesgos para la estabilidad y la seguridad financieras.

Tal disparidad de criterios doctrinales y jurisprudenciales reitera la dificultad a la hora de acordar el bien jurídico protegido y, con ello, reafirma las críticas dirigidas al orden económico social, en especial, al concepto amplio, por la pérdida de su capacidad para limitar y racionalizar la intervención penal. Adicionalmente, no hay criterios estandarizados que permitan resolver supuestos de blanqueo de escasa entidad o que eviten la sanción de conductas que, en realidad, apenas causan un peligro abstracto para el bien jurídico, como las propias del concepto amplio de blanqueo, que, por cierto, tampoco tienen una pena inferior.

Por último, debe ponerse de presente que el sistema de prevención, detección, investigación y sanción del lavado de activos depende, en un porcentaje muy alto, de la colaboración de los particulares y, por ello, se los invita a implementar una serie de controles, obligatorios para los 'sectores

---

delictivas en el marco de la Unión Europea. *Eguzkilore* (15), 1-38, p. 18; GONZÁLEZ, J. J. (2011). Capítulo 28. Delitos contra el patrimonio y contra el orden socioeconómico (X). Sustracción de cosa propia a su utilidad social o cultural. Delitos societarios. Receptación y blanqueo de capitales. *En Sistema de Derecho Penal español. Parte Especial,* pp. 621-646. Madrid: Dykinson, p. 637; MUÑOZ, F. (2010). *Derecho Penal* … cit., p. 554; FABIÁN, E. (2007). Tipologías y lógica del lavado de dinero. En *Combate del Lavado de Activos desde el Sistema Judicial.* Washington D.C.: Organización de los Estados Americanos, República Bolivariana de Venezuela y Banco Interamericano de Desarrollo.Recuperado de: http://www.cicad.oas.org/lavado_activos/pubs/Combate_Lavado_3ed.pdf.

[46] Corte Suprema de Justicia, Sala de Casación Penal. Sentencia Rad. 27224 de 13 de mayo de 2009.

[47] Organización de los Estados Americanos [CICAD]. (1998). *Manual de apoyo para la tipificación del delito de lavado.*

[48] Corte Constitucional. Sentencia C-851 de 2005.

de riesgo'[49], encaminados a prevenir, detectar e informar las operaciones sospechosas a las autoridades y, en particular, a la Unidad de Inteligencia y Análisis Financiero —UIAF—.

Aunque su intervención parece indispensable en orden a que funcione eficazmente el sistema antilavado, pues no hay manera de que las autoridades —por sí mismas— revisen y verifiquen las distintas operaciones y transacciones realizadas por los particulares, lo cierto es que, por una parte, el solo hecho de delegar funciones de policía administrativa en los particulares suscita varias dudas[50] y, por el otro, lo normal es que los sujetos obligados a reportar las operaciones sospechosas se hallen en un conflicto ético y de intereses[51], dado que se los obliga a escoger entre maximizar sus utilidades o cumplir con las obligaciones impuestas por las autoridades.

Al margen del incentivo que tengan los particulares para no verse inmersos en actividades de blanqueo y evitar los riesgos reputacionales, operacionales y legales derivados de ellas, el legislador prevé una serie de tipos penales que refuerzan ese compromiso. Así, p. ej., además del genérico deber de denunciar ante las autoridades este tipo de actos, so pena de hacerse acreedor a una pena de prisión de entre tres y ocho años (art. 441 CP), se sanciona con pena de prisión de 38 a 128 meses a quienes, estando obligados jurídicamente, omitan el cumplimiento de los mecanismos previstos para las transacciones en efectivo o para la movilización y el almacenamiento de dinero en efectivo (arts. 325 y 325-A CP); ambas conductas

---

[49] Por ejemplo, las actividades financieras (desarrolladas por entidades sometidas a control y vigilancia de la Superintendencia Financiera y de la Superintendencia de Economía solidaria); las de comercio exterior, importación-exportación de oro y cambio de divisas; las de los casinos, las loterías o los juegos de azar; las de transporte de carga terrestre o de valores; las de los operadores postales de pago; las de los clubes con deportistas profesionales; y las notariales.

[50] SÁNCHEZ-VERA, J. (Enero de 2008). Blanqueo de capitales y abogacía. Un necesario análisis crítico desde la teoría de la imputación objetiva. *InDret*; POLAINO-ORTS, M. (2015). Normativización de los títulos de imputación en el blanqueo de capitales: cuestiones problemáticas fundamentales de parte general En: K. Ambos, D. C. Coria & E. Malarino (coords.). *Lavado de activos y compliance. Perspectiva internacional y derecho comparado,* pp. 249-288. Lima: Jurista editores, pp. 274 y ss.

[51] BLANCO, I. (2009). Eficacia del sistema de prevención del blanqueo de capitales. Estudio del cumplimiento normativo (compliance) desde una perspectiva criminológica. *Eguzkilore* (23), pp. 117-138.

están previstas como delitos autónomos en el derecho colombiano y su legitimidad es cuestionable, en especial tratándose del art. 325-A, párrafo 1°, CP, que constituye una infracción meramente formal[52].

4. CONCLUSIONES

El lavado de activos, habida cuenta de su relación estrecha con la criminalidad organizada y de la amenaza que representa para la estabilidad económica y financiera de los Estados, es considerado un riesgo para la seguridad tanto global como nacional.

La necesidad de impedir sus posibles efectos negativos ha forzado el desarrollo de una política global, fundamentalmente preventiva, orientada a impedir el aprovechamiento de las ganancias obtenidas por la realización de actividades ilícitas y evitar su reinversión en delitos futuros. En este contexto, junto al lavado de activos, han cobrado especial relevancia los delitos de enriquecimiento ilícito y financiación de actividades ilícitas, al igual que otras medidas de carácter real como el comiso o la extinción del derecho de dominio.

Tal estrategia, diseñada por diferentes instancias internacionales que acuden indistintamente a mecanismos coactivos y persuasivos, se materializa en una serie de instrumentos vinculantes y otros que no lo son, que imponen o sugieren, según el caso, la criminalización del blanqueo y fijan los términos generales para ello.

Se trata de una política criminal que, primero, responde a la idea según la cual el lavado de activos es un problema global que exige una respuesta conjunta de los Estados; segundo, su lineamientos se vierten en unas nor-

---

[52] Artículo 325-A. Omisión de reportes sobre transacciones en efectivo, movilización o almacenamiento de dinero en efectivo. Aquellos sujetos sometidos a control de la Unidad de Información y Análisis Financiero (UIAF) que deliberadamente omitan el cumplimiento de los reportes a esta entidad para las transacciones en efectivo o para la movilización o para el almacenamiento de dinero en efectivo, incurrirán, por esa sola conducta, en prisión de treinta y ocho (38) a ciento veintiocho (128) meses y multa de ciento treinta y tres punto treinta y tres (133.33) a quince mil (15.000) salarios mínimos legales mensuales vigentes.

mas comunes que se imponen a los Estados de diversas maneras y éstos deben desarrollarlas de modo homogéneo en sus respectivas legislaciones nacionales; tercero, su eficacia depende del compromiso de los Estados y de la cooperación internacional y, cuarto, centra su atención en, sobre todo, el sistema financiero, si bien, no de modo exclusivo ni excluyente.

La influencia de las instancias supranacionales en esta materia es significativa; de hecho, la inclusión del delito de lavado de activos en los derechos nacionales, así como buena parte de sus reformas ulteriores, ha sido consecuencia de la acción de organismos internacionales que configuran el marco normativo. Sin embargo, al tiempo que se estandarizan las normas nacionales y se articulan los medios para la cooperación internacional, se multiplican las fuentes de aplicación e interpretación, se agudiza su déficit democrático, se generan conflictos de competencia entre las jurisdicciones estatales y, debido a su generalidad, no pueden atender a las particularidades de cada ordenamiento, dando lugar a incompatibilidades con sus principios internos.

A propósito de esto último, no puede dejar de mencionarse cómo la incorporación del delito en comento al derecho colombiano provoca una serie de interrogantes que, desafortunadamente, no han sido debatidos suficientemente. El discurso sobre los riesgos y los efectos nocivos del blanqueo ha justificado, sin apenas oposición, la introducción de un delito caracterizado por su carácter expansivo y en cuya construcción prima la 'razón' política sobre la dogmática; la consecuencia de esto ha sido la restricción progresiva y exagerada tanto de los derechos como de las libertades ciudadanas.

La disposición mediante la cual se castiga el lavado de activos en Colombia resulta desproporcionada, en la medida en que, primero, no era necesaria, pues ya existía el delito de receptación; segundo, las dudas sobre su idoneidad para proteger el orden económico social son significativas y, tercero, las penas previstas resultan a todas luces exageradas, no sólo frente a la receptación, con la cual tiene un innegable aire de familia, sino con algunos de los delitos fuente.

Por lo demás, el tipo penal tiene un alcance exagerado porque, además del aumento de los verbos rectores y de los delitos fuente, cobija los bienes muebles e inmuebles con origen inmediato o mediato en actividades delictivas, sin que sea necesaria una decisión judicial previa sobre la existencia del delito fuente. Esto, por cierto, pone en una situación bastante incómoda a los terceros que se relacionan comercialmente con el sujeto activo del delito de lavado de activos, o con los bienes originados en sus actividades ilícitas, o por los que éstos han sido transformados; en la práctica, respecto de dichos terceros, se invierte la regla de la carga de la prueba.

Aunque el aumento de los verbos rectores se compadece con el objetivo de evitar las lagunas de punibilidad, no puede negarse que es cuestionable, en la medida en que considera formas de blanqueo actos que bien pueden considerarse equívocos o preparatorios —o de colaboración— del lavado en sentido estricto, como son los de adquirir, poseer o usar los bienes de origen ilícito; dichos actos, además, son castigados con la misma pena que las otras formas de normalización. Las dos cuestiones apuntadas afectan, sobre todo, los principios de legalidad, determinación y lesividad.

A la vista del artículo 323 CP vigente, es posible afirmar que no hay criterios claros para delimitar los comportamientos relevantes en clave penal de aquellos que no lo son, ya sea porque el riesgo asociado a los mismos apenas es abstracto para el bien jurídico orden económico social o, bien, porque el perjuicio efectivamente causado es de escasa entidad. La posibilidad de acudir a criterios como la adecuación social, la insignificancia o, incluso, a las fórmulas suministradas por la imputación objetiva, para delimitar el tipo penal, conlleva una aplicación desigual de la ley y resiente la seguridad jurídica.

Respecto de la aplicación desigual de la ley, no puede olvidarse que el actual sistema antilavado presenta un riesgo de selectividad grande, pues, en primer lugar, son los particulares quienes deben denunciar las conductas de lavado de activos y reportar las operaciones sospechosas. Al margen del evidente conflicto de interés que eso representa, esta peculiaridad supone delegarles funciones de policía administrativa, con todo lo que ello implica y, en orden a reforzar su cumplimiento, se los amenaza con la imposición de sanciones, incluso penales, que pueden terminar castigando meros actos de desobediencia con penas privativas de la libertad.

En segundo lugar, recuérdese que la UIAF es la encargada de recibir y examinar los reportes de las operaciones sospechosas y, por ende, es la obligada a poner en conocimiento de la Fiscalía General de la Nación las operaciones susceptibles de ser constitutivas de blanqueo, tras efectuar el análisis respectivo; su eficiencia, desde luego, está condicionada por los recursos de la entidad y la capacidad de sus funcionarios. También es importante tener en cuenta que las labores de la UIAF se consideran, en cierto contexto, actividades de inteligencia (art. 3° Ley 1621 de 2013) y, por ende, sus documentos, información y elementos técnicos están amparados por la reserva legal durante un plazo máximo de 30 años (art. 33 *ibidem*), lo cual propone serios obstáculos para el control de su gestión.

5. BIBLIOGRAFÍA

ABANTO, M. A. (2015). Evolución de la criminalización del lavado de activos en la doctrina y práctica de Perú y Alemania. En: *Lavado de activos y compliance. Perspectiva internacional y derecho comparadom*, pp. 27 a 90. Lima: Jurista editores.

ABEL, M. (2002). *El blanqueo de dinero en la normativa internacional: especial referencia a los aspectos penales.* Santiago de Compostela: Universidad de Santiago de Compostela.

ALBRECHT, H. J. (2001). *Criminalidad transnacional, comercio de narcóticos y lavado de dinero* (Ó. J. Guerrero Peralta, Trad.). Bogotá D.C.: Universidad Externado de Colombia.

AMBOS, K. (2011). *Internacionalización del derecho penal: el ejemplo del "lavado de dinero".* Bogotá: Universidad Externado de Colombia.

ARIAS, D. P. (2011). *Aspectos político-criminales y dogmáticos del tipo de comisión doloso de blanqueo de capitales (art. 301 CP).* Madrid: Iustel.

BAJO, M. (2009). El desatinado delito de blanqueo de capitales. En M. Bajo, & S. Bacigalupo, *Política criminal y blanqueo de capitales,* pp. 11-20. Madrid: Marcial Pons.

BECK, U. (2006). *La sociedad del riesgo. Hacia una nueva modernidad.* Barcelona: Paidós.

BLANCO, I. (2009). Eficacia del sistema de prevención del blanqueo de capitales. Estudio del cumplimiento normativo (compliance) desde una perspectiva criminológica. *Eguzkilore*(23), 117-138.

BLANCO, I. (2007). Principios y recomendaciones internacionales para la penalización del lavado de dinero. Aspectos sustantivos. En *Combate del lavado de activos desde el sistema judicial.* Washington D.C.: Organización de los Estados Americanos, República Bolivariana de Venezuela y Banco Interamericano de Desarrollo.

BLANCO, I. (2001). La lucha contra el blanqueo de capitales procedentes de las actividades delictivas en el marco de la Unión Europea. *Eguzkilore* (15), 1-38.

BOTTKE, W. (1998). Mercado, criminalidad organizada y blanqueo de dinero en Alemania. *Revista Penal* (2), 1-16.

CARO, J. A. (2015). Los abogados ante el lavado de activos: recepción de honorarios sucios y deber de confidencialidad. En: *Lavado de activos y compliance. Perspectiva internacional y derecho comparado,* pp. 193 a 248. Lima: Jurista editores.

COBO, M., & VIVES, T. (1999). *Derecho Penal. Parte General* (5 ed.). Valencia: Tirant lo Blanch.

CORCOY, M. (2012). Expansión del Derecho Penal y garantías constitucionales. *Revista de Derechos Fundamentales* (8), 45-76.

DE LA CUESTA, J. L. (2006). Principales lineamientos político-criminales de la Asociación Internacional de Derecho Penal en un mundo globalizado. *Eguzkilore,* 5-21.

FABIÁN, E. (2007). Tipologías y lógica del lavado de dinero. En *Combate del Lavado de Activos desde el Sistema Judicial.* Washington D.C.: Organización de los Estados Americanos, República Bolivariana de Venezuela y Banco Interamericano de Desarrollo.Recuperado de: http://www.cicad.oas.org/lavado_activos/pubs/Combate_Lavado_3ed.pdf

FARALDO, P. (2014). Antes y después de la tipificación expresa del autoblanqueo de capitales. *Estudios penales y criminológicos,* 34, 41-79.

FARALDO, P. (2006). Los autores del delito de blanqueo de bienes en el Código Penal español. Especial alusión a los proveedores de bienes y/o servicios: el caso de los abogados y asesores fiscales. *Anuario de Derecho Penal y Ciencias Penales, LIX.*

FARALDO, P. (1998). Aspectos básicos del delito de blanqueo de bienes en el Código Penal de 1995. *Estudios Penales y Criminológicos* (21), 117-166.

GARCÍA, M. (2004). De la receptación y otras conductas afines. En J. Córdoba Roda, & M. García Arán, *Comentarios al Código Penal. Parte Especial* (Vol. I, pp. 1133-1172). Madrid-Barcelona: Marcial Pons.

Gaceta del Congreso Núm. 284 del 23 de julio de 1996. Exposición de motivos, Proyecto de ley núm. 18 de 1996, Senado, pp. 4-12

GONZÁLEZ, J. J. (2011). Capítulo 28. Delitos contra el patrimonio y contra el orden socioeconómico (X). Sustracción de cosa propia a su utilidad social o cultural. Delitos societarios. Receptación y blanqueo de capitales. En *Sistema de Derecho Penal español. Parte Especial,* pp. 621-646. Madrid: Dykinson.

HERNÁNDEZ, H. (2011). *Los delitos económicos en la actividad financiera.* Bogotá: Ibáñez.

Presidencia del Gobierno (2017). *Estrategia de Seguridad Nacional*. Disponible en http://www.dsn.gob.es/sites/dsn/files/Estrategia_Seguriad_Nacional_2017. pdf

LABORIE, M. A. (2011). *La evolución del concepto de seguridad*. Madrid: Instituto Español de Estudios Estratégicos.

LASCURAÍN, J. A. (2014). El control constitucional de las leyes penales. En F. Velásquez V., & R. Vargas Lozano, *Derecho Penal y Constitución*, pp. 11-44. Bogotá: Universidad Sergio Arboleda.

LOPERA, G. P. (2012). Posibilidades y límites del principio de proporcionalidad como instrumento de cotrol del legislador penal. En S. Mir Puig, J. J. Queralt Jiménez, & S. Fernández Bautista, *Constitución y principios del Derecho penal: algunas bases constitucionales*, pp. 105-137. México D.F.: Tirant lo Blanch.

MANSO, T. (2011). El blanqueo de capitales entre la dogmática y la política criminal internacional: resultados desde una perspectiva de derecho comparado. *Estudios Penales y Criminológicos, XXXI*, 305-324.

MARTÍNEZ-BUJÁN, C. (2004). La dimensión internacional del blanqueo de dinero. *Estudios de derecho judicial* (61), 179-270.

MIR, S. (2012). El principio de proporcionalidad como fundamento constitucional de límites materiales del Derecho penal. En Mir Puig, Queralt Jiménez & Fernández Bautista, *Constitución y Principios del Derecho Penal*, pp. 67-104. México D.F.: Tirant lo Blanch.

MUÑOZ, F. (2010). *Derecho Penal. Parte Especial* (18 ed.). Valencia: Tirant lo Blanch.

MUÑOZ, F. (2009). Consideraciones en torno al bien jurídico protegido en el delito de blanqueo de capitales. En *I Congreso de prevención y represión del blanqueo de dinero*, pp. 157-174. Valencia: Tirant lo Blanch.

NAVARRO, I. (2010). El principio de proporcionalidad en sentido estricto: ¿principio de proporcionalidad entre el delito y la pena o balance global de costes y beneficios? *InDret. Revista para el análisis del Derecho* (2), s/p.

NIETO, A. (2007). ¿Americanización o europeización del Derecho Penal Económico? *Revista Penal* (19), 120-136.

NÚÑEZ, M. Á. (2009). Criminalidad, capital y corrupción. Orígenes delincuenciales y precisiones contemporáneas. En *I Congreso de prevención y represión del blanqueo de dinero*, pp. 263-281. Valencia: Tirant lo Blanch.

NYE, J. (1990). *Bound to lead: The changing nature of American Power*. New York: Basic Books.

Organización de los Estados Americanos [CICAD]. (1998). *Manual de apoyo para la tipificación del delito de lavado*.

POLAINO-ORTS, M. (2015). Normativización de los títulos de imputación en el blanqueo de capitales: cuestiones problemáticas fundamentales de parte general En: K. Ambos, D. C. Coria & E. Malarino (coords.). *Lavado de activos y compliance. Perspectiva internacional y derecho comparado*, pp. 249-288. Lima: Jurista editores.

QUINTERO, G. (2010). Sobre la ampliación del comiso y el blanqueo, y la incidencia en la receptación civil. *Revista Electrónica de Ciencia Penal y Criminología*(12-r2).

RUIZ, C. E., VARGAS, R., CASTILLO, L., & CARDONA, D. E. (2015). *El lavado de activos en Colombia. Consideraciones desde la dogmática y la política criminal.* Bogotá: Universidad Externado de Colombia.

SÁNCHEZ-VERA, J. (Enero de 2008). Blanqueo de capitales y abogacía. Un necesario análisis crítico desde la teoría de la imputación objetiva. *InDret.*

SERRANO, A., & SERRANO, A. (2013). *Derecho Penal Parte Especial* (16 ed.). Madrid: Dykinson.

SINTURA, F., MARTÍNEZ, W. & QUINTANA, F. (2014). *Sistema de prevención de lavado de activos y de financiación del terrorismo.* 2 ed. Bogotá: Legis.

VARGAS, R. (2016). La política criminal internacional en materia de lavado de activos y su desarrollo en Colombia. En *Problemas actuales del derecho penal. Volumen I. 2012-2015*, pp. 179-206. Bogotá: Universidad Sergio Arboleda.

VARGAS, R. & RUIZ, C. E. (2017). El delito de lavado de activos en Colombia. En Á. Vargas y R. Vargas Lozano, *El lavado de activos y la persecución de bienes de origen ilícito*, pp. 15-47. Bogotá: Universidad Sergio Arboleda.

VARGAS, Á., & VARGAS, R. (2017). Lavado de activos y receptación: ¿una distinción artificiosa? En Á. Vargas y R. Vargas Lozano, *El lavado de activos y la persecución de bienes de origen ilícito*, pp. 95-123. Bogotá: Universidad Sergio Arboleda.

VELÁSQUEZ, F. (2013). *Manual de Derecho Penal. Parte General* (5 ed.). Bogotá D.C.: Ediciones Jurídicas Andrés Morales.

VIDALES, C. (2012). Blanqueo, ¿qué es blanqueo? (Estudio del artículo 301.1 del Código Penal español tras la reforma de la L.O. 5/2010). *Revista General de Derecho Penal*(18).

VOGEL, J. (2005). Derecho penal y Globalización. *Anuario de la Facultad de Derecho de la Universidad Autónoma de Madrid* (9), 113-126.

WINTER, J. (2015). La regulación internacional del lavado de activos y el financiamiento del terrorismo. En: *Lavado de activos y compliance. Perspectiva internacional y derecho comparado*, pp. 91 a 142. Lima: Jurista editores.

Capítulo VII

DEL BLANQUEO COMO AMENAZA A LA AMENAZA DEL BLANQUEO

Comentarios a la Propuesta de Directiva del Parlamento Europeo y del Consejo sobre la lucha contra el blanqueo de capitales mediante el Derecho penal a la luz de la experiencia española

CATY VIDALES RODRÍGUEZ
Profesora Titular de Derecho Penal
(Acreditada como Catedrática)
UNIVERSITAT JAUME I

1. INTRODUCCIÓN: EL BLANQUEO COMO AMENAZA

Cuando al final de la década de los 80 comenzó a extenderse la preocupación por el blanqueo de capitales, en aquel entonces estrechamente vinculado al delito de tráfico de drogas, nada hacía presagiar que llegaría a adquirir el innegable protagonismo que ostenta actualmente. Si bien es cierto que la Convención de Naciones Unidas contra el tráfico ilícito de estupefacientes y sustancias psicotrópicas, firmada en Viena el 20 de diciembre de 1998 —primer texto normativo internacional que contiene una referencia a esta figura— ya advertía, no sin cierto alarmismo, de los riesgos de este fenómeno. En efecto, en su Preámbulo alude al menoscabo de las bases económicas, culturales y políticas de la sociedad; se señala, además, que los vínculos existentes entre el narcotráfico y otras actividades delictivas organizadas con las que se relaciona socavan las economías lícitas y amenazan la estabilidad, la seguridad y la soberanía de los Estados. Asimismo, se afirma que los considerables rendimientos financieros que produce el narcotráfico permiten a las organizaciones delictivas transnacionales invadir, contaminar y corromper las estructuras de la Administración pública, las actividades comerciales financieras lícitas y la sociedad en todos sus niveles.

El devenir del tiempo ha demostrado que los peligros a los que se pretendía hacer frente por medio de la incriminación de estas conductas no se han conjurado. Así es por cuanto que, con la cautela que impone la dificultad de manejar cifras fiables al respecto, se estima que a nivel mundial se blanquean unos 600.000 millones de dólares de procedencia ilícita por año[1] y, según cálculos del Fondo Monetario Internacional, entre el 2 % y el 5 % de la economía mundial procede del lavado[2]; cifras que podrían ser incluso superiores, según se recoge en el documentado trabajo de ABEL SOUTO, quien reconoce la imposibilidad de aportar datos exactos[3]. A ello hay que añadir las extraordinarias dificultades de distinguir la economía legal de la ilegal. En atención a las cifras barajadas por CURBET, en los mercados financieros se mueven 1,3 billones de euros diarios mientras que las exportaciones mundiales de bienes y servicios no sobrepasan los 18.000 euros al día, por lo que, como puede verse, el flujo de capitales está completamente desconectado de la economía real. De ahí que sea fácil inferir que la economía legal y la delictiva aparecen imbricadas de tal modo que utilizan los mismos mecanismos y comparten, asimismo, idénticas técnicas[4]. Se crea de este modo una economía virtual en la que "una infinidad de sociedades pantalla, de bancos infiltrados por organizaciones criminales, de empresas ficticias o bajo control mafioso comercian, intercambian y trafican entre sí, dando la falsa impresión de una racional armonía, en la que cada operación tiene su credibilidad natural"[5].

---

[1]   Según datos extraídos de un estudio realizado por Merrill Lynch y citado por BRAS-LAVSKY, G. "Jaque a los paraísos fiscales", disponible en http://www.forodeseguridad.com/artic/discipl/disc_4011.htm.

[2]   INTERNATIONAL MONETARY FUND, Anti-Money Laundering and Combating the Financing of Terrorism (AML/CFT)-Report on the Review of the Effectiveness of the Program, 2011.

[3]   ABEL SOUTO, M., "Volumen mundial del blanqueo de dinero, evolución del delito en España y jurisprudencia reciente sobre las últimas modificaciones del Código penal", en *Revista General de Derecho Penal* 20 (2013), pp. 2 y ss.

[4]   CURBERT, J., "La criminalización de la economía y la política", en *Revista Gobernanza y Seguridad Sostenible,* 2004. Disponible en www.iigov.org

[5]   CURBERT, J., *op. y loc. cit.*

En este contexto, las distorsiones económicas que el lavado produce son evidentes[6]. Además, la innegable vinculación con las modalidades más graves de la criminalidad hace que se haya calificado, no sin razón, como una auténtica amenaza[7]. No es para menos a la vista de los daños y perjuicios que puede ocasionar, puestos de manifiesto por GONZÁLEZ CUSSAC y que, entre otros, puede llegar a erosionar los principios del Estado de Derecho[8]. Si, como acertadamente afirma el citado autor, nos encontramos ante una de las mayores amenazas a nuestra seguridad[9], es fácil explicar el interés que desde distintos organismos se ha mostrado por combatir este fenómeno.

2. INICIATIVAS SUPRANACIONALES EN LA LUCHA CONTRA EL BLANQUEO DE CAPITALES

Los primeros intentos de la comunidad internacional estuvieron centrados en prevenir que los bienes ilícitamente obtenidos se inyectasen en el ciclo de la economía legal; más concretamente, en el sistema financiero por ser éste, como resulta obvio, el más permeable. Son numerosos los instrumentos que abordan la cuestión desde esta perspectiva. De cita obligada resulta la *Recomendación nº R (80) 10 relativa a medidas contra la transferencia y el encubrimiento de capitales de origen criminal* del Comité

---

[6]   Sobre los efectos económicos del lavado, puede verse, DEL CID GÓMEZ, J. M., "Detección del blanqueo y sus efectos socioeconómicos", en *III Congreso sobre prevención y represión del blanqueo de dinero*. Coord. ABEL SOUTO, M., y SÁNCHEZ STEWART, N., Ed. Tirant lo Blanch. Valencia, 2013, pp. 43 y ss.; PELÁEZ RUÍZ-FORNELLS, A. F., *De los rendimientos ilícitos a su legitimación: el fenómeno del blanqueo de capitales. Efectos e implicaciones de política económica.* Tesis doctoral disponible en http://eprints.ucm.es/21659/1/T34459.pdf.

[7]   SANMARTIN, J. J., "Los alquimistas de mal. Servicios de inteligencia frente al terrorismo global", en *Revista electrónica AAInteligencia*, 2009/11; disponible en http://www.aainteligencia.cl/?p=255

[8]   GONZÁLEZ CUSSAC, J. L., "Tecnocrimen", en *Amenazas a la seguridad nacional: Terrorismo, criminalidad organizada y TIC's*. Dir. J. L. González Cussac y M. L. Cuerda Arnau. Coord. Antonio Fernández Hernández. Ed. Tirant lo Blanch. Valencia, 2012, p. 206.

[9]   GONZÁLEZ CUSSAC, J. L., *op. y loc. cit.*

de Ministros del Consejo de Europa de 1980 o la *Declaración de principios de Basilea sobre prevención de la utilización del sistema bancario para el blanqueo de fondos de origen criminal, de 12 de diciembre de 1988*. Pero, sin duda, el texto que ha ejercido una mayor influencia ha sido las 40 Recomendaciones elaboradas por el Grupo de Acción Financiera Internacional (GAFI), en 1990 y modificado en 1996, 2003 y 2004. En todas estas ocasiones se ha venido ampliado el ámbito de aplicación de las medidas que contiene. En efecto, la primera reforma obedece al propósito de que el blanqueo de capitales no quedara circunscrito a la comisión de delitos relacionados con el tráfico de estupefacientes y sustancias psicotrópicas. Las otros dos cambios son consecuencia de los atentados terroristas del 11 de septiembre de 2001, que sirvieron para incorporar recomendaciones en orden a prevenir la financiación del terrorismo. Como ha quedado dicho, la importancia de este instrumento es indiscutible, habida cuenta de que no sólo supuso un impulso esencial para el *Convenio relativo al blanqueo, seguimiento, embargo y decomiso de los productos del delito* de 1990, también llamada Convención o Convenio de Estrasburgo[10], sino que, además, ha ejercido un notable influjo en la política preventiva de la Unión Europea como así se reconoce expresamente en las Directivas que se han elaborado hasta la fecha[11].

---

[10]   ABEL SOUTO, M., *El blanqueo...*, *op. cit.*, p. 140.

[11]   Directiva 91/308/CEE del Consejo de 10 de junio de 1991, relativa a la prevención de la utilización del sistema financiero para el blanqueo de capitales, Directiva 2001/97/CE del Parlamento Europeo y del Consejo de 4 de diciembre de 2001, Directiva 2005/60/CEE del Parlamento y del Consejo de 26 de octubre de 2005, relativa a la prevención de la utilización del sistema financiero para el blanqueo de capitales y para la financiación del terrorismo, Directiva 2015/849 del Parlamento Europeo y del Consejo, de 20 de mayo de 2015, relativa a la prevención de la utilización del sistema financiero para el blanqueo de capitales o la financiación del terrorismo; y, por último, la Directiva 2018/843 del Parlamento Europeo y del Consejo de 30 de mayo de 2018, por la que se modifica la Directiva 2015/849 relativa a la prevención de la utilización del sistema financiero para el blanqueo de capitales o la financiación del terrorismo, y por la que se modifican las Directivas 2009/138/CE y 2013/36/UE. Sobre el tema, puede verse OLESTI RAYO, A., "La actividad del Grupo de Acción Financiera Internacional contra el blanqueo de capitales y su incidencia en la Unión Europea", en *Los Tratados de Roma en su Cincuenta Aniversario*. Ed. Marcial Pons. Madrid, 2008, pp. 891 y ss.

De similar trascendencia en el ámbito penal —único al que se hará referencia en el presente trabajo— es la Convención de Naciones Unidas contra el tráfico ilícito de estupefacientes y sustancias psicotrópicas de 1988, que fue el primer instrumento que contiene una referencia expresa a esta figura. Se enfatizan allí las graves repercusiones del tráfico ilícito de estas sustancias y en la magnitud de los efectos económicos que derivan de ese fenómeno debe verse la razón por la que se obliga a perseguir los beneficios del narcotráfico para que, por una parte, la privación de las ganancias sirva de incentivo al abandono de las actividades delictivas y, por otra, pueda facilitarse el castigo de los responsables de las mismas a través del denominado "rastro" o "huella" del dinero.

La principal consecuencia de este nuevo enfoque fue la necesidad de sancionar penalmente el blanqueo de capitales procedente, en aquella primera ocasión, de actividades relacionadas con el narcotráfico. Posteriormente, se ha ido ampliando el catálogo de infracciones que puede dar lugar a un posterior delito de blanqueo. Así, la Convención de Naciones Unidas contra la Delincuencia Organizada Transnacional, firmada en Palermo, el 13 de diciembre de 2000, insta a los Estados Parte a tipificar el delito de blanqueo en relación con el mayor número de delitos posible y, en todo caso, se extenderá a infracciones graves, a las cometidas en el seno de grupos delictivos organizados, y a las relacionadas con la corrupción y la obstrucción de la justicia[12]. Por su parte, la Convención de ese mismo organismo contra la Corrupción, firmada en Mérida, el 9 de diciembre de 2003, obliga a castigar el blanqueo de bienes originados por la comisión de alguno de los delitos a los que va referido el Convenio; esto es, soborno de funcionarios públicos nacionales o extranjeros, soborno de funcionarios de organizaciones internacionales públicas, malversación o peculado, apropiación indebida u otras formas de desviación de bienes, tráfico de influencias, abuso de funciones, enriquecimiento ilícito, soborno en el sector privado y malversación o peculado en el sector privado[13].

---

[12] Art. 6.2.b) de la Convención de Naciones Unidas contra la Delincuencia Organizada Transnacional.

[13] Art. 23.3.b) de la Convención de Naciones Unidas contra la Corrupción.

Vemos, pues, que se insiste en la línea iniciada en 1988 y, de este modo, todos los textos mencionados presentan como denominador común el prescribir castigar dos tipos de comportamientos:

1. La conversión o transferencia de bienes sabiendo que proceden de un determinado delito, con el fin de ocultar o encubrir el origen ilícito de los bienes o de ayudar a cualquier persona que participe en la comisión de tal delito a eludir las consecuencias jurídicas de sus actos.

2. La ocultación o el encubrimiento de la naturaleza, el origen, la ubicación, el destino, el movimiento o la propiedad reales de bienes, o de derechos relativos a tales bienes, a sabiendas de que proceden de alguno o algunos de los delitos tipificados de conformidad con el inciso a) del presente párrafo o de un acto de participación en tal delito o delitos.

Además, se faculta a los Estados para que, *con respeto a los principios constitucionales y los conceptos fundamentales de su ordenamiento jurídico*, tipifiquen la adquisición, la posesión o la utilización de bienes, a sabiendas, en el momento de recibirlos, de que tales bienes proceden de la comisión de un delito. Y, asimismo, la participación en la comisión de estos delitos, así como la asociación y la confabulación para cometerlos, la tentativa de cometerlos y la ayuda, la incitación, la facilitación y el asesoramiento en aras de su comisión.

En cuanto a las iniciativas regionales, en el ámbito americano destaca el Reglamento Modelo sobre Delitos de Lavado relacionados con el Tráfico Ilícito de Drogas y Delitos conexos, elaborado por la Comisión Interamericana para el Control del Abuso de Drogas (CICAD), en 1992. En su artículo segundo dispone que comete este delito quien convierta, transfiera o transporte a sabiendas, debiendo saber o con ignorancia intencional que éstos son producto o instrumentos de actividades delictivas graves. Una segunda modalidad comisiva consiste en la adquisición, posesión, tenencia, utilización o administración de bienes a sabiendas, debiendo saber, o con ignorancia intencional que los mismos son producto o instrumentos de actividades delictivas graves. Y, por último, se considera que comete este delito la persona que oculte, disimule o impida la determinación real de la naturaleza, el origen, la ubicación, el destino, el movimiento o la propiedad de bienes, o de derechos relativos a tales bienes, a sabiendas, debiendo saber, o con ignorancia intencional que los mismos son producto o instrumentos de actividades delictivas graves.

A la vista de la dicción literal de este precepto, aunque resulta indudable la influencia ejercida por la Convención de Viena, lo cierto es que median importantes diferencias entre los dos textos. Desde luego, resultaría excesivo el cotejo de ambos documentos; sí interesa, en cambio, destacar que para el castigo de los comportamientos que se consideran penalmente relevantes, no se exige la concurrencia de referencia anímica alguna. Es decir, se prescinde de requerir que el sujeto obre con la finalidad de ocultar o encubrir el origen ilícito de los bienes o de ayudar a los autores del delito previo a eludir las consecuencias jurídicas de sus actos. Consecuencia, por otra parte, que deviene obligada debido a la inclusión de la modalidad imprudente de comisión. La segunda diferencia que conviene poner de manifiesto es que mientras que la incriminación del mero aprovechamiento de estos bienes era facultativo en las aludidas convenciones y habría de atenderse, como se recordará, a los principios constitucionales y a los conceptos fundamentales de cada ordenamiento, ahora, los actos de adquisición, posesión, tenencia, utilización o administración de bienes son de tipificación obligatoria; suprimiéndose, por tanto, la facultad que se le confería a los diversos legisladores nacionales.

Por cuanto se refiere al marco de la Unión Europea, el primer documento que debe mencionarse es la Decisión Marco del Consejo 2001/500/JAI, de 26 de junio de 2001, relativa al blanqueo de capitales, la identificación, seguimiento y embargo, incautación y decomiso de los instrumentos y productos del delito que no viene sino a reforzar las medidas que ya preveía el Convenio del Consejo de Europa de 1990 y que, a su vez, resultan claramente ampliadas con ocasión del Convenio relativo al blanqueo, seguimiento, embargo y comiso de los productos del delito y a la financiación del terrorismo, hecho en Varsovia el 16 de mayo de 2005. Así es por cuanto que, aunque no ha variado la descripción de las conductas típicas, sí establece la posibilidad de perseguir el blanqueo cuando se alberguen sospechas de que los bienes involucrados proceden de un delito o cuando debería haberse presumido tal origen. Además, para castigar esta infracción se prescinde de la exigencia de una condena previa o simultánea por el delito principal[14] sin que, a tenor de lo dispuesto en el apartado quinto del artículo 9, sea necesario determinar con precisión de qué delito se trata. Por lo que se refiere a los supuestos conocidos como autoblanqueo, se permite que cada Estado Parte decida si las consecuencias derivadas del blanqueo deban ser o no aplicadas a los responsables de la infracción previamente cometida.

A estos textos se le viene a sumar más recientemente la Propuesta de Directiva del Parlamento Europeo y del Consejo, sobre la lucha contra el blanqueo de capitales mediante el Derecho penal[15]; cuyo objetivo es, precisamente, incorporar las disposiciones contenidas en el último texto supranacional citado y de cuyo estudio, por constituir el núcleo esencial de este trabajo, paso a ocuparme en un epígrafe separado.

3. LA PROPUESTA DE DIRECTIVA DEL PARLAMENTO Y DEL CONSEJO SOBRE LA LUCHA CONTRA EL BLANQUEO DE CAPITALES MEDIANTE EL DERECHO PENAL

3.1. La necesidad de la propuesta

El texto que se pretende aprobar responde a las recomendaciones sobre las acciones o iniciativas que han de llevarse a cabo puestas de manifiesto por la Resolución del Parlamento Europeo, de 23 de octubre, sobre delincuencia organizada, la corrupción y el blanqueo de dinero que, considerando las graves consecuencias que derivan de este fenómeno[16], reivindica una propuesta de armonización de la legislación penal en materia de blanqueo

---

14   Art. 9.5 del Convenio de Varsovia.
15   Disponible en https://eur-lex.europa.eu/legal-content/ES/TXT/PDF/?uri=CELEX:5 2016PC0826&from=ES; última consulta julio 2018.
16   Se alude expresamente a la seguridad de los ciudadanos y de los consumidores, a la libre circulación, a la protección de las empresas, a la competencia libre y justa, a la necesidad de evitar que la acumulación de fondos y reservas financieros ilícitos distorsione el ciclo económico lícito y a los principios fundamentales sobre los que se basan la Unión Europea y los Estados miembros que están seriamente amenazados por la expansión de la delincuencia organizadas, la corrupción y el blanqueo de dinero.

de dinero, incluyendo una definición común de autoblanqueo. Se aspira, de este modo, a subsanar las insuficiencias o deficiencias advertidas en la persecución del delito de blanqueo pues, como se reconoce en la Exposición de Motivos, los instrumentos hasta ahora existentes presentan serias objeciones que restan eficacia a la incriminación de estas conductas. Como también se nos dice en el texto que encabeza la Propuesta, aunque todos los países castigan estos comportamientos, existen importantes diferencias en sus respectivas definiciones, así como en las consecuencias penales que de ellos derivan. Obviamente, esta falta de armonización repercute en la cooperación judicial y policial transfronteriza y, del mismo modo, en el intercambio de información.

Desde el convencimiento de que "un marco jurídico de la UE reforzado contribuiría, pues, a atajar de manera más eficaz la financiación del terrorismo y a conjurar la amenaza que representan las organizaciones terroristas, minando su capacidad para financiar sus actividades"[17], se proponen unas normas mínimas que, como tendremos ocasión de ver, van referidas no sólo a la definición del delito de blanqueo, sino también a las penas con las que se amenaza la realización de las conductas legitimadoras. Mediante la unificación propuesta, se pretende evitar que las constatadas diferencias entre las legislaciones de los Estados miembros puedan ser aprovechadas por los delincuentes. La pretendida homogeneidad ha de servir, según se nos dice, para contribuir en la lucha contra la financiación del terrorismo y, asimismo, para evitar que, como se puso de manifiesto en la Agenda Europea de Seguridad de 2015, la delincuencia organizada se infiltre en la economía legal[18]. Vemos, pues, que se consolida la creencia de que la persecución del blanqueo puede ser un instrumento especialmente válido para hacer frente a algunas de las manifestaciones más graves de la delincuencia.

3.2. Contenido

Dejando a un lado las medidas de carácter procesal —atinentes a la competencia y a la investigación— y las referidas a la sustitución de deter-

---

17 Exposición de motivos, p. 3.
18 Exposición de motivos, p. 5.

minadas disposiciones de la Decisión marco 2001/500/JAI, a la transposición, información, entrada en vigor o destinatarios, son ocho los artículos de claro contenido sustantivo.

El primero de ellos delimita el objeto y el ámbito de aplicación, señalando a tal efecto que se establecen las normas mínimas relativas a la definición del delito de blanqueo y las sanciones correspondientes y especificando, por otra parte, que quedan excluidos de estas los bienes procedentes de la comisión de delitos contra los intereses financieros de la Unión por tener un régimen propio.

En el artículo segundo se contempla, a efectos de esta Directiva, la definición de "actividad delictiva"[19] que puede servir de sustrato a un posterior delito de blanqueo, de "bienes"[20] o de "persona jurídica"[21]. Por su parte, el artículo 3 recoge la definición de los delitos de blanqueo que, al requerir, según entiendo, de un comentario más detenido, será objeto de análisis posteriormente[22]. Como viene siendo habitual en este tipo de textos normativos, el deseo por abarcar todas las conductas relacionadas con los actos que se tipifican, el artículo 4 prescribe el castigo de la inducción, la complicidad y la tentativa.

---

[19]   Se opta por el discutible criterio de enumerar una serie de delitos que se consideran graves —aunque alguno de los que se incluye no tiene por qué generar necesariamente una ganancia económica, como el asesinato o las lesiones graves (apartado m)— para poner fin al elenco con una cláusula abierta que permite englobar "todos los delitos, incluidos los delitos fiscales relacionados con los impuestos directos e indirectos definidos en la legislación nacional de los Estados miembros, que lleven aparejada una pena privativa de libertad o medida de seguridad privativa de libertad de duración máxima superior a un año o, en los Estados miembros en cuyo sistema jurídico exista un umbral mínimo para los delitos, todos los delitos que lleven aparejada una pena privativa de libertad o medida de seguridad privativa de libertad de duración mínima superior a seis meses" (apartado v).

[20]   Entendido por tales los "activos de cualquier tipo, tanto materiales como inmateriales, muebles o inmuebles, tangibles o intangibles, así como los documentos o instrumentos jurídicos con independencia de su forma, incluidas la electrónica o la digital, que acrediten la propiedad de dichos activos o un derecho sobre los mismos".

[21]   Constituida por "cualquier entidad que tenga personalidad jurídica con arreglo al Derecho aplicable, con excepción de los Estados u otros organismos públicos en el ejercicio de su potestad pública y de las organizaciones internacionales públicas".

[22]   *Vid., infra.*, III.3.

En cuanto a las penas, se impone la obligación de prever "sanciones penales efectivas, proporcionadas y disuasorias" que, en el caso de tratarse de delitos de blanqueo, no puede tener una duración máxima inferior a cuatro años, al menos en los casos graves, según se dispone en el artículo quinto. Esas penas deberán agravarse, en atención a lo que establece el precepto siguiente, en dos supuestos: a) cuando el delito se cometa en el seno de una organización delictiva, para lo que habrá de estarse a la Decisión marco 2008/841/JAI; o b) cuando se trate de determinados profesionales; en concreto, si la conducta es realizada por sujetos que "tengan una relación contractual y una responsabilidad frente a una entidad obligada o sea una entidad obligada a tenor de lo dispuesto en el artículo 2 de la Directiva 2015/849/UE, y haya cometido el delito en el ejercicio de sus actividades profesionales".

Finalmente, los artículos 7 y 8 se ocupan de la responsabilidad de las personas jurídicas y de las sanciones aplicables a estas, respectivamente. Comenzando por el primero de ellos, se dispone su responsabilidad cuando la actividad delictiva se realice en su beneficio y haya sido cometida por cualquier persona que ostente un cargo directivo basado en un poder de representación del ente, en la facultad de adoptar decisiones por cuenta del mismo o, finalmente, en la facultad de ejercer control en el seno de la persona jurídica. Idénticas consecuencias habrá de soportar, a tenor de lo que establece el apartado segundo del citado precepto, cuando el delito haya tenido lugar por la falta de supervisión o control por algunas de las personas físicas mencionadas. Y, en ninguno de los dos casos, la responsabilidad de la persona jurídica excluye la que le corresponda a la persona que haya llevado a cabo el comportamiento prohibido.

Por su parte, el artículo 8 establece la obligación de prever sanciones efectivas, proporcionadas y disuasorias, que además de la multa —que no necesariamente ha de tener naturaleza penal— pueden consistir en la inhabilitación para obtener subvenciones y ayudas públicas, la inhabilitación temporal o definitiva para ejercer actividades comerciales, el sometimiento a supervisión judicial y la disolución temporal o definitiva del establecimiento en el que se haya cometido el delito.

3.3. Los delitos de blanqueo de capitales

El apartado primero del artículo tercero contempla tres tipos de actos que han de constituir delitos, siempre que se comentan intencionadamente, a saber:

a) la conversión o la transferencia de bienes, conociendo que proceden de una actividad delictiva o de la participación en esta, con el propósito de ocultar o encubrir el origen ilícito de los bienes o de ayudar a quienes estén implicados en dicha actividad a eludir las consecuencias jurídicas de sus actos;

b) la ocultación o el encubrimiento de la naturaleza, el origen, la localización, la disposición, el movimiento o la propiedad reales de bienes o de derechos, a sabiendas de que los mismos proceden de una actividad delictiva o de la intervención en este tipo de actividad; y, por último,

c) la adquisición, posesión o utilización de bienes, sabiendo, en el momento de recibirlos que proceden de una actividad delictiva o de la participación en la misma.

Una rápida lectura del precepto permite constatar que, en cuanto a las conductas que se consideran constitutivas de delito de blanqueo en los apartados a) y b), se opta por el concepto de blanqueo que ya se venía manejando en el ámbito supranacional desde el primer antecedente, la Convención de Naciones Unidas contra el tráfico ilícito de estupefacientes y sustancias psicotrópicas de 1988. No obstante, es de advertir la sustitución que pretende operarse respecto de la referencia a bienes que proceden de un delito, por la de los que derivan de "una actividad delictiva". En este sentido, el artículo 3.2 explicita, como ya hiciera el Convenio de Varsovia de 2005, que para castigar el delito de blanqueo no se requiere la existencia de una condena previa o simultánea por la actividad delictiva de la que los bienes proceden y, se prescinde, asimismo, de conocer la identidad del autor de la actividad delictiva anterior. Finalmente, se autoriza —aunque tampoco se trata de una medida innovadora— la persecución del delito de blanqueo aun cuando esa actividad delictiva precedente se hubiese cometido en otro Estado miembro o en un tercer país, lógica consecuencia de la transnacionalización que caracteriza estas manifestaciones de la delincuencia.

Más significativa es la diferencia que afecta a los comportamientos descritos en el apartado c). En efecto, mientras que, como se recordará, en los convenios anteriores se facultaba a los Estados a incriminar tales actos, dejando a salvo los principios constitucionales y los conceptos fundamentales de cada ordenamiento, ahora se opta por suprimir esta potestad y pasan a integrar el concepto de blanqueo y, en consecuencia, a ser de obligada tipificación.

Por último, a tenor de lo dispuesto en el tercer apartado del artículo que se comenta, habrá de sancionarse el "autoblanqueo", excluyendo únicamente de esta posibilidad los actos de adquisición, posesión o utilización de los bienes procedentes de una actividad delictiva o de un acto de participación en la misma. La razón debe verse, según se indica en la explicación que se nos ofrece[23], en que la represión del mero 'disfrute personal' de los bienes de procedencia delictiva contraviene el principio *ne bis in idem*. No así sucede, siguiendo el razonamiento del texto introductorio, cuando la conducta post delictiva consistente en convertir, trasferir, u ocultar y encubrir a través del sistema financiero. En estos casos, "tales actividades son un acto delictivo adicional claramente distinguible del delito principal, que además provoca daños adicionales o de distinta naturaleza que los ya causados por el delito principal"[24].

A estos aspectos habré de referirme en lo que sigue, prestando especial atención a la afección que las medidas que se pretende incorporar puedan suponer para principios esenciales del Estado de Derecho. Así lo justifica, no sólo la atingencia con la temática de la obra en la que se inscribe, sino también el hecho de que, a pesar de que se reconoce expresamente que debe respetarse el principio de legalidad y de proporcionalidad de los delitos y las penas, la presunción de inocencia y los derechos de defensa y excluir, asimismo, cualquier forma de arbitrariedad, el Consejo de la Abogacía Europea no ha tardado en denunciar que, de aprobarse el texto propuesto, podría resentirse la vigencia de importantes principios[25]. Refle-

---

23   Exposición de Motivos, p. 16.
24   Exposición de Motivos, p. 17.
25   Comentarios de CCBE sobre la propuesta de Directiva del Parlamento Europeo y del Consejo relativa a la lucha contra el blanqueo de capitales a través del Derecho penal; disponible en https://www.abogacia.es/wp-content/uploads/2018/02/15.-Co-

ja esta posible colisión la experiencia española ya que, como es sabido, incorporó estas medidas en la trascendental reforma operada en este ámbito por medio de la Ley Orgánica 5/2010, de 22 de junio y que, por parecidos motivos, no ha podido evitar ser objeto de importantes críticas[26].

3.3.1. La actividad delictiva previa

En la propuesta de Directiva que se comenta, siguiendo idéntico criterio al mantenido en el Convenio de Varsovia, la referencia a actividad delictiva previa que, además, se circunscribe como mínimo a determinados delitos graves sustituye a la exigencia de que los bienes implicados hayan de proceder de un delito. No cabe duda de que el relevo obedece a la pretensión de perseguir el blanqueo con independencia de que la infracción precedente haya sido o no efectivamente castigada.

---

mentarios-a-la-propuesta-de-Directiva-contra-el-blanqueo-de-capitales-a-traves-del-Derecho-Penal.pdf; última consulta, julio 2018.

26 Véase, entre otros, ABEL SOUTO, M., "La reforma penal, de 22 de junio de 2010, en materia de blanqueo de dinero", en *II Congreso sobre prevención y represión del blanqueo de dinero*. Coord. Abel Souto, M., y Sánchez Stewart, N., Ed. Tirant lo Blanch. Valencia, 2011; p. 61 a 109; del mismo, "La reforma penal española de 2010 sobre el blanqueo, las nuevas técnicas de comisión delictiva y el uso de las telecomunicaciones para el blanqueo", en *III Congreso sobre prevención y represión del blanqueo de dinero*. Coord. Abel Souto, M., y Sánchez Stewart, N., Ed. Tirant lo Blanch. Valencia, 2013; p. 161 a 221; BERDUGO GÓMEZ DE LA TORRE, I., y FABIÁN CAPARRÓS, E. A., "La 'emancipación' del delito de blanqueo de capitales en el Derecho penal español", en *Un derecho penal comprometido. Libro homenaje al Prof. Dr. G. Landrove Díaz*. MUÑOZ CONDE, F., LORENZO SALGADO, J. M., FERRÉ OLIVÉ, J. C., CORTÉS BECHIARELLI, E., NÚÑEZ PAZ, M., A. (dirs.). Ed. Tirant lo Blanch. Valencia, 2011; BLANCO CORDERO, I., *El delito de blanqueo de capitales*. 3ª Ed. Ed. Aranzadi, Cizur Menor, 2013; DEL CARPIO DELGADO, J., "Principales aspectos de la reforma del delito de blanqueo. Especial referencia a la reforma del art. 301.1 del Código penal", en *Revista Penal*, nº 28; 2011; de la misma, "Sobre la necesaria interpretación y aplicación restrictiva del delito de blanqueo de capitales", en *InDret. Revista para el análisis del Derecho*, 2016; GÓMEZ BENÍTEZ, J. M., "Reflexiones técnicas y de política criminal sobre el delito de lavado de capitales", disponible en http://foros.uexternado.edu.co/ecoinstitucional/index.php/derpen/article/view/977; VIDALES RODRÍGUEZ, C., "Blanqueo, ¿qué es blanqueo? (Estudio del art. 301.1 del Código penal español tras la reforma de la L.O. 5/2010)", en *Revista General de Derecho Penal*, nº 18; 2012.

En nuestro país, este entendimiento venía siendo pacíficamente admitido por la jurisprudencia[27]; proceder que, desde luego, no ha evitado ser cuestionado debido al escaso respeto a la presunción de inocencia que evidencia esta fórmula legislativa[28]. Es más, como el Informe emitido por el Consejo de la Abogacía Europeo revela, la sustitución operada resulta contraria a dicho derecho y afecta no sólo al autor de la infracción principal, sino también a la persona acusada de blanqueo quien estará obligado a probar tanto su propia inocencia, como la del presunto autor del delito del que se supone proceden los bienes en cuestión. Ante semejantes inconvenientes en dicho Informe, se recomienda exigir en todo caso la existencia de una sentencia condenatoria anterior o, cuanto menos, simultánea que constate el origen delictivo de los bienes[29]; pero eso, sin duda, al incrementar las dificultades probatorias vendría a suponer una merma de la aplicación práctica de un precepto cuya reforma indica, precisamente, que el objetivo perseguido es el contrario.

3.3.2. La adquisición, posesión y utilización de bienes como comportamientos típicos

Tampoco en este caso nos encontramos ante conductas ajenas a la intervención penal en nuestro país. En este sentido, cabe recordar que, en consonancia con la normativa internacional, el delito de blanqueo nació profundamente vinculado al delito de tráfico de drogas y el primer antecedente de su incriminación ha de situarse en una forma específica de receptación que, como se recordará, castigaba a quien recibiese, adquiriera o de cualquier otro modo se aprovechase para sí o para un tercero de los efectos o ganancias procedentes de la comisión de un delito relacionado con el tráfico ilícito de drogas, estupefacientes o sustancias psicotrópicas[30]. La entrada en vigor del Código penal de 1995 supuso la destipificación del mero aprovechamiento de bienes de procedencia delictiva; no así la adquisición

---

[27] A modo de ejemplo, pueden citarse las SSTS de 29 de septiembre de 2001, de 27 de enero de 2006, de 4 de junio de 2007 o de 28 de diciembre de 2009, entre otras.

[28] Por todos, puede verse, ABEL SOUTO, M., "La reforma penal...", *op. cit.*, p. 70 y ss.

[29] Comentarios Específicos, apartado 5.

[30] Ley Orgánica 1/1988, de 24 de marzo.

de los mismos que siempre ha sido considerada como una modalidad de blanqueo junto a la conversión y a la transmisión de éstos. Con discutible acierto, la Ley Orgánica 5/2010, de 22 de junio, optó por reintroducir la posesión y la utilización de bienes ilícitamente obtenidos como modalidades típicas[31]; si bien, la práctica jurisprudencial viene exigiendo la concurrencia de una concreta finalidad —la de ocultar o encubrir el origen de los bienes— con el fin de restringir el ámbito de aplicación del precepto[32].

No es esta, sin embargo, la concepción que se mantiene en el texto objeto del presente comentario. En efecto, la Propuesta de Directiva, siguiendo los textos que le sirven de precedente, prescinde de este elemento tendencial, conformándose con que el sujeto que realice tales actos conozca la procedencia delictiva de los bienes en el momento de recibirlos. Parece, pues, que nos encontramos ante el reproche penal del mero aprovechamiento de dichos bienes y no ante el proceso dirigido a enmascarar el origen delictivo del producto del delito en el que el blanqueo consiste. El hecho de que haya una reacción penal ante supuestos que no evidencian distanciamiento alguno entre los bienes y su delictivo origen, ni que tengan por qué suponer necesariamente el auxilio a los responsables del delito del que proceden estos, obliga a cuestionarse si tales comportamientos revisten entidad suficiente como para entender que ocasionan, al menos, la puesta en peligro de los intereses que pretenden tutelarse.

---

[31] Sobre este aspecto, puede verse CASTRO MORENO, A., "Reflexiones críticas sobre las nuevas conductas de posesión y utilización en el delito de blanqueo de capitales en la reforma del Anteproyecto de 2008", en *La Ley*, pp. 1387 y ss.; DEL CARPIO DELGADO, J., "La posesión y utilización como nuevas conductas en el delito de blanqueo de capitales", en *Revista General de Derecho Penal*, nº 15, 2011; disponible en http://www.upo.es/export/portal/com/bin/portal/upo/profesores/jcardel/profesor/1353591812163_2011-la_posesion_y_utilizacion_como_nuevas_conductas_en_el_delito_de_blanqueo_de_capitales-revista_general_de_derecho_15.pdf; VIDALES RODRÍGUEZ, C., "La posesión y utilización de bienes como actos de blanqueo en la legislación penal española". *Direito e Desenvolvimento. Revista do Curso de Direito* Vol. 6. Brasil, 2012; pp. 45 a 64.

[32] Constituyen un ejemplo de esta exégesis las sentencias del Tribunal Supremo 1080/2010, de 20 de octubre, XXX/2010, de 8 de abril, 884/2012, de 8 de noviembre y 265/2015, de 29 de abril.

Y si se trata de una medida cuestionable desde la perspectiva del principio de ofensividad, no menores son los reparos que ofrece atendiendo al principio de proporcionalidad. La contradicción con este no ofrece dudas para el Consejo de la Abogacía Europeo[33] que ha señalado, además, que se trata de comportamientos que en lo único que se diferencian de las actividades legales es en el conocimiento de esa procedencia. Conocimiento que, por otra parte, puede estar basado en simples presunciones que, de ser así, producirían una indudable erosión en el derecho a la presunción de inocencia. Asimismo, se ha puesto de manifiesto que puede resultar atentatorio contra el derecho a la defensa en la medida en que el abogado que reciba fondos procedentes de alguna de las actividades enumeradas podría ser procesado por este delito lo que, sin duda, afecta al derecho de tener un abogado y el derecho de elegir libremente consejo legal. Por todo ello, se recomienda, de uno lado, suprimir la posesión de entre los comportamientos penalmente relevantes; y, de otro, limitar la adquisición y el uso de tales bienes a aquellos casos en los que se persiga la finalidad de ocultar esos recursos[34] que, sin embargo, como tendremos ocasión de ver, tampoco constituye un opción exenta de merecer importantes objeciones.

3.3.4. La incriminación del autoblanqueo

Si, como se recordará, el Convenio de Varsovia de 2005 permitía excluir a los responsables del delito que origina los bienes del ámbito de posibles sujetos activos del blanqueo, la Propuesta de Directiva aboga por la incriminación del autoblanqueo. Este criterio ya había sido mantenido por el legislador español en 2010[35]; si bien, a diferencia de entonces, aho-

---

33 *Comentarios del Consejo de la Abogacía Europea*, Comentarios Específicos, apartado 3.
34 *Comentarios del Consejo de la Abogacía Europea..., op. y loc. cit.*
35 Las reacciones que provocó esta decisión legislativa pueden verse en GARCÍA, M., "El castigo del autoblanqueo en la reforma penal de 2010. Autoría y participación en el delito de blanqueo de capitales", *en III Congreso sobre prevención y represión del blanqueo de dinero.* Coord. ABEL SOUTO, M., y SÁNCHEZ STEWART, N., Ed. Tirant lo Blanch. Valencia, 2012, pp. 281 a 300; FARALDO CABANA, P., "Antes y después de la tipificación expresa del autoblanqueo de capitales", en *Estudios Penales y Criminológicos.* Vol. XXXIV, 2014, pp. 1 a 39; MATALLÍN EVANGELIO, A., "El 'autoblanqueo' de capitales", en *Revista General de Derecho Penal.* Nº 20, 2013;

ra se excluyen aquellas modalidades delictivas que consisten en adquirir, poseer o utilizar tales bienes. De este modo, se circunscribe la posibilidad de la doble sanción a aquellos comportamientos que presentan una mayor semejanza con el encubrimiento, bien porque se exija expresamente el propósito de ocultar o encubrir esta procedencia, bien porque la conducta penalmente relevante consista en ocultar o encubrir determinadas característica de dichos bienes.

Es cierto que, como se pone de manifiesto en el texto preliminar, castigar el mero 'disfrute personal' atenta contra el principio *ne bis in idem*. En cambio, como también se nos dice, la intervención penal vendría autorizada cuando se utiliza el sistema financiero provocando así otros daños adicionales y distintos a los que ocasiona la conducta previamente realizada. Se trata, en consecuencia, de legitimar, como ya hiciera en nuestro país un sector doctrinal mayoritario[36], el castigo con base en la existencia de la diversidad de bienes jurídicos protegidos.

Pese a ello, a juicio del Consejo de la Abogacía Europeo, esta medida podría entrar en contradicción con el aludido principio, al poder considerarse este comportamiento postdelictivo como el agotamiento del delito principal; pero es que, además, según allí se señala, afecta al derecho a no incriminarse a uno mismo puesto que no debería castigarse a quien trata de ocultar su propio delito. Por estas razones se propone la eliminación del precepto o, cuanto menos, se sugiere limitar su eficacia a aquellos supuestos en los que exista "una convicción previa o si el delito predicado se ha

---

pp. 1 a 47; MARTÍNEZ-ARRIETA MÁRQUEZ DE PRADO, I., *El autoblanqueo. El delito fiscal como delito antecedente del blanqueo de capitales*. Ed. Tirant lo Blanch. Valencia, 2014; VIDALES RODRÍGUEZ, C., "El autoblanqueo en la legislación penal española. Reflexiones a propósito de su tratamiento jurisprudencial", en *Derecho penal contemporáneo*, nº 58. Bogotá 2017; pp. 107 a 142.

36   Véase, entre otros, ARÁNGUEZ SÁNCHEZ, C., *El delito de blanqueo de capitales*. Ed. Marcial Pons. Barcelona, 2000; pp. 174 y ss.; BLANCO CORDERO, I., *El delito...*, op. cit., p. 502; DEL CARPIO DELGADO, J., *El delito de blanqueo en el nuevo Código penal*. Ed. Tirant lo Blanch. Valencia, 1997; pp. 231 y ss.; FARALDO CABANA, P., "Cuestiones relativas a la autoría de los delitos de blanqueo de bienes", en *Criminalidad organizada, terrorismo e inmigración. Retos contemporáneos de la política criminal*. (dir. L. M., Puente Aba). Ed. Comares. Granada, 2008, pp. 161 a 194.

intentado al mismo tiempo" y, en segundo lugar, cuando la conducta vaya encaminada a encubrir el origen ilícito de los bienes[37].

Este criterio limitador ya ha sido empleado por nuestro Tribunal Supremo en la conocida sentencia 265/2015, de 29 de abril. En ella se plantea qué trato debe dispensársele a las ganancias procedentes de la previa comisión de un delito relacionado con el tráfico ilícito de drogas tóxicas, estupefacientes y sustancias psicotrópicas; distinguiendo, precisamente, el mero aprovechamiento de los bienes de aquellas otras actividades legitimadoras que, por serlo, merecerían un reproche penal[38]. La delimitación se hace radicar en el propósito que rige el actuar. Así se afirma, en coherencia con la definición que se pretende adoptar y que, a su vez, viene avalada por la normativa internacional, que todo acto de blanqueo precisa de la finalidad de ocultar o encubrir el origen de los bienes ilícitamente obtenidos, constituyendo precisamente esta intención la esencia del delito[39].

Tal tesis restrictiva había sido defendida en ocasiones anteriores, como las sentencias del Tribunal Supremo 1080/2010, de 20 de octubre, 313/2010, de 8 de abril y 884/2012, de 8 de noviembre. En estos pronunciamientos queda patente la idea de que se persigue el blanqueo con el objeto de impedir que los bienes ilícitamente obtenidos sean incorporados al tráfico económico legal y, como puede leerse en el segundo de los fallos citados, "político criminalmente disminuye el incentivo del comportamiento delictivo que sus autores no puedan disfrutar de lo ilícitamente obtenido logrando la apariencia de licitud que haga jurídicamente incuestionable dicho disfrute". Ahora bien, sin desconocer que esto bien pudiera ser así, no es menos cierto que, como apunta QUINTERO OLIVARES, el decomiso y la receptación civil pueden proporcionar una solución más satisfactoria[40] pues, como es sabido, estas instituciones no pretenden sino

---

[37]   Comentarios Específicos, apartado 5.

[38]   En concreto, se considera que existe un delito blanqueo cuando se adquieren automóviles a nombre de testaferros, pero no cuando se abona el alquiler de la vivienda o se adquieren billetes de avión.

[39]   Fundamento de Derecho Noveno.

[40]   QUINTERO OLIVARES, G., "Sobre la ampliación del comiso y el blanqueo, y la incidencia en la receptación civil", en *Revista Electrónica de Ciencia Penal y Criminología*, 2010; p. 1 a 20. Disponible en criminet.ugr.es/recpc/12/recpc12-r2.pdf; p. 13.

revertir una situación patrimonial ilícita. Pero, además, en modo alguno puede obviarse que recurrir a la exigencia de una determinada finalidad puede resultar, cuanto menos, perturbador.

En efecto, por encomiable que pueda resultar todo intento de recortar la eficacia de un precepto que por su desmedida amplitud puede erosionar la vigencia de importantes principios y garantías, recurrir a la incorporación de elementos subjetivos para demarcar el ámbito de lo punible no es, o al menos así me lo parece, una opción exenta de ser objeto de considerables reparos[41]. Así es por cuanto que deviene absolutamente inevitable el solapamiento de esta figura con el más clásico delito de encubrimiento. Y si el presupuesto para la intervención penal puede ser coincidente —lo que, ni que decir tiene, dificulta la calificación jurídica y, por tanto, empaña el principio de certeza jurídica inherente al principio de legalidad— en modo alguno lo son las consecuencias jurídicas que derivan de una u otra consideración.

Es, precisamente, el distinto trato punitivo que reciben estas infracciones lo que constituye un sólido argumento en defensa de la naturaleza pluriofensiva del delito de lavado, cuya incriminación obedecería a proteger intereses de la Administración de Justicia, junto a la tutela del orden socioeconómico. Evidentemente, las distorsiones que la inyección de rendimientos ilícitamente obtenidos pueda ocasionar en el flujo de la economía lícita no dependen de quien lleve a cabo tales comportamientos, razón por la que, en principio, nada obsta a considerar responsable de este nuevo atentado a quien lo ha sido del delito del que los bienes traen causa. Más difícil, no obstante, resulta justificar por qué la realización de la conducta legitimadora ha de requerir necesariamente del propósito explicitado. En otros términos, desde una perspectiva puramente económica, parece que debiera ser suficiente para provocar una respuesta penal con la incorporación de esos caudales, cuya procedencia ilícita se conoce, sin que la exigencia de ulteriores elementos subjetivos pueda añadir desvalor alguno a la afección al orden socioeconómico que se produce. En palabras

---

[41]   Sobre los inconvenientes que genera la asunción de esta postura en nuestro ordenamiento, puede verse VIDALES RODRÍGUEZ, C., "El autoblanqueo...", *op. cit.*, pp. 124 y ss.

del propio Tribunal Supremo, "carece de relevancia si el imputado realiza la acción con intención de hacer un favor, de complacencia, por afinidad personal o para cualquier causa, lo relevante es si cuando realiza la acción comprendía el alcance de la norma prohibitiva y si era capaz de actuar conforme a esa comprensión y a tal efecto, a esa conclusión se llega cuando se constata que el imputado guió su conducta a la realización del tipo penal o si no quiso indagar, pudiendo hacerlo, sobre el contenido de su conducta, asumiendo los resultados que pudieran producirse"[42].

Y si esta configuración del blanqueo conduce a una superposición con el delito de encubrimiento, no menores son las dificultades cuando se trata de distinguir las dos modalidades de blanqueo que no excluyen al autor del delito principal como responsable del mismo y que parecen aludir a las dos primeras fases del proceso legitimador como resulta de atender a que en el apartado b) del artículo 3 de la Propuesta, la ocultación o el encubrimiento no versa ya sobre los bienes ilícitamente obtenidos, sino sobre determinadas características de estos. Por lo que, una vez más, la colisión de preceptos de similar alcance no facilita la seguridad jurídica que el principio de legalidad está llamado a garantizar.

Finalmente, y quizás este argumento resulte secundario a la vista de cuanto se ha dicho, esta concepción del blanqueo podría resultar contradictoria con otra de las medidas de obligada incorporación. Me refiero a la expresa inclusión del fraude fiscal como actividad delictiva de la que puede derivar una posterior responsabilidad penal a título de blanqueo. La compatibilidad entre ambas infracciones ha sido objeto de una encendida polémica[43] y que el concepto de blanqueo que ahora se acoge dista

---

42 Sentencia del Tribunal Supremo 1106/2006, de 10 de noviembre.
43 Sobre la misma, pueden verse los trabajos, entre otros, de BLANCO CORDERO, I., "El delito fiscal como actividad delictiva previa del blanqueo de capitales", en *Revista electrónica de Ciencia Penal y Criminología*, 2011. Disponible en criminet.ugr. es/recpc/13/recpc13-01.pdf.; CHOCLÁN MONTALVO, J. A., "Puede ser el delito fiscal delito precedente del delito de blanqueo de capitales?", en *Boletín del Ilustre Colegio de Abogados de Madrid*, nº 37, 2007; pp. 157 a 174; DEL ROSAL BLASCO, B., "Delito fiscal y blanqueo de capitales: perspectivas ante la nueva reforma del tipo básico del delito fiscal", en *Diario La Ley*, nº 8017, 2013; pp. 1 a 13; DEMETRIO CRESPO, E., "Sobre el fraude fiscal como actividad delictiva antecedente del blanqueo de dinero", en *Revista Nuevo Foro Penal*, Vol. 12, nº 87, 2016; pp. 99 a 119;

de acallar dado que, en estos casos, resulta más que discutible la existencia de un delito de blanqueo por cuanto que no puede asumirse sin enormes reservas que el defraudador rija su actuar con el requerido propósito cuando, en realidad, como apunta QUINTERO OLIVARES, no hay nada que encubrir u ocultar al tratarse de un patrimonio y unas ganancias cuya existencia eran, o podían ser conocidas, por la Hacienda Pública[44]. Asimismo, no deja de resultar paradójico que aquellos supuestos en los que puede admitirse la doble sanción sin quebrantar principio alguno por suponer la conducta defraudatoria un indebido incremento patrimonial, hayan de quedar excluidos del ámbito de aplicación del blanqueo por cuanto que se antoja difícil la existencia de la consabida finalidad. Podrá, eso sí, tratar de ocultarse la existencia del delito, pero es de sobra conocido el origen de esos bienes.

4. A MODO DE CONCLUSIÓN: LA AMENAZA DEL BLANQUEO

De aprobarse el texto propuesto, se acogerá, como ha quedado expuesto, un concepto amplio de blanqueo en el que no todos los comportamientos que tienen cabida en él han de suponer un enmascaramiento del origen delictivo de los bienes cuya legitimación se persigue. Y el castigo de los que, en cambio, sí constituyen un efectivo disfraz de dicha procedencia queda condicionado a la existencia de la finalidad de ocultar o encubrir

---

DÍAZ Y GARCÍA CONLLEDO, M., "¿Puede el delito de defraudación tributaria constituir actividad delictiva previa a efectos de blanqueo?", en *Crisis financiera y Derecho Penal Económico*. DEMETRIO CRESPO, E. (dir.) y MAROTO CALATAYUD, M. (coord.). Ed. Edisofer. Madrid, 2014; pp. 609 a 634; FERRÉ OLIVÉ, J. C., "Una nueva trilogía en derecho penal tributario: fraude, regularización y blanqueo de capitales" en *Revista de Contabilidad y Tributación*, nº 372, 2014, pp. 41 a 82. LUZÓN CAMPOS, E., "Blanqueo de cuotas defraudadas y la paradoja McFly", en *Diario la Ley*, nº 7818, 2012; QUINTERO OLIVARES, G., "El delito fiscal y el ámbito material del delito de blanqueo", en *Actualidad Jurídica Aranzadi*, nº 698, 2006; pp. 1 a 6; VIDALES RODRÍGUEZ, C., "Relaciones entre los delitos de fraude fiscal y blanqueo: una polémica que no cesa", en *Revista de Derecho y Proceso penal*, nº 46, 2017; pp. 133 a 153.

[44] QUINTERO OLIVARES, G., "El delito…", *op. cit.*, p. 6.

esta o cuando se proceda a ocultar o encubrir determinados aspectos de los bienes ilícitamente obtenidos. Desde luego, es de agradecer todo intento por introducir un poco de precisión en un ámbito que, debido a que su génesis se sitúa en textos supranacionales que, lógicamente, requieren el mayor de los consensos, no se caracteriza por la claridad y certeza que ha de presidir todo enunciado normativo. Ha de tenerse en cuenta, además, la notable influencia ejercida por ordenamientos ajenos a nuestra tradición jurídica en la política criminal internacional[45], a lo que se le añade la asunción acrítica de la misma por parte de los legisladores nacionales cuya sumisión evidencia una mayor preocupación por adoptar, que no por adaptar tales disposiciones. Me temo, sin embargo, que no se consiga terminar con la incertidumbre que caracteriza la aplicación práctica de unos preceptos cuya confusión viene en buena parte propiciada por el impuesto maridaje de la tutela de los intereses de la Administración de Justicia y la atención a consideraciones socioeconómicas.

Al respecto, cabe señalar que este fenómeno puede ser contemplado desde una doble perspectiva. En primer lugar, puede atenderse al origen de los bienes y a la necesidad de perseguir las infracciones que los originan. Así concebido, el blanqueo vendría a configurarse como una especie de encubrimiento[46] que, en consecuencia, colisionaría con los intereses de la Administración de Justicia. La inevitable yuxtaposición con figuras de análoga naturaleza obliga a cuestionar la necesidad de su existencia y, desde luego, podría resultar incompatible con el castigo adicional del responsable del delito del que los bienes proceden salvo, claro está, que el método empleado para legitimar los bienes ilícitamente obtenidos constituya por

---

[45] Como acertadamente señala NIETO MARTÍN, "el blanqueo de capitales es el ejemplo más conocido y evidente de americanización del derecho penal económico internacional". NIETO MARTÍN, A., "¿Americanización o europeización del Derecho Penal económico?", en *Revista penal*, nº 19, 2007, p. 130.

[46] Sigue este modelo de incriminación el apartado primero del § 261 del Código penal alemán que castiga a quien esconda u oculte el origen de un bien procedente de determinados delitos, así como a quien impida u obstaculice la investigación del origen, la localización, incautación, confiscación o constitución de garantías sobre tal bien. Por su parte, el apartado segundo, incrimina la apropiación, conservación o utilización de tales bienes con conocimiento del referido origen. Idéntica configuración puede observarse en el artículo 323 del Código penal colombiano.

sí mismo un ilícito distinto. Parece, sin embargo, que el blanqueo no constituye —o no lo hace de forma exclusiva— un favorecimiento, razón por la que desde el segundo enfoque anunciado, se enfatizan las distorsiones económicas que produce la inyección de tales bienes en el flujo de la economía lícita[47]. Y si, como acaba de verse, la primera concepción no es del todo convincente, tampoco conduce a resultados plenamente satisfactorios mantener que un atentado económico haya de requerir en todo caso una concreta finalidad en quien lleva a cabo los comportamientos típicos.

Como también ha quedado expuesto, no puede dejar de denunciarse cierta contradicción cuando se justifica la obligada incriminación de los supuestos de autoblanqueo aludiendo, como se recordará, a los eventuales daños que ocasiona la realización de estas conductas y mencionando expresamente la utilización del sistema financiero mientras que, simultáneamente, se exige esa presencia anímica que nada añade, según entiendo, al atentado que supone para el orden socioeconómico y que, sobra decir, se aviene mal con esa pretendida naturaleza económica.

Asimismo, haciendo depender la intervención penal del objetivo de entorpecer la Administración de Justicia, no resulta fácil soslayar la incidencia que supone el castigo de este comportamiento postdelictivo en el principio *nemo tenetur* y en los no menos importantes principios de *ne bis in idem* y de proporcionalidad.

Y si hay motivos para disentir del entendimiento de blanqueo que se acoge, no menos problemática resulta la decisión de adoptar un concepto amplio que obligue a incorporar como comportamientos típicos la adqui-

---

[47] A modo de ejemplo puede citarse el artículo 648 ter del Código penal italiano que sanciona el empleo de dinero, bienes o beneficios que procedan de la comisión de determinados delitos (robo agravado, extorsión agravada, secuestro o tráfico de drogas) en una actividad económica o financiera sin la exigencia de ulteriores requisitos. Bien es verdad que el artículo 648 bis, al castigar la sustitución de bienes o la obstaculización de la identificación de su ilícita procedencia parece indicar que la conducta va erigida a la ocultación del ilícito origen. Y, del mismo modo, el artículo 648 ter 1, al incriminar el autoblanqueo, prevé una pena para el autor del hecho principal que emplee, sustituya o transfiera bienes en una actividad económica, financiera, empresariales o especulativas de forma que obstaculice la identificación del origen. Opta, asimismo, por otorgar relevancia al carácter económico de la infracción el artículo 303 del Código penal argentino.

sición, la posesión y la utilización de estos bienes, sin ulteriores precisiones más que el conocimiento de su origen delictivo. En este caso, el motivo de discrepancia obedece a que estos actos no tienen por qué entorpecer la labor de la Administración de Justicia, ni necesariamente han de suponer afección alguna al orden socioeconómico, por lo que difícilmente pueden superar con éxito el juicio de ofensividad. Antes al contrario, con su incriminación bien parece, según denunció un importante sector de la doctrina española que se esté castigando la posesión injustificable de bienes[48] o, en otros términos, cualquier enriquecimiento ilícito[49]; y, como también se advirtiera, no puede conjurarse el peligro de que el blanqueo quede convertido en un "cajón de sastre" o se utilice de forma alternativa a la calificación por cualquier otro delito[50] como, lamentablemente, la práctica ha venido demostrando.

De ahí las cautelas mostradas en el Informe emitido por del Consejo de la Abogacía Europeo. Como allí se admite, en la Exposición de Motivos que acompaña a la Propuesta[51] se recuerda que la limitación del ejercicio de los derechos y libertades, viene condicionada por lo dispuesto en el artículo 52.1 de la Carta de Derechos Fundamentales y, en consecuencia, además de ser establecida por ley y respetar el contenido esencial de estos, habrá de observar el principio de proporcionalidad con respecto a la finalidad legítima de responder efectivamente a objetivos de interés general reconocidos por la Unión o a la necesidad de protección de los derechos y libertades de los demás; sin embargo, a pesar de esta declaración, se pone de manifiesto que el texto pendiente de aprobación "va mucho más allá de la lucha contra el blanqueo de capitales, y busca resolver delitos menores y aumentar los ingresos fiscales"[52]. Por tanto, se concluye que podría resultar una medida despropor-

---

[48] QUINTERO OLIVARES, G., "Sobre la ampliación...", *op. cit.,* p. 13.

[49] Apunta en esa dirección, GÓMEZ BENÍTEZ, J. M., "Reflexiones técnicas y de política criminal sobre el delito de lavado de capitales", disponible en http://foros.uexternado.edu.co/ecoinstitucional/index.php/derpen/article/view/977, p. 65.

[50] MUÑOZ CONDE, F., "Consideraciones en torno al bien jurídico protegido en el delito de blanqueo de capitales", en *I Congreso sobre prevención y represión del blanqueo de dinero.* Coord. M. Abel Souto y N. Sánchez Stewart. Ed. Tirant lo Blanch. Valencia, 2008, p. 174.

[51] Exposición de Motivos, p. 12.

[52] Comentarios Generales, apartado a.

cionada por cuanto que nada tiene que ver con la lucha contra el terrorismo o contra el crimen organizado, sino que pretende reforzar las infracciones fiscales propiciando, incluso, la doble sanción de estas[53].

Así las cosas, y aun a riesgo de contradecir los postulados asumidos por la política criminal internacional, estimo preferible abogar en favor de una noción estricta de blanqueo en la que, lejos de forzar la convivencia, no siempre pacífica, en un mismo tipo la tutela de intereses de muy diferente naturaleza, se precise con absoluta claridad el bien jurídico digno de protección y se defina, con no menor rigor, la conducta que, por afectar a este, se considere merecedora de reproche penal. Sólo así se alejará cualquier duda acerca de que el delito de blanqueo se ha erigido en el remedio universal contra la delincuencia lucrativa a costa del sacrificio de importantes principios penales y obviando, asimismo, los sustanciales problemas aplicativos que genera una técnica legislativa tan poco depurada.

Sin desconocer que la sanción de estas conductas está llamada a convertirse en un instrumento de especial utilidad frente a las modalidades delictivas que generan ingentes beneficios económicos, frecuentemente vinculadas a la delincuencia organizada, creo que no debe ahorrarse esfuerzo alguno por evitar la más mínima sospecha acerca de que la incriminación del blanqueo es la expresión del fracaso ante la persecución y castigo de los delitos previamente cometidos operando, de este modo, como una cláusula de cierre que garantice en todo caso la imposición de una pena, con absoluto desprecio a la conducta efectivamente realizada. Si así fuera, como autoriza a pensar el concepto amplio de blanqueo que ahora se acoge —y en la misma dirección apunta la referencia a actividad delictiva previa en sustitución a la exigencia de la comisión de un delito—, habrá que preguntarse si no estamos ante la sutil manifestación de un derecho penal de autor que, bajo el pretexto de incrementar la eficacia ante las manifestaciones más graves de la delincuencia, permite que la moral impregne un ámbito que debería estar reservado al Derecho. Es, precisamente, la gravedad de los comportamientos a los que se pretende hacer frente lo que obliga a un decidido compromiso en la defensa de los derechos y garantías reconocidos en un Estado de Derecho. Única-

---

[53] Comentarios Específicos, apartado 2.

mente a través de su escrupuloso respeto podrán disiparse las sombras que amenazan la actual configuración de esta figura.

5. BIBLIOGRAFÍA

ABEL SOUTO, M.,

– "La reforma penal, de 22 de junio de 2010, en materia de blanqueo de dinero", en *II Congreso sobre prevención y represión del blanqueo de dinero*. Coord. Abel Souto, M., y Sánchez Stewart, N., Ed. Tirant lo Blanch. Valencia, 2011; p. 61 a 109.

– "Volumen mundial del blanqueo de dinero, evolución del delito en España y jurisprudencia reciente sobre las últimas modificaciones del Código penal", en *Revista General de Derecho Penal* 20, 2013.

– "La reforma penal española de 2010 sobre el blanqueo, las nuevas técnicas de comisión delictiva y el uso de las telecomunicaciones para el blanqueo", en *III Congreso sobre prevención y represión del blanqueo de dinero*. Coord. Abel Souto, M., y Sánchez Stewart, N., Ed. Tirant lo Blanch. Valencia, 2013; p. 161 a 221.

ARÁNGUEZ SÁNCHEZ, C., *El delito de blanqueo de capitales*. Ed. Marcial Pons. Barcelona, 2000.

BERDUGO GÓMEZ DE LA TORRE, I., y FABIÁN CAPARRÓS, E. A., "La 'emancipación' del delito de blanqueo de capitales en el Derecho penal español", en *Un derecho penal comprometido. Libro homenaje al Prof. Dr. G. Landrove Díaz*. MUÑOZ CONDE, F., LORENZO SALGADO, J. M., FERRÉ OLIVÉ, J. C., CORTÉS BECHIARELLI, E., NÚÑEZ PAZ, M., A. (dirs.). Ed. Tirant lo Blanch. Valencia, 2011; p. 117 a 195.

BLANCO CORDERO, I.,

– *El delito de blanqueo de capitales*. 3ª Ed. Ed. Aranzadi, Cizur Menor, 2013.

– "El delito fiscal como actividad delictiva previa del blanqueo de capitales", en *Revista electrónica de Ciencia Penal y Criminología*, 2011. Disponible en criminet.ugr.es/recpc/13/recpc13-01.pdf.

BRASLAVSKY, G. "Jaque a los paraísos fiscales", disponible en http://www.forodeseguridad.com/artic/discipl/disc_4011.htm

CASTRO MORENO, A., "Reflexiones críticas sobre las nuevas conductas de posesión y utilización en el delito de blanqueo de capitales en la reforma del Anteproyecto de 2008", en *La Ley*, p. 1387 a 1394.

CHOCLÁN MONTALVO, J. A., "Puede ser el delito fiscal delito precedente del delito de blanqueo de capitales?", en *Boletín del Ilustre Colegio de Abogados de Madrid*, nº 37, 2007; p. 157 a 174.

CURBERT, J., "La criminalización de la economía y la política", en *Revista Gobernanza y Seguridad Sostenible*, 2004. Disponible en www.iigov.org

DEL CARPIO DELGADO, J.,
- *El delito de blanqueo en el nuevo Código penal.* Ed. Tirant lo Blanch. Valencia, 1997.
- "Principales aspectos de la reforma del delito de blanqueo. Especial referencia a la reforma del art. 301.1 del Código penal", en *Revista Penal*, nº 28; 2011. p. 5 a 28.
- "La posesión y utilización como nuevas conductas en el delito de blanqueo de capitales", en *Revista General de Derecho Penal*, nº 15, 2011; disponible en http://www.upo.es/export/portal/com/bin/portal/upo/profesores/jcardel/profesor/1353591812163_2011-la_posesion_y_utilizacion_como_nuevas_conductas_en_el_delito_de_blanqueo_de_capitales-revista_general_de_derecho_15.pdf;
- "Sobre la necesaria interpretación y aplicación restrictiva del delito de blanqueo de capitales", en *InDret. Revista para el análisis del Derecho*, 2016. Disponible en http://www.indret.com/pdf/1253.pdf

DEL CID GÓMEZ, J. M., "Detección del blanqueo y sus efectos socioeconómicos", en *III Congreso sobre prevención y represión del blanqueo de dinero.* Coord. ABEL SOUTO, M., y SÁNCHEZ STEWART, N., Ed. Tirant lo Blanch. Valencia, 2013, p. 43 a 62.

DEL ROSAL BLASCO, B., "Delito fiscal y blanqueo de capitales: perspectivas ante la nueva reforma del tipo básico del delito fiscal", en *Diario La Ley*, nº 8017, 2013; p. 1 a 13.

DEMETRIO CRESPO, E., "Sobre el fraude fiscal como actividad delictiva antecedente del blanqueo de dinero", en *Revista Nuevo Foro Penal*, Vol. 12, nº 87, 2016; p. 99 a 119.

DÍAZ Y GARCÍA CONLLEDO, M.,
- "El castigo del autoblanqueo en la reforma penal de 2010. Autoría y participación en el delito de blanqueo de capitales", *en III Congreso sobre prevención y represión del blanqueo de dinero.* Coord. ABEL SOUTO, M., y SÁNCHEZ STEWART, N., Ed. Tirant lo Blanch. Valencia, 2012, p. 281 a 300.
- "¿Puede el delito de defraudación tributaria constituir actividad delictiva previa a efectos de blanqueo?", en *Crisis financiera y Derecho Penal Económico.* DEMETRIO CRESPO, E. (dir.) y MAROTO CALATAYUD, M. (coord.). Ed. Edisofer. Madrid, 2014; p. 609 a 634.

FARALDO CABANA, P.,
- "Cuestiones relativas a la autoría de los delitos de blanqueo de bienes", en *Criminalidad organizada, terrorismo e inmigración. Retos contemporáneos*

de la política criminal. (dir. L. M., Puente Aba). Ed. Comares. Granada, 2008, p. 161 a 194.

– "Antes y después de la tipificación expresa del autoblanqueo de capitales", en *Estudios Penales y Criminológicos.* Vol. XXXIV, 2014, p. 1 a 39.

FERNÁNDEZ BERMEJO, D., "En torno al concepto de blanqueo de capitales. Evolución normativa y análisis del fenómeno desde el Derecho penal", en *Anuario de Derecho Penal y Ciencias Penales,* vol. LXIX, 2016; p. 211 a 276.

FERRÉ OLIVÉ, J. C., "Una nueva trilogía en derecho penal tributario: fraude, regularización y blanqueo de capitales" en *Revista de Contabilidad y Tributación,* nº 372, 2014, p. 41 a 82.

GÓMEZ BENÍTEZ, J. M., "Reflexiones técnicas y de política criminal sobre el delito de lavado de capitales", disponible en http://foros.uexternado.edu.co/ecoinstitucional/index.php/derpen/article/view/977;

GONZÁLEZ CUSSAC, J. L., "Tecnocrimen", en *Amenazas a la seguridad nacional: Terrorismo, criminalidad organizada y TIC's.* Dir. J. L. González Cussac y M. L. Cuerda Arnau. Coord. Antonio Fernández Hernández. Ed. Tirant lo Blanch. Valencia, 2012; p. 205 a 242.

LUZÓN CAMPOS, E., "Blanqueo de cuotas defraudadas y la paradoja McFly", en *Diario la Ley,* nº 7818, 2012.

MARTÍNEZ-ARRIETA MÁRQUEZ DE PRADO, I., *El autoblanqueo. El delito fiscal como delito antecedente del blanqueo de capitales.* Ed. Tirant lo Blanch. Valencia, 2014.

MATALLÍN EVANGELIO, A., "El 'autoblanqueo' de capitales", en *Revista General de Derecho Penal.* Nº 20, 2013; p. 1 a 47.

MUÑOZ CONDE, F., "Consideraciones en torno al bien jurídico protegido en el delito de blanqueo de capitales", en *I Congreso sobre prevención y represión del blanqueo de dinero.* Coord. M. Abel Souto y N. Sánchez Stewart. Ed. Tirant lo Blanch. Valencia, 2008, p. 174.

NIETO MARTÍN, A., "¿Americanización o europeización del Derecho Penal económico?", en *Revista penal,* nº 19, 2007, p. 120 a 136.

OLESTI RAYO, A., "La actividad del Grupo de Acción Financiera Internacional contra el blanqueo de capitales y su incidencia en la Unión Europea", en *Los Tratados de Roma en su Cincuenta Aniversario.* Ed. Marcial Pons. Madrid, 2008, p. 891 a 910.

PELÁEZ RUÍZ-FORNELLS, A. F., *De los rendimientos ilícitos a su legitimación: el fenómeno del blanqueo de capitales. Efectos e implicaciones de política económica.* Tesis doctoral disponible en http://eprints.ucm.es/21659/1/T34459.pdf;

QUINTERO OLIVARES, G.,

– "El delito fiscal y el ámbito material del delito de blanqueo", en *Actualidad Jurídica Aranzadi,* nº 698, 2006; p. 1 a 6.

– "Sobre la ampliación del comiso y el blanqueo, y la incidencia en la receptación civil", en *Revista Electrónica de Ciencia Penal y Criminolo*gía, 2010; p. 1 a 20. Disponible en criminet.ugr.es/recpc/12/recpc12-r2.pdf.

SANMARTIN, J. J., "Los alquimistas de mal. Servicios de inteligencia frente al terrorismo global", en *Revista electrónica AAInteligencia*, 2009/11; disponible en http://www.aainteligencia.cl/?p=255

VIDALES RODRÍGUEZ, C.,
– "Blanqueo, ¿qué es blanqueo? (Estudio del art. 301.1 del Código penal español tras la reforma de la L.O. 5/2010)", en *Revista General de Derecho Penal*, nº 18; 2012; p.
– "La posesión y utilización de bienes como actos de blanqueo en la legislación penal española". *Direito e Desenvolvimento. Revista do Curso de Direito* Vol. 6. Brasil, 2012; p. 45 a 64.
– "El autoblanqueo en la legislación penal española. Reflexiones a propósito de su tratamiento jurisprudencial", en *Derecho penal contemporáneo*, nº 58. Bogotá 2017; p. 107 a 142.
– "Relaciones entre los delitos de fraude fiscal y blanqueo: una polémica que no cesa", en *Revista de Derecho y Proceso penal*, nº 46, 2017; p. 133 a 153.

TERCERA PARTE

CONFLICTOS
INTERNACIONALES

Capítulo VIII

MUJERES PAZ Y SEGURIDAD: HACIA UNA RED GLOBAL DE MUJERES MEDIADORAS

ALICIA CEBADA ROMERO
Profesora Titular de Derecho Internacional.
Universidad Carlos III (Madrid)

1. OBSERVACIONES PRELIMINARES

En este capítulo se plantea que es necesario un reconocimiento pleno y efectivo de los derechos de las mujeres para garantizar la seguridad y poner bases adecuadas para una paz duradera y sostenible. Este es el sentido básico de la Agenda Mujeres, Paz y Seguridad del Consejo de Seguridad, que —como se subrayará en este trabajo— es un instrumento de derechos humanos.

Una actuación eficaz, inclusiva y justa para garantizar la paz y la seguridad exige el debido reconocimiento de los derechos de las mujeres en el ámbito de la participación y el acceso a los recursos puestos al servicio de la prevención y resolución de conflictos, así como de la estabilización y reconstrucción post-conflicto.

En la actualidad, después de 18 años de andadura, la Agenda Mujeres, Paz y Seguridad se enfrenta, de un lado, al riesgo de ser desnaturalizada y perder su centro de gravedad y, de otro, al desafío de lograr una implementación efectiva y transformadora que tenga efectos duraderos y sostenibles.

Debemos mantener la cautela frente a la extensión de la agenda hacia terrenos que puedan suponer una transformación de su naturaleza. Se verá que la conexión con la lucha contra el terrorismo extremista es un ejemplo de cómo se puede llegar a desvirtuar la esencia del programa Mujeres, Paz y Seguridad. En el plano de la materialización de los compromisos asumidos, es evidente que ha llegado ya la hora de conseguir resultados definitivos. Son inusitados el engrosamiento de la narrativa, la acumulación de argumentos, testimonios y evidencias, y todo para justificar algo que debería ser entendido y reconocido de manera más natural y automática, que las mujeres debemos participar y aportar, en pie de igualdad con el hombre, en los escenarios de construcción de la paz. Las kilométricas justificaciones y dilatadas explicaciones no han sido hasta ahora ariete suficiente para vencer el muro de las resistencias al reconocimiento efectivo de los derechos de las mujeres.

Los magros avances, el decepcionante incumplimiento de los compromisos estatales, y la hipocresía reinante, nos habilitan y nos legitiman para alzar la voz. Sin más demoras, hay que conseguir una igualdad tangible y para ello, es pertinente que desde las organizaciones internacionales se establezcan buenas prácticas que sirvan como referencia, dando mayor visibilidad, mayor reconocimiento y abriendo oportunidades para que las mujeres lideren. Por su parte, los Estados deben cumplir sus compromisos y seguir abordándolos como obligaciones relativas al reconocimiento pleno de los derechos humanos. En esta línea es muy positivo, como se demostrará en secciones ulteriores de este trabajo, que Estados y organizaciones internacionales apoyen la creación y el funcionamiento de redes de mujeres mediadoras, como una vía para dar visibilidad e impulsar el liderazgo de las mujeres.

2. LA PAZ ES TAREA DE MUJERES: PONER LAS PALABRAS EN ACCIÓN SIN DESVIAR EL FOCO

La Agenda Mujeres, Paz y Seguridad se inauguraba en el año 2000 con la Resolución 1325 del Consejo de Seguridad. Este primer instrumento fue posteriormente secundado y ampliado con otras 8 Resoluciones. Como se ha subrayado, la Agenda surgió como un instrumento de Derechos Humanos, que abundaba en la línea de "humanización" de la seguridad y, por tanto, encajaba con una visión idealista de las relaciones internacionales.

Tal y como señala Esther Barbé no cabe duda de que la Agenda se ha consolidado normativamente[1]. A decir verdad, se ha creado todo un movimiento participado por las organizaciones internacionales —multilaterales y regionales —, por los Gobiernos y por las organizaciones de la sociedad civil. Un movimiento que ha sido jalonado por Planes de acción nacionales y regionales. Se puede decir que se ha creado una narrativa sólida en torno a la Agenda mujeres, paz y seguridad, por lo que —en este aspecto— se puede presentar como un éxito.

Sin embargo, este acierto se ha visto empañado por la deficiente ejecución o implementación de las Resoluciones; por la falta de cumplimiento de los compromisos asumidos por los Estados; en definitiva, por la distancia existente entre los discursos y la situación real en muchos escenarios.

El último informe del Secretario General de Naciones Unidas sobre mujer, paz y seguridad[2], se abre con un reconocimiento de que la implementación de la Agenda de Naciones Unidas en este ámbito está lejos de ser satisfactoria.

Aunque Guterres admite que *en la comunidad internacional* ha habido debate y reflexión abundantes sobre las áreas clave de la agenda, lo cierto es —denuncia— que es decepcionante su traducción en resultados concretos concernientes a la participación, la protección, la prevención, la planificación con perspectiva de género, el fortalecimiento de la arquitectura de género o la financiación[3].

Guterres se remite a las resoluciones paralelas sobre paz sostenible del Consejo de Seguridad y de la Asamblea General[4], donde se señalaba la importancia de garantizar una participación significativa de las mujeres en la prevención y resolución de conflictos y en la construcción de la paz, y reco-

---

[1]   BARBÉ IZUEL, E. "Supporting practices inspired by solidarist ideas: the EU in the UNSC Open Debates on Women, Peace and Security", en BARBÉ, E; COSTA, O; KISSACK, R. *EU policy responses to a shifting multilateral system*, Basingstoke: Palgrove Macmillan, 2016, pp. 135-156.

[2]   S/2017/861, de 16 de octubre de 2017, p. 1.

[3]   *Ibidem*, párrafo 5.

[4]   Resolución del Consejo de Seguridad 2288 (2016) y Resolución de la Asamblea General 70/262.

noce la necesidad de incrementar su representación en todos los niveles de adopción de decisiones, llamando a reforzar la asociación con la sociedad civil, incluyendo a las organizaciones de mujeres y a las mujeres activistas por la paz. El Secretario General señala que para prevenir los conflictos es necesario corregir la desigualdad, que figura entre las causas profundas de aquellos.

Los mismos mensajes que recoge el Secretario General en su Informe, se han venido repitiendo hasta la saciedad en multitud de foros multilaterales desde que se inauguró la Agenda Mujeres, Paz y Seguridad. Y ya desde 2015 se viene constatando fehacientemente que un abismo separa esta narrativa de la acción efectiva[5]. En los últimos años se han multiplicado los llamamientos para superar esa sima y pasar de las palabras a los hechos, sin que se haya logrado hasta el momento transformar definitivamente las dinámicas y las condiciones estructurales que impiden el avance hacia el reconocimiento del derecho de las mujeres a participar plenamente en los procesos de prevención de conflictos y construcción de la paz y en la definición de los nuevos marcos de seguridad y convivencia tras el conflicto.

Llegadas a este punto, estamos cansadas de pedir que haya más mujeres en todos los niveles de toma de decisiones y más diálogo tanto con las organizaciones que las representan, como con las líderes que se han destacado por impulsar iniciativas en favor de la paz. ¿Por qué sigue siendo tan difícil satisfacer estas peticiones? En la historia de Naciones Unidas no ha habido ninguna Secretaria General y en el siglo XXI —cuando parecía haber llegado definitivamente el momento— ha resultado imposible nombrar a una mujer para ocupar este cargo. Esto es una demostración más de que existen razones estructurales profundamente arraigadas que contribuyen a perpetuar la falta de igualdad y la discriminación contra las mujeres. El cansancio y la decepción hacen mella. Parafraseando a la Premio Nobel de la Paz liberiana —Leymah Gbowee—[6],se puede decir que nos estamos

---

5   COOMMERASWAMY, R. "Preventing conflict, trasforming justice, securing peace: A global study on the implementation of Security Council Resolution 1325", 2015 (En adelante Estudio Global). Disponible aquí: http://wps.unwomen.org/

6   La activista liberiana ha declarado que "it is time to stop being politely angry". Véase: https://womenintheworld.com/2018/04/12/nobel-laureate-leymah-gbowee-says-armchair-activism-isnt-enough/

cansando ya de reclamar nuestros derechos desde los marcos existentes y quizás haya ya llegado el momento de elaborar un discurso reivindicativo más rupturista si deseamos cambiar las cosas para que, de verdad, cambien. Porque las estructuras existentes acogen con aplausos los discursos, pero en realidad permanecen impermeables a los mismos, dificultando su realización práctica.

La Agenda Mujeres, Paz y Seguridad, es una expresión de la lucha por la igualdad de género en su dimensión igualdad hombre/mujer. No podremos conseguir una participación más justa y efectiva de la mujer, si no estamos dispuestos a evaluar y revisar los patrones, la estructura básica de la sociedad, de los modelos cultural y económico. Probablemente, los avances en la Agenda requieren cambios de gran calado en los modos en que nuestras sociedades están organizadas. Es hasta cierto punto comprensible que una transformación de esta envergadura genere muchas resistencias. Tantas, como las que suscitan las reivindicaciones de un mundo más justo a escala global, para tratar de acabar con la situación de marginación de países enteros, naciones o grupos de población.

A la vista de la dificultad para alcanzar unos objetivos que, teóricamente, todo el mundo comparte, es razonable sospechar de la veracidad del compromiso. Desde luego no parece que haya una verdadera intención de acometer estos cambios profundos. Esther Barbé ha sostenido que, aparentemente, la Agenda Mujeres, Paz y Seguridad es una Agenda no contestada, aunque ella misma demuestra que en realidad sí lo es y que lo viene siendo cada vez más[7].

Parece que existe miedo a que las mujeres —o por lo menos, ciertas mujeres— adquieran una capacidad real de participar en los procesos de toma de decisiones. Porque hasta hace bien poco hemos sido outsiders[8],

---

7   BARBÉ IZUEL, E. "Contestación normativa y Consejo de Seguridad: la Agenda de mujeres, paz y seguridad. De la Resolución 1325 a la Resolución 2242", REDI, Vol. 68/2, 2016, pp. 103-131.

8   Este perfil único ya está siendo explotado como técnica de branding electoral. Las mujeres candidatas se presentan como outsiders para marcar su diferencia con respecto a los candidatos masculinos: SHAMES, S. "The "UN-Candidates", Gender and Outsider Signals in Women's Political Advertisements", Women & Politics, Vol. 25(1/2), 2003, p. 115.

marginadas de esos procesos, los observamos con un desapego que nos sitúa en una mejor posición de partida para proyectar una mirada crítica y poner en marcha reformas que de verdad transformen las estructuras económica, política y social, hacia una mayor inclusividad. El gran reto es participar en los procesos de toma de decisiones, para influir en su contenido y, si es necesario, modificar los procesos por los que éstas se adoptan, con el objetivo último de transformar un orden mundial que ha dejado a muchas personas y colectivos atrás.

La Profesora Barbé presenta la Resolución 2242 (2015), impulsada por España durante su bienio en el Consejo de Seguridad, como el último logro idealista o liberal[9]. Y lo es, en el sentido en que revisita la Resolución 1325 y trata de revitalizar el programa.

En la Resolución 2242 se dispuso la creación de un Grupo Informal de Expertos sobre Mujeres, Paz y Seguridad (en adelante, Grupo 2242), como un espacio para discutir la situación de las mujeres en escenarios críticos determinados. El objetivo era dar continuidad a la acción del Consejo de Seguridad en el desarrollo de la Agenda, más allá de la adopción de Resoluciones, integrando el enfoque mujeres en los debates y utilizándolo como base para adoptar decisiones. Se trataba, en definitiva, de mejorar la información y el análisis para conseguir una actuación más efectiva. Este es el primer grupo de trabajo del Consejo centrado en la Agenda Mujeres, Paz y Seguridad. Estuvo co-presidido por España y Reino Unido en 2016 y actualmente lo está por Perú y Suecia. Este último país repite, pues ya lo copresidió junto a Uruguay en 2017. A lo largo de los más de dos años que lleva funcionando, el Grupo ha analizado la situación en Afganistán, Republica Centroafricana, Mali y Sahel, Lago Chad, Iraz, Yemen, Libia y República Democráctica del Congo. El trabajo que realiza es muy interesante porque permite ver blanco sobre negro la realidad y contrastar con esta los discursos[10].

---

[9]   BARBÉ IZUEL, E. "Supporting practices inspired by solidarist ideas... *op. cit.* supra, nota 1. Se puede acceder al texto de la Resolución aquí: https://undocs.org/S/RES/2242(2015)

[10]   Se puede acceder a la información sobre el Grupo 2242 y a las actas de las reuniones aquí: https://www.peacewomen.org/node/96169 Además, el Consejo de Seguridad desde 2015 se comprometió a oir a más mujeres en las reuniones específicas para ana-

Se puede decir, por tanto, que existe una apertura a la sociedad civil, que se traduce en la puesta en marcha de distintos mecanismos de participación. En la OTAN, en esta misma línea, echó a andar el Civil Society Advisory Panel, en 2016[11].

Pero no todos los aspectos de la Resolución 2242 son positivos. También hay que señalar —y lo hago con preocupación— que introduce una cuña soberanista mediante una aproximación "securitaria". En este sentido, lo más intrigante es la conexión que se establece con la "lucha contra el terrorismo extremista".

Es verdad que el terrorismo extremista supone una amenaza para los derechos de las mujeres, que ya están pagando un alto precio sufriendo la violencia sexual practicada como táctica de guerra por grupos violentos. Es verdad que el papel de la mujer como instigadora del extremismo violento no ha sido suficientemente analizado o estudiado. Es, por tanto, deseable y necesario que se introduzca la perspectiva de género en el análisis del fenómeno terrorista y en el diseño e implementación de las políticas antiterroristas, pero no es correcto colegir que la lucha contra el terrorismo deba ser un elemento de la Agenda Mujeres, Paz y Seguridad.

De hecho, en mi opinión, es desacertado asociar la Agenda Mujeres, Paz y Seguridad a la guerra contra el terrorismo. Quiero recordar que el Informe Global de 2015, establecía con total claridad que la Resolución 1325 es un mandato de derechos humanos. Y alertaba contra los intentos de "securitizar" la Agenda y usar a las mujeres como instrumentos de una estrategia militar.

El carácter "soberanista" de esta medida, se evidencia si se hace un repaso de la lectura que de esta Resolución se ha hecho por parte de algunos actores internacionales. En el Debate abierto de 2016 sobre Mujer, Paz y Seguridad, en el primer párrafo de las observaciones chinas se alude a la lucha contra el terrorismo y el extremismo violento[12]. Pero también la

---

lizar la situación en países concretos: http://www.womenpeacesecurity.org/our-work/peacebuilders/

11   https://www.nato.int/cps/en/natohq/news_147603.htm

12   https://www.peacewomen.org/sites/default/files/WPS%20Meeting%20Record.pdf, p. 13

OTAN, en el mismo Debate, declaraba que "NATO supports the implementation of resolution 2242 (2015)by financing research on the role of
gender in countering violent extremism"[13].

Aunque España se empleó a fondo para aprobar la Resolución 2242 y
darle un nuevo impulso a la Agenda Mujeres, Paz y Seguridad, el verdadero
foco de interés de nuestro país —si atendemos al contenido de la acción
española durante su bienio en el Consejo de Seguridad— fue la lucha contra el terrorismo. En este ámbito impulsó otras tres Resoluciones: La 2322,
sobre cooperación judicial en la lucha contra el terrorismo; La 2325, para
evitar que las armas de destrucción masiva caigan en manos de terroristas:
Y la 2331, que aborda el tema de la trata de seres humanos en situaciones
de conflicto para conseguir que la trata sea considerada como táctica de
terrorismo y que los afectados sean considerados víctimas de terrorismo.
Durante ese tiempo, aunque ya al margen de su agenda en el Consejo de
Seguridad, España también trató de impulsar —junto con Rumanía— la
propuesta de crear un Tribunal Internacional contra el Terrorismo, complementario de la CPI y de los tribunales penales nacionales.

Tal y como ha demostrado Esther Barbé, la Agenda Mujer, Paz y Seguridad corre el riesgo de debilitarse gracias a los avances de las posiciones
soberanistas[14]. Christine Chinkin, ha declarado que al vincular la Agenda
Mujer, Paz y Seguridad con los marcos políticos anti-terroristas, por un
lado se garantiza el mantenimiento de la atención política, pero —por otro
lado— conlleva una instrumentalización y "securitización" de la agenda,
con el riesgo de retroceso en detrimento de los defensores de los derechos
de las mujeres. Ella mantiene, y yo coincido plenamente con esta tesis, que
no se puede dejar de poner el acento en la promoción de los derechos de las
mujeres, la igualdad y la inclusión. Y esto no se consigue mediante respuestas de carácter militar, de vigilancia o policial, que generan desconfianza y
comprometen el papel de las mujeres líderes en sus comunidades[15].

---

[13]   https://www.peacewomen.org/sites/default/files/WPS%20Meeting%20Record.pdf,
       p. 65.
[14]   BARBÉ IZUEL, E. "Supporting practices inspired by solidarist ideas... *op. cit.*, nota 1.
[15]   CHINKIN, C. "Women, Peace and Security: what does it mean in the contemporary
       world?", LSE Centre for Women, Peace and Security, pp. 4 y 5. Disponible en: www.
       lse.ac.uk/wps

Si realmente queremos proteger los derechos de las mujeres en contextos de conflicto, hay que empoderarlas, trabajar con la sociedad civil. Usar la Agenda como herramienta de transformación social, para inspirar respuestas contextualizadas según las características de los distintos escenarios locales. Y una de las vías es la mediación.

3. LA MEDIACIÓN: UNA CONTRIBUCIÓN EFECTIVA Y NECESARIA DE LAS MUJERES A LA PREVENCIÓN Y RESOLUCIÓN DE CONFLICTOS

3.1. Ideas Preliminares

Se viene destacando desde la Secretaria General de Naciones Unidas, la importancia de la mediación como mecanismo de resolución de conflictos internacionales[16]. A la naturaleza e importancia de la mediación ya me he referido extensamente en trabajos anteriores a los que me remito[17]. Baste ahora con manifestar que en mi opinión se trata, en efecto, de uno de las herramientas no jurisdiccionales de resolución de controversias más adecuadas para atacar las causas profundas de los conflictos. Me parecen especialmente interesantes los procesos de mediación de segunda y tercera vías donde el protagonismo pasa a las organizaciones de la sociedad civil.

---

[16]   Veanse los siguientes Informes: A/66/811. Report on "Strengthening the role of mediation in the peaceful settlement of disputes, conflict prevention and resolution" Junio, 2012; S/2011/552. Report on "Preventive Diplomacy: Delivering Results", agosto, 2011; S/2009/189. Report on "Enhancing Mediation and its Support Activities", abril, 2009.

[17]   CEBADA ROMERO, A. "Hacia la construcción descentralizada de la paz: una oportunidad para la sociedad civil, para el Derecho internacional y para la Unión Europea", Revista de Derecho Comunitrio Europeo, 2010, n. 35, pp. 1-44; CEBADA ROMERO, A. "La sociedad civil y la resolución de conflictos". En: RAMÓN CHORNET, Consuelo (coord.) "Estabilidad internacional, conflictos armados y protección de los derechos humanos", Tirant lo Blanch, Valencia, 2010, p. 107-131; CEBADA ROMERO, A. "La construcción descentralizada de la paz. Una muestra de la fortaleza creciente de la sociedad civil". En: MARTÍN Y PÉREZ DE NANCLARES, J. (coord.) Los Estados y las Organizaciones Internacionales ante las nuevas crisis globales, Iustel, 2010, pp. 523-534.

Es muy significativo que una de las primeras iniciativas abordadas por el actual Secretario General tras su nombramiento ha sido la creación de un Consejo Consultivo de Alto Nivel sobre Mediación, en septiembre del pasado año, para obtener asesoramiento en iniciativas de mediación y apoyar los esfuerzos que en esta línea se están realizando en distintos conflictos. Actualmente este Consejo está compuesto de 18 expertos, 9 de los cuales son mujeres, entre las que se encuentran líderes tan reputadas como Michelle Bachelet (Chile), Leymah Gbowee (Liberia) o Graça Machel (Mozambique)[18].

La segunda reunión de este Consejo Consultivo, patrocinada conjuntamente por Finlandia e Indonesia, tuvo lugar en Helsinki, en junio de 2018, y giró en torno al tema del estatus actual de la mediación y de la prevención de conflictos[19]. Sería muy acertado que nuestro país acogiera y organizara o, al menos, co-organizara con alguno de nuestros socios latinoamericanos, un encuentro de este Consejo Consultivo, haciendo hincapié en la importancia de la mediación de mujeres y de la mediación en español.

3.2. Las Mujeres Mediadoras: Influyendo en la Construcción de la Paz

En la reunión del Consejo Consultivo de Alto Nivel en Mediación que tuvo lugar en Helsinki este mismo año y a la que ya nos hemos referido, Radhika Coomaraswamy señalaba que un proceso de paz tiene un 30% más probabilidades de ser exitoso si incluye a mujeres[20]. Sin embargo, a pesar de la evidencia, las cifras de participación de las mujeres son claras y demuestran que estos procesos no son inclusivos. En un Informe de ONU

---

[18] Véase esta nota de prensa de la Secretaría General de Naciones Unidas donde se detalla la composición de este órgano: https://www.un.org/sg/en/content/sg/personnel-appointments/2017-09-13/secretary-general%E2%80%99s-high-level-advisory-board-mediation

[19] El Gobierno de Finlandia ha publicado el video completo de esta reunión al que se puede acceder aquí: https://formin.videosync.fi/state-of-mediation-and-conflict-prevention

[20] Véase su declaración en el video: https://formin.videosync.fi/state-of-mediation-and-conflict-prevention

Mujeres se establece que de los 31 principales procesos de paz liderados por Naciones Unidas entre 1992 y 2011, sólo el 4% de los signatarios, el 2,4% de los jefes de los equipos de mediación y el 3,7% de los testigos o el 9% de los negociadores son mujeres[21]. Y, desde entonces, a pesar del llamamiento que se hace en la Resolución 2122 (2013) a nombrar más mujeres en los equipos de mediación, sólo se ha recurrido a dos mujeres como líderes de los procesos de mediación: Mary Robinson y Hiroute Guebre Sellasie[22].

Las mujeres suelen estar presentes en la mediación de base[23], sin embargo experimentan grandes dificultades para acceder a los procesos de mediación de alto nivel político. Es necesario, pues, que haya más mujeres liderando y componiendo los equipos de mediación, más mujeres miembros de las delegaciones negociadoras, más mujeres observadoras, más signatarias y, en definitiva, más mujeres participando de manera sustantiva en los procesos de mediación.

La participación de mujeres en los procesos de mediación, los hace más inclusivos y, por tanto, más representativos, lo que redunda en su eficacia y en su legitimidad. Hay quien sostiene que la mera presencia de las mujeres es buena porque implica un cambio en una dinámica tradicionalmente marcada por los hombres[24]. Siendo esto cierto, también lo es que si queremos transformar definitivamente la realidad y caminar hacia sociedades más igualitarias es necesario marcarse objetivos más ambiciosos. Hay que ir más allá de la presencia, para buscar influencia[25]. En otras palabras, hay que dejar de contar mujeres y hacer, en cambio, que las mujeres cuenten,

---

[21]   UN Women, Women's Participation in Peace Negotiations: Connections between Presence and Influence, 2012.

[22]   Se pueden encontrar datos sobre la participación de las mujeres en los procesos de paz en esta base elaborada por el CFR: https://www.cfr.org/interactive/womens-participation-in-peace-processes

[23]   UN Women (2016) 'Women Mediators Promote Peace in Burundi', disponible en: http://www.unwomen.org/en/news/stories/2016/1/women-mediators-promote-peace-in-burundi#sthash.F4Cwd4co.dpuf

[24]   Así lo hace Radhica Coomeraswamy en la reunión del Consejo Consultivo de Alto Nivel sobre Mediación, en junio pasado, en Helsinki. Véase vide cit. Supra.

[25]   PAFFENHOLZ T et al. (2016) 'Making Women Count-Not Just Counting Women: Assessing Women's Inclusion and Influence on Peace Negotiations' (Inclusive Peace & Transition Initiative & UN Women)

que puedan participar de manera significativa con efectos concretos en la adopción de decisiones[26].

Como ejemplo de participación no significativa que no se traduce, por tanto, en disposiciones concretas en los acuerdos de paz podemos citar el caso de Sudán del Sur, un escenario en el que las mujeres han sufrido atrocidades que incluyen una brutal violencia sexual[27].

El reconocimiento de que hay escenarios en los que es difícil que las partes acepten una participación de mujeres, debe ir seguido de una exigencia de poner en marcha nuevas dinámicas, políticas y medidas con capacidad para transformar la estructura social, económica y política que margina a las mujeres. En otras palabras, la dificultad para incorporar mujeres debe ser un indicador de la necesidad de vincular la construcción de la paz con los avances hacia la igualdad[28].

En cuanto a los ámbitos en que se puede materializar esa participación, habría que distinguir entre la dimensión interna y la externa de un proceso de mediación. Desde el punto de vista interno, es necesario incluir más mujeres en puestos relevantes, en los equipos de mediación. También es imprescindible tratar de persuadir a las partes para que incluyan más mujeres en sus delegaciones, así como disponer la prestación de apoyo técnico sobre cómo abordar el proceso de paz desde una perspectiva de género. Es

---

[26]   Como ejemplo de que la presencia no es suficiente, véase lo que ocurrió en Kenia, tras la crisis del 2009 y bajo el liderazgo de Graça Machel: https://ecdpm.org/wp-content/uploads/DP217-Women-Mediation-Africa-APSA-AGA-ECDPM.pdf, p. 26.

[27]   https://ecdpm.org/wp-content/uploads/DP217-Women-Mediation-Africa-APSA-AGA-ECDPM.pdf, pp. 27-31. Sobre la violencia sexual en Sudán del Sur, véanse las conclusiones de la Enviada Especial para la violencia sexual en conflictos, tras su visita en 2018: https://news.un.org/en/story/2018/07/1014501

[28]   Uno de estos escenarios complicados es Afganistán donde las mujeres solo han participado en 2 de las 23 rondas de negociaciones. Ahora que el Gobierno ha admitido la posibilidad de empezar a negociar con los talibanes, las reinvidicaciones de las mujeres se hacen oir con más fuerza. Es una cuestión fundamental porque el reconocimiento talibán pone en riesgo las conquistas logradas hasta el momento: JAMILLE, B; VOGELSTEIN, R. "Afghanistan-Taliban Peace Talks Must Include Women Negotiators Defending their Rights", USA Today, 21 de marzo de 2018, https://eu.usatoday.com/story/opinion/2018/03/21/afghanistan-taliban-peace-talks-must-include-women-column/437628002/

importante, insisto, que las cifras no sean estéticas, que el cambio sea real y que vaya más allá de los números.

En su dimensión externa, se debe exigir que el proceso de mediación sea abierto y que no se limite a los contactos entre los representantes oficiales de las partes, sino que se amplíen a la sociedad civil y a los activistas en pro de los derechos humanos y la paz.

La cooperación con la sociedad civil, en el área de la construcción y mantenimiento de la paz, es perfectamente consistente con la estructura actual de la sociedad internacional, caracterizada por la erosión del estatocentrismo y el surgimiento de actores internacionales no estatales para los que el derecho internacional es una herramienta de empoderamiento. Y en este campo, la colaboración y el diálogo con las organizaciones de mujeres se considera fundamental. En el nuevo marco de "construcción descentralizada de la paz", los Estados u otros actores estatales o sus representantes no son los únicos agentes que participan, sino que se requiere la acción de otros actores no estatales[29].

Incluso si estamos ante procesos de mediación de primera vía, es oportuno abrir simultáneamente otros canales, en los que se propulse el diálogo con las organizaciones de la sociedad civil y sus líderes, particularmente con las organizaciones de mujeres. Éstas deben encontrar un lugar para expresarse en el marco del proceso de paz, en alguna/a de las vías de mediación abiertas. Las organizaciones de mujeres, suelen integrarse en redes, que abarcan desde el grass-root-level hasta la más alta representación política, con lo que su implicación facilita la puesta en marcha de iniciativas realmente efectivas —comprehensivas— para abordar con garantías las causas profundas de los conflictos.

3.3. La influencia de las mujeres y la naturaleza de los procesos de mediación

El Departamento de Asuntos Políticos de Naciones Unidas ha publicado en 2017 una Guía sobre estrategia de mediación inclusiva y de género

---

[29] CEBADA ROMERO, A. "La construcción descentralizada de la paz. Una muestra de la fortaleza creciente… *op. cit.* Supra.

en que establece una serie de recomendaciones interesantes[30]. En esta guía se establece la conveniencia de establecer un proceso de múltiples vías para facilitar la participación de las mujeres. Se recomienda la identificación de organizaciones de la sociedad civil y, en particular, de organizaciones de mujeres para incluirlas en ejercicios de mediación de segunda vía y que se exploren todas las opciones de posiciones en las que incluir a mujeres. También se sugiere que se organicen reuniones frecuentes entre mujeres líderes y las delegaciones negociadoras.

La Guía se refiere también a la necesidad de identificar los obstáculos de seguridad, logísticos o financieros que puedan estar impidiendo la participación de las mujeres y a la conveniencia de reforzar las capacidades, cuando sea necesario, para facilitar una participación efectiva.

Aunque sí se aprecia un esfuerzo por concebir un proceso que ofrezca más oportunidades para participar a las mujeres, lo cierto es que no se entra en detalles que pueden ser necesarios para llevar a cabo una revisión en profundidad de los procesos de mediación en determinados escenarios. Parece prevalecer la lógica de: ayudemos a las mujeres a adaptarse para participar en los procesos existentes, más que la que apuntaría a un cuestionamiento de la forma en que éstos se organizan.

La población local puede no estar familiarizada con las formalidades y modalidades de los procesos organizados bajo los auspicios de organizaciones internacionales, ni preparada para participar en ellos, con lo que se dificulta en gran medida la apropiación local de los mismos. Esto es especialmente evidente en el caso de las mujeres. Parece, pues, que se deberían organizar procesos de mediación adaptados a las circunstancias existentes en cada contexto y no utilizar plantillas de talla única. Muchas mujeres tienen dificultades para leer y escribir en escenarios donde el analfabetismo alcanza cotas escandalosas, pero se les puede ofrecer la información de otras maneras, así como brindarles la posibilidad de expresarse oralmente porque el conocimiento que atesoran tiene un valor incalculable y puede resultar muy útil para entender realmente el contexto e identificar las causas reales del conflicto. En otras palabras, hay que diseñar procesos de mediación ajustados a las capacidades y a las habilidades de las personas que

---

[30]   UN DPA, Guidance on Gender and Inclusive Mediation Strategies, Agosto 2017.

están llamadas a participar en los mismos y no tratar de buscar personas cuyas capacidades se adecuen a las modalidades de mediación promovidas desde instancias internacionales.

En muchos países existen sólidos mecanismos de mediación y resolución de conflictos tradicionales que, en muchos casos, se configuran como un auténtico sistema paralelo de justicia. Quizás se puedan extraer lecciones de esos mecanismos, aunque con mucha prudencia porque en ellos se suele discriminar a la mujer desde una concepción profundamente patriarcal. Si queremos inspirarnos en estos procesos es necesario admitir también la necesidad de transformarlos para adecuarlos a los estándares internacionales de protección de los derechos humanos[31].

Para que los procesos de mediación sean inclusivos, hay que diseñarlos de manera que no sólo participen todos formalmente, sino que a todos los participantes se les ofrezca una posibilidad real de influir en las conversaciones. Se debe diseñar un formato que permita que tengan influencia y que puedan participar de manera significativa y útil en la adopción de decisiones. Por eso, la mera presencia —como hemos venido señalando desde el principio— no basta. En particular, las mujeres deben ser escuchadas y se les debe ofrecer una oportunidad real de influir en la toma de decisiones. Se debe dar espacio a las mujeres que vienen ejerciendo como mediadoras a nivel de base, aunque estén alejadas de la mediación política, de alto nivel.

3.4. Las Redes de Mujeres Mediadoras[32]

Para ganar visibilidad y promover la participación de las mujeres en los procesos de paz se vienen conformando redes de mujeres mediadoras. No es de extrañar que el mayor número de estas redes se concentre en el África

---

[31] Sobre la situación en Afganistán, véase: CEBADA ROMERO, A. "La Reforma del Sector de la Justicia en Afganistán", in: E.M. Garcia Rico; M.I. Torres Cazorla, La Sociedad Internacional del Siglo XXI: Nuevas Perspectivas de Seguridad, Madrid: Plaza y Valdés, 2011, p. 239-257

[32] Se puede ver un listado de las redes existentes en: LIMO, I., "What do networks of women mediators mean for mediation support in Africa?, disponible en: http://www.accord.org.za/conflict-trends/what-do-networks-of-women-mediators-mean-for-mediation-support-in-africa/

subsahariana, donde se localizan al menos ocho. También existe una red mediterránea[33]. Y en Asia se pueden localizar dos, además de la existente en Oriente Medio. En Europa hay tres redes más. A todas éstas habría que sumar la de la Commonwealth[34].

Y no es de extrañar que estas redes hayan proliferado en el continente africano, porque la constitución de redes es una de las herramientas utilizadas por los movimientos de mujeres africanas[35].

Algunas de las redes han sido impulsadas por organizaciones regionales. Es el caso de FEMWISE, auspiciada por la Unión Africana y creada en julio de 2017[36]. FEMWISE es un órgano subsidiario del Panel de Sabios de la Unión Africana[37], está presidido por la expresidenta de la República Centroafricana, Catherine Samba Panza, y consta de al menos 80 miembros entre los que se encuentran también jóvenes líderes. FEMwise se propone cooperar con otras redes regionales, intrarregionales y nacionales. Resulta especialmente interesante uno de los objetivos que se marca la red: documentar las experiencias de las mediadoras, incluyendo documentos audiovisuales. En efecto, en este momento, es necesario dar visibilidad a las experiencias de las mujeres, con objetos de convertirlas en puntos de referencia y dejar en evidencia a los que sostienen que no están preparadas.

A veces la red se crea con el auspicio de un gobierno occidental. Es el caso de la red de mujeres mediadoras de la Commonwealth, a la que ya me

---

[33]   Lanzamiento de la Red Mediterránea de Mujeres Mediadoras, Nota conceptual: http://www.un.org/webcast/pdfs/170921pm-women-mediators-italy.pdf

[34]   Esta red está patrocinada por el Reino Unido y administrada por Conciliation Resources: https://www.C-r.org/where-we-work/global/women-mediators-across-commonwealth

[35]   Tenemos el ejemplo de Ghana, en el que se han constituido redes para impulsar los avances en distintos asuntos atenientes a la seguridad y a los derechos de las mujeres: CEBADA ROMERO, A. "Informe Inicial sobre Género: Ejemplos Prácticos en el Contexto Africano", en: J. Ruíz Arévalo (coord.) Manual de Asesor de Género en Operaciones, MADOC, Editorial TLeo, Granada, 2015, pp. 133-149.

[36]   https://ecdpm.org/wp-content/uploads/DP217-Women-Mediation-Africa-APSA-AGA-ECDPM.pdf

[37]   http://www.peaceau.org/uploads/final-concept-note-femwise-sept-15-short-version-clean-4-flyer.pdf

he referido, y de la Red de Mediadoras Africanas constituida en Sudáfrica con el apoyo del Gobierno noruego[38].

Hay redes nacionales que se han creado con una proyección claramente exterior: la red suiza de mujeres mediadoras o la también suiza Swiss Women Across the Globe, son dos claros ejemplos. En los países nórdicos se ha creado la Red Nórdica de Mujeres Mediadoras[39]. Hay también redes de alcance intrarregional, como la Red de Mujeres del Río Mano. En otras ocasiones las miembros subrayan su conexión religiosa o espiritual (Red Regional de Mujeres Mediadoras de Fe, África).

En este momento, ante la proliferación de redes, se ha empezado a discutir si sería conveniente crear una red global que vendría a constituirse en un elemento más de la arquitectura internacional de prevención y resolución de conflictos[40].

La creación de redes de mujeres mediadoras y la futura constitución de una red global, constituyen un avance en lo que se refiere a la participación de las mujeres en los procesos de paz.

Las ventajas de la posible Red global son evidentes:

Permitiría contar con un listado de mujeres preparadas para liderar procesos de mediación, al que se podría recurrir con facilidad para incrementar el número de equipos de mediación encabezados por mujeres allí donde fuere necesario, así como aumentar su participación en distintas responsabilidades y posiciones.

Si se aumenta el número de mujeres participando en primera línea en el proceso de mediación, puede resultar más fácil que las partes en el conflicto entiendan mejor la necesidad de incluirlas también en sus equipos negociadores. Si hay más mujeres en los equipos de negociación parece

---

[38]   https://www.norway.no/en/south-africa/values-priorities/peace-stability-sec/

[39]   Se puede encontrar más información aquí: https://www.prio.org/Projects/Project/?x=1725

[40]   SOLANAS, María "Las Guerras de los Hombres Fuertes, la Red Global de las Mujeres Mediadoras", 2/4/2018, https://blog.realinstitutoelcano.org/las-guerras-de-los-hombres-fuertes-la-red-global-de-las-mujeres-mediadoras/

más sencillo que la conversación se articule en torno a las necesidades, más que sobre las posiciones y los intereses[41].

Las mujeres dentro del equipo de mediadores pueden aportar ideas nuevas que ayuden a diseñar procesos de mediación diferentes, más abiertos y adecuados para recoger las propuestas de las mujeres y de otros grupos de población marginados.

Para ellas puede ser más sencillo establecer contactos con la sociedad civil, uno de los elementos decisivos en relación con la inclusividad de un proceso de mediación. Como dice Emilio Cassinello, director del CITpax, las mujeres tienen mayor capilaridad social[42]. Y esto es un capital femenino que resulta necesario aprovechar. De alguna manera su participación en la dimensión interna, también facilita la participación de activistas y organizaciones de mujeres en la dimensión externa de un proceso de mediación. En conexión con este aspecto, habría que subrayar que una red de mujeres mediadoras tiene más potencial para conectar los procesos de mediación de primera, segunda y tercera vías.

La red contribuiría a dar visibilidad a la experiencia de las mujeres en mediación, creando un repositorio de buenas prácticas, a través del que se subrayaría la importancia de su participación en la prevención y resolución de conflictos. Se constituiría como una fuente de conocimiento técnico sobre cuestiones de género y conflicto. Además, se podría articular también como un mecanismo de alerta temprana muy útil en el ámbito de la prevención de conflictos.

Y obviamente una estructura global ofrecería un marco para la cooperación y la coordinación entre las redes ya existentes.

---

[41]   Aunque también hay que señalar que puede ser más difícil para las mujeres tratar sobre asuntos como la violencia sexual. TERNGU SUGH, E; IKWBE, A. "Women in Mediation and Conflict Resolution: Lessons, Challenges and Prospects from AFrica", Journal of Humanities and Social Sciences 22/1, 2017, p. 5.

[42]   CASSINELLO AUBAN, E. Conferencia impartida en el II Seminario de Alto Nivel sobre Igualdad, Paz y Seguridad Internacionales. Hacedoras de Paz: Redes de Mujeres Mediadoras, celebrado en la Universidad Carlos III el día 28 de septiembre de 2018.

La iniciativa de creación de la red global de mujeres mediadoras parte de la Red Nórdica de Mujeres Mediadoras[43]. Y por todo lo que se ha expuesto, tiene un amplio recorrido por delante y el potencial para marcar una diferencia en este ámbito.

No obstante, también hay que señalar las dificultades inherentes a un proyecto de este tipo. En primer lugar, habrá que determinar cómo se va a administrar y dinamizar la red. ¿Qué institución se va a ocupar de esta tarea? ¿Va a configurarse como un instrumento para la acción o va a funcionar como un espacio más en el que se engrose la ya abundante retórica existente?

La creación de la red global es un proyecto interesante, pero su impacto —en definitiva— dependerá del modo en que se desarrolle. Debería concebirse como un marco original en el que las voces de las mujeres se oigan y se proyecten hacia el exterior— altas y claras; un marco en el que se planifiquen y se lleven a cabo iniciativas concretas; en que se puedan formular y testar nuevos planteamientos e ideas. Se debe configurar, física y substancialmente como un espacio de vanguardia en el ámbito de la prevención de conflictos y la construcción de la paz. No debería convertirse en otra plataforma burocrática que acoge a líderes en órbita, ofreciéndoles una oportunidad para demostrar sus habilidades de comunicación. Hay que ir más allá.

Naturalmente, esto no es fácil. Para empezar, se requieren fondos. Y también grandes dosis de compromiso, trabajo y energía. Pero si el proyecto sale adelante, se debería aprovechar la oportunidad y conseguir que realmente sirva para impulsar la igualdad entre hombres y mujeres en el ámbito de la paz y la seguridad.

---

[43]   Las Redes regionales de mediadoras se dieron cita en Oslo, en marzo de 2018 para discutir la propuesta: https://www.regjeringen.no/globalassets/departementene/ud/vedlegg/fred/network_chair.pdf

4. REFLEXIONES FINALES

Se ha visto que la Agenda Mujeres, Paz y Seguridad sigue muy activa en el plano de la retórica, aunque continua decepcionando en lo que a su aplicación práctica se refiere. Si queremos ver el vaso medio lleno podemos fijar nuestra mirada en las nuevas oportunidades de acceso de las mujeres y de sus organizaciones a los debates y trabajos del Consejo de Seguridad. La Resolución 2242, impulsada por España, articula un genuino interés en crear los espacios para que la voz de las mujeres se oiga. Pero esa misma Resolución introduce la conexión con la lucha contra el terrorismo extremista y habrá que seguir atentamente cómo se desarrolla este vínculo para evitar una desnaturalización de la agenda y defender el espíritu con el que ésta surgió, como un instrumento de derechos humanos y, por tanto, en la línea de la humanización de la seguridad.

La creación de redes de mujeres mediadoras es una oportunidad para hacer efectiva la participación de éstas en los procesos de paz. La red global daría mucha visibilidad al liderazgo desarrollado por las mujeres en este ámbito y pondría más presión sobre las organizaciones internacionales y los Estados para que hagan honor a los compromisos asumidos. Y esto es así porque la ausencia de mujeres no es una cuestión de capacidades, sino de oportunidades y creación de puntos de entrada. Hay que dar acceso a las mujeres y la red puede contribuir a ponerlo aún más en evidencia.

En este ámbito no me cabe ninguna duda de que la unión hace la fuerza y si la evidencia de los logros de las mujeres no basta, debemos estar preparadas para alzar nuestra voz y continuar la lucha. Porque hay que dejar claro que no vamos a permitir que las organizaciones internacionales y los Estados se queden en la promoción de la red. Las mediadoras han de ser convocadas no solo para figurar en un listado, sino para actuar. Para ello, nosotras nos debemos apropiar de estos instrumentos una vez creados y usarlos al servicio de la causa de la igualdad.

5. BIBLIOGRAFÍA

BARBÉ IZUEL, E. "Supporting practices inspired by solidarist ideas: the EU in the UNSC Open Debates on Women, Peace and Security", en BARBÉ,

E; COSTA, O; KISSACK, R. EU policy responses to a shifting multilateral system, Basingstoke: Palgrove Macmillan, 2016, pp. 135-156.

- "Contestación normativa y Consejo de Seguridad: la Agenda de mujeres, paz y seguridad. De la Resolución 1325 a la Resolución 2242", REDI, Vol. 68/2, 2016, pp. 103-131

CEBADA ROMERO, A. "Hacia la construcción descentralizada de la paz: una oportunidad para la sociedad civil, para el Derecho internacional y para la Unión Europea", Revista de Derecho Comunitario Europeo, 2010, n. 35, pp. 1-44;

- "La sociedad civil y la resolución de conflictos". En: RAMÓN CHORNET, Consuelo (coord.) "Estabilidad internacional, conflictos armados y protección de los derechos humanos", Tirant lo Blanch, Valencia, 2010, p. 107-131.

- "La construcción descentralizada de la paz. Una muestra de la fortaleza creciente de la sociedad civil". En: MARTÍN Y PÉREZ DE NANCLARES, J. (coord.) Los Estados y las Organizaciones Internacionales ante las nuevas crisis globales, Iustel, 2010, pp. 523-534.

- "La Reforma del Sector de la Justicia en Afganistán", in: E.M. Garcia Rico; M.I. Torres Cazorla, La Sociedad Internacional del Siglo XXI: Nuevas Perspectivas de Seguridad, Madrid: Plaza y Valdés, 2011, p. 239-257.

- "Informe Inicial sobre Género: Ejemplos Prácticos en el Contexto Africano", en: J. Ruíz Arévalo (coord.) Manual de Asesor de Género en Operaciones, MADOC, Editorial TLeo, Granada, 2015, pp. 133-149

CHINKIN, C. "Women, Peace and Security: what does it mean in the contemporary world?", LSE Centre for Women, Peace and Security

COOMMERASWAMY, R. "Preventing conflict, trasforming justice, securing peace: A global study on the implementation of Security Council Resolution 1325", 2015

LIMO, I., "What do networks of women mediators mean for mediation support in Africa?, disponible en: http://www.accord.org.za/conflict-trends/what-do-networks-of-women-mediators-mean-for-mediation-support-in-africa/

PAFFENHOLZ T et al. (2016) 'Making Women Count-Not Just Counting Women: Assessing Women's Inclusion and Influence on Peace Negotiations' (Inclusive Peace & Transition Initiative & UN Women)

SOLANAS, M. "Las Guerras de los Hombres Fuertes, la Red Global de las Mujeres Mediadoras", 2/4/2018, https://blog.realinstitutoelcano.org/las-guerras-de-los-hombres-fuertes-la-red-global-de-las-mujeres-mediadoras/

SHAMES, S. "The "UN-Candidates", Gender and Outsider Signals in Women's Political Advertisements", Women & Politics, Vol. 25(1/2), 2003, p. 115.

TERNGU SUGH, E; IKWBE, A. "Women in Mediation and Conflict Resolution: Lessons, Challenges and Prospects from AFrica", Journal of Humanities and Social Sciences 22/1, 2017, pp. 1-7.

Capítulo IX
DERECHOS FUNDAMENTALES NO TRIPULADOS

Riesgo creciente de vulneración de derechos en las últimas intervenciones militares

CARLOS PENEDO COBO
Analista político y consultor de comunicación

1. INTRODUCCIÓN

La transformación tanto de las amenazas como de la percepción misma de la seguridad y hasta de los instrumentos que los Estados emplean para garantizarla, especialmente el militar, puede tener efectos directos e indirectos sobre la vulneración de los derechos fundamentales del ciudadano, en dirección contraria a los tímidos avances registrados desde comienzos de siglo como reacción a la invasión de Irak.

La grave fractura política producida tanto en la comunidad internacional como en el interior de cada país a partir de aquella llamada guerra preventiva comenzada en 2003, cuyos efectos desestabilizadores continúan quince años después, se intentó contrarrestar con una mayor legalidad y legitimidad de las intervenciones militares posteriores, la búsqueda del mayor apoyo social y político en los despliegues, tendencia que se ha visto interrumpida.

Las causas del retroceso hay que buscarlas en las modificaciones sufridas en cinco grandes ámbitos, que se traduce en un menor control social y político sobre las intervenciones militares.

En el marco de la geopolítica se observa la fragmentación de la gobernanza mundial[1], la crisis de las organizaciones internacionales sustituidas por alianzas entre amigos, la crisis del multilateralismo, la vuelta de la soberanía y el proteccionismo nacional.

En segundo lugar, ciñéndonos al ámbito español, las Fuerzas Armadas nunca han participado en mayor número de operaciones en el exterior y nunca ha tenido esa presencia menor repercusión social, conocimiento público ni menor reflejo parlamentario, el espacio de la rendición de cuentas y de las explicaciones políticas y económicas.

Otros factores estrictamente militares han cambiado la forma de intervenir en escenarios ajenos al territorio nacional. Por una parte, la reducción del tamaño de los contingentes en el exterior, con uso intensivo de unidades de operaciones especiales e inteligencia. Un segundo condicionante militar es la tecnificación de la guerra, la utilización masiva del arma aérea y el recurso creciente a drones y sistemas no tripulados que alejan, en distancia y responsabilidad, atacante y objetivo.

Finalmente un quinto factor a tener en cuenta sería la militarización al menos retórica de fenómenos hasta no hace mucho ajenos al mundo uniformado, desde la seguridad interior y el terrorismo a la inmigración, desde la información a las redes sociales. El traspaso del ámbito civil al militar suele ir ligado a situaciones de emergencia —reales o inducidas— y una restricción de derechos fruto de la excepcionalidad que justifica a su vez los instrumentos utilizados.

La opinión pública y sus parlamentos se pueden estar alejando de la actuación de los ejércitos, tanto en conflictos armados como en las llamadas operaciones de paz —término éste ya prácticamente en desuso—, y esa lejanía no ampara la vulneración de derechos fundamentales —desde el derecho a la vida al de información—, pero garantiza la inmunidad de sus responsables si se produce.

---

[1]   SOLANA, Javier, "Occidente en el diván", *Project Syndicate,* 21 de junio de 2018. https://www.project-syndicate.org/commentary/trump-versus-us-alliances-by-javier-solana-2018-06/spanish?barrier=accesspaylog

Haciendo un símil tecnológico y militar, los sistemas aéreos no tripulados, popularmente conocidos como drones, en realidad no están descontrolados, sino que se pilotan desde tierra, pero la investigación y los temores avanzan hacia la próxima fase en la que podrían tener capacidad de decisión autónoma sin participación humana más allá de la programación del sistema. Un peligro similar puede acechar al respeto o vulneración de los derechos, asistimos a un escenario donde habitan por un lado personas y por otro los derechos que iban asociados a ellas y ahora se desligan en aras de una seguridad que separa lo que teóricamente debía garantizar, el libre ejercicio de los derechos por parte de los ciudadanos.

La seguridad está perdiendo de vista a las personas.

1.1. La guerra, prohibida desde 1945

Rusia ha realizado en septiembre de 2018 las mayores maniobras militares de su historia[2], el mayor ejercicio de este tipo desde 1981 —entonces URSS— y en cualquier caso hay que remontarse a la Guerra Fría para encontrar algo similar, con la participación de 300.000 militares, un millar de aviones, 80 buques y 36.000 vehículos blindados. Como novedad, China fue invitada a participar con visita de su presidente incluida y 3.200 militares con carros y cazas.

Por su parte, la OTAN anuncia entre octubre y noviembre de 2018 —Trident Juncture 18— las mayores maniobras militares también desde la Guerra Fría, en Noruega, aguas del Báltico y mar del Norte y espacio aéreo de sus vecinos nórdicos, con 50.000 militares participando, 10.000 vehículos, 150 aeronaves y 65 navíos. Como novedad, la participación de Alemania con 8.000 militares, país poco proclive a proyectar su fuerza militar; y que España envía medios pesados como carros de combate Leopardo y cazas Eurofighter, que junto a medios navales eleva la contribución española a un millar de militares.

---

[2] "Rusia inicia las mayores maniobras de su historia con la ayuda de China", *El País*, 11 de septiembre de 2018. https://elpais.com/internacional/2018/09/10/actualidad/1536600722_750530.html

Respondan tamaños despliegues a una amenaza real, a disuasión, teatro, adiestramiento o todo enlazado cabe preguntarse por los motivos del
elevado protagonismo militar en los últimos años.

Transcurrida década y media tras la invasión de Irak en 2003 que provocó un terremoto político internacional con pocos precedentes, la divi-
sión interna en las organizaciones internacionales y ahondó la inestabilidad de Oriente Próximo hasta el punto de poner en riesgo las fronteras
nacionales, los cambios registrados en el contexto en el que se producen las
intervenciones militares no permiten ser optimistas sobre el respeto a los
derechos fundamentales viendo su evolución potencialmente negativa en
el contexto general y particular.

Lo militar en cualquier país avanzado como España es un instrumento
de fuerza extrema y acotada, que responde a las decisiones del Gobierno
respectivo y cuyo uso forma parte fundamental de la política exterior.

Los derechos fundamentales potencialmente afectados por una intervención militar pueden referirse tanto a los de los ciudadanos del país afectado por el conflicto como los derechos de los ciudadanos del país que
proyecta su fuerza militar a un escenario extranjero, y hasta un tercer caso
sería el de los nacionales —alrededor de 6.000 europeos, 250 españoles—
enrolados en organizaciones terroristas desplazados a algún lugar de Oriente Próximo, en muchos casos perseguidos y asesinados sin procedimiento
judicial por sus propios Gobiernos[3].

Estos derechos fundamentales están recogidos en la Constitución española de 1978 en su Título I[4], con referencia expresa a la Declaración
Universal de Derechos Humanos[5] proclamada por la Asamblea General de
las Naciones Unidas en París, el 10 de diciembre de 1948.

Superada una visión militarista romántica de las guerras que finalizó
con la primera llamada mundial entre 1914 y 1918, que las consideraba

---

[3]   YÁRNOZ, Carlos, "Estrategia de aniquilación", *El País,* 11 de marzo de 2018.
      https://elpais.com/internacional/2018/03/09/actualidad/1520598314_587704.ht-
      ml

[4]   http://www.congreso.es/consti/constitucion/indice/titulos/articulos.
      jsp?ini=10&fin=55&tipo=2

[5]   http://www.un.org/es/universal-declaration-human-rights/

poco menos que inevitables, parte de la condición humana y generadoras de valores excelsos, siempre es útil recordar que la guerra está prohibida en el derecho y las relaciones internacionales.

La Carta de las Naciones Unidas se firmó el 26 de junio de 1945 en San Francisco y entró en vigor el 24 de octubre del mismo año. Dice en su artículo 2:

> Los Miembros de la Organización, en sus relaciones internacionales, se abstendrán de recurrir a la amenaza o al uso de la fuerza contra la integridad territorial o la independencia política de cualquier Estado, o en cualquier otra forma incompatible con los Propósitos de las Naciones Unidas.

La ONU desde su inicio prohibió la guerra, blindó las fronteras nacionales y el uso legítimo de la fuerza a casos de legítima defensa frente a una agresión (artículo 51 de la Carta de NNUU).

Que la guerra esté prohibida no significa que no se sigan produciendo conflictos armados, muchas guerras civiles con generosa intervención externa, intervenciones ofensivas hasta por parte de los miembros del Consejo de Seguridad de la ONU más intervenciones pactadas y tasadas conocidas hasta no hace mucho tiempo como operaciones de paz.

La experiencia parece dictar que las intervenciones militares no resuelven problemas, sino que paran el reloj para que actúe la política, permiten ganar tiempo para la negociación política, algo que no siempre ocurre.

Independientemente de su origen y tipología, la realidad es que los conflictos armados son por su propia naturaleza trituradores de derechos humanos y fundamentales.

El punto de vista aquí elegido, desde un enfoque que combina la comunicación y el análisis de la política de defensa, es la vulneración de derechos por parte de intervenciones militares de países democráticos como España, que ha canalizado estos despliegues habitualmente en el marco de organizaciones internacionales como Naciones Unidas, la Alianza Atlántica y la Unión Europea en operaciones multinacionales de imposición o mantenimiento de ciertas condiciones de seguridad.

Toda persona por nacer es sujeto de derechos, y el primero de ellos es el derecho a la vida, precisamente el mayor riesgo que se corre en un conflicto armado.

Los escenarios menos pacíficos en 2018 son Siria, Afganistán, Sudán del Sur, Irak y Somalia, siguiendo los datos recopilados en el denominado Índice de Paz Global elaborado por el *think tank* australiano *Institute for Economics & Peace*[6].

Siguiendo esta fuente, Islandia se mantiene desde 2008 como el país más pacífico del mundo, seguida de Nueva Zelanda, Austria, Portugal y Dinamarca.

Siria permanece un lustro como el Estado más violento del planeta.

Siguiendo la misma fuente y su Índice de Terrorismo Global[7], el impacto mortal de esta amenaza afecta en 2017 con mayor fuerza a Siria e Irak, Afganistán y Pakistán y Nigeria, con una tendencia a la baja respecto a años anteriores.

España tiene participación militar en la mayor parte de los escenarios mencionados, junto con otros de elevada tensión bélica como el Sáhel y centro de África.

En los primeros tres lustros del siglo XXI han cambiado los riesgos, la concepción de la seguridad y la etiquetación de las amenazas.

1.2. *Nuevas amenazas: de Homeland a Occupied*

Existen indicios a mediados de 2018 de que se está produciendo un punto de inflexión que parece estar poniendo fin al terrorismo yihadista como la gran amenaza internacional a la seguridad, protagonismo iniciado tras la caída del muro de Berlín como gran enemigo de sustitución a la URSS, intensificado tras los atentados del 11 de septiembre de 2001 en EEUU y desde entonces explicación omnicomprensiva de toda manifestación violenta en el planeta y justificación de cualquier intervención militar.

---

6   http://visionofhumanity.org/indexes/global-peace-index/
7   http://visionofhumanity.org/indexes/terrorism-index/

Elementos que apuntan a la probable sustitución del terrorismo internacional como gran amenaza es el inminente fin del control territorial de Dáesh (Estado islámico) en 2018, desde la toma de la ciudad iraquí de Mósul en 2014[8]; así como la orientación militar de Estados Unidos, cuya Estrategia Nacional de Seguridad sigue señalando el terrorismo como amenaza aunque parece más enfocada a enfrentamientos contra entidades estatales como Rusia, China, Irán, Corea del Norte e incluso Venezuela.

Un método indirecto que permite detectar cambios en la percepción de la seguridad y de las amenazas es acudir a una de las expresiones culturales de mayor éxito en los últimos años, como son las series, la ficción televisiva, fiable para este propósito en cualquiera que sea la razón que motiva sus argumentos, ya sea reflejar las obsesiones del ciudadano, imponerlas o conectar con ellas.

Dos series centradas en la seguridad sirven para este objetivo, la norteamericana *Homeland* y la noruega *Occupied*.

La primera es una adaptación de una serie original israelí, con gran éxito —ha ganado ocho premios Emmy y cinco Globos de Oro—, su protagonista es una agente de la CIA especializada en Oriente Próximo, Medio y terrorismo yihadista. Comenzó la serie en 2011 centrada en la figura de un marine que vuelve a casa tras haber sido secuestrado por al Qaeda en Irak, y regresa a EEUU con el virus del islamismo radical violento en su interior. La mayor amenaza imaginable con uniforme militar propio y paseándose por nuestras calles y pasillos oficiales.

En sus siete temporadas hasta el momento *Homeland* ha ido transformando el argumento y abandonando finalmente el yihadismo armado en su última temporada para convertir la mayor amenaza en la extrema derecha norteamericana violenta que llega a planear un magnicidio en la persona de la presidenta de Estados Unidos, que a su vez reacciona con el recorte de libertades y cae de lleno en el abuso de poder.

---

8   NÚÑEZ, Jesús: "El terrorismo yihadista es una amenaza real, pero no existencial para Occidente", *ABC,* 8 de febrero de 2018. https://www.abc.es/internacional/abci-terrorismo-yihadista-amenaza-real-pero-no-existencial-para-occidente-201802080306_noticia.html

La producción noruega por su parte se estrenó en 2015 y ya contiene desde el comienzo de sus dos temporadas obsesiones de completa actualidad. *Occupied* narra la toma de control por parte de Rusia, con la aquiescencia de la Unión Europea, de las instalaciones de producción petrolera de Noruega cuando un nuevo primer ministro verde de este país decide cerrarlas apostando por un nuevo tipo de energía más ecológica. La presencia y control ruso de la economía encuentra la respuesta armada de la extrema derecha noruega en connivencia con parte del ejército y las fuerzas de seguridad, que acaban atentando contra la misma cabeza política del país.

Sin levantarse del sofá encontramos terroristas suicidas, retornados, seguridad interior y exterior mezcladas, racismo subterráneo en las tramas y más evidente en los guionistas, miedo al expansionismo ruso que arraiga en el pasado expansionismo soviético, ultranacionalismo final más peligroso aún que los excesos contra los que dirige su violencia[9].

Una trama con la amenaza rusa no hubiera sido creíble hace una década; un marine yihadista ya no lo es hoy.

La globalización —que es interdependencia— más las crisis de la década 2008/2018 han modificado nuestra percepción de las amenazas, y ambos factores han contribuido a la sensación de desprotección del ciudadano, a lo que los Gobiernos nacionales han respondido en muchos casos con un uso intensivo del instrumento militar, entre otros motivos porque es de los pocos cuyo control conservan plenamente, no así los económicos, comerciales, sociales, distribuidos entre varios niveles de responsabilidad política; o en manos que se escapan al control de una sola autoridad nacional en muchos otros casos, desde amenazas globales que no entienden de fronteras a actores globales no estatales que tampoco[10].

A partir de un concepto integral de la seguridad, como se ha extendido en las estrategias e incluso en los organismos creados, más que en la realidad, analicemos cómo uno de los instrumentos que utilizan los Estados para garantizar la seguridad, uno entre otros (diplomacia, desarrollo), aun-

---

9 "La ultraderecha se rearma", editorial, *El País*, 20 de septiembre de 2018. https://elpais.com/elpais/2018/09/19/opinion/1537371009_335046.html

10 Cañas, Gabriela, "La desprotección europea", *El País*, 25 de septiembre de 2018. https://elpais.com/elpais/2018/09/25/opinion/1537884610_493236.html

que probablemente el principal, el más letal, rotundo, cómo el instrumento militar puede estar erosionando la seguridad del ciudadano al vulnerar sus derechos fundamentales.

Una última consideración que condiciona cualquier análisis sobre seguridad es que ésta contiene una doble dimensión, una seguridad que podría denominarse objetiva, cuantificable con indicadores como asesinatos por cada cien mil habitantes, presupuesto de Defensa, víctimas mortales por terrorismo, condenados por yihadismo (que no detenidos, como se utiliza muy a menudo); y una segunda dimensión que es la sensación de seguridad por parte de la sociedad, en ocasiones alterada desde los Gobiernos con decisiones que pretenden influir sobre la percepción de la seguridad, no sobre sus amenazas.

Se tratan a continuación sin ánimo exhaustivo cinco ámbitos en transformación que condicionan las intervenciones militares de un país como España en el exterior: está cambiando el escenario, los medios y la actuación en estos despliegues con una influencia negativa sobre el control del respeto a los derechos fundamentales en origen y destino de las intervenciones militares.

Estos cinco fenómenos serían la crisis de las organizaciones internacionales, una hiperactividad militar exterior sin explicación, la transformación de las intervenciones militares, la tecnificación del armamento y la militarización retórica de la realidad.

2. ORGANIZACIONES INTERNACIONES EN CRISIS

El sistema internacional que se ha ido conformando desde la segunda guerra mundial presenta síntomas de agotamiento y, lo que sería más preocupante, no aparecen voluntad, proyectos y urgencia en su actualización.

El Consejo de Seguridad de Naciones Unidas mantiene 70 años después con sus cinco Estados permanentes —todos con armamento nuclear— la foto fija del final de la segunda gran guerra, sin perspectivas a corto plazo de reforma cuya necesidad aparece intermitentemente.

La gran crisis financiera de 2008 afloró la urgencia de contar con instrumentos de gobernanza mundial, lo que insufló algo de oxígeno al grupo conocido como G20 ampliado a algunos países como España, invitada pero no país miembro, espítitu transformador prácticamente desparecido una década después.

La crisis o los desafíos a los que se enfrentan grandes organizaciones internacionales como Naciones Unidas, la Unión Europea y la Alianza Atlántica contrasta con su protagonismo en el escenario internacional tras la desintegración de la URSS en la última década del siglo XX.

Las circunstancias han cambiado. El futuro multilateral no se juega hoy en el seno de las organizaciones multilaterales nacidas a mediados del siglo XX, sino en actuaciones unilaterales y relaciones bilaterales que en el mejor de los casos, en el ámbito militar, una organización internacional legitima a posteriori.

2.1. Consejo de Seguridad, ¿bloqueado?

El sistema de Naciones Unidas es mucho más amplio que el Consejo de Seguridad de la ONU, si bien éste es su órgano ejecutivo y el responsable de autorizar el uso de la fuerza a los países miembros o poner en marcha operaciones de mantenimiento o imposición de la paz, identificadas popularmente por los cascos o boinas azules de sus actores. En diversas ocasiones la ONU autoriza pero subcontrata la ejecución de este tipo de misiones en organizaciones internacionales de alcance regional, con resultados de todo tipo.

Un dato esclarecedor es que Naciones Unidas ha puesto en marcha directamente 71 operaciones de paz en sus primeros 70 años de historia, entre los años 1948 y 2018, de las que únicamente 15 fueron aprobadas en las primeras cuatro décadas de la Organización, hasta la caída del muro de Berlín en 1989.

Por esas fechas se desactivan o congelan conflictos como el del Sáhara Occidental, finaliza la guerra civil libanesa o la partición de Yemen en dos Estados.

Ese año marca el desbloqueo del Consejo de Seguridad vivido en la Guerra Fría e inicia una etapa de intervenciones multinacionales bajo paraguas ONU en la resolución de conflictos que se concreta en la puesta en marcha de 42 operaciones de paz en los siguientes 15 años, hasta 2003. En los tres lustros siguientes se ralentiza de nuevo la aprobación de operaciones de paz (14 en 15 años) y es significativo que desde el conflicto de Ucrania en 2014 el Consejo de Seguridad de Naciones Unidas tan sólo ha dado luz verde a una operación policial en Haití.

Podríamos estar asistiendo de confirmarse la tendencia al fin de una época. Cabe recordar por ejemplo que las Fuerzas Armadas españolas, salvo precedentes anecdóticos, iniciaron precisamente sus despliegues exteriores bajo este tipo de operaciones en el año 1989, primero modestamente en los procesos de descolonización de Angola y Namibia, luego con diversas misiones en Centroamérica, más tarde en Irak, Balcanes, Afganistán y otros escenarios.

2.2. La UE y la protección del ciudadano

Por parte de la Unión Europea, este mes de septiembre de 2018 se ha aprobado en el Parlamento Europeo aplicar a Hungría el artículo 7 del Tratado de la UE, que prevé la suspensión del derecho de voto en el Consejo Europeo de los países que violen los valores fundamentales de la Unión (en este caso, la independencia de la justicia y el trato a refugiados, entre otros).

Aunque ningún acontecimiento reciente es comparable a nivel europeo en repercusión a la salida del club del Reino Unido —nunca definitiva hasta que no se produzca—, el conocido como Bréxit, tras el referéndum por el que los británicos votaron en junio de 2016 mayoritariamente a favor de que su país dejara de ser miembro de la Unión Europea.

Por primera vez en sus seis décadas de historia un miembro de la Unión Europea decide salirse de un club que ha afianzado su desarrollo precisamente en una expansión permanente hasta alcanzar 28 Estados.

El presidente de la Comisión Europea, el conservador luxemburgués Jean-Claude Juncker, sintetizaba la situación en el debate parlamentario sobre el estado de la Unión Europea de septiembre de 2016[11]:

---

[11]   https://publications.europa.eu/es/publication-detail/-/publication/c9ff4ff6-9a81-11e6-9bca-01aa75ed71a1

Nuestra Unión Europea se encuentra, al menos en parte, en una crisis existencial (…). He sido testigo de varias décadas de integración europea en las que hubo muchos momentos positivos, aunque también atravesamos tiempos difíciles y períodos de crisis. Pero nunca antes había visto que hubiera tan pocas cosas en común entre nuestros Estados miembros, tan pocos ámbitos en los que acuerden trabajar juntos. Nunca antes había escuchado a tantos dirigentes hablar exclusivamente sobre sus problemas domésticos y mencionar a Europa, si llegaban a hacerlo, solo de pasada (…). Nunca antes había visto unos gobiernos nacionales tan debilitados por las fuerzas populistas y paralizados ante el riesgo de salir derrotados en las siguientes elecciones (…).

Planteaba Juncker en 2016 una idea de largo recorrido, la desprotección del ciudadano:

En los próximos doce meses tenemos que avanzar hacia una Europa mejor: una Europa que proteja, una Europa que preserve el modo de vida europeo, una Europa que empodere a nuestros ciudadanos, una Europa que vele por su seguridad interna y externa, y una Europa que asuma sus responsabilidades.

Un año más tarde, en el mismo debate de 2017, la visión es mucho más optimista[12]:

Diez años después de que se desencadenara la crisis, la recuperación de la economía es finalmente una realidad. Y, con ella, la de nuestra confianza (…). El viento vuelve a henchir las velas de Europa. Se nos presenta ahora una oportunidad que no va a durar eternamente. Aprovechemos este impulso, aprovechemos los vientos favorables.

En el discurso sobre el estado de la Unión de septiembre de 2018, marcado ya por las cercanas elecciones al Parlamento europeo de mayo de 2019, el presidente pone el acento en que "debemos mejorar nuestra capacidad de hablar con una sola voz cuando se trata de nuestra política exterior. Ésta es la razón por la que hoy la Comisión propone pasar al voto por mayoría cualificada en ámbitos específicos de nuestras relaciones exteriores. No en todos, sólo en algunos específicos, entre ellos, las cuestiones relacionadas con los derechos humanos y las misiones civiles". Juncker propone en esa fecha que los Estados miembros utilicen normas que ya están

---

[12]   http://europa.eu/rapid/press-release_SPEECH-17-3165_es.htm

vigentes en la UE para sustituir la votación por unanimidad por votación por mayoría cualificada en determinados ámbitos de la política exterior y de seguridad común: responder de manera colectiva a los ataques contra los derechos humanos; aplicar sanciones eficaces; y emprender y gestionar misiones civiles de seguridad y de defensa.

La sorpresa es que una de las vías que las autoridades comunitarias han elegido para superar la crisis existencial de la Unión Europea ha sido la seguridad, más concretamente la defensa militar, tras décadas sin avances considerables en este ámbito y con el obstáculo de que se trata de alterar —aparentemente— la competencia más directamente ligada a la soberanía nacional.

La idea de una Europa que proteja descansa en una sensación generalizada del ciudadano de desprotección durante la larga década de la crisis, mientras Gobiernos e instituciones públicas acudían al rescate del sistema financiero, y ese ánimo protector ha sido expresado por el presidente de la Comisión Europea, Jean Claude Juncker, también por el presidente francés, Emmanuel Macron[13], la primera ministra británica Theresa May ha recurrido a menudo a la misma imagen e incluso el Gobierno austriaco de ultraderecha durante su presidencia semestral de la UE en la segunda mitad de 2018[14].

Ahora bien, detectada la necesidad de protección, otra cosa es lo que entiende cada uno por proteger al ciudadano, su aplicación práctica, que pudiera orientarse en el ámbito de la protección social o en el más transitado de la seguridad, inmigración, fronteras y ejércitos.

En relación con las respuestas, en el otoño de 2017 la Unión Europea registró con escasos días de diferencia dos avances políticos relevantes, uno en el ámbito militar y otro en el social, dos campos aparentemente desco-

---

[13] "Macron defiende en Bruselas una Europa que proteja", *Euronews,* 22 de junio de 2017. https://es.euronews.com/2017/06/22/sigan-en-directo-la-cumbre-europea-en-bruselas-a-partir-de-las-15h10

[14] "Austria centra su presidencia de la UE en la protección de las fronteras y la lucha contra la inmigración ilegal", *Europa Press,* 3 de julio de 2018. http://www.europapress.es/internacional/noticia-austria-centra-presidencia-ue-proteccion-fronteras-lucha-contra-inmigracion-ilegal-20180703135234.html

nectados, que de avanzar supondría la consolidación del edificio comunitario.

Con el boato que merecía la ocasión, en la cumbre de Gotemburgo (Suecia) del 17 de noviembre se promulgó el llamado Pilar Social Europeo; firmaron Comisión Europea, Consejo Europeo y Parlamento Europeo, con plena coincidencia en el diagnóstico: Europa no respondió ante los ciudadanos bajo la crisis financiera, social, política e institucional que ha marcado los últimos años, traducido en desafección hacia Gobiernos nacionales y también hacia Bruselas. La descomunal movilización de recursos públicos no se destinó a proteger a un ciudadano a la intemperie.

Éste sería un cuarto pilar de la UE de derechos sociales a partir de una serie de principios estructurados en tres categorías: igualdad de oportunidades y de acceso al mercado de trabajo (educación y formación, igualdad entre sexos, apoyo activo para el empleo); condiciones de trabajo justas (y de calidad, salarios decentes, respaldo en caso de despido, equilibrio entre las vidas profesional y privada); y protección e inclusión social (educación y asistencia infantil asequibles y de buena calidad, prestaciones por desempleo, renta mínima, pensiones, sanidad, acceso a servicios esenciales como vivienda, transporte, energía o comunicaciones digitales).

En relación con el segundo asunto militar, el 13 de noviembre de 2017 los ministros de Exteriores y Defensa de 23 Estados miembro firmaron una notificación conjunta sobre la PESCO, siglas que responden a la cooperación estructurada permanente en materia de seguridad y defensa.

Amparándose en el Tratado de Lisboa, que permite a un grupo de países avanzar más rápido en una política específica, grupo que en este caso ha sido muy mayoritario, se han comenzado a concretar una veintena de proyectos PESCO: sistema de mando y control para misiones y operaciones UE, mando médico europeo, red de centros logísticos, adiestramiento, capacidad militar para desastres naturales, intercambio de información sobre amenazas cibernéticas…

De la doble apuesta europea en políticas sociales y de seguridad para impulsar la Unión sólo la segunda ha comenzado a tener una concreción económica.

En la presentación por áreas que la Comisión Europea ha estado haciendo del próximo Marco Financiero Plurianual de la UE para el periodo 2021-2027, se conocía en junio de 2018 la voluntad presupuestaria de "reforzar el papel de la UE como proveedora de seguridad y defensa"[15].

La traducción es un Fondo Europeo de Defensa con una dotación de 13.000 millones de euros (investigación y desarrollo militar), que financiará prioritariamente la llamada PESCO[16]; más un Fondo Europeo de Apoyo a la Paz dotado de 10.500 millones de euros (para financiar misiones de paz); más otros programas como la mejora de las infraestructuras de transporte estratégicas de la UE y adecuarlas a la movilidad militar (6.500 millones). En total, más de 30.000 millones de euros en materia de Defensa y seguridad compartida, con lo que la prioridad política se verá acompañada de realidad presupuestaria[17].

Sin embargo, reconociendo avances especialmente en su aspecto industrial, la Europa de la defensa continúa siendo una realidad lejana[18] y prácticamente inexistente sobre el terreno, en la actuación conjunta de las fuerzas armadas nacionales en la resolución de conflictos.

En pleno debate y toma de decisiones sobre la política común de seguridad y defensa de la UE, Estados Unidos, Francia y Reino Unido lanzaron en abril de 2018 un ataque aéreo y con misiles contra Siria en respuesta al supuesto uso de armas químicas[19].

---

15   "Presupuesto de la UE: Reforzar el papel de la UE como proveedora de seguridad y defensa", *Comisión Europea*, 13 de junio de 2018. http://europa.eu/rapid/press-release_IP-18-4121_es.htm

16   Información del Consejo Europeo en enlace http://www.consilium.europa.eu/es/press/press-releases/2018/03/06/defence-cooperation-council-adopts-an-implementation-roadmap-for-the-permanent-structured-cooperation-pesco/?amp;utm_medium=email&utm_campaign=Defence+cooperation:+Council+adopts+an+implementation+roadmap+for+the+Permanent+Structured+Cooperation+(PESCO)

17   También se ha anunciado un incremento considerable en seguridad interior, que incluye fronteras e inmigración.

18   NÚÑEZ VILLAVERDE, Jesús, "La inmadurez de la defensa europea", *El País,* 19 de julio de 2018. https://elpais.com/elpais/2018/07/17/opinion/1531845474_448585.html

19   "Trump, tras el ataque a Siria: 'Misión cumplida'", *El País,* 15 de abril de 2018. https://elpais.com/internacional/2018/04/12/estados_unidos/1523484257_806219.html

2.3. La alianza atlántica con Trump

El debate internacional de los asuntos militares ha estado copado en los últimos años por la polémica impulsada desde Estados Unidos hacia sus aliados en torno al porcentaje del PIB que debiera emplearse en gasto militar, asunto que tiene más aristas e implicaciones que su primera interpretación[20].

Porque junto con el Bréxit, el segundo acontecimiento que ha tambaleado la escena internacional ha sido la elección de Donald Trump como presidente de Estados Unidos en noviembre de 2016.

Su discurso de juramento del cargo en enero de 2017[21] inauguró una nueva etapa en las relaciones internacionales:

> Durante muchas décadas, hemos enriquecido a la industria extranjera a expensas de la industria estadounidense, hemos subsidiado los ejércitos de otros países mientras permitíamos el lamentable deterioro de nuestro ejército. Hemos defendido las fronteras de otros países mientras rechazábamos defender las nuestras y hemos gastado billones de dólares en el extranjero mientras las infraestructuras de Estados Unidos se han desgastado y deteriorado. Hemos hecho ricos a otros países mientras la riqueza, la fuerza y la confianza de nuestro país han desaparecido en el horizonte (…). Desde este día en adelante, una nueva visión gobernará nuestro país. Desde este momento, Estados Unidos irá primero (…). El proteccionismo nos llevará a la prosperidad y la fortaleza.

Añadía Trump en su primer discurso como presidente:

> Reforzaremos viejas alianzas y formaremos nuevas, y uniremos a todos los países civilizados en contra del terrorismo radical islámico, el cual erradicaremos completamente de la faz de la Tierra (…). Estaremos protegidos por los magníficos hombres y mujeres de nuestras fuerzas militares y, más importante, estaremos protegidos por Dios (…). Estados Unidos volverá a estar segura otra vez.

---

20 SOLANA, Javier, "Gastar en defensa, pero como europeos", *El País, 30* de julio de 2018. https://elpais.com/elpais/2018/07/27/opinion/1532716821_045757.html

21 "El discurso inaugural completo de Donald Trump, con análisis y comentarios", *The New York Times,* 20 de enero de 2017. https://www.nytimes.com/es/2017/01/20/el-discurso-inaugural-completo-de-donald-trump-con-analisis-y-comentarios/

La retórica presidencial se ha traducido en los dos primeros años de mandato en la máxima tensión y la máxima distensión militar con Corea del Norte; la renegociación del NAFTA, acuerdo comercial con sus dos vecinos; la suspensión unilateral del trabajado acuerdo nuclear que firmó la comunidad internacional con Irán bajo la presidencia de Obama; la retirada de la ayuda norteamericana a los palestinos y a las agencias de Naciones Unidas que se ocupan de la educación y sanidad de sus refugiados, junto con el traslado de la embajada de su país a Jerusalén; la retirada de EEUU del Acuerdo de París sobre cambio climático y su salida de la UNESCO y del Consejo de Derechos Humanos de la ONU; o el enfrentamiento comercial con China[22]. El Gobierno de EEUU ha amenazado también a los jueces de la Corte Penal Internacional si siguen adelante con una investigación por crímenes de guerra contra sus soldados en Afganistán, "tribunal ilegítimo", ha dicho el consejero de seguridad nacional[23]. "No cooperamos con la CPI. No le prestaremos asistencia. No nos uniremos a ella. Dejaremos que muera ella sola. Después de todo, la CPI ya está muerta para nosotros"[24].

En su discurso ante la Asamblea General de Naciones Unidas de septiembre de 2018, el presidente de Estados Unidos señaló en el corazón político del multilateralismo: "rechazamos la ideología de la globalización y abrazamos la doctrina del patriotismo".

Trump se puede considerar efecto de un mundo con tendencias regresivas al nacionalismo y al proteccionismo; y al tiempo también agente activo a favor de esas tendencias.

La realidad ha confirmado algunos de los peores augurios en las relaciones entre Estados Unidos y sus aliados europeos en el marco de la Alianza Atlántica, organización que representa el principal foro político sobre el

---

[22]   "La pugna comercial de EE UU y China apunta a una nueva guerra fría", *El País*, 24 de septiembre de 2018. https://elpais.com/internacional/2018/09/21/actualidad/1537554659_677082.html

[23]   "EE UU arremete contra el tribunal de La Haya y amenaza con sancionar a sus jueces", *El País*, 11 de septiembre de 2018. https://elpais.com/internacional/2018/09/10/estados_unidos/1536602005_815622.html

[24]   "Amenaza a la CPI", editorial, *El País*, 11 de septiembre de 2018. https://elpais.com/elpais/2018/09/11/opinion/1536684692_967218.html

que descansa la relación trasatlántica, como se comprobó en la cumbre de jefes de Estado y de Gobierno celebrada en julio de 2018.

En el marco de la reunión el presidente de Estados Unidos acusó a Alemania —donde aún permanecen estacionados 30.000 militares estadounidenses— de ser prisionera de Rusia, por sus importaciones de gas; calificó la Alianza como organización obsoleta, abroncó a los Estados miembro de la OTAN por incumplir sus compromisos presupuestarios de dedicar el 2% del PIB a gasto militar (en persona y por escrito[25]), exigencia que sobre la marcha elevó al 4%, calificando finalmente la reunión como todo un éxito.

La opinión del ministro español de Asuntos Exteriores, Josep Borrell, posterior a la cumbre sintetiza la tensión vivida, la diferencia de visiones y la distancia creciente en las relaciones entre aliados.

Dejó escrito Borrell que

> En 1989 cayó el muro de Berlín y, con él, desaparecía poco después el enemigo existencial de las democracias liberales, cuya defensa había sido la principal razón de ser de la Alianza Atlántica. En el 2016, el Reino Unido votaba abandonar la Unión Europea, y en Estados Unidos Donald Trump ganaba las elecciones. A ambos lados del Atlántico, los dos grandes países de habla inglesa iniciaban así una travesía con rumbo incierto, pero que parecía alejarles cada vez más de sus socios y aliados europeos en el continente".

En relación con el futuro de la OTAN, defiende el ministro español que "la búsqueda de amenazas de todo tipo para preservar la unidad de comunidades débiles o fracturadas es un subterfugio frecuentado por regímenes totalitarios. No debería ser nuestro modelo[26].

La irrupción de Trump en la presidencia de EEUU se incorpora además a un proceso ya iniciado por su antecesor en el sentido de poner en marcha

---

[25]   "Trump envía cartas de reprimenda a los aliados de la OTAN por su gasto militar", *El Periódico*, 3 de julio de 2018. https://www.elperiodico.com/es/internacional/20180703/trump-pide-a-sanchez-que-pague-mas-para-la-otan-6922144

[26]   Artículo de Josep Borrell, "Reflexiones sobre la cumbre de la OTAN", *La Vanguardia*, 19 de julio de 2018. https://www.google.es/search?q=Reflexiones+sobre+la+cumbre+de+la+OTAN%2C&oq=Reflexiones+sobre+la+cumbre+de+la+OTAN%2C&aqs=chrome.69i57.311j0j7&sourceid=chrome&ie=UTF-8

una presencia reforzada de la OTAN en el norte y este de Europa como respuesta a la anexión de Crimea por parte de Rusia en 2014.

La Alianza Atlántica a comienzos de la década estaba abocada a una redefinición de su papel en la seguridad internacional, muy especialmente con la finalización de la operación ISAF en Afganistán que le dio sentido durante el comienzo del siglo XXI, circunstancias que cambian radicalmente a partir de 2014 con un actividad desconocida desde tiempos soviéticos en una aparente nueva guerra fría que no resiste comparación alguna con la vivida entre 1945 y 1989.

La ONU, la UE y la OTAN no viven sus mejores momentos. La crisis del multilateralismo es esencial tanto en la resolución de conflictos como en el sentido de que ha sido en los últimos 25 años el canal de intervención exterior de las Fuerzas Armadas españolas, circunstancia que podría estar cambiando como se verá más adelante. Otro aspecto de interés es que las organizaciones internacionales establecen en sus operaciones rígidas reglas de enfrentamiento y de uso de la fuerza por parte de los militares participantes.

A menudo se juzga críticamente la actuación o inacción de las organizaciones internacionales frente a catástrofes humanitarias y conflictos armados, y se olvida que este tipo de organizaciones no tienen iniciativa autónoma —en términos de intervención militar— en estas materias de la seguridad y la defensa al margen de la decisión de sus miembros. Es decir, el fracaso de Naciones Unidas, la Unión Europea o la Alianza Atlántica en la resolución de una crisis con consecuencias humanitarias desastrosas —Siria, Yemen, Sudán del Sur— es el fracaso de sus miembros a la hora de mancomunar decisiones.

Es conocida la reacción política de los Gobiernos nacionales de la UE que adjudican los éxitos a su pericia y los fracasos a un indeterminado Bruselas causante de los peores males.

La crisis actual de las organizaciones internacionales ha de interpretarse por tanto como un síntoma más de la renacionalización de las políticas, y las relacionadas con la seguridad y la defensa siempre han sido además nacionales.

En la última década, la voluntad política de los Estados para resolver las crisis internacionales en el marco de organizaciones multinacionales ha disminuido.

3. HIPERACTIVIDAD MILITAR EXTERIOR

España nunca ha tenido tropas desplegadas en mayor número de escenarios en el exterior y nunca esa presencia ha tenido menor debate público y parlamentario que en el periodo 2012-2018.

Una de los efectos secundarios de la invasión de Irak de 2003 fue la conciencia generalizada de que la participación española en operaciones militares fuera de territorio nacional debiera contar con legalidad, legitimidad y un alto grado de consenso político y social, y en consecuencia que este tipo de decisiones por su trascendencia pasaran por el Parlamento para que los diputados, y la opinión pública, tuviera conocimiento de objetivos, medios, tiempos, coste económico y soporte legal de cada despliegue.

Legitimidad es transparencia, debate y participación.

Este planteamiento tuvo su concreción en el artículo 17 de la Ley Orgánica de la Defensa Nacional de 2005: "Para ordenar operaciones en el exterior que no estén directamente relacionadas con la defensa de España o del interés nacional, el Gobierno realizará una consulta previa y recabará la autorización del Congreso de los Diputados"[27].

Por su parte, el artículo 18 pretendía asegurar el seguimiento parlamentario de las operaciones: "El Gobierno informará periódicamente, en un plazo en ningún caso superior a un año, al Congreso de los Diputados sobre el desarrollo de las operaciones de las Fuerzas Armadas en el exterior".

No han envejecido bien ni la Ley ni los artículos mencionados, hoy algo confusos y poco efectivos para obligar al Gobierno de turno a dar explicaciones en el Parlamento si no tiene la voluntad política de hacerlo.

---

[27] Ley Orgánica 5/2005, de 17 de noviembre, de la Defensa Nacional (BOE de 18-11-2005).
https://www.boe.es/buscar/pdf/2005/BOE-A-2005-18933-consolidado.pdf

Por regla general todas las operaciones militares de España en el exterior se justifican por razones domésticas de seguridad, una especie de frontera avanzada que si en época de los Reyes Católicos llegaba hasta Orán o Melilla hoy puede alcanzar Kabul o cualquier punto del globo, con lo que una interpretación literal de la Ley de Defensa evitaría pedir autorización al Congreso y dar explicaciones prácticamente en todos los casos excepto en ayuda de terremotos o catástrofes naturales.

Sin embargo, en los primeros años desde la entrada en vigor de la Ley el Parlamento autorizaba la mayoría de los despliegues exteriores, ampliaciones de contingentes, apertura y cierre de misiones, por aquellas fechas en Afganistán —la mayor operación por volumen y extensión temporal, una década—, el fin de los Balcanes o Líbano. En los últimos años no está siendo así.

A fecha de julio de 2018, lo que se puede interpretar como la foto fija del momento de salida de Mariano Rajoy y sus ministros del Gobierno (se produce oficialmente en el mes de junio), España tiene en torno a 3.000 militares participando en una veintena de operaciones en el exterior, cifras que se multiplican si se suma el personal embarcado en operaciones de la Armada casi permanentes.

La participación militar española en operaciones en el exterior se ha venido financiando con el denominado Fondo de Contingencia del Ministerio de Hacienda, por tanto no ha sido un gasto al que debían hacer frente los presupuestos del Ministerio de Defensa, circunstancia que ha sido censurada en varias ocasiones por el Tribunal de Cuentas al no darse los requisitos de imprevisibilidad que financia ese fondo. Como novedad, por primera vez el Ministerio de Defensa ha presupuestado en 2018 una cantidad importante para operaciones de paz, 300 millones de euros, aunque siguen a gran distancia de los 1.114 millones estimados por el propio Gobierno para esa anualidad.

Los contingentes militares más numerosos se encuentran en el Líbano, con más de 600 cascos azules españoles, y en Irak, con medio millar de efectivos. En el marco de la OTAN, vigilan las aguas del Mediterráneo y participan en la defensa aérea de los países bálticos y Turquía, y asesoran a las fuerzas de seguridad en Afganistán. Señala el Ministerio de Defensa que "España también está presente en todas las misiones militares que la

322 Carlos Penedo Cobo

Unión Europea desarrolla en el continente africano, con despliegues en Malí, República Centroafricana, Somalia, Senegal y Gabón, así como en las operaciones que tratan de impedir el tráfico ilegal de personas frente a las costas de Libia y la piratería en el océano Índico"[28].

Para aclarar destinos, legitimidad y razones de los despliegues, se puede acudir como hace el Ministerio a agrupar las misiones por las organizaciones internacionales a las que España pertenece (ver aquí infografía[29]). Según este criterio España participa bajo bandera de Naciones Unidas en tan solo dos operaciones, las de mayor y menor número, la operación FPNUL (FINUL o UNIFIL en siglas en francés e inglés) en Líbano que vigila desde 2006 el cese de hostilidades en la franja sur de ese país fronteriza con Israel y donde el contingente llegó a pasar del millar en su primer despliegue y se ha reducido prácticamente a la mitad.

En el polo numérico opuesto, cinco observadores militares españoles participan desde 2016 en la operación de Naciones Unidas en Colombia verificando el cumplimiento del proceso de paz entre el Gobierno y la guerrilla de las FARC, uno de los ejemplos de desactivación de un conflicto armado de mayor interés de los últimos años que contrasta con la minoritaria contribución española.

España tiene una participación escasa en operaciones militares de la ONU, suele formar parte de las que pone en marcha la Unión Europea y la implicación es intensa en la actividad de la OTAN, mientras crecen las operaciones sin bandera de organización internacional.

Por fechas es significativo comprobar que Líbano y el cuerno de África son las únicas operaciones que se mantienen de los gobiernos socialistas de José Luis Rodríguez Zapatero (2004-2011). En ese segundo escenario continúa la operación de la UE Atalanta en aguas de Somalia desde 2009, con 150 militares en lucha contra una piratería inactiva en la zona desde 2012.

Ni Somalia ni el conflicto en el cercano Yemen justifican la presencia militar en la zona de todas las potencias militares del planeta, varias de ellas con bases militares permanentes en Yibuti como Francia, Estados Unidos,

---

[28] http://www.defensa.gob.es/misiones/en_exterior/#ConsejoMinistros
[29] http://www.defensa.gob.es/Galerias/defensadocs/misiones-internacionales.pdf

Japón, Italia y China, cuya presencia parece responder al intenso tráfico de mercancías por el canal de Suez.

Por zona geográfica el Partido Popular en el Gobierno desde finales de 2011 decidió extender la presencia militar española en un primer momento en el Sáhel, la frontera sur del Sáhara, en una colaboración bilateral con Francia que en algunos casos luego ha sido reemplazada por operaciones bajo bandera de la Unión Europea y en otros continúa siendo una cooperación de la que sorprende conocer por declaraciones periodísticas de responsables políticos franceses que España aporta el 25% de la movilidad táctica que exige la guerra contra los yihadistas en el Sahel, en un espacio que va de desde Mauritania hasta el Chad, y desde el norte de Malí hasta el sur de Burkina Faso y Níger[30].

Los despliegues posteriores se han concentrado en la hiperactividad de la Alianza Atlántica en el norte de Europa a raíz de la crisis de Crimea de 2014 y también con el uso intensivo de medios navales que navegan por los mares Báltico, Mediterráneo y Negro que baña las costas de Ucrania y Rusia.

La intensa actividad militar exterior de España en operaciones de la Alianza Atlántica contrasta con su mínimo tratamiento parlamentario, con la siguiente explicación por parte de la entonces ministra de Defensa María Dolores de Cospedal[31]: "Como entra dentro de la esfera de la defensa de nuestra soberanía —porque nosotros al participar en la OTAN defendemos nuestra soberanía, junto con la de nuestros aliados en la Alianza Atlántica, y estamos hablando del espacio euroatlántico de defensa—, no se requiere ninguna autorización parlamentaria para esa operación".

En consecuencia no ha sido autorizada por el Congreso ni debatida en profundidad su desarrollo la participación de España desde abril de 2017 en la presencia avanzada reforzada de la OTAN en Letonia, con un contingente de 350 militares y la novedad del despliegue por primera vez

---

[30] Entrevista al embajador de Francia en España en el programa "Radar 3.0" de *RNE* el 29 de julio de 2018. http://www.rtve.es/alacarta/audios/radar-30/radar-30-embaja-dor-frances-recibe-radar30-29-07-18/4680015/

[31] Comparecencia parlamentaria en la Comisión de Defensa del Congreso de 24 de enero de 2018.

en la historia de las operaciones en el exterior de blindados con cadenas y medios pesados como los carros de combate Leopardo.

Otra de las operaciones OTAN en el norte de Europa es la llamada Policía Aérea del Báltico, en la que España participa con cazas de combate de forma permanente desde 2016 y un contingente de más de un centenar de militares operando en bases de Estonia y Lituania. La misión consiste en vigilar el espacio aéreo fronterizo con Rusia e interceptar aviones no identificados, y como indicio de la sensibilidad de la operación un caza Eurofighter español disparó accidentalmente un misil aire-aire en agosto de 2018 sin que alcanzara objetivo alguno.

Por su parte, buques de guerra españoles participan habitualmente en agrupaciones navales de la OTAN en aguas del Mediterráneo, mares del Norte y Báltico y mar Negro.

Al margen de las organizaciones internacionales de las que es Estado miembro, España ha incrementado en los últimos años su actividad militar exterior bajo la figura denominada como "diplomacia de la defensa" y "seguridad cooperativa" a través de acuerdos bilaterales con países del norte y oeste de África —Túnez, Senegal, Mauritania y Golfo de Guinea— o en colaboración con Francia, con medios aéreos de transporte militar y un centenar de militares desplegados en Gabón y Senegal en apoyo de las operaciones francesas en el Sahel y centro de África.

Señala el Gobierno que "el Plan de Diplomacia de la Defensa es un conjunto de actividades, basadas principalmente en el diálogo y la cooperación, que realiza el Ministerio de Defensa a nivel bilateral con los países socios y aliados para prevenir conflictos o fortalecer las capacidades de seguridad. Con estos despliegues se hace efectiva la presencia en las zonas de vital interés para la seguridad de España". Para ninguno de estos despliegues se ha requerido autorización parlamentaria.

Por orden cronológico, desde septiembre de 2014 se mantienen actividades de asistencia militar en Cabo Verde. La presencia militar española en África occidental más destacable es el despliegue casi permanente de un patrullero de altura —medio centenar de militares de dotación— por las costas de Cabo Verde; Mauritania; Senegal; Ghana; Camerún; Santo Tomé y Príncipe; Angola; Gabón; y Costa de Marfil.

En el segundo semestre de 2018 corresponde este "despliegue africano" —en el Golfo de Guinea— al patrullero de altura *Centinela,* en una zona geográfica considerada por el Ministerio "como uno de los lugares en el mundo capaz de desestabilizar la seguridad en general. El ambiente de inestabilidad lo protagonizan grupos terroristas o bandas criminales dedicadas al tráfico de drogas o de personas, sin olvidar el auge de la piratería en aquellas aguas".

Se dice que "la Armada desarrolla esta misión con el fin de mostrar la actividad y capacidad de sus buques como instrumentos esenciales de la Seguridad Nacional, defender nuestros intereses marítimos en la zona (pesca, tráfico marítimo de hidrocarburos) y contribuir a la prevención de conflictos en una región especialmente sensible".

Además de la presencia del patrullero y medios aéreos, en Mauritania durante 2016 se desplegaron más de 400 militares españoles. En este país destaca la presencia permanente de la Guardia Civil desde hace una década, con patrullas y medios navales, aéreos y terrestres, despliegue iniciado tras la crisis de los cayucos de 2006 y actividad de la que ni el Ministerio del Interior ni el de Defensa suelen informar (también tiene alguna presencia la Policía Nacional[32]).

Con Senegal, además del contingente que opera medios aéreos de apoyo a Francia, se ha establecido una estrecha colaboración desde 2014 de asistencia militar de asesoramiento y adiestramiento de las Fuerzas Armadas senegalesas, que incluye el despliegue en tareas de formación de unidades de operaciones especiales.

Otra colaboración militar de España poco conocida es la establecida con Túnez desde marzo de 2017, que ha llevado a una veintena de militares españoles a ese país en tareas de apoyo al ejército tunecino en inteligencia táctica, combate en desierto, lucha contra dispositivos improvisados, operaciones especiales, vigilancia marítima y sanidad operativa.

---

[32] "Interceptado en Mauritania con ayuda de la Policía un cayuco con 31 inmigrantes rumbo a Canarias", *Europa Press,* 11 de septiembre de 2018. http://www.europapress. es/nacional/noticia-interceptado-mauritania-ayuda-policia-cayuco-31-inmigrantes-rumbo-canarias-20180911165629.html

Una parte de la actuación militar española en el exterior está también vinculada a la presencia militar permanente de Estados Unidos en la península, a la alianza estratégica en materia militar entre ambos países desde 1953, reforzada recientemente con los acuerdos alcanzados al final del mandato de José Luis Rodríguez Zapatero en 2011 para la ubicación en la base de Rota del componente naval del escudo antimisiles de Estados Unidos y la Alianza Atlántica, por el que allí se alojan cuatro destructores norteamericanos; y el acuerdo alcanzado ya con Rajoy como presidente en 2015, también en fechas previas a unas elecciones generales, que permite albergar en la base de Morón hasta 3.000 marines como fuerza inmediata de intervención de EEUU en África.

En relación con Rota, las fragatas españolas F-100 suelen ejercer de escolta de los destructores norteamericanos, que realizan misiones relacionadas con el escudo antimisiles y otras diferentes, se desplazan a menudo al mar Negro e incluso han participado directamente en alguna actuación ofensiva sobre Siria en 2017 y 2018, año este último en el que además está acreditada la participación de aviones de reabastecimiento en vuelo desde la base área de Zaragoza[33].

La actualidad, explicación y debate sobre las operaciones en el exterior con participación militar española han salido del Parlamento, reducida su presencia a una comparecencia anual obligada con un balance apresurado con la autorización genérica del consejo de ministros en su última reunión del mes de diciembre.

La evolución reciente de las operaciones parece ir cambiando poco a poco de naturaleza, de la paz perseguida o al menos buscada se ha ido moviendo el objetivo hasta convertirse en parte de conflicto, disuasión contra Rusia, aparente lucha contra mafias de seres humanos, guerra contra el terrorismo.

---

[33]   "España dio apoyo logístico a EEUU para el bombardeo en Siria", *Público,* 14 de abril de 2018. https://www.publico.es/politica/ataque-siria-destructor-aviones-eeuu-han-participado-ataque-siria-base-espana.html

4. NUEVOS FORMATOS DE INTERVENCIÓN MILITAR

Por criterios políticos y militares, por la eficacia de las acciones emprendidas en el pasado reciente, las intervenciones militares han variado recientemente incluso en su formato y tamaño.

Sirva como ejemplo del pasado la llamada Fuerza Internacional de Asistencia para la Seguridad en Afganistán (en inglés, *International Security Assistance Force,* ISAF), operación autorizada por la ONU y ejecutada por la OTAN entre noviembre de 2001 y enero de 2015, en la que llegaron a participar 130.000 militares de medio centenar de países, entre ellos España con un contingente que alcanzó los 1.500 militares, una década de presencia y un coste presupuestario reconocido superior a los 3.000 millones de euros.

Como contraste, las intervenciones militares de países europeos en el exterior no suelen actualmente superar unos pocos cientos de militares, y destaca incluso una función diferente pues centran su actuación en muchos casos en el adiestramiento de las fuerzas armadas locales, quienes son aparentemente las que entran en combate directo con el oponente, como ocurre en Malí e Irak.

Los participantes en las últimas operaciones militares también han cambiado, con un peso creciente de unidades de operaciones especiales, popularmente conocidos como *boinas verdes,* discretas en su actuación por su propia naturaleza aunque a su pesar saltan esporádicamente a conocimiento público por algún incidente como ha sucedido en el verano de 2018 con unidades de este tipo de Francia operando sobre el terreno en Irak y Siria; o por la emboscada en la que murieron cuatro militares de EEUU en octubre de 2017 en el oeste de Níger, lo que afloró una presencia mucho mayor y más activa de las unidades de operaciones especiales norteamericanas en el Sáhel y resto de África de lo conocido oficialmente, según han revelado diversas investigaciones periodísticas[34].

---

[34]   Ver "Behind the secret U.S. war in Africa", *Politico,* 2 de julio de 2018. https://www.politico.com/story/2018/07/02/secret-war-africa-pentagon-664005

A nivel nacional cabe destacar que una de las últimas incorporaciones a la estructura operativa de las Fuerzas Armadas ha sido precisamente la creación en enero de 2013 del Mando Conjunto de Operaciones Especiales[35].

Las Fuerzas Armadas españolas cuentan con más de 1.500 militares de operaciones especiales que prácticamente han estado o están presentes en todas las operaciones en el exterior. Forman estas unidades el Mando de Operaciones Especiales del Ejército de Tierra (con base en Alicante), la Fuerza de Guerra Naval Especial de la Armada (Cartagena); y el Escuadrón de Zapadores Paracaidistas del Ejército del Aire (Alcantarilla, Murcia), con actividad en 2017, por ejemplo, en Irak, Senegal y Túnez[36].

5. AUTOMATIZACIÓN DE LAS ARMAS

Otro segundo bloque de cambios en las intervenciones militares está relacionado con los avances tecnológicos y un objetivo político-militar conocido como *doble cero,* consistente en evitar a toda costa las bajas propias y las víctimas civiles, lo que se ha conseguido en cotas muy altas en el primer caso, no en los efectos letales de intervenciones aéreas con o sin piloto embarcado sobre personas que no eran su objetivo directo, los denominados efectos colaterales en el pasado.

La tecnología está alejando, física y legalmente, la responsabilidad de los impulsores de un ataque militar de sus víctimas.

"Las guerras secretas de EEUU en África: más implicados y letales de lo que se pensaba", en *El Confidencial,* 17 de julio de 2018. https://www.elconfidencial.com/mundo/2018-07-17/guerra-secreta-eeuu-africa-mas-implicados-letales_1590561/
y "After Deadly Raid, Pentagon Weighs Withdrawing Almost All Commandos From Niger", en *The New York Times,* 2 de septiembre de 2018. https://www.nytimes.com/2018/09/02/world/africa/pentagon-commandos-niger.html?smtyp=cur&smid=tw-nytpolitics

[35]   Artículo del autor, "Operaciones especiales: nuevo mando único y actividad creciente", *Estrella Digital,* 12.2.2015. http://contextospnd.blogspot.com/2015/02/operaciones-especiales-nuevo-mando.html

[36]   Ver "Anuario de Operaciones Especiales 2018", disponible en enlace en la web del Ministerio de Defensa. http://www.emad.mde.es/Galerias/home/files/Anuario_Operaciones_especiales_2018.pdf

Desde la Segunda Guerra Mundial la mayor parte de los muertos en un conflicto bélico se produce por bombardeos aéreos, circunstancia que se ha intensificado en Oriente Próximo con el añadido de que los objetivos atacados, calificados habitualmente de terroristas, carecen de capacidad alguna de defensa; incluso algunos de los países atacados, como Siria, han demostrado sobradamente su incapacidad de interceptar estas actuaciones.

A los ataques aéreos, que no han mostrado mucha efectividad en la resolución de conflictos, a juzgar por su alto número y prolongada extensión en el tiempo, sobre Irak y Siria, se han sumado en los últimos años los sistemas aéreos no tripulados, popularmente conocidos como drones, con una amplia gama de tamaños y capacidades.

El último paso de esta carrera es el desarrollo actualmente en marcha de sistemas autónomos, *robots asesinos,* en expresión periodística, *sistemas letales de armas autónomos,* en terminología de Naciones Unidas.

Como ejemplo de actividad aérea se puede mencionar la operación llamada *Inherent Resolve,* ejecutada por una coalición de países liderada por Estados Unidos con el propósito de luchar contra el grupo terrorista conocido como Dáesh o Estado Islámico en Siria e Irak.

Esta coalición, que no tiene una autorización expresa de Naciones Unidas, es donde se encuadra la operación militar de España en Irak, con más de 500 militares, aunque entre sus medios no figuran aeronaves de carácter ofensivo.

En relación con su actividad bélica la coalición ha difundido en nota de prensa[37] que en un periodo de cuatro años, desde su inicio en agosto de 2014, ha realizado más de 30.000 ataques aéreos sobre Irak y Siria, en los que estiman que al menos 1.114 civiles han muerto involuntariamente como consecuencia; el ejército norteamericano reconoce haber matado a 70.000 combatientes del Dáesh hasta 2017.

---

[37] Combined Joint Task Force-"Operation Inherent Resolve Monthly Civilian Casualty Report", *CJTF-OIR PAO,* 27 de septiembre de 2018. http://www.inherentresolve.mil/News/News-Releases/News-Article-View/Article/1646397/combined-joint-task-force-operation-inherent-resolve-monthly-civilian-casualty/

Un segundo paso tecnológico a partir de aeronaves de uso militar han sido el desarrollo acelerado de los conocidos como drones, sistemas aéreos no tripulados, en realidad dirigidos desde tierra, que protagonizan las intervenciones militares a todos los niveles, desde la vigilancia cercana del combatiente a grandes aparatos como el modelo Global Hawk que se estrelló en junio de 2018 en las costas de Cádiz y al que se le presupone una alta actividad de vigilancia aérea sobre cielos de Ucrania y el mar Negro o el drone armado modelo Predator; desde la vigilancia táctica en la cercanía del combatiente a la disolución de grupos de manifestantes o periodistas.

Las Fuerzas Armadas españoles disponen de trece tipos de drones que emplean en ejercicios, despliegues en el exterior y en apoyo de actividades civiles, según informaba la Revista Española de Defensa en abril de 2018.

El Ejército del Aire español recibirá sus primeros MALE (estratégicos, de largo alcance) en 2019, con capacidad de llevar armamento, peso máximo al despegue de cinco toneladas, un radio de acción de 8.000 kilómetros, supera los 13.500 metros de altura y podrá operar durante más de 24 horas continuadas.

La actividad de estos drones en los principales conflictos del planeta ha encendido las alarmas de organizaciones internacionales como Amnistía Internacional[38] o Human Rights Watch[39], que piden transparencia, base legal de su actuación y control. En concreto, en un informe de octubre de 2017 Amnistía Internacional reclamaba a todos los Estados miembro de la ONU que "garanticen que su uso de drones armados se ajusta al derecho internacional, incluido el derecho internacional de los derechos humanos; hagan públicas las normas jurídicas y de políticas y los criterios que aplican al uso de drones armados; garanticen que se llevan a cabo investigaciones efectivas sobre todos los casos en que existan motivos razonables para creer que ataques con drones han dado lugar a homicidios ilegítimos y/o vícti-

---

[38]   "Principios fundamentales sobre el uso y la transferencia de drones armados", *Amnistía Internacional,* septiembre 2017. https://www.amnesty.org/download/Documents/ACT3063882017SPANISH.pdf
[39]   "Targeted Killings and Drones", seguimiento de ataques con drones, *Human Rights Watch.* https://www.hrw.org/topic/terrorism-counterterrorism/targeted-killings-and-drones

mas civiles; establezcan controles rigurosos de las transferencias de drones armados y de la asistencia para operaciones de otros Estados que usen drones armados"[40].

El siguiente y cercano salto tecnológico en las intervenciones armadas lo protagonizan los llamados periodísticamente *robots asesinos,* con más rigor denominados *sistemas armados letales autónomos* que tomarían las decisiones de ataque sin intervención humana directa.

Cuando se han convertido en habitual los anuncios sobre la inminente llegada del automóvil autónomo (la empresa Volvo lo asegura para 2020), cuando ya existen trenes sin piloto como en el aeropuerto de Madrid-Barajas, la llegada de sistemas de armas robotizados a partir de la inteligencia artificial ya es motivo de preocupación y ocupación por parte de empresas tecnológicas, países, ejércitos y organizaciones internacionales.

En este sentido, Naciones Unidas celebró en agosto de 2018 en Ginebra una convención sobre sistemas de armas autónomos que reunió a 80 países, el sexto encuentro de este tipo desde 2014, con la intención de avanzar hacia un tratado internacional que limite este tipo de armamento.

Aunque no se alcanzó un acuerdo, Naciones Unidas ha hecho público un documento de conclusiones y recomendaciones para avanzar en futuros encuentros[41].

Tras la convención de Ginebra la Alta Representante de la UE, Federica Mogherini, compareció el 11 de septiembre ante el Parlamento Europeo destacando cuatro puntos que quedaron posteriormente reflejados en una la Resolución adoptada posteriormente por la Cámara[42]:

---

[40]   "ONU: Amnistía insta a la comunidad internacional a tomar medidas en relación con los drones armados", *Amnistía Internacional,* 20 de octubre de 2017. https:// www.amnesty.org/es/latest/news/2017/10/un-amnesty-urges-international-action-on-armed-drones/

[41]   "Report of the 2018 Group of Governmental Experts on Lethal Autonomous Weapons Systems", *Naciones Unidas* —CCW—, 31 de agosto de 2018. https://www.unog.ch/80256EDD006B8954/(httpAssets)/20092911F6495FA7C125830E003F9A5B/$file/2018_GGE+LAWS_Final+Report.pdf

[42]   "Autonomous weapons must remain under human control, Mogherini says at European Parliament", *European External Action Service,* 14 de septiembre de 2018. https://eeas.europa.eu/headquarters/headquarters-homepage/50465/autonomous-

1. El derecho internacional, incluido el derecho internacional humanitario y el derecho de los derechos humanos, se aplica a todos los sistemas de armas.

2. Los seres humanos deben tomar decisiones con respecto al uso de la fuerza letal, ejercer control sobre los sistemas de armas letales que utilizan y seguir siendo responsables de las decisiones sobre la vida o la muerte.

3. La Convención de la ONU sobre Ciertas Armas Convencionales es el marco apropiado para discutir la regulación de este tipo de armas; y

4. Dado el doble uso de las tecnologías emergentes, las medidas no deberían obstaculizar la investigación civil, incluida la inteligencia artificial.

La Resolución aprobada por el Parlamento Europeo el 12 de septiembre de 2018[43] dice textualmente que (…) "vistas las declaraciones del Comité Internacional de la Cruz Roja y las iniciativas de la sociedad civil como *Campaign to Stop Killer Robots*[44] (Campaña para detener a los robots asesinos), que representa a 70 organizaciones en 30 países, en particular Human Rights Watch[45], PAX, Article 36 y Amnistía Internacional" (…); considerando que por "sistemas armamentísticos autónomos letales" se entienden sistemas de armas sin un control humano significativo con respecto a las funciones críticas de selección y ataque de objetivos individuales; considerando que, al parecer, un número desconocido de países, empresas financiadas con fondos públicos y empresas privadas llevan a cabo actividades de investigación y desarrollo de sistemas armamentísticos autónomos letales, que van desde misiles capaces de seleccionar blancos a máquinas

weapons-must-always-remain-under-human-control-mogherini-says-european-parliament_en

43 Resolución del Parlamento Europeo, de 12 de septiembre de 2018, sobre los sistemas armamentísticos autónomos (2018/2752(RSP)). http://www.europarl.europa.eu/sides/getDoc.do?pubRef=-//EP//TEXT+TA+P8-TA-2018-0341+0+DOC+XML+V0//ES

44 https://www.stopkillerrobots.org/

45 "Los 'robots asesinos' reprueban los principios morales y legales", *Human Rights Watch,* 21 de agosto de 2018. https://www.hrw.org/es/news/2018/08/21/los-robots-asesinos-reprueban-los-principios-morales-y-legales

con capacidad de aprendizaje para decidir a quién, cuándo y dónde atacar (…); considerando que el uso de sistemas armamentísticos autónomos letales plantea cuestiones fundamentales de carácter ético y jurídico sobre el control humano, en particular en lo que se refiere a funciones críticas como las de seleccionar y atacar objetivos; que las máquinas y los robots no pueden tomar decisiones de carácter humano que impliquen principios jurídicos de distinción, proporcionalidad y precaución (…); considerando que el Derecho internacional, en particular el Derecho humanitario y en materia de derechos humanos, se aplica sin reservas a todos los sistemas armamentísticos y sus operadores, y que el respeto del Derecho internacional es un requisito fundamental que los Estados deben cumplir, sobre todo por lo que atañe a la observancia de principios como la protección de la población civil o la adopción de medidas de precaución en caso de ataque; considerando que el Parlamento, en repetidas ocasiones, ha pedido la elaboración y adopción urgentes de una posición común sobre los sistemas armamentísticos autónomos letales, la prohibición a escala internacional del desarrollo, la producción y la utilización de sistemas armamentísticos autónomos letales capaces de realizar ataques sin un control humano significativo, así como el inicio de negociaciones efectivas para su prohibición".

El Parlamento Europea recuerda además en esta Resolución que "la Unión aspira a convertirse en un actor global en favor de la paz, y pide que esa función se extienda al desarme mundial y a los esfuerzos de no proliferación, así como que sus acciones y políticas persigan al mantenimiento de la paz y la seguridad internacionales, a fin de garantizar el respeto del Derecho internacional humanitario y en materia de derechos humanos, además de la protección de los civiles y de las infraestructuras civiles".

En el texto aprobado además se "pide a la vicepresidenta de la Comisión/alta representante de la Unión para Asuntos Exteriores y Política de Seguridad (VP/AR), a los Estados miembros y al Consejo Europeo que elaboren y adopten, con carácter de urgencia y antes de la reunión de noviembre de 2018 de las Altas Partes Contratantes en la Convención sobre ciertas armas convencionales, una posición común sobre los sistemas armamentísticos autónomos letales que garantice un control humano significativo de las funciones esenciales de los sistemas armamentísticos, incluso durante su despliegue, y que se manifiesten en los foros pertinentes con una sola voz y actúen en consecuencia".

Igualmente se "insta a la VP/AR, a los Estados miembros y al Consejo a que obren por entablar negociaciones internacionales sobre un instrumento jurídicamente vinculante que imponga la prohibición de los sistemas armamentísticos autónomos letales; resalta, en este contexto, la importancia fundamental de impedir el desarrollo y la producción de sistemas armamentísticos autónomos letales desprovistos de control humano con respecto a funciones críticas como las de seleccionar y atacar objetivos".

En la Resolución aprobada por el Parlamento Europeo sobre sistemas de armas letales autónomos se hace referencia además a una tercera dimensión del asunto —junto con las organizaciones internacionales y las ONG implicadas—, como es la industria. En este sentido se recuerda y tiene en cuenta la "carta abierta de julio de 2015 firmada por más de 3.000 investigadores en inteligencia artificial y robótica, y la carta abierta de 21 de agosto de 2017 (enviada a Naciones Unidas) firmada por 116 fundadores de empresas líderes en el ámbito de la inteligencia artificial y la robótica, en las que advierten contra los sistemas armamentísticos autónomos letales, así como la carta firmada por 240 organizaciones tecnológicas y 3.089 personas, por la que se comprometen a no desarrollar, producir o utilizar nunca sistemas armamentísticos autónomos letales".

6. MILITARIZACIÓN DE LA REALIDAD

Con frecuencia circulan en medios de comunicación e intervenciones políticas expresiones como "guerra contra el terrorismo", "invasión de inmigrantes", "guerra de la información", "la mentira como arma", "campo de batalla del ciberespacio", asistimos a una extensión de una terminología bélica y militar sobre asuntos que hasta ahora escapaban al ámbito de actuación de los ejércitos.

El fenómeno se produce en el campo de la retórica y también en el de las decisiones políticas. La conversión de cualquier fenómeno en un enfrentamiento bélico, *estamos en guerra,* traslada de inmediato un escenario de excepcionalidad y urgencia, frente al que se exige al ciudadano y éste responde muy a menudo cerrando filas con su Gobierno y bajando el nivel de crítica. Una situación excepcional requiere evidentemente medidas excepcionales, que pueden incluir la restricción de derechos, y también resulta evidente que un problema que se ha convertido en militar implica respuestas militares o se presupone que existen soluciones en ese ámbito.

Se puede mencionar la militarización en el discurso y en la práctica de la lucha contra el terrorismo, especialmente el internacional, el yihadismo violento.

El presidente Hollande reaccionó a los atentados sufridos en territorio francés en 2015 en París y 2016 en Niza con expresiones del tipo "los atentados de París son un acto de guerra", "Francia está en guerra" y la movilización de medios militares en dirección a Oriente Próximo.

La presencia de miles de militares por las calles francesas, a los pies de la Torre Eiffel o en estaciones de tren, así como la ubicación de policías en España con armas largas a la puerta de El Corte Inglés puede considerarse como el tipo de decisiones políticas que se dirigen más a la percepción de la seguridad que tiene el ciudadano que a la lucha efectiva contra una amenaza.

Otro aspecto del problema es el combate real con medios militares en Irak y Siria contra el Dáesh, organización terrorista que ha controlado territorio desde la toma de Mósul en junio de 2014 y que en este 2018 está a punto de ser eliminada del mapa.

En relación con los atentados de Barcelona y Cambrils de agosto de 2017, tras un año de investigaciones no ha sido posible encontrar vinculación exterior de sus autores, lo que convierte el fenómeno en un problema de radicalización local y en un número creciente de casos protagonizado por nacionales.

Otro caso evidente de militarización del orden público, fenómenos sociales o riesgos a la seguridad es el de la inmigración, cuya entrada en un 90% de los casos se produce vía aeropuerto con visado de turista y en el 10% restante se encuadra en la atención humanitaria a náufragos.

Se puede tomar como ejemplo la operación militar *Sophia* de la Unión Europea en el Mediterráneo, frente a las costas libias, para luchar contra las redes de tráfico de personas, prevenir flujos de migración irregular y evitar que muera más gente en el mar.

El 5 de octubre de 2015, actuando bajo el Capítulo VII de la Carta de las Naciones Unidas —sostiene el Ministerio de Defensa—, el Consejo de Seguridad adoptó la Resolución 2240 autorizando a los Estados miembros a incautar las embarcaciones que fueran utilizadas en el contrabando y tráfico ilegal de personas humanas desde Libia.

Se autorizaba a los Estados miembros a utilizar todas las medidas necesarias para enfrentarse a los contrabandistas o traficantes de seres humanos en cumplimiento de las leyes sobre derechos humanos. La contribución española a EUNAVFOR MED fue aprobada por Acuerdo de Consejo de Ministros de 10 de julio de 2015 y por parte española comenzaron participando en la operación un avión de patrulla marítima desde la base aérea de Sigonella (Italia) y una fragata dotada con unidad aérea embarcada.

Informa el Ministerio de Defensa que hasta agosto de 2018 se han realizado 226 misiones con un total de 1.650 horas de vuelo. Los buques integrados han completado 480 días de mar y realizado salvamentos a más de 10.000 personas y apresado a cinco sospechosos, balance este último del objetivo primero de la operación militar con medios militares, que no es el rescate de náufragos sino desmantelar redes y responsables del tráfico de seres humanos.

El caso más reciente de militarización retórica y práctica de la realidad afecta nada menos que a la información.

El 6 de enero de 2018, en el acto de celebración de la Pascua Militar que rememora la recuperación de Mahón (Menorca) de manos británicas en 1782 y que supone un momento simbólico de unión anual de las Fuerzas Armadas con la Monarquía con el Gobierno como testigo, la exministra De Cospedal apuntó a la información como una de las amenazas militares más peligrosas: un "aspecto de la seguridad que considero de especial importancia, como es la amenaza que las campañas de injerencia y desinformación o el uso delictivo del ciberespacio suponen para la Defensa Nacional y para el propio ciudadano. Nos enfrentamos a la consolidación de un nuevo campo de batalla —añadía la entonces titular de Defensa— en el que la influencia sobre la toma de decisiones del titular de la soberanía, en nuestro caso el pueblo español, es el objetivo de las acciones que en él se llevan a cabo. La proliferación de desinformación y noticias falsas distribuidas de forma masiva buscan manipular la percepción del ciudadano para orientarla en favor de intereses de terceros divergentes de los nuestros. No debemos llamarnos a engaño; esas injerencias externas sólo pretenden desestabilizar los países y llevarlos a un clima más propicio para intereses geopolíticos y geoestratégicos que no son los propios de las naciones afectadas. Ante ello, debemos tomar conciencia de que no estaremos completamente seguros si no consideramos esta nueva forma de enfrentamiento como uno de los dominios más peligrosos; ese será uno de los retos más importantes que tendremos que abordar. Y para ello, la labor conjunta y coordinada de toda la comunidad de inteligencia es clave"[46].

Si la desinformación es el problema la respuesta lógica debiera ser más y mejor información, aunque no parezca que éste sea el camino elegido por los responsables de la seguridad, tampoco desde la OTAN, preocupada por el asunto desde hace un lustro.

En la Estrategia de Seguridad Nacional publicada en diciembre de 2017 y no presentada en el Parlamento como es preceptivo diez meses más tarde, el texto incluye la manipulación de la información como uno de los ámbitos a enfocar, asunto que no aparece sin embargo en las líneas de acción por lo que se supone una incorporación coyuntural de última hora.

Por su parte, en el informe sobre Seguridad Nacional 2018 se pone también el acento en "actos como el robo, uso y difusión de la información y datos sensibles, y acciones hostiles que incluyen actividades de desinformación e interferencias en procesos electorales representan hoy un desafío importante".

Más allá de la retórica, en el ámbito militar este asunto se materializa en la creación en febrero de 2013 en la estructura operativa de las Fuerzas Armadas del Mando Conjunto de Ciberdefensa, de donde se traduce el interés y la actuación militar sobre las redes y amenazas que circulan por ellas, desde sistemas de control militar a infraestructuras críticas, más que en la amenaza existencial de nuestras sociedades por información averia-

---

46 "Discurso de la ministra en la Pascua Militar", *Ministerio de Defensa*, 6 de enero de 2018. http://www.defensa.gob.es/Galerias/gabinete/ficheros_docs/2018/Discurso_de_Cospedal_en_la_Pascua_Militar_de_2018.pdf

da[47] o la manipulación de resultados electorales no demostrada a golpe de tuit. A los militares les ocupa más el dato que la palabra, y las redes que lo canalizan todo[48].

7. VIOLENCIA A LA BAJA

Con perspectiva histórica no parece arriesgado afirmar que en materia de violencia cualquier tiempo pasado fue peor, y para los interesados se recomienda la consulta de la monumental obra del psicólogo-analista norteamericano Steven Pinker sobre el asunto[49].

Argumenta con multitud de datos que vivimos en perspectiva en la época menos violenta de la historia de la humanidad, siendo conscientes de que no hemos llegado al nivel cero ni existe garantía de que no puedan cambiar las circunstancias.

Pinker hace referencia como elementos favorables al descenso histórico de la violencia circunstancias como la erosión de la familia, la tribu, la tradición y la religión producida por las fuerzas del individualismo, el cosmopolitismo, la razón y la ciencia.

No sin falta humor: "Caín se levantó contra su hermano Abel y lo mató. Con una población mundial exactamente de cuatro personas, esto equivale a una tasa de homicidios del 25%, aproximadamente mil veces más que los índices actuales de los países occidentales".

Declaraba Pinker en una entrevista que hace 30 años "hubo 23 guerras, 85 autocracias, un 37% de extrema pobreza y más de 60.000 armas nu-

[47] Enlace a artículos del autor sobre desinformación, especialmente sobre las actuaciones en marcha por parte de la Unión Europea, en http://contextospnd.blogspot.com/search/label/Desinformaci%C3%B3n

[48] "El Jemad cree que las fuerzas armadas no deben perseguir las 'fake news'", *Servimedia*, 12 de febrero de 2018. https://ecodiario.eleconomista.es/espana/noticias/8932225/02/18/El-jemad-cree-que-las-fuerzas-armadas-no-deben-perseguir-las-fake-news.html

[49] Pinker, Steven: *Los ángeles que llevamos dentro*, Paidós, 2011.

cleares", mientras que 2017 "tuvo 12 guerras, 60 autocracias, un 10% de extrema pobreza y más de 10.000 armas nucleares"[50].

Añade que "aunque a los lectores de noticias quizá les cueste creerlo, desde el final de la Guerra Fría en 1989 han disminuido en todo el mundo los conflictos organizados de toda clase: guerras civiles, genocidios, represión a cargo de gobiernos autocráticos y atentados terroristas".

Pinker destaca que "la nostalgia de un pasado pacífico es la máxima vana ilusión", y anima a reflexionar sobre el declive histórico de la violencia contemplando la modernidad "como la transformación de la vida humana por la ciencia, la tecnología y la razón, con la consiguiente disminución de la fuerza de la costumbre, la fe, la comunidad, la autoridad tradicional y el arraigo de la naturaleza".

Se pueden hacer objeciones a algunos de los argumentos de Pinker, menos a sus indicadores y casi ninguna a su teoría general, si bien parece claro que sus trabajos se refieren a la seguridad objetiva y medible, no a la subjetiva, circunstancia que él mismo reconoce: "La impresión de la gente respecto de la violencia no se corresponde con las proporciones reales de dicha violencia", y otorga especial influencia a los medios de comunicación que llenan los informativos de sangre producida en cualquier lugar del globo.

Es sabido que los fenómenos sociales pueden ser muy reales aunque su origen sea forzado o inventado.

También conviene aclarar que el libro citado de Pinker es anterior a la guerra civil siria y al surgimiento y caída del Dáesh (curiosamente incluye una teoría de que la mayoría de los movimientos terroristas no se prolongan más allá de cinco años, y no suelen conseguir objetivo alguno), elementos que no parecen restar valor a su estudio.

Aplicando este optimismo argumentado a España cabría decir con poca discusión que desde el final de la guerra civil española en 1939, desde la Segunda Guerra Mundial en muchos otros países, al menos tres generaciones

---

50 Entrevista en *Infobae,* 11 de septiembre de 2018. https://www.infobae.com/america/cultura-america/2018/09/11/steven-pinker-con-infobae-la-imagen-que-tenemos-del-mundo-es-tan-negativa-que-alimenta-las-plataformas-de-los-populistas/

de ciudadanos no han vivido una guerra, un acontecimiento con escasos precedentes en siglos.

El fin efectivo del terrorismo autóctono de ETA el 20 de diciembre de 2011 puso además fin a un foco de violencia causante de muerte y destrucción no comparable al terrorismo yihadista en suelo español.

La violencia se está convirtiendo en un instrumento inaceptable en la sociedad española, comprobable desde la rebelión secesionista en Cataluña hasta la creciente conciencia sobre el bienestar animal que se va extendiendo desde las corridas de toros a la semi-libertad de la que están empezando a disfrutar un número creciente de gallinas ponedoras de huevos.

En otro ámbito más formal, avanzando en este campo del optimismo, la Unión Europea tiene vigente una Estrategia de Política Exterior y de Seguridad[51], presentada en junio de 2016 —mal momento, por el Bréxit—, que plantea un enfoque global de los conflictos, defiende "reforzar nuestra seguridad y defensa en plena conformidad con los derechos humanos y el Estado de derecho". Frente a las guerras preventivas, "diplomacia preventiva".

"La UE promoverá un orden mundial basado en normas, con el multilateralismo como principio esencial y las Naciones Unidas como núcleo", sentencia la Estrategia europea en frase digna de ser esculpida en mármol y colocada en facultades de Derecho e instalaciones militares por toda la geografía comunitaria.

En el nivel doméstico español el nuevo Gobierno del presidente Pedro Sánchez desde el verano de 2018 ha anunciado su voluntad de recuperar la capacidad de los tribunales para juzgar delitos graves ocurridos en otros países, en una futura Ley Orgánica del Poder Judicial, que permitiría volver a la denominada justicia universal en la persecución de determinados delitos corrigiendo su anulación por reformas legales en 2014[52].

---

[51]   Se puede consultar el texto original y balances de su desarrollo en http://europa.eu/globalstrategy/en/global-strategy-promote-citizens-interests

[52]   Pedro Sánchez, presidente del Gobierno: "Estamos ultimando la derogación del recorte de la justicia universal por parte del anterior Gobierno. Ese recorte de la justicia universal dejó maniatado al Estado en la lucha contra el narcotráfico, el crimen organizado y el terrorismo internacional. Además, creó espacios para la impunidad

En materia de violencia existen datos para el optimismo, estrategias de seguridad basadas en el derecho, y procesos en marcha de desactivación de conflictos, como entre Etiopía y Eritrea; o del calado de los acuerdos de paz en Colombia entre Gobierno y guerrillas, principalmente las FARC, que ponen fin a medio siglo de enfrentamientos armados que han causado más de 220.00 asesinatos documentados.

El proceso de paz en Colombia es también ejemplo destacado de transparencia en negociaciones y documentos, participación ciudadana, reconocimiento de los derechos de las víctimas y muestra de la llamada justicia transicional que ha tenido también otros ejemplos dignos de estudio en los últimos años en países como Marruecos o Túnez[53].

Un paso importante en el acercamiento al ciudadano de la actuación de las Fuerzas Armadas españolas en el exterior sería incrementar la información del Parlamento sobre estas actividades previa a las comparecencias de los responsables del Gobierno, lo que se traduciría en un debate de mayor profundidad. En la Comisión de Defensa del Congreso del 12 de diciembre de 2017 se aprobó precisamente una proposición no de ley relativa a la necesidad de mayor y mejor información para el seguimiento de las operaciones en el exterior, por parte del Congreso y la ciudadanía, presentada por el Grupo Parlamentario Confederal de Unidos Podemos-En Comú Podem-En Marea:

> El Congreso de los Diputados insta al Gobierno: uno, previamente a la comparecencia periódica que realice el Gobierno, de acuerdo con la Ley 5/2005, a facilitar con quince días de antelación, como mínimo, un informe sobre el desarrollo de las operaciones de España en el exterior. Dicho informe contendrá información sistematizada sobre el estado de cada operación, en la que se incluirá la finalidad estratégica que cumple, el rol que corresponde a España en la misma en el caso de operaciones multilaterales, su coste previsto detallado, el número de efectivos,

---

de los crímenes de lesa humanidad y de genocidio. Y, en fin, que haya otros países que estén juzgando casos vinculados con el franquismo y que no sea España, pues me parece que no es aceptable. O al menos no es aceptable para este Gobierno", en *El Diario.es,* 22 de julio de 2018. https://www.eldiario.es/politica/Entrevista-Pedro-Sanchez_0_794770909.html

53   Artículo del autor sobre comisiones de la verdad publicado en *Infolibre* el 12 de enero de 2018. http://contextospnd.blogspot.com/2018/01/comisiones-de-la-verdad-version-espanola.html

en términos que no pongan en riesgo la seguridad de los efectivos desplegados ni la consecución de los objetivos de la misión. Asimismo, cuando la misma se renueve se incluirá una justificación del mantenimiento de la misma y los objetivos para el siguiente año. Dos, en el caso de la autorización de una nueva operación (el Congreso insta al Gobierno) a facilitar también información sistematizada con antelación, incluyendo la finalidad estratégica que cumple, el rol que corresponde a España en la misma en el caso de operaciones multilaterales, coste detallado, número de efectivos y objetivos a corto, medio y largo plazo.

La información y el debate parlamentario en profundidad se echan de menos especialmente en la negociación y aprobación de los presupuestos generales del Estado, con una permanente reclamación de fondos por parte de los responsables políticos y militares del Ministerio de Defensa sin la imprescindible condición previa de ofrecer a la opinión pública un planteamiento de amenazas, respuesta y medios necesarios, cuyo último paso sería la cuantificación económica.

Con un calado mayor se sitúa la necesidad de una valoración de la eficacia de las políticas públicas relacionadas con la seguridad, la evaluación de los resultados de las intervenciones militares sobre los objetivos fijados en el planteamiento de la operación y también su impacto sobre los derechos fundamentales, en línea con la metodología propuesta por los profesores González Cussac y Flores de la Universidad de Valencia[54].

Cabría además plantear la necesidad de introducir otros acercamientos sociológicos al ámbito de la seguridad que arrojaran luz por ejemplo al hecho de que la reducción de plantillas militares y policiales en España en tasas cercanas al 10% durante la crisis 2008/2018, junto con los recortes presupuestarios, no se ha traducido en un incremento de la criminalidad interior y no ha alterado sustancialmente la operatividad real militar en el exterior, sino todo lo contrario.

---

[54]   GONZÁLEZ CUSSAC, José Luis, y Flores Giménez, Fernando: "Una metodología para el análisis de las amenazas a la seguridad, la evaluación de las respuestas y su impacto sobre los derechos fundamentales", en *Seguridad Global y Derechos Fundamentales,* Cuaderno de Estrategia número 188, *Instituto Español de Estudios Estratégicos,* diciembre de 2017. http://www.ieee.es/Galerias/fichero/cuadernos/CE_188.pdf

8. DERECHOS EN ABSTRACTO

En la primera década y media del siglo XXI han cambiado sustancial-mente el contexto geopolítico, las amenazas a la seguridad y su percepción por el ciudadano, la forma de intervenir con medios militares en conflictos armados y la tecnología, y en muchos aspectos se ha alejado la actuación de las Fuerzas Armadas, siempre respondiendo a decisiones de los Gobiernos, del necesario control político y ciudadano, es decir, que ha disminuido la voluntad política de implicar a la población con su defensa, en una época además con un uso intensivo del instrumento militar para hacer frente a todo tipo de crisis, en muchos casos porque es una herramienta que los Gobiernos nacionales aún conservan por completo y también por la apariencia de efectividad que su uso comporta para la resolución de con-flictos, además de su probable influencia sobre la percepción ciudadana de la seguridad.

Comunicación y control político parecen ámbitos mal relacionados con las intervenciones militares, difícil de entender cuando quien despliega este tipo de medios es un Estado democrático cuyo objetivo reconocido es extender la seguridad de que disfruta a otros escenarios inestables.

El problema radica en que la oscuridad oculta todo tipo de comporta-mientos, hasta los más dignos de elogio, y evidentemente los inaceptables o los censurables.

Nada que ver lo dicho hasta aquí sobre desconexión entre ciudadanía y actuación militar con los anuncios en países distantes y distintos como Francia, Paraguay, Alemania, nórdicos o Marruecos, en el sentido de re-cuperar algún tipo de servicio militar obligatorio que, aparte de tener que incluir a la mitad femenina de la población no contemplada en el modelo abandonado, el objetivo en ningún caso se dirige a incrementar la eficacia militar, pues resulta imposible hacer compatible la falta de profesionalidad con la tecnología militar, sino que surgen como un intento de resucitar un instrumento de creación de ciudadanía que se mostró efectivo en el siglo XIX y aparenta ser improductivo en el XXI[55].

---

[55]   "El Jefe del Estado mayor de la Defensa considera "imposible" reimplantar la mili en España", *La Vanguardia/EFE,* 12 de febrero de 2018. https://www.lavanguardia.com/

Algunos expertos en seguridad internacional como el español Javier Solana van incluso más lejos de la creciente separación entre el ciudadano y la actuación de sus Fuerzas Armadas por falta de voluntad política y otros cambios en el contexto, y abogan por un cambio estructural, ya que en su opinión "los mecanismos legales e institucionales existentes a escala global siguen sin ser los adecuados para hacer frente a las actuales amenazas"[56].

Se suma Solana a los argumentos de Christine Chinkin y Mary Kaldor, investigadoras del centro universitario británico *London School of Economics and Political Science,* en su libro *Derecho internacional y nuevas guerras*[57], en el sentido de que "la clásica distinción entre conflictos armados internacionales y no internacionales ha perdido vigencia, y lo mismo puede decirse de la dicotomía entre seguridad interna y externa".

Quien fuera secretario general de la OTAN y responsable de política exterior y de seguridad de la Unión Europea defiende una reinvención adaptada a los tiempos tanto de la llamada "seguridad humana", modelo que se centra en la protección de las personas más que de los Estados; como de la llamada "responsabilidad de proteger" (R2P), doctrina adoptada por la Asamblea General de la ONU en 2005, que contempla la intervención de la comunidad internacional en un país determinado cuando su Gobierno compromete la seguridad de su propia población.

La aplicación práctica de este principio se produjo en 2011 en Libia y Costa de Marfil —el Consejo de Seguridad de la ONU autorizó intervenciones a su amparo—, pero con un enfoque estrecho, sostiene Solana, en el que primaron las tácticas militares y se relegaron a un segundo plano la responsabilidad de prevenir y de reconstruir, también necesariamente englobadas en la R2P.

---

politica/20180212/44736613729/jemad-farmadas-garantia-soberania-integridad-territorial-y-constitucion.html

[56]   SOLANA, Javier, "Hacia un nuevo paradigma de seguridad humana", *Project Syndicate,* 20 de agosto de 2018. https://www.project-syndicate.org/commentary/a-new-model-of-human-security-by-javier-solana-2018-08/spanish

[57]   *International Law and New Wars,* Cambridge University Press, 2017.

Un informe de Amnistía Internacional sobre los excesos de la lucha antiterrorista[58] alertaba en 2017 sobre "un profundo cambio de paradigma en Europa, un cambio de la idea de que el papel de los gobiernos es proporcionar seguridad para que las personas puedan disfrutar de sus derechos, a la idea de que los gobiernos deben restringir los derechos de las personas para proporcionarles seguridad".

En el caso de un país democrático desarrollado como España la actuación de las Fuerzas Armadas y su despliegue exterior se justifica en la defensa de unos derechos fundamentales que no se contrastan ni en origen ni en destino, probablemente porque se ha roto el nexo de unión que unía a las personas con sus derechos, hoy defendidos o atacados en abstracto y en silencio.

Si la sociedad y el Parlamento no realizan un estrecho control sobre actuaciones y resultados de un instrumento del Estado como las Fuerzas Armadas nunca será posible valorar su necesidad y eficacia, no existirá el clima de opinión que justifique un gasto militar siempre muy elevado y la falta de control abona a su vez que se impongan en las decisiones intereses ajenos a la seguridad, desde industriales a corporativos, o bien se continúe con inercias que no suelen ser buena respuesta a los nuevos desafíos.

En seguridad interior y exterior se está produciendo en los últimos años la preocupante separación entre las personas y sus derechos, la puesta en marcha de actuaciones que no parecen tener en cuenta a sus hipotéticos beneficiarios, fenómeno que se puede contrarrestar mediante una labor rigurosa por parte de los medios de comunicación, el control político en sede parlamentaria y a través de trabajos académicos que analicen políticas, tendencias y sus efectos.

---

[58] "Peligrosamente desproporcionado: La expansión continua del estado de seguridad nacional en Europa", *Amnistía Internacional,* enero de 2017. https://www.amnesty. org/es/documents/eur01/5343/2017/es/
Artículo del autor sobre el informe en http://contextospnd.blogspot.com/2017/03/ excesos-de-la-lucha-antiterrorista.html

9. BIBLIOGRAFÍA

Alianza Atlántica, "Boosting NATO's presence in the east and southeast", septiembre de 2018, en https://www.nato.int/cps/em/natohq/topics_136388.htm

"Estrategia de Seguridad Nacional 2017", *Departamento de Seguridad Nacional*, Gobierno de España, diciembre de 2017. http://www.dsn.gob.es/es/documento/estrategia-seguridad-nacional-2017

Ministerio de Defensa, Gobierno de España, *Misiones de las Fuerzas Armadas en el exterior*, información en http://www.defensa.gob.es/misiones/en_exterior/

Naciones Unidas, *Departamento de Operaciones de Mantenimiento de la Paz*, información en https://peacekeeping.un.org/es/department-of-peacekeeping-operations

"Peligrosamente desproporcionado: La expansión continua del estado de seguridad nacional en Europa", *Amnistía Internacional*, enero de 2017. https://www.amnesty.org/es/documents/eur01/5343/2017/es/

PINKER, Steven, *Los ángeles que llevamos dentro*, Paidós, 2012.

"Seguridad Global y Derechos Fundamentales", Cuaderno de Estrategia 188, *Ministerio de Defensa de España/IEEE*, 15 de enero de 2018. http://www.ieee.es/Galerias/fichero/cuadernos/CE_188.pdf

SOLANA, Javier, "Hacia un nuevo paradigma de seguridad humana", *Project Syndicate*, 20 de agosto de 2018. https://www.project-syndicate.org/commentary/a-new-model-of-human-security-by-javier-solana-2018-08/spanish

"Una visión común, una actuación conjunta: una Europa más fuerte. Estrategia global para la política exterior y de seguridad de la Unión Europea" (resumen), *Unión Europea*, 2016. http://europa.eu/globalstrategy/sites/globalstrategy/files/eugs_es_version.pdf

CUARTA PARTE

ESPIONAJE Y DESINFORMACIÓN

TUTELA PENAL Y PROCESAL DE LOS SECRETOS DE EMPRESA FRENTE AL ESPIONAJE ECONÓMICO

JOSÉ LEÓN ALAPONT
Investigador predoctoral (FPU)
Departamento de Derecho Penal-Universidad de Valencia

1. PLANTEAMIENTO

La temática del texto que aquí se presenta ha sido abordada siguiendo íntegramente la acertada propuesta metodológica planteada por GONZÁLEZ CUSSAC y FLORES GIMÉNEZ, consistente en la delimitación de la amenaza a la seguridad que se pretende analizar, el examen de las respuestas (no sólo jurídicas o normativas) del Estado ante aquélla, y el impacto de éstas sobre los derechos fundamentales[1].

Por ello, junto a la consideración del espionaje económico como amenaza potencialmente lesiva en el ámbito de los secretos empresariales y su repercusión sobre la seguridad nacional, hemos puesto la atención en la protección conferida por el Derecho penal a dicha información reservada de las empresas y, también, la tutela otorgada a la misma durante el proceso penal. Además de poner de manifiesto la afectación a derechos fundamentales que puede ocasionar, para el descubrimiento de determinados secretos de empresa considerados de "especial interés" para la seguri-

---

[1] *Vid.* con detenimiento, GONZÁLEZ CUSSAC, J. L. y FLORES GIMÉNEZ, F.: "Una metodología para el análisis de las amenazas a la seguridad, la evaluación de las respuestas y su impacto sobre los derechos fundamentales", en AAV. VV.: *Seguridad global y derechos fundamentales*, Instituto Español de Estudios Estratégicos. Ministerio de Defensa, Madrid, 2017, pp. 23 y ss.

dad nacional, el emprender acciones de espionaje, incluso, por los propios servicios de inteligencia del Estado. Por último, dedicaremos unas breves líneas a resaltar la imperiosa necesidad de colaboración entre las agencias gubernamentales de inteligencia y las organizaciones empresariales, como estrategia de protección de dicho tipo de secretos, sin dejar de lado las propias acciones que, por separado, lleven a cabo tanto unos actores como otros. Precisamente, esta estrategia deviene fundamental más allá del valor estratégico que aporta el Derecho en este terreno.

2. EL ESPIONAJE ECONÓMICO COMO AMENAZA

Como se han encargado de señalar GONZÁLEZ CUSSAC y LARRI-BA HINOJAR, la supervivencia de las empresas privadas depende hoy día en gran medida de la obtención y control de la información sobre paráme-tros estratégicos esenciales, principalmente, sobre los competidores y sobre el entorno en el que se lleva a cabo la actividad empresarial, de ahí que tales iniciativas se hayan convertido en uno de los objetivos prioritarios para este tipo de organizaciones[2], con más razón —si cabe— en el actual contexto geoeconómico[3]. A este conjunto de acciones alude el término "inteligencia competitiva", concepto empleado para referirse a "aquel tipo de inteligencia que se ocupa de obtener, analizar, procesar y difundir in-formación, referente tanto a los competidores como al entorno en el que se lleva a cabo la actividad empresarial, entre los encargados de la toma de decisiones estratégicas, lo cual, en última instancia, posibilita el emprender acciones mejor informadas y obtener así ventajas sobre el competidor"[4].

---

[2]   GONZÁLEZ CUSSAC, J. L. y LARRIBA HINOJAR, B.: "Un nuevo enfoque legal de la inteligencia competitiva", *Inteligencia y seguridad: Revista de análisis y prospectiva*, núm. 8, 2010, p. 41.

[3]   *Cfr.* OLIER ARENAS, E.: "Inteligencia estratégica y seguridad económica", en AA.VV.: *La inteligencia económica en un mundo globalizado*, Cuadernos de Estrategia núm. 162, Instituto Español de Estudios Estratégicos. Ministerio de Defensa, Ma-drid, 2013, p. 15.

[4]   GONZÁLEZ CUSSAC, J. L. y LARRIBA HINOJAR, B.: "Un nuevo enfoque...", *op. cit.*, p. 50.

Inteligencia competitiva que tiene como fin último el posicionamiento estratégico de la empresa en su entorno[5].

En definitiva, como pone de relieve BRADFORD, el conocimiento sobre los competidores —sus decisiones de inversión de capital, planes de investigación, diseños de los productos, estrategias de marketing, estructuras de costes y estrategias de precios— acaban siendo un instrumento mucho más valioso para las empresas que la formulación y ejecución de cualquier otra estrategia de negocio[6].

No obstante, la adquisición de inteligencia competitiva no es sólo una herramienta estratégica fundamental para las empresas, sino también para los propios Estados, desde el momento en que se concibe como una herramienta que permite obtener y controlar información sobre parámetros estratégicos esenciales como el entorno en el que se lleva a cabo la actividad empresarial, la gestión del riesgo del país y la defensa y el potencial capital intelectual del mismo (propiedad intelectual e industrial)[7].

Ahora bien, como ponen de manifiesto GONZÁLEZ CUSSAC y LARRIBA HINOJAR, "en el ejercicio de acciones de inteligencia económica y competitiva puede traspasarse fácilmente la frontera entre lo legal y lo ilegal"[8]. Así pues, sería en este último campo de acción donde ubicaríamos el conocido como "espionaje económico o industrial"[9]. Pero, insistimos,

---

5   ESCORSA CASTELLS, P.: ¿Qué es la inteligencia competitiva?, en *Conferencia Internacional sobre inteligencia competitive*, Universidad Carlos III de Madrid, Madrid, 29-30 de noviembre de 2007. Disponible en: https://www.madrimasd.org/informacionidi/agenda/inteligencia-competitiva/documentos/pere_escorsa.pdf   [Consulta: 14 de diciembre de 2017].

6   BRADFORD, W.: *The three faces of competitive intelligence: defection, collusion, and regulation*, 2007, p. 1. Disponible en: file:///C:/Users/jolea2.DERPEN58/Downloads/SSRN-id964079.pdf [Consulta: 12 de diciembre de 2017].

7   GONZÁLEZ CUSSAC, J. L. y LARRIBA HINOJAR, B.: *Inteligencia económica y competitiva. Estrategias legales en las nuevas agendas de Seguridad Nacional*, Valencia, Tirant lo Blanch, 2011, pp. 37-38.

8   *Ibid.*, p. 52.

9   *Vid.*, sobre los diferentes recursos de naturaleza legal e ilegal a los que puede acudir el competidor para reducir o anular dicha ventaja competitiva, RUIZ RODRÍGUEZ, L. R.: "Espionaje industrial", en DÍAZ FERNÁNDEZ, A. M. (coord.): *Conceptos fundamentales de inteligencia*, Valencia, Tirant lo Blanch, 2016, pp. 149-150.

no debe confundirse inteligencia competitiva con espionaje económico. Es más, éste último ha de ser una práctica prohibida en el ejercicio de inteligencia competitiva[10].

Sin embargo, la distinción entre lo legal y lo ilegal no siempre se muestra de forma nítida. Por ello, expondremos a continuación algunas de las principales notas que según GONZÁLEZ CUSSAC y LARRIBA HINOJAR permiten diferenciar la inteligencia competitiva del espionaje económico: a) los métodos empleados por el espionaje económico son, entre otros, la violación de las comunicaciones, las escuchas ilegales, la suplantación de identidad, la infiltración de personas como empleados de empresas rivales, el robo de información confidencial, el fraude financiero, la ingeniería social o la práctica de ciberespionaje; b) el espionaje económico no proporciona a la empresa conocimiento, sino simplemente información que sólo será útil para ésta por un breve espacio de tiempo; c) mientras que el espionaje económico es método de obtención de información, la inteligencia competitiva requiere de todo un proceso mucho más complejo; d) si la inteligencia competitiva aporta a la empresa un valor añadido, las prácticas de espionaje económico conducen a su descrédito y a la ruptura de las reglas de mercado; y, e) el espionaje económico otorga beneficios en un plazo inmediato pero no a medio ni largo plazo[11].

Pues bien, desde el momento en que los asuntos económicos han pasado a formar parte del concepto de seguridad[12] —la Ley 36/2015, de 28 de septiembre, de Seguridad Nacional en su art. 10 considera a la seguridad económica como "ámbito de especial interés" de la Seguridad Nacional—, como resalta OLIER ARENAS, "la defensa de los intereses nacionales ha de incluir también los aspectos económicos, claves hoy en el mundo global en el que vivimos"[13]. Máxime, en el actual contexto de guerra económica que, en palabras de HARBULOT, "se está convirtiendo en una realidad

---

[10]   GONZÁLEZ CUSSAC, J. L. y LARRIBA HINOJAR, B.: "Un nuevo enfoque…", *op. cit.*, p. 52.
[11]   *Ibid.*, pp. 53-54.
[12]   *Ibid.*, p. 41.
[13]   OLIER ARENAS, E.: "Inteligencia estratégica…", *op. cit.*, p. 11.

incuestionable en las relaciones internacionales"[14]. Guerra económica que se circunscribe a una serie de acciones que desde ciertos Estados y empresas se dirigen a conquistar o proteger un mercado, o una posición de dominio económico[15]. En este sentido, el espionaje económico se ha convertido en una amenaza para la Seguridad Nacional[16] y, por tanto, para los "intereses vitales de la nación"[17].

En nuestro país, la *Estrategia de Seguridad Nacional 2017* contempla el espionaje como una amenaza de primer orden para la seguridad, entendiendo que *"el espionaje industrial, cuyo objetivo es acceder al conocimiento tecnológico y estratégico que permita adoptar una posición diferencial con respecto a la competencia, resulta un desafío de primera magnitud. **Un desafío que las empresas sufren de forma regular y que puede dañar el sistema económico y afectar al bienestar de los ciudadanos**"*[18]. En línea con esto último, conviene recordar que el espionaje económico no sólo afecta a las empresas, sino también a los consumidores[19]. De este modo, el interés del Estado en proteger los secretos empresariales no sólo se despierta cuando éstos son considerados secreto de Estado o tienen incidencia en la Seguridad Nacional (en los intereses económicos del país o seguridad económica) sin recaer sobre ellos aquella condición, sino porque la afectación

---

[14]   HARBULOT, C.: "Estudios de la guerra económica y de las problemáticas relacionadas", en AA.VV.: *La inteligencia económica en un mundo globalizado*, Cuadernos de Estrategia núm. 162, Instituto Español de Estudios Estratégicos. Ministerio de Defensa, Madrid, 2013, p. 69.

[15]   OLIER ARENAS, E.: "Inteligencia económica", en DÍAZ FERNÁNDEZ, A. M. (coord.): *Conceptos fundamentales de inteligencia*, Valencia, Tirant lo Blanch, 2016, p. 234.

[16]   GONZÁLEZ CUSSAC, J. L. y LARRIBA HINOJAR, B.: *Inteligencia económica…*, *op. cit.*, p. 49.

[17]   MOLOEZNIK, M. P.: "Seguridad Nacional", en DÍAZ FERNÁNDEZ, A. M. (coord.): *Conceptos fundamentales de inteligencia*, Valencia, Tirant lo Blanch, 2016, p. 349.

[18]   CONSEJO DE SEGURIDAD NACIONAL. *Estrategia de Seguridad Nacional 2017*, p. 65.

[19]   Así lo ponen de manifiesto GONZÁLEZ CUSSAC, J. L. y LARRIBA HINOJAR, B.: *Inteligencia económica…*, *op. cit.*, p. 55.

a la competitividad empresarial repercute directamente en los índices de competitividad de los Estados[20].

Por otro lado, hay que tener en cuenta que los ataques (que no sólo se dirigen contra empresas privadas, sino también contra empresas públicas) provienen tanto del interior como del exterior[21], y son llevados a cabo (o planeados) no sólo por otras empresas sino también por Estados[22]. Destacando LARRIBA HINOJAR que buena parte de los casos de sustracción clandestina de información corporativa protegida se producen a través del ciberespacio, se cometen desde el interior de la propia organización empresarial y por una sola persona[23].

Efectivamente, como advierte GONZÁLEZ CUSSAC, la guerra económica que se desarrolla fundamentalmente en la red tiene como principal arma el espionaje económico[24]. Así, la influencia de las TIC en el espionaje económico ha ocasionado que esta amenaza experimente grandes cambios cualitativos en los últimos años[25] obligándonos a hablar hoy día, en mayor

---

[20]　Como sostiene GONZALVO NAVARRO, "el incremento de la competitividad empresarial repercute directamente en los índices de competitividad de los estados en aspectos tales como la I+D, las relaciones laborales, la productividad…". *Vid.* GONZALVO NAVARRO, V.: *Inteligencia económica y seguridad nacional*, Madrid, Difusión Jurídica, 2014, p. 35.

[21]　GONZÁLEZ CUSSAC, J. L. y LARRIBA HINOJAR, B.: *Inteligencia económica…*, *op. cit.*, p. 16.

[22]　*Vid.*, sobre esta cuestión, RUIZ RODRÍGUEZ, L. R.: "Espionaje…", *op. cit.*, pp. 154-155.

[23]　LARRIBA HINOJAR, B.: "Ciberespionaje económico: una amenaza real para la seguridad nacional en el siglo XXI", en GONZÁLEZ CUSSAC, J. L. y CUERDA ARNAU, M. L. (dirs.): *Nuevas amenazas a la seguridad nacional. Terrorismo, criminalidad organizada y tecnologías de la información y la comunicación*, Valencia, Tirant lo Blanch, 2013, p. 336.

[24]　GONZÁLEZ CUSSAC, J. L.: "Inteligencia jurídica: el valor estratégico del Derecho en la seguridad económica", en AA.VV.: *La inteligencia económica en un mundo globalizado*, Cuadernos de Estrategia núm. 162, Instituto Español de Estudios Estratégicos. Ministerio de Defensa, Madrid, 2013, p. 105.

[25]　FERNÁNDEZ HERNÁNDEZ, A.: "Ciberamenazas a la Seguridad Nacional", en GONZÁLEZ CUSSAC, J. L. y CUERDA ARNAU, M. L. (dirs.): *Nuevas amenazas a la seguridad nacional. Terrorismo, criminalidad organizada y tecnologías de la información y la comunicación*, Valencia, Tirant lo Blanch, 2013, p. 165. En este sentido, GONZÁLEZ CUSSAC ha manifestado que el desarrollo constante de mecanismos

medida, de "ciberespionaje económico" y de "cibercrimen"[26]. De hecho, como apunta LARRIBA HINOJAR, los secretos comerciales, junto con los derechos de propiedad intelectual e industrial, se erigen en el objetivo principal de los hackers[27]. Por ello, la ciberseguridad se erige como la principal herramienta para proteger los secretos de empresa[28].

Por todo ello, el ciberespionaje económico se ha convertido en "una de las más serias e inmediatas amenazas para la Seguridad Nacional[29]. Así lo pone de relieve la Estrategia de Seguridad Nacional 2017 cuando se refiere a que *"el ciberespacio juega hoy un papel más relevante a nivel de espionaje y es utilizado por Estados, grupos o individuos que usan sofisticados programas que proporcionan acceso a ingentes volúmenes de información y datos sensibles"*[30]. El ciberespionaje económico provoca no sólo pérdidas económicas inmediatas, sino que destruye la ventaja competitiva de un país y, por ende, de su tejido empresarial. Al fin y al cabo, "el mantenimiento de las capacidades materiales de producción, la creación de empleo o las políticas de mejora de competitividad y de desarrollo de un Estado son los que, en definitiva, determinan sus posibilidades de supervivencia en el sistema internacional"[31].

Ahora bien, como destaca LARRIBA HINOJAR, el ciberespionaje económico se está moviendo desde actores estatales hacia actores no estatales,

---

e instrumentos tecnológicos potencia el espionaje en este ámbito. *Vid.* GONZÁLEZ CUSSAC, J. L.: "Servicios de inteligencia y contraterrorismo", en ALONSO RIMO, A.; CUERDA ARNAU, M. L. y FERNÁNDEZ HERNÁNDEZ, A. (dirs.): *Terrorismo, sistema penal y derechos fundamentales*, Valencia, Tirant lo Blanch, 2018, p. 55.

26 GONZÁLEZ CUSSAC, J. L.: "Estrategias legales frente a las ciberamenazas", en AA.VV: *Ciberseguridad. Retos y amenazas a la seguridad nacional en el ciberespacio*, Cuadernos de Estrategia núm. 149, Instituto Español de Estudios Estratégicos. Ministerio de Defensa, Madrid, 2010, p. 97.

27 LARRIBA HINOJAR, B.: "Ciberespionaje económico…", *op. cit.*, p. 331.

28 GONZÁLEZ CUSSAC, J. L. y LARRIBA HINOJAR, B.: "Un nuevo enfoque…", *op. cit.*, p. 43.

29 LARRIBA HINOJAR, B.: "Ciberespionaje económico…", *op. cit.*, p. 331.

30 CONSEJO DE SEGURIDAD NACIONAL. *Estrategia de Seguridad Nacional 2017*, p. 64. Por su parte, la Ley de Seguridad Nacional considera a la ciberseguridad como "ámbito de especial interés" (art. 10).

31 LARRIBA HINOJAR, B.: "Ciberespionaje económico…", *op. cit.*, pp. 333-334.

observándose, a su vez, un creciente desvanecimiento de las líneas divisorias entre el espionaje estatal y el llevado a cabo por compañías privadas[32].

En cualquier caso, como reivindica GONZÁLEZ CUSSAC, el valor estratégico del Derecho en el campo de la seguridad económica de las empresas deviene imprescindible. De ahí la necesidad de contar con una normativa que ofrezca una protección suficiente de los derechos corporativos e inmateriales de las empresas que afronte la competencia en una economía global[33].

3. SEGURIDAD NACIONAL Y DERECHOS FUNDAMENTALES

La Ley 11/2002, de 6 de mayo, reguladora del Centro Nacional de Inteligencia, establece en su art. 4 a) que, para el cumplimiento de sus objetivos, el Centro Nacional de Inteligencia podrá *obtener, evaluar e interpretar información y difundir la inteligencia necesaria para proteger y promover los intereses políticos, económicos, industriales, comerciales y estratégicos de España*. Y por su parte, el art. 26 de la Ley Orgánica 5/2005, de 17 de noviembre, de la Defensa Nacional, señala que *"el Centro Nacional de Inteligencia contribuirá a la obtención, evaluación e interpretación de la información necesaria para prevenir y evitar riesgos o amenazas que afecten a la independencia e integridad de España, a los intereses nacionales y a la estabilidad del Estado de Derecho y sus instituciones"*. En este contexto, como ya se ha adelantado, determinados secretos de empresa pueden revestir un especial interés para la seguridad nacional y, consecuentemente, para los servicios de inteligencia.

Así las cosas, como remarcan GONZÁLEZ CUSSAC y LARRIBA HINOJAR, los servicios de inteligencia "tienen atribuidos por ley poderes especiales que implican la posibilidad de limitar, restringir o afectar derechos y garantías fundamentales de los particulares". Es decir, "a los agentes se les autoriza, legalmente, a llevar a cabo las actividades con impacto en

---

[32]   *Ibid.*, p. 335.
[33]   GONZÁLEZ CUSSAC, J. L.: "Inteligencia jurídica...", *op. cit.*, pp. 107 y 113-114.

derechos y garantías fundamentales"[34]. Actividades de inteligencia como seguimientos y sistemas de vigilancia, entradas y registros domiciliarios, registro de objetos, intervención de las comunicaciones, agentes encubiertos y confidentes, entre otras[35]. El problema radica en que si bien resulta comprensible (incluso conveniente) que la seguridad y la defensa del Estado actúen de límite de ciertos derechos, "la aceptación de excepciones en este ámbito lleva aparejada un peligro claro: que gradualmente se amplíe el ámbito de la excepción, llegándose así a una expansión que provoque abusos de poder. Y por ende, conduzca a un camino resbaladizo, que finalice en una ampliación sistemática de la violación de los derechos y garantías fundamentales del individuo, en nombre de los intereses de la seguridad nacional"[36].

En este sentido, las injerencias en los derechos fundamentales, por parte de los servicios de inteligencia, sólo pueden quedar justificadas cuando los poderes de éstos se ejerzan dentro de la legalidad. Ahora bien, ello no habilita en ningún caso a que la ley tolere cualquier excepción empleando la seguridad como pretexto[37]. De forma que, el sacrificio de los derechos fundamentales que llevan consigo determinadas actividades de inteligencia económica y competitiva, tiene que reducirse al mínimo indispensable para tutelar la coexistencia externa de los arbitrios individuales según la ley general de libertad[38]. Resultaría paradójico, como apuntan GONZÁLEZ CUSSAC y FLORES GIMÉNEZ, que "para proteger a los ciudadanos de las amenazas que ponen en peligro sus derechos, los Estados recurren a políticas y leyes que a su vez recortan estos mismos derechos y, en consecuencia, provocan la erosión del Estado democrático de Derecho. Es decir, estamos ante una reacción que, si es desproporcionada, puede suponer una apuesta, consciente o inconsciente, por la liquidación del propio mode-

---

[34]   GONZÁLEZ CUSSAC, J. L. y LARRIBA HINOJAR, B.: *Inteligencia económica...*, *op. cit.*, p. 86.
[35]   *Vid.*, con detenimiento, GONZÁLEZ CUSSAC, J. L.; LARRIBA HINOJAR, B. y FERNÁNDEZ HERNÁNDEZ, A.: "Derecho", en GONZÁLEZ CUSSAC, J. L. (coord.): *Inteligencia*, Valencia, Tirant lo Blanch, 2012, pp. 323-336.
[36]   *Ibid.*, pp. 317-318.
[37]   GONZÁLEZ CUSSAC, J. L. y LARRIBA HINOJAR, B.: *Inteligencia económica...*, *op. cit.*, p. 86.
[38]   *Ibid.*, p. 87.

lo que se trata de defender. Así, podría producirse el sinsentido de que la demolición del Estado de derecho no procediera tanto de los factores externos que trata de neutralizar, sino más bien de la desmedida reacción interna ante las amenazas a la seguridad"[39].

En definitiva, "la obtención de datos, a la par que el desarrollo de técnicas cada vez más perfeccionadas de interceptación, monitorización y reconocimiento de personas, constituyen, hoy en día, dos de los principales desafíos para las agencias gubernamentales en la tarea de producción de inteligencia, también económica y competitiva. A partir de ahí, la manera en la que debe darse cobertura legal a esos objetivos, así como la respuesta a otorgar a la cada vez más creciente generalización masiva de vigilancia prospectiva en materia de telecomunicaciones y, por último, el papel que deba jugar el gobierno a la hora de proteger los secretos comerciales e industriales se sitúan como temas fundamentales a abordar en la necesaria reflexión jurídica que ha de hacerse (...) pues es una obviedad que a medida que la inteligencia económica va adquiriendo mayor protagonismo en las agendas de la seguridad nacional de los grandes Estados, se acentúa la dificultad para delimitar adecuadamente la esfera de lo público y de lo privado"[40].

Con todo, como establece el apartado primero del artículo único de la Ley Orgánica 2/2002, de 6 de mayo, reguladora del control judicial previo del Centro Nacional de Inteligencia, para la adopción de medidas que afecten a la inviolabilidad del domicilio y al secreto de las comunicaciones, siempre que tales medidas resulten necesarias para el cumplimiento de las funciones asignadas al Centro, deberá solicitarse autorización judicial al magistrado competente del Tribunal Supremo. Petición que sólo puede cursar el secretario de estado director del CNI. No obstante, como acertadamente explica GONZÁLEZ CUSSAC, se trata de un sistema de autorización judicial previo, pero no de un control judicial propiamente dicho, pues, el control del resultado de las actuaciones correspondientes se

---

39   GONZÁLEZ CUSSAC, J. L. y FLORES GIMÉNEZ, F.: "Una metodología...", *op. cit.*, p. 22.

40   GONZÁLEZ CUSSAC, J. L. y LARRIBA HINOJAR, B.: "Un nuevo enfoque...", *op. cit.*, p. 68.

confiere al secretario de estado director del CNI, y no a un órgano juris-diccional[41].

Dicho mecanismo ha sido tildado de inconstitucional por parte de algunos penalistas como GIMBERNAT ORDEIG, básicamente por dos motivos: 1) porque el sistema previsto en la LO 2/2002 es menos garan-tista que el previsto en la propia Ley de Enjuiciamiento Criminal; y, 2) porque el hecho de que las actuaciones del Magistrado *ad hoc* revistan la consideración de secreto hace que ni el interesado ni el Ministerio Fiscal sepan si esa resolución existe ni, por tanto, tengan acceso a su contenido[42]. En contra de tal aseveración se ha mostrado GONZÁLEZ CUSSAC, con el que coincidimos plenamente, motivo por el cual trascribimos literal-mente a continuación algunas de sus reflexiones.

En primer lugar, "como quiera que las actuaciones de los servicios de inteligencia no van dirigidas a enervar válidamente la presunción de ino-cencia en un proceso judicial, esto es, a obtener pruebas incriminatorias, la LO 2/2002 limita sus efectos y los acomoda a las finalidades constituciona-les y legales atribuidos a las agencias de inteligencia: prevenir y neutralizar amenazas a la defensa y seguridad nacional"[43]. En consecuencia, "el exa-men sobre la posible inconstitucionalidad de la LO 2/2002 debe hacerse partiendo de la diferente finalidad perseguida por los distintos servicios de investigación del Estado, y desde ahí, evaluar si el singular objetivo de las agencias de inteligencia, justifica —en el marco de nuestra ley fundamen-tal y de su desarrollo jurisprudencial— un régimen jurídico propio, autó-nomo y más flexible, que el establecido para las actuaciones enmarcadas en un proceso criminal"[44].

En segundo lugar, como reiteradamente ha sostenido la jurisprudencia constitucional, los derechos fundamentales no son absolutos, y por tanto

---

[41]   GONZÁLEZ CUSSAC, J. L.: "Intromisión en la intimidad y CNI. Crítica al mo-delo español de control judicial previo", *Inteligencia y seguridad: Revista de análisis y prospectiva*, núm. 15, 2014, pp. 154-155.

[42]   GIMBERNAT ORDEIG, E.: *Estado de Derecho y Ley Penal*, Madrid, La Ley-Wolters Kluwer, 2009, pp. 65-66.

[43]   GONZÁLEZ CUSSAC, J. L.: "Intromisión...", *op. cit.*, p. 168.

[44]   *Idem.*

pueden verse limitados, por ejemplo, por la tutela del Estado democrático de Derecho[45].

En último lugar, tan sólo restaría por examinar si se cumplen dos exigencias jurisprudenciales como son: a) la existencia de cobertura legal suficiente (grado mínimo de protección legal); y, b) garantías de la intervención (control judicial).

Respecto de la previsión legal, en palabras de GONZÁLEZ CUSSAC, "pudiera aceptarse como suficiente a tenor de las exigencias sentadas por la jurisprudencia analizada (autoridad competente, clase de medida, requisitos, plazos, identificación de sujetos, destrucción de datos), si bien presenta una carencia en cuanto a la delimitación del presupuesto habilitante, lo cual a su vez se trasmite también al deslinde del círculo de potenciales sujetos afectados. Pero probablemente esta falta de concreción resulta consustancial a la misma actividad de los servicios de inteligencia, en la que al no perseguir hechos delictivos, sino prevenir amenazas y riesgos, reduce notablemente las posibilidades legales de concretar más exactamente ambos externos. Así pues, parece que debamos contentarnos con la expresión de finalidades tales como la seguridad nacional, la defensa del Estado (...), la contrainteligencia para evitar penetraciones de servicios extranjeros, etc[46]".

En cuanto a las garantías de la intervención, una vez admitida que la LO 2/2002 satisface el requisito de un efectivo control judicial previo, la cuestión es determinar si el resto de requisitos exigidos por la jurisprudencia (y que en el presente caso no se dan) son imprescindibles. Nos referimos al control judicial durante el mantenimiento de la medida, la necesidad de intervención del Ministerio Público, y el derecho de los afectados al conocimiento posterior de la intervención. Pues bien, a juicio de GONZÁLEZ CUSSAC: a) "la finalidad de defensa de la seguridad nacional justifica que no siempre existirá la obligación de comunicar al afectado que ha sido objeto de investigación, teniendo que modularse esta decisión conforme a la eficacia misma del objetivo perseguido, junto a la evitación de desvelar métodos, fuentes e identidades de inteligencia"; b) "que el ordenamiento

---

[45] VIVES ANTÓN, T. S.: *La libertad como pretexto*, Valencia, Tirant lo Blanch, 1995, p. 399.
[46] GONZÁLEZ CUSSAC, J. L.: "Intromisión...", *op. cit.*, p. 174.

jurídico español contempla mecanismos eficaces de control judicial, y en este sentido no hay áreas *per se* excluidas de investigación judicial por la presunta comisión de hechos delictivos, y además, que existen otros instrumentos de tutela jurídica a través del proceso civil y del recurso de amparo"; y, c) que el Derecho español prevé instrumentos de control externo de la actividad desplegada por los servicios de inteligencia, tanto por parte del propio gobierno, como a través del Congreso de los Diputados"[47].

4. PROTECCIÓN PENAL DE LOS SECRETOS DE EMPRESA

Ya se hizo alusión, en otro apartado[48], al valor estratégico del Derecho en la protección de los secretos empresariales, motivo por el cual cobra ahora sentido que nos detengamos a precisar en qué consiste esa tutela.

Efectivamente, el Código Penal en sus arts. 278 a 280 contempla los denominados delitos de descubrimiento y revelación de secretos de empresa. Sin embargo, no debe obviarse que para la consecución de tales conductas también pueden afectarse a bienes jurídicos distintos de los que se protegen en dichos preceptos, como seguidamente veremos y, por tanto, incurrir en otra serie de conductas igualmente delictivas. Ahora bien, la tutela jurídica que se confiere a los secretos de empresa no sólo proviene del Derecho penal, sino también y en gran medida por la Ley de Competencia Desleal. Incluso, determinadas actuaciones pueden ser consideradas ilícito civil "por trasgresión de la buena fe contractual", o laboral "por la infracción del deber genérico de guardar reserva derivado de la buena fe y la diligencia generales"[49].

---

[47]   *Ibid.*, pp. 179-180.
[48]   *Vid. supra*, 2.
[49]   En este sentido apuntan CORCOY BIDASOLO, M. y GÓMEZ MARTÍN, V.: "Apoderamiento y revelación de secreto de empresa", en BOIX REIG, J. (dir.): *Diccionario de Derecho penal económico*, Madrid, Iustel, 2017, p. 59.

4.1. Delitos de descubrimiento y revelación de secretos de empresa

Los delitos de violación de secretos empresariales y espionaje industrial, económico o comercial aparecían ya regulados en el Código Penal de 1973 (básicamente en los arts. 498 y 499), aunque la actual configuración de estos tipos delictivos vino dada por el Código Penal de 1995. Encontrándose ubicados en la Sección 3ª (De los delitos relativos al mercado y a los consumidores), del Capítulo XI (De los delitos relativos a la propiedad intelectual e industrial, al mercado y a los consumidores), del Título XIII (delitos contra el patrimonio y el orden socioeconómico).

No hay que confundirlos con los delitos relativos a la propiedad intelectual e industrial (arts. 270 a 277 CP), puesto que en éstos "el titular de la innovación la hace pública recurriendo al registro público con efectos excluyentes frente a terceros, convirtiendo ese interés en una patente, una marca, un nombre comercial o cualquier otro derecho económico registrable frente a terceros"[50]. Es decir, se tutela el *derecho de exclusividad* que posee el titular de dichas creaciones"[51]. Todo lo contrario que en los delitos cuyo objeto de protección es el secreto empresarial, "innovación que se considera de mayor valor por el desconocimiento de su existencia para los competidores o porque, por su naturaleza, es difícilmente trasladable al terreno del registro público"[52]. Como manifiesta LARRIBA HINOJAR, el secreto de empresa no confiere un derecho de exclusiva a su titular, sino una fáctica situación de monopolio sobre aquél que dura mientras se mantiene el secreto[53].

Por otro lado, como pone de manifiesto FARALDO CABANA, la existencia de otra vía de tutela como la que constituyen los arts. 13 y 14 de la

---

[50]   RUIZ RODRÍGUEZ, L. R.: "Espionaje...", *op. cit.*, p. 149.
[51]   MARTÍNEZ-BUJÁN PÉREZ, C.: *Delitos relativos al secreto de empresa*, Valencia, Tirant lo Blanch, 2010, p. 19.
[52]   RUIZ RODRÍGUEZ, L. R.: "Espionaje...", *op. cit.*, p. 149.
[53]   LARRIBA HINOJAR, B.: *La tutela penal del diseño industrial*, Valencia, Tirant lo Blanch, 2006, p. 47

LCD "obliga a una interpretación cuidadosa del tipo penal, respetuosa con el principio de intervención mínima"[54].

4.1.1. Bien jurídico protegido y *ratio legis*

Cuestión recurrente a la hora de abordar el estudio de cualquier figura delictiva siempre es el bien jurídico que en él se tutela. No obstante, en este ámbito especialmente, debe tomarse la precaución de no caer en el error de confundir la finalidad objetiva de la norma (*ratio legis*) con el bien jurídico, dado que, como remarcan COBO DEL ROSAL y VIVES ANTÓN, "no son criterios idénticos ni absolutamente coincidentes, pues no siempre la protección penal otorgada a un determinado bien jurídico constituye la finalidad última perseguida por el ordenamiento al otorgarla". Así, "aun admitiendo, pues, que la *ratio legis* pueda desempeñar algún papel a la hora de interpretar las Leyes penales, éste ha de ser, forzosamente, secundario"[55]. Como expresa VIVES ANTÓN, el tipo de acción se erige en la categoría básica del sistema penal, esto es, en los cimientos sobre los que descansa la teoría del delito. Y el tipo de acción representa la lesión (potencial o efectiva) del bien jurídico y la contrariedad al deber[56].

Sentado lo anterior, nos disponemos en las líneas que siguen a delimitar ambos conceptos en relación con los delitos que nos ocupan.

Respecto del bien jurídico tutelado, han sido varias las propuestas doctrinales realizadas. Así, por ejemplo, CARRASCO ANDRINO lo cifra en el interés económico del empresario en el mantenimiento de la reserva[57].

---

54   FARALDO CABANA, P.: "Artículo 278", en GÓMEZ TOMILLO, M. (dir.): *Comentarios prácticos al Código Penal*, Cizur Menor, Thomson Reuters-Aranzadi, 2015, p. 455.

55   COBO DEL ROSAL, M. y VIVES ANTÓN, T. S.: *Derecho penal. Parte general*, Valencia, Tirant lo Blanch, 1999, pp. 320-321. Insiste también en la necesidad de distinguir entre bien jurídico inmediato y mediato, MARTÍNEZ-BUJÁN PÉREZ, C.: *Derecho penal económico y de la empresa. Parte General*, Valencia, Tirant lo Blanch, 2016, pp. 159-165.

56   VIVES ANTÓN, T. S.: *Fundamentos del sistema penal*, Valencia, Tirant lo Blanch, 2011, pp. 284 y 286.

57   CARRASCO ANDRINO, M. M.: *La protección penal del secreto de empresa*, Barcelona, Cedecs, 1998, p. 143. Para esta autora el interés económico se ciñe a los beneficios

Para otros autores, en estos delitos se brinda protección a la capacidad competitiva de la empresa en el mercado[58]. No faltando quienes, en una posición ecléctica, sostienen que ambos ámbitos de protección (el patrimonio del empresario y la capacidad competitiva de la empresa) quedan incluidos en el bien jurídico[59].

No obstante, un sector mayoritario de la doctrina (con el que coincidimos plenamente) se ha decantado por considerar que es la competencia leal el valor o interés digno de tutela que conforma el bien jurídico en los delitos de descubrimiento y revelación de secretos de empresa[60]. Esta tesis ha sido igualmente avalada por una constante jurisprudencia[61]. Como señala FERNÁNDEZ SÁNCHEZ, el principio de libre competencia es

---

derivados de la explotación del secreto a través de su utilización directa por el empresario titular o a través de su transmisión.

[58] Así, VÁZQUEZ GONZÁLEZ, C.: "Delitos relativos al mercado y a los consumidores y corrupción en los negocios", en SERRANO GÓMEZ, A.; SERRANO MAÍLLO, A.; SERRANO TÁRRAGA, M. D. y VÁZQUEZ GONZÁLEZ, C.: *Curso de Derecho Penal. Parte Especial*, Madrid, Dykinson, 2017, p. 391. BENÍTEZ ORTÚZAR, I. F.: "Delitos contra el patrimonio y el orden socioeconómico (X)", en MORILLAS CUEVAS, L. (dir.): *Sistema de Derecho Penal. Parte Especial*, Madrid, Dykinson, 2016, p. 670. Y MORALES PRATS, F. y MORÓN LERMA, E.: "Art. 278", en QUINTERO OLIVARES, G. (dir.): *Comentarios al Código Penal español. Tomo II*, Cizur Menor, Thomson Reuters-Aranzadi, 2016, p. 319.

[59] En este sentido, MORÓN LERMA, E.: *El secreto de empresa: protección penal y retos que plantea ante las nuevas tecnologías*, Cizur Menor, Aranzadi, 2002, pp. 130-135. Y FARALDO CABANA, P.: "Art. 278", *op. cit.*, p. 456.

[60] Entre otros, MUÑOZ CONDE, F.: *Derecho penal. Parte especial*, Valencia, Tirant lo Blanch, 2017, p. 443. GALÁN MUÑOZ, A. y NÚÑEZ CASTAÑO, E.: *Manual de Derecho penal económico y de la empresa*, Valencia, Tirant lo Blanch, 2017, p. 134. MARTÍNEZ-BUJÁN PÉREZ, C.: *Delitos relativos...*, *op. cit.*, p. 18 (nota a pie de página 2). FERNÁNDEZ SÁNCHEZ, M. T.: *Protección penal del secreto de empresa*, Madrid, Colex, 2000, p. 110. Y BERDUGO GÓMEZ DE LA TORRE, I.: "La tutela de la competencia en la Propuesta de Anteproyecto del Nuevo Código Penal", en BARBERO SANTOS, M. (coord.): *Los delitos socio-económicos*, Madrid, Universidad Complutense, 1985, pp. 415-416.

[61] Entre la más reciente, SAP Albacete 444/2016, de 26 de octubre (FJ. 4); SAP Badajoz 4/2016, de 1 de febrero (FJ. 2); SAP Madrid 314/2016, de 27 de junio (FJ. 2); SAP Madrid 329/2015, de 27 de abril (FJ. 4); SAP Toledo 93/2015, de 30 de julio (FJ. 2); SAP Ciudad Real 151/2015, de 2 de diciembre (FJ. 3); SAP Ciudad Real 19/2012, de 17 de septiembre (FJ. 4); SAP Vizcaya 821/2011, de 4 de noviembre (FJ. 2); SAP Zaragoza 124/2009, de 11 de febrero (FJ 2); y, STS 285/2008, de 12 de mayo (FJ. 1).

una manifestación del principio de libertad de empresa consagrado en el art. 38 CE[62]. Por tanto, ése es el "anclaje constitucional" del bien jurídico protegido en estos delitos[63]. En este sentido, el Tribunal Constitucional, en su sentencia 88/1986, de 1 de julio, ya tuvo ocasión de afirmar que *"el reconocimiento de la economía de mercado por la Constitución, como marco obligado de la libertad de Empresa, y el compromiso de proteger el ejercicio de ésta art. 38, inciso segundo por parte de los poderes públicos supone la necesidad de una actuación específicamente encaminada a defender tales objetivos constitucionales. Y una de las actuaciones que pueden resultar necesarias es la consistente en evitar aquellas prácticas que puedan afectar o dañar seriamente a un elemento tan decisivo en la economía de mercado como es la concurrencia entre Empresas, apareciendo así la defensa de la competencia como una necesaria defensa, y no como una restricción, de la libertad de Empresa y de la economía de mercado, que se verían amenazadas por el juego incontrolado de las tendencias naturales de éste"* (FJ. 4). En cualquier caso, lo que queda claro es que no se protege a través de estas figuras delictivas la intimidad del titular del secreto descubierto o revelado[64].

Ahora bien, cuestión distinta será dar respuesta a la pregunta ¿qué fin o fines persiguen las normas en cuestión? A estos efectos, pueden reseñarse las siguientes justificaciones político-criminales: se trata de sancionar el llamado espionaje industrial[65]; el descubrimiento y revelación de secretos de empresa afecta a la capacidad competitiva de la empresa[66]; se protegen los intereses legítimos de los empresarios competidores[67]; también los intereses socioeconómicos de los consumidores[68]; así como evitar la apropiación indebida del esfuerzo ajeno y fomentar el afán innovador[69], entre otros.

---

[62] FERNÁNDEZ SÁNCHEZ, M. T.: *Protección penal, op. cit.*, p. 104.
[63] MARTÍNEZ-BUJÁN PÉREZ, C.: *Delitos relativos…, op. cit.*, p. 23. Este autor califica a los delitos de los arts. 278 a 280 CP como "delitos de competencia desleal".
[64] CORCOY BIDASOLO, M. y GÓMEZ MARTÍN, V.: "Apoderamiento…", *op. cit.*, p. 58.
[65] SAP Ciudad Real 151/2015, de 2 de diciembre (FJ. 3).
[66] MUÑOZ CONDE, F.: *Derecho penal…, op. cit.*, p. 443. También, SAP Madrid 329/2015, de 27 de abril (FJ. 4).
[67] MARTÍNEZ-BUJÁN PÉREZ, C.: *Delitos relativos…, op. cit.*, pp. 18-19.
[68] BENÍTEZ ORTUZAR, I. F.: "Delitos contra…", *op. cit.*, p. 671.
[69] MORÓN LERMA, E.: *El secreto…, op. cit.*, pp. 129 y 136.

4.1.2. Concepto y notas características del secreto de empresa

En términos generales, el concepto "secreto de empresa" a efectos penales comprende, como nos indica MORÓN LERMA, aquella información relativa a cualquier ámbito, parcela o esfera de la actividad empresarial, cuyo mantenimiento en reserva proporciona a su poseedor una mejora, avance o ventaja en la lucha competitiva, con independencia de si es o no un conocimiento reproducible y aprovechable por terceros y con independencia, también, de si se trata de una idea de un solo uso o con un período de utilidad reducido[70].

La jurisprudencia, por su parte, se ha ocupado de este particular en reiteradas ocasiones. Si bien, por su trascendencia, traeremos a colación lo manifestado por el Tribunal Supremo en su sentencia 285/2008, de 12 de mayo[71]. En este sentido, el citado Tribunal apuntaba que *"no define el CP qué debemos entender por tal, seguramente por tratarse de un concepto lábil, dinámico, no constreñible en un numerus clausus. Por ello, habremos de ir a una concepción funcional-práctica, debiendo considerar secretos de empresa los propios de la actividad empresarial, que de ser conocidos contra la voluntad de la empresa, pueden afectar a su capacidad competitiva"* (FJ. 1).

Secretos de empresa que abarcan, a su vez, los de naturaleza técnico industrial (objeto o giro de la empresa); los de orden comercial (como clientela, o marketing) y los organizativos (como las cuestiones laborales, de funcionamiento y planes de la empresa).

Respecto de los secretos industriales o técnicos, quedan incluidos, a título de ejemplo, los procedimientos de fabricación, reparación o montaje,

---

[70] *Ibid.*, pp. 67 y 69.

[71] La STS 285/2008, de 12 de mayo, marcó una línea interpretativa respecto del concepto penal de secreto de empresa que ha sido seguida por la posterior jurisprudencia. Así, STS 864/2008, de 16 de diciembre (FJ. 2); SAP Zaragoza 124/2009, de 11 de febrero (FJ. 2); SAP Vizcaya 821/2011, de 4 de noviembre (FJ. 2); SAP Sevilla 516/2011, de 30 de diciembre (FJ. 3); SAP A Coruña 80/2012, de 29 de junio (FJ. 2); SAP Ciudad Real 19/2012, de 17 de septiembre (FJ. 4); SAP Madrid 329/2015, de 27 de abril (FJ. 4); SAP Toledo 93/2015, de 30 de julio (FJ. 1y 2); SAP Ciudad Real 151/2015, de 2 de diciembre (FJ. 3); SAP Badajoz 4/2016, de 1 de febrero (FJ. 1 y 2); SAP Barcelona 271/2016, de 2 de junio (FJ. 2); y, SAP Madrid 314/2016, de 27 de junio (FJ. 2).

prácticas manuales para la puesta a punto de un producto[72]; fórmulas de productos, planos de máquinas[73]; investigaciones en I+D y aplicaciones industriales no registradas[74]; códigos-fuente de programas informáticos[75], etc. Entre los de signo comercial destacan las listas de clientes, proveedores, cálculos de precios[76]; campañas publicitarias en preparación[77]; tarifas y descuentos[78]; programas de marketing, previsión de contratación de personal especializado[79], entre otros. Y, en tercer lugar, los de índole organizativa vendrían a estar constituidos, sin ánimo de exhaustividad, por las relaciones de la empresa con el personal, proyectos sobre celebración de contratos[80]; proyectos de expansión, inversiones[81]; datos sobre la situación contable y financiera, volumen de producción, y márgenes de beneficios[82].

No quedan protegidos, sin embargo, los secretos con objeto ilícito[83]. Ni tampoco "los conocimientos, experiencias y capacidad personales que

---

[72] BAJO FERNÁNDEZ, M. y BACIGALUPO SAGESSE, S.: *Derecho penal económico*, Madrid, Centro de Estudios Ramón Areces, 2001, p. 500.

[73] MUÑOZ CONDE, F.: *Derecho penal...*, *op. cit.*, p. 444.

[74] FARALDO CABANA, P.: "Art. 278", *op. cit.*, p. 456. Sobre esta cuestión en particular, la SAP Barcelona 178/2011, de 28 de febrero (FJ. 5) citando la STS de 24 de abril de 1989 (FJ. 5) recuerda que el secreto industrial no se identifica con la patente puesto que ésta excluye por propia naturaleza lógica la existencia de la reserva exigible, al constar en un registro público.

[75] CORCOY BIDASOLO, M. y GÓMEZ MARTÍN, V.: "Secreto de empresa", en BOIX REIG, J. (dir.): *Diccionario de Derecho penal económico*, Madrid, Iustel, 2017, p. 1060.

[76] BAJO FERNÁNDEZ, M. y BACIGALUPO SAGESSE, S.: *Derecho penal...*, *op. cit.*, p. 500.

[77] MUÑOZ CONDE, F.: *Derecho penal...*, *op. cit.*, p. 444.

[78] FARALDO CABANA, P.: "Art. 278", *op. cit.*, p. 456.

[79] CORCOY BIDASOLO, M. y GÓMEZ MARTÍN, V.: "Secreto...", *op. cit.*, p. 1060.

[80] BAJO FERNÁNDEZ, M. y BACIGALUPO SAGESSE, S.: *Derecho penal...*, *op. cit.*, p. 500.

[81] FARALDO CABANA, P.: "Art. 278", *op. cit.*, p. 457.

[82] CORCOY BIDASOLO, M. y GÓMEZ MARTÍN, V.: "Secreto...", *op. cit.*, p. 1060.

[83] RUIZ RODRÍGUEZ, L. R.: "Espionaje...", *op. cit.*, pp. 153. No obstante, GALÁN MUÑOZ y NÚÑEZ CASTAÑO disienten de esta afirmación y entienden que los actos realizados con el fin de descubrir secretos de empresa referidos a actividades ilícitas o delictivas de la empresa no son atípicos, sino que pueden quedar justificados por un estado de necesidad o apreciarse un error de prohibición. *Vid.* GALÁN MUÑOZ, A. y NÚÑEZ CASTAÑO, E.: *Manual...*, *op. cit.*, pp. 136-137.

formen parte del fuero formativo del sujeto, adquiridos por empleados en el seno de una empresa en el desempeño de sus actividades"[84]. Igualmente, no quedan integrados en el concepto de secreto de empresa los datos reservados de la intimidad del empresario, o la "información negativa" como la detección de fallos en procesos productivos experimentales[85].

Por otro lado, como también indica el Tribunal Supremo, *"su materialización puede producirse en todo género de soporte, tanto papel como electrónico, y tanto en original como copia, y aún por comunicación verbal. Y cabe incluir tanto cifras, como listados, partidas contables, organigramas, planos, memorándums internos, etc."* (FJ. 1).

En cuanto a las notas definitorias o requisitos que deben concurrir para poder calificar una determinada información como secreto de empresa, el Tribunal Supremo ha entendido que son los siguientes: a) confidencialidad, pues se quiere mantener bajo reserva; b) exclusividad, en cuanto propio de una empresa; c) valor económico —ventaja o rentabilidad económica—; y, d) licitud, esto es, la actividad hade ser legal para su protección[86]. Así pues, no han de ser materias de conocimiento general[87], de forma que, como señala BENÍTEZ ORTÚZAR, el hecho de que los datos descubiertos fueran de conocimiento público, a pesar de que el sujeto creyera que eran secretos, conducirá a calificar de atípica dicha conducta o, a lo sumo, considerar que ha existido una tentativa inidónea impune[88]. Y, en relación con el valor económico que debe revestir el secreto, cabe advertir que ello no significa que se tutele un bien jurídico individual como el patrimonio. Lo relevante es que el secreto seguirá existiendo a los efectos de los arts.

[84] MORALES PRATS, F. y MORÓN LERMA, E.: "Art. 278", *op. cit.*, p. 328.
[85] CORCOY BIDASOLO, M. y GÓMEZ MARTÍN, V.: "Secreto…", *op. cit.*, p. 1058.
[86] STS 285/2008, de 12 de mayo (FJ. 1). Así también, más recientemente, SAP Madrid 314/2016, de 27 de junio (FJ. 2); SAP Badajoz 4/2016, de 1 de febrero (FJ. 2); SAP Toledo 93/2015, de 30 de julio (FJ. 1); SAP Madrid 329/2015, de 27 de abril (FJ. 4); SAP Ciudad Real 19/2012, de 17 de septiembre (FJ. 4); SAP Sevilla 516/2011, de 30 de diciembre (FJ. 3); SAP Vizcaya 821/2011, de 4 de noviembre (FJ. 2); y, SAP Zaragoza 124/2009, de 11 de febrero (FJ. 2).
[87] GONZÁLEZ CUSSAC, J. L. y LARRIBA HINOJAR, B.: *Inteligencia económica…*, *op. cit.*, p. 58.
[88] BENÍTEZ ORTÚZAR, I. F.: "Delitos contra…", *op. cit.*, p. 672.

278 a 280 CP mientras mantenga ese interés económico[89]. Es más, esta condición deviene importantísima a la hora de determinar la responsabilidad civil *ex delicto* que pueda derivarse del descubrimiento o revelación del secreto de empresa[90].

4.1.3. Conductas prohibidas

Art. 278 CP.

1. El que, para descubrir un secreto de empresa se apodere por cualquier medio de datos, documentos escritos o electrónicos, soportes informáticos u otros objetos que se refieran al mismo, o empleare alguno de los medios o instrumentos señalados en el apartado 1 del artículo 197, será castigado con la pena de prisión de dos a cuatro años y multa de doce a veinticuatro meses.

2. Se impondrá la pena de prisión de tres a cinco años y multa de doce a veinticuatro meses si se difundieren, revelaren o cedieren a terceros los secretos descubiertos.

3. Lo dispuesto en el presente artículo se entenderá sin perjuicio de las penas que pudieran corresponder por el apoderamiento o destrucción de los soportes informáticos.

Las conductas tipificadas en este precepto pueden ser realizadas por cualquier persona, por tanto, estamos ante un delito común[91].

Respecto del apartado primero, señalar que la acción llevada a cabo debe consistir en una actividad de apoderamiento[92], entendido como sinónimo de *apropiarse, procurarse* o *adueñarse* de algo[93]. Sin necesidad de aprensión o toma física, bastando, pues con la captación puramente intelectual[94]. Por otro lado, que el Código Penal haga alusión a la cláusula "por cualquier medio" implica que el tipo abarca cualquier apoderamiento[95].

---

[89]   RUIZ RODRÍGUEZ, L. R.: "Espionaje…", *op. cit.*, pp. 153.

[90]   En este sentido apuntan MORALES PRATS, F. y MORÓN LERMA, E.: "Art. 278", *op. cit.*, p. 327.

[91]   Así lo recuerdan CORCOY BIDASOLO, M. y GÓMEZ MARTÍN, V.: "Apoderamiento…", *op. cit.*, p. 59.

[92]   GONZÁLEZ CUSSAC, J. L. y LARRIBA HINOJAR, B.: *Inteligencia económica…*, *op. cit.*, p. 59.

[93]   MORALES PRATS, F. y MORÓN LERMA, E.: "Art. 278", *op. cit.*, p. 322.

[94]   GALÁN MUÑOZ, A. y NÚÑEZ CASTAÑO, E.: *Manual…*, *op. cit.*, p. 136.

[95]   *Vid.*, por todos, MORALES PRATS, F. y MORÓN LERMA, E.: "Art. 278", *op. cit.*, p. 322. Así lo recalcan también, entre otras, la SAP Madrid 32/2012, de 25 de enero (FJ. 1); y, la SAP Ciudad Real 151/2015, de 2 de diciembre (FJ. 3).

Precisamente por ello, como apunta la SAP Ciudad Real 151/2015, de 2 de diciembre (FJ 3.), entendemos que la referencia a los medios del art. 197.1 CP sea redundante, pues ya quedan abarcados por aquélla. Ahora bien, no hay que olvidar que el acto de apoderamiento debe tender al descubrimiento de un secreto de empresa, por tanto, es éste un elemento subjetivo del tipo[96]. De forma que, resultarán impunes los descubrimientos fortuitos de secretos empresariales[97]. Sin embargo, no precisa el art. 278.1 CP que el descubrimiento se acabe produciendo (se consuma con el mero apoderamiento)[98].

Por su parte, el apartado segundo del art. 278 CP sanciona la revelación del secreto de empresa, constituyendo un tipo agravado respecto de la figura básica del apartado primero[99]. Excluyéndose de este supuesto la divulgación parcial y fragmentaria de datos cuando no se afecte a la capacidad competitiva, y cuando se aplique a la empresa titular del secreto la doctrina del levantamiento del velo[100]. No obstante, en ningún caso exigen tales preceptos que con el descubrimiento se origine un beneficio económico o ventaja competitiva para el infractor[101], ni que se constate un perjuicio para el sujeto pasivo[102].

> **Art. 279 CP.**
> *La difusión, revelación o cesión de un secreto de empresa llevada a cabo por quien tuviere legal o contractualmente obligación de guardar reserva, se castigará con la pena de prisión de dos a cuatro años y multa de doce a veinticuatro meses.*
> *Si el secreto se utilizara en provecho propio, las penas se impondrán en su mitad inferior.*

---

[96]   CORCOY BIDASOLO, M. y GÓMEZ MARTÍN, V.: "Apoderamiento…", *op. cit.*, p. 61.

[97]   *Cfr.* MORALES PRATS, F. y MORÓN LERMA, E.: "Art. 278", *op. cit.*, p. 328.

[98]   FARALDO CABANA, P.: "Art. 278", *op. cit.*, p. 460. La jurisprudencia califica el art. 278.1 CP como un delito de "consumación anticipada". Así, STS 864/2008, de 16 de diciembre (FJ. 2); SAP Vizcaya 821/2011, de 4 de noviembre (FJ. 2); SAP Madrid 32/2012, de 25 de enero (FJ. 1); SAP Toledo 93/2015, de 30 de julio (FJ. 2); SAP Ciudad Real 151/2015, de 2 de diciembre (FJ 3); y, SAP Barcelona 271/2016, de 2 de junio (FJ. 2).

[99]   MUÑOZ CONDE, F.: *Derecho penal…*, *op. cit.*, p. 444.

[100] *Vid.* CORCOY BIDASOLO, M. y GÓMEZ MARTÍN, V.: "Apoderamiento…", *op. cit.*, p. 59.

[101] FARALDO CABANA, P.: "Art. 278", *op. cit.*, p. 460.

[102] MORALES PRATS, F. y MORÓN LERMA, E.: "Art. 278", *op. cit.*, p. 327.

A diferencia del art. 278 CP, éste se considera un delito especial propio, que sólo puede ser cometido por el círculo de personas que se mencionan en el párrafo primero del mismo[103].

El precepto incrimina, de un lado, la difusión, revelación o cesión de un secreto de empresa, conocido en virtud de determinada relación con la empresa, por quien está legal o contractualmente obligado a guardar reserva. Y, de otro lado, prevé una atenuación (un tipo privilegiado) para quien utilice el secreto en provecho propio. Como indica VÁZQUEZ GONZÁLEZ, en esta modalidad delictiva no se precisa acreditar la intención con la que actúa el autor, siendo indiferente que la acción pueda estar movida o guiada por un propósito lucrativo, de venganza, odio a los empresarios, o cualquier otro[104]. Respecto al tiempo que debe durar el deber de guardar silencio, éste quedará especificado legal o contractualmente, por lo que, como advierte MUÑOZ CONDE, "aunque el sujeto cese su relación con la empresa puede seguir vinculado por el deber de secreto, si así se deduce expresa o tácitamente de la propia relación"[105]. En cambio, cabe tener en cuenta que, si lo que se revela o difunde no es un secreto de empresa, sino datos de la intimidad, será aplicable el delito de quebrantamiento del secreto profesional (arts. 199 y 200 CP)[106].

Por otro lado, la STS 285/2008, de 12 de mayo, afirmaba que también el *extraneus* puede responder por esta conducta, como inductor, cooperador necesario o cómplice (FJ. 3)[107]. Si bien, en este supuesto, con arreglo al art. 65.3 CP, el juez tiene la potestad facultativa de atenuar la pena en un grado. No obstante, a nuestro juicio, y siguiendo a ROBLES PLANAS, la ausencia de las condiciones, cualidades o relaciones personales exigidas por

---

103   Así lo ha interpretado la jurisprudencia, *vid.* STS 285/2008, de 12 de mayo (FJ. 3); STS 864/2008, de 16 de diciembre (FJ. 2); SAP Toledo 93/2015, de 30 de julio (FJ. 2); SAP Ciudad Real 151/2015, de 2 de diciembre (FJ 3.); y, SAP Barcelona 271/2016, de 2 de junio (FJ. 2).

104   VÁZQUEZ GONZÁLEZ, C.: "Delitos relativos...", *op. cit.*, p. 393.

105   MUÑOZ CONDE, F.: *Derecho penal...*, *op. cit.*, p. 445.

106   *Idem.*

107   Así lo defienden también, entre otros, CORCOY BIDASOLO, M. y GÓMEZ MARTÍN, V.: "Apoderamiento...", *op. cit.*, p. 60.

el tipo deberían determinar su impunidad[108]. Por último, como pone de relieve BENÍTEZ ORTÚZAR, el receptor de la información calificada de secreto de empresa, aun siendo su intervención en el delito imprescindible, realiza una conducta atípica[109].

> Art. 280 CP.
> *El que, con conocimiento de su origen ilícito, y sin haber tomado parte en su descubrimiento, realizare alguna de las conductas descritas en los dos artículos anteriores, será castigado con la pena de prisión de uno a tres años y multa de doce a veinticuatro meses.*

Este precepto se ocupa básicamente de aquellos supuestos en que se comercia con información confidencial, y se produce una adquisición de la misma sin más, conociendo su procedencia ilícita y, posteriormente, se divulga o se utiliza en provecho propio[110].

A pesar de que en él se aluda a *"realizar alguna de las conductas descritas en los dos artículos anteriores"*, algunos autores han subrayado que "lo cierto es que las contenidas en el art. 278.1 CP no pueden operar como presupuesto lógico de la que nos ocupa, ya que consisten precisamente en el apoderamiento o en el empleo de artificios técnicos para descubrir el secreto"[111]. En este sentido, MESTRE DELGADO apunta como única solución posible entender que "el autor del hecho realice este comportamiento para sustraer esa información a quien previamente la había sustraído a la empresa"[112]. Nosotros, sin embargo, coincidimos con MUÑOZ CONDE

---

[108] ROBLES PLANAS, R. y RIGGI, E. J.: "El extraño artículo 65.3 del Código Penal", en ROBLES PLANAS, R. (dir.): *La responsabilidad en los "delitos especiales"*, Montevideo-Buenos Aires, B de F, 2014, pp. 74-76.

[109] BENÍTEZ ORTÚZAR, I. F.: "Delitos contra…", *op. cit.*, p. 674.

[110] MORALES PRATS, F. y MORÓN LERMA, E.: "Art. 280", en QUINTERO OLIVARES, G. (dir.): *Comentarios al Código Penal español. Tomo II*, Cizur Menor, Thomson Reuters-Aranzadi, 2016, p. 338.

[111] Así, por ejemplo, FARALDO CABANA, P.: "Artículo 280", en GÓMEZ TOMILLO, M. (dir.): *Comentarios prácticos al Código Penal*, Cizur Menor, Thomson Reuters-Aranzadi, 2015, pp. 469-470. Y MARTÍNEZ-BUJÁN PÉREZ, C.: *Delitos relativos…*, *op. cit.*, p. 136.

[112] MESTRE DELGADO, E.: *Delitos contra el patrimonio y contra el orden socioecocómico*, Madrid, Dykinson, 2017, p. 494.

cuando afirma que "si se ha tomado parte en el descubrimiento habrá que aplicar los preceptos generales de la participación en dicho delito"[113].

4.1.4. Consideraciones comunes a los arts. 278, 279 y 280 CP

En primer lugar, los delitos de descubrimiento y revelación de secretos de empresa son todos ellos dolosos, y no admiten en su comisión la modalidad imprudente[114]. Ahora bien, mientras que la conducta del art. 278.1 CP requiere dolo directo[115], en las previstas en los arts. 278.2, 279 y 280 CP es suficiente con la existencia de dolo eventual[116]. Castigándose la tentativa tanto en el art. 278 CP[117], como en los arts. 279 y 280 CP[118].

Por otro lado, como señala la SAP Albacete 444/2016, de 26 de octubre, "*estos delitos de violación de secretos empresariales no se hallan exceptuados del delito continuado, ya que el bien jurídico protegido no puede ser calificado como un bien eminentemente personal a los efectos de la excepción del apartado 3 del artículo 74 por tanto, si se llevan a cabo varias acciones de violación de secretos de empresa en las condiciones requeridas por el apartado 1 de este precepto, habrá que calificar el hecho como delito continuado*" (FJ. 6)[119].

Sujeto pasivo de estos delitos será, como afirma MARTÍNEZ-BUJÁN PÉREZ, el titular de la empresa cuyos secretos se vulneran[120], y no el dueño del secreto[121], pues, como remarcan MORALES PRATS y MORÓN LERMA, "no se requiere una correspondencia típica entre el titular del

---

113 MUÑOZ CONDE, F.: *Derecho penal...*, op. cit., p. 446.

114 MESTRE DELGADO, E.: *Delitos contra...*, op. cit., p. 495.

115 BENÍTEZ ORTÚZAR, I. F.: "Delitos contra...", op. cit., p. 673.

116 *Vid.*, respectivamente, BENÍTEZ ORTÚZAR, I. F.: "Delitos contra...", op. cit., p. 675. FARALDO CABANA, P.: "Artículo 279", en GÓMEZ TOMILLO, M. (dir.): *Comentarios prácticos al Código Penal*, Cizur Menor, Thomson Reuters-Aranzadi, 2015, p. 466. Y FARALDO CABANA, P.: "Artículo 280", op. cit., p. 471.

117 BENÍTEZ ORTÚZAR, I. F.: "Delitos contra...", op. cit., p. 673.

118 FARALDO CABANA, P.: "Artículo 279", op. cit., p. 466. FARALDO CABANA, P.: "Artículo 280", op. cit., p. 471.

119 En esta línea, MARTÍNEZ-BUJÁN PÉREZ, C.: *Delitos relativos...*, op. cit., p. 142.

120 *Ibid.*, p. 24.

121 Como así ha sido defendido por RUIZ RODRÍGUEZ, L. R.: "Espionaje...", op. cit., p. 154.

bien jurídico protegido (empresario individual o persona jurídica) y el titular del objeto material (documentos, soportes informáticos)"[122].

Por su parte, el art. 287 CP (aplicable a los delitos aquí tratados) establece como regla de perseguibilidad, en su apartado primero, que será necesaria denuncia de la persona agraviada o de sus representantes legales. Pudiendo denunciar también el Ministerio Fiscal cuando aquella sea menor de edad, persona con discapacidad necesitada de especial protección o una persona desvalida. En cambio, el apartado segundo precisa que no será necesaria dicha denuncia cuando la comisión del delito afecte a los intereses generales o a una pluralidad de personas[123].

Respecto a la responsabilidad civil *ex delicto* que pueda generarse, son de aplicación las previsiones generales previstas en los arts. 109 y ss. CP, en especial las que aluden a la reparación del daño y la indemnización de los daños y perjuicios, materiales y morales, causados a la "víctima". Téngase en cuenta, además, que el art. 288 CP contempla, en estos casos, la publicación de la sentencia en los periódicos oficiales, pudiéndose ordenar (a instancias del Juez o Tribunal) su reproducción total o parcial en cualquier otro medio informativo, a costa del condenado.

Con todo, como ha puesto de relieve la doctrina, los arts. 278 a 280 CP presentan algunas ausencias destacadas. Nos referimos, en primer término, a que el art. 278 CP no prevé atentados contra los secretos de empresa cuando medie abuso informático, esto es, cuando se lleven a cabo actos de *alteración y modificación* de la información empresarial reservada, contenida en redes, soportes o sistemas informáticos (medios comisivos que sí incluye el art. 197.2 CP). En este sentido, algunos autores han interpretado que en virtud de lo dispuesto en el art. 200 CP se puede recurrir al art. 197.2 CP para cubrir dicha "laguna"[124]; si bien a nuestro juicio,

---

[122] MORALES PRATS, F. y MORÓN LERMA, E.: "Art. 278", *op. cit.*, p. 323.

[123] FARALDO CABANA entiende que lo "normal" será que en estos casos de descubrimiento y revelación de secretos de empresa no haya afectación a los intereses generales, ni pluralidad de personas. *Vid.*, FARALDO CABANA, P.: "Art. 278", *op. cit.*, p. 461. Sin embargo, no podemos compartir dicha opinión en atención al bien jurídico protegido en estos delitos. *Vid supra.*, 2.

[124] Así CORCOY BIDASOLO, M. y GÓMEZ MARTÍN, V.: "Apoderamiento…", *op. cit.*, p. 60.

como oportunamente indica MARTÍNEZ-BUJÁN PÉREZ, tal solución no es posible desde el momento en que el tenor literal del art. 200 CP es claro a la hora de señalar que "sólo entrará en juego cuando la violación de secretos de personas jurídicas no se halle comprendida en otros capítulos del Código"[125]. Lo más acertado parece, pues, pensar en la aplicación del delito de sabotaje informático (art. 264 bis CP) para estos supuestos[126]. Por otro lado, el legislador no ha incorporado, en el marco de los delitos de descubrimiento y revelación de secretos empresariales, la previsión contenida en el art 197.4 a) CP, esto es, un tipo agravado en razón de la esfera de dominio profesional del sujeto activo (dicho precepto se refiere a *personas encargadas o responsables delos ficheros, soportes informáticos, electrónicos o telemáticos, archivos o registros*). Nuevamente, se ha propuesto por parte de algunos autores acudir a la vía del art. 200 CP con el fin de dar cobertura a tales conductas[127], lo cual nos parece equivocado por las razones ya expuestas anteriormente.

Por último, téngase en cuenta que en estos delitos cabe responsabilidad penal de las personas jurídicas conforme a los arts. 31 bis y ss. CP (según reza el art. 288 CP). No obstante, quedan excluidos de dicho régimen: el Estado, las Administraciones públicas territoriales e institucionales, los Organismos Reguladores, las Agencias y entidades públicas Empresariales, las organizaciones internacionales de derecho público, así como aquellas otras que ejerzan potestades públicas de soberanía o administrativas (art. 31 quinquies 1 CP).

4.2. La vulneración del secreto de empresa como delito contra la seguridad nacional del Estado

Como han puesto de relieve GONZÁLEZ CUSSAC y LARRIBA HI-NOJAR, en determinados supuestos los secretos de empresa pueden ser considerados, a su vez, secretos relativos a la seguridad nacional, motivo por el cual su vulneración podrá quedar abarcada por los delitos contra la

---

125   MARTÍNEZ-BUJÁN PÉREZ, C.: *Delitos relativos...*, *op. cit.*, p. 141.
126   MORALES PRATS, F. y MORÓN LERMA, E.: "Art. 280", *op. cit.*, p. 339.
127   Así CORCOY BIDASOLO, M. y GÓMEZ MARTÍN, V.: "Apoderamiento...", *op. cit.*, p. 60.

defensa y seguridad nacional[128]. Concretamente, nos referimos a las conductas tipificadas en los arts. 584[129], 598[130], 599[131], 600[132], 601[133], 602[134] y 603[135] CP.

---

[128] GONZÁLEZ CUSSAC, J. L. y LARRIBA HINOJAR, B.: *Inteligencia económica…*, *op. cit.*, p. 53.

[129] *El español que, con el propósito de favorecer a una potencia extranjera, asociación u organización internacional, se procure, falsee, inutilice o revele información clasificada como reservada o secreta, susceptible de perjudicar la seguridad nacional o la defensa nacional, será castigado, como traidor, con la pena de prisión de seis a doce años.*

[130] *El que, sin propósito de favorecer a una potencia extranjera, se procurare, revelare, falseare o inutilizare información legalmente calificada como reservada o secreta, relacionada con la seguridad nacional o la defensa nacional o relativa a los medios técnicos o sistemas empleados por las Fuerzas Armadas o las industrias de interés militar, será castigado con la pena de prisión de uno a cuatro años.*

[131] *La pena establecida en el artículo anterior se aplicará en su mitad superior cuando concurra alguna de las circunstancias siguientes: 1º Que el sujeto activo sea depositario o conocedor del secreto o información por razón de su cargo o destino. 2º Que la revelación consistiera en dar publicidad al secreto o información en algún medio de comunicación social o de forma que asegure su difusión.*

[132] *1. El que sin autorización expresa reprodujere planos o documentación referentes a zonas, instalaciones o materiales militares que sean de acceso restringido y cuyo conocimiento esté protegido y reservado por una información legalmente calificada como reservada o secreta, será castigado con la pena de prisión de seis meses a tres años. 2. Con la misma pena será castigado el que tenga en su poder objetos o información legalmente calificada como reservada o secreta, relativos a la seguridad o a la defensa nacional, sin cumplir las disposiciones establecidas en la legislación vigente.*

[133] *El que, por razón de su cargo, comisión o servicio, tenga en su poder o conozca oficialmente objetos o información legalmente calificada como reservada o secreta o de interés militar, relativos a la seguridad nacional o la defensa nacional, y por imprudencia grave dé lugar a que sean conocidos por persona no autorizada o divulgados, publicados o inutilizados, será castigado con la pena de prisión de seis meses a un año.*

[134] *El que descubriere, violare, revelare, sustrajere o utilizare información legalmente calificada como reservada o secreta relacionada con la energía nuclear, será castigado con la pena de prisión de seis meses a tres años, salvo que el hecho tenga señalada pena más grave en otra Ley.*

[135] *El que destruyere, inutilizare, falseare o abriere sin autorización la correspondencia o documentación legalmente calificada como reservada o secreta, relacionadas con la defensa nacional y que tenga en su poder por razones de su cargo o destino, será castigado con la pena de prisión de dos a cinco años e inhabilitación especial de empleo o cargo público por tiempo de tres a seis años.*

La información "clasificada" de un Estado puede ser agrupada en cuatro grandes categorías: a) secreta; b) reservada; c) confidencial; y d) de difusión limitada[136]. Como apunta GONZÁLEZ CUSSAC, la clasificación de *secreta* o *reservada* se aplica a información "cuyo descubrimiento causaría daños serios a la seguridad nacional"; el grado de *confidencial* se otorga a aquella información cuya divulgación "puede causar daño"; mientras que se considera de *difusión limitada* cuando la información "entraña un peligro potencial"[137].

Sin embargo, como puede observarse, las conductas delictivas descritas en los preceptos arriba citados sólo refieren a información reservada o secreta. Por tanto, sólo podrán ser constitutivas de tales delitos las vulneraciones de determinados secretos de empresa que contengan información reservada o secreta así clasificada, esto es, que pueda dañar o poner en riesgo la seguridad y defensa del Estado. La competencia para dicha calificación corresponde exclusivamente, según el artículo tercero de la Ley 9/1968, de 5 de abril, sobre secretos oficiales, al Consejo de Ministros y a la Junta de Jefes de Estado Mayor[138]. Nótese al respecto, como destaca GONZÁLEZ CUSSAC, que "la tendencia a sobreclasificar información es una práctica gubernamental constante"[139]. Pero, ¿qué sucede cuando se desclasifica o se rebaja el grado o nivel de clasificación de una información cuando hay abierto un procedimiento judicial por alguno de los delitos aquí tratados? A nuestro juicio, la solución debería pasar por sobreseer definitivamente la causa por este delito.

Existe también, no obstante, la posibilidad de que las empresas accedan a información clasificada (en nuestro caso *secreta* o *reservada*) con

---

[136]   Decisión del Consejo de 14 de abril de 2014, por la que se modifica la Decisión 2013/488/UE sobre las normas de seguridad para la protección de la información clasificada de la UE. Y Norma NS/04 de las Normas de la Autoridad Nacional para la Protección de la Información Clasificada, sobre Seguridad de la Información.

[137]   GONZÁLEZ CUSSAC, J. L.: "Información clasificada", en DÍAZ FERNÁNDEZ, A. M. (coord.): *Conceptos fundamentales de inteligencia*, Valencia, Tirant lo Blanch, 2016, p. 205.

[138]   Por su parte, el artículo tercero del Decreto 242, de 20 de febrero, por el que se desarrollan las disposiciones de la Ley 9/1968, de 5 de abril sobre Secretos Oficiales, establece sobre qué materias deberá recaer el grado de secreto o reservado.

[139]   GONZÁLEZ CUSSAC, J. L.: "Información...", *op. cit.*, p. 206.

José León Alapont

ocasión de actividades, contratos o proyectos en los que intervengan,
como sucede habitualmente en ámbitos como el armamentístico, energé-
tico o de las comunicaciones: a) organismos o entidades que conforman
el sector público, tal y como se define en la Ley de Contratos del Sector
Público, así como entidades privadas debidamente autorizadas para manejar información clasificada; b) organizaciones internacionales de las
que el Reino de España forma parte, en virtud de un tratado, como son
la Organización del Tratado Atlántico Norte (OTAN), la Unión Europea
(UE), la Agencia Espacial Europea (ESA), OCCAR, EUROFOR, etc.;
y, c) países extranjeros al amparo de tratados internacionales, bilaterales o multilaterales, para la protección de información clasificada[140]. En
estos casos, además, dicha información pasará a tener la consideración
de secreto de empresa (de cumplir con los requisitos ya estudiados)[141].
Información que abarca tanto las negociaciones precontractuales como
a lo largo de la duración de los contratos, proyectos o programas clasifi-
cados[142]. En tales supuestos, lo que sucede es que la Autoridad Nacional
para la protección de la información clasificada habilita, a través de una
serie de "certificaciones", a personas físicas y jurídicas para que tengan
acceso y trabajen con información clasificada. Se trata, en el caso de
las empresas, de la HSEM (habilitación de seguridad de empresa) cuando la información clasificada no puede ser manejada o almacenada en
sus propias instalaciones, y de la HSES (habilitación de seguridad de
establecimiento) cuando sí se puede manejar y almacenar información
clasificada en sus propias instalaciones (siempre que estén acreditadas a
tales efectos). En el caso de las personas físicas es la HPS (habilitación
personal de seguridad)[143].

En otro orden de cosas, como señalan GONZÁLEZ CUSSAC y LA-
RRIBA HINOJAR, resulta controvertido hasta dónde alcanza la obligación del titular particular del secreto empresarial de informar sobre el

[140] Norma NS/06 de las Normas de la Autoridad Nacional para la Protección de la Información Clasificada, sobre Seguridad Industrial.
[141] *Vid. supra.*, 4.1.2.
[142] Norma NS/06 de las Normas de la Autoridad Nacional para la Protección de la Información Clasificada, sobre Seguridad Industrial.
[143] *Idem.*

apoderamiento o vulneración del mismo al Estado cuando comprometa la seguridad nacional[144]. En este sentido, ¿el hecho de no efectuar tal comunicación podría ser entendida como alguna forma de "colaboración" en los delitos aquí examinados? A nuestro parecer, consideramos que tal opción podría sostenerse siempre que se trate paralelamente de información secreta o reservada, si bien, como no puede ser de otra forma, habría que estar al caso concreto. En cambio, cuando ello no ocurra y se trate de un "simple" secreto de empresa, tal posibilidad debe ser descartada de plano puesto que, al ser el titular del secreto empresarial quien tiene la exclusividad sobre el mismo, es éste quien decide cuándo y cómo revelarlo"[145].

Por último, simplemente dejar anotado que no cabe, en los delitos de los arts. 584 y 598 a 603 CP, responsabilidad penal de las personas jurídicas.

4.3. Otras figuras delictivas. Relaciones concursales

Resulta casi inherente a las técnicas de espionaje económico que para descubrir y revelar ciertos secretos de empresa se tengan que cometer necesariamente otros delitos[146], o incluso que al vulnerar dichos secretos se incurra, a su vez, en otros ilícitos penales.

En este contexto destacan un primer grupo de delitos como los de hurto, robo, apropiación indebida, daños o sabotaje a soportes informáticos y de cualquier otro tipo, así como estafas, entre otros. Por otro lado, será también habitual que en el ejercicio de actividades de espionaje industrial se lleven a cabo acciones como, por ejemplo, la interceptación de las telecomunicaciones o utilización de aparatos de escucha (art. 197.1 CP), acceso ilícito a sistemas de información (art. 197 bis CP), o entradas en morada ajena o domicilio de una persona jurídica (arts. 202

---

[144]   GONZÁLEZ CUSSAC, J. L. y LARRIBA HINOJAR, B.: *Inteligencia económica…*, *op. cit.*, p. 63.

[145]   GONZÁLEZ CUSSAC, J. L. y LARRIBA HINOJAR, B.: "Un nuevo enfoque…", *op. cit.*, p. 59.

[146]   *Cfr.* GONZÁLEZ CUSSAC, J. L. y LARRIBA HINOJAR, B.: *Inteligencia económica…*, *op. cit.*, p. 54.

y 203 CP). En estos casos, a nuestro juicio, entre tales delitos y los de descubrimiento y revelación de secretos empresariales se dará un concurso medial de delitos, puesto que lo normal será que unos sirvan de medio necesario para la perpetración de los otros[147] (debiéndose aplicar la regla penológica del art. 77.3 CP). Sin embargo, puede que, atendiendo a las concretas circunstancias del caso, la solución pase por tachar el concurso de delitos de ideal.

Por otro lado, como ya se apuntó más arriba[148], puede que al descubrir o revelar un secreto de empresa se esté cometiendo también alguno de los delitos contemplados en los arts. 584 y 598 a 603 CP. En estos supuestos, consideramos que se daría un concurso ideal de delitos, dado que una misma acción es capaz de atentar contra dos bienes jurídicos distintos[149] (siendo de aplicación, por tanto, la regla del art. 77.2 CP).

5. LA SALVAGUARDA DEL SECRETO DE EMPRESA EN EL PROCESO PENAL

Como advierte GONZÁLEZ CUSSAC, cabe la posibilidad de que se utilice un procedimiento judicial para la obtención de información sensible de la empresa[150]. De forma que no debiera extrañarnos, más bien al contrario, que los actores del espionaje económico decidieran —como una más de sus técnicas— iniciar un proceso penal contra una determinada empresa (como persona jurídica) o sus propietarios, directivos o trabajadores, con vistas a poder "de forma aparentemente lícita" conseguir información considerada secreto de empresa o, incluso, clasificada reservada o secreta. Por tanto, vamos a tratar de dilucidar[151] de qué forma el secreto

---

[147]   ORTS BERENGUER, E. y GONZÁLEZ CUSSAC, J. L.: *Compendio de Derecho Penal. Parte General*, Valencia, Tirant lo Blanch, 2017, pp. 499-501.

[148]   *Vid. supra*, 4.2.

[149]   ORTS BERENGUER, E. y GONZÁLEZ CUSSAC, J. L.: *Compendio…*, *op. cit.*, pp. 497-499.

[150]   GONZÁLEZ CUSSAC, J. L.: "Inteligencia jurídica…", *op. cit.*, p. 114.

[151]   Señala a este respecto GONZÁLEZ CUSSAC que "la ausencia de una regulación procesal específica con previsión de mecanismos idóneos para minimizar el sacrificio del secreto a efectos probatorios y cohonestarlo con el derecho a la tutela judicial efec-

empresarial queda protegido en el proceso penal o, en otras palabras, en qué medida puede predicarse su oponibilidad frente a actuaciones encaminadas a su descubrimiento en el seno del mismo.

No obstante, si bien la obtención de dicha información podría lograrse principalmente en dos momentos del procedimiento —en la práctica de diligencias de investigación o, posteriormente, en la práctica de la prueba—, cabe reconocer que será durante la primera de ellas (fase de instrucción) donde con mayor probabilidad se alcance tal propósito, ante un eventual sobreseimiento.

Así las cosas, cabe tener en cuenta que el secreto quedaría blindado en el supuesto de que se pretendiera tomar declaración al "investigado" o "investigados" (sean personas físicas o jurídicas) y éstos decidieran no hacerlo amparados en el art. 24.2 CE.

La cuestión se torna más compleja, sin embargo, en el caso de los testigos, pues, tienen la obligación de declarar (arts. 118 CE y 410 LECrim). Ahora bien, se plantea el siguiente dilema: si lo hacen incurrirán en un delito de revelación de secretos empresariales, y puede que también en otro de revelación de secretos relativos a la seguridad nacional; en cambio, si se niegan a testificar estarán cometiendo un delito de desobediencia a la autoridad (art. 556 CP)[152]. Y si lo que hacen es mentir sobre la información considerada secreto —para no revelarla— incurrirán en un delito de falso testimonio (art. 458.1 CP). La solución en estos casos, consideramos, debiera ser que la no colaboración en el curso de la investigación judicial quedara amparada por un "estado de necesidad", argumentándose que con

---

tiva de las partes aboca a soluciones creativas". *Vid.* GONZÁLEZ CUSSAC, J. L.: "El secreto de Estado en el proceso penal: entre la denegación de auxilio y el delito de revelación", *Inteligencia y seguridad: Revista de análisis y prospectiva*, núm. 12, 2012, p. 148.

[152] Tratándose de información secreta o reservada, el testigo que fuere funcionario público y hubiere accedido a la mismo por razón de su cargo no incurrirá en el delito del art. 412 CP en caso de no prestar declaración, puesto que en virtud del art. 417 LECrim no están obligados a hacerlo.

ello se estaría salvando un interés jurídico igual o superior que el sacrificado[153].

Por otro lado, téngase en cuenta que el juez instructor a petición de la acusación o de oficio podrá acordar la entrada y registro en la empresa, interceptar las comunicaciones, etc., y tener acceso, por tanto, a dicha información sensible.

Ahora bien, ¿puede el juez evitar que el secreto llegue a desvelarse?

Cuando se trate de un secreto de empresa que contenga o constituya información reservada o secreta (así clasificada), a éste se le presentarán tres alternativas: 1) establecer una ponderación entre el derecho a la tutela judicial efectiva y la salvaguarda de la seguridad nacional, en la que se acabe optando a favor de una de ellas; 2) alegar que no es competente para desclasificar la información y, en consecuencia, no puede recurrir a tal ponderación; y, 3) declarar pertinente la prueba a pesar del carácter reservado o secreto de su objeto[154]. Respecto de la primera de ellas, como recuerda VARELA CASTRO, la limitación de un derecho fundamental como la tutela judicial efectiva (art. 24.1 CE) exige, como primer requisito, que aquélla esté prevista en una ley con suficiente grado de determinación e inequivocidad; y, además, que con la misma se proteja otro interés de relevancia constitucional[155]. Obviamente, ambas notas se darán cuando determinada información (en nuestro caso de índole empresarial) pase a considerarse secreto de Estado[156]. No obstante, como resulta evidente, para llevar a cabo dicha ponderación se precisa que el juez o Tribunal tenga acceso a la documentación cuya desclasificación se reclama, lo cual se traduce, como recogen sendas sentencias del Tribunal Supremo (Sala Contencioso-administrativo), de 4 de abril de 1997, en un examen reservado de aquélla por los magistrados o, si prefiere, una revisión de la misma *in camera*.

---

[153]   En esta dirección apunta GONZÁLEZ CUSSAC, J. L.: "El secreto...", *op. cit.*, p. 153.

[154]   *Ibíd.*, pp. 148 y 156.

[155]   VARELA CASTRO, L.: "¿Secreto de Estado o secreto contra el Estado? (A propósito de la sentencia publicada en el caso 'Amedo', ¿o quizá debiera ser otra la etiqueta?...), *Jueces para la democracia*, núm. 13, 1991, p. 63.

[156]   *Cfr.* GONZÁLEZ CUSSAC, J. L.: "El secreto...", *op. cit.*, p. 145.

Pero, ¿puede recurrirse a la técnica de la ponderación cuando nos encontremos simplemente ante un secreto de empresa? A este respecto, lo primero que debemos esclarecer es si el secreto empresarial es un derecho o constituye lo que, de forma más genérica, se conoce como "interés". Pues bien, a pesar de alguna opinión a favor de su consideración como derecho[157], la doctrina se ha mostrado de forma mayoritaria en contra de tal tesis[158]. Siendo definida, en cambio, como "una facultad jurídica integrada en el derecho constitucional a la libertad de empresa"[159]. He aquí la relevancia constitucional del secreto de empresa. En este sentido, recuérdese que, con la protección conferida a los secretos empresariales en los arts. 278 a 280 CP, se tutela un interés como la competencia leal, entendida como una manifestación de la libertad de empresa reconocida y garantizada en el art. 38 CE[160]. Por otro lado, los secretos de empresa gozan, al igual que los secretos de Estado, de previsión legal suficientemente determinada e inequívoca, como así se demuestra en los propios delitos de descubrimiento y revelación de secretos, incluso en la Ley de Competencia Desleal. De forma que, cuando se trate simplemente de un secreto de empresa, al juez sólo se le planteará la opción de o bien ponderar entre el derecho a la tutela judicial efectiva y la salvaguarda del secreto empresarial, o bien acordar directamente la práctica de la prueba propuesta. Aun así, como ponen de manifiesto GONZÁLEZ CUSSAC Y FLORES GIMÉNEZ, la técnica de la ponderación muestra una alta indeterminación y, por consiguiente, aboca a la inseguridad jurídica[161].

Con todo, no hay que confundir la oponibilidad de la que aquí se ha hablado con la "confidencialidad" de la que puede gozar el secreto empre-

---

157   QUINTERO OLIVARES, G. y FRANQUET SUGRAÑES, M. T.: "Estado, mercado y Constitución: la dimensión penal", en QUINTERO OLIVARES, G. (dir.): *Derecho Penal Constitucional*, Valencia, Tirant lo Blanch, 2015, p. 530.

158   Así, por ejemplo, MORÓN LERMA, E.: *El secreto...*, *op. cit.*, p. 161. FERNÁNDEZ SÁNCHEZ, M. T.: *Protección penal, op. cit.*, p. 62. Y CARRASCO ANDRINO, M. M.: *La protección...*, *op. cit.*, p. 69.

159   MORÓN LERMA, E.: *El secreto...*, *op. cit.*, p. 156.

160   *Vid. supra*, 4.1.1.

161   GONZÁLEZ CUSSAC, J. L. y FLORES GIMÉNEZ, F.: "Una metodología...", *op. cit.*, p. 59.

sarial en el proceso penal[162]. Confidencialidad que, por otra parte, no evita que las partes personadas en la causa tengan acceso al mismo.

6. CONSIDERACIONES FINALES

Como habrá podido comprobarse, hemos pretendido poner en valor en este trabajo el papel que la tutela penal y procesal de los secretos de empresa desempeña a la hora de preservar los mismos. Pero, a la vez que destacábamos la necesidad de ambas vías de protección, ahora debemos enfatizar la insuficiencia de éstas —por lo que seguidamente diremos—.

Comenzaremos señalando, como hace LARRIBA HINOJAR, que la mayoría de ataques a empresas, calificables de "espionaje económico", son mantenidos ocultos por éstas, especialmente, por las del sector privado. Bien por miedo a revelar vulnerabilidades, bien por temor a que los competidores obtengan rédito de la publicidad negativa que suponen dichas situaciones. Lo cual permite que "el apoderamiento ilícito de secretos empresariales se convierta en un negocio lucrativo y relativamente seguro"[163]. Por otro lado, las dificultades para perseguir las conductas delictivas aquí examinadas, cuando las acciones provengan del exterior o sean impulsadas por agencias de inteligencia, son más que evidentes. A lo que debemos sumar problemas específicos como los que plantean los ciberataques. Nos referimos, a título de ejemplo, a la capacidad para dejar intactos los sistemas informáticos[164], las dificultades de localización espacial de la agresión, y el anonimato que, en general, proporciona el ciberespacio[165].

---

[162] En este sentido, *vid.* arts. 138.2 y 140.3 LEC (de aplicación supletoria en los procesos penales en virtud del art. 4) y, especialmente, el art. 9 de la Directiva (UE) 2016/943 del Parlamento Europeo y del Consejo de 8 de junio de 2016 relativa a la protección de los conocimientos técnicos y la información empresarial no divulgados (secretos comerciales) contra su obtención, utilización y revelación ilícitas.

[163] LARRIBA HINOJAR, B.: "Ciberespionaje económico...", *op. cit.*, p. 330.

[164] WEGENER, H.: "Los riesgos económicos de la ciberguerra", en AA.VV.: *La inteligencia económica en un mundo globalizado*, Cuadernos de Estrategia núm. 162, Instituto Español de Estudios Estratégicos. Ministerio de Defensa, Madrid, 2013, p. 228.

[165] GONZÁLEZ CUSSAC, J. L.: "Tecnocrimen", en GONZÁLEZ CUSSAC, J. L. y CUERDA ARNAU, M. L. (dirs.): *Nuevas amenazas a la seguridad nacional. Terroris-*

Como es sabido, uno de los objetivos de las acciones de inteligencia económica que desarrollan los Estados es garantizar la seguridad económica de las empresas[166], esto es, que no sólo se defiendan los intereses económicos del Estado sino también los de aquéllas[167]. Téngase en cuenta, además, que la producción y uso de inteligencia por las empresas contribuye, a su vez, a mantener la seguridad económica de un país[168]. En este contexto, y ante la cuestionable eficacia de la tutela penal y procesal de los secretos de empresa frente al espionaje económico, la coordinación entre los servicios de inteligencia estatales y las organizaciones empresariales deviene imprescindible[169]. Como señalan ESTEBAN NAVARRO y CARVALHO, "la mayoría de países dedican, a través de sus servicios de inteligencia y de otros órganos públicos, una creciente y especial dedicación a la producción y el uso de inteligencia económica como medio para acompañar, proteger y favorecer sus sectores estratégicos y sus empresas frente a competidores extranjeros porque comprenden sus intereses como los intereses del propio Estado"[170]. Inteligencia económica destinada a la salvaguarda de los intereses nacionales tanto en el interior como en el exterior[171]. Sin embargo, como remarca LARRIBA HINOJAR, tal colaboración entre empresas y agencias gubernamentales dista mucho, a excepción de algún sector como el armamentístico, de lo que sería deseable[172].

A pesar de ello, la Estrategia de Seguridad Nacional 2017 propugna que, ante el fenómeno del espionaje industrial, *"un enfoque colaborativo en-*

mo, criminalidad organizada y tecnologías de la información y la comunicación, Valencia, Tirant lo Blanch, 2013, p. 228.

166   GONZÁLEZ CUSSAC, J. L.: "Inteligencia jurídica…", *op. cit.*, p. 107.

167   OLIER ARENAS, E.: "Inteligencia estratégica…", *op. cit.*, p. 19.

168   CARVALHO, A. V. y ESTEBAN NAVARRO, M. A.: "La privatización de la inteligencia", en GONZÁLEZ CUSSAC, J. L. (coord.): *Inteligencia*, Valencia, Tirant lo Blanch, 2012, p. 198.

169   *Vid.* LARRIBA HINOJAR, B.: "Ciberespionaje económico…", *op. cit.*, p. 338.

170   ESTEBAN NAVARRO, M. A. y CARVALHO, A. V.: "Inteligencia: concepto y práctica", en GONZÁLEZ CUSSAC, J. L. (coord.): *Inteligencia*, Valencia, Tirant lo Blanch, 2012, p. 48.

171   ESTEBAN NAVARRO, M. Á. (coord.): *Glosario de inteligencia*, Madrid, Ministerio de Defensa, 2007, p. 90.

172   LARRIBA HINOJAR, B.: "Ciberespionaje económico…", *op. cit.*, p. 59.

tre el sector público y privado representa la mejor aproximación posible"[173]. Y, en materia de ciberseguridad, plantea como línea de acción *"reforzar, impulsar y promover los mecanismos normativos, organizativos y técnicos, así como la aplicación de medidas, servicios, buenas prácticas y planes de continuidad para la protección, seguridad y resiliencia en el Sector Público, los sectores estratégicos (especialmente en las infraestructuras críticas y servicios esenciales), **el sector empresarial** y la ciudadanía, de manera que se garantice un entorno digital seguro y fiable"[174].*

Entre las acciones de inteligencia económica que los Estados pueden desarrollar destaca, especialmente en nuestro ámbito, el sensibilizar a las empresas del país para que adopten medidas preventivas contra el espionaje[175]. Aunque también otras muchas como, por ejemplo, desarrollar acciones estratégicas, prevenir amenazas y riesgos, establecer los oportunos criterios y sistemas de seguridad (ciberseguridad), etc[176]. En igual sentido, encontramos acciones de inteligencia como la utilización de técnicas de obtención y de análisis de información para anticipar amenazas y protegerse de ellas, y la aplicación de políticas de seguridad de la información en una doble dimensión: a) humana (formación y control de las personas que manejan información sensible o de interés); y b), de aplicación de técnicas informáticas (con el objetivo de proporcionar, sobre todo, confidencialidad e integridad a las informaciones)[177]. Sin olvidar que, como establece el art. 4 b) de la Ley 11/2002, de 6 de mayo, reguladora del Centro Nacional de Inteligencia, el CNI tiene asignado entre sus funciones *"prevenir, detectar y posibilitar la neutralización de aquellas actividades de servicios extranjeros, grupos o personas que pongan en riesgo, amenacen o atenten contra el ordenamiento constitucional, los derechos y libertades de los ciudadanos españoles, la soberanía, integridad y seguridad del Estado,*

---

[173] CONSEJO DE SEGURIDAD NACIONAL. *Estrategia de Seguridad Nacional 2017,* p. 65.

[174] *Ibid.,* p. 101.

[175] DÍAZ FERNÁNDEZ, A. M. (dir.): *Diccionario Inteligencia y seguridad,* Madrid, Editorial LID y Ministerio de la Presidencia, 2013, p. 127.

[176] OLIER ARENAS, E.: "Inteligencia…", *op. cit.,* pp. 235-236.

[177] *Cfr.* ESTEBAN NAVARRO, M. A. y CARVALHO, A. V.: "Inteligencia…", *op. cit.,* pp. 48 y 50-51.

*la estabilidad de sus instituciones, **los intereses económicos nacionales** y el bienestar de la población".*

Por su parte, las propias empresas deberán potenciar acciones de inteligencia competitiva como mecanismo complementario y esencial para proteger dichos secretos (lo cual es perfectamente ético, legal y legítimo). Nos referimos, principalmente, a la inclusión de cláusulas contractuales de confidencialidad[178], monitorización o vigilancia de otras empresas[179], labores de contrainteligencia, investigaciones de competencia desleal, contratación de directivos clave, reducción de riesgos en una fusión o adquisición[180], desarrollo de planes, procesos y tecnologías para ocultar y salvaguardar su conocimiento sensible[181], y protección frente a ciberataques[182], entre otras[183]. En este sentido, los servicios ofrecidos por empresas privadas que se dedican a prestar soluciones integrales de inteligencia, seguridad, etc., se convierten en una necesidad de primer orden, más si cabe en este campo[184].

---

[178]   GONZÁLEZ CUSSAC, J. L.: "Inteligencia jurídica…", *op. cit.*, p. 114.

[179]   PALOP MARRO, F.: "La inteligencia para competir: nuevo paradigma en la dirección estratégica de las organizaciones en un mundo globalizado", en AA.VV.: *La inteligencia económica en un mundo globalizado*, Cuadernos de Estrategia núm. 162, Instituto Español de Estudios Estratégicos. Ministerio de Defensa, Madrid, 2013, p. 150.

[180]   IZQUIERDO TRIANA, H.: "Inteligencia competitiva", en DÍAZ FERNÁNDEZ, A. M. (coord.): *Conceptos fundamentales de inteligencia*, Valencia, Tirant lo Blanch, 2016, p. 218.

[181]   CARVALHO, A. V. y ESTEBAN NAVARRO, M. A.: "La privatización…", *op. cit.*, p. 202.

[182]   WEGENER, H.: "Los riesgos…", *op. cit.*, p. 208.

[183]   *Vid.*, sobre el uso de inteligencia competitiva en el ámbito de la empresa, GARCÍA MADURGA, M. Á. y ESTEBAN NAVARRO, M. Á.: *Inteligencia competitiva y dirección de empresas*, Valencia, Tirant lo Blanch, 2018, pp. 65-103.

[184]   *Vid.* ampliamente, sobre esta cuestión, CARVALHO, A. V. y ESTEBAN NAVARRO, M. A.: "La privatización…", *op. cit.*, pp. 205-214.

7. BIBLIOGRAFÍA

BAJO FERNÁNDEZ, M. y BACIGALUPO SAGESSE, S.: *Derecho penal económico*, Madrid, Centro de Estudios Ramón Areces, 2001.

BENÍTEZ ORTÚZAR, I. F.: "Delitos contra el patrimonio y el orden socioeconómico (X)", en MORILLAS CUEVAS, L. (dir.): *Sistema de Derecho Penal. Parte Especial*, Madrid, Dykinson, 2016, pp. 669-702.

BERDUGO GÓMEZ DE LA TORRE, I.: "La tutela de la competencia en la Propuesta de Anteproyecto del Nuevo Código Penal", en BARBERO SANTOS, M. (coord.): *Los delitos socio-económicos*, Madrid, Universidad Complutense, 1985, pp. 393-420.

BRADFORD, W.: *The three faces of competitive intelligence: defection, collusion, and regulation*, 2007, pp. 1-20. Disponible en: file:///C:/Users/jolea2.DERPEN58/Downloads/SSRN-id964079.pdf

CARRASCO ANDRINO, M. M.: *La protección penal del secreto de empresa*, Barcelona, Cedecs, 1998.

CARVALHO, A. V. y ESTEBAN NAVARRO, M. A.: "La privatización de la inteligencia", en GONZÁLEZ CUSSAC, J. L. (coord.): *Inteligencia*, Valencia, Tirant lo Blanch, 2012, pp. 197-214.

COBO DEL ROSAL, M. y VIVES ANTÓN, T. S.: *Derecho penal. Parte general*, Valencia, Tirant lo Blanch, 1999.

CORCOY BIDASOLO, M. y GÓMEZ MARTÍN, V.: "Apoderamiento y revelación de secreto de empresa", en BOIX REIG, J. (dir.): *Diccionario de Derecho penal económico*, Madrid, Iustel, 2017, pp. 57-64.

CORCOY BIDASOLO, M. y GÓMEZ MARTÍN, V.: "Secreto de empresa", en BOIX REIG, J. (dir.): *Diccionario de Derecho penal económico*, Madrid, Iustel, 2017, pp. 1058-1061.

DÍAZ FERNÁNDEZ, A. M. (dir.): *Diccionario Inteligencia y seguridad*, Madrid, Editorial LID y Ministerio de la Presidencia, 2013.

ESCORSA CASTELLS, P.: ¿Qué es la inteligencia competitiva?, en *Conferencia Internacional sobre inteligencia competitive*, Universidad Carlos III de Madrid, Madrid, 29-30 de noviembre de 2007. Disponible en: https://www.madri-masd.org/informacionidi/agenda/inteligencia-competitiva/documentos/pere_escorsa.pdf

ESTEBAN NAVARRO, M. Á. (coord.): *Glosario de inteligencia*, Madrid, Ministerio de Defensa, 2007.

ESTEBAN NAVARRO, M. A. y CARVALHO, A. V.: "Inteligencia: concepto y práctica", en GONZÁLEZ CUSSAC, J. L. (coord.): *Inteligencia*, Valencia, Tirant lo Blanch, 2012, pp. 17-71.

FARALDO CABANA, P.: "Artículo 278", en GÓMEZ TOMILLO, M. (dir.): *Comentarios prácticos al Código Penal*, Cizur Menor, Thomson Reuters-Aranzadi, 2015, pp. 455-461.

FARALDO CABANA, P.: "Artículo 279", en GÓMEZ TOMILLO, M. (dir.): *Comentarios prácticos al Código Penal*, Cizur Menor, Thomson Reuters-Aranzadi, 2015, pp. 463-467.

FARALDO CABANA, P.: "Artículo 280", en GÓMEZ TOMILLO, M. (dir.): *Comentarios prácticos al Código Penal*, Cizur Menor, Thomson Reuters-Aranzadi, 2015, pp. 469-471.

FERNÁNDEZ HERNÁNDEZ, A.: "Ciberamenazas a la Seguridad Nacional", en GONZÁLEZ CUSSAC, J. L. y CUERDA ARNAU, M. L. (dirs.): *Nuevas amenazas a la seguridad nacional. Terrorismo, criminalidad organizada y tecnologías de la información y la comunicación*, Valencia, Tirant lo Blanch, 2013, pp. 161-192.

FERNÁNDEZ SÁNCHEZ, M. T.: *Protección penal del secreto de empresa*, Madrid, Colex, 2000.

GALÁN MUÑOZ, A. y NÚÑEZ CASTAÑO, E.: *Manual de Derecho penal económico y de la empresa*, Valencia, Tirant lo Blanch, 2017.

GARCÍA MADURGA, M. Á. y ESTEBAN NAVARRO, M. Á.: *Inteligencia competitiva y dirección de empresas*, Valencia, Tirant lo Blanch, 2018.

GIMBERNAT ORDEIG, E.: *Estado de Derecho y Ley Penal*, Madrid, La Ley-Wolters Kluwer, 2009.

GONZÁLEZ CUSSAC, J. L.: "Servicios de inteligencia y contraterrorismo", en ALONSO RIMO, A.; CUERDA ARNAU, M. L. y FERNÁNDEZ HERNÁNDEZ, A. (dirs.): *Terrorismo, sistema penal y derechos fundamentales*, Valencia, Tirant lo Blanch, 2018, pp. 35-61.

GONZÁLEZ CUSSAC, J. L.: "Información clasificada", en DÍAZ FERNÁNDEZ, A. M. (coord.): *Conceptos fundamentales de inteligencia*, Valencia, Tirant lo Blanch, 2016, pp. 199-206.

GONZÁLEZ CUSSAC, J. L.: "Intromisión en la intimidad y CNI. Crítica al modelo español de control judicial previo", *Inteligencia y seguridad: Revista de análisis y prospectiva*, núm. 15, 2014, pp. 151-186.

GONZÁLEZ CUSSAC, J. L.: "Inteligencia jurídica: el valor estratégico del Derecho en la seguridad económica", en AA.VV.: *La inteligencia económica en un mundo globalizado*, Cuadernos de Estrategia núm. 162, Instituto Español de Estudios Estratégicos. Ministerio de Defensa, Madrid, 2013, pp. 103-133.

GONZÁLEZ CUSSAC, J. L.: "Tecnocrimen", en GONZÁLEZ CUSSAC, J. L. y CUERDA ARNAU, M. L. (dirs.): *Nuevas amenazas a la seguridad nacional. Terrorismo, criminalidad organizada y tecnologías de la información y la comunicación*, Valencia, Tirant lo Blanch, 2013, pp. 205-241.

GONZÁLEZ CUSSAC, J. L.: "El secreto de Estado en el proceso penal: entre la denegación de auxilio y el delito de revelación", *Inteligencia y seguridad: Revista de análisis y prospectiva*, núm. 12, 2012, pp. 141-160.

GONZÁLEZ CUSSAC, J. L.: "Estrategias legales frente a las ciberamenazas", en AA.VV: *Ciberseguridad. Retos y amenazas a la seguridad nacional en el ciberespacio*, Cuadernos de Estrategia núm. 149, Instituto Español de Estudios Estratégicos. Ministerio de Defensa, Madrid, 2010, pp. 85-127.

GONZÁLEZ CUSSAC, J. L. y FLORES GIMÉNEZ, F.: "Una metodología para el análisis de las amenazas a la seguridad, la evaluación de las respuestas y su impacto sobre los derechos fundamentales", en AAV. VV.: *Seguridad global y derechos fundamentales*, Instituto Español de Estudios Estratégicos. Ministerio de Defensa, Madrid, 2017, pp.

GONZÁLEZ CUSSAC, J. L. y LARRIBA HINOJAR, B.: *Inteligencia económica y competitiva. Estrategias legales en las nuevas agendas de Seguridad Nacional*, Valencia, Tirant lo Blanch, 2011.

GONZÁLEZ CUSSAC, J. L. y LARRIBA HINOJAR, B.: "Un nuevo enfoque legal de la inteligencia competitiva", *Inteligencia y seguridad: Revista de análisis y prospectiva*, núm. 8, 2010, pp. 39-72.

GONZÁLEZ CUSSAC, J. L.; LARRIBA HINOJAR, B. y FERNÁNDEZ HERNÁNDEZ, A.: "Derecho", en GONZÁLEZ CUSSAC, J. L. (coord.): *Inteligencia*, Valencia, Tirant lo Blanch, 2012, pp. 281-386.

GONZALVO NAVARRO, V.: *Inteligencia económica y seguridad nacional*, Madrid, Difusión Jurídica, 2014.

HARBULOT, C.: "Estudios de la guerra económica y de las problemáticas relacionadas", en AA.VV.: *La inteligencia económica en un mundo globalizado*, Cuadernos de Estrategia núm. 162, Instituto Español de Estudios Estratégicos. Ministerio de Defensa, Madrid, 2013, pp. 67-102.

IZQUIERDO TRIANA, H.: "Inteligencia competitiva", en DÍAZ FERNÁNDEZ, A. M. (coord.): *Conceptos fundamentales de inteligencia*, Valencia, Tirant lo Blanch, 2016, pp. 215-221.

LARRIBA HINOJAR, B.: "Ciberespionaje económico: una amenaza real para la seguridad nacional en el siglo XXI", en GONZÁLEZ CUSSAC, J. L. y CUERDA ARNAU, M. L. (dirs.): *Nuevas amenazas a la seguridad nacional. Terrorismo, criminalidad organizada y tecnologías de la información y la comunicación*, Valencia, Tirant lo Blanch, 2013, pp. 327-344.

LARRIBA HINOJAR, B.: *La tutela penal del diseño industrial*, Valencia, Tirant lo Blanch, 2006.

MARTÍNEZ-BUJÁN PÉREZ, C.: *Derecho penal económico y de la empresa. Parte General*, Valencia, Tirant lo Blanch, 2016.

MARTÍNEZ-BUJÁN PÉREZ, C.: *Delitos relativos al secreto de empresa*, Valencia, Tirant lo Blanch, 2010.

MESTRE DELGADO, E.: *Delitos contra el patrimonio y contra el orden socioecocómico*, Madrid, Dykinson, 2017, pp. 325-547.

MOLOEZNIK, M. P.: "Seguridad Nacional", en DÍAZ FERNÁNDEZ, A. M. (coord.): *Conceptos fundamentales de inteligencia*, Valencia, Tirant lo Blanch, 2016, pp. 343-350.

MORALES PRATS, F. y MORÓN LERMA, E.: "Art. 278", en QUINTERO OLIVARES, G. (dir.): *Comentarios al Código Penal español. Tomo II*, Cizur Menor, Thomson Reuters-Aranzadi, 2016, pp. 315-330.

MORALES PRATS, F. y MORÓN LERMA, E.: "Art. 280", en QUINTERO OLIVARES, G. (dir.): *Comentarios al Código Penal español. Tomo II*, Cizur Menor, Thomson Reuters-Aranzadi, 2016, pp. 337-340.

MORÓN LERMA, E.: *El secreto de empresa: protección penal y retos que plantea ante las nuevas tecnologías*, Cizur Menor, Aranzadi, 2002.

MUÑOZ CONDE, F.: *Derecho penal. Parte especial*, Valencia, Tirant lo Blanch, 2017.

OLIER ARENAS, E.: "Inteligencia económica", en DÍAZ FERNÁNDEZ, A. M. (coord.): *Conceptos fundamentales de inteligencia*, Valencia, Tirant lo Blanch, 2016, pp. 233-240.

OLIER ARENAS, E.: "Inteligencia estratégica y seguridad económica", en AA.VV.: *La inteligencia económica en un mundo globalizado*, Cuadernos de Estrategia núm. 162, Instituto Español de Estudios Estratégicos. Ministerio de Defensa, Madrid, 2013, pp. 9-33.

ORTS BERENGUER, E. y GONZÁLEZ CUSSAC, J. L.: *Compendio de Derecho Penal. Parte General*, Valencia, Tirant lo Blanch, 2017.

PALOP MARRO, F.: "La inteligencia para competir: nuevo paradigma en la dirección estratégica de las organizaciones en un mundo globalizado", en AA.VV.: *La inteligencia económica en un mundo globalizado*, Cuadernos de Estrategia núm. 162, Instituto Español de Estudios Estratégicos. Ministerio de Defensa, Madrid, 2013, pp. 135-175.

QUINTERO OLIVARES, G. y FRANQUET SUGRAÑES, M. T.: "Estado, mercado y Constitución: la dimensión penal", en QUINTERO OLIVARES, G. (dir.): *Derecho Penal Constitucional*, Valencia, Tirant lo Blanch, 2015, pp. 493-542.

ROBLES PLANAS, R. y RIGGI, E. J.: "El extraño artículo 65.3 del Código Penal", en ROBLES PLANAS, R. (dir.): *La responsabilidad en los "delitos especiales"*, Montevideo-Buenos Aires, B de F, 2014, pp. 59-97.

RUIZ RODRÍGUEZ, L. R.: "Espionaje industrial", en DÍAZ FERNÁNDEZ, A. M. (coord.): *Conceptos fundamentales de inteligencia*, Valencia, Tirant lo Blanch, 2016, pp. 149-156.

VARELA CASTRO, L.: "¿Secreto de Estado o secreto contra el Estado? (A propósito de la sentencia publicada en el caso 'Amedo', ¿o quizá debiera ser otra la etiqueta?...), *Jueces para la democracia*, núm. 13, 1991, pp. 62-65.

VÁZQUEZ GONZÁLEZ, C.: "Delitos relativos al mercado y a los consumidores y corrupción en los negocios", en SERRANO GÓMEZ, A.; SERRANO MAÍLLO, A.; SERRANO TÁRRAGA, M. D. y VÁZQUEZ GONZÁLEZ, C.: *Curso de Derecho Penal. Parte Especial*, Madrid, Dykinson, 2017, pp. 389-417.

VIVES ANTÓN, T. S.: *Fundamentos del sistema penal*, Valencia, Tirant lo Blanch, 2011.

VIVES ANTÓN, T. S.: *La libertad como pretexto*, Valencia, Tirant lo Blanch, 1995.

WEGENER, H.: "Los riesgos económicos de la ciberguerra", en AA.VV.: *La inteligencia económica en un mundo globalizado*, Cuadernos de Estrategia núm. 162, Instituto Español de Estudios Estratégicos. Ministerio de Defensa, Madrid, 2013, pp. 177-221.

Capítulo XI

LAS NOTICIAS FALSAS Y LAS CAMPAÑAS DE DESINFORMACIÓN COMO NUEVAS AMENAZAS PARA LA SEGURIDAD

CRISTINA PAUNER CHULVI

Profesora Titular de Derecho Constitucional
Universitat Jaume I

"Ningún hombre, ningún comité y ciertamente ningún gobierno, cuenta con la infinita sabiduría y el desinterés para separar con exactitud y sin egoísmo lo que es verdadero de lo que es debatible, y estos dos de lo que es falso" Archibald Cox (1986).

1. INTRODUCCIÓN: DE LAS NOTICIAS FALSAS A LA GUERRA HÍBRIDA

Las noticias falsas han recibido mucha atención como un potencial disruptor de los procesos democráticos a escala global. Desde que, en el año 2016, fueran elegidas como palabras del año por el diccionario de Oxford se han sucedido los estudios en los que se demuestra que la diseminación de noticias falsas a través de Internet plantea amenazas al funcionamiento eficaz de los procesos democráticos.

Así, es sabido que tradicionalmente los medios de comunicación juegan un papel esencial en la provisión a los ciudadanos de una información que les permita formarse su propia opinión sobre cuestiones sociales. Internet ha modificado radicalmente la manera de acceder a las noticias e interaccionar con ellas, facilitando su disponibilidad, variedad y de calidad. Es un tópico aludir a los iniciales discursos optimistas[1] sobre el papel que las nuevas tecnologías supondrían para fortalecer el debate público y mejorar la calidad democrática a través de la construcción de una opinión pública bien formada gracias al acceso a los ingentes flujos de información *online*, plurales y abiertos. Pero esta visión primera se moderó al comprobarse cómo las mismas herramientas servían a la eficaz explotación y difusión global de informaciones inveraces, faltas de la mínima comprobación, propagandísticas o inventadas. Así, la inexistencia de filtros de entrada de los contenidos en la red, la conversión de los usuarios en *prosumidores* (consumidores y productores de contenidos), las dificultades de trasladar la amplia variedad de legislación sobre imparcialidad, pluralismo, contenido patrocinado y publicidad al mundo online y, sobre todo, la irrupción de las redes sociales son elementos que han jugado en favor de la rápida difusión de noticias falsas.

Precisamente, se ha constatado que un factor esencial en la trasmisión de las *fake news* es el comportamiento humano puesto que se comparten más y con mayor rapidez que las verdaderas historias y las falsas acaban ganando terreno especialmente gracias al amplificador de las redes sociales[2]. Esta impresión se confirmó con la elección presidencial en EEUU en 2016 donde el 64% de los encuestados afirmaron que las *fakes* provocaron gran confusión sobre hechos básicos. Y en este punto radica el perjuicio de las noticias falsas para las democracias: el fenómeno de la desinformación obstaculiza la capacidad de los ciudadanos de tomar decisiones informadas y puede llegar a crear una sociedad que no es capaz de ponerse de acuerdo sobre hechos básicos afectando a los fundamentos de las democracias que se construyen sobre la presunción de que sus ciudadanos toman decisiones informadas en el momento de acudir a votar[3]. En el peor de los casos, la

---

[1]   La obra clásica sobre la cuestión es de Eric Schmidt y Jared Cohen, *The new digital age. Transforming nations, business and our lives*, Vintage Books, 2013. En nuestra literatura, las implicaciones de la revolución tecnológica en la gobernanza han sido analizadas con rigor por Manuel Castells, *Comunicación y poder*, Alianza Editorial, Madrid, 2009.

[2]   Por todos, Soroush Vosoughi, Deb Roy y Sinan Aral, "The spread of true and false news online", *Science*, n. 359, March 2018, pp. 1146-1151.

[3]   Cristina Pauner Chulvi, "Noticias falsas y libertad de expresión e información. El control de los contenidos informativos en la red", *Teoría y Realidad Constitucional*, n. 41, 2018, pp. 297-318.

utilización de los datos de los usuarios por las redes sociales ha servido para para difundir desinformación a gran escala y seleccionando los destinatarios creando el conocido fenómeno de las cámaras de resonancia que puede respaldar ideas y actividades radicales y extremistas.

Pero, por otro lado, estas campañas masivas de desinformación han sido utilizadas por agentes externos para sembrar la desconfianza y crear tensiones sociales lo que puede tener consecuencias graves para la seguridad interna, incluidos los procesos electorales.

De ahí que estas amenazas que el uso inadecuado de un ordenador conectado a internet, una cuenta en redes sociales, una cuenta falsa o las plataformas sociales pueden suponer para el funcionamiento de los estados democráticos han provocado que se les caracterice como "armas" y hayan pasado a formar parte de las estrategias de seguridad interna a nivel internacional, europeo y nacional[4]. El controvertido concepto de amenazas híbridas, y por extensión el de guerra híbrida en la que se emplean simultáneamente una amplia gama de formas de hacer la guerra[5], se ha utilizado para aludir precisamente a este nuevo tipo de conflicto en el que las operaciones de desinformación juegan un papel determinante. Se trata de una clase de enfrentamiento basado en la sustracción digital, la transmisión de informaciones falseadas y la manipulación de los medios y redes sociales con el objetivo de desestabilizar Estados y radicalizar a la sociedad.

---

[4]   European Commission, *A multi-dimensional approach to disinformation: Report of the independent High level Group on fake news and online disinformation*, January 2018.

[5]   Estos conceptos han cobrado un auge considerable convirtiéndose en tema dominante de los debates en seguridad y defensa, aunque generan importantes controversias entre los expertos. Básicamente, el conflicto híbrido se refiere a aquel en el que se da una combinación de medios, procedimientos y tácticas convencionales y asimétricas. A partir del clásico de Frank G. Hoffman (*Conflict in the 21st Century. The rise of hybrid wars*, Arlington, Potomac Institute for Policy Studies, 2007), la literatura sobre la temática es muy extensa por lo que sirvan, entre otros, Guillem Colom Piella, "Guerras híbridas. Cuando el contexto lo es todo", *Ejército de tierra español*, n. 927, 2018, pp. 38-44, Juan Carlos González Cerrato, "Guerra híbrida: el verdadero rostro de la amenaza", *en Análisis de los riesgos y amenazas para la seguri*dad, coord. F. Flores Giménez y C. Ramón Chornet, 2017, pp. 13-30 y Miguel Peco, "La persistencia de lo híbrido como expresión de vulnerabilidad: un análisis retrospectivo e implicaciones para la seguridad internacional*", Revista UNISCI*, n. 44, 2017, pp. 39-54.

En este sentido, durante el año 2017 se han producido numerosos incidentes de robo y explotación de información obtenida a través de ataques de tipo cibernético con el objetivo de influir en la opinión pública o de perturbar procesos electorales//han sido utilizados en múltiples escenarios con el fin de alterar e influir en procesos democráticos. Estos ataques han afectado a instituciones democráticas o partidos políticos en muchos países del mundo, entre ellos España[6]. Tal es el caso del partido político CDU en Alemania[7]; Francia con el movimiento En Marche! del presidente francés Emmanuel Macron[8] o el partido demócrata americano[9] que en aquel año sufrieron ataques digitales orientados a influenciar en los votantes más que en impactar en los procesos electorales[10].

---

[6] Asimismo, también parece clara la presencia de activistas patrocinados por Rusia que, a través de cuentas viralizadas, impactaron en la información sobre el desafío secesionista catalán favoreciendo el mensaje proindependentista (El País, "La maquinaria rusa ganó la batalla 'online' del referéndum ilegal", 13 de noviembre de 2017 https://elpais.com/politica/2017/11/12/actualidad/1510500844_316723.html y El País, "El Gobierno constata la intervención en Cataluña de 'hackers' procedentes de Rusia y Venezuela", 11 de noviembre de 2017, https://elpais.com/politica/2017/11/10/actualidad/1510313190_375883.html

[7] Según la compañía de seguridad TrendMicro, los empleados del partido de la CDU fueron víctimas de un cieberataque al recibir correos de spear phising que apuntaba a una pantalla de inicio de sesión falsa para apropiarse de las credenciales de los usuarios (http://blog.trendmicro.com/trendlabs-security-intelligence/pawn-storm-targets-german-christian-democratic-union/y https://www.trendmicro.com/vinfo/us/security/news/cyber-attacks/espionage-cyber-propaganda-two-years-of-pawn-storm.

[8] Poco antes de las elecciones presidenciales francesas de mayo de 2017 un importante volumen de correos electrónicos y documentos del entonces candidato presidencial, Emmanuel Macron, se publicó online (https://www.nytimes.com/2017/05/09/world/europe/hackers-came-but-the-french-were-prepared.html)

[9] En el verano de 2016 se anunció que el partido demócrata había sufrido la sustracción de material políticamente sensible a través de ataques cibernéticos y en enero de 2017 el partido republicano fue objeto de ciberataques similares en ambos casos con el objetivo de influir en las elecciones estadounidenses. https://www.washingtonpost.com/world/national-security/cyber-researchers-confirm-russian-government-hack-of-democraticnational-committee/2016/06/20/e7375bc0-3719-11e6-9ccd-d6005beac8b3_story.html y http://edition.cnn.com/2017/01/10/politics/comey-republicans-hacked-russia/

[10] Centro Criptológico Nacional, *Ciberamenazas y Tendencias. Edición 2018*, CCN-CERT IA-09-18, Mayo 2018.

La intensidad y gravedad de las campañas de desinformación han provocado respuestas a nivel internacional. Así, en EEUU también se ha abordado la interferencia rusa en el país involucrando a las plataformas en línea. En abril de 2018, el Comité de inteligencia del Senado y el de la Cámara de representantes abordaron la interferencia rusa en el país con la comparecencia de los representantes de Facebook, Google y Twitter. El fundador de Facebook reconoció que, durante la elección presidencial de 2016, 126 millones de personas estuvieron expuestas a las *fake news* diseminadas mayoritariamente por intereses rusos. La compañía dio a conocer también por vez primera los contenidos de algunos de los miles de anuncios electorales producidos por la agencia paraestatal de propaganda rusa *Internet Research Agency*.

Como explica Beas, es "un nuevo tipo de publicidad electoral solo accesible por emisor y receptor que elude todas las regulaciones, estándares de transparencia y mecanismos de rendición de cuentas electorales. Publicidades diseñadas para manipular segmentos clave de la opinión pública y taladrar mensajes …."[11].

Precisamente, algunos Estados miembros han aprobado o están considerando medidas en materia de publicidad política, legislación que penaliza la distribución de noticias falsas o previsiones para proteger la integridad de los procesos electorales frente a la desinformación en línea. Por el momento, estas iniciativas están en vías de implementación aunque debe recordarse que la UE ha descartado la vía regulatoria por considerarla ineficaz frente a los objetivos.

La estrecha relación entre ambas vías (comunicativa y defensiva) se aprecia en numerosas acciones de las instituciones europeas algunas de las cuales se analizan en el presente estudio. Para ilustrar ahora esta conexión destacamos la interesante y asertiva Resolución del Parlamento Europeo, de 23 de noviembre de 2016, sobre la *Comunicación estratégica de la Unión para contrarrestar la propaganda de terceros en su contra*[12] en cuyos antece-

---

11   Diego Beas, "La esfera pública ya no es lo que era", *El País*, 23 de enero de 2018.

12   Parlamento Europeo, *Resolución del Parlamento Europeo sobre la Comunicación estratégica de la Unión Europea para contrarrestar la propaganda de terceros en su contra*, de 23 de noviembre de 2016, [(2016/2030(INI)].

dentes se mencionan distintos documentos (declaraciones, resoluciones, conclusiones, estudios y comunicaciones), relacionados con la lucha contra el terrorismo, las amenazas híbridas, la comunicación estratégica y la política exterior. El Parlamento Europeo considera que los ciudadanos y Estados de la UE están sometidos a una presión creciente para enfrentarse a campañas de información, desinformación e intoxicación, así como a propaganda por parte de terceros que tratan de socavar la noción de información objetiva o periodismo ético al calificar toda la información de sesgada o de instrumento del poder político. Este ataque a la libertad de los medios, el acceso a la libertad de información y de expresión se hallan en el fundamento de los sistemas democráticos y, enlazando el discurso comunicativo con el de defensa, el Parlamento Europeo subraya que la guerra informativa "es un fenómeno histórico utilizado de forma generalizada desde la Guerra fría y que ahora forma parte de la guerra híbrida moderna que combina medidas militares y no militares, de naturaleza pública y encubierta, desplegadas para desestabilizar la situación política, económica y social de un país atacado"[13]. Sostiene que tanto agentes estatales como no estatales se han valido de la guerra híbrida. Entre los primeros, se afirma que Rusia[14] forma parte de una campaña subversiva de mayor alcance para debilitar la cooperación con la Unión y la soberanía, la independencia política y la integridad territorial de la Unión y de sus Estados miembros. Entre los agentes no estatales, el Parlamento Europeo observa que las organizaciones terroristas islamistas, y especialmente el Daesh y Al-Qaeda, llevan a cabo campañas de información activas con el propósito de menoscabar los valores e intereses europeos y aumentar el nivel de odio contra estos.

Esta investigación presenta un análisis de la respuesta que se ha articulado en la Unión Europea y en España frente a las amenazas que la desin-

---

[13]   Parlamento Europeo, *Resolución del Parlamento Europeo sobre la Comunicación estratégica de la Unión Europea para contrarrestar la propaganda de terceros en su contra*, cit.

[14]   El protagonismo de Rusia en actividades calificadas como guerra híbrida —a la que llaman guerras no declaradas o guerras no lineales— es una constante. Si bien no es el único actor en la escena mundial, lo que le distingue de otros agentes es el uso de la guerra de información como estrategia militar definida en la última Doctrina Militar de la Federación de Rusia, oficial desde 2014. Sobre el concepto de guerra híbrida y actividades rusas no militares, véase Flemming S. Hansen, *Russian Hybrid Warfare: a study of disinformation*, DISS, Copenhage, 2017.

formación supone para las sociedades democráticas. Se reflexionará sobre cómo las noticias falsas han pasado a formar parte del discurso de la guerra híbrida y cómo se ha incorporado la desinformación al listado de amenazas contra la seguridad interior de los países con especial atención a su impacto en los procesos electorales. La reflexión nos planteará la cuestión de si, en la línea de lo denunciado en el ámbito de la lucha antiterrorista[15], también en la lucha contra la desinformación Europa camina hacia una securización excesiva que pone en riesgo derechos fundamentales de los ciudadanos en nombre de la seguridad.

2. LA UNIÓN EUROPEA ANTE EL FENÓMENO DE LA DESINFORMACIÓN EN UN TRIPLE ESCENARIO: COMUNICATIVO, DEFENSIVO Y ELECTORAL

La creciente preocupación de la UE por frenar la expansión de las noticias falsas la ha llevado a mantener una intensa estrategia para combatirlas consciente del impacto que la difusión de bulos e informaciones manipuladas tiene sobre las instituciones democráticas y los ecosistemas de información. Pero, al mismo tiempo, el fenómeno de la desinformación ha pasado a formar parte de las llamadas "amenazas híbridas" que se pretenden contrarrestar con políticas en materia de seguridad y defensa. La última vía que se ha abierto en la Unión Europea en torno a esta problemática está centrada en el impacto que tanto la desinformación como la guerra de información producen en los procesos electorales y, como veremos, ya hay acciones específicamente centradas en la protección de las elecciones.

2.1. *Unión Europea, desinformación y escenario comunicativo: las noticias falsas*

Por lo que respecta a las *interferencias de la desinformación online sobre la integridad de las democracias,* destacamos las dos vías abiertas para combatir las informaciones engañosas que se propagan por la red. En

---

[15]   Carlos Penedo, "Excesos en la lucha antiterrorista", *Contextos*, 18 de marzo de 2017.

primer lugar, la actividad desplegada por un grupo de trabajo que conforman la célula *East Stratcrom Task*, creada a raíz de una Decisión del Consejo Europeo[16] en 2015, que trata contrarrestar las campañas de desinformación de Rusia que se dirigen a la Unión Europea. Este grupo comunica las políticas de la UE y refuerza el entorno mediático en la vecindad oriental, en particular respaldando la libertad de los medios de comunicación y proporcionando apoyo a los medios de comunicación independientes y mejora la capacidad de la Unión Europea para prever, abordar y dar a conocer las actividades de desinformación pro Kremlin. Su eficacia viene avalada por los resultados: en los últimos años ha descubierto más de 3.000 casos de desinformación en 18 lenguas, aunque el número de canales de desinformación y mensajes que diariamente se difunden crece exponencialmente.

La segunda línea de trabajo es la iniciativa más potente lanzada por la Comisión Europea y ha culminado durante el año 2018. En Bruselas se desarrolló un trabajo con tres fases diferenciadas, un primer *informe* elaborado por expertos y enfocado a definir la problemática y contemplar recomendaciones; una *consulta pública* llevada a cabo entre noviembre y febrero y una *encuesta*[17] con más de 26.000 entrevistados. Este preparativo ha alumbrado la *Comunicación sobre la lucha contra la desinformación en línea*[18] que instaura las líneas básicas de una estrategia europea.

El *informe* del Grupo de Alto nivel[19] parte de una premisa fundamental: en un momento en el que muchos actores políticos parecen creer que la solución a la desinformación en internet es una ley contra las *fake news*,

---

[16]   Consejo Europeo, *Reunión del Consejo Europeo (19 y 20 de marzo de 2015)-Conclusiones EUCO11/15*, Bruselas, 20 de marzo de 2015.

[17]   European Commission, *Report on Fake news and disinformation online*, Flash Eurobarometer 494, February 2018 (publicado en abril de 2018).

[18]   Comisión Europea, *Comunicación de la Comisión al Parlamento Europeo, al Consejo, al Comité Económico y Social Europeo y al Comité de las Regiones sobre La lucha contra la desinformación en línea: un enfoque europeo*, Bruselas, 26 abril 2018 COM(2018) 236 final. Un excelente resumen de este proceso en Carlos Penedo, "Información contra desinformación", *Al revés y al derecho*, 23 de marzo de 2018.

[19]   High Level Group, *A multi-dimensional approach to disinformation, Report of the independent High level Group on fake news and online disinformation*, March 2018.

el informe claramente especifica que no lo es, instando a la cautela y señalando su escepticismo hacia cualquier regulación de contenido.

A partir de esta advertencia contiene unos puntos clave o recomendaciones que cabe resumir en los siguientes.

En primer lugar, rechaza el uso de la expresión *fake news* o noticias falsas porque no explica la complejidad del fenómeno de la desinformación y genera confusión en los debates mediáticos y políticos, así como en el tratamiento del tema por parte de los investigadores. El documento define la desinformación como información falsa, inexacta o engañosa, diseñada, presentada y promovida para **obtener un beneficio** o para causar intencionadamente un **perjuicio público. Deja fuera del campo de actuación tanto la difusión de contenidos ilegales como las informaciones deliberadamente deformadas que se da en las sátiras, humor o parodias.**

En segundo término, se pone especial énfasis en el respeto absoluto al derecho fundamental de la libertad de expresión, de prensa y de pensamiento y se expresa un claro rechazo a cualquier intento de censurar contenidos.

En tercer lugar, contiene una llamada a contrarrestar la interferencia en las elecciones que, como se analizará en detalle más adelante, supone la adopción de prevenciones ante la explotación de datos y perfiles de usuarios para realizar envíos masivos de propaganda electoral, ataques a listas de correo o difusión de información sensible de candidatos y partidos políticos.

En cuarto término, implican a las tecnológicas —plataformas en línea y redes sociales— apostando por un código de buenas prácticas y, entre otras medidas, se les exige un compromiso de transparencia de modo que se conozcan las fórmulas algorítmicas que utilizan para seleccionar y priorizar noticias y, al mismo tiempo, se les invita a adoptar medidas que mejoren la visibilidad de noticias fiables y veraces.

En quinto lugar, insiste en un enfoque colaborativo entre instituciones públicas a todos los niveles de la Unión Europea y otros actores relevantes.

Finalmente, incluye un llamamiento a la inversión en alfabetización mediática y tecnológica junto con una evaluación exhaustiva de dichos esfuerzos y un estudio transfronterizo de la escala y el impacto de la desinformación en la Unión Europea. El objetivo de esta recomendación es que se pueda reaccionar con información de calidad a la desinformación, que la ciudadanía sea capaz de detectar información manipulada y proteger la pluralidad de los medios de comunicación.

Por su parte, la ***consulta pública***[20] reflejó algunas categorías de ámbitos especialmente perjudicados por la desinformación intencionada, a saber, las elecciones, las políticas migratorias, las minorías y la seguridad. En la generalidad de las respuestas se señaló que las redes sociales son las principales vías por las que se propagan las noticias falsas porque **apelan a las emociones del lector** (88%), se difunden para orientar el debate público (84%) y **están concebidas para generar ingresos** (65%). Se considera que el método que mejor contribuye a contrarrestar la propagación de la desinformación en línea es el control de las noticias a través de medios independientes y organizaciones de la sociedad civil. Sin embargo, la mayoría de los ciudadanos cree que las plataformas de medios sociales no están haciendo lo suficiente para ayudar a los usuarios a verificar la autenticidad y fiabilidad de la información antes de que se comparta en línea.

Con respecto a posibles acciones futuras, se insistió en la necesidad de adoptar nuevas medidas que permitan reducir la propagación de la desinformación en línea. Independientemente del tipo de acción propuesta, todos los encuestados coincidieron unánimemente en la necesidad de respetar y garantizar los derechos fundamentales generales, como la libertad de expresión, y asegurar que cualquier enfoque utilizado para abordar las noticias falsas no debería promover ningún tipo de censura directa o indirecta.

La consulta también mostró un amplio apoyo a la labor de *fact-checking* o comprobación de los hechos como una de las formas de combatir las noticias falsas, aunque se reconoce también que su eficacia es limitada y que debe ir acompañada de otras medidas. La consulta también proporciona información interesante sobre posibles herramientas para empoderar a los periodistas y usuarios finales, incluyendo el uso de nuevas tecnologías

---

[20] European Commission, *Synopsis of the Public consultation on fake news and online disinformation*, 26 April 2018.

como la inteligencia artificial y la cadena de bloques. Al igual que en el caso de la verificación de datos, parece que la eficiencia de cada herramienta depende en gran medida de quién lo utiliza y para qué fines.

En último lugar, se volvió a reclamar mayores esfuerzos para aumentar la alfabetización mediática en todos los niveles, desde la etapa escolar hasta el público adulto, y entre los actores, desde los usuarios finales hasta los periodistas, y asegurar el apoyo y el acceso del público al periodismo de confianza dado su papel crítico en el sostenimiento de un la opinión pública, plural y fuerte.

Finalmente, la *encuesta* elaborada por la Comisión Europea muestra que un elevado porcentaje de los europeos (83%) consideran que las noticias falsas son un peligro para la democracia. Los principales hallazgos del Eurobarómetro son, en primer lugar, que los ciudadanos confían en los medios tradicionales como la fuente de noticias más fiable: radio 70%, televisión 66% y medios impresos 63%. En este sentido, los encuestados confían menos en los diarios y revistas digitales que en los medios de comunicación tradicionales siendo especialmente desconfiados frente a la información que circula en redes sociales y aplicaciones de mensajería (un 26% confía). Una mayoría de ciudadanos europeos se siente capaz de identificar las informaciones falsas (71%) aunque este porcentaje disminuye entre los españoles (un 55%). Finalmente, los periodistas, las autoridades públicas nacionales y los medios de comunicación son, en opinión los encuestados, quienes deberían actuar para frenar la propagación de noticias falsas.

Con todo este bagaje, la *Comunicación para combatir la desinformación en línea* propone un conjunto de medidas para combatir la desinformación en línea que incluyen el **apoyo a una red independiente de verificadores de información** apoyada por una plataforma europea en línea sobre desinformación; información y medidas destinadas a **fomentar el periodismo de calidad**; se exige a los proveedores de servicios de intermediación en línea que pongan en marcha un sistema interno se tramitación de denuncias; apoyo a los Estados miembros para asegurar la resiliencia de las elecciones frente a ciberamenazas cada vez más complejas, en particular la desinformación en línea y los ciberataques; **promoción de sistemas voluntarios de identificación electrónica** para reforzar la rastreabilidad y la identificación de los proveedores de información; una política de comunicación estratégica coordinada que combine las iniciativas de la UE sobre desinformación en línea con las de los Estados miembros y promoción de la **alfabetización mediática**[21].

Pero quizá la medida estrella es la aprobación de un **Código de Buenas prácticas sobre desinformación a nivel de la UE** puesto que se es consciente de que una de las claves esenciales del éxito en la lucha por erradicar las noticias falsas será la colaboración eficiente entre las partes interesadas —plataformas en línea, sector de la publicidad y anunciantes— y asegurar el compromiso de coordinar e intensificar los esfuerzos por combatir la desinformación. Este Código es una realidad desde el 26 de septiembre de 2018 presentado por las compañías tecnológicas y del sector publicitario y recoge medidas en relación a cinco líneas de actuación complementarias: impedir que los actores que difundan información falsa puedan obtener ingresos publicitarios y garantizar la transparencia sobre los contenidos patrocinados, en particular la publicidad de carácter político; proporcionar una mayor claridad sobre el funcionamiento de los algoritmos y permitir la verificación por terceros; hacer que resulte más fácil para los usuarios encontrar y acceder a fuentes distintas de noticias que representen otros puntos de vista; introducir medidas para identificar y cerrar cuentas falsas; poner a disposición de los usuarios, investigadores y otros colectivos herramientas de denuncia en caso de hallar noticias falsas.

---

[21]   Para completar el estudio de esta cuestión se recomienda la lectura del documento de trabajo del *Joint Reseach Center*, el servicio científico interno de la Comisión Europea que proporciona apoyo científico basado en la evidencia al proceso europeo de formulación de políticas. El informe contiene una visión general de la literatura de investigación económica relevante sobre la transformación digital de los mercados de noticias y el impacto en la calidad de las noticias (Bertin Martens, Luis Aguiar, Estrella Gómez-Herrera and Frank Mueller-Langer, *The digital transformation of news media and the rise of disinformation and fake news. An economic perspec*tive, Digital Economy Working Paper 2018-02; JRC Technical Reports, April 2018.

2.2. *Unión Europea, desinformación y escenario defensivo: la guerra híbrida*

Por lo que respecta a las amenazas híbridas, las autoridades europeas han colocado la defensa y la seguridad en el centro del debate sobre el futuro de Europa[22] y la defensa de la seguridad en las comunicaciones ha pasado a unirse a defensas clásicas como infraestructuras nucleares, transportes, cadenas de suministro, energía, etc. Lo cierto es que, desde el punto de vista militar, la información siempre se ha considerado un activo estratégico y el ineludible soporte de las infraestructuras por las que circula en esa información las ha añadido a los objetivos de las estrategias de defensa.

La guerra de la información es, en realidad, un método no militar para conseguir objetivos políticos y estratégicos, aunque ahora forme parte de la estrategia de defensa militar. Con las acciones informativas online se persigue influir en la conciencia de masas, creando un ambiente donde es difícil distinguir la información verdadera de las medias verdades y de las noticias falsas. Se trata, en última instancia, de alimentar un conflicto mediante intensas campañas de contrainformación y desinformación apoyadas en las redes sociales que, manipuladas mediante *bots* (robots o máquinas que crean automáticamente miles de perfiles falsos), difunden las publicaciones que favorecen al transgresor y rebaten los argumentos e informaciones opuestas para desprestigiarlas. Junto a esta amenaza, pero diferenciándose de ella, pueden producirse, incluso, ataques informáticos a individuos particulares, instituciones e infraestructuras.

---

[22]   *Hoja de Ruta de Bratislava del Consejo Europeo*, de 16 de septiembre de 2016, y *Declaración de Roma* de los dirigentes de los 27 Estados miembros y del Consejo Europeo, el Parlamento Europeo y la Comisión Europea, de 25 de marzo de 2017. También se ha establecido un marco de actuación común entre la UE y la OTAN una *Declaración conjunta en Varsovia* el 8 de julio de 2016. Las acciones de resiliencia frente a amenazas híbridas son uno de los siete ámbitos de cooperación con UE-OTAN que se destacan en la Declaración. En el ámbito estrictamente europeo, la primera aproximación al fenómeno de la guerra híbrida se propuso en la reunión de ministros de Defensa de la Unión Europea en Riga, en febrero de 2015: *"Hybrid warfare can be more easily characterised than defined as a centrally designed and controlled use of various covert and overt tactics, enacted by military and/or non-military means, ranging from intelligence and cyber operations through economic pressure to the use of conventional forces".*

Ya en el documento de abril de 2016 titulado *Marco común para la lucha contra las amenazas híbridas — Una respuesta de la Unión Europea*[23], la Comisión Europea y la Alta Representante de la Unión para Asuntos Exteriores y Política de Seguridad explican los profundos cambios en el entorno de la seguridad de la Unión Europea y las formas cambiantes que adoptan las amenazas para la paz. Aún reconociendo que la definición de amenazas híbridas es variable y flexible para tener en cuenta su carácter evolutivo, afirma que en ellas se mezclan métodos convencionales y no convencionales. Las campañas de desinformación masiva, que recurren a los medios sociales para controlar el discurso político o para radicalizar, contratar y manipular a individuos que actúan por delegación, pueden constituir vectores de estas amenazas híbridas.

La Comunicación reconoce que la responsabilidad principal en la lucha contra las amenazas híbridas recae en los Estados miembros tratándose de un asunto de defensa y seguridad nacional y de mantenimiento del orden público. Sin embargo, muchas amenazas son comunes y pueden centrarse en redes o infraestructuras transfronterizas por lo que aboga por una respuesta coordinada a escala de la UE y la asistencia mutua. Así la comunicación facilita un enfoque integral de la Administración en su conjunto y propone 22 ámbitos de acción para contribuir a contrarrestar las amenazas híbridas y desarrollar la resiliencia tanto de la UE y sus Estados miembros como de los socios internacionales. La mayor parte de las acciones que se definen en el marco común se centran en la mejora de la conciencia situacional y el desarrollo de resiliencia, ampliando la capacidad de respuesta. Abarcan aspectos que van desde el refuerzo de la capacidad de análisis de inteligencia de la UE a la lucha contra la radicalización y el extremismo violento, pasando por la mayor protección de la infraestructura crítica y la ciberseguridad.

El más reciente documento de la estrategia contra las amenazas híbridas es de junio de 2018. La Comunicación conjunta titulada *Aumentar la resiliencia y desarrollar las capacidades para hacer frente a las amenazas*

---

[23]   Comisión Europea y Alta Representante de la Unión para Asuntos Exteriores y Política de Seguridad, *Comunicación conjunta al Parlamento Europeo y al Consejo. Comunicación conjunta sobre la lucha contra las amenazas híbridas. Una respuesta de la Unión Europea*, Bruselas, 6.4.2016 JOIN(2016) 18 final.

híbridas[24] tiene por objeto informar al Consejo Europeo de la actividad en curso y determinar los ámbitos en los que es preciso redoblar los esfuerzos para seguir intensificando y reforzando la contribución esencial de la UE a la lucha contra estas amenazas. En ella se insiste en que las actividades híbridas siguen constituyendo una crítica amenaza para la UE y sus Estados miembros y plantean un desafío complejo puesto que son cada vez más habituales los esfuerzos por desestabilizar los países por la vía de la erosión de la confianza pública en las instituciones de la administración y la puesta en entredicho de los valores fundamentales de las sociedades. Aquí también la variedad de acciones perturbadoras incluidas en las campañas híbridas va desde ciberataques contra servicios públicos a acciones militares hostiles, pasando por campañas de desinformación con objetos muy precisos.

El documento nos resulta interesante por dos motivos. En primer lugar, resume la respuesta de la UE para repeler las amenazas híbridas y los resultados alcanzados. En este sentido se señalan y recuerdan las diversas estrategias de la UE para afrontar las amenazas híbridas.

Así, la lucha contra las amenazas híbridas sigue siendo un ámbito clave de la interacción entre la UE y la OTAN, pues, en caso de amenaza híbrida, los recursos y las capacidades que estas dos organizaciones pueden movilizar son complementarios y potencian la capacidad de los Estados miembros y los Aliados de prevenir tales amenazas, disuadir de ellas y reaccionar.

Entre las estrategias, se mantiene la financiación del Fondo Europeo de Defensa que completa la financiación nacional destinada a proyectos de desarrollo de defensa colaborativa y se destacan los grandes pasos en la construcción de estructuras para respaldar la adopción de decisiones: la creación de grupos de trabajo que focalizan su labor en los territorios más conflictivos y la de una célula especializada. Por lo que respecta a los grupos de trabajo, al ya mencionado grupo East StratCom sobre comunicación estratégica para Oriente Próximo, se unen el grupo para los Balcanes Occi-

---

24   Comisión Europea y Alta Representante de la Unión para Asuntos Exteriores y Política de Seguridad, *Comunicación conjunta al Parlamento Europeo, al Consejo Europeo y al Consejo. Aumentar la resiliencia y desarrollar las capacidades para hacer frente a las amenazas híbridas*, Bruselas, 13.6.2018 JOIN(2018) 16 final.

dentales o Grupo W Sur para el mundo árabe que se encargan de mitigar la difusión de información errónea y comunicar las políticas de la UE de manera más efectiva a un público más amplio de la región a la vez que se realizan actividades para concienciar de la desinformación. Por lo que se refiere a la formación de la célula de fusión de la UE contra amenazas híbridas se trata de un equipo que trabaja en estrecha relación con el Centro Europeo de Excelencia analistas de información — militares, civiles de servicios de inteligencia — y expertos para analizar la información confidencial y de fuente abierta relativa a amenazas que reciben de un amplio conjunto de los Estados e instituciones de la UE.

En segundo lugar, la Comunicación es interesante porque se centra en los retos de futuro que se plantean en el terreno de la comunicación estratégica en lo que denomina "difusión coherente de información". Con ello se refiere a la necesaria tarea de concienciación y educación de la población a fin de que pueda distinguir la información de la desinformación. No se detallan acciones que concretarán esa propuesta pedagógica, aunque señala que se intensificará la coordinación entre las instituciones y Estados miembros y profesionalizará las capacidades de comunicación estratégica de la UE, capacidades que también se ampliarán a otras instituciones de la UE y a los Estados miembros a través de la plataforma en línea protegida sobre desinformación (#EUvsdisinformation) con un mecanismo de búsqueda en línea que mejorará el acceso de los usuarios a la información.

Algo más concreta es la referencia a la actividad de verificación de datos y desmitificación que ya realizan las representaciones de la Comisión y que han dado origen a herramientas adaptadas al entorno local. Tal es el caso de *Les Décodeurs* de l'Europe en Francia, *UE Vero Falso* en Italia, un concurso público de tiras cómicas para desmontar mitos sobre la UE en Austria, otra iniciativa similar en Rumanía y la publicación de la Representación en el Reino Unido titulada Euromyths A-Z, así como otros proyectos de esas características en fase de preparación.

Y en este apartado de retos futuros ya se señalan los períodos electorales como objetivo particularmente estratégico y vulnerable a los ataques cibernéticos. Así, la citada Comunicación para hacer frente a las amenazas híbridas destaca dos desafíos muy relevantes que tienen por objeto desacreditar y deslegitimar los procesos electorales democráticos: los ataques cibernéticos a infraestructuras críticas y la intoxicación digital con campañas de desinformación masiva. Dejemos aquí apuntado que estas dos acciones son ofensivas características de la guerra híbrida, pero es necesario diferenciarlas, algo que en ocasiones no hace claramente la Unión Europea en sus análisis sobre amenazas híbridas. Sobre esta cuestión volveremos más adelante.

Finalmente, la Comunicación explica que las autoridades de ciberseguridad de los Estados miembros presentes en el Consejo emitirán directrices voluntarias y determinarán las mejores prácticas comunes en materia de ciberseguridad de las tecnologías aplicables a las elecciones a lo largo de todo el proceso electoral (registro de votantes y candidatos, emisión y recuento de votos, anuncios de resultados, etc.).

2.3. Unión Europea, desinformación y escenario electoral: la manipulación online

El tercer escenario que se ve afectado por el fenómeno de la desinformación online es el de las elecciones. En principio, el entorno digital ya se ha aprovechado de una situación privilegiada por lo que a aplicación de normativa se refiere. Así, es sabido que los límites y garantías a los que se someten las prácticas electorales "convencionales" se eluden fácilmente por los medios online de forma que, por ejemplo, la publicidad electoral se fragmenta y personaliza creando "un entorno en línea personalizado y microsegmentado (que) crea 'burbujas de filtro' que hacen que los ciudadanos estén expuestos a información que es 'más de lo mismo' y encuentren menos opiniones, lo cual lleva a una mayor polarización política e ideológica"[25]. O escapan a las salvaguardias como la observancia de los periodos de reflexión, transparencia en las fuentes de financiación electoral o equidad en el tratamiento de las candidaturas.

Pero, por otro lado, el impacto de las amenazas híbridas en las elecciones es doble. A saber, las intrusiones o atentados contra infraestructuras electorales y los sistemas de campaña electoral a través de las tecnologías

---

[25] Supervisor Europeo de Protección de Datos, *Opinión 3/2018 sobre la manipulación en línea y datos personales*, 19 de marzo de 2018, p. 7.

de la información y las campañas de desinformación masiva en línea con fines políticos.

En relación con lo primero, las nuevas tecnologías también se han incorporado al proceso electoral y muchas de las fases de las elecciones se valen de Internet como las campañas electorales en redes sociales o están automatizados como la digitalización del censo electoral, la automatización logística, la transmisión de resultados por scanner y quizá la más sensible, el escrutinio de votos. El temor a un ataque cibernético ha provocado que algunas de estas acciones ya no se realicen por máquinas. Todos recordamos que Holanda decidió volver al recuento manual de los votos en los comicios celebrados en marzo de 2017 por temor a ser víctima de ciberataques rusos.

En cuanto a la segunda ofensiva, la manipulación de la información online presentándola de un modo que parezca que parezca fiable y legítima puede debilitar adversarios y hacer cambiar a la opinión pública en beneficio de algunos individuos, organizaciones o administraciones.

Estas tácticas son objeto de la reciente contribución de la Comisión Europea a la reunión de los dirigentes en Salzburgo los días 19 y 20 de septiembre de 2018 para *Garantizar unas elecciones europeas libres y justas*[26]. Con la vista puesta en los comicios europeos a celebrar en mayo de 2019 la Comisión Europea advierte de la importancia de garantizar la resiliencia de los sistemas democráticos de la Unión como parte de la Unión de la seguridad y conmina a abordar las amenazas híbridas que ponen en peligro la democracia y sus valores. Demostrada la intensidad de las campañas masivas de desinformación selectiva en los periodos electorales, la Comisión señala que hay que combatir el fraude y otros intentos deliberados de manipular las elecciones, especialmente a través de sanciones.

Los retos que señala la Comisión son, en primer lugar, que el entorno en línea puede facilitar a agentes malintencionados "la presentación de

---

[26] Comisión Europea, *Comunicación de la Comisión al Parlamento Europeo, al Consejo, al Comité Económico y Social Europeo y al Comité de las Regiones, Garantizar unas elecciones libres y justas. Contribución de la Comisión Europea a la reunión de los dirigentes en Salzburgo los días 19 y 20 de septiembre de 2018*, Bruselas, 12.09.2018 COM(2018) 637 final.

información ocultando su origen o propósito no siendo transparentes al no indicar que una comunicación es propaganda pagada y no información objetiva, presentado opiniones personales como información periodística, y presentando información de forma selectiva con el fin de exacerbar las tensiones o polarizar el debate". En segundo término, la integridad de las elecciones puede verse afectada gravemente por incidentes informáticos, entre otros, ataques contra los procesos electorales, la infraestructura de los partidos políticos o el uso inadecuado de los datos personales[27]. El recuerdo del escándalo de Cambridge Analytica resume los riesgos de que la utilización abusiva de los datos personales sirva para manipular la opinión de los ciudadanos, difundir desinformación o menoscabar la verdad[28].

Con carácter general, la Comisión aporta una serie de medidas para reforzar la resiliencia democrática, respaldar la integridad y una organización eficaz de las elecciones de 2019 al Parlamento Europeo, entre ellas y en primer lugar, que las salvaguardias electorales que se aplican en periodos electorales "convencionales" relacionados con la transparencia, límites de los gastos electorales, respeto por los periodos de reflexión, trato equitativo de los candidatos, etc. se apliquen de forma similar en el mundo en línea[29].

---

[27]   Supervisor Europeo de Protección de Datos, *Opinión 3/2018 sobre la manipulación en línea y datos personales*, cit.

[28]   En este mismo sentido se pronuncian los informes realizados por la autoridad de protección de datos de Reino Unido (ICO) sobre el análisis de datos en las campañas electorales tras las denuncias por tratamiento ilegal de datos y selección de destinatarios de la propaganda política durante el referéndum de la UE. Concretamente, en mayo de 2017, el Comisionado anunció una investigación formal sobre el uso de la analítica de datos con fines políticos. La investigación está en curso y cuenta, por el momento, con tres informes: ICO, *Investigation into data analytics for political purposes*; ICO, *Democracy disrupted? Personal information and political influence*; y Jamie Bartlett, Josh Smith and Rose Acton, *The future of political campaigning*, July 2018.

[29]   Sobre esta cuestión puede verse el estudio de la Comisión de expertos en pluralismo mediático y transparencia de la propiedad de los medios del Consejo de Europa titulado "Internet y campañas electorales-estudio sobre el uso de Internet en las campañas electorales" que identifica una serie de cuestiones problemáticas en relación con la equidad y legitimidad de los procesos electorales tales como la falta de transparencia de las campañas, el gasto, los mensajes y los algoritmos utilizados en la publicidad digital, las invasiones a gran escala de la intimidad, la falta del filtro periodístico de los mensajes políticos, la mayor cantidad de desinformación y lagunas en el Reglamento de campañas electorales (por ejemplo, imposibilidad de hacer cumplir los períodos de

En segundo término, la Comisión enumera las actuales salvaguardias y medidas adoptadas por la Unión Europea para proteger la integridad de las elecciones y reforzar el proceso democrático: el *Reglamento Europeo de Protección de Datos*, directamente aplicable desde el 25 de mayo de 2018 en todo el territorio de la UE, contribuye a prevenir y tratar los casos de utilización ilegal de datos personales; el *Reglamento sobre el estatuto y la financiación de los partidos políticos* que ha sido revisado para prever una mayor transparencia y la obligación de rendir cuentas de los partidos políticos y las fundaciones europeas; la *Directiva sobre la privacidad y las comunicaciones electrónicas* que se aplica a las comunicaciones efectuadas con fines de mercadotecnia incluidos los mensajes políticos transmitidos por los partidos y otros agentes y la *propuesta de Reglamento* que la sustituirá[30] reforzará aún más el control por los ciudadanos ampliando su ámbito de protección a los servicios online. Asimismo, se ha desarrollado el ya citado *Código de buenas prácticas en materia de desinformación* que contiene medidas enfocadas a la limpieza, equidad y transparencia en la transmisión de propaganda política; o, finalmente, el Grupo de Cooperación (conformado por autoridades nacionales responsables de ciberseguridad, Comisión y Agencia de la UE de Seguridad de las Redes y de la información) que ha documentado el desarrollo de las iniciativas nacionales en materia de ciberseguridad de las redes y los sistemas de información utilizados para las elecciones.

El documento de la Comisión visita un lugar común en todas las estrategias de la Unión Europea frente a los retos de la desinformación digital y fomenta las redes de cooperación electoral entre todos los agentes implicados, cooperación que debe darse entre ellos y con las autoridades competentes en ámbitos conexos (como autoridades protección de datos,

---

reflexión o silencio). Concluye que el marco reglamentario actual ya no es suficiente para mantener un campo de juego nivelado para el concurso político y para limitar el papel del dinero en las elecciones e identifica una serie de áreas donde la legislación electoral y de los medios de comunicación debe ser revisada y reforzada en el futuro.

[30] Propuesta de Reglamento del Parlamento Europeo y del Consejo sobre el respeto de la vida privada y la protección de los datos personales en el sector de las comunicaciones electrónicas y por el que se deroga la Directiva 2002/58/CE (Reglamento sobre la privacidad y las comunicaciones electrónicas), Bruselas, 10.1.2017, COM(2017)10 final-2017/0003 (COD).

reguladoras de los medios de comunicación social y autoridades responsables de la ciberseguridad).

El último documento centrado en las amenazas híbridas sobre el proceso electoral europeo es el *Compendio en Ciberseguridad de las Tecnologías en elecciones*, publicado en julio de 2018 y cuya autoría corresponde al Grupo de Cooperación NIS de la Unión Europea. Este documento se centra en las elecciones al Parlamento Europeo y los riesgos de que un ataque se dirigiera sobre un país lo que alteraría el reparto de escaños final. En el informe se apuntan las prácticas que ya se han ensayado ante incidentes electorales del pasado y se invita a los Estados miembros a implementarlas.

3. LA LUCHA CONTRA LA DESINFORMACIÓN EN LOS ESTADOS MIEMBROS Y EN ESPAÑA

Los tres frentes en los que impacta el fenómeno de la desinformación han sido objeto asimismo de numerosas iniciativas a nivel nacional. Queda lejos de nuestro estudio realizar un análisis de las estrategias articuladas en los Estados miembros para combatirlos pero, a título de ejemplo, podemos señalar que en la batalla contra las noticias falsas y su impacto en los procesos electorales los países han apostado por la solución regulatoria, a pesar de que la Comisión Europea se ha mostrado reticente a legislar sobre el tema y abogara por un marco de autorregulación.

Entre los países que han aprobado legislación destaca Alemania que ha estrenado a principios de 2018 una ofensiva para luchar contra la propagación de engaños con apariencia de veracidad. La ley alemana prevé multas de hasta 50 millones de euros a las redes sociales que no eliminen contenidos difamatorios, mensajes de odio o noticias falsas.

Por su parte, Francia aprobó el pasado 10 de octubre de 2018 dos proyectos de ley para prevenir la propagación de información falsa a lo largo del periodo electoral tras las alegaciones de intromisión rusa en la votación presidencial de 2017. En concreto, las normas permiten a un candidato o partido político solicitar una orden judicial que impida la publicación de "información falsa" a partir de los tres meses previos a una elección nacional. La rapidez en la decisión judicial es también un elemento clave ya que en un plazo máximo de 48 horas debe recaer aquella decisión cuando haya una denuncia. Además, el organismo regulador de los medios audiovisuales (Consejo Superior de lo Audiovisual) está capacitado para suspender la difusión de un medio o contenido que se considere controlado por un Estado extranjero o bajo la influencia de ese Estado, y que puede atentar contra los intereses fundamentales de la nación o participe en un intento de desestabilización de sus instituciones, notablemente mediante la difusión de noticias falsas. Finalmente, se exige que Facebook, Twitter y otras plataformas de medios sociales revelen los nombres de las compañías que hay detrás del contenido patrocinado y se crea un Consejo de Ética de Prensa. Estas propuestas están ahora pendientes de aprobación en el Senado.

También en Italia se presentó una propuesta de ley en febrero de 2017 para prevenir la manipulación de la información online, garantizar la transparencia en la web e incentivar la alfabetización mediática y prevé condenas civiles y penales para quienes difundan noticias exageradas o tendenciosas que incluyan datos o hechos manifiestamente infundados o falsos.

Estas iniciativas legislativas no son apoyadas unánimemente porque se considera que existe el riesgo de limitar en exceso la libertad de expresión y por ser potencialmente desproporcionadas ya que, para evitar las abultadas multas, se puede provocar una supresión de contenidos excesivos por parte de las plataformas, con una amplitud incluso mayor a lo que un juez hubiera considerado ilegal. Además, la responsabilidad de retirada de un contenido se traslada a una entidad privada[31].

En nuestro país la discusión parlamentaria en torno a las noticias falsas no ha tenido un largo recorrido y, durante la pasada legislatura, se tramitó una propuesta no de ley fallida contra las noticias falsas firmada por el Grupo Parlamentario Popular en la que se proponía impulsar la elaboración de **métodos para determinar la veracidad de informaciones que circulan por la red**, así como su "sellado" o "descalificación" como "potencial noticia falsa ante el ciudadano".

---

[31]   Por todos, Andrés Boix Palop, "La construcción de los límites a la libertad de expresión en las redes sociales", *Revista de Estudios Políticos*, n. 173, 2016, pp. 55-112.

Durante la presente legislatura se han presentado dos proposiciones no de ley sobre desinformación y noticias falsas de las que se deduce claramente que la desinformación sí ha penetrado en el ámbito de defensa y seguridad[32]. Así, resulta revelador que las *fake news* se estén debatiendo en la Comisión mixta de Seguridad Nacional. La PNL del grupo parlamentario socialista relativa al refuerzo de las capacidades dedicadas a la lucha contra las acciones de desinformación[33], y que fue aprobada, resulta interesante porque contiene una definición del concepto de ciberseguridad entendida esta como la forma de "garantizar un uso seguro de las redes y los sistemas de información a través del fortalecimiento de nuestras capacidades de prevención, detección y respuesta a los ciberataques o a otro tipo de amenazas" y clarifica que el aumento de campañas en redes sociales y medios digitales con el fin de influir en procesos políticos y electorales no pueden ser calificadas de ciberataques, sino más propiamente de procesos masivos de desinformación e injerencia. La proposición, entre otros, insta al Gobierno a participar de manera activa en el proceso de construcción de la estrategia de la UE para parar la difusión de noticias falsas en línea y refuerce el grupo del *East Stratcom Task Force*.

Posterior en el tiempo es la Proposición no de ley relativa a la desinformación y su relación con la ciberseguridad en España, presentada por el grupo parlamentario confederal de Unidos Podemos-En Comú Podem-En Marea[34] que fue rechazada. En la propuesta se recuerda que los valores, principios y derechos que consagra la UE deben mantenerse y ser respetados en el espacio digital. Por ello insta a establecer políticas en materia de ciberseguridad y regulación del ciberespacio que respeten y den cumplimiento a las obligaciones internacionales del Estado español en materia de derechos fundamentales, especialmente, lo establecido por el artículo 11 de la Carta de los Derechos Fundamentales de la Unión Europea, sobre

---

32   Otras dos PNLs del Grupo Parlamentario Popular se dirigieron a la Comisión de Interior. Concretamente, la Proposición no de Ley sobre la necesidad de impulsar medidas dirigidas a evitar conductas que promuevan noticias falses con el fin de crear situaciones de alarma o alterar el orden público y la Proposición no de ley sobre la difusión a nivel internacional de los daños que está provocando el secesionismo en España (BOCG, Congreso de los Diputados, núm. 382, de 3 de julio de 2018).

33   BOCG, Cortes Generales, núm. 155, de 12 de diciembre de 2017.

34   BOCG, XII Legislatura, núm. 176, serie A, de 20 de febrero de 2018.

libertad de expresión y de información, así como por el artículo 10 del Convenio Europeo de Derechos Humanos sobre libertad de expresión, y en concordancia con lo estipulado por el artículo 20 de la Constitución española que garantiza el derecho de expresar y difundir libremente los pensamientos, ideas y opiniones; abstenerse de utilizar posibles incidentes que puedan afectar a la seguridad tanto del Estado como de los propios ciudadanos, como pretexto para recortar derechos fundamentales como la libertad de expresión y extender y potenciar el conocimiento del público en general sobre cuestiones relativas a la ciberseguridad.

Junto a estas iniciativas políticas debe mencionarse que, desde 2013, contamos en España con un organismo responsable de combatir las noticias falsas. El Consejo Nacional de Ciberseguridad se creó para reforzar la seguridad frente a ciberataques y, a pesar de que sus funciones "naturales" están alejadas de esta, el Gobierno le ha encomendado provisionalmente la misión de detectar y contrarrestar las campañas de desinformación[35]. Precisamente, las campañas de desinformación han sido incluidas por primera vez como amenaza en la Estrategia de Seguridad Nacional aprobada el pasado 1 de diciembre de 2017. En este documento se presenta la respuesta del Estado ante los desafíos de seguridad que se materializan en acciones híbridas a las que define como "acciones combinadas que pueden incluir, junto al uso de métodos militares tradicionales, ciberataques, operaciones de manipulación de la información, o elementos de presión económica, que se han manifestado especialmente en procesos electorales. La finalidad última que se persigue es la desestabilización, el fomento de movimientos subversivos y la polarización de la opinión pública". Como se ha denunciado, las acciones enumeradas reflejan de nuevo la confusión entre desinformación y ciberamenazas.

La Estrategia reconoce que este tipo de amenaza híbrida puede proceder tanto de agentes estatales como de agentes no estatales que llevan

---

[35]   El Consejo Nacional de Ciberseguridad está presidido por el director del Centro Nacional de Inteligencia (CNI) e integrado por los responsables del Departamento de Seguridad Nacional, el Mando Conjunto de Ciberdefensa, el Centro Criptológico Nacional (CCN), el Centro Nacional de Protección de Infraestructuras Críticas (CNPIC) o el INCIBE (Instituto Nacional de Ciberseguridad).

a cabo y afirma que el fenómeno se ha aprovechado de un determinado contexto sociopolítico polarizado y una economía en crisis[36].

Entre los principales desafíos en seguridad se cita la tecnología puesto que, reconocidas sus ventajas, la hiperconectividad tecnológica también presenta numerosos inconvenientes para la seguridad, al aumentar la vulnerabilidad de los sistemas y poner en peligro la protección de datos, uno de los mayores desafíos actuales.

Por su impacto en el proceso electoral, sí resulta muy interesante la propuesta que se contiene en el proyecto de Ley Orgánica de Protección de Datos. Este proyecto ha recibido críticas desenfocadas sobre el título dedicado a la garantía de los derechos digitales con el objetivo de aplicar a internet la exigencia de los derechos y libertades que reconocen la Constitución y los Tratados Internacionales.

La polémica se centró en la garantía de la libertad de expresión de todos los usuarios de la red e introduce una medida de apoyo a la autorregulación de redes y plataformas que adoptarán protocolos efectivos para eliminar contenidos que atenten contra los derechos de la personalidad en internet y el derecho a comunicar o recibir libremente información veraz[37]. El precepto insta a las plataformas a contar con herramientas para que los usuarios perjudicados por alguna información no veraz puedan pedir su eliminación. Como se ha aclarado reiteradamente, esta propuesta no guarda relación con las noticias falsas en cuanto fenómeno masivo y global de desinformación social que trata de mutar la democracia.

Paralelamente, la enmienda propone añadir un nuevo artículo 58.bis en la Ley Orgánica 5/1985, de 19 de junio, del Régimen Electoral General sobre la utilización de medios tecnológicos y datos personales en las actividades electorales. El objetivo es introducir salvaguardas para impedir el uso ilícito de datos de los usuarios de redes sociales como el episodio de *Cambridge Analytica*. En concreto, se exige que la recopilación de datos

---

36   Un solvente análisis del documento y sobre amenazas híbridas en general en Javier Lesaca Esquiroz, "La disrupción digital en el contexto de las guerras híbridas", *Cuadernos de Estrategia*, n. 197, 2018, pp. 159-196,

37   Se trata del artículo 85 "Derecho de rectificación en Internet" del proyecto de LOPD (BOCG, Congreso de los Diputados, 9 de octubre de 2018, núm. 13-3).

personales sobre opiniones políticas que llevan a cabo los partidos políticos en periodo electoral se realice bajo las garantías adecuadas permitiéndose la utilización de esos datos cuando hayan sido obtenidos de páginas web y fuentes de acceso público; la no consideración del envío de propaganda electoral online como actividad o comunicación comercial; la obligatoriedad de identificar claramente de la naturaleza electoral de estas actividades y de facilitar el ejercicio del derecho de oposición.

4. EL IMPACTO DE LAS ESTRATEGIAS DE SEGURIDAD EN LOS DERECHOS FUNDAMENTALES. ALGUNAS CONCLUSIONES

La revolución de las TICs ha favorecido la presencia de nuevas herramientas en Internet creando un espacio abierto para la comunicación y la interacción entre las personas. La participación activa de un número cada vez mayor de usuarios en redes sociales, plataformas virtuales o medios digitales ha producido consecuencias importantes en el ejercicio de algunos derechos fundamentales. La libertad de expresión y los derechos conexos a ella, como el derecho a comunicar y recibir información o el derecho de participación política, se han beneficiado del estímulo de las redes.

Pero, a la vez, la utilización de esas herramientas conlleva riesgos y amenazas que impactan negativamente en aquellos mismos derechos y afectan a valores y bienes valiosos como la seguridad nacional o la paz internacional. Aunque es innegable que la conectividad ofrece recursos muy poderosos que benefician a objetivos constructivos también se instrumentaliza para otros fines dañinos.

A lo largo de las páginas precedentes se ha analizado la problemática de la desinformación digital y los desafíos que plantea en tres escenarios: en el contexto de la comunicación, en el ámbito de la seguridad y en los marcos electorales.

El primer elemento a analizar es el propio "producto" de la desinformación: la difusión interesada de noticias falsas. En los inicios de la era digital se intuyó la llegada de un mundo abierto, sin fronteras para la comunicación y "en el que cualquier persona, en cualquier lugar, podrá expresar sus creencias, sin importar cuán singulares sean, sin temor a ser obligada a mantener silencio o expresar conformidad"[38]. Aunque es innegable que Internet sigue constituyendo la herramienta más importante de la historia en lo que se refiere a la libertad de expresión y el acceso a la información a nivel mundial, hoy en día es difícil mantener aquella visión tan optimista. Las noticias falsas, creadas con la intencionalidad de confundir o manipular al destinatario de la misma, han proliferado en un contexto de pérdida de credibilidad de los medios tradicionales y un crecimiento espectacular de las redes sociales que facilitan su propagación viral. Estas mismas redes son capaces de seleccionar, mediante algoritmos, el consumo de noticias de la población atendiendo al rastro digital que los usuarios han ido dejando, rastro de donde se extrae información sobre sus gustos, contactos o intereses. La selección de información personalizada para el usuario dificulta su acceso a las diversas fuentes de información y la versión del mundo que encuentra a diario no hace sino confirmar sus creencias preexistentes, aislándolo en una burbuja cultural e ideológica.

Las noticias falsas y la manipulación en línea suponen una amenaza para la sociedad porque los filtros burbuja y las comunidades cerradas hacen que sea más difícil para las personas entenderse entre sí y compartir experiencias. El debilitamiento de este "pegamento social" puede socavar la democracia, así como varios derechos y libertades fundamentales. La manipulación en línea es también un síntoma de la opacidad y la falta de rendición de cuentas en el ecosistema digital. El problema es real y urgente y seguramente empeorará a medida que se conecten más personas y cosas a internet y aumente la importancia de los sistemas de inteligencia artificial.

Puede afirmarse, por tanto, que la circulación masiva de bulos contraviene el carácter funcional del derecho a la información como derecho directamente vinculado con la garantía de una opinión pública libre tal y como lo garantizan los textos internacionales sobre derechos humanos y las constituciones democráticas.

---

[38]   John Perry Barlow, "Una declaración de independencia del ciberespacio", 8 de febrero de 1996 en *Informe del Relator Especial sobre la promoción y protección del derecho a la libertad de opinión y expresión*, 6 de abril de 2018.

Los flujos de desinformación son especialmente peligrosos durante los procesos electorales. Aunque existen otros ejemplos, la experiencia de la campaña presidencial de los Estados Unidos en 2016 puso en alerta a la Unión Europea al comprobar cómo las campañas masivas pueden llegar a modificar el curso normal del proceso electoral por la intermediación de servicios de comunicación en línea. La experiencia en España se produjo con la crisis informativa del 1 de octubre en Cataluña y el uso consciente de información falsa para alcanzar fines estratégicos y tácticos —la *militarización de la información*[39]— pasó a formar parte de la guerra híbrida. Una actividad que se relaciona inmediata y principalmente con Rusia y que consiste en una eficaz explotación de propaganda e información online para difundir su mensaje, generar narrativas que apoyen sus fines y erosionar las opiniones publicas de sus oponentes. Se llama híbrida porque hay una combinación de la actividad de *influencers*, la propaganda de medios de comunicación extranjeros, y el uso de herramientas informáticas y *bots que* difunden masiva y artificialmente noticias falsas para cuestionar la imagen de gobiernos democráticos asentados, el proceso de integración de la UE, etc.

Junto a este desafío de manipulación de las redes sociales y divulgación de noticias falsas para interferir en las elecciones, la legislación electoral de los países democráticos no se diseñó pensando en los riesgos que las nuevas tecnologías podían suponer y, mucho menos, en los ciberataques. Sin embargo, con el paso del tiempo, muchas fases de las elecciones se han digitalizado y automatizado: desde los datos del censo hasta la organización de las votaciones pasando por el recuento de votos, la recaudación de fondos para campañas o la realización de encuestas. Además, se añade ahora la preocupación instalada en partidos y candidatos por evitar el robo de datos personales, correos con información sensible sobre ellos o personas de su entorno personal o político. Por eso, el peligro de que la desinformación se dirija estratégica y masivamente a la ciudadanía mediante plataformas digitales que quedan fuera del alcance de las regulaciones al uso (concebi-

---

[39] Véase, Flemming S. Hansen, *The weaponization of information*, DISS, Copenhage, 14 December 2017; Ireton, Cherilyn and Julie Posetti, *Thinking Journalism, fake news & disinformation*, cit., pp. 13 y ss. y Maria A. Ressa, *Propaganda war: Weaponizing the internet*, 3 october 2016.

das para el mundo *offline*) sumado a la hipotética actuación delictiva sobre infraestructuras de comunicación sensibles (bases de datos, secuestros de bases de datos, ataques de *ransomware*, etc.) ha llevado a incluir la lucha contra la desinformación en el ámbito de la seguridad y la defensa.

En general, resulta especialmente complejo legislar en una materia donde la necesidad de frenar la manipulación se entrecruza con la de proteger derechos fundamentales como la libertad de expresión y la de información, el derecho a la protección de datos.

Así, el principal reto que plantea la desinformación a los Estados democráticos es que no resulta posible restringir de manera efectiva los flujos de información: a la vista de la centralidad que ocupa la libertad de expresión e información en la construcción del edificio democrático, se les ha otorgado una posición preferente siempre que se ejerciten en conexión con asuntos que son de interés general. También en el debate político, el discurso goza de la máxima protección que ofrece la libertad de expresión, de modo que cualquier restricción que pretenda imponérsele está sometida al más estricto escrutinio de constitucionalidad. Como declaró el Tribunal Europeo de Derechos Humanos en el caso *Orlovskaya Iskra c. Rusia*, "las elecciones libres y la libertad de expresión, especialmente la libertad de debate político, son los fundamentos de cualquier sistema democrático. Estos dos derechos están interrelacionados y se refuerzan mutuamente: por ejemplo, la libertad de expresión es una de las 'condiciones' necesarias para 'garantizar la libre expresión de la opinión de los ciudadanos en su elección de la legislatura'. Por este motivo, resulta especialmente importante que puedan circular libremente opiniones e información de todo tipo en el período previo a unas elecciones. En el contexto de los debates electorales, que los candidatos puedan ejercer su libertad de expresión sin obstáculos es una cuestión de especial importancia"[40].

---

[40]　STEDH, caso *Orlovskaya Iskra c. Rusia,* de 27 de febrero de 2017, pár. 110. En EEUU, la Corte Suprema de Washington analizó la compatibilidad con la ley de expresión de una ley estatal que sancionaba con pena de multa a quien patrocinara publicidad política que contuviera afirmaciones de hecho falsas. En los casos *State v. 119 Vote No! Committee* (1994) y *Rickert v. Public Disclosure Commission* (2007) consideró que, en una democracia, el Estado no tiene el "*derecho a determinar la verdad y la falsedad en el debate político*" sino que este derecho corresponde al pueblo ya que

De ahí que en la lucha contra las noticias falsas en las democracias se debe, primero, establecer los mecanismos para frenar la difusión de noticias falsificadas con escrupuloso respeto a las libertades de expresión e información y, segundo, diferenciar entre lo veraz y lo verdadero. El establecimiento de una verdad única es incompatible con un estado democrático que solo puede velar porque el origen de las informaciones que se difunden haya sido contrastado. En resumen, la problemática que plantea está cuestión tiene que ver con la dificultad de determinar cuándo una noticia es falsa y la búsqueda del equilibrio para no caer en la censura.

Por otra parte, hemos visto que las leyes existentes en algunos países para frenar la difusión de estas noticias falsas, especialmente en periodos electorales, no garantizan la retirada rápida de contenidos pero los riesgos de una legislación que multa a operadores si no retiran inmediatamente la publicidad es que se traslada la responsabilidad de decidir si eliminar el contenido de un juez a una organización privada con lo que planea el riesgo de una censura privada que ponga en riesgo la pluralidad de la Red. La gestión de contenidos puede ser necesaria, pero no se puede permitir que comprometa derechos fundamentales.

Finalmente, en el ciberespacio se producen multitud de acciones por parte de gobiernos, organizaciones o individuos que pueden atentar contra los derechos humanos. Algunas de estas actividades son las que provocan la implementación de medidas de seguridad: las filtraciones de datos personales, espionaje, ataques de virus informáticos, secuestro de información, etc. Pero en las respuestas que se implementen pueden incluirse medidas que impactan en los derechos limitándolos ilegítimamente: censura, control y manipulación de contenidos, retirada de contenidos en línea sin un debido proceso, etc. El núcleo de los programas de seguridad ha de estar en la protección de las personas y los derechos humanos. En toda la historia de la democracia se ha tratado de buscar el equilibrio entre seguridad y libertad, protección a las personas y respeto a sus derechos. Las propuestas

---

la Constitución no depositó en ningún gobierno la confianza para que separara lo verdadero de lo falso (Catalina Botero Marino, "La regulación estatal de las llamadas 'noticias falsas' desde la perspectiva del derecho a la libertad de expresión", en *Libertad de Expresión: a 30 años de la Opinión Consultiva sobre la colegiación obligatoria de periodistas*, Trust for the Americas, 2017, pp. 77-78).

contemporáneas acerca de la seguridad deben incorporar los derechos humanos como elementos fundamentales para su puesta en práctica.

Primera conclusión: cualquier estrategia de lucha contra el fenómeno de la desinformación tiene impacto en libertades y derechos fundamentales por lo que debe estar alineada con los marcos nacionales e internacionales de derechos humanos. La UE se mueve temerosa entre la adopción de medidas que contrarresten el fenómeno de la desinformación y el temor a caer en la censura y la restricción indebida de las libertades comunicativas.

El recorrido por los tres escenarios en los que impacta la desinformación nos ha permitido constatar que se parte en muchas ocasiones de una confusión terminológica peligrosa: las definiciones carecen de claridad analítica y se utilizan a veces de modo acrítico.

Comenzando por la definición de noticias falsas hemos visto cómo caben dentro del concepto situaciones tan distintas como la sátira, la parodia, los titulares *click-bait*, la falsedad, el contenido manipulado o prefabricado, las noticias tendenciosas incluso aquellos contenidos que desagradan o con los que no está de acuerdo el receptor… Y a todos ellos se les aplica la denominación de información falsa. Nos conviene acercarnos a análisis[41] que diferencian entre términos como desinformación (*disinformation*) tratándose de información falsa y creada intencionalmente para causar daño a una persona o grupo social, organización o país) e información errónea (*misinformation*) que es información falsa pero no creada intencionadamente para causar daño. Aunque ambas cuestiones son problemáticas para la sociedad solo la primera es especialmente peligrosa y legítimamente combatida.

Continuando con el ejercicio explicativo, en el entorno occidental se ha confundido desinformación con guerra de la información o ciberguerra (que son conceptos muy cercanos y forman parte, esta vez sí, de la estrategia que utilizan terceros estados para engañar al oponente, influir en sus decisiones y socavar su eficacia política, económica y militar).

---

[41]   Cherilyn Ireton and Julie Posetti, *Thinking Journalism, fake news & disinformation*, UNESCO, 2018, pp. 45-46 y Claire Wardle et al., *Information Disorder: The essential glossary*, Harvard Kennedy School, Shorenstein Center on Media, Politics and Public Policy, July 2018.

Por eso, en el trazo grueso con el que se diseña la lucha contra la desinformación y que se contiene en los planes de seguridad nacional de algunos Estados miembros que han legislado sobre la información en el espacio digital sería muy oportuno fijarse más en la logística en lugar de en el contenido. Son robots los que difunden masivamente noticias inventadas o creadas a través de las redes sociales y para este tipo de actividad la protección de la libertad de expresión o información resulta inaplicable. Ha de tratarse de maquinaria de intoxicación informativa. La ofensiva suele combinar numerosos instrumentos de la guerra de la información: transmisión de mensajes verdaderos y falsos en las redes sociales, como Facebook y Twitter, por *trolls* que son perfiles creados online para divulgar la información ya creada, *bots* que divulgan información por procesos automáticos y *sockpuppets* que son perfiles creados online con el propósito de crear y transmitir noticias falsas[42]. Si además se dispone de información pirateada sobre los gustos, personalidad de los usuarios existe la posibilidad de seleccionar los posibles receptores de los mensajes personalizados y ajustados a su perfil.

Lo que permiten las nuevas tecnologías es multiplicar las fuerzas, que un remitente pueda llegar a una audiencia global instantáneamente y con una cantidad masiva de información con la esperanza de influir en los modos de pensamiento. El riesgo a la hora de frenar estos flujos de información estratégica o "militar" es que se combinan con muchos flujos de información "regular". Se necesita que los usuarios sean capaces de distinguir entre flujos de información que son absolutamente regulares y forman parte de la comunicación cotidiana de aquellos que están conscientemente diseñados para tener un impacto cognitivo en el destinatario.

Finalmente, también el concepto de ciberseguridad debe delimitarse puesto que, como término amplio, engloba diversos temas desde la seguridad de la infraestructura nacional y de las redes hasta la seguridad de los usuarios. Un enfoque más acotado y adecuado habría de restringirlo a la protección de las infraestructuras, los sistemas y datos informáticos. Aquí es importante identificar la desinformación como elemento disruptor co-

---

[42] Mira Milosevich-Juaristi, "El poder de la influencia rusa: la desinformación", *Comentario Elcano*, n. 7/2017, Real Instituto Elcano, 20 de enero de 2017.

munitativo y las ofensivas y ataques cibernéticos[43]. Ambas son acciones propias de una guerra híbrida pero los ataques se dirigen contra infraestructuras o intereses estratégicos del Estado mientras que las acciones de desinformación tienen un objetivo a más largo plazo y altera la convivencia social y las relaciones entre ciudadanos e instituciones públicas del Estado. El control del ciberespacio debe dirigirse a los envíos masivos y automatizados, a reforzar las infraestructuras por las que circula la información.

Segunda conclusión: Falta de terminología clara que permita establecer alcances y limitaciones de las acciones del Estado. Las medidas estratégicas o cualquier normativa deben basarse en definiciones precisas sobre las causas del fenómeno de la desinformación, garantizar el debido proceso legal y partir del principio de responsabilidad y proporcionalidad de las medidas adoptadas. Se evitará así la sobrerregulación, censurar contenidos, desencadenar la autocensura, restringir la libertad de prensa.

Finalmente, las múltiples respuestas que se han articulado para hacer frente a la manipulación informativa se han producido a todos los niveles: nacional, europeo e internacional. En el análisis hemos referido algunas propuestas estatales que, sin descartar otras medidas complementarias, han apostado claramente por la vía legislativa y, dentro de ella, por la regulación penal.

Frente a este enfoque, la Unión Europea ha adoptado una posición más preventiva y basada en soluciones colaborativas, no regulatorias. Soluciones que entendemos mejor orientadas y más eficaces puesto que el fenómeno de la desinformación es multifacético y requiere de medidas que exigen la colaboración de muchos actores.

En primer lugar, el ámbito de seguridad y defensa desde el que se enfoca la lucha contra la desinformación exige una colaboración entre UE y los Estados miembros y de ellos entre sí. La seguridad y la defensa son consideradas como parte integral del proyecto europeo a fin de proteger y promover los intereses europeos en su territorio y en el extranjero. Europa debe convertirse en un proveedor de seguridad y garantizar progresivamente su

---

[43]   Seguimos a Javier Lesaca Esquiroz, "La disrupción digital en el contexto de las guerras híbridas", cit., pp. 183 y ss.

propia seguridad. Ningún Estado miembro puede afrontar los retos futuros en solitario, en particular el de la lucha contra las amenazas híbridas. La cooperación en materia de seguridad y defensa no es, pues, una opción; es una necesidad para ofrecer resultados en una Europa que proteja.

En segundo término, es ineludible contar con las plataformas digitales a las que se demanda transparencia y colaboración activa. Las redes sociales deben implementar técnicas de verificación de los contenidos que difunden, transparencia en las fuentes y de los fondos recibidos; transparencia en la metodología (algoritmos) que emplean para seleccionar las noticias y honestidad para corregir los errores. Todo ello con el objetivo de fomentar la confianza sobre los contenidos que presentan a los usuarios.

En tercer lugar, las organizaciones civiles y privadas pueden tomar medidas protectoras que dificulten la circulación de la desinformación o el impacto de ciberataques. Así, a las organizaciones políticas se les requiere para que adopten los máximos niveles de seguridad en sus redes y sistemas informáticos, proceso e infraestructuras. Otro tanto ocurre con la implementación de medidas de protección de los datos de carácter personal o de garantía de la privacidad (anonimización, encriptación, minimización en el uso de datos, etc.). Estas propuestas son extensibles a todos los organismos e instituciones públicos. Los medios de comunicación digitales también suelen ser apelados para que difundan información de calidad, superando la búsqueda de la rentabilidad económica como fin absoluto ya que esa exigencia cualitativa supone en algunos casos, descartar titulares morbosos o impactantes que gracias al interés que despiertan en los usuarios les proveen de más ingresos publicitarios.

Por último, una constante en cualquier propuesta para combatir la desinformación es la llamada a la alfabetización digital. El proveer a la ciudadanía de conocimientos para detectar las noticias manipuladas, aprender a informarse fuera de la red social favorita, ser capaces de analizar las fuentes, la credibilidad, la importancia de una noticia, etc. se considera uno de los pasos más importantes para tratar de erradicar la manipulación en línea.

Tercera conclusión: las estrategias nacionales y de la UE para afrontar las amenazas híbridas son distintas habiendo optado las primeras por la vía legislativa mientras que la Unión Europea apuesta por una vía más eficaz basada en soluciones colaborativas, no regulatorias, que suponen la cooperación con numerosos actores: organizaciones civiles, plataformas digitales y empresas tecnológicas, gobiernos de los Estados miembros.

5. BIBLIOGRAFÍA

ARTEAGA, Félix, "Elecciones y ciberseguridad", *Comentario Elcano*, n. 44/2018, Real Instituto Elcano, 11 de septiembre de 2018. http://www.realinstitutoelcano.org/wps/portal/rielcano_es/contenido?WCM_GLOBAL_CONTEXT=/elcano/elcano_es/zonas_es/comentario-arteaga-elecciones-ciberseguridad

BARTLETT, Jamie, SMITH, Josh and ACTON, Rose, *The future of political campaigning*, July 2018. https://ico.org.uk/media/action-weve-taken/reports/2259365/the-future-of-political-campaigning.pdf

BEAS, Diego, "La esfera pública ya no es lo que era", *El País*, 23 de enero de 2018. https://elpais.com/elpais/2017/12/27/opinion/1514399493_593595.html

BOIX PALOP, Andrés, "La construcción de los límites a la libertad de expresión en las redes sociales", *Revista de Estudios Políticos*, n. 173, 2016, pp. 55-112. http://roderic.uv.es/handle/10550/55201

BOTERO MARINO, Catalina, "La regulación estatal de las llamadas 'noticias falsas' desde la perspectiva del derecho a la libertad de expresión", en *Libertad de Expresión: a 30 años de la Opinión Consultiva sobre la colegiación obligatoria de periodistas*, Trust for the Americas, 2017, pp. 64-83. http://www.oas.org/es/cidh/expresion/docs/publicaciones/OC5_ESP.PDF

CASTELLS, Manuel, *Comunicación y poder*, Alianza Editorial, Madrid, 2009.

Centro Criptológico Nacional, *Ciberamenazas y Tendencias. Edición 2018*, CCN-CERT IA-09-18, mayo 2018. https://www.ccn-cert.cni.es/informes/informes-ccn-cert-publicos/2835-ccn-cert-ia-09-18-ciberamenzas-y-tendencias-edicion-2018-1/file.html

COLOM PIELLA, Guillem, "Guerras híbridas. Cuando el contexto lo es todo", *Ejército de tierra español*, n. 927, 2018, pp. 38-44. https://dialnet.unirioja.es/servlet/articulo?codigo=6477746

Comisión Europea, *Comunicación de la Comisión al Parlamento Europeo, al Consejo, al Comité Económico y Social Europeo y al Comité de las Regiones sobre La lucha contra la desinformación en línea: un enfoque europeo*, Bruselas, 26 abril 2018 COM(2018) 236 final. https://ec.europa.eu/transparency/regdoc/rep/1/2018/ES/COM-2018-236-F1-ES-MAIN-PART-1.PDF

Comisión Europea, *Comunicación de la Comisión al Parlamento Europeo, al Consejo, al Comité Económico y Social Europeo y al Comité de las Regiones, Garantizar unas elecciones libres y justas. Contribución de la Comisión Europea a la reunión de los dirigentes en Salzburgo los días 19 y 20 de septiembre de 2018*, Bruselas, 12.09.2018 COM(2018) 637 final. https://ec.europa.eu/transparency/reg-doc/rep/1/2018/ES/COM-2018-637-F1-ES-MAIN-PART-1.PDF

Comisión Europea y Alta Representante de la Unión para Asuntos Exteriores y Política de Seguridad, *Comunicación conjunta al Parlamento Europeo y al Consejo. Comunicación conjunta sobre la lucha contra las amenazas híbridas. Una respuesta de la Unión Europea*, Bruselas, 6.4.2016 JOIN(2016) 18 final. https://eur-lex.europa.eu/legal-content/ES/TXT/PDF/?uri=CELEX:52016J C0018&from=ES

Comisión Europea y Alta Representante de la Unión para Asuntos Exteriores y Política de Seguridad, *Comunicación conjunta al Parlamento Europeo, al Consejo Europeo y al Consejo. Aumentar la resiliencia y desarrollar las capacidades para hacer frente a las amenazas híbridas*, Bruselas, 13.6.2018 JOIN(2018) 16 final. https://eur-lex.europa.eu/legal-content/ES/TXT/PDF/?uri=CELEX:52018J C0016&from=ES

Consejo Europeo, Reunión del Consejo Europeo (19 y 20 de marzo de 2015)-Conclusiones EUCO11/15, Bruselas, 20 de marzo de 2015, https://www.consilium.europa.eu/media/21872/st00011es15.pdf

European Commission, *A multi-dimensional approach to disinformation: Report of the independent High level Group on fake news and online disinformation*, January 2018. https://ec.europa.eu/digital-single-market/en/news/final-report-high-level-expert-group-fake-news-and-online-disinformation

European Commission, *Report on Fake news and disinformation online*, Flash Eurobarometer 494, February 2018 (publicado en abril de 2018). https://publications.europa.eu/en/publication-detail/-/publication/2d79b85a-4cea-11e8-be1d-01aa75ed71a1/language-en

European Commission, *Synopsis of the Public consultation on fake news and online disinformation*, 26 April 2018. https://ec.europa.eu/digital-single-market/en/news/public-consultation-fake-news-and-online-disinformation

GONZÁLEZ CERRATO, Juan Carlos, "Guerra híbrida: el verdadero rostro de la amenaza", en *Análisis de los riesgos y amenazas para la seguridad*, coord. F. Flores Giménez y C. Ramón Chornet, 2017, pp. 13-30.

HANSEN, Flemming S., *Russian Hybrid Warfare: a study of disinformation*, Center for Security Studies, 8 September 2017. http://www.css.ethz.ch/en/services/digital-library/articles/article.html/1c93c122-e11f-45d4-afde-c5e17a3185fb/pdf

   — *The weaponization of information*, DISS, Copenhagen, 14 December 2017. https://www.diis.dk/en/research/the-weaponization-of-information

High Level Group, *A multi-dimensional approach to disinformation, Report of the independent High level Group on fake news and online disinformation*, March

2018. https://blog.wan-ifra.org/sites/default/files/field_blog_entry_file/HLE-GReportonFakeNewsandOnlineDisinformation.pdf

HOFFMAN, Frank G., *Conflict in the 21st Century. The rise of hybrid wars*, Arlington, Potomac Institute for Policy Studies, 2007. http://www.potomacinstitute.org/images/stories/publications/potomac_hybridwar_0108.pdf

Information Commissioner Office (ICO), *Investigation into data analytics for political purposes*, July 2018. https://ico.org.uk/media/action-weve-taken/2259371/investigation-into-data-analytics-for-political-purposes-update.pdf

Information Commissioner Office (ICO), *Democracy disrupted? Personal information and political influence*, July 2018. *https://ico.org.uk/media/action-weve-taken/2259369/democracy-disrupted-110718.pdf*

IRETON, Cherilyn and POSETTI, Julie, *Thinking Journalism, fake news & disinformation*, UNESCO, 2018. http://unesdoc.unesco.org/images/0026/002655/265552e.pdf

LESACA ESQUIROZ, Javier, "La disrupción digital en el contexto de las guerras híbridas", *Cuadernos de Estrategia*, n. 197, 2018, pp. 159-196. https://dialnet.unirioja.es/servlet/articulo?codigo=6518648

MARTENS, Bertin, AGUIAR, Luis, GÓMEZ-HERRERA, Estrella and MUELLER-LANGER, Frank, *The digital transformation of news media and the rise of disinformation and fake news. An economic perspec*tive, Digital Economy Working Paper 2018-02; JRC Technical Reports, April 2018. https://ec.europa.eu/jrc/communities/sites/jrccties/files/dewp_201802_digital_transformation_of_news_media_and_the_rise_of_fake_news_final_180418.pdf)

MILOSEVICH-JUARISTI, Mira, "El poder de la influencia rusa: la desinformación", *Comentario Elc*ano, n. 7/2017, Real Instituto Elcano, 20 de enero de 2017. http://www.realinstitutoelcano.org/wps/portal/rielcano_es/contenido?WCM_GLOBAL_CONTEXT=/elcano/elcano_es/zonas_es/ari7-2017-milosevichjuaristi-poder-influencia-rusa-desinformacion

Parlamento Europeo, *Resolución del Parlamento Europeo sobre la Comunicación estratégica de la Unión Europea para contrarrestar la propaganda de terceros en su contra*, de 23 de noviembre de 2016, [(2016/2030(INI)]. Accesible en http://www.europarl.europa.eu/sides/getDoc.do?pubRef=—//EP//TEXT+TA+P8-TA-2016-0441+0+DOC+XML+V0//ES

PAUNER CHULVI, Cristina, "Noticias falsas y libertad de expresión e información. El control de los contenidos informativos en la red", *Teoría y Realidad Constitucional*, n. 41, 2018, pp. 297-318. https://www2.uned.es/dpto-derecho-politico/TRC41CPauner.pdf

PECO, Miguel, "La persistencia de lo híbrido como expresión de vulnerabilidad: un análisis retrospectivo e implicaciones para la seguridad internacional", *Revista UNISCI*, n. 44, 2017, pp. 39-54. http://www.unisci.es/la-persistenciade-lo-hibrido-como-expresion-de-vulnerabilidad-un-analisis-retrospectivo-e-implicaciones-para-la-seguridad-internacional/

PENEDO, Carlos, "Excesos en la lucha antiterrorista", *Contextos*, 18 de marzo de 2017, https://contextospnd.blogspot.com/2017/03/excesos-de-la-lucha-antiterrorista.html

— "Información contra desinformación", *Al revés y al derecho*, 23 de marzo de 2018. http://blogs.infolibre.es/alrevesyalderecho/?p=5356

RESSA, Maria A, *Propaganda war: Weaponizing the internet*, 3 October 2016, https://www.rappler.com/nation/148007-propaganda-war-weaponizing-internet

SCHMIDT, Eric y COHEN, Jared, *The new digital age. Transforming nations, business and our lives*, Vintage Books, 2013.

Supervisor Europeo de Protección de Datos, *Opinión 3/2018 sobre la manipulación en línea y datos personales*, 19 de marzo de 2018. https://edps.europa.eu/sites/edp/files/publication/18-03-19_online_manipulation_en.pdf

VOSOUGHI, Soroush, ROY, Deb, y ARAL, Sinan, "The spread of true and false news online", *Science*, n. 359, March 2018, pp. 1146–1151. http://science.sciencemag.org/content/359/6380/1146

WARDLE, Claire et al., *Information Disorder: The essential glossary*, Harvard Kennedy School, Shorenstein Center on Media, Politics and Public Policy, July 2018.

QUINTA PARTE

TERRORISMO

Capítulo XII

LIBERTAD VIGILADA PARA TERRORISTAS. DOS MODELOS DE APLICACIÓN DE LA DOBLE VÍA COMO INSTRUMENTO POLÍTICO-CRIMINAL PARA EL INCREMENTO DE LA REPRESIÓN PENAL

DAVID-ELEUTERIO BALBUENA PÉREZ[*]
Doctor en Derecho, Universidad Jaume I de Castellón.
Investigador en Derecho penal, Asunción (Paraguay)

1. INTRODUCCIÓN

El presente trabajo pretende ofrecer un análisis sobre las medidas de seguridad postpenitenciarias aplicables a los terroristas en los últimos tiempos y, en especial, a la libertad vigilada. Para ello, se parte del estudio de los sistemas paraguayo y español que han otorgado soluciones político-criminalmente muy distintas para afrontar la amenaza del terrorismo. En ese sentido, se hace previamente un recorrido breve sobre algunos aspectos básicos sobre las medidas de seguridad aprovechando para comentar —por su importancia— el caso de Alemania y la jurisprudencia del TEDH sobre las cuestionadas medidas de seguridad privativas de libertad de cumplimiento sucesivo a la pena. Posteriormente se analiza el sistema paraguayo

---
[*] Profesor de Derecho penal y procesal penal en el máster universitario para el ejercicio de la abogacía en la Universidad Internacional de la Rioja (España). Profesor de Derecho penal y Derecho procesal penal en la Universidad Tecnológica Intercontinental (Paraguay). Abogado del Ilustre Colegio de Abogados de Castellón (España).

de sanciones penales y el estado actual de su legislación antiterrorista y algunos aspectos político-criminales importantes, para finalmente analizar el sistema español y las recientes resoluciones que se han dictado en la materia que imponen la libertad vigilada a delitos de terrorismo de forma totalmente automática y con una aparente falta de precisión conceptual.

2. ASPECTOS BÁSICOS SOBRE LAS MEDIDAS DE SEGURIDAD

Como paso previo para intentar comprender el estado actual de las medidas de seguridad en el siglo XXI, es necesario comenzar por lo más elemental, por lo que conviene hacer referencia a cinco cuestiones centrales que son básicas y necesarias para la comprensión de estas figuras. La primera es que el fundamento de las medidas de seguridad reside en el binomio peligrosidad-futuro, contrariamente con lo sucede en las penas que se basan en el binomio culpabilidad-pasado; y están dotadas de dos caracteres esenciales: el profiláctico o asegurativo y el terapéutico o curativo. Todas las medidas de seguridad tienen estas dos características, aunque en algunas de ellas predomina uno sobre el otro, pero siempre concurren, en mayor o menor medida, ambos caracteres que precisamente son los que definen a esta categoría de sanciones.

La segunda es una necesaria referencia a su origen, puesto que las medidas de seguridad (aunque en los textos de FEUERBACH y KLEIN a finales siglo XVIII aparecen referencias a ellas[1]) donde realmente surgen es a finales del siglo XIX con la Escuela Positiva italiana[2] y con el Anteproyecto de Código penal suizo de 1893 —elaborado por Carl STOOS—[3],

---

[1]   *Vid.* SANZ MORÁN, A.J., *Las medidas de corrección y de seguridad en el Derecho Penal.* Valladolid: Lex Nova. 2003, p. 22.

[2]   BLANCO LOZANO, C., *Tratado de Derecho penal español. Tomo I. El sistema de la parte general. Vol. 1. Fundamentos del Derecho penal español. Las consecuencias jurídico-penales.* Barcelona: Bosch. 2004, p. 483.

[3]   JORGE BARREIRO, A., "Reflexiones sobre la compatibilidad de las medidas de seguridad en el CP de 1995 con las exigencias del Estado de derecho". En *Homenaje al Prof. Rodríguez Mourullo.* Madrid: Civitas, 2005, p. 600; MAPELLI CAFFARE-NA, B., *Las consecuencias jurídicas del delito.* 5ª Ed. Navarra: Civitas. 2011, p. 354;

si bien las teorías monistas[4] se superan con el dualismo de STOOS, su carácter aflictivo pronto fue tachado por KOHLRAUSCH de "fraude de etiquetas"[5], de ahí que se buscara paliar sus carencias mediante el sistema vicarial ideado por EXNER en 1914[6]. No obstante, las medidas de seguridad se implementan por primera vez en cuerpos normativos en la primera mitad siglo XX, con todo lo que ello significa desde el punto de vista ideológico, político y social que se vivía en esa trágica época para el mundo civilizado, de modo que desde su concepción originaria a finales del S. XVIII, encuentran su punto álgido en la lucha de escuelas de finales de S. XIX, pero se convierten en figuras visibles en disposiciones normativas en el siglo XX, y su consagración o consolidación definitiva se produce ya en el S. XXI donde su implementación ha venido traspasando incluso los límites a los que dichas figuras venían estando sometidas con la llegada de las constituciones democráticas de finales del S. XX. En ese contexto se encuentran actualmente las medidas de corrección y de seguridad en los sistemas penales contemporáneos.

CHOCLÁN MONTALVO, J.A., "La medida de seguridad". En CALDERÓN CEREZO, A./CHOCLÁN MONTALVO, J.A., *Derecho penal. Tomo I. Parte general.* 2ª Ed. Barcelona: Bosch. 2001, p. 496.

[4]   Sobre las teorías monistas desarrolladas por la Escuela Positiva y los fundamentos del monismo, *vid.*, por ejemplo, SIERRA LÓPEZ, M.V., *Las medidas de seguridad en el nuevo Código Penal.* Tirant monografías, Nº 62. Valencia: Tirant lo Blanch. 1997, pp. 118 a 120; LISZT, F., *La idea del fin en Derecho penal.* 1882. Traducción de Carlos Pérez del Valle. Granada: Comares. 1995, pp. 43 a 96; FRISCH, W., "Las medidas de corrección y seguridad en el sistema de consecuencias jurídicas del Derecho penal. Clasificación en las teorías de la pena, configuración material y exigencias en el Estado de Derecho". En *InDret. Revista para el análisis del Derecho.* 3/2007. Barcelona: 2007, p. 5; COBO DEL ROSAL, M./VIVES ANTÓN, T.S., *Derecho Penal. Parte General.* 5ª Ed. Valencia: Tirant lo Blanch. 1999, p. 986, entre otros muchos.

[5]   Cfr. SANZ MORÁN, A.J., *Las medidas de corrección...*, cit. p. 32.

[6]   Ese sistema vicarial fue descrito con tres características definitorias: la determinación del orden de cumplimiento sucesivo de los dos tipos de sanciones de la forma que resulte más favorable a la reeducación o resocialización, la extensión de todos los efectos beneficiosos alcanzados con la primera sanción a la sanción que deba cumplirse en segundo lugar, y aplicación de los mecanismos de sustitución y demás previsiones legales en torno a la ejecución íntegramente a ambas sanciones, para favorecer la resocialización. *Vid.* EXNER, F., *Die theorie der Scherungsmittel.* Berlin: 1914, pp. 197 a 225.

La tercera, se refiere a que las medidas de seguridad son postdelictuales y se basan en la peligrosidad, pero solo en la *peligrosidad criminal*, que es la cualidad personal que demuestra alta probabilidad de cometer delitos en el futuro[7], no en la *peligrosidad social* basada en la inadaptación y en meras conductas antisociales[8]. La determinación de la peligrosidad, es una cuestión sobre la que durante décadas se han venido desarrollado varios métodos —algunos mejores que otros— en los que se ha intentado conseguir resultados cada vez más precisos y seguros, como los métodos científicos que, en esencia, son los métodos biológicos y matemáticos; y los métodos intuitivos que se basan en las técnicas de pronóstico. Todos han presentado dificultades que ya fueron expuestas magistralmente por VIVES ANTÓN en la década de los 70[9] y más recientemente por MARTÍNEZ GARAY, en varias publicaciones sucesivas, en las que ofrece nuevos datos que evidencian la escasa fiabilidad de los métodos de pronóstico[10].

---

[7] LEAL MEDINA, J., "Un estudio de las actuales medidas de seguridad y los interrogantes que plantean en la moderna dogmática del Derecho penal". En *Revista Aranzadi de Derecho y Proceso Penal*, Nº 20. Navarra: Thomson Aranzadi. 2008, pp. 216 a 226.

[8] MORENILLA RODRÍGUEZ, J.M., "Peligrosidad social y la tipología del sujeto peligroso". En *Documentación Jurídica* Nº 20. Madrid: Ministerio de Justicia, Secretaría General Técnica. 1978, p. 1178; LANDECHO VELASCO, C.M., en COBO DEL ROSAL, M. (dir.), *Comentarios al Código penal*. Tomo IV. Madrid: Edersa. 1999, p. 57.

[9] VIVES ANTÓN, T.S., "Métodos de determinación de la Peligrosidad". En *la libertad como pretexto*. Valencia: Tirant lo Blanch. 1995, p. 18. Edición original en *Peligrosidad social y medidas de seguridad*, Colección de Estudios del Instituto de Criminología y Departamento de Derecho Penal de la Universidad de Valencia. 1974.

[10] MARTÍNEZ GARAY, L., "La incertidumbre de los pronósticos de seguridad: consecuencias para la dogmática de las medidas de seguridad". En *InDret. Revista para el análisis del Derecho*. 2/2014. Barcelona, 2014, pp. 3 a 68; MARTÍNEZ GARAY, L., "*Minority Report*: pre-crimen y pre-castigo. Prevención y predicción". En VIVES ANTÓN, T.S./CARBONELL MATEU, J.C./GONZÁLEZ CUSSAC, J.L./ALONSO RIMO, A./ROIG TORRES, M. (dirs.), *Crímenes y castigos. Miradas al Derecho penal a través del arte y la cultura*. Valencia: Tirant lo Blanch. 2014, pp. 579 a 606; MARTÍNEZ GARAY, L., "Errores conceptuales en la estimación de riesgo de reincidencia. La importancia de diferenciar sensibilidad y valor predictivo, y estimaciones de riesgo absolutas y relativas". En *Revista Española de Investigación Criminológica*. Artículo 3, Nº 14, 2016, pp. 2 a 27.

La cuarta cuestión básica es una necesaria referencia a que la discusión doctrinal sobre la justificación de las medidas de seguridad para imputables, centra sus principales objeciones en que no es posible presumir la peligrosidad cuando no se constata a través de métodos científicos o médicos, que se sobrepasa el límite de la proporcionalidad[11] y que se trata de un fraude de etiquetas[12]. La doctrina española se encuentra dividida[13], GRA-

---

[11]   Algunos autores afirman que las objeciones constitucionales no son importantes (JESCHECK, H.H., *Tratado de Derecho Penal. Parte General.* 4ª Ed. Traducida por J.L. Manzanares Samaniego, Granada: Comares, 1993, pp. 739 y 740), aduciendo que "quien abusa repetidamente de la libertad para cometer delitos graves, y representa también un considerable peligro para el futuro, puede, en interés de la justificada demanda de seguridad por parte de la sociedad, ser sometido a la necesaria restricción de sus movimientos". Y JAKOBS las justifica afirmando que la ausencia de seguridad cognitiva en el comportamiento personal (JAKOBS, G., *El Derecho penal como disciplina científica.* Traducción de A. Van Weezel. Navarra: Civitas. 2008, pp. 104 y 1059), no permite que el delincuente sea tratado como *persona* y es posible coaccionarle para apartarle de la sociedad o para que recupere la seguridad cognitiva de la que carece (JAKOBS, G., "Coacción y personalidad. Reflexiones sobre una teoría de las medidas de seguridad complementarias a la pena". En *InDret. Revista para el análisis del Derecho.* 1/2009. Barcelona: 2009, pp. 11 a 14).

[12]   ZAFFARONI, E.R., "Teoría de las Consecuencias Jurídicas del Hecho Punible". En *Nuevo Código Penal. Opiniones y comentarios.* Asunción: Colegio de Abogados del Paraguay. 1999, pp. 103 y 104.

[13]   Por ejemplo, URRUELA MORA, A., *Las medidas de seguridad y reinserción social en la actualidad. Especial consideración de las consecuencias jurídico-penales aplicables a sujetos afectos de anomalía o alteración psíquica.* Granada: Comares. 2009, p. 21, mantiene que en el sistema español, las medidas como la custodia de seguridad alemana serían contrarias al mandato constitucional del art. 25.2 CE; ALONSO RIMO, A., "Medidas de seguridad y proporcionalidad con el hecho cometido (a propósito de la peligrosa expansión del Derecho penal de la peligrosidad)". En *Estudios Penales y Criminológicos.* Vol. XXIX. 2009, pp. 135 y 136, afirma que la peligrosa lógica de la peligrosidad que justificaría la imposición de medidas complementarias a la pena nos conduciría a admitir también las medidas indefinidas y las predelictuales; ROBLES PLANAS, R., "'Sexual Predators'. Estrategias del Derecho Penal de la peligrosidad". En *InDret. Revista para el análisis del Derecho.* 4/2007. Barcelona, 2007, p. 20, mantiene que sería posible la implementación de un Derecho de medidas desvinculado del de la pena, porque podría ofrecer soluciones a supuestos de excepcional peligrosidad que supusieran "una amenaza inminente, grave y suficientemente concreta y probable (no siendo posible la mera posibilidad)", que quedaría condicionada a la necesidad de su utilización y a la persistencia de la gravedad y probabilidad del peligro, por lo que las posibilidades de proporcionar seguridad a través del Derecho de

CIA MARTÍN refiere a que el tratamiento para el delincuente peligroso puede tener solución en el campo de la culpabilidad, a través de agravaciones penológicas como la reincidencia o la multirreincidencia[14]. SANZ MORÁN se muestra partidario de otorgar una respuesta dualista para imputables peligrosos de criminalidad media o grave, "dando preferencia al carácter correctivo de la intervención frente al meramente asegurativo"[15]. GUISASOLA LERMA, para los delincuentes habituales peligrosos imputables, se muestra partidaria del sistema dualista sin una rígida acumulación de penas y medidas para un mismo hecho, sino con una adecuada articulación del sistema vicarial que permita aplicar medidas de seguridad también a imputables cuando se aprecie peligrosidad criminal o pronóstico de comisión de futuros delitos que en ningún caso puede presumirse *iuris et de iure*, sino que deberá ser constatado en cada caso por el órgano judicial atendiendo a criterios fiables, para no vulnerar los principios de *ne bis idem* y proporcionalidad[16].

---

la peligrosidad son muy limitadas. Para VIVES ANTÓN, T.S., "Constitución y medidas de seguridad". En *La libertad como pretexto*. Valencia: Tirant lo Blanch. 1995, p. 251, la concurrencia de penas y medidas de seguridad puede ser válida y sin que quepa oponer obstáculos de constitucionalidad cuando, como sucede en supuestos de acumulación de varias penas en el castigo de un hecho, el legislador decide sancionar en parte con una pena y en parte con una medida, siempre que se respeten los límites de proporcionalidad, y dice: "no siempre será constitucionalmente ilegítima la concurrencia sobre un mismo hecho de pena y medida de seguridad. Lo será, desde luego, cuando la pena exprese por sí sola la total reprobación que el ordenamiento jurídico proyecta sobre el hecho y la medida suponga, por consiguiente, sólo una ilegítima desaprobación de la personalidad del autor".

[14]   GRACIA MARTÍN, L., "Sobre la legitimidad de medidas de seguridad contra delincuentes imputables peligrosos en el Estado de Derecho". En GARCÍA VALDÉS, C./CUERDA RIEZU, A./MARTÍNEZ ESCAMILLA, M./ALCÁCER GUIRAO, R./VALLE MARISCAL DE GANTE, M., *Estudios penales en homenaje a Enrique Gimbernat*. Vol I. Madrid: Edisofer. 2008, p. 1000.

[15]   SANZ MORÁN, A.J., "De nuevo sobre el tratamiento del delincuente habitual peligroso". En BUENO ARÚS, F./HELMUT KURY/RODRÍGUEZ RAMOS, L./ZAFFARONI, E.R. (dirs.), *Derecho penal y Criminología como fundamento de la política criminal. Estudios en homenaje al profesor Alfonso Serrano Gómez*. Madrid: Dykinson. 2006, pp. 1098 a 1101, con cita de CEREZO MIR, SÁNCHEZ LÁZARO y JORGE BARREIRO, entre otros.

[16]   GUISASOLA LERMA, C., *Reincidencia y delincuencia habitual*. Valencia: Tirant lo Blanch. 2008, pp. 151 a 155. Ahora bien, según esta autora las medidas aplicables a

Por último, la quinta cuestión básica es la distinción entre la peligrosidad del inimputable y la del imputable, puesto que la primera, a pesar de que plantea multitud de problemas relacionados con aspectos médicos y con los tratamientos que quepa otorgarles a través de las medidas de seguridad, son problemas distintos a los de la segunda, pues la peligrosidad del imputable en las últimas décadas ha venido experimentando una dirección inocuizadora[17], focalizando su tratamiento exclusivamente en la pena y en la culpabilidad, a través de la aplicación de un régimen de ejecución penal más estricto, basado en exasperaciones penológicas, en el discutido periodo de seguridad[18], en la creación de una serie de requisitos añadidos para el acceso a libertad condicional, etc., sumando en la última década, la proliferación de la doble vía para los imputables peligrosos, que combina penas más medidas de seguridad sin solución de continuidad.

Para lo que respecta al presente estudio, es conveniente centrar la atención en la categoría de delincuencia peligrosa más visible: la peligrosidad terrorista, que es lo que se ha venido denominando delincuencia por convicción[19], que en España ha tenido un tratamiento penológico con dife-

---

imputables tendrían que ser no privativas de libertad como la libertad vigilada. No obstante, algunos autores afirman que es preferible prescindir de cualquier forma de libertad vigilada, como MARTÍNEZ GARAY, L., "La libertad vigilada: regulación actual, perspectivas de reforma y comparación con la *Führungsaufsicht* del Derecho penal alemán". En *Revista General del Derecho penal*, Nº 22, 2014, pp. 65 y 66, que considera que "sería preferible renunciar a la libertad vigilada como medida de seguridad postcondena, y que en su lugar se debería rediseñar la ejecución de las penas privativas de libertad en un sentido verdaderamente reeducador".

[17] SILVA SÁNCHEZ, J.M., "El retorno de la inocuización. El caso de las reacciones jurídico-penales frente a los delincuentes sexuales violentos". EN ARROYO ZAPATERO, L./BERDUGO GÓMEZ DE LA TORRE, I. (dirs.), *Homenaje al Dr. Marino Barbero Santos in memoriam*. Vol. I. Castilla-La Mancha: Ediciones Universidad de Castilla-La Mancha, 2001, pp. 701 a 710.

[18] BAUTISTA SAMANIEGO, C., "Periodo de seguridad y crimen organizado". En *Cuadernos de Derecho Judicial*, Nº XXII. *Derecho penitenciario: incidencia de las nuevas modificaciones*. Madrid: Consejo General del Poder Judicial. 2006, pp. 145 a 147.

[19] GONZÁLEZ CUSSAC, J.L., "El sistema de penas español: balance crítico y propuesta alternativa". En ARROYO ZAPATERO, L./CRESPO BARQUERO, P./GONZÁLEZ CUSSAC, J.L./QUINTERO OLIVARES, G./ORTS BERENGUER, E., *La reforma del Código Penal tras 10 años de vigencia*. Navarra: Aranzadi. 2006, pp. 57 y 58

rencias importantes respecto del resto de categorías delictivas, consistente en la elevación de los marcos penales hasta los cuarenta años, la fijación de regímenes especiales de cumplimiento, la imposición de la polémica figura del período de seguridad, requisitos especialmente reforzados para el acceso a la libertad condicional y a beneficios penitenciarios y la implementación mecanismos para el cumplimiento íntegro de las penas[20], etc[21]. A todo ello, desde 2010, se añadió la libertad vigilada en su modalidad postpenitenciaria[22], que implica un cumplimiento posterior a la pena[23], intensificación de la respuesta punitiva que, curiosamente, se produjo cuando la amenaza terrorista había mermado significativamente[24], sin olvidar las recientes modificaciones en materia de terrorismo introducidas por la LO 1/2015 de reforma del CP[25], resaltando, por su importancia para el pre-

---

[20]   Como la ley 12/2003, de 21 de mayo, de prevención y bloqueo de la financiación del terrorismo, o la LO 7/2003, de 30 de junio, de medidas de reforma para el cumplimiento íntegro de las penas, y la LO 5/2010, de reforma del código penal.

[21]   LAMARCA PÉREZ, C., "La regulación del terrorismo en el código penal español". En PÉREZ ÁLVAREZ, F. (ed.), *Vniversitas Vitae, homenaje a Ruperto Núñez Barbero*. Salamanca: Aquílafuente. 2007. pp. 359 a 371.

[22]   El Preámbulo de la Ley Orgánica 5/2010, contenía una referencia genérica a la Decisión Marco 2008/919/JAI, del Consejo, de 28 de noviembre, por la que se modifica la Decisión Marco 2002/475/JAI, sobre la lucha contra el terrorismo, a través de la que justificaba una "profunda de reordenación y clarificación del tratamiento penal". No obstante, mantiene una posición muy crítica con la reforma CANCIO MELIÁ, M., "Delitos de terrorismo". En ÁLVAREZ GARCÍA, F.J./GONZÁLEZ CUSSAC, J.L. (dirs.), *Comentarios a la reforma penal de 2010*. Valencia: Tirant lo Blanch. 2010, p. 531, que señala que la justificación que invoca la Decisión Marco 2008/919/JAI, nada tiene que ver con el contenido del texto que finalmente se aprobó.

[23]   *Vid.* DEL CARPIO DELGADO, J., "La medida de libertad vigilada para adultos". En *Revista de Derecho Penal*, Nº 36, 2012, pp. 21 a 65; FEIJOO SÁNCHEZ, B., "La libertad vigilada en el Derecho penal de adultos". En DÍAZ-MAROTO Y VILLAREJO, J. (dir.), *Estudios sobre las reformas del Código Penal: (operadas por las LO 5/2010, de 22 de junio, y 3/2011, de 28 de enero)*. Navarra: Civitas. 2011, pp. 213 a 239.

[24]   VIVES ANTÓN, T.S., "Sobre la dignidad del sistema jurídico". En *Eunomia. Revista en Cultura de la Legalidad*, Nº 1, 2012, p. 73; CANO PAÑOS, M.A., "El régimen penitenciario de los terroristas de ETA, ¿mantenimiento, supresión o modificación?". En *Diario La Ley*, Nº 7821, 2012, pp. 1 a 3.

[25]   *Vid.* CUERDA ARNAU, M.L., "Delitos contra el orden público". En GONZÁLEZ CUSSAC, J.L. (coord.), *Derecho penal. Parte especial*. 4ª ed. Valencia, Tirant lo Blanch, 2015, pp. 762 a 781; COLINA OQUENDO, P., en RODRÍGUEZ

sente estudio, los delitos de enaltecimiento del terrorismo y humillación a las víctimas[26] a los que más adelante se hará referencia.

3. LAS MEDIDAS DE SEGURIDAD EN EL SIGLO XXI

En el siglo XXI es cuando finalmente se han consolidado, de forma definitiva, las medidas de seguridad como categoría de sanciones penales aplicables a sujetos inimputables o semiimputables en unos casos y sujetos imputables peligrosos en otros. La proliferación de combinaciones de sistemas vicariales y de sistemas clásicos de doble vía ha sido una constante en este siglo, prueba de ellos son los ejemplos de España y que seguidamente serán objeto de análisis, pero merece, por su importancia, una especial mención el caso de Alemania cuyos puntos centrales se resumen a continuación.

3.1. El caso de Alemania

En Alemania, partiendo de los antecedentes antes señalados, el *StGB* contiene un sistema de medidas de seguridad para los inimputables, un sistema vicarial para los semiimputables y un sistema de doble vía rígido de corte clásico para los imputables peligrosos, a través de dos medidas de seguridad postdelicuales: la libertad vigilada (*Führungsaufsicht*, § 68 *StGB*) que es una medida de seguridad no privativa de libertad; y por otra parte la cuestionada y cuestionable custodia de seguridad (*Sicherungsverwahrung*, § 66 *StGB*)[27] que es una medida de seguridad postpenitenciaria privativa

---

RAMOS, L (dir.)/RODRÍGUEZ-RAMOS LADARIA, J., *Código penal concordado y comentado*. 5ª Ed., Madrid, La Ley, 2015, pp. 2320 a 2365.

[26]   CASTELLVÍ MONTSERRAT, C., en CORCOY BIDASOLO, M. (dir.)/VERA SÁNCHEZ, J.S. (coord.), *Manual de derecho penal. Parte especial.* Tomo 1. Valencia, Tirant lo Blanch, 2015, pp. 783 y 784; CUERDA ARNAU, M.L., "Delitos contra el orden...", cit. pp. 777 a 780;

[27]   *Vid.* MEDINA SCHULZ, G., "Sistemas penales comparados. Principales reformas en la legislación penal y procesal (2003-2006). Alemania". En *Revista penal*, Nº 18. Wolters Kluwer. 2006, p. 250. JESCHECK, H.H., *Tratado de Derecho Penal...*, cit., p. 741; HERNÁNDEZ BASUALTO, H., "Sistemas penales comparados. Las medidas de seguridad. Alemania". En *Revista Penal*, Nº 23. Wolters Kluwer. 2008, p. 219; SIERRA LÓPEZ, M.V., *La medida de libertad vigilada...*, cit., p. 71.

de libertad. Esta segunda medida de seguridad experimentó una reforma en cuanto a su duración en 1998 que eliminó el límite máximo siempre que se acreditase la persistencia de la peligrosidad, en cuyo caso se podía incluso prolongar de forma perpetua[28]. No obstante, en su Sentencia de 4 de mayo de 2011, el Tribunal Federal Constitucional alemán (*BVerfG),* declaró inconstitucional esta posibilidad ilimitada de prolongación de la restricción a la libertad si persiste la peligrosidad, declarando que la custodia de seguridad implica igualmente una restricción grave en la libertad del penado, a quien se le deberá garantizar siempre una perspectiva de liberación, para lo cual será necesario articular un programa de ejecución distinto al de la pena que justifique la custodia, impidiendo con ello que la privación de libertad se perpetúe[29].

También se planteó en Alemania la delimitación de la custodia de seguridad como pena o como medida de seguridad, aspecto que fue inicialmente resuelto por el *BverfG* en su Sentencia de 5 de diciembre de 2004, aduciendo que se trata de una medida de seguridad y no de una pena criminal, pero por otra parte, el TEDH en su Sentencia de 17 de diciembre de 2009, consideró que en realidad es una pena por carecer en su aplicación de diferencias significativas con la pena privativa de libertad, siendo que incluso la ejecución tiene el mismo fin de reinserción social que cohabita con el efecto intimidatorio[30], de ahí que algunos autores alemanes hayan propuesto su derogación[31]. De hecho, el *BverfG* en Sentencia de 4 de mayo de 2011, se retractó de su anterior doctrina sentada en 2004, declarando inconstitucional la actual regulación de la custodia por carecer de distinción efectiva con la pena de prisión y fijando un periodo transitorio

---

[28]   GUISASOLA LERMA, C., *Reincidencia...,* cit., p. 56.
[29]   ZACHARIAS, S., "La medida de custodia de seguridad a posteriori. ¿Pena o medida de seguridad?". En DÍAZ CORTÉS, L.M. (coord.), *Delito, pena, política criminal y tecnologías de la información y la comunicación en las modernas ciencias penales. Memorias del II Congreso Internacional de Jóvenes Investigadores en Ciencias penales.* Ediciones Universidad de Salamanca, 2012, pp. 204 y 205.
[30]   *Ibidem,* pp. 197 y 198.
[31]   Cfr. ULLENBRUCH, T., *Nachträgliche Scherungsverwahrung-ein legislativer „Spuk" im judikativen „fegefeuer"?* En *NStZ,* 2007, p. 62.

para los casos en que se hubiera aplicado la medida con anterioridad a la aparición de esa Sentencia[32].

3.2. El modelo paraguayo

3.2.1. Breve referencia a los antecedentes

El sistema punitivo paraguayo experimentó una evolución muy particular, que va desde el mantenimiento durante un siglo de las leyes españolas de la época colonial tras la independencia, hasta la incorporación al ordenamiento de la versión en español del Código penal de Alemania con algunas diferencias muy visibles de marcada orientación finalista. Comenzando por el principio, tras el período colonial[33], la independencia de la Corona de España se produjo en 1811 y a pesar de que la voluntad innegable de la época era construir un sistema propio de derechos, la independencia no tuvo como reacción inmediata una legislación penal que sustituyera toda la anterior, por lo que, *de facto*, durante el gobierno del dictador vitalicio Gaspar Rodríguez de Francia y hasta bien entrado el siglo XIX, se siguieron aplicando las leyes españolas[34]. No fue hasta después de la Guerra de la Triple Alianza y en un irrespirable clima de posguerra cuando se promulgó la Constitución de 25 de noviembre de 1870 y, con ella, se quiso promulgar un código penal en 1871, importando el Proyecto de Código penal argentino elaborado por Tejedor[35] que estaba basado, a su vez, en el Código de Baviera de 1813 elaborado por FEUERBACH y que también

---

32   Cfr. SIERRA LÓPEZ, M.V., *La medida de libertad vigilada...*, cit., pp. 82 y 83.

33   Regido por las leyes penales por las que se regía el país eran las Siete Partidas de 1265, del Rey Alfonso X (Partida séptima), así como otras leyes posteriores como el Ordenamiento de Alcalá de 1348, las Ordenanzas Reales de Castilla de 1484, las Leyes de Toro de 1505, las Leyes de Indias de 1528, la Nueva Recopilación 1567 y la Novísima Recopilación de 1805. *Vid.* MARTÍNEZ MILTOS, L., *Derecho penal. Parte General.* 2ª Parte. Asunción: Intercontinental. 1995, pp. 100 a 103.

34   *Cfr.* LANGA PIZARRO, M.M., *Guido Rodríguez Alcalá en el contexto de la narrativa histórica paraguaya.* Tesis doctoral. Universidad de Alicante: Biblioteca Miguel de Cervantes. 2001, pp. 25 y 25.

35   JIMÉNEZ DE ASÚA, L., *Tratado de Derecho penal. Tomo I. Concepto del Derecho penal y de la Criminología, historia y legislación penal comparada.* 5ª Ed. Buenos Aires: Losada. 1992, p. 1197.

contenía algunas influencias del Código francés de Napoleón de 1810. No obstante, este código no llegó a entrar en vigor porque fue vetado por el Poder ejecutivo[36]. El primer Código penal en Paraguay fue el de 1880 (ley de 21 de julio de 1880), importado, en bloque, de la Provincia de Buenos Aires[37]. Su promulgación inspiraba la idea de que las instituciones de derecho español se fueran paulatinamente abandonando tras la independencia, como mecanismo de reacción hacia la construcción de un modelo propio, aunque, fácticamente, pervivieron hasta la promulgación del código penal de 1880[38], aunque abandono no fue total, ya que también aparece como fuente de ese texto punitivo el código penal español de 1848[39].

En 1905 y con la entrada en el siglo XX se produjo un cambio en la orientación político-criminal del momento, debido a que se proyectó lo que pronto se convertiría en el Código penal de 1910[40] (reformado parcialmente en 1914) que retomaba —al menos en parte— la tradición

---

[36]   MARTÍNEZ MILTOS, L., *Derecho penal. Parte General...*, cit. 2ª Parte, p. 104. Este autor relata la importancia del documento emanado del Poder Ejecutivo por el que se promovió el veto en el sentido indicado.

[37]   NÚÑEZ RODRÍGUEZ, V./MONTANÍA CIBILS, C. (coords.), *El Poder Judicial en el Paraguay. Actuaciones del Superior Tribunal de Justicia.* 1870-1900. Tomo II. Asunción: Corte Suprema de Justicia. 2012, Anexo legislativo. pp. 288 y 289. La ley se limitó a decir lo siguiente:
"Art. 1°. Declárase ley de la República el Código Penal de la Provincia Argentina de Buenos Aires, con las modificaciones, supresiones y adiciones hechas en la siguiente reproducción de su texto./Art. 2°. Este Código empezará á regir desde la promulgación de la presente ley./Art. 3°. Autorízase al Poder Ejecutivo para hacer los gastos que exija la impresión del Código./Art. 4°. Autorízase igualmente al Poder Ejecutivo para la creación de los establecimentos penales necesarios para su aplicación, debiendo presentar antes al Congreso un presupuesto aproximativo de los gastos que demande la creación de los referidos establecimentos, cuando las circunstancias del país lo permitan./Art. 5°. Comuníquese al Poder Ejecutivo".

[38]   Cfr. GUZMÁN DALBORA, J.L., "El nuevo Código penal del Paraguay (1997)". En *Revista de Ciencias Penales,* núm. 5. Corrientes: Mave. 2000, p. 155.

[39]   Cfr. MARTÍNEZ MILTOS, L., *Derecho penal. Parte General...*, cit. 2ª Parte, p. 104. Según indica este autor, "Se ha señalado la extraña circunstancia histórica de que nuestra legislación penal vino a derivar de fuentes germánicas, abandonando la tradición jurídica española, aunque sólo parcialmente, pues el proyecto cita también como fuente el CP de 1850".

[40]   *Vid.* GONZÁLEZ, T., *Derecho penal.* Tomo 1°. Asunción, La Colmena, 1928, pp. 110 y ss.

jurídica española[41] al incorporar influencias del código penal español de 1848, sin negar también cierta influencia del código penal italiano de 1889 y de los proyectos argentinos del momento[42]. No obstante, el código era de corte clásico sin referencias todavía a las medidas de seguridad y los estados de peligrosidad criminal —salvo para los establecimientos de enajenados mentales que sí aparecían con esa denominación en el articulado— con un sistema de penas de escaso tinte humanista[43], aunque destacaba, eso sí, una claridad superlativa en la redacción del articulado que fue el motivo de su éxito y de su prolongada vigencia que se mantuvo durante todo el siglo XX y hasta 1997, aunque experimentó varias reformas que, sin embargo, no afectaron en exceso a su estructura general ni a su sistema de sanciones[44].

La ruptura con ese sistema y el radical alejamiento de la tradición jurídico-penal española recuperada parcialmente por el CP de 1910, se produjo en la última década del siglo XX, cuando, tras la promulgación de la Constitución Nacional de 1992 y tras la presentación de varios proyectos que no consiguieron prosperar en la tramitación parlamentaria, se aprobó mediante la Ley 1.160/1997[45]. El texto punitivo que se terminó promulgando, fue una suerte de adaptación paraguaya del código penal de Alemania con algunas diferencias visibles de marcada orientación finalista, cuyo resultado fue lo que algunos autores califican como un código penal de corte autoritario que refleja un liberalismo ultraconservador[46], aunque siempre hay autores que opinan en sentido contrario[47]. El CP de 1997 contiene, al igual que el texto punitivo del que procede, un sistema monista de medidas de seguridad para los inimputables a las que llama

---

41 GUZMÁN DALBORA, J.L., "El nuevo Código penal del Paraguay...", cit. p. 157.
42 JIMÉNEZ DE ASÚA, L., *Tratado de Derecho penal...*, cit. Tomo I, p. 1199.
43 ROLÓN FERNÁNDEZ, E./RODRÍGUEZ KENNEDY, O., *Lecciones de Derecho penal. Parte general.* 3ª Ed. Asunción: AGR. 2012, pp. 633 y 634.
44 GUZMÁN DALBORA, J.L., "El nuevo Código penal del Paraguay...", cit. p. 161.
45 *Vid.* SCHÖNE, W., *Contribuciones al orden jurídico-penal paraguayo.* Asunción: Intercontinental, 2000, pp. 21 y ss.; SCHÖNE, W., "El nuevo Código penal de la República del Paraguay. Sus fundamentos políticos, filosóficos y jurídicos". En *Nuevo Código Penal. Opiniones y comentarios.* Asunción: Colegio de Abogados del Paraguay, 1999, pp. 7 a 36
46 GUZMÁN DALBORA, J.L., "El nuevo Código penal del Paraguay...", cit. p. 165.
47 CENTURIÓN ORTIZ, R.F., *Derecho penal. Parte General.* Asunción: La Ley Paraguaya. 2010, pp. 113 y 114.

medidas de mejoramiento; un sistema vicarial que combina penas y medidas de seguridad para los semiimputables; un rígido y clásico sistema de acumulación de dos sanciones penales privativas de libertad para los imputables peligrosos a modo de doble vía acumulativa en su concepción más genuina: penas privativas de libertad y medidas de seguridad también privativas de libertad que se ejecutan una tras otra de forma consecutiva y automática en los mismos centros penitenciarios donde se ejecutan las penas privativas de libertad[48], y las llamadas "medidas de vigilancia"[49] que no han supuesto más que un adorno inoperante desde su promulgación y que su inaplicación y su incomprensión sistemática en el entramado de sanciones penales paraguayas ha sido una constante, aunque la reciente promulgación del Código de Ejecución penal en 2014, trató de impulsar su aplicación a través de la inclusión de reglas concretas para la ejecución de esa clase de medidas de seguridad no privativas de libertad[50].

3.2.2. La repuesta paraguaya frente al terrorismo

La regulación paraguaya del terrorismo no se encuentra en el Código penal, sino en una ley especial, la Ley 4.024/2010, "que castiga los hechos punibles de terrorismo, asociación terrorista y financiamiento del terrorismo", norma que prevé la imposición de penas privativas de libertad de hasta treinta años para las conductas constitutivas de terrorismo,

---

[48]   Este sistema de doble vía que acumula dos sanciones penales privativas de libertad (pena más medida de seguridad) sigue generando debate sobre su idoneidad, necesidad y sobre todo sobre su constitucionalidad. A favor, por ejemplo, SCHÖNE, W., *Contribuciones al orden jurídico-penal paraguayo*. Asunción: Intercontinental. 2000, pp. 114 y 115; y en contra, por ejemplo, FERNÁNDEZ ARÉVALOS, E., "Medidas de Vigilancia, de Mejoramiento y de Seguridad en el Nuevo Código Penal". En *Nuevo Código Penal. Opiniones y comentarios*. Asunción: Colegio de Abogados del Paraguay. 1999, pp. 156 y 157; y CASAÑAS LEVI, J.F., *Manual de Derecho penal. Parte General*. 6ª Ed. Asunción: La Ley Paraguaya. 2012, pp. 177 y 179.

[49]   *Vid.* LÓPEZ CABRAL, M.O., *Código penal paraguayo comentado*. 6ª ed., Asunción, Intercontinental, 2017, pp. 307 y 308; CENTURIÓN ORTIZ, R.F., *Código penal paraguayo comentado*. Asunción, LexiJuris, 2016, pp. 192 y 193.

[50]   MOREL, Y. (2017), "Ejecución de medidas no privativas de libertad". En TELLECHEA SOLÍS, A./GONZÁLEZ VALDEZ, V. (dirs.), *Código de Ejecución Penal de la República del Paraguay comentado*. Asunción, La Ley, pp. 652 a 654.

límite temporal máximo para las penas privativas de libertad que, con carácter general, contiene el texto punitivo paraguayo[51]. En efecto, la Ley 4.024/2010, en su art. 1º castiga el *terrorismo* con pena privativa de libertad de entre 10 y 30 años, y lo define como la comisión de genocidio, homicidio, lesiones graves, hechos punibles contra la libertad (arts. 125, 126 y 127 CP), contra las bases naturales de la vida humana (arts. 197, 198, 200, 201 CP), contra la seguridad de las personas frente a riesgos colectivos (arts. 203 y 212 CP), contra la seguridad de las personas en el tránsito (arts. 213 al 216 CP), contra el funcionamiento de instalaciones imprescindibles (arts. 218 al 220 CP), sabotaje (arts. 274 y 288 CP), siempre que su perpetración responda a la finalidad de infundir o causar terror, obligar o coaccionar para realizar un acto o abstenerse de hacerlo, a la población paraguaya o a la de un país extranjero, a los órganos constitucionales o sus miembros en el ejercicio de sus funciones, o a una organización internacional o sus representantes. En su art. 2º castiga con pena privativa de libertad de entre 5 y 15 años la *asociación terrorista* y la conducta consiste en crear una asociación organizada que tenga por finalidad cometer los hechos de terrorismo que se enumeran en el art. 1º de la misma norma, ser miembro de ella, participar, sostenerla económicamente, proveerla de apoyo logístico, prestarle apoyo o promoverla. Y, por último, en su art. 3º castiga el *"financiamiento del terrorismo"*, con pena privativa de libertad de entre 5 y 15 años, y la conducta consiste en proveer, solventar o recolectar objetos, fondos u otros bienes, con la finalidad de que sean utilizados total o parcialmente para cometer los hechos de terrorismo que se enumeran en el art. 1º del mismo cuerpo legal, o a sabiendas que serán utilizados para dicha finalidad[52].

---

[51]　En la redacción original del Código penal a través de la Ley 1160/1997, se fijó el límite máximo en 25 años, pero mediante la reforma operada por la Ley 3440/2008, se amplió el límite máximo a 30 años. *Vid.* GONZÁLEZ VALDEZ, en CASAÑAS LEVI, *et al., Código penal de la República del Paraguay comentado. Libro Primero. Parte General.* T.I. Asunción: La Ley Paraguaya, 2011, pp. 191 a 196; LÓPEZ CABRAL, M.O., *Código penal paraguayo comentado...*, cit. p. 250.

[52]　*Vid.* ALFONSO, C., "Represión y prevención del terrorismo en la República del Paraguay". En AMBOS, K./MALARINO, E./STEINER, C. (edits.), *Terrorismo y derecho penal.* Berlín, Konrad Adenauer Stiftung, 2015, pp. 90 a 97.

Pero el aspecto más relevante en lo concerniente a las sanciones penales aplicables a los terroristas es la posibilidad de aplicación, con carácter general, de las medidas de seguridad postpenitenciarias: las medidas de vigilancia (art. 72, 2º CP) basadas —al menos parcialmente— en la *Führungsaufsicht*, y la *reclusión de seguridad* (art. 75 CP), basada en la *Sicherungsverwahrung*[53], que puede tener una extensión de hasta diez años por encima de la pena privativa de libertad, ya que su cumplimiento es posterior a ella y comienza a cumplirse sin solución de continuidad[54]. Por tanto, en materia de terrorismo, las sanciones aplicables en el ordenamiento paraguayo son las más graves y de mayor extensión posible: hasta treinta años de pena privativa de libertad y hasta diez años más de medida de seguridad de reclusión de seguridad, basada en la referencia genérica que hace el texto a la peligrosidad futura que justifica su imposición[55]. Lo curioso de esta regulación es que nunca se ha impuesto una medida de vigilancia para supuestos de terrorismo, optando siempre por la reclusión de seguridad y desplazando de forma drástica a las medidas de seguridad no privativas de libertad a favor de las privativas de libertad.

Además, la imposición de la reclusión de seguridad ha generado el problema de que se ha hecho desaparecer la hipotética posibilidad de acceso a la libertad condicional a quienes tienen pendiente de cumplir la medida de seguridad posterior, admitiendo que la pena privativa de libertad para los terroristas es incapaz de generar pronóstico favorable de reinserción y aun

---

[53] *Vid.* JESCHECK, H.H., *Tratado de Derecho Penal...*, cit. pp. 739 y ss.; ZACHARIAS, S., "La medida de custodia de seguridad...", cit. pp. 187 a 208; HERNÁNDEZ BASUALTO, "Sistemas penales comparados...", cit. pp. 219 y 220; GUISASOLA LERMA, C., *Reincidencia...*, cit. pp. 51 a 58; BORJA JIMÉNEZ, E., "Apuntes de urgencia sobre la legitimidad y los límites de la custodia de seguridad en el Anteproyecto de Reforma del Código Penal de 2012". En *Revista General de Derecho Penal*, Nº 19, 2013, pp. 1 a 16; MEDINA SCHULZ, "Sistemas penales comparados...", cit. p. 250.

[54] *Vid.* MOREL, Y. (2017), "Ejecución de medidas privativas de libertad". En TELLECHEA SOLÍS, A./GONZÁLEZ VALDEZ, V. (dirs.), *Código de Ejecución Penal de la República del Paraguay comentado*. Asunción, La Ley, pp. 642 a 652; CASAÑAS LEVI, J.F., *Manual de Derecho penal...*, cit. pp. 175 a 200; MORA RODAS, Código Penal paraguayo comentado. 4ª ed. Asunción: Intercontinental, 2009, pp. 241 a 243; SCHÖNE, *Contribuciones...*, cit. pp. 114 y 115.

[55] LÓPEZ CABRAL, M.O., *Código penal paraguayo comentado...*, cit. pp. 312 a 314.

en el caso de que existiera dicho pronóstico, no serviría de nada porque al estar pendiente de ejecutar la medida de seguridad, la pena se debe cumplir íntegramente y en ese momento, empezar a cumplir la otra sanción. Este aspecto ha sido la constante generalizada entre la jurisprudencia y la doctrina paraguaya que, salvo contadas excepciones, admiten esta forzada interpretación de la ejecución de las sanciones. Conviene recordar que, además, el sistema de libertad condicional de Paraguay, basado en el modelo alemán, es igual al recientemente incorporado en España tras las reformas de 2015[56], que concibe la libertad condicional como una mera suspensión a prueba del resto de la pena[57] y no una última fase del cumplimiento. En ese sentido, la solución ha sido limitar el uso de esa suspensión de la pena para la libertad condicional solo en caso de que no exista una medida de seguridad posterior pendiente de cumplir, en cuyo caso desaparece todo acceso a la libertad condicional, la pena privativa de libertad se debe cumplir íntegramente y después se cumplirá, en el mismo establecimiento, la medida de seguridad. A ello hay que añadir que las figuras de terrorismo tienen un marco penal abstracto genérico que, en la mayoría de casos, puede alcanzar los 30 años de pena privativa de libertad. En cualquier caso, la solución es drástica: hasta 30 años en el tramo de la pena, más 10 años de medida se de seguridad privativa de libertad postpenitenciaria, supresión del acceso a la libertad condicional aun en el caso hipotético de que en el penado concurriera pronóstico favorable de reinserción llegado el momento en que podría tener derecho a la misma. La otra cosa que llama poderosamente la atención, es que de las dos clases de medidas de seguridad que pueden ser impuestas a los terroristas (no privativas de libertad como las de vigilancia y privativas de libertad como la reclusión de seguridad) suele percibirse como insuficiente e injusto (atendiendo a la gravedad de los he-

---

56   ORTS BERENGUER, E./GONZÁLEZ CUSSAC, J.L., *Compendio de derecho penal. Parte general.* 6ª Ed., Valencia, Tirant lo Blanch, 2016, pp. 538 a 545; RODRÍGUEZ-RAMOS LADARia, J., EN RODRÍGUEZ RAMos, L. (dir.)/RODRÍGUEZ-RAMOS LADARIA, J., *Código penal concordado y comentado.* 5ª Ed., Madrid, La Ley, 2015, pp. 585 a 596.

57   MENDOZA, J.P., "Período de libertad condicional". En TELLECHEA SOLÍS, A./GONZÁLEZ VALDEZ, V. (dirs.), *Código de Ejecución Penal de la República del Paraguay comentado.* Asunción, La Ley, 2017, pp. 345 a 347; LÓPEZ CABRAL, M.O., *Código penal paraguayo comentado...*, cit. pp. 273 a 276; CENTURIÓN ORTIZ, R.F., *Código penal paraguayo...*, cit. pp. 140 a 147.

chos) que se imponga la no privativa de libertad, por lo que las medidas de vigilancia han caído en el desuso y prácticamente en el olvido. La medida de seguridad reina y que se aplica con predominio absoluto y con carácter general para los supuestos de imputabilidad peligrosa es la reclusión de seguridad (*Sicherungsverwahrung*).

3.2.3. La evolución hacia la situación actual

Como no podía ser de otra forma, la creciente amenaza del terrorismo genera incremento de la represión penal, de modo que, ante la existencia de atentados y diversas actividades terroristas protagonizadas por la organización "EPP" (Ejército del Pueblo Paraguayo), como, por ejemplo, el secuestro y posterior muerte de cuatro de las cinco personas que desaparecieron en 2013 en *Tacuatí*, entre otros muchos actos terroristas que vienen siendo protagonizados por dicha organización en los últimos años, se empezaron a producir reformas legislativas en el ámbito de la legislación de defensa en una suerte de "emergencia normalizada"[58] con supresión permanente de determinados derechos fundamentales pero sin necesidad de que se declare previamente estados de excepción. En ese sentido se reformó la Ley 1.337/99, a través de la Ley 5.36/2013, y se militarizaron varias regiones del país por medio de decretos del presidente de la República[59] con los riesgos que la intervención militar comporta para las garantías individuales y los derechos fundamentales. Es decir, que la utilización de ejército no fue meramente de apoyo en inteligencia para la persecución del terrorismo, sino que se envió al ejército para combatir a esa forma de criminalidad específica sin que dicho sacrificio haya desplegado unos efectos tan abrumadores como los esperados, porque la banda sigue activa y operando en distintas regiones del país[60].

---

[58] VERGOTTINI, G., "La difícil convivencia entre libertad y seguridad. Respuesta de las democracias al terrorismo". En *Revista de Derecho Político*, Nº 61, UNED, 2004, p. 16.

[59] ALFONSO, C., "Represión y prevención del terrorismo…", cit. pp. 104 a 105.

[60] *Vid.* BALBUENA PÉREZ, D.E., "Derechos fundamentales y organizaciones criminales: análisis crítico de la respuesta del legislador paraguayo ante la creciente amenaza del terrorismo". En *InDret. Revista para el análisis del Derecho.* 2/2014. Barcelona, 2014, pp. 1 a 34.

Pero más allá fueron las propuestas legislativas protagonizadas por los representantes del pueblo en las cámaras, pues no faltaron las propuestas de restaurar la pena capital en el ordenamiento paraguayo para terroristas y también la prisión a perpetuidad, pero lo que más llamó la atención en ese sentido es que se llegó hasta el punto de protagonizar ante los medios de comunicación una propuesta para bombardear, literalmente, las regiones del país con mayor presencia de actividad terrorista o donde se cree que están escondidos los integrantes de la banda EPP, afirmando que lo conveniente para combatir la delincuencia terrorista es el bombardeo de la región en la que dicha organización se encuentra, aun cuando esa intervención militar necesariamente vaya a provocar la muerte de personas inocentes. Para ello se invocó el argumento de que el terrorismo es como un cáncer al que conviene combatir sacrificando algunas "células vírgenes" que son buenas. A tal efecto, algún representante del pueblo en la cámara de senadores hasta llegó a solicitar a la ciudadanía que le otorgue un "cheque en blanco" al presidente de la República para que pueda enfrentar al EPP con mayor agresividad, identificando mediante tecnología a los terroristas para atacarles con bombas y granadas, aduciendo que: "y seguramente cuando los matemos a ellos va a tener que morir gente inocente, pero de cualquier manera también está muriendo gente inocente. Es hora de que, en vez de criticar, como ciudadanía comprometida, también nos pongamos a analizar qué es lo que en realidad queremos". Además, explicó en sus declaraciones que conviene pedir ayuda a los Estados Unidos y a otros países que "tienen los elementos tecnológicos y que realmente le entablemos una guerra y un punto final al EPP"[61].

Este es, pues, el panorama de la lucha antiterrorista paraguaya, que ha pasado de tener la posibilidad de aplicar medidas de seguridad de vigilancia postpenitenciarias, a desecharlas literalmente y optar por penas privativas de libertad hasta los máximos posibles (30 años) con exasperaciones

---

[61]   En concreto la senadora Mirta Gusinky que además ejerce como defensora de los derechos humanos en la comisión que integra en la Cámara de Senadores, realizó unas declaraciones que fueron publicadas en varios medios de comunicación, entre otros en Diario ABC Color, 15 de agosto de 2015, *"Para acabar con EPP deberán morir inocentes"*. Diario Hoy, 14 de agosto de 2015, *"Gusinky pide liquidar al EPP con bombas: va tener que morir gente inocente"*.

punitivas seguidas de medidas de seguridad privativas de libertad hasta límites máximos que pueden legar a los 10 años, todo ello con supresión del acceso a la libertad condicional y, en consonancia evolutiva, militarización de determinadas regiones del país por vía de decreto presidencial, debates parlamentarios sobre la restauración de la pena de muerte y la perpetua, y finalmente una propuesta política para lanzar bombas sobre las regiones que albergan a los terroristas asumiendo las bajas inocentes como daños previsibles y necesarios derivados de la legitimidad de la lucha.

4. EL MODELO ESPAÑOL

El CP español de 1995, en su origen era un código dualista de tendencia monista o "*neomonista*"[62], y consistía en que solo era posible imponer penas a los imputables y medidas de seguridad a los inimputables, incorporando, a su vez, un sistema vicarial para los semiimputables. La reforma de 2010 vino marcada por la tendencia dualista[63] a la que algunos autores

---

[62] SANZ MORÁN, A.J., "De nuevo sobre el tratamiento…", cit., p. 1087.

[63] Puesto que conjuga penas y medidas de seguridad sin sujeción al sistema vicarial (CUELLO CONTRERAS, J./MAPELLI CAFFARENA, B., *Curso de Derecho penal. Parte General*. Madrid: Tecnos. 2011, p. 356), esto es, un régimen sumatorio (ACALE SÁNCHEZ, M., "Nuevos presupuestos para la imposición de penas y medidas de seguridad". En PÉREZ CEPEDA, I. (dir.)/GORJÓN BARRANCO, M.C. (coord.), *El proyecto de reforma del Código Penal de 2013 a debate*. Salamanca: Ratio Legis. 2014, p. 26) que rompe con el monismo para los imputables peligrosos, de forma que, en la libertad vigilada aplicable a delincuentes sexuales (art. 192.2 CP) y terroristas (art. 579.3 CP), la medida de seguridad puede cumplirse de forma sucesiva a la pena, cuya ejecución se lleva a cabo sin solución de continuidad tras extinguirse la pena de prisión (GARCÍA ALBERO, R., "La nueva medida de seguridad de libertad vigilada". En *Revista Aranzadi doctrinal*, Nº 6, 2010, p. 185) sumándose a la misma, con el objetivo de someter a esta clase de delincuentes a una suerte de control de baja intensidad encaminado a la neutralización de la peligrosidad (MAPELLI CAFFARENA, B., *Las consecuencias…*, cit. p. 365). Este sistema de doble vía que se aleja de la para algunos autores errónea concepción del CP de 1995 fundada en que el sistema dualista necesariamente debe asociar medidas de seguridad con ausencia total o parcial de imputabilidad (ETXEBARRÍA ZARRABEITIA, X., "Las medidas de seguridad como instrumentos de reinserción". En *Revista Sepín práctica penal*. Nº 60. 2010, p. 19, nota al pie 4, con cita de ZUGALDÍA ESPINAR, J.M., "Medidas de seguridad complementarias y acumulativas para autores peligrosos tras el cumpli-

llamaron "*neodualismo*"[64], pues el sistema de doble vía por el que optó la LO 5/2010, pretendió consolidarse y evolucionar hacia su radicalización, conjugando penas (primera vía) y medidas de seguridad (segunda vía) de forma que las primeras se adicionan a las segundas. La pena, basada en la culpabilidad, está dotada de carácter retributivo, y la medida de seguridad, basada en la peligrosidad, sirve al ideal de salvaguarda de la seguridad del conjunto de la sociedad frente a las posibles infracciones del individuo peligroso. Ambas categorías sirven al objetivo común de la prevención especial, pero mientras en las medidas es la única finalidad que justifica su existencia[65], en las penas solo es uno de más de sus objetivos, entre los que también está la retribución y la prevención general[66].

La LO 5/2010, de 22 de junio, introdujo la medida de seguridad de libertad vigilada como una figura nueva en el sistema español de consecuencias jurídicas del delito, que si bien contaba con antecedentes legislativos en el Derecho histórico y también con precedentes en el ámbito de los menores, no es hasta 2010 cuando se traspasa la barrera del dualismo con

---

miento de la pena". En *Revista de Derecho penal y Criminología*, Nº 1, 2009, pp. 199 a 212), supone un "criticable retorno al dualismo rígido" (JORGE BARREIRO, A., en LASCURAÍN SÁNCHEZ, J.A., *Introducción al Derecho penal*. Navarra: Civitas. 2011, p. 337), al modelo de medidas de seguridad complementarias a las penas, acercándose a lo previsto en otros ordenamientos que parecían haberse descartado con la promulgación del CP en 1995.

[64] CUELLO CONTRERAS, J./MAPELLI CAFFARENA, B., *Curso de Derecho penal...*, cit. p. 356. Estos autores señalan que se trata de una recuperación de la relación dualista entre penas y medidas de seguridad, "entendiéndolas como dos realidades impermeables unidas secuencialmente y precedidas por la ejecución de la medida".

[65] No obstante, JAKOBS, G., *Derecho penal. Parte General. Fundamentos y teoría de la imputación*. 2ª Ed. Traducida por Joaquín Cuello Contreras y José Luis Serrano González de Murillo. Madrid: Marcial Pons. 1997, pp. 41 y 42, mantiene que las medidas de seguridad también están al servicio de la prevención general positiva, en la medida en que con su aplicación sirven al mantenimiento de la autoridad de la norma y a la vigencia del Derecho, al tiempo que restablecen el orden jurídico quebrantado por el delito, sin olvidar que también se crea la suficiente seguridad cognitiva para el apoyo de una garantía normativa, pero principalmente se trata de mantener la confianza en la generalidad de la norma.

[66] FRISCH, W., "Las medidas de corrección...", cit. p. 15.

tendencia monista[67] que imperó en el CP de 1995 desde su promulgación —en el que las medidas de seguridad carecían de acomodo sistemático para ser aplicadas a personas imputables— lo que evidencia que la tendencia reformista que en el ámbito jurídico-penal se está llevando a cabo en los últimos tiempos, parece que pretende desembocar en un retorno al dualismo rígido de corte clásico en el que penas y medidas de seguridad coexistirán como medios de reacción frente al delito y se aplicarán de forma conjunta para servir a los fines preventivos —generales y especiales— de forma simbiótica.

4.1. Libertad vigilada

En España las referencias a la libertad vigilada han sido continuas, pues aparece en la LO 5/2000, reguladora de la responsabilidad penal de los menores[68], en el CP de 1822[69], desapareció con la promulgación del CP de 1870[70], aunque se mantuvo en la Ley de Vagos y Maleantes de 1933[71] y en la Ley de Peligrosidad y Rehabilitación Social de 1970[72], pero con la llegada de la Constitución de 1978 y la promulgación del CP de 1995, se prescindió de ella hasta su reaparición, que se produjo ya en el siglo XXI, pues desde 2006 se instaló su presencia en los distintos Anteproyectos y

---

[67]   JORGE BARREIRO, A., "Reflexiones sobre la compatibilidad...", cit. pp. 624 y 625.

[68]   RODRÍGUEZ LÓPEZ, P., *Ley orgánica de Responsabilidad Penal de los Menores. Especial análisis de la reparación del daño.* Madrid: Dijusa. 2005, pp. 91 y ss.; DOLZ LAGO, M.J., *Comentarios a la legislación penal de Menores.* Valencia: Tirant lo Blanch. 2007, pp. 113 a 116; MONTERO HERNÁNDEZ, T., *La justicia juvenil en España. Comentarios y reflexiones.* Madrid: La Ley. 2009, pp. 304 y 305; MAPELLI CAFFARENA, B./GONZÁLEZ CANO, M.I./AGUADO CORREA, T., *Comentarios a la Ley Orgánica 5/2000 Reguladora de la Responsabilidad Penal de los Menores.* Sevilla: Junta de Andalucía. Consejería de Justicia y Administración Pública. Instituto Andaluz de Administración Pública. 2002, p. 87.

[69]   MANZANARES SAMANIEGO, J.L., "La libertad vigilada...", cit. pp. 2 y 3; GARCÍA RIVAS, N., "La libertad vigilada y el Derecho penal de la peligrosidad". En *Revista General de Derecho penal,* Nº 16, 2011, p. 5.

[70]   CUELLO CONTRERAS, J./MAPELLI CAFFARENA, B., *Curso de Derecho penal...,* cit., pp. 359 y 360.

[71]   SIERRA LÓPEZ, M.V., *La medida de libertad vigilada...,* cit., pp. 19 y 20.

[72]   MANZANARES SAMANIEGO, J.L., "La libertad vigilada...", cit. p. 3.

Proyectos de reforma del CP (2006 y 2007) —que, por supuesto, generaron un intenso debate doctrinal—[73], aunque el texto más destacable es el Anteproyecto de 2008, en el que la libertad vigilada revistió forma de pena privativa de derechos accesoria[74] manteniendo el monismo del CP de 1995, aunque —por su comportamiento— se asemejaba más a una medida de seguridad que a una pena. Seguidamente, tanto en el Anteproyecto como en el Proyecto de 2009, hubo un cambio de criterio al concebirla como medida de seguridad[75] para finalmente alumbrar la LO 5/2010,

---

[73]   Sobre estos textos puede verse, v.g., BOLDOVA PASAMAR, M.A., "Consideraciones político-criminales sobre la introducción de la libertad vigilada". *En ReCrim. Revista del Instituto Universitario de investigación en Criminología y Ciencias Penales de la UV*. 2009, pp. 294 314; TAMARIT SUMALLA, J.M., "La integración jurídica en la Unión Europea y la reforma de 2006. Las penas y la reforma". EN ÁLVAREZ GARCÍA, F.J. (dir.*), La adecuación del Derecho penal español al ordenamiento de la Unión Europea. La política criminal europ*ea. Valencia: Tirant lo Blanch. 2009, pp. 81 y 82; GUDÍN RODRÍGUEZ-MAGARIÑOS, F., *La nueva medida de seguridad postdelictual de libertad vigilada. Especial referencia a los sistemas de control telemáticos.* Valencia: Tirant lo Blanch. 2011, p. 203.

[74]   DIEGO DÍAZ SANTOS, M.R./MATELLANES RODRÍGUEZ, N.P./FABIÁN CAPARRÓS, E.A. (comps.), *Anteproyecto de Ley Orgánica de 14 de noviembre de 2008, de Reforma del Código Penal. Acompañado de los informes del Consejo General del Poder Judicial y del Consejo Fiscal*. XXI Congreso Universitario de Alumnos de Derecho Penal. Salamanca: Ratio legis. 2009, pp. 17 y ss.; DE MARCOS MADRUGA, F., en GÓMEZ TOMILLO, M. (dir.), *Comentarios al Código penal*. 2ª Ed. Valladolid: Lex Nova. 2011, p. 437; VIVES ANTÓN, T.S. *Reflexiones jurídico-políticas a propósito de un Anteproyecto de Código Penal ¿Estado democrático o Estado autoritario?* (*Tol 1405952)*. 2008, pp. 1 a 5.

[75]   *Vid*. CÁMARA ARROYO, S., "La libertad vigilada en adultos: naturaleza jurídica, modos de aplicación y cuestiones penitenciarias". En *La Ley Penal*, Nº 96-97, 2012, pp. 9 y 10; SANZ MORÁN, A.J., "Libertad vigilada y quebrantamiento de condena. Arts. 106 y 468 CP". En ÁLVAREZ GARCÍA, F.J./GONZÁLEZ CUSSAC, J.L. (dirs.), *Consideraciones a propósito del Proyecto de Ley de 2009 de modificación del Código Penal. (Conclusiones del seminario interuniversitario sobre la reforma del Código Penal celebrado en la Universidad Carlos III de Madrid)*. Valencia: Tirant lo Blanch, 2010, pp. 141 a 144; REBOLLO VARGAS, R., "Libertad vigilada. Arts. 100.3, 106.2 y 106.4 CP". En ÁLVAREZ GARCÍA, F.J./GONZÁLEZ CUSSAC, J.L. (dirs.), *Consideraciones a propósito del Proyecto de Ley de 2009 de modificación del Código Penal. (Conclusiones del seminario interuniversitario sobre la reforma del Código Penal celebrado en la Universidad Carlos III de Madrid)*. Valencia: Tirant lo Blanch, 2010, pp. 145 a 149; ACALE SÁNCHEZ, M., "Libertad vigilada. Arts. 106, 192 y 468 CP". En ÁLVAREZ GARCÍA, F.J./GONZÁLEZ CUSSAC, J.L. (dirs.), *Consideraciones*

cerrando el debate sobre la naturaleza jurídica de la libertad vigilada al regularla como medida de seguridad y no como pena. Por otra parte, la DM 2008/947/JAI del Consejo de la UE, de 27 de noviembre de 2008, relativa al principio de reconocimiento mutuo de las resoluciones de libertad vigilada con miras a la vigilancia de las medidas de libertad vigilada y penas sustitutivas, contribuyó a su implantación, aunque esta disposición comunitaria hace referencia a figuras que no son exactamente la libertad vigilada que se terminó introduciendo en España[76].

La libertad vigilada es una medida de seguridad no privativa de libertad que puede ser impuesta por tiempo de entre uno y cinco años en unos casos y por tiempo de hasta diez años en otros; y consiste en el sometimiento del condenado al control judicial a través del cumplimiento de alguna, algunas o todas las obligaciones y prohibiciones previstas en el art. 106 CP, de modo que aglutina en una sola medida lo que antes eran varias sanciones penales autónomas[77] y además añade otras nuevas, posibilitando la imposición conjunta de un elenco muy variado de obligaciones y prohibiciones[78].

El diseño de la LO 5/2010 constaba de una previsión general de imposición facultativa para los inimputables y semiimputables, y de una previsión especial de imposición preceptiva para imputables delincuentes sexuales y terroristas —salvo la previsión facultativa para los primarios— aunque la decisión sobre la ejecución se difiere, en función del pronóstico de peligrosidad, al momento de empezar a cumplirla[79]; y su aplicación presentaba tres variables en función de la categoría de delincuentes y de los delitos cometidos, a saber: como medida principal, como medida sustitutiva de otras medidas originarias, y como medida complementaria a la

---

a propósito del Proyecto de Ley de 2009 de modificación del Código Penal. (Conclusiones del seminario interuniversitario sobre la reforma del Código Penal celebrado en la Universidad Carlos III de Madrid). Valencia: Tirant lo Blanch, 2010, pp. 151 a 160.

[76]   SIERRA LÓPEZ, M.V., *La medida de libertad vigilada...*, cit. p. 52, nota al pie 68 y p. 53.

[77]   ORTS BERENGUER, E./GONZÁLEZ CUSSAC, J.L., *Compendio de Derecho Penal. Parte General.* 6ª Ed. Valencia: Tirant lo Blanch. 2016, p. 584.

[78]   MAPELLI CAFFARENA, B., *Las consecuencias...*, cit. p. 378.

[79]   DE VICENTE MARTÍNEZ, R., *Vademécum de derecho penal.* Valencia: Tirant lo Blanch, 2011, p. 187.

pena en imputables terroristas y delincuentes sexuales. En realidad, para los imputables, la LO 5/2010 introdujo dos libertades vigiladas: una para delincuentes sexuales y otra para terroristas y por ese motivo sus respectivas regulaciones (arts. 192.1 y 579.3 CP) presentaron diferencias importantes que evidenciaron que los contenidos, la duración y los requisitos no podían ser los mismos al tratarse de tipologías delictivas también distintas.

La reforma de 2015, en sus inicios, pretendía dar ese paso decidido hacia la transformación del sistema de medidas de seguridad, pues tras los dos Anteproyectos que le precedieron en 2012 y tras la fase dedicada a los informes consultivos del Consejo General del Poder Judicial y del Consejo Fiscal (que, en líneas generales, mantuvieron críticas con mayor o menor intensidad a sus contenidos)[80], se presentó en 2013 ante el Congreso de los Diputados[81] una primera redacción del Proyecto —muy distinta a la de los Anteproyectos sobre los que se realizaron los informes consultivos y sobre la que solamente se consultó al Consejo de Estado—[82], en el que las medidas de seguridad experimentaban un cambio significativo hacia el modelo dualista rígido —o, si se prefiere, radical—, un sistema de doble vía para los imputables en el que destacaba la desaparición del límite temporal en la aplicación de las medidas de seguridad, situándolo en la peligrosidad y no en la extensión de la pena prevista para cada delito[83], fijando como requisitos que el hecho esté previsto como delito, que del hecho y de las circunstancias personales del sujeto se pueda deducir un pronóstico de comportamiento futuro que revele la probabilidad de comisión de nuevos delitos; y que la imposición de una medida de seguridad resulte necesa-

---

[80]   Informe del Consejo General del Poder Judicial de 16 de enero de 2013, Informe del Consejo Fiscal de 20 de diciembre de 2012.

[81]   Proyecto 121/000065 de Ley Orgánica por la que se modifica la Ley Orgánica 10/1995, de 23 de noviembre, del CP. Boletín Oficial de las Cortes Generales, de 4 octubre de 2013, serie A, Nº 66-1, pp. 1 a 100.

[82]   Dictamen del Consejo de Estado de 27 de junio de 2013. Aspecto que a juicio de GONZÁLEZ CUSSAC, J.L., "Prefacio". En GONZÁLEZ CUSSAC, J.L. (dir.)/ MATALLÍN EVANGELIO, A./GÓRRIZ ROYO, E., Comentario a la reforma del Código Penal de 2015. Valencia: Tirant lo Blanch, 2015, p. 25, implica que, en muchos extremos del CP, "se ha hurtado la preceptiva valoración de los citados órganos constitucionales".

[83]   Pues el art. 6.2 CP, rezaba que "las medidas de seguridad no podrán exceder del límite necesario para prevenir la peligrosidad del autor".

ria para compensar, al menos parcialmente, la peligrosidad del sujeto (art. 95.1 CP). La proporcionalidad también experimentaba modificaciones en cuanto a sus criterios, haciendo desaparecer el límite de la pena en abstracto aplicable al hecho y también la prohibición de exceder el límite de lo necesario (art. 95.2 CP), pues la medida de seguridad pasaba a ser proporcionada tanto a la gravedad del delito cometido (y a los delitos por cometer), como a la peligrosidad[84]. También se reformulaba el sistema vicarial, que se mantenía solo en los casos de internamiento en centro psiquiátrico, en centro de educación especial o de deshabituación (con matices)[85], y penas y medidas de seguridad pasaban a imponerse de forma simultánea, esto es, primero la medida de seguridad, luego la pena, y la medida se le abonaría a la pena cumplida[86].

Como no podía ser de otra forma, las críticas al Proyecto fueron unánimes[87] y prueba de ello es el manifiesto suscrito por los catedráticos de 35 universidades españolas, en el que afirmaron con rotundidad que "lo más grave de esta iniciativa legislativa […] es el claro abandono que se produce del principio de culpabilidad y su sustitución por criterios de peligrosidad: la dignidad humana va a resultar pisoteada en aras de un defensismo a ultranza, y los ciudadanos van a verse entregados no a la seguridad de la norma sino a la indeterminación de los criterios personales con los que se va a 'administrar' la peligrosidad"[88].

---

[84]   ACALE SÁNCHEZ, M., "Nuevos presupuestos…", cit. p. 29.
[85]   SÁEZ RODRÍGUEZ, C., "Comentarios acerca del sistema de penas en la proyectada reforma del Código Penal español". En *Indret. Revista para el Análisis del Derecho*, Nº 2/2013, pp. 15 y 16.
[86]   ZUGALDÍA ESPINAR, J.M., "Medidas de seguridad complementarias…", cit. p. 481.
[87]   *Vid.*, por ejemplo, RODRÍGUEZ HORCAJO, D., "La custodia de seguridad: ¿'retorno al pasado' o 'regreso al futuro'?". En DÍAZ CORTÉS, L.M. (coord.), *Moderno discurso penal y nuevas tecnologías. Memorias del III Congreso Internacional de Jóvenes Investigadores en Ciencias penales*. Universidad de Salamanca, 2014, pp. 391 a 406; PÉREZ CEPEDA, A.I., "Prólogo". En PÉREZ CEPEDA, A.I. (dir.)/GORJÓN BARRANCO, M.C., *El Proyecto de Reforma del Código penal de 2013 a debate*. Salamanca: Ratio Legis, 2014, pp. 15 a 20, ACALE SÁNCHEZ, M., "Nuevos presupuestos…", cit. p. 48.
[88]   *[http://www.ub.edu/dpenal/recursos/TEXTO%20FINAL2.pdf]* (Consultado el 24/10/2017).

Todo ello provocó que la LO 1/2015, de 30 de marzo, de reforma del CP, no terminase de incorporar todas las reformas proyectados sino que, al final, afectó a muy pocos aspectos de la libertad vigilada y produjo algunas modificaciones solamente en la previsión especial para sujetos imputables y sin alterar la previsión general para inimputables y semiimputables, por lo que se mantuvo el "limitado dualismo"[89] de la LO 5/2010, con el añadido de que su regulación se apartó de la Recomendación del Consejo de Ministros del Consejo de Europa de 2014 relativa a los delincuentes peligrosos, que solo incluye a los condenados por un delito sexual o con violencia muy grave contra las personas con alta probabilidad de cometer nuevas infracciones sexuales o con violencia también muy graves[90]. A pesar del contenido de la citada Recomendación, la reforma amplió el catálogo de delitos a los que es aplicable la modalidad postpenitenciaria de la libertad vigilada, de modo que, junto con los delitos contra la libertad e indemnidad sexuales y los delitos de terrorismo, se añadieron al catálogo todos los supuestos violencia familiar y doméstica y también todas las formas de homicidio. La reforma, pues, dio un paso más hacia la radicalización del dualismo al ampliar sensiblemente el elenco de figuras delictivas a las que la medida de seguridad es de aplicación.

4.2. La situación actual

Al margen de las distintas reformas en materia de terrorismo que ha venido experimentando la legislación española, lo que ha ocurrido con las medidas de seguridad ha sido un fenómeno curioso que genera —y sigue generando— confusiones conceptuales y lo que es más importante: la automatización de la imposición de la libertad vigilada apartándose de su verdadera dimensión conceptual y de los fundamentos en que se asienta. La automaticidad en la imposición se aprecia en la jurisprudencia menor en todos los ámbitos de aplicación de la figura, pero en materia de terro-

---

[89] VIVES ANTÓN, T.S., "La reforma penal de 2015: una valoración genérica". En GONZÁLEZ CUSSAC, J.L. (dir.)/MATALLÍN EVANGELIO, A./GÓRRIZ ROYO, E., *Comentario a la reforma del Código Penal de 2015*. Valencia: Tirant lo Blanch, 2015, p. 36.

[90] MARTÍNEZ GARAY, L., "La libertad vigilada...", cit. p. 35.

rismo, la jurisprudencia de la Audiencia Nacional en la que también se aprecia la automaticidad en la imposición de la libertad vigilada en delitos de terrorismo, se ve agravada por la falta de precisión conceptual con la que se maneja la figura, sin contar la escasa o nula fundamentación que se otorga en las resoluciones para justificar su imposición.

Prueba de ello es la SAN 3/2018, de 3 de marzo, recaída en el sonado caso de Pablo Hasél, el rapero que fue acusado de enaltecimiento del terrorismo por las letras de sus canciones y por los *tweets* que venía publicando desde su cuenta de la red social *Tweeter*. Sin entrar en las consideraciones sobre la dudosa constitucionalidad de esas figuras delictivas y sobre si la conducta del rapero queda o no amparada por el ejercicio de la libertad de expresión en su vertiente artística (porque no es éste el lugar ni el momento de formular consideraciones sobre esos extremos), lo que interesa destacar es el contenido del fallo de dicha resolución, que reza como sigue:

> *"Que debemos condenar y condenamos a: Pablo Rivadulla Duró, como autor de un delito responsable ya definido, de:*
> *I. Enaltecimiento del terrorismo, con la agravante de reincidencia, a las penas de dos años y un día de prisión y multa de 15 meses a razón de 30 euros día, con responsabilidad subsidiaria de 6 meses.*
> *Asimismo se le impone la pena accesoria de inhabilitación absoluta, e inhabilitación especial para profesión u oficio educativos en los ámbitos docente, deportivo y de tiempo libre por periodo de 6 años.*
> *Igualmente se le impone la **pena de dos años de libertad vigilada**. […]"*[91].

Como se observa, la Sala penal de la Audiencia Nacional impone, de forma automática y sin fundamentación alguna en el cuerpo de la resolución, la libertad vigilada aduciendo que es una pena, cuando en realidad es una medida de seguridad. Se desprende claramente que la técnica utilizada para la imposición de la medida es la de la automaticidad como si se tratase de una de las penas accesorias legales como las penas privativas de derechos

---

[91]   También se le condena en la sentencia por delitos de injurias y calumnias contra la Corona y utilización de la imagen del Rey a la pena de multa de doce meses a razón de 30 euros al día, así como injurias y calumnias contra las instituciones del Estado a la pena de multa de quince meses a razón de 30 euros al día, y le impone las costas del proceso, aunque todos estos pronunciamientos no merecen especial consideración en este momento porque exceden del objeto del presente estudio.

que se cumplen durante el tiempo de la condena, pero lo cierto es que esta figura de la libertad vigilada, ni se puede aplicar así ni guarda ninguna relación con esas otras categorías de sanciones.

No obstante, dicha sentencia fue recurrida en apelación y la sentencia de la Sala de apelación, SAN 5/2018, de 14 de septiembre, dispuso cuanto sigue:

> *"Desestimar el recurso de apelación interpuesto por la representación procesal de Pablo Rivadulla Duró contra la sentencia dictada en fecha 2 de marzo de 2018 por la Sección 1ª [...], confirmando dicha resolución salvo en lo que se refiere a la pena concreta por el delito de enaltecimiento del terrorismo, que se reduce a la de 9 meses y 1 día de prisión y una multa de 168 días, con cuota diaria de 30 euros y responsabilidad subsidiaria."* [...][92].

Como puede verse, la sentencia confirma la de resolución recurrida salvo en las penas por el delito de enaltecimiento del terrorismo que las rebaja levemente a su grado mínimo, pero no hay pronunciamiento alguno sobre la libertad vigilada por lo que la misma queda como estaba por una duración de dos años. Además, llama poderosamente la atención que el pronunciamiento relativo a la imposición de esta suerte de "pena de libertad vigilada" (*sic*) ni siquiera fue objeto del recurso porque la parte recurrente no hizo mención alguna a la misma en su escrito de interposición del recurso de apelación. De ese modo, no solo ha quedado confirmada la imposición automática y sin fundamentación de la referida sanción penal, sino que además, ha quedado patente el desconcierto generalizado sobre su naturaleza jurídica, sus fundamentos y sus límites. Lo que queda claro es que la Audiencia Nacional concibe esta sanción como una pena, esto es, una complemento punitivo basado en el reproche culpabilístico y en la gravedad de los hechos, no en la peligrosidad criminal ni en el futuro del autor como realmente se deriva la propia configuración legal de la figura en el sistema español de sanciones penales aplicables a los terroristas.

---

[92] También declara las costas de la apelación de oficio e impone una multa de 500 pesetas por el incidente de recusación planteado en el recurso, aunque estos pronunciamientos no merecen especial detenimiento en este momento por exceder del objeto del presente estudio.

Además, se aprecia claramente el marcado carácter retributivo con el que se concibe a la figura según la aplicación que hace la Sala penal de la Audiencia Nacional, porque ni siquiera existe un cuestionamiento acerca de la validez o sobre lo apropiado o no de la libertad vigilada a supuestos de una presunta peligrosidad criminal como la del rapero de la sentencia, que solo había sido acusado de enaltecimiento del terrorismo, ni siquiera realizar alguna actividad terrorista concreta ni de pertenencia siquiera a una organización. La peligrosidad que justificaría la imposición de la libertad vigilada en estos casos es también muy dudoso que concurra (aunque no imposible), pero lo cierto es que la situación actual de la libertad vigilada para terroristas ha supuesto una expansión generalizada hacia figuras de las que no es posible predicar peligrosidad criminal terrorista en el sentido de la justificación de la imposición de la medida de seguridad postpenitenciaria, una automaticidad implacable que recuerda al mecanismo de imposición de las penas accesorias legales, y una suerte de confusión conceptual sobre la naturaleza jurídica de la figura que termina proclamándose e imponiéndose como una pena que, suponemos, sería, en el caso de existir, una pena privativa de derechos a pesar de que actualmente esa pena como tal no existe en el ordenamiento español y mucho menos con ese nombre.

5. CONCLUSIONES

1. Las medidas de seguridad en el siglo XXI se han consolidado como una segunda categoría de sanciones penales basada en la peligrosidad criminal y la tendencia en los últimos tiempos se dirige hacia el afianzamiento del modelo de doble vía radical o rígido, de corte cásico, que combina penas y medidas de seguridad acumulativas y que son de cumplimiento sucesivo y sin solución de continuidad. El principal problema que todavía persiste es la imposibilidad de determinar la peligrosidad sin acudir al arriesgado juego de las presunciones por la incertidumbre que siempre comporta.

2. Es de suma importancia advertir de la existencia de un elevado riesgo de que las medidas de seguridad vayan paulatinamente adoptando fines meramente inocuizadores y no resocializadores y de que adquieran un ca-

rácter meramente retributivo que solo concierne a las penas, no a las medidas de seguridad.

3. La lucha antiterrorista en los dos países en los que se ha centrado esta investigación, Paraguay y España, han seguido derroteros totalmente distintos: En Paraguay se optado por prescindir de las medidas de vigilancia para dar paso a la exasperación punitiva con penas privativas de libertad hasta un máximo de 30 años sin posibilidad de libertad condicional y la acumulación sucesiva de las medidas de seguridad privativas de libertad. En España, la intensidad punitiva en la pena puede llegar a la prisión perpetua revisable en unos casos y hasta los 40 años de privación de libertad en el tramo de pena en otros, seguidos de hasta 10 años más de libertad vigilada no privativa de libertad de cumplimiento posterior; con acceso, eso sí, a la libertad condicional con determinados requisitos y condiciones especiales respecto del régimen general, pero sin negarse ese derecho a los terroristas si es que cumplen los requisitos, aspecto que implica que la libertad vigilada está reservada exclusivamente a aquellos internos (terroristas por convicción) que por su mal pronóstico no tuvieron acceso a la libertad condicional.

4. La automaticidad con que se impone la libertad vigilada y la falta de precisión conceptual con la que se maneja la figura cuando es aplicada a terroristas, está produciendo una errónea comprensión del verdadero sentido de la figura así como de los fundamentos que presiden su imposición. La libertad vigilada es una medida de seguridad, no una pena principal, ni accesoria ni de ninguna otra clase o categoría más.

5. En ese cometido en el que los defensores de la libertad frente a los excesos del poder nos encontramos inmersos desde hace ya varios siglos, es necesario encontrar ese justo equilibrio entre peligrosidad criminal, sanción penal, medida de seguridad, reinserción social y libertad. Y en ese recorrido en el que en ocasiones se navega sin rumbo, todavía queda mucho camino por transitar y son muchos los aspectos que necesitan mejorar.

6. BIBLIOGRAFÍA

ACALE SÁNCHEZ, M. (2014), "Nuevos presupuestos para la imposición de penas y medidas de seguridad". En PÉREZ CEPEDA, I. (dir.)/GORJÓN BARRANCO, M.C. (coord.), *El proyecto de reforma del Código Penal de 2013 a debate*. Salamanca, Ratio Legis.

ACALE SÁNCHEZ, M. (2010), "Libertad vigilada. Arts. 106, 192 y 468 CP". En ÁLVAREZ GARCÍA, F.J./GONZÁLEZ CUSSAC, J.L. (dirs.), *Consideraciones a propósito del Proyecto de Ley de 2009 de modificación del Código Penal. (Conclusiones del seminario interuniversitario sobre la reforma del Código Penal celebrado en la Universidad Carlos III de Madrid)*. Valencia, Tirant lo Blanch.

ALFONSO, C. (2015), "Represión y prevención del terrorismo en la República del Paraguay". En Ambos, K./Malarino, E./Steiner, C. (edits.), Terrorismo y derecho penal. Berlín, Konrad Adenauer Stiftung.

ALONSO RIMO, A. (2009), "Medidas de seguridad y proporcionalidad con el hecho cometido (a propósito de la peligrosa expansión del Derecho penal de la peligrosidad)". En *Estudios Penales y Criminológicos*. Vol. XXIX.

BALBUENA PÉREZ, D.E. (2014), "Derechos fundamentales y organizaciones criminales: análisis crítico de la respuesta del legislador paraguayo ante la creciente amenaza del terrorismo". En *InDret. Revista para el análisis del Derecho*. 2/2014. Barcelona.

BAUTISTA SAMANIEGO, C. (2006), "Periodo de seguridad y crimen organizado". En *Cuadernos de Derecho Judicial*, Nº XXII. *Derecho penitenciario: incidencia de las nuevas modificaciones*. Madrid, Consejo General del Poder Judicial.

BLANCO LOZANO, C. (2004), *Tratado de Derecho penal español. Tomo I. El sistema de la parte general. Vol. 1. Fundamentos del Derecho penal español. Las consecuencias jurídico-penales*. Barcelona, Bosch.

BORJA JIMÉNEZ, E. (2013), "Apuntes de urgencia sobre la legitimidad y los límites de la custodia de seguridad en el Anteproyecto de Reforma del Código Penal de 2012". En *Revista General de Derecho Penal*, Nº 19.

BOLDOVA PASAMAR, M.A. (2009), "Consideraciones político-criminales sobre la introducción de la libertad vigilada". En *ReCrim. Revista del Instituto Universitario de investigación en Criminología y Ciencias Penales de la UV.*

CÁMARA ARROYO, S. (2012), "La libertad vigilada en adultos: naturaleza jurídica, modos de aplicación y cuestiones penitenciarias". En *La Ley Penal*, Nº 96-97.

CANCIO MELIÁ, M. (2010), "Delitos de terrorismo". En ÁLVAREZ GARCÍA, F.J./GONZÁLEZ CUSSAC, J.L. (dirs.), *Comentarios a la reforma penal de 2010*. Valencia, Tirant lo Blanch.

CANO PAÑOS, M.A. (2012), "El régimen penitenciario de los terroristas de ETA, ¿mantenimiento, supresión o modificación?". En *Diario La Ley*, Nº 7821.

CASAÑAS LEVI, J.F. (2012), *Manual de Derecho penal. Parte General*. 6ª Ed. Asunción: La Ley Paraguaya.

CASTELLVÍ MONTSERRAT, C. (2015), en CORCOY BIDASOLO, M. (dir.)/VERA SÁNCHEZ, J.S. (coord.), *Manual de derecho penal. Parte especial*. Tomo 1. Valencia, Tirant lo Blanch.

CENTURIÓN ORTIZ, R.F. (2010), *Derecho penal. Parte General*. Asunción: La Ley Paraguaya.

CENTURIÓN ORTIZ, R.F. (2016), *Código penal paraguayo comentado*. Asunción, LexiJuris.

CHOCLÁN MONTALVO, J.A. (2001), "La medida de seguridad". En CALDERÓN CEREZO, A./CHOCLÁN MONTALVO, J.A., *Derecho penal. Tomo I. Parte general*. 2ª Ed. Barcelona, Bosch.

COBO DEL ROSAL, M./VIVES ANTÓN, T.S. (1999), *Derecho Penal. Parte General*. 5ª Ed. Valencia, Tirant lo Blanch.

COLINA OQUENDO, P. (2015), en RODRÍGUEZ RAMOS, L (dir.)/RODRÍGUEZ-RAMOS LADARIA, J., *Código penal concordado y comentado*. 5ª Ed., Madrid, La Ley,

CUELLO CONTRERAS, J./MAPELLI CAFFARENA, B. (2011), *Curso de Derecho penal. Parte General*. Madrid: Tecnos.

CUERDA ARNAU, M.L. (2015), "Delitos contra el orden público". En GONZÁLEZ CUSSAC, J.L. (coord.), *Derecho penal. Parte especial*. 4ª ed. Valencia, Tirant lo Blanch.

DE MARCOS MADRUGA, F. (2011), en GÓMEZ TOMILLO, M. (dir.), *Comentarios al Código penal*. 2ª Ed. Valladollid: Lex Nova.

DE VICENTE MARTÍNEZ, R. (2011), *Vademécum de derecho penal*. Valencia: Tirant lo Blanch.

DEL CARPIO DELGADO, J. (2012), "La medida de libertad vigilada para adultos". En *Revista de Derecho Penal*, Nº 36.

DIEGO DÍAZ SANTOS, M.R./MATELLANES RODRÍGUEZ, N.P./FABIÁN CAPARRÓS, E.A. (2009) (comps.), *Anteproyecto de Ley Orgánica de 14 de noviembre de 2008, de Reforma del Código Penal. Acompañado de los informes del Consejo General del Poder Judicial y del Consejo Fiscal*. XXI Congreso Universitario de Alumnos de Derecho Penal. Salamanca, Ratio legis.

DOLZ LAGO, M.J. (2007), *Comentarios a la legislación penal de Menores*. Valencia, Tirant lo Blanch.

ETXEBARRÍA ZARRABEITIA, X. (2010), "Las medidas de seguridad como instrumentos de reinserción". En *Revista Sepín práctica penal*. Nº 60.

EXNER, F. (1914), *Die theorie der Scherungsmittel.* Berlin.

FEIJOO SÁNCHEZ, B. (2013), "Culpabilidad jurídico-penal y Neurociencias". EN DEMETRIO CRESPO, E. (dir.)/MAROTO CALATAYUD, M. (coord.*), Neurociencias y Derecho penal. Nuevas perspectivas en el ámbito de la culpabilidad y tratamiento jurídico-penal de la peligrosidad.* Madrid: Edisofer.

FEIJOO SÁNCHEZ, B. (2011), "La libertad vigilada en el Derecho penal de adultos". En DÍAZ-MAROTO Y VILLAREJO, J. (dir.), *Estudios sobre las reformas del Código Penal: (operadas por las LO 5/2010, de 22 de junio, y 3/2011, de 28 de enero).* Navarra: Civitas.

FERNÁNDEZ ARÉVALOS, E. (1999), "Medidas de Vigilancia, de Mejoramiento y de Seguridad en el Nuevo Código Penal". En *Nuevo Código Penal. Opiniones y comentarios.* Asunción: Colegio de Abogados del Paraguay.

FRISCH, W. (2007), "Las medidas de corrección y seguridad en el sistema de consecuencias jurídicas del Derecho penal. Clasificación en las teorías de la pena, configuración material y exigencias en el Estado de Derecho". En *InDret. Revista para el análisis del Derecho.* 3/2007. Barcelona.

GARCÍA ALBERO, R. (2010), "La nueva medida de seguridad de libertad vigilada". En *Revista Aranzadi doctrinal,* Nº 6.

GARCÍA RIVAS, N. (2011), "La libertad vigilada y el Derecho penal de la peligrosidad". En *Revista General de Derecho penal,* Nº 16.

GONZÁLEZ, T. (1928), *Derecho penal.* Tomo 1º. Asunción, La Colmena.

GONZÁLEZ CUSSAC, J.L. (2015), "Prefacio". En GONZÁLEZ CUSSAC, J.L. (dir.)/MATALLÍN EVANGELIO, A./GÓRRIZ ROYO, E., *Comentario a la reforma del Código Penal de 2015.* Valencia, Tirant lo Blanch.

GONZÁLEZ VALDEZ (2011), en CASAÑAS LEVI, et al., *Código penal de la República del Paraguay comentado. Libro Primero. Parte General.* T.I. Asunción: La Ley Paraguaya.

GUDÍN RODRÍGUEZ-MAGARIÑOS, F. (2011), *La nueva medida de seguridad postdelictual de libertad vigilada. Especial referencia a los sistemas de control telemáticos.* Valencia: Tirant lo Blanch.

GUZMÁN DALBORA, J.L. (2000), "El nuevo Código penal del Paraguay (1997)". En *Revista de Ciencias Penales,* núm. 5. Corrientes: Mave.

GUISASOLA LERMA, C. (2008), *Reincidencia y delincuencia habitual.* Valencia, Tirant lo Blanch.

GRACIA MARTÍN, L. (2008), "Sobre la legitimidad de medidas de seguridad contra delincuentes imputables peligrosos en el Estado de Derecho". En GARCÍA VALDÉS, C./CUERDA RIEZU, A./MARTÍNEZ ESCAMILLA, M./ALCÁCER GUIRAO, R./VALLE MARISCAL DE GANTE, M., *Estudios penales en homenaje a Enrique Gimbernat.* Vol I. Madrid, Edisofer.

HERNÁNDEZ BASUALTO, H. (2008), "Sistemas penales comparados. Las medidas de seguridad. Alemania". En *Revista Penal,* Nº 23. Wolters Kluwer.

JAKOBS, G. (1997), *Derecho penal. Parte General. Fundamentos y teoría de la imputación.* 2ª Ed. Traducida por Joaquín Cuello Contreras y José Luis Serrano González de Murillo. Madrid: Marcial Pons.

JAKOBS, G. (2008), *El Derecho penal como disciplina científica.* Traducción de A. Van Weezel. Navarra, Civitas.

JAKOBS, G. (2009), "Coacción y personalidad. Reflexiones sobre una teoría de las medidas de seguridad complementarias a la pena". En *InDret. Revista para el análisis del Derecho.* 1/2009. Barcelona.

JESCHECK, H.H. (1993), *Tratado de Derecho Penal. Parte General.* 4ª Ed. Traducida por J.L. Manzanares Samaniego, Granada, Comares.

JIMÉNEZ DE ASÚA, L. (1958), *Principios de Derecho penal. La ley y el delito.* 3ª Ed. Buenos Aires, Abeledo-Perrot.

JORGE BARREIRO, A. (2005) "Reflexiones sobre la compatibilidad de las medidas de seguridad en el CP de 1995 con las exigencias del Estado de derecho". En *Homenaje al Prof. Rodríguez Mourullo.* Madrid, Civitas.

JORGE BARREIRO, A. (2011), en LASCURAÍN SÁNCHEZ, J.A., *Introducción al Derecho penal.* Navarra, Civitas.

LAMARCA PÉREZ, C. (2007), "La regulación del terrorismo en el código penal español". En PÉREZ ÁLVAREZ, F. (ed.), *Vniversitas Vitae, homenaje a Ruperto Núñez Barbero.* Salamanca, Aquílafuente.

LANDECHO VELASCO, C.M. (1999), en COBO DEL ROSAL, M. (dir.), *Comentarios al Código penal.* Tomo IV. Madrid, Edersa.

LANGA PIZARRO, M.M. (2001), *Guido Rodríguez Alcalá en el contexto de la narrativa histórica paraguaya.* Tesis doctoral. Universidad de Alicante: Biblioteca Miguel de Cervantes.

LEAL MEDINA, J. (2008), "Un estudio de las actuales medidas de seguridad y los interrogantes que plantean en la moderna dogmática del Derecho penal". En *Revista Aranzadi de Derecho y Proceso Penal,* Nº 20. Navarra, Thomson Aranzadi.

LISZT, F. (1882) *La idea del fin en Derecho penal.* Traducción de Carlos Pérez del Valle (1995), Granada, Comares.

LÓPEZ CABRAL, M.O. (2017), *Código penal paraguayo comentado.* 6ª ed., Asunción, Intercontinental.

MANZANARES SAMANIEGO, J.L. (2010), "La libertad vigilada". En *Diario La Ley,* nº 7534. *Especial Reforma del Código Penal.*

MAPELLI CAFFARENA, B. (2011), *Las consecuencias jurídicas del delito.* 5ª Ed. Navarra, Civitas.

MAPELLI CAFFARENA, B./GONZÁLEZ CANO, M.I./AGUADO CO-RREA, T. (2002), *Comentarios a la Ley Orgánica 5/2000 Reguladora de la Responsabilidad Penal de los Menores.* Sevilla: Junta de Andalucía. Consejería de Justicia y Administración Pública. Instituto Andaluz de Administración Pública.

MARTÍNEZ GARAY, L. (2014), "La libertad vigilada: regulación actual, perspectivas de reforma y comparación con la *Führungsaufsicht* del Derecho penal alemán". En *Revista General del Derecho penal,* N° 22.

MARTÍNEZ GARAY, L. (2014), "La incertidumbre de los pronósticos de seguridad: consecuencias para la dogmática de las medidas de seguridad". En *InDret. Revista para el análisis del Derecho.* 2/2014. Barcelona.

MARTÍNEZ GARAY, L. (2014), "*Minority Report*: pre-crimen y pre-castigo. Prevención y predicción". En VIVES ANTÓN, T.S./CARBONELL MATEU, J.C./GONZÁLEZ CUSSAC, J.L./ALONSO RIMO, A./ROIG TORRES, M. (dirs.), *Crímenes y castigos. Miradas al Derecho penal a través del arte y la cultura.* Valencia: Tirant lo Blanch.

MARTÍNEZ GARAY, L. (2016), "Errores conceptuales en la estimación de riesgo de reincidencia. La importancia de diferenciar sensibilidad y valor predictivo, y estimaciones de riesgo absolutas y relativas". En *Revista Española de Investigación Criminológica.* Artículo 3, N° 14.

MARTÍNEZ MILTOS, L. (1995), *Derecho penal. Parte General.* 2ª Parte. Asunción: Intercontinental.

MEDINA SCHULZ, G. (2006), "Sistemas penales comparados. Principales reformas en la legislación penal y procesal (2003-2006). Alemania". En *Revista penal,* N° 18. Wolters Kluwer.

MENDOZA, J.P. (2017), "Período de libertad condicional". En TELLECHEA SOLÍS, A./GONZÁLEZ VALDEZ, V. (dirs.), *Código de Ejecución Penal de la República del Paraguay comentado.* Asunción, La Ley.

MONTERO HERNÁNDEZ, T. (2009), *La justicia juvenil en España. Comentarios y reflexiones.* Madrid, La Ley.

MORA RODAS, N.A. (2009), *Código Penal paraguayo comentado.* 4ª ed. Asunción: Intercontinental.

MOREL, Y. (2017), "Ejecución de medidas privativas de libertad". En TELLECHEA SOLÍS, A./GONZÁLEZ VALDEZ, V. (dirs.), *Código de Ejecución Penal de la República del Paraguay comentado.* Asunción, La Ley.

MOREL, Y. (2017), "Ejecución de medidas no privativas de libertad". En TELLECHEA SOLÍS, A./GONZÁLEZ VALDEZ, V. (dirs.), *Código de Ejecución Penal de la República del Paraguay comentado.* Asunción, La Ley.

MORENILLA RODRÍGUEZ, J.M. (1978), "Peligrosidad social y la tipología del sujeto peligroso". En *Documentación Jurídica* N° 20. Madrid, Ministerio de Justicia, Secretaría General Técnica.

NÚÑEZ RODRÍGUEZ, V./MONTANÍA CIBILS, C. (coords.) (2012), *El Poder Judicial en el Paraguay. Actuaciones del Superior Tribunal de Justicia.* 1870-1900. Tomo II. Asunción: Corte Suprema de Justicia. Anexo legislativo.

ORTS BERENGUER, E./GONZÁLEZ CUSSAC, J.L. (2016), *Compendio de Derecho Penal. Parte General.* 6ª Ed. Valencia, Tirant lo Blanch.

PÉREZ CEPEDA, A.I. (2014), "Prólogo". En PÉREZ CEPEDA, A.I. (dir.)/ GORJÓN BARRANCO, M.C., *El Proyecto de Reforma del Código penal de 2013 a debate.* Salamanca: Ratio Legis.

REBOLLO VARGAS, R. (2010), "Libertad vigilada. Arts. 100.3, 106.2 y 106.4 CP". En ÁLVAREZ GARCÍA, F.J./GONZÁLEZ CUSSAC, J.L. (dirs.), *Consideraciones a propósito del Proyecto de Ley de 2009 de modificación del Código Penal. (Conclusiones del seminario interuniversitario sobre la reforma del Código Penal celebrado en la Universidad Carlos III de Madrid).* Valencia, Tirant lo Blanch.

ROBLES PLANAS, R. (2007), "'Sexual Predators'. Estrategias del Derecho Penal de la peligrosidad". En *InDret. Revista para el análisis del Derecho.* 4/2007. Barcelona.

RODRÍGUEZ HORCAJO, D. (2014), "La custodia de seguridad: ¿'retorno al pasado' o 'regreso al futuro'?". En DÍAZ CORTÉS, L.M. (coord.), *Moderno discurso penal y nuevas tecnologías. Memorias del III Congreso Internacional de Jóvenes Investigadores en Ciencias penales.* Universidad de Salamanca.

RODRÍGUEZ LÓPEZ, P. (2005), *Ley orgánica de Responsabilidad Penal de los Menores. Especial análisis de la reparación del daño.* Madrid: Dijusa.

RODRÍGUEZ-RAMOS LADARia, J. (2015), EN RODRÍGUEZ RAMos, L. (dir.)/RODRÍGUEZ-RAMOS LADARIA, J., *Código penal concordado y comentado.* 5ª Ed., Madrid, La Ley.

ROLÓN FERNÁNDEZ, E./RODRÍGUEZ KENNEDY, O. (2012), *Lecciones de Derecho penal. Parte general.* 3ª Ed. Asunción: AGR.

SÁEZ RODRÍGUEZ, C. (2013), "Comentarios acerca del sistema de penas en la proyectada reforma del Código Penal español". En *Indret. Revista para el Análisis del Derecho,* Nº 2/2013.

SANZ MORÁN, A.J. (2003), *Las medidas de corrección y de seguridad en el Derecho Penal.* Valladolid, Lex Nova.

SANZ MORÁN, A.J. (2006), "De nuevo sobre el tratamiento del delincuente habitual peligroso". En BUENO ARÚS, F./HELMUT KURY/RODRÍGUEZ RAMOS, L./ZAFFARONI, E.R. (dirs.), *Derecho penal y Criminología como fundamento de la política criminal. Estudios en homenaje al profesor Alfonso Serrano Gómez.* Madrid, Dykinson.

SANZ MORÁN, A.J. (2010), "Libertad vigilada y quebrantamiento de condena. Arts. 106 y 468 CP". En ÁLVAREZ GARCÍA, F.J./GONZÁLEZ CUSSAC,

J.L. (dirs.), *Consideraciones a propósito del Proyecto de Ley de 2009 de modificación del Código Penal. (Conclusiones del seminario interuniversitario sobre la reforma del Código Penal celebrado en la Universidad Carlos III de Madrid)*. Valencia: Tirant lo Blanch.

SCHÖNE, W. (1999), "El nuevo Código penal de la República del Paraguay. Sus fundamentos políticos, filosóficos y jurídicos". En *Nuevo Código Penal. Opiniones y comentarios*. Asunción: Colegio de Abogados del Paraguay.

SCHÖNE, W. (2000), *Contribuciones al orden jurídico-penal paraguayo*. Asunción: Intercontinental.

SIERRA LÓPEZ, M.V. (1997), *Las medidas de seguridad en el nuevo Código Penal*. Tirant monografías, Nº 62. Valencia, Tirant lo Blanch.

SIERRA LÓPEZ, M.V. (2013), *La medida de libertad vigilada*. Valencia: Tirant lo Blanch.

SILVA SÁNCHEZ, J.M. (2001), "El retorno de la inocuización. El caso de las reacciones jurídico-penales frente a los delincuentes sexuales violentos". EN ARROYO ZAPATERO, L./BERDUGO GÓMEZ DE LA TORRE, I. (dirs.), *Homenaje al Dr. Marino Barbero Santos in memori*am. Vol. I. Castilla-La Mancha: Ediciones Universidad de Castilla-La Mancha.

TAMARIT SUMALLA, J.M. (2009), "La integración jurídica en la Unión Europea y la reforma de 2006. Las penas y la reforma". En ÁLVAREZ GARCÍA, F.J. (dir.), *La adecuación del Derecho penal español al ordenamiento de la Unión Europea. La política criminal europea*. Valencia: Tirant lo Blanch.

ULLENBRUCH, T. (2007), *Nachträgliche Scherungsverwahrung - ein legislativer "Spuk" im judikativen "fegefeuer"?* En *NStZ*.

URRUELA MORA, A. (2009), *Las medidas de seguridad y reinserción social en la actualidad. Especial consideración de las consecuencias jurídico-penales aplicables a sujetos afectos de anomalía o alteración psíquica*. Granada, Comares.

VERGOTTINI, G. (2004), "La difícil convivencia entre libertad y seguridad. Respuesta de las democracias al terrorismo". En *Revista de Derecho Político*, Nº 61, UNED.

VIVES ANTÓN, T.S. (1995), "Constitución y medidas de seguridad". En *La libertad como pretexto*. Valencia, Tirant lo Blanch.

VIVES ANTÓN, T.S. (1995), "Métodos de determinación de la Peligrosidad". En *La libertad como pretexto*. Valencia, Tirant lo Blanch.

VIVES ANTÓN, T.S. (2012), "Sobre la dignidad del sistema jurídico". En *Eunomia. Revista en Cultura de la Legalidad*, Nº 1.

VIVES ANTÓN, T.S. (2008), *Reflexiones jurídico-políticas a propósito de un Anteproyecto de Código Penal ¿Estado democrático o Estado autoritario? (Tol 1405952)*. 2008.

VIVES ANTÓN, T.S. (2015), "La reforma penal de 2015: una valoración genérica". En GONZÁLEZ CUSSAC, J.L. (dir.)/MATALLÍN EVANGELIO, A./GÓRRIZ ROYO, E., *Comentario a la reforma del Código Penal de 2015*. Valencia, Tirant lo Blanch.

ZACHARIAS, S. (2012), "La medida de custodia de seguridad a posteriori. ¿Pena o medida de seguridad?". En DÍAZ CORTÉS, L.M. (coord.), *Delito, pena, política criminal y tecnologías de la información y la comunicación en las modernas ciencias penales. Memorias del II Congreso Internacional de Jóvenes Investigadores en Ciencias penales*. Ediciones Universidad de Salamanca.

ZAFFARONI, E.R. (1999), "Teoría de las Consecuencias Jurídicas del Hecho Punible". En *Nuevo Código Penal. Opiniones y comentarios*. Asunción: Colegio de Abogados del Paraguay.

ZUGALDÍA ESPINAR, J.M. (2009), "Medidas de seguridad complementarias y acumulativas para autores peligrosos tras el cumplimiento de la pena". En *Revista de Derecho penal y Criminología*, N° 1.

Capítulo XIII

¿*NULLUM CRIMEN SINE LEGE?* EL IMPACTO DE LA REGULACIÓN PUNITIVA DE LOS DELITOS DE TERRORISMO EN LA SEGURIDAD JURÍDICA DE LOS CIUDADANOS

ANTONIO FERNÁNDEZ HERNÁNDEZ

Prof. Contratado Doctor. Derecho Penal
Universitat Jaume I de Castellón

1. INTRODUCCIÓN

Las constantes tensiones que se han venido dando, que siguen existiendo y que (según todo apunta) continuarán, en materia antiterrorista, entre el régimen jurídico penal (en sentido amplio) y los límites que nuestro Estado de Derecho se autoimpuso a través de la Constitución, parecen hoy, más que nunca, inevitables. Si dichas tensiones son lo suficientemente graves como para determinar la inconstitucionalidad de alguna de las medidas adoptadas por nuestro legislador constituye, no obstante, una cuestión que todavía está por ver.

No se duda de la gravedad del fenómeno de la delincuencia terrorista. Tampoco se discute que sea ese el criterio (si bien no el único, al menos sí uno importante) que el legislador maneje a la hora de diseñar los mecanismos con los que hacerle frente, de forma tal que, a mayor gravedad, mayor sea también la dureza de los instrumentos a emplear. Ni siquiera se cuestiona que pueda considerarse legítimo el que los mecanismos estatales rayen (no así, en cambio, que sobrepasen) los límites constitucionales que sujetan a los poderes públicos. Lo que sí se pone en tela de juicio es que precisamente esa gravedad sea la causa inicial (y final) que permite ir ampliando los límites de la actuación punitiva estatal. Límites que, como ya ha sido denunciado[1], una vez se han dilatado, así quedan para el resto de modalidades delictivas, terminando, más tarde o más temprano, por afectarles[2].

Que el terrorismo es una de las mayores amenazas a las que los Estados democráticos de Derecho deben hacer frente en la actualidad constituye un aserto unánimemente admitido, no sólo a nivel político[3], sino también a nivel jurisprudencial. Así, nuestro Tribunal Constitucional (en adelante TC) ya señaló en 1993 que "la criminalidad terrorista conlleva un desafío a la esencia misma del Estado democrático"[4]. Un año después señalaba que "la excepcional amenaza que esta actividad criminal [la terrorista] conlleva para nuestro Estado democrático de Derecho justifica, sin duda, una medida provisional como lo es la prevista en el precepto impugnado"[5].

---

[1]   *Vid.* CANCIO MELIÁ, M., *Los delitos de terrorismo: estructura típica e injusto*, Reus, Madrid, 2010, pp. 55 y ss.

[2]   Supuesto paradigmático ha sido la ampliación del marco aplicativo que ha experimentado la medida de seguridad de libertad vigilada aplicable a imputables tras la reforma operada por la L.O. 1/2015, de 30 de marzo.

[3]   La Asamblea General de Naciones Unidas comenzaba su *Resolución 60/288. Estrategia global de las Naciones Unidas contra el terrorismo*, "reiterando su enérgica condena del terrorismo en todas sus formas y manifestaciones, independientemente de quién lo cometa y de dónde y con qué propósitos, puesto que constituye una de las amenazas más graves para la paz y la seguridad internacionales". También en el seno de la UE se le otorga idéntica consideración, cuando en el considerando 2 de la *Directiva (UE) 2017/541 del Parlamento Europeo y del Consejo, de 15 de marzo de 2017, relativa a la lucha contra el terrorismo y por la que se sustituye la Decisión Marco 2002/475/JAI del Consejo y se modifica la Decisión 2005/671/JAI del Consejo*, se dice que: "Los actos terroristas constituyen una de las violaciones más graves de los valores universales de la dignidad humana, la libertad, la igualdad y la solidaridad, y el disfrute de los derechos humanos y de las libertades fundamentales en los que se basa la Unión. También representan uno de los ataques más graves contra la democracia y el Estado de Derecho, principios que son comunes a los Estados miembros y en los que se fundamenta la Unión".

[4]   STC núm. 89/1993, de 12 de marzo (*Tol 82112*) FJ 3.c. La misma consideración le otorga el Tribunal Europeo de Derechos Humanos (en adelante TEDH) en su Sentencia de 4 de diciembre de 2008, Caso S y Marper contra Reino Unido (parágrafo 105).

[5]   En esta ocasión se refería al art. 484 bis LECrim, que preveía (y sigue previendo) la suspensión de la función o cargo público del procesado por delito relacionado con

Idea que se reiteraba poco después, cuando señalaba que "lo que supone el terrorismo dentro de una sociedad democrática de ataque radical al Estado y a los derechos fundamentales básicos de los ciudadanos, que su Constitución garantiza, justifica que los mecanismos penales de reacción contra él puedan ser de máxima dureza, y, por tanto, que en el momento de la aplicación del tercer "tests" que es donde la Sentencia ha centrado el rigor de la censura, la dureza de la pena establecida para el tipo penal pueda no resultar desproporcionada"[6].

El atribuir al terrorismo la naturaleza de amenaza de especial gravedad (planteamiento que no puede considerarse precisamente reciente) justifica que en relación al mismo se haya establecido un régimen jurídico caracterizado por una excepcional dureza, no sólo en lo que a las medidas punitivas[7] se refiere, sino también a las reglas procesales[8] aplicables e, incluso, al

---

bandas armadas o terrorismo en situación de prisión provisional. STC 71/1994, de 3 de marzo (*Tol 82479*) FJ 6.

[6] STC 136/1999, de 20 de julio (*Tol 81189*) FJ 8.

[7] Los delitos de terrorismo no sólo tienen previstas penas muy graves, sino que también se les aplica un régimen excepcional, por ejemplo y sin ánimo exhaustivo, en materia de: régimen de cumplimiento de pena (tiempo máximo de cumplimiento efectivo de penas privativas de libertad —art. 76 CP—; periodo de seguridad —art. 78 CP—, revisión de la prisión permanente revisable —art. 78 bis 3 CP— y suspensión de la ejecución de penas privativas de libertad —art. 89 CP—); libertad condicional —art. 90.8 CP— e imprescriptibilidad —arts. 131 y 133 CP—.

[8] Tales como: La posibilidad de emplear agentes encubiertos como mecanismo de investigación —art. 283 LECrim—; la suspensión de la función o cargo público del procesado por delito relacionado con bandas armadas o terrorismo en situación de prisión provisional —art. 384 bis LECrim—; la posibilidad de prolongación de la detención gubernativa hasta un máximo de 5 días —art. 520 LECrim—; la posibilidad de acuerdo judicial de la detención de la correspondencia privada, postal y telegráfica —art. 579 LECrim—; la posibilidad de la grabación de comunicaciones orales directas mediante la utilización de dispositivos electrónicos —art. 588 quater b) LECrim— o de los registros remotos sobre equipos informáticos —art. 588 septies a) LECrim—; la atribución de competencia a la Audiencia Nacional (en adelante AN) y a los Juzgados Centrales de Instrucción —Disposición Transitoria de la L.O. 4/1988, de 25 de mayo (en relación a esta cuestión *vid.* MIRA BENAVENT, J., "El delito de enaltecimiento del terrorismo, el de humillación a las víctimas del terrorismo y la competencia de la Audiencia Nacional: ni terrorismo, ni competencia de la Audiencia Nacional", en ALONSO RIMO, A., CUERDA ARNAU, M. L., FERNÁNDEZ HERNÁNDEZ, A. (Dtores.), *Terrorismo, sistema penal y derechos funda-*

régimen ejecutivo[9] de las penas privativas de libertad imponibles. El punto, pues, en el que nos encontramos, deriva de un *iter* legislativo en el que toda modificación ha parecido no ser suficiente. Tan es así que, de las alrededor de treinta reformas a que ha sido sometido nuestro texto punitivo desde su entrada en vigor, nueve han implicado modificaciones relacionadas, directa o indirectamente, con los delitos de terrorismo[10], hasta el punto de que el actual régimen punitivo de los mismos tiene poco (o más bien nada) que ver con el que contenía el Código Penal (en adelante CP) en su redacción original de 1995[11]. No sólo por las nuevas figuras típicas que han visto recientemente la luz, sino por la elevada diferencia penológica existente, todo ello consecuencia de una política criminal orientada en un único sentido: ampliación de las conductas típicas y agravación de las penas imponibles a

---

*menta*les, Tirant lo Blanch, Valencia, 2018, p. 327)—; o, por último, la atribución de la condición de detenido incomunicado, lo que implica excepciones en materia de designación de un abogado de confianza, de comunicarse con todas o alguna de las personas con las que tenga derecho a hacerlo, de entrevistarse reservadamente con su abogado y de acceder él o su abogado a las actuaciones —art. 527 LECrim—.

9   Como pone de manifiesto RIVERA BEIRAS, el régimen de ejecución de las penas de prisión de los condenados por delitos de terrorismo se ha caracterizado por medidas que van desde el ingreso en cárceles de máxima seguridad, pasando por la progresiva restricción del disfrute de los llamados beneficios penitenciarios o la política de dispersión carcelaria hasta el sometimiento al régimen de aislamiento carcelario (a través del Fichero de Internos de Especial Seguimiento —FIES—). RIVERA BEIRAS, I., "Nuevamente, sobre la emergencia y la excepcionalidad penal y penitenciaria", en ALONSO RIMO, A., CUERDA ARNAU, M. L., FERNÁNDEZ HERNÁNDEZ, A. (Dtores.), *Terrorismo, sistema penal y derechos fundamentales*, Tirant lo Blanch, Valencia, 2018, pp. 401 a 404.

10   Tales modificaciones han venido de la mano de las siguientes leyes orgánicas: 2/1998, de 15 de junio; 7/2000, de 22 de diciembre; 1/2003, de 10 de marzo; 7/2003, de 10 de junio; 15/2003, de 25 de noviembre; 20/2003, de 23 de diciembre; 2/2005, de 22 de junio; 5/2010, de 22 de junio y 2/2015, de 30 de marzo.

11   Si bien ello no tiene por qué ser necesariamente malo, sí pone de manifiesto que, o bien la realidad a regular ha variado sobremanera (y no puede negarse que el terrorismo yihadista al que ahora debe hacer frente la sociedad española presenta características diferenciadoras del terrorismo de nueva izquierda y de extrema derecha que imperaba a finales del pasado siglo) o bien que el legislador no dispone de una política criminal claramente definida en esta materia, salvo por el hecho, obvio es decirlo, de que la deriva ha sido siempre de un marcado carácter punitivista que ya ha llegado al punto álgido de la inocuización (al menos en los casos más graves) del condenado.

las mismas[12]. La consecuencia que de manera inmediata se deriva de esta situación es evidente: el régimen jurídico aplicable al fenómeno criminal del terrorismo puede considerarse, sin temor a equivocarse, el más gravoso de todos los contenidos en nuestro ordenamiento jurídico.

Tampoco se descubre nada nuevo al recordar expresamente que las últimas modificaciones habidas en materia de terrorismo han venido de la mano de las LL.OO. 1 y 2/2015, de 30 de marzo. Durante la tramitación parlamentaria de esta última ley orgánica, Amnistía Internacional emitió un informe publicado "Análisis de Amnistía Internacional a las enmiendas presentadas por el grupo popular en materia de terrorismo"[13], con base al cual publicó en su sitio web[14] una noticia con el siguiente titular: "España: Amnistía Internacional alerta contra la definición vaga e imprecisa del delito de terrorismo"[15]. En dicha noticia se ponía de relieve que en el referido informe se llegaba a la conclusión de que la definición de terrorismo que en esos momentos se estaba tramitando para su inclusión en el CP resultaba vulneradora, entre otros, del principio de legalidad, precisamente, por la vaguedad y la desmesurada extensión otorgada a dicho contenido. Y lo cierto es que no puede afirmarse que las sospechas manifestadas por la referida ONG resulten infundadas, pues diversas han sido las ocasiones en las que nuestro TC se ha visto obligado a pronunciarse sobre la constitucionalidad de las normas reguladoras de los delitos de terrorismo así como sobre la vulneración de derechos fundamentales a consecuencia de puntuales aplicaciones de las mismas por parte de nuestros tribunales[16].

---

[12]   Al respecto *vid.* NÚÑEZ CASTAÑO, E., "Tendencias político criminales en materia de terrorismo tras la LO. 2/2015, de 30 de marzo: la implementación de la normativa europea e internacional", en *Revista Penal*, núm. 37, 2016, pp. 110 y ss.

[13]   Puede consultarse el mismo en: https://doc.es.amnesty.org/ms-opac/search?fq=mssearch_fld13&fv=EUR4110015 Última consulta: octubre de 2018.

[14]   https://www.es.amnesty.org/

[15]   Disponible en: https://www.es.amnesty.org/en-que-estamos/noticias/noticia/articulo/espana-amnistia-internacional-alerta-contra-la-definicion-vaga-e-imprecisa-del-delito-de-terrori/ Última consulta: octubre de 2018.

[16]   Dejando de lado los supuestos en los que el TC ha tenido que determinar si se ha incurrido o no por parte de nuestros tribunales en una aplicación retroactiva de leyes desfavorables al reo (a los que no vamos a referirnos aquí) los casos en los que el TC

Dicha circunstancia se estimó suficiente para analizar el respeto de la actual regulación penal de los delitos de terrorismo al principio de legalidad, desde la perspectiva del principio de taxatividad.

Antes de continuar, una advertencia previa. Dado que el objeto de estas páginas es el (los, más bien) delito(s) de terrorismo, las consideraciones que en adelante se harán irán referidas exclusivamente al ámbito punitivo, dejando de lado, por tanto, todas aquellas matizaciones que debieran efectuarse a la hora de trasladarlas a normas de carácter extrapenal.

2. EL PRINCIPIO DE LEGALIDAD

Como es sabido, a la hora de elaborar una norma punitiva el principio de legalidad establece una doble garantía: formal y material[17]. La formal comporta la obligación de que las normas se encuentren contenidas en una

---

se ha pronunciado sobre el principio de legalidad (bien resolviendo cuestiones de inconstitucionalidad, bien recursos de amparo) en materia de terrorismo han sido: STC 159/1986, de 12 de diciembre (*Tol 79705*) Recurso de Amparo interpuesto por el director del Diario EGIN, condenado por dos delitos de apología del terrorismo por haber difundido en el referido diario sendos comunicados de la organización terrorista ETA; STC 199/1987, de 16 de diciembre (*Tol 79938*) Recursos de Inconstitucionalidad promovidos por el Parlamento Vasco y el Parlamento Catalán contra la L.O. 9/1984, de 26 de diciembre, de medidas contra la actuación de bandas armadas y elementos terroristas y de desarrollo del art. 55 párrafo 2º de la Constitución; STC 89/1993, de 12 de marzo (*Tol 82112*) Recurso de Inconstitucionalidad promovido por el Parlamento Vasco contra determinados preceptos de la L.O. 3/1988, de 25 de mayo, de reforma del Código Penal en materia de delitos relacionados con la actividad de bandas armadas o de elementos terroristas o rebeldes; STC 136/1999, de 20 de julio (*Tol 81189*) Recurso de amparo interpuesto por los miembros de la Mesa Nacional de HB contra la sentencia que les condenaba como autores de un delito de colaboración con banda armada; y ATC 4/2008, de 9 de enero (*Tol 1233207*) de inadmisión del Recurso de amparo interpuesto por quien fue condenado como autor de un delito de amenazas no condicionales a grupos de personas en concurso ideal con otro de enaltecimiento del terrorismo por la publicación en el Diario GARA de dos cartas escritas por él.

17   En relación al contenido del principio de legalidad *vid.* DE VICENTE MARTÍNEZ, R., *El principio de legalidad penal*, Tirant lo Blanch, Valencia, 2004, especialmente pp. 35 a 61.

ley[18]. A ésta no aludiremos por constituir una cuestión ya superada en la materia que nos ocupa[19].

La material, por el contrario, sí nos interesa. Si una de las principales funciones que está llamado a cumplir el principio de legalidad es garantizar la seguridad jurídica como mecanismo a través del cual posibilitar la libertad de actuación de los ciudadanos (pues sólo cuando se conocen las consecuencias que un determinado comportamiento conlleva se es libre para decidir responsablemente cómo actuar)[20] es preciso que el conocimiento de la norma permita a su destinatario predecir con certeza qué conductas son consideradas delito y qué penas (tanto su naturaleza como su cuantía) comporta su materialización. La norma, como es sobradamente conocido, debe ser taxativa[21].

Sobre esta premisa y bajo estos condicionantes el legislador debe operar, surgiendo el problema de la determinación del grado de concreción o abstracción del que aquel puede hacer uso. Por cuanto, como ya ha sido puesto de manifiesto, a la hora de describir conductas cuya consideración como contrarias al ordenamiento jurídico permite atribuirles consecuencias jurídicas perjudiciales para sus responsables, además de a la seguridad jurídica debe atenderse también a otras consideraciones, tales como el posibilitar la perdurabilidad de la norma, así como garantizar una cierta coherencia entre lo que se pretende punir y lo que finalmente resulta punible.

---

[18]   La reserva absoluta de ley en materia penal ya fue afirmada por el TC en su sentencia núm. 25/1984, de 23 de febrero (*Tol 1233207*) FJ 3.

[19]   Lejos quedan ya los tiempos en que la tipificación de los delitos de terrorismo se llevaba a cabo a través de leyes especiales y no del Código Penal. Al respecto *vid.* LAMARCA PÉREZ, C., *Tratamiento jurídico del terrorismo*, Centro de Publicaciones del Ministerio de Justicia, Madrid, 1985, pp. 97 a 193.

[20]   Duda que tal ideal haya llegado a cumplirse en algún momento SILVA SÁNCHEZ, J. Mª., *Malum passionis. Mitigar el dolor del Derecho penal*, Atelier, 2018, p. 39.

[21]   Como señala el propio TC, "la garantía material implica que la norma punitiva permita predecir con suficiente grado de certeza las conductas que constituyen infracción y el tipo y grado de sanción del que puede hacerse merecedor quien la cometa, lo que conlleva que no quepa constitucionalmente admitir formulaciones tan abiertas por su amplitud, vaguedad o indefinición que la efectividad dependa de una decisión prácticamente libre y arbitraria del intérprete y juzgador" (STC 242/2005, de 10 de octubre (*Tol 1233207*) FJ 2; o STC 25/2004, de 26 de febrero (*Tol 500528*) FJ 4, entre otras).

El grado de concreción o abstracción en la redacción otorga una menor o mayor libertad interpretativa a los aplicadores. De ahí la necesidad de determinar la posible compatibilidad de determinadas técnicas legislativas, tales como, por ejemplo, el uso de los conceptos jurídicos indeterminados, de elementos normativos o de cláusulas generales o tipos abiertos, y, en su caso, la fijación de criterios correctores a los que supeditar la validez de su empleo. Compatibilidad y criterios que han venido siendo desarrollados por el TC, a fin de evitar la potencial aplicación arbitraria de la norma, por cuanto ello vulneraría el referido derecho fundamental.

El diseño de una norma penal no constituye, ciertamente, tarea fácil. Hay muchos intereses aparentemente (o tal vez no tanto) contrapuestos que deben compatibilizarse. Precisamente por ello existen los límites constitucionales al *ius puniendi*. Porque la Historia se ha encargado de poner de manifiesto que no es conveniente que los representantes de la voluntad popular actúen según su libre arbitrio, sin más orientación que la satisfacción de sus propios intereses[22]. Sin embargo, una vez fijados tales principios rectores de la actividad de los poderes públicos en general (y por lo que ahora nos atañe, del poder legislativo en particular) hay que ir delimitando las fronteras de los mismos, porque no siempre es posible la sujeción estricta a tales límites. Sobradamente conocido es, de hecho, que una atención extrema al principio de taxatividad[23], aunque permita una mayor seguridad jurídica, implica una reducción de la ductilidad de la norma, disminuyendo su aplicación fáctica (impidiendo la subsunción en su ámbito de aplicación de supuestos que en principio sería necesario que se consideraran abarcados por ella) y su aplicación temporal (imposibilitando o, cuanto menos, dificultando su adaptación a la evolución que el paso del tiempo comporta en la realidad social sobre la que la norma está llamada a operar)[24]. Hallar el punto intermedio que asegure a los ciudadanos el mayor grado de seguridad jurídica en cuanto a lo que el ordenamiento

---

[22]   Y a este respecto me estoy refiriendo tanto a los intereses de una clase política disgregada de la ciudadanía a la que teóricamente representa como a los intereses de las mayorías sociales frente a los de las minorías. Al respecto *vid.* las interesantes consideraciones realizadas por SILVA SÁNCHEZ, J. Mª, *op. cit.*, pp. 29 a 38.

[23]   Dentro de las posibilidades que el propio lenguaje permite.

[24]   En relación a esta cuestión *vid.* CORRECHER MIRA, J., *Principio de legalidad penal: ley formal vs. Law in action*, Tirant lo Blanch, Valencia, 2018, pp. 435 y ss.

punitivo define como delito y a las consecuencias jurídicas que asocia a su comisión, permitiendo un ámbito aplicativo y una perdurabilidad de la norma que la haga mínimamente operativa, resulta, reiteramos, una muy compleja tarea. Dado que el órgano encargado de la determinación de las fronteras de los principios limitadores del *ius puniendi* es el TC y teniendo también en cuenta, como acabamos de referir, que han sido ya varias las ocasiones en las que el mismo se ha pronunciado, precisamente en relación al objeto que nos ocupa, procede, en primer lugar, reflejar cual es la doctrina jurisprudencial que el TC ha elaborado en relación al principio de taxatividad para, en atención a ella, dar respuesta a la cuestión que nos planteábamos *supra*.

3. EL PRINCIPIO DE LEGALIDAD DESDE LA PERSPECTIVA DE LA TAXATIVIDAD EN EL TRIBUNAL CONSTITUCIONAL

En su reciente Auto número 67/2018, de 20 de junio, el TC señala que su jurisprudencia "ha establecido que la Constitución, lejos de someter la acción del legislador a los mismos límites sustantivos con independencia del objeto sobre el que ésta se proyecte o del tipo de decisiones que incorpore, contempla exigencias más intensas de taxatividad, y también de proporcionalidad, en el caso de las normas penales. Esto se debe [continúa diciendo el TC] precisamente, al alcance de los efectos que de aquéllas se derivan, puesto que cuanto más intensa sea la restricción de los principios constitucionales y, en particular, de los derechos y libertades reconocidos en el texto constitucional, tanto más exigentes son los presupuestos sustantivos de la constitucionalidad de la norma que los genera (STC 60/2010, de 7 de octubre)"[25]. A partir de aquí no deja claro el TC si el criterio exigible es estándar en toda la materia penal o si, por el contrario, la premisa también actúa dentro del ámbito punitivo, pudiendo graduarse las exigencias de constitucionalidad en función de la mayor o menor afectación a los derechos fundamentales que de las diversas normas penales pueda derivarse. De ser así (y así parece, por cuanto el argumento empleado es

---

[25]   (*Tol 6667415*) FJ 4.

perfectamente aplicable, no sólo *ad extra* del ámbito punitivo sino también *ad intra*) consecuencia inmediata de ello debería ser que los presupuestos sustantivos de constitucionalidad predicables respecto de las normas penales emanadas en materia de terrorismo deberían ser los más exigentes, habida cuenta de las graves consecuencias que deparan para aquellos a quienes resultan aplicadas. Sin embargo, esto no es exactamente así.

Comencemos por lo obvio. Como es sobradamente conocido, el principio de legalidad penal proclamado en el art. 25.1 CE como derecho fundamental que toda persona ostenta a no ser castigado por acciones u omisiones que no constituyan infracción en el momento en que se llevan a cabo[26] vincula tanto al legislador como a los órganos jurisdiccionales, es decir, el principio de legalidad proyecta sus efectos no sólo en la fase de elaboración de la ley, sino también en la de aplicación (y consecuente interpretación) de la norma sancionadora.

Tal circunstancia permite sostener, en conclusión, que, en realidad, este derecho fundamental, que se erige además en principio básico del Estado de Derecho[27] en el que se integran las exigencias contenidas en el art. 9.3 CE, en la medida en que ejerce de muro de contención del *ius puniendi* estatal, orienta la existencia completa de una norma sancionadora, desde su elaboración hasta su derogación, lo que implica la constante sumisión de los poderes públicos al mismo.

Dicha proyección en las dos grandes etapas diferenciadas podría generar la idea de que el principio de legalidad genera efectos independientes, esto es, efectos que se proyectan bien al momento del diseño de la norma penal a cargo del legislador, bien a la de su aplicación por los operadores jurídicos. Sin embargo, y como se verá, tal distinción no es tan clara (ni tan radical) a la hora de la verdad. Dicho de otro modo. Algunas de las limitaciones a la actuación punitiva del Estado, que en principio vinculan

---

[26]   "Exigencia de predeterminación normativa de las conductas infractoras y sanciones" lo denomina el TC (STC núm. 146/2017, de 14 de diciembre, FJ 3).

[27]   De "principio de principios" lo califica VIVES ANTÓN, T. S., "Principio de Legalidad, interpretación de la ley y dogmática penal", en VIVES ANTÓN, T. S., *Fundamentos del Sistema Penal, 2ª Edición. Acción Significativa y Derechos Fundamentales*, Tirant lo Blanch, Valencia, 2011, p. 725.

al legislador (como, por ejemplo, la taxatividad) se hacen depender, en ocasiones, de la labor aplicativa desarrollada por Juzgados y Tribunales. Y eso precisamente es lo que ha venido estableciendo el TC.

En el ya aludido Auto núm. 67/2018, de 20 de junio, resume el TC su doctrina general relativa al principio de legalidad desde la perspectiva del principio de taxatividad. En el mismo se señala que, desde sus primeras sentencias, el TC ha dejado dicho de forma estable que "la exigencia de taxatividad impone al legislador penal el máximo esfuerzo posible para que la seguridad jurídica quede salvaguardada en la definición de los tipos"[28]. "Definición que ha de ser precisa, esto es, dotada de la suficiente concreción de las conductas descritas en la norma que son presupuesto fáctico de su aplicación"[29]. Consecuencia inmediata de ello es que "el mandato de taxatividad [...] se traduce en la imperiosa exigencia de la predeterminación normativa de las conductas ilícitas y de las sanciones correspondientes"[30]. Aunque, puntualiza, la obligación de dicho esfuerzo no supone "que el principio de legalidad penal quede infringido en los supuestos en que la definición del tipo incorpore conceptos cuya delimitación permite un *margen de apreciación*"[31].

"Dado la amplitud de este canon de enjuiciamiento [continúa diciendo el referido ATC] este Tribunal ha definido tres criterios básicos, más específicos, dirigidos a realizar el enjuiciamiento constitucional de la taxatividad de las normas penales: la posibilidad de determinación de la norma por el aplicador judicial (SSTC 69/1989, de 20 de abril, FJ 1; 89/1993, de 12 de

---

[28]   Así: SSTC núm. 62/1982, de 15 de octubre (*Tol 79035*) FJ 7; 89/1993, de 12 de marzo (*Tol 82112*) FJ 2; 53/1994, de 24 de febrero (*Tol 82461*) FJ 4; 151/1997, de 29 de septiembre (*Tol 80774*) FJ 3; 142/1999, de 22 de julio (*Tol 81193*) FJ 3; 100/2003, de 2 de junio (*Tol 273389*) FJ 3; 218/2005, de 12 de septiembre (*Tol 709071*) FJ 3; 297/2005, de 21 de noviembre (*Tol 756769*) FJ 8; 283/2006, de 9 de octubre (*Tol 1001090*) FJ 5; 59/2008, de 14 de mayo (*Tol 1315315*) FJ 2; 138/2008; de 27 de octubre (*Tol 1391050*) FJ 3; 45/2009, de 19 de febrero (*Tol 1449446*) FJ 2; 127/2009, de 26 de mayo (*Tol 1526394*) FJ 2; 41/2010, de 22 de julio (*Tol 1926011*) FJ 2; 145/2013, de 11 de julio (*Tol 3855999*) FJ 4; 185/2014, de 6 de noviembre (*Tol 4561315*) FJ 8; 86/2017, de 4 de julio (*Tol 6207843*) FJ 5.

[29]   ATC 67/2018, de 20 de junio (*Tol 6662122*) FJ 4.

[30]   STC 25/2004, de 26 de febrero (*Tol 500528*) FJ 4, entre otras.

[31]   STC 62/1982, de 15 de octubre (*Tol 79035*) FJ 7 c.

marzo, FJ 2; y 151/1997, de 29 de septiembre, FJ 3); la eventual existencia de una necesidad intensificada de tutela penal, que puede modular las exigencias de predeterminación normativa (STC 151/1997, de 29 de septiembre, FJ 3); y el ámbito de destinatarios de la norma (STC 129/2006, de 24 de abril, FJ 6), en cuanto les permite conocer con mayor facilidad el sentido de los conceptos que en ella se utilizan"[32]. De ellos, resultan relevantes a nuestros efectos los dos primeros, por cuanto serán de aplicación en los supuestos que nos plantearemos más adelante[33].

El TC ha venido admitiendo, por tanto, la posibilidad de determinación del contenido de la norma penal por el aplicador judicial (primero de los criterios limitadores) por cuanto "los términos supuestamente imprecisos de una norma penal, ya sea por su dicción literal o por su puesta en relación con otras normas, pueden haber quedado clarificados por una interpretación regular y estable de la jurisprudencia aplicativa"[34]. De ahí que "en un proceso normal de adaptación y aplicación de la ley, el problema de constitucionali-

---

[32]   FJ 4.

[33]   El tercero de los supuestos se fijó como consecuencia de un recurso de amparo interpuesto por un miembro del Parlamento Vasco contra la sanción de suspensión de sus derechos y deberes de parlamentario, durante el plazo de un mes, que le fue impuesta por haber usurpado la personalidad de su compañero de escaño al utilizar su sistema de votación contraviniendo el principio de indelegabilidad del voto. En el supuesto, el TC concluyó que, aunque el carácter abierto de la disposición aplicada era evidente, "sin embargo, no toda indeterminación de la disposición sancionadora conduce de forma inexorable a la vulneración del derecho a la legalidad sancionadora. […] En suma, ninguna lesión del derecho a la legalidad sancionadora puede aducirse pues no puede considerarse imprevisible para un parlamentario que la conducta de pulsar el botón de presencia de otro parlamentario es una conducta sancionable por infringir los deberes del recto ejercicio del cargo de parlamentario, …".

[34]   Así, "para realizar el juicio de constitucionalidad de una norma penal desde la perspectiva de taxatividad que ha sido propuesta, resulta relevante tomar en consideración el contexto legal y la jurisprudencia aplicativa en la que el precepto penal se inscribe (STC 133/1987, de 21 de julio, FJ 6; y 270/1994, de 17 de octubre, FJ 6), así como la propia evolución del precepto a lo largo del tiempo y su interpretación judicial regular y estable, dado que el ordenamiento jurídico es una realidad compleja e integrada, dentro de la cual adquieren sentido y significación propia —también en el ámbito penal— cada uno de los preceptos singulares (STC 89/1993, de 12 de marzo, FJ 2) […] la suficiencia o insuficiencia de la labor legislativa de predeterminación normativa debe valorarse tomando en consideración lo que hemos denominado *el contexto legal y jurisprudencial en el que el precepto penal se inscribe*" (FJ 4).

dad se traslada del legislador al intérprete y aplicador de la norma, de modo que el aparente déficit de precisión de la ley deviene compatible con las exigencias del principio de legalidad cuando la aplicación judicial del precepto se colma a través de una subsunción motivada (STC 151/1997, de 29 de septiembre, FJ 3)[35]. Por consiguiente, "el déficit de la ley sólo es compatible con las exigencias del principio de legalidad si el Juez lo colma"[36]. En resumen, una de las excepciones que el TC[37] admite al principio de taxatividad es el de la complementación de las deficiencias que pueda presentar la norma con la interpretación aplicativa que viene haciéndose de ella.

El segundo de los criterios limitadores (que en realidad constituye una modalidad de la anterior excepción) se estableció para admitir la compatibilidad con el principio de legalidad del uso, por parte del legislador, de cláusulas normativas abiertas[38], esto es, cláusulas normativas necesitadas de complementación judicial[39]. Compatibilidad que, no obstante, es admitida exclusivamente cuando el recurso a las mismas resulte imprescindible[40].

---

[35] *Ibidem.*

[36] STC 151/1997, de 29 de septiembre (*Tol 80774*) FJ 3: "Y la única manera de llevar a cabo esta tarea de conformidad con el art. 25 CE [continúa diciendo] es hacer expresas las razones que determinan la antijuridicidad material del comportamiento, su tipicidad y cognoscibilidad y los demás elementos que exige la licitud constitucional del castigo. Ello significa que, como sucede en el ámbito de otros derechos fundamentales, también la garantía del citado precepto constitucional puede vulnerarse por la ausencia de un adecuado razonamiento que ponga de manifiesto el cumplimiento de sus exigencias".

[37] Así como el TEDH. Al respecto *vid.* STEDH de 21 de octubre de 2013, Caso del Rio Prada contra España (*Tol 2646420*) y sentencias allí referidas.

[38] STC núm. 151/1997, de 29 de septiembre, FJ 3.

[39] Lo cual no deja de ser la conclusión de la doctrina que el TC ya había consolidado en ese momento, pues, como continúa diciendo el TC, "el principio de legalidad en materia sancionadora no veda el empleo de conceptos jurídicos indeterminados, aunque su compatibilidad con el art. 25.1 CE se subordina a la posibilidad de que su concreción sea razonablemente factible en virtud de criterios lógicos, técnicos o de experiencia, de tal forma que permitan prever, con suficiente seguridad, la naturaleza y las características esenciales de las conductas constitutivas de la infracción tipificada (SSTC núm. 69/1989, de 20 de abril, FJ 1; 219/1989, de 21 de diciembre, FJ 5; 116/1993, de 29 de marzo, FJ 3; 305/1993, de 25 de octubre, FJ 5; 26/1994, de 27 de enero, FJ 4; 306/1994, de 14 de noviembre, FJ 3; 184/1995, de 12 de diciembre, FJ 3)".

[40] Decía el TC "en todo caso, admitir la compatibilidad entre el art. 25.1 CE y la incorporación en los tipos sancionadores de cláusulas normativas abiertas, no significa que

Por otro lado, dado que, como hemos señalado, el derecho a la legalidad penal no sólo puede ser vulnerado por el legislador a la hora de elaborar una norma, sino que también puede ocurrir que normas acordes al principio de legalidad sean indebidamente aplicadas por un órgano jurisdiccional, mediante una errónea subsunción de un hecho en su ámbito de aplicación (lo que se dará cuando la aplicación de la norma resulte sorpresiva) el TC ha fijado, también, criterios para determinar cuándo puede considerarse que una resolución resulta imprevisible. Surge así el canon de razonabilidad, que atiende en primer lugar al tenor literal del texto de la norma. Criterio que ha de ser complementado con el doble parámetro metodológico y axiológico[41].

4. LA L.O. 2/2015, DE 30 DE MARZO Y EL PRINCIPIO DE TAXATIVIDAD

Como ya advertíamos con anterioridad, diversas son las técnicas a las que el legislador puede recurrir, cuya compatibilidad con el principio de taxatividad puede ser puesta en tela de juicio. De hecho, el uso de términos valorativos, de términos jurídicos indeterminados, de normas penales en

---

     el legislador pueda recurrir indiscriminadamente al empleo de estos conceptos, ya que tan sólo resultan constitucionalmente admisibles cuando exista una fuerte necesidad de tutela, desde la perspectiva constitucional, y sea imposible otorgarla adecuadamente en términos más precisos". STC núm. 151/1997, de 29 de septiembre, FJ 3.

[41] En el FJ 2 de su Sentencia núm. 150/2015, de 6 de julio (*Tol 5431024*) explicita el TC el canon de razonabilidad que ha de seguirse por parte de las resoluciones judiciales del siguiente modo: "en el examen de la razonabilidad de la subsunción de los hechos probados en la norma penal o sancionadora el primero de los criterios a utilizar es la compatibilidad de dicha subsunción con el tenor literal de la norma y con la consiguiente prohibición de la analogía *in malam partem*. A dicho criterio inicial se añade un doble parámetro de razonabilidad: metodológico, dirigido a comprobar que la exégesis de la norma y subsunción en ella de las conductas contempladas no incurre en quiebras ilógicas y resultan acordes con modelos de argumentación aceptados por la comunidad jurídica; y axiológico, consistente en verificar la correspondencia de la aplicación del precepto con las pautas valorativas que informan el ordenamiento constitucional (SSTC 57/2010, de 4 de octubre, FJ 3; 153/2011, de 17 de octubre, FJ 8; 45/2013, de 25 de febrero, FJ 2; 193/2013, de 2 de diciembre, FJ 5; 185/2014, de 6 de noviembre, FJ 5 y 2/2015, de 19 de enero, FJ 8)".

blanco o de cláusulas abiertas comparten la característica de dificultar (y en los supuestos más graves, de impedir) que los destinatarios de la norma puedan conocer, con la sola lectura de la norma, su contenido. Pues bien, de todas ellas ha hecho uso el legislador del 2015. Aunque también es cierto que tal circunstancia no tiene por qué comportar, *prima facie*, la contravención de los preceptos en cuya redacción se han empleado tales recursos, por cuanto no puede negarse que el legislador ha ido tomando buena nota de los pronunciamientos que el TC ha venido emitiendo hasta el momento. Tan es así, que es perfectamente posible hacer referencia a normas cuya constitucionalidad, al menos desde la perspectiva de la taxatividad, difícilmente puede ser puesta en duda (lo que, no obstante, no significa que no generen dudas al respecto).

4.1. Ley penal en blanco (art. 576.4 CP)

Tal es el caso del apartado 4 del art. 576 CP, donde se tipifica el delito de financiación del terrorismo por imprudencia grave[42]. A nuestro parecer, esta norma penal incompleta, que constituye una norma penal en blanco, puede considerarse compatible con el principio de taxatividad, pese a que el cumplimiento de las condiciones exigidas por el TC para ello no sea completo[43]. Así, la norma señala (aunque no sin dificultades de

---

[42] Según establece el mismo, "El que estando específicamente sujeto por la ley a colaborar con la autoridad en la prevención de las actividades de financiación del terrorismo dé lugar, por imprudencia grave en el cumplimiento de dichas obligaciones, a que no sea detectada o impedida cualquiera de las conductas descritas en el apartado 1 será castigado con la pena inferior en uno o dos grados a la prevista en él".

[43] Tales exigencias son puestas de manifiesto en el FJ 3 de la STC núm. 101/2012, de 8 de mayo (*Tol 2553235*): "... la reserva de Ley en materia penal no impide la existencia de las denominadas "Leyes penales en blanco", esto es, como sucede en el presente caso, según luego se insistirá, normas penales incompletas que no describen agotadoramente la correspondiente conducta o su consecuencia jurídico-penal, sino que se remiten para su integración a otras normas distintas, que pueden ser incluso de carácter reglamentario. Ahora bien, para que esa remisión a normas extrapenales sea admisible constitucionalmente debe cumplir en todo caso los siguientes requisitos: a) que el reenvío normativo sea expreso y esté justificado en razón del bien jurídico protegido por la norma penal; b) que la Ley, además de señalar la pena, contenga el núcleo esencial de la prohibición; y c) sea satisfecha la exigencia de certeza o, lo que en expresión constitucional ya normalizada es lo mismo: que "la conducta calificada

determinación)[44] la pena a imponer y el núcleo esencial de la conducta. Conducta delictiva que queda suficientemente precisada con el complemento indispensable de la norma a la que la ley penal se remite, por cuanto dicha remisión cumple la función de determinar los elementos del tipo que no se pueden conocer en la norma penal: los sujetos activos del delito y las obligaciones que los mismos deben incumplir. Tampoco el bien jurídico protegido presenta problema alguno en cuanto a la justificación del uso de esta técnica legislativa a la vista de los bienes jurídicos protegidos que esta figura típica está llamada a proteger[45] y, al fin, también ha de aceptarse la

---

de delictiva quede suficientemente precisada con el complemento indispensable de la norma a la que la ley penal se remite, y resulte de esta forma salvaguardada la función de garantía de tipo con la posibilidad de conocimiento de la actuación penalmente conminada" (STC 127/1990, de 5 de julio, FJ 3)".

[44] El precepto en cuestión prevé la pena inferior en uno o dos grados a la prevista en el apartado 1 del art. 576 CP, en el que se establece una pena de "prisión de 5 a 10 años y multa del triple al quíntuplo de su valor". Pese a lo que pudiera parecer, la determinación de la pena a imponer no esté exenta de problemas. Ningún problema hay en el cálculo del grado inferior en lo que a la pena de prisión se refiere, habida cuenta de que la forma en que debe calcularse la misma se encuentra regulado en el art. 70 CP. Sin embargo, no puede decirse lo mismo en relación a la pena de multa proporcional que, de forma acumulativa, prevé el precepto en cuestión, puesto que la fórmula contenida en el art. 70 para el cálculo de los grados inferiores y superiores de las penas está prevista para penas determinadas temporalmente (incluidas las multas a calcular por el sistema de días multa) pero no para las proporcionales. Ante la falta de regulación del supuesto, el Tribunal Supremo (en adelante TS) emitió el Acuerdo del Pleno de la Sala no jurisdiccional núm. 1/2008, de 22 de julio (*Tol 2090090*) según el cual: "PRIMERO. En los casos de multa proporcional, la inexistencia de una regla específica para determinar la pena superior en grado, impide su imposición, sin perjuicio de las reglas especiales establecidas para algunos tipos delictivos. SEGUNDO. El grado inferior de la pena de multa proporcional, sin embargo, sí podrá determinarse mediante una aplicación analógica de la regla prevista en el art. 70 CP. La cifra mínima que se tendrá en cuenta en cada caso será la que resulte una vez aplicados los porcentajes legales". Criterio pues, al que habrá que sujetarse.

[45] Como pone de manifiesto BLANCO CORDERO, el delito de financiación del terrorismo es un delito "de simple actividad y de peligro abstracto, en cuanto que el legislador, en atención a la especial relevancia constitucional de los bienes jurídicos protegidos (la vida, la seguridad de las personas, la paz social), se ha visto compelido a anticipar la barrera de protección penal". BLANCO CORDERO, I., "¿Es necesario tipificar el delito de financiación del terrorismo en el Código Penal español?", en *Athena Intelligence Journal*, Vol. 4, N°. 1, enero-marzo 2009, p. 46.

validez de las normas de complemento[46], al revestir carácter de ley y contener expresamente los elementos que faltan en el precepto penal[47].

4.2. Cláusula abierta (art. 577.1 CP)

Sabido es que el uso de cláusulas abiertas genera inseguridad al permitir al intérprete incluir en las mismas todo un conjunto indefinido de supuestos que pretenden ser abarcados por fórmulas agrupadoras que actúan a modo de cajón de sastre en las que, por definición, cabe todo un conjunto indeterminado de supuestos. Tal es el caso del delito de colaboración con organización, grupo o elemento terrorista tipificado en el art. 577.1 CP[48].

No obstante, de nuevo, ha de admitirse su constitucionalidad por cuanto la misma ya fue afirmada por el TC cuando, en su Sentencia núm. 136/1999, de 20 de julio, hubo de resolver el recurso de amparo interpuesto por un total de veintitrés miembros de la Mesa Nacional de Herri Batasuna, que venían condenados como autores de un delito de colaboración con banda armada, a la sazón tipificado en el art. 174 bis a) del CP de 1973, por haber decidido ceder a ETA los espacios electorales gratuitos que como forma-

---

Disponible en https://www.files.ethz.ch/isn/95687/Vol%204%20-%20No%201%20-%20Blanco%20Cordero_Spanish.pdf
Última consulta: octubre 2018.

46   El TC ha excluido hasta el momento únicamente las Órdenes Ministeriales, por considerar que no contienen el rango suficiente para servir de complemento válido (STC núm. 24/2004, de 24 de febrero (*Tol 351791*) FJ 3).

47   En efecto, el listado de sujetos obligados legalmente a colaborar con la autoridad en la prevención de las actividades de financiación del terrorismo se encuentra contenido en el art. 2 de la *Ley 10/2010, de 28 de abril, de prevención del blanqueo de capitales y de la financiación del terrorismo*. Y las obligaciones que están llamados a cumplir pueden encontrarse en el art. 4 de la *Ley 12/2003, de 21 de mayo, de prevención y bloqueo de la financiación del terrorismo*.

48   Según este precepto, "será castigado con las penas de prisión de cinco a diez años y multa de dieciocho a veinticuatro meses el que lleve a cabo, recabe o facilite cualquier acto de colaboración con las actividades o las finalidades de una organización, grupo o elemento terrorista, o para cometer cualquiera de los delitos comprendidos en este Capítulo.
En particular son actos de colaboración [...] y cualquier otra forma de colaboración equivalente de cooperación o ayuda a las actividades de las organizaciones o grupos terroristas, grupos o personas a que se refiere el párrafo anterior" (sic).

ción política le correspondían con motivo de las Elecciones Generales que iban a celebrarse el 3 de marzo de 1996, para la difusión de un comunicado de la organización terrorista en el que "tres encapuchados, que con el anagrama de ETA a la espalda y sentados ante una mesa, sobre la cual hay tres pistolas, comienzan la alocución en la que se refieren a la llamada propuesta de paz de ETA de abril de 1995"[49] denominada "Alternativa Democrática".

En dicha ocasión señalaba expresamente el TC que el problema de la tipificación del delito de colaboración con banda armada no radicaba en el recurso a una fórmula normativa de contenido abierto[50] (por cuanto una descripción casuística de la conducta comportaría, inevitablemente, dejar fuera de su ámbito de aplicación supuestos que, pese a consistir en un acto de colaboración no podrían ser sancionados al no contenerse en dicho listado)[51] sino en la ausencia de criterios que permitieran al intérprete aplicador de la misma atemperar la gravedad de la pena a imponer[52] a supuestos de escasa relevancia[53].

---

[49]   Antecedente 2.

[50]   "La expresión "actos de colaboración" del art. 174 bis a) CP de 1973 ni es imprecisa ni requiere acudir a la analogía para determinar su contenido, que, según la propia norma y su interpretación doctrinal y jurisprudencial, viene dado por la vinculación a los fines de las bandas armadas y por la ayuda eficaz, "in genere", a la actividad de éstas. La cláusula abierta del inciso final del art. 174 bis a) 2 está constitucionalmente justificada, tanto por la absoluta necesidad de tutela de la sociedad frente al terrorismo, como por la imposibilidad técnica de construir un elenco exhaustivo de actos de cooperación" (FJ 12).

[51]   De hecho, en el FJ 30 de la referida sentencia se reconocía expresamente que "… puede afirmarse que nos encontramos ante una constante en lo que al derecho comparado se refiere en materia de legislación antiterrorista, es decir, la previsión de un tipo muy poco específico de colaboración o apoyo a grupos terroristas, condicionado por la necesidad de no dejar fuera, dentro de lo posible, ninguna forma o variedad de respaldo individual o social al fenómeno terrorista". Argumento que casa perfectamente con la exigencia de excepcionalidad que dos años antes (en su STC 151/1997, a la que ya nos hemos referido) hizo.

[52]   El precepto preveía las penas de prisión mayor (es decir, de seis años y un día a doce años) y multa de 500.000 a 2.500.000 pesetas, salvo que por la aplicación de otros preceptos correspondiera una pena más grave.

[53]   Decía expresamente el TC que "este coste inevitable en lo que a la determinación de la conducta típica se refiere, sin embargo, sólo resulta constitucionalmente admisible

Con la entrada en vigor del CP de 1995, el delito de colaboración con banda armada, organización o grupo terrorista siguió teniendo previsto un amplio marco abstracto penal, consistente en pena de prisión de cinco a diez años y multa de dieciocho a veinticuatro meses, lo que, en nuestra opinión, hacía perfectamente trasladables las consideraciones efectuadas por el TC en relación al derogado art. 174 bis b) CP 1973. Y no ha sido hasta la entrada en vigor de la L.O. 1/2015 cuando se ha puesto remedio a tal carencia constitucional, al permitir, a través del apartado 4 del art. 579 bis CP, dar una respuesta punitivamente adecuada a los supuestos de menor entidad que pudieran darse[54]. No obstante, es de lamentar que haya tenido que transcurrir un total de dieciséis años para que el legislador haya puesto remedio al motivo por el que el que el TC declaró expresamente la inconstitucionalidad de un precepto equivalente a otro que está en vigor desde 1996.

En lo que al respeto al principio de taxatividad se refiere, habida cuenta de la admisión de la compatibilidad de este tipo de cláusulas, el único modo en que pueda vulnerarse el derecho a la legalidad penal se limita a la aplicación que los tribunales vengan haciendo del precepto. Y la clave para

---

en la medida en que la mencionada apertura del tipo se vea acompañada de la consiguiente ampliación, por así decir, del marco punitivo, que haga a su vez posible la puesta a disposición del Juez de los resortes legales necesarios a la hora de determinar y adecuar la pena correspondiente en concreto a cada forma de manifestación de estas conductas de colaboración con grupos terroristas. De otro modo, y tal como pone también de manifiesto la legislación comparada, el aplicador del derecho se situaría ante la disyuntiva ya sea de incurrir en evidente desproporción, ya sea de dejar impunes conductas particularmente reprochables". Con base a dicho argumento concluía que "se ha producido una vulneración del principio de legalidad penal en cuanto comprensivo de la proscripción constitucional de penas desproporcionadas, como directa consecuencia de la aplicación del art. 174 bis a) CP/1973. El precepto resulta, en efecto, inconstitucional únicamente en la medida en que no incorpora previsión alguna que hubiera permitido atemperar la sanción penal a la entidad de actos de colaboración con banda armada que, si bien pueden en ocasiones ser de escasa trascendencia en atención al bien jurídico protegido, no por ello deben quedar impunes".

54   A tenor de este precepto "los jueces y tribunales, motivadamente, atendiendo a las circunstancias concretas, podrán imponer también la pena inferior en uno o dos grados a la señalada en este Capítulo para el delito de que se trate, cuando el hecho sea objetivamente de menor gravedad, atendidos el medio empleado o el resultado producido".

determinar si el contenido de la resolución es o no previsible dependerá de la argumentación sobre la que se sustente la equivalencia del comportamiento que termina castigándose a las concretas modalidades de conducta que a modo ejemplificativo se enumeran en el precepto[55]. Con todo, siendo ello relevante, no es lo trascendental. Sabido es que el tipo está redactado con una fórmula tan amplia que permite abarcar todo comportamiento que en alguna medida (incluso indirectamente) beneficie a una organización, grupo o elemento terrorista (ya sea en su mera existencia o en la realización de sus actividades)[56]. De ahí que el único modo posible de limitar el ámbito aplicativo del tipo ha consistido en la exigencia de que el sujeto activo actúe con un ánimo de colaboración. Sin embargo, la reforma de 2015 ha tipificado en el apartado tercero la colaboración por imprudencia grave[57], con lo que el muro de contención que el tipo contenía se ha quebrado. En consecuencia ¿qué seguridad puede haber en relación a este tipo penal? Que el desarrollo de cualquier conducta que pueda favorecer a quien pueda atribuirse la etiqueta de terrorista (cuestión a la que volveremos después) será penalmente relevante. Con todo lo que ello supone. De esta forma, las medidas excepcionales previstas no lo son ya sólo en relación a los terroristas, sino a quienes colaboran con ellos, que también, conviene no olvidarlo, siguen recibiendo la consideración (y consiguiente tratamiento) de terroristas[58].

---

[55] Esto es, "la información o vigilancia de personas, bienes o instalaciones, la construcción, acondicionamiento, cesión o utilización de alojamientos o depósitos, la ocultación, acogimiento o traslado de personas, la organización de prácticas de entrenamiento o asistencia a ellas, la prestación de servicios tecnológicos, …".

[56] No puede llegarse a otra conclusión cuando el precepto dice: "el que lleve a cabo, recabe o facilite cualquier acto de colaboración con las actividades o las finalidades de una organización, grupo o elemento terrorista, o para cometer cualquiera de los delitos comprendidos en este Capítulo".

[57] A tenor de dicho precepto, "si la colaboración con las actividades o las finalidades de una organización o grupo terrorista, o en la comisión de cualquiera de los delitos comprendidos en este Capítulo, se hubiera producido por imprudencia grave se impondrá la pena de prisión de seis a dieciocho meses y multa de seis a doce meses".

[58] Según establece el art. 573.3 CP, en atención al cual "asimismo, tendrán la consideración de delitos de terrorismo el resto de los delitos tipificados en este Capítulo". Precepto que genera un problema al que aludiremos *infra*.

4.3. *Términos valorativos (art. 578.3 CP)*

Más difícil resulta poder afirmar el respeto al principio de taxatividad del subtipo agravado contenido en el apartado tercero del art. 578 CP. Este precepto tipifica el delito de enaltecimiento del terrorismo y la realización de actos que entrañen descrédito, menosprecio o humillación de las víctimas de los delitos de terrorismo o de sus familiares. Su apartado tercero prevé la imposición de una pena agravada[59] "cuando los hechos, a la vista de sus circunstancias, resulten idóneos para alterar gravemente la paz pública o crear un grave sentimiento de inseguridad o temor a la sociedad o parte de ella".

Ya resulta difícil determinar qué pueda integrarse en la fórmula "resulten idóneos", dado que la misma comporta que ni siquiera es necesario que se llegue a generar ninguno de los dos efectos en relación a los cuales se mide la idoneidad. Si a ello se le añade, además, que también las finalidades a las que alude se encuentran integradas por nuevos conceptos valorativos, la determinación de qué supuestos puedan subsumirse en el precepto todavía se dificulta más. Es cierto que el concepto de paz pública (concepto jurídico indeterminado donde los haya) ha sido definido por la Jurisprudencia como "el conjunto de condiciones externas que permiten el normal desarrollo de la convivencia ciudadana, el orden de la comunidad y en definitiva, la observancia de las reglas que facilitan esa convivencia (STS 1321/1999), y por tanto permiten el ejercicio de los derechos fundamentales de las personas (STS 1622/2001)"[60], por lo que en lo que a esta finalidad se refiere podría afirmarse la existencia de un complemento judicial que otorgue cierta seguridad a la atribución de contenido del precepto[61].

---

[59] Las penas previstas en los apartados 1 y 2 del art. 578 CP se impondrán "en su mitad superior, que podrá elevarse hasta la superior en grado". Es decir, pena de prisión de dos a cuatro años y seis meses y multa de catorce a veintisiete meses si va referido al 578.1 CP y pena de prisión de dos años y seis meses a cuatro años y seis meses y prisión de diecisiete a veintisiete meses si el referente es el art. 578.2 CP.

[60] STS núm. 987/2009, de 13 de octubre (*Tol 1641308*) FJ 2.

[61] Máxime si se tiene en cuenta, como pone de manifiesto ASÚA BATARRITA, que el TC definió, en su Sentencia núm. 199/1987, la grave alteración de la paz pública como una "situación de alarma o inseguridad social, como consecuencia del carácter sistemático, reiterado y muy frecuentemente indiscriminado de esta actividad delictiva [...] con tal intensidad, que pueda considerarse que se impide el normal ejercicio

Sin embargo, no puede afirmarse lo mismo respecto del segundo de ellos. A nuestro parecer resulta complicado defender que la fórmula "resulten idóneos para [...] crear un grave sentimiento de inseguridad o temor a la sociedad o parte de ella"[62] no permita una aplicación de la norma que dependa de una decisión prácticamente libre y arbitraria del intérprete y juzgador, estándar que, recordamos, constituye el límite fijado por el TC a efectos de determinar el respeto de una norma al principio de taxatividad. En efecto, el problema no es tanto que no pueda atribuirse un determinado contenido a dicha fórmula (que también) sino que el modo en que se haya expresada permite incluir una variedad indeterminable *a priori* por los destinatarios de la norma. Si a eso se le añade que, además, la conducta tipificada en el art. 578 CP no deja de ser un delito de expresión (y, en consecuencia, vinculado al derecho a tal libertad) con lo que ello implica en cuanto a la generación del efecto de desaliento en el ejercicio de dicho derecho fundamental, las objeciones de constitucionalidad a, cuanto menos, este subtipo agravado, nos parecen más que justificadas.

4.4. Concepto normativo: El nuevo concepto de delito de terrorismo (art. 573 CP)

Con todo, creemos que el precepto que mayores problemas puede comportar no es otro que, precisamente, aquel al que aludía el informe de Amnistía Internacional, esto es, el art. 573 CP, que introduce el nuevo

---

de los derechos fundamentales propios y la ordinaria y habitual convivencia ciudadana, lo que constituye uno de los presupuestos del orden político y de paz social". ASÚA BATARRITA, A., "Concepto jurídico de terrorismo y elementos subjetivos de finalidad. Fines políticos últimos y fines de terror instrumental", en ECHANO BASALDUA, J. (coord.), *Estudios Jurídicos en memoria de José María Lidón*, Universidad de Deusto, Bilbao, 2002, p. 27.

[62] Sólo por traer a colación algunas de las cuestiones que el tipo en cuestión puede suscitar: ¿Qué entendemos por sentimiento de inseguridad o temor? ¿Cuándo puede considerarse que el mismo es grave? ¿De qué circunstancias se hace depender su gravedad? ¿Cómo delimitamos la sociedad? Y la parte de ella ¿qué amplitud debe tener? ¿Un solo ciudadano puede considerarse parte de la sociedad? Y de ser así ¿Dicho ciudadano ha de ser alguno distinto del que sea sujeto pasivo del tipo penal? Claro está, para el caso de los actos constitutivos de la segunda de las conductas tipificadas, porque la primera de ellas no tiene un sujeto pasivo individual.

concepto de delito de terrorismo en el CP[63], por cuanto sirve de referente a los demás preceptos que contienen el resto de delitos de terrorismo, dada bien la remisión que hacen al mismo al exigir la concurrencia de los elementos subjetivos especificados en él para poder cualificar determinados delitos comunes en delitos de terrorismo (art. 574 CP) bien por la mera referencia al delito de terrorismo (arts. 571, 572, 575, 576, 578 y 579 CP).

A priori puede parecer complicado que un concepto incorporado al CP se declare contrario al principio de taxatividad, habida cuenta de que el TC ya dijo, en respuesta al recurso de inconstitucionalidad promovido por el Parlamento Vasco contra la *Ley Orgánica 3/1988, de 25 de mayo, de reforma del Código Penal*[64], precisamente ante la alegación de que el uso por parte del legislador de las expresiones "elementos u organizaciones terroristas" sin especificar el contenido que debía dárseles resultaba contrario al principio de tipicidad, que "el legislador no viene constitucionalmente obligado a acuñar definiciones específicas para todos y cada uno de los términos que integran la descripción del tipo"[65]. Y ello por cuanto "la suficiencia o in-

---

[63]   Según el art. 573 CP: "1. Se considerarán delito de terrorismo la comisión de cualquier delito grave contra la vida o la integridad física, la libertad, la integridad moral, la libertad o indemnidad sexuales, el patrimonio, los recursos naturales o el medio ambiente, la salud pública, de riesgo catastrófico, incendio, contra la Corona, de atentado y de tenencia, tráfico y depósito de armas, municiones o explosivos, previstos en el presente Código, y el apoderamiento de aeronaves, buques u otros medios de transporte colectivo o de mercancías, cuando se llevaran a cabo con cualquiera de las siguientes finalidades:
1ª Subvertir el orden constitucional, o suprimir o desestabilizar gravemente el funcionamiento de las instituciones políticas o de las estructuras económicas o sociales del Estado, u obligar a los poderes públicos a realizar un acto o a abstenerse de hacerlo.
2ª Alterar gravemente la paz pública.
3ª Desestabilizar gravemente el funcionamiento de una organización internacional.
4ª Provocar un estado de terror en la población o en parte de ella.
2. Se considerarán igualmente delitos de terrorismo los delitos informáticos tipificados en los artículos 197 bis y 197 ter y 264 a 264 quater cuando los hechos se cometan con alguna de las finalidades a las que se refiere el apartado anterior.
3. Asimismo, tendrán la consideración de delitos de terrorismo el resto de los delitos tipificados en este Capítulo".

[64]   Que introducía cambios en el texto punitivo relativos precisamente, a las disposiciones aplicables a los delitos de terrorismo.

[65]   STC núm. 89/1993, de 12 de marzo, FJ 3.

suficiencia, a la luz del principio de tipicidad, de esta labor de predeterminación normativa podrá apreciarse también a la vista de lo que en ocasión anterior se ha llamado el contexto legal y jurisprudencial (STC 133/1987, FJ 6) en el que el precepto penal se inscribe, pues el ordenamiento jurídico es una realidad compleja e integrada dentro de la cual adquieren sentido y significación propia (también en el ámbito penal) cada uno de los preceptos singulares"[66]. En consecuencia, "una tal labor definitoria sólo resultaría inexcusable cuando el legislador se sirviera de expresiones que por su falta de arraigo en la propia cultura jurídica carecieran de toda virtualidad significante y deparasen, por lo mismo, una indeterminación sobre la conducta delimitada mediante tales expresiones"[67]. Aplicando pues, tal doctrina al art. 573 CP, no podrá perderse de vista, a la hora de interpretarlo, que deberá atenderse también al contexto legal y jurisprudencial en el que el mismo se incardina[68]. Si a eso se le añade que el modo en el que el apartado 1 del art. 573 CP define el genérico delito de terrorismo es mediante la referencia a determinados delitos comunes ya tipificados en el CP, a los que añade la concurrencia de alguno de los elementos subjetivos a los que alude, los cuales proceden bien de las anteriores definiciones del delito de terrorismo que el CP ha venido recogiendo[69], bien de textos internacionales vinculantes para España[70], como decimos, la prosperabilidad de la

---

[66] STC 89/1993, de 12 de marzo, FJ 2.

[67] FJ 3. Y a ese efecto tiene en cuenta: 1. Que tales expresiones se encuentran contenidas en la propia Constitución; 2. Que tales expresiones no son incorporadas al ordenamiento jurídico español *ex novo*, sino que ya la L.O. 11/1980 aludía a las mismas, y, por último; 3. Que existen instrumentos internacionales suscritos por España que "establecen criterios objetivos para la determinación de aquel concepto [terrorismo]" (FJ 3).

[68] Y no puede olvidarse que España lleva enfrentándose al fenómeno del terrorismo más de 50 años, lo que ha generado un importante haber jurisprudencial que, a estos efectos, no puede ser obviado.

[69] Tradicionalmente el delito de terrorismo ha venido exigiendo que determinados delitos comunes fueran cometidos, entre otros elementos, con el fin de "subvertir el orden constitucional o alterar gravemente la paz pública".

[70] La *Decisión Marco del Consejo, de 13 de junio de 2002, sobre la lucha contra el terrorismo*, ya imponía a los Estados miembros, en su art. 1, la obligación de que "se consideren delitos de terrorismo los actos intencionados a que se refieren las letras a) a i) tipificados como delitos según los respectivos Derechos nacionales que, por su

declaración de inconstitucionalidad del art. 573 CP por vulneración del principio de taxatividad se nos antoja harto complicada.

Con todo, la incorporación de conceptos en el CP no comporta (no puede comportar) una especie de "cheque en blanco" (si se nos permite la expresión) al legislador que le exima del respeto al principio de taxatividad. Con otras palabras, los términos normativos contenidos en normas penales no dejan de ser normas punitivas y, en tanto que tales, se encuentran también plenamente vinculados al cumplimiento de la exigencia de certeza. Así, pudiera ocurrir que la inclusión de un concepto normativo, pese a su inicial orientación a la garantía de seguridad jurídica, por el modo en que se encuentre redactado, genere el efecto contrario. Tal es el caso, a nuestro parecer[71], del actualmente vigente art. 573 CP.

Según mantiene la doctrina mayoritaria, históricamente nuestro CP siempre ha sustentado la cualificación de delitos comunes en delitos de terrorismo sobre dos notas: la existencia de una estructura organizada y la concurrencia de determinados elementos subjetivos. La modificación operada al respecto por la L.O. 2/2015 ha supuesto la plasmación, más allá de cualquier duda, de la ausencia de necesidad del elemento estructural para que pueda cometerse un delito de terrorismo[72]. Tal decisión legislativa, por motivos obvios[73], no será aquí discutida. Pero sí lo será la forma en que ha sido llevada a cabo. Sabido es que el CP, antes de la reforma operada por la L.O. 2/2015, permitía la consideración de cualquiera de las infracciones

---

naturaleza o su contexto, puedan lesionar gravemente a un país o a una organización internacional cuando su autor los cometa con el fin de:
– Intimidar gravemente a una población,
– Obligar indebidamente a los poderes públicos o a una organización internacional a realizar un acto o a abstenerse de hacerlo,
– o desestabilizar gravemente o destruir las estructuras fundamentales políticas, constitucionales, económicas o sociales de un país o de una organización internacional".

71   Resulta innecesario referirla por ser notoriamente conocida.

72   Como es sabido, con el objeto de dar respuesta al fenómeno del terrorismo individual.

73   Ya afirmábamos la innecesariedad del elemento estructural en GONZÁLEZ CUSSAC, J. L., y FERNÁNDEZ HERNÁNDEZ, A., "Sobre el concepto jurídico-penal de terrorismo", en *Teoría & Derecho. Revista de Pensamiento Jurídico*, núm. 3/2008, junio, Tirant lo Blanch, Valencia, especialmente pp. 42 a 51.

penales que fueran cometidas perteneciendo, actuando al servicio o colaborando con bandas armadas, organizaciones o grupos terroristas concurriendo alguna de las finalidades del art. 571 CP[74]. Así, eran la finalidad política y la posibilidad de reiteración indiscriminada en el tiempo[75] los elementos sobre los que se sustentaba el incremento del desvalor jurídico que permitía convertir delitos comunes en delitos de terrorismo. Ante la realidad criminológica que el terrorismo yihadista ha puesto de manifiesto, relativa a la posibilidad de que personas no vinculadas formalmente a organizaciones o grupos terroristas puedan llevar a cabo delitos de tal naturaleza, el legislador del 2015 ha eliminado de la definición genérica del delito de terrorismo el elemento estructural, reduciendo (con un criterio ciertamente discutible, por otro lado) el número de delitos comunes de carácter grave[76] que pueden adquirir la naturaleza de delito de terrorismo. Resulta una obviedad que no se escapa a nadie el que tal decisión ha supuesto que con la legislación actualmente vigente el carácter terrorista de una determinada conducta delictiva recae, exclusivamente, en el elemento subjetivo del tipo. El problema derivado de la opción adoptada por el legislador radica

---

[74] Art. 574 CP.

[75] Sobre el planteamiento de la cuestión relativa a si es posible afirmar la existencia de la posibilidad de reiteración en los casos de actos llevados a cabo por sujetos desvinculados entre sí pero que actúan con un mismo objetivo, resulta muy recomendable la lectura de LLOBET ANGLI, M., "Lobos solitarios yihadistas: ¿Terroristas, asesinos o creyentes? Retorno a un derecho penal de autor", en VV.AA., *Actas VII Jornadas de Estudios de Seguridad*, Instituto Universitario General Gutiérrez Mellado, Madrid, 2015, pp. 65 a 88.

[76] Hasta esto puede ser objeto de controversia. Como ya puso de manifiesto la AN, en su Sentencia núm. 17/2018, de 1 de junio (*Tol 6621173*) el término "cualquier delito grave contra ..." que emplea el art. 573 CP puede ser "interpretado de forma genérica y amplia, tal y como se deduce de los textos internacionales" (y pretendían el Ministerio Fiscal y la acusación particular sobre la base de argumentos de carácter lógico y sistemático) o una "interpretación normativa" con remisión expresa a lo que establecen los artículos 13 y 33 CP (como sostenía la defensa de los acusados), llegando a la conclusión, en el apartado 10 del FJ Segundo, de que "el término *delito grave*, no debe limitarse al concepto normativo del art. 33 CP sino que ja (sic) de interpretarse en sentido amplio en consonancia con los textos internacionales y con la interpretación conjunta y sistemática de los preceptos que actualmente regulan esta materia". Aunque, continúa "dado que hemos excluido el carácter terrorista de las acciones llevadas a cabo por los acusados, entendemos que huelga entrar en mayor profundidad en la cuestión suscitada".

en los elementos subjetivos escogidos por el legislador, al ser los mismos tan amplios e indefinidos que resulta difícilmente determinable *ex ante*, qué supuestos pueden ser subsumidos en los mismos. Veámoslo:

– "Subvertir el orden constitucional, o suprimir o desestabilizar gravemente el funcionamiento de las instituciones políticas o de las estructuras económicas o sociales del estado, u obligar a los poderes públicos a realizar un acto o a abstenerse de hacerlo".

Por subversión del orden constitucional se ha venido entendiendo la "modificación o alteración por medios ilegítimos" del orden constitucional, esto es, "de los procedimientos dispuestos en la sociedad democrática para la resolución de conflictos y controversias", o lo que es lo mismo: "pretensión de incidir en tales procesos mediante el estrépito de la secuencia de crímenes"[77]. Se trata pues, en palabras del TS, de "una actuación criminal con finalidad política"[78], esto es, voluntad "de alterar el orden establecido, es decir, en el actual sistema jurídico, el Estado social y democrático de Derecho al que se refiere el art. 1º de la Constitución"[79].

La fórmula "suprimir o desestabilizar gravemente el funcionamiento de las instituciones políticas o de las estructuras económicas o sociales del Estado" no plantea problemas tanto en lo relativo a la conducta (suprimir o desestabilizar gravemente implica impedir o alterar de forma significativa) como qué deba entenderse por "instituciones políticas" o "estructuras económicas o sociales del Estado". Por "instituciones políticas" habrá que entender todos aquellos órganos públicos que tengan asignadas, entre sus competencias, la adopción de decisiones de contenido político, esto es, aquellas a través de las cuales los ciudadanos puedan desarrollar su derecho a participar en los asuntos públicos, instituido en el art. 23 CE. Eso incluiría, cuanto menos, desde la Corona, pasando por el Ejecutivo y el Parlamento Nacional y los autonómicos hasta los Ayuntamientos. El término "estructuras económicas o sociales" es todavía más amplio porque, al referirse a la estructura, se está aludiendo a aquello sobre lo que se sustenta el sistema económico y social español, es decir, a las bases de la economía

---

77 ASÚA BATARRITA, A., *op. cit.*, p. 29.
78 STS núm. 351/2012, de 7 de mayo (*Tol 2521599*) FJ 1.
79 STS núm. 50/2007, de 19 de enero (*Tol 1042383*) FJ 6.

y de la sociedad. Qué pueda integrar este elemento nos parece sumamente complicado de delimitar.

"Obligar a los poderes públicos a realizar un acto o a abstenerse de hacerlo" implica la plasmación en el texto punitivo de la instrumentalización de segundo nivel propia del terrorismo[80], esto es, lo que siempre ha sido interpretado como la presión dirigida a quienes tienen capacidad decisoria (los poderes públicos) con el fin de que lleven a cabo esa conducta que ha de ser desarrollada necesariamente para que se pueda materializar el logro de la finalidad ulterior de contenido político pretendida por los terroristas.

– A fin de evitar resultar reiterativos, nos remitimos a lo ya dicho en lo que respecta a la "alteración grave de la paz pública"[81].

– "Desestabilizar gravemente el funcionamiento de una organización internacional". Salvo el hecho del término valorativo "gravemente" (que, por otro lado, pretende limitar el alcance del tipo, al excluir las desestabilizaciones que no lo sean) no plantea mayores problemas de delimitación, dado que las organizaciones internacionales son aquellas que el Derecho internacional reconoce como tales (ONU, OTAN, UE, OCDE, Consejo de Europa, etc.).

– Por último, "provocar un estado de terror en la población o en una parte de ella" trae a colación los problemas de delimitación del término población (no en tanto a qué es población, como en atención a qué criterio concretar esa población) así como aquellos de delimitación de la fracción de la misma que se considera relevante a efectos de integrar este elemento subjetivo y que fueron puestos de manifiesto al referirnos al art. 578.3 CP.

Aunque, bien mirado, tal vez la cuestión, a fin de cuentas, no resulte tan complicada, porque no puede perderse de vista que la interpretación del tipo ha de hacerse en conjunto y, aunque sea relevante el contenido que se otorgue a cada uno de los términos que integran el tipo, lo cierto es que, en última instancia, lo único que importa es si el concreto delito

---

[80]   En relación a la instrumentalización de primer y segundo nivel propias el terrorismo *vid.* LLOBET ANGLI, M., *Derecho penal del terrorismo. Límites de su punición en un Estado democrático*, La Ley, Madrid, 2010, pp. 68 a 71.

[81]   *Vid.* epígrafe IV c.

común cometido lo ha sido con una intención que va más allá de lo que hasta la entrada en vigor de la L.O. 2/2015 se venía exigiendo (acabar con el orden político establecido o generar una situación que impide el pacífico disfrute de los derechos fundamentales) por cuanto ahora la mera pretensión (ni siquiera se exige que el concreto hecho cometido sea apto para lograr esa finalidad) de crear terror (sin más, aunque no haya una finalidad posterior, por lo que deja de ser la estrategia a emplear en la consecución de un determinado fin político para pasar a adquirir entidad propia) o de afectar al funcionamiento ordinario de organismos sociales, económicos o políticos, cualifica determinados delitos comunes en terrorismo. Así, el principal efecto de la actual definición genérica del delito de terrorismo es que desconfigura lo que se ha venido entendiendo tradicionalmente como terrorismo, por cuanto ahora es suficiente con perseguir una sola de las finalidades que hasta el momento debían concurrir de forma acumulativa. Con otras palabras, el terrorismo implica, en realidad, la comisión reiterada e indiscriminada de delitos, que afecte gravemente al funcionamiento de los poderes públicos, con la intención de crear un estado de terror en un determinado colectivo social a fin de que dicho colectivo obligue a sus representantes políticos, a sus poderes públicos, a realizar lo que los terroristas pretenden, con el objeto de poner fin a la comisión de tales delitos. Sin embargo, ahora, la creación del terror, el lograr una determinada actuación de los poderes públicos y, en fin, la desestabilización del normal funcionamiento de tales poderes públicos, son fines que por sí solos y de manera desconectada ya tornan en terrorista un delito común. Esta fórmula posibilita el que ahora nuestro texto punitivo dé cobertura a la atribución de naturaleza terrorista a cualquier situación especialmente grave[82].

---

[82]   Como venía ocurriendo hasta el momento, si bien con la diferencia de que antes sólo surtía efectos a nivel dialéctico y como mecanismo retórico a través del cual se atribuye una connotación especialmente negativa. Por eso, como pone de manifiesto LLOBET ANGLI, se ha llegado a hablar de "terroristas domésticos", "terroristas medioambientales" o "terrorismo forestal". LLOBET ANGLI, M., *Derecho penal del terrorismo*, p. 47.

4.5. Un inciso. Libertad del legislador ¿Dónde está el límite?

La actual reforma pone de manifiesto una realidad que, aunque evidente, no deja de sorprender cuando se materializa. Como es sabido, el legislador penal es libre a la hora de decidir la política criminal a emplear en respuesta a un determinado fenómeno criminal[83]. Dicha libertad, sin embargo, no es absoluta, por cuanto en todo caso se encuentra acotada por los derechos fundamentales y las libertades públicas constitucionalmente instituidas[84]. Con otras palabras, se parte de la premisa de que el legislador, en tanto que representante de la voluntad general, puede emplear cuántos medios estime oportunos de entre todos aquellos con los que pueda contar, siempre que con ello no incurra en excesos que comporten vulneraciones (que no ingerencias) de los derechos y libertades que, como seres humanos y ciudadanos, nos reconoce la Constitución. Sin embargo, este límite, reiteramos, único infranqueable, no sirve como mecanismo de control de la corrección de lo que el legislador hace. Más detalladamente. Como hemos visto, el apartado tercero del artículo 573 CP considera delitos de terrorismo todos aquellos que se encuentran tipificados en el Capítulo VII del Título XXII del CP[85]. En el mismo se contiene el delito de enaltecimiento o justificación públicos de los delitos de terrorismo (art. 578 CP) así como la difusión pública de mensajes que puedan resultar idóneos para incitar a la comisión de cualquier delito de terrorismo y "los demás actos de provocación, conspiración o proposición" para cometer (de nuevo) cualquier delito de terrorismo (art. 579 CP) lo que, en nuestra opinión incluye la

---

[83]   Al respecto *vid.* GONZÁLEZ CUSSAC, J. L., "El renacimiento del pensamiento totalitario en el seno del Estado de Derecho: la doctrina del derecho penal del enemigo", en *Revista Penal,* núm. 19, 2007, pp. 52 y ss.

[84]   VIVES ANTÓN, T. S. y ORTS BERENGUER, E., "Reflexiones político-criminales sobre el devenir de la legislación penal en España", en MUÑOZ CONDE, F., LORENZO SALGADO, J. M., FERRÉ OLIVÉ, J. C., CORTÉS BECHIARELLI, E., NÚÑEZ PAZ, M. A. (Dtores.), *Un Derecho penal comprometido. Libro homenaje al prof. Dr. GERARDO LANDROVE DÍAZ,* Tirant lo Blanch, Valencia, 2011, pp. 1139 a 1152. VIVES ANTÓN, T. S., "La reforma penal de 2015: una valoración genérica", en GONZÁLEZ CUSSAC, J. L. (dtor.), *Comentarios a la Reforma del Código Penal de 2015* (2ª edic.), Tirant lo Blanch, Valencia, 2015, pp. 29 a 41.

[85]   Que abarca del art. 571 al 580 CP.

apología del terrorismo (como forma de provocación que es)[86]. Por tanto, estos delitos de expresión constituyen ahora, por imperativo legal, delitos de terrorismo. Con ello el legislador contradice expresamente, no ya al TS[87] (órgano superior de la jurisdicción ordinaria, conviene no olvidarlo) sino al propio TC[88], quienes expresamente han venido negando dicha naturaleza al delito de apología del terrorismo[89]. Resta por ver, pues, cuánto

---

[86] ALONSO RIMO, A., "Apología, enaltecimiento del terrorismo y principios penales", en *Revista de Derecho Penal y Criminología*, 3ª Época, núm. 4, 2010, p. 17.

[87] En efecto, en su Auto de 23 de mayo de 2002 (*Tol 212176*) el TS desestimaba la querella interpuesta por el Ministerio Fiscal contra Arnaldo Otegi por las declaraciones que vertió en un mitin celebrado en la ciudad francesa de San Juan de Luz. En opinión del alto tribunal no correspondía a la jurisdicción española el conocimiento de los hechos relatados en la misma por haber sido cometidos fuera del territorio nacional, circunstancia que era relevante por cuanto: "… la Ley penal se hace eco de un criterio cultural y doctrinal consolidado, en virtud del cual se discierne entre lo que son actos y delitos de terrorismo y los que sin pertenecer a esta categoría clasificatoria, es decir, sin ser actos de terrorismo, expresan alguna forma de apoyo o solidaridad moral con los mismos o sus autores, manifestada públicamente. Es lo que se designa apología; y la diferencia es tan clara que mientras la primera clase de acciones se ha perseguido y se persigue siempre en todas sus manifestaciones, la segunda a veces es impune y con frecuencia conoce sólo formas atenuadas de persecución. […] Resulta pues, que la apología, cuando se persigue penalmente, es un delito (de opinión) que versa sobre otro delito distinto, o delito-objeto: el de terrorismo, con el que no puede confundirse. De no ser así, esto es, si la apología del terrorismo fuera también delito de terrorismo, tendría que ser tratada de igual modo como delito de apología de la apología, lo que conduciría directamente al absurdo" (Razonamiento Jurídico Único).

[88] Por su parte, el TC señaló en relación a la apología, en su Sentencia núm. 199/1987, de 16 de diciembre, que "La manifestación pública, en términos de elogio o exaltación, de un apoyo o solidaridad moral o ideológica con determinadas acciones delictivas, no puede ser confundida con tales actividades, ni entenderse en todos los casos como inductora o provocadora de tales delitos. […] Por todo ello, debe considerarse contraria al art. 55.2 de la Constitución la inclusión de quienes hicieran apología de los delitos aludidos en el art. 1 de la Ley en el ámbito de aplicación de esta última en la medida en que conlleva una aplicación a dichas personas de la suspensión de derechos fundamentales prevista en tal precepto constitucional, es decir, en relación con los artículos 13 a 18 de la Ley Orgánica 9/1984" (FJ 4).

[89] No es la primera vez que el legislador, ante el contenido de los fallos jurisprudenciales, cambia una norma penal para reorientarlos. Ya ha ocurrido, por ejemplo, con la reforma del art. 336 CP por la L.O. 5/2010, que supuso la subsunción en su ámbito aplicativo de la práctica del "parany"; o la reforma de los arts. 270 y 274 CP por la

tardarán en materializarse el absurdo que el TS y el exceso que el TC pretendían evitar.

5. CONSIDERACIÓN FINAL

La actual regulación, pues, está comportando situaciones tales como que los Tribunales belgas denieguen la extradición del rapero Valtònyc[90], huido a tal país tras ser condenado en España como autor de un delito de enaltecimiento del terrorismo de los arts. 578 y 579 CP, de un delito de calumnias e injurias graves a la Corona del art. 490.3 CP y de un delito de amenazas no condicionales del art. 169.2 CP[91]. Las condenas de raperos y usuarios de redes sociales[92] por delitos de enaltecimiento del terrorismo, que es también, conviene no olvidarlo, delito de terrorismo. La posibilidad de calificar como terrorista[93] la agresión a miembros de la Guardia Civil y sus parejas por miembros integrantes del movimiento OSPA de Alsasua[94].

[ ] L.O. 1/2015, para dejar claro que la venta ambulante de objetos producidos con vulneración de los derechos de propiedad intelectual y de propiedad industrial reviste relevancia penal, poniendo fin a la corriente jurisprudencial que le negaba tal carácter.

[90] SÁNCHEZ, A., "La justicia belga rechaza la entrega a España del rapero Valtònyc", en *elPais.com*, de 18 de septiembre de 2018.
Disponible en https://elpais.com/politica/2018/09/17/actualidad/1537165551_533585.html
Última consulta: octubre de 2018.

[91] STS núm. 79/2018, de 15 de febrero (*Tol 6513752*).

[92] Célebres son ya, como pone de manifiesto ALCÁCER GUIRAO, las condenas por delito de enaltecimiento del terrorismo o humillación a las víctimas de terrorismo en los casos de Cassandra (SAN 9/2017, de 29 de marzo —TOL6.007.255—), Madame Guillotine (STS 623/2016, de 13 de julio —TOL5.773.688—), Pablo Hassel (STS 106/2015, de 19 de febrero (*Tol 4763700*). o César Strawberry (STS 4/2017, de 18 de enero —TOL5.934.046—). ALCÁCER GUIRAO, R., "Opiniones constitucionales", en *InDret*, núm. 1/2018, p. 3.

[93] UBARRETXENA, A., "Alsasua: ¿Terrorismo o pelea de bar?", en *elPeriodico.com*, de 25 de noviembre de 2016.
Disponible en https://www.elperiodico.com/es/politica/20161125/manifestacion-agresion-guardia-civiles-alsasua-5651533
Última consulta: octubre de 2018.

[94] Los hechos fueron fallados por la AN en su Sentencia núm. 17/2018, de 1 de junio, considerando que no fueron constitutivos de cuatro delitos de lesiones terroristas, de

O el hecho de que, incluso, se haya llegado a barajar la calificación como terroristas de los incendios que asolaron Galicia recientemente[95]. O, finalmente, el hecho de que puedan encontrarse sentencias del TS absolutorias y condenatorias ante hechos idénticos[96], relativos a conductas de expresión y terrorismo. Situación que, se coincidirá, no resulta la más idónea para la seguridad jurídica de los ciudadanos. No obstante, y pese a este panorama, mucho nos tememos que, con el actual estándar constitucional, un recurso de constitucionalidad por vulneración del principio de legalidad contra el art. 573 CP no prosperaría, pese a que la actual regulación punitiva de los delitos de terrorismo esté dando lugar a situaciones en las que, como se ha tratado de mostrar, existe una considerable incertidumbre acerca de qué conductas pueden ser subsumidas en tales tipos penales.

6. BIBLIOGRAFÍA

ALCÁCER GUIRAO, Rafael (2018), "Opiniones constitucionales", *InDret*, núm. 1.

ALONSO RIMO, Alberto (2010), "Apología, enaltecimiento del terrorismo y principios penales", *Revista de Derecho Penal y Criminología*, 3ª Época, núm. 4.

ASÚA BATARRITA, Adela (2002), "Concepto jurídico de terrorismo y elementos subjetivos de finalidad. Fines políticos últimos y fines de terror instrumen-

---

95　dos delitos de amenazas terroristas y de un delito de desórdenes públicos terroristas, sino de un delito de atentado a agentes de la autoridad, tres delitos de lesiones y un delito de desórdenes públicos.

95　LOMBAO, D., "La comisión de incendios del Parlamento gallego finaliza descartando la tesis terrorista agitada por Feijóo", en *eldiario.es*, de 12 de septiembre de 2018. Disponible en https://www.eldiario.es/galicia/incendios-Parlamento-descartando-terrorista-Feijoo_0_813669607.html
Última consulta: octubre de 2018.

96　Tal y como CUERDA ARNAU puso de manifiesto en su ponencia "Legalidad y proporcionalidad en la limitación penal de la libertad de expresión" que impartió en la Universidad Carlos III de Madrid, el 5 de abril de 2018. Así, podemos encontrar en relación a actos de homenaje con exhibición de fotografías de terroristas, fallos en sentido absolutorio (STS núm. 121/2015, de 5 de marzo (*Tol 4763859*). y condenatorio (STS 282/2013, de 1 de abril —TOL3.531.967—); o en relación a los discursos laudatorios, fallos absolutorios (STS 224/2010, de 3 de marzo (*Tol 1817023*). y condenatorios (STS núm. 180/2012, de 14 de marzo —TOL2.494.306—).

tal", ECHANO BASALDUA, J. (coord.), *Estudios Jurídicos en memoria de José María Lidón*, Universidad de Deusto, Bilbao.

BLANCO CORDERO, Isidoro (2009), "¿Es necesario tipificar el delito de financiación del terrorismo en el Código Penal español?", *Athena Intelligence Journal*, Vol. 4, N°. 1.

CANCIO MELIÁ, Manuel (2010), *Los delitos de terrorismo: estructura típica e injusto*, Reus, Madrid.

CORRECHER MIRA, Javier (2018), *Principio de legalidad penal: ley formal vs. Law in action*, Tirant lo Blanch, Valencia.

DE VICENTE MARTÍNEZ, Rosario (2004), *El principio de legalidad penal*, Tirant lo Blanch, Valencia.

GONZÁLEZ CUSSAC, José Luis (2007), "El renacimiento del pensamiento totalitario en el seno del Estado de Derecho: la doctrina del derecho penal del enemigo", *Revista Penal*, núm. 19.

GONZÁLEZ CUSSAC, José Luis, y FERNÁNDEZ HERNÁNDEZ, Antonio (2008), "Sobre el concepto jurídico-penal de terrorismo", *Teoría & Derecho. Revista de Pensamiento Jurídico*, núm. 3.

LAMARCA PÉREZ, Carmen (1985), *Tratamiento jurídico del terrorismo*, Centro de Publicaciones del Ministerio de Justicia, Madrid.

LLOBET ANGLI, Mariona (2010), *Derecho penal del terrorismo. Límites de su punición en un Estado democrático*, La Ley, Madrid, 2010.

LLOBET ANGLI, Mariona (2015), "Lobos solitarios yihadistas: ¿Terroristas, asesinos o creyentes? Retorno a un derecho penal de autor", en VV.AA., *Actas VII Jornadas de Estudios de Seguridad*, Instituto Universitario General Gutiérrez Mellado, Madrid.

LOMBAO, David (2018), "La comisión de incendios del Parlamento gallego finaliza descartando la tesis terrorista agitada por Feijóo", en *eldiario.es*, de 12 de septiembre.

MIRA BENAVENT, Javier (2018), "El delito de enaltecimiento del terrorismo, el de humillación a las víctimas del terrorismo y la competencia de la Audiencia Nacional: ni terrorismo, ni competencia de la Audiencia Nacional", ALONSO RIMO, A., CUERDA ARNAU, M. L., FERNÁNDEZ HERNÁNDEZ, A. (Dtores), *Terrorismo, sistema penal y derechos fundamentales*, Tirant lo Blanch, Valencia.

NÚÑEZ CASTAÑO, Elena (2016), "Tendencias político criminales en materia de terrorismo tras la LO. 2/2015, de 30 de marzo: la implementación de la normativa europea e internacional", *Revista Penal*, núm. 37.

RIVERA BEIRAS, Iñaki (2018), "Nuevamente, sobre la emergencia y la excepcionalidad penal y penitenciaria", ALONSO RIMO, A., CUERDA ARNAU,

M. L., FERNÁNDEZ HERNÁNDEZ, A. (Dtores.), *Terrorismo, sistema penal y derechos fundamentales*, Tirant lo Blanch, Valencia.

SÁNCHEZ, Álvaro (2018), "La justicia belga rechaza la entrega a España del rapero Valtònyc", en *elPais.com*, de 18 de septiembre.

SILVA SÁNCHEZ, Jesús María (2018), *Malum passionis. Mitigar el dolor del Derecho penal*, Atelier.

UBARRETXENA, Aitor (2016), "Alsasua: ¿Terrorismo o pelea de bar?", en *elPeriodico.com*, de 25 de noviembre.

VIVES ANTÓN, Tomás S. y ORTS BERENGUER, Enrique (2011), "Reflexiones político-criminales sobre el devenir de la legislación penal en España", en MUÑOZ CONDE, F., LORENZO SALGADO, J. M., FERRÉ OLIVÉ, J. C., CORTÉS BECHIARELLI, E., NÚÑEZ PAZ, M. A. (Dtores.), *Un Derecho penal comprometido. Libro homenaje al prof. Dr. GERARDO LANDROVE DÍAZ*, Tirant lo Blanch, Valencia.

VIVES ANTÓN, Tomás S. (2011), "Principio de Legalidad, interpretación de la ley y dogmática penal", en VIVES ANTÓN, T. S., *Fundamentos del Sistema Penal, 2ª Edición. Acción Significativa y Derechos Fundamentales*, Tirant lo Blanch, Valencia.

VIVES ANTÓN, Tomás S. (2015), "La reforma penal de 2015: una valoración genérica", en GONZÁLEZ CUSSAC, J. L. (dtor), *Comentarios a la Reforma del Código Penal de 2015* (2ª edic.), Tirant lo Blanch, Valencia.

Capítulo XIV

¿ES POSIBLE INVOCAR EL DERECHO A PERMANECER EN SILENCIO EN EL ÁMBITO DE LOS DELITOS DE TERRORISMO?[*]

MAYDELÍ GALLARDO ROSADO[**]

Doctoranda de la Universitat de València

1. INTRODUCCIÓN

Si bien uno de los derechos fundamentales que asiste a toda persona inculpada es el derecho a permanecer en silencio, lo cierto es que la interpretación que sobre su ejercicio se ha realizado en la práctica, no siempre ha sido congruente con la naturaleza del propio derecho, es decir, no puede considerarse jurídicamente satisfactoria.

Este derecho fundamental a permanecer en silencio, a simple vista parece sencillo de entender y de aplicar; sin embargo, cuando su ejercicio se

---

[*] El presente artículo, ha sido elaborado a partir del trabajo de investigación que actualmente realiza su autora, con motivo la tesis doctoral que desarrolla sobre *El Derecho a permanecer en silencio*, así como de la estancia de investigación que realizó en la Universidad de Harvard, en el periodo comprendido entre los meses de julio y octubre del 2017.

[**] Es licenciada en derecho por la Universidad Iberoamericana (Cd. de México), acreditó el Posgrado en Derecho Penal por la Escuela Libre de Derecho (Cd. de México) y obtuvo el título correspondiente al Máster Universitario en Sistema de Justicia Penal por las Universidades de Lleida, Alicante, UJI y Rovira I Virgili, en España, país en donde actualmente realiza estudios de doctorado, como becaria del Consejo Nacional de Ciencia y Tecnología (CONACyT) del gobierno mexicano. En el ámbito profesional, en México se desempeñó desde el 2003 como abogada litigante y fue miembro de la Dirección de Investigación del Instituto Nacional de Ciencias Penales (INACIPE) del 2011 al 2014.

plantea dentro del contexto de los delitos de terrorismo, su vigencia parece quedar en entredicho.

Hacer referencia a los "derechos fundamentales" de quienes cometen este tipo de delitos, resulta un tema sensible y complejo, teniendo en cuenta que dichos actos lastiman profundamente a la sociedad y en consecuencia, encienden su furia. Lo anterior, ha ido orientando a los gobiernos a tomar medidas cada vez más restrictivas y contundentes tanto en materia preventiva como sancionadora, cuya eficiencia parece quedar condicionada a que dichos derechos sean relegado en la mayoría de las ocasiones, a un segundo plano.

Por lo anterior, resulta de utilidad conocer las posturas que tanto en Tribunal Europeo de Derechos Humanos como los tribunales en los Estados Unidos de América han adoptado al tratar este conflicto, con la finalidad de determinar si actualmente, podemos afirmar o no, la vigencia del derecho a permanecer en silencio respecto de aquellas personas que están relacionadas de alguna forma, con esta clase de delitos.

2. LA DOCTRINA DEL TRIBUNAL EUROPEO DE DERECHOS HUMANOS (TEDH)

El derecho a permanecer en silencio, ha sido reconocido por el TEDH como parte integrante del art. 6 del Convenio Europeo de Derechos Humanos (CEDH), al afirmar que "aunque no se menciona específicamente en el art. 6 CEDH, el derecho a guardar silencio y el derecho a no autoincriminarse son normas internacionales generalmente reconocidas que constituyen el núcleo de la noción de un procedimiento equitativo de conformidad con el art. 6. Su fundamento recae, entre otras cosas, en la protección del acusado contra la coacción indebida de las autoridades, contribuyendo así a evitar errores judiciales y al cumplimiento de los objetivos del art. 6 CEDH"[1].

---

[1]   En este sentido *Véanse Caso Murray v. The United Kingdom* (STEDH 8 de febrero de 1996); *Caso Saunders v. The United Kingdom* (STEDH 17 de diciembre de 1996); *Caso Heaney and McGuinness v. Ireland* (STEDH 21 de diciembre de 2000); *Caso*

No obstante lo anterior, en la práctica, algunos Estados han desconocido abiertamente este derecho, penalizado su ejercicio a través de la creación de una legislación expresamente diseñada para ser aplicada al llevar a cabo la persecución de los delitos de terrorismo, tal como se puede constatar en las sentencias del TEDH que a continuación se analizan.

2.1. Caso Murray v. The United Kingdom (STEDH 8 de febrero de 1996)

2.1.1. Antecedentes

En este caso, el solicitante fue detenido con otras siete personas del Ejercito Republicano Irlandés (ERI), en una casa en donde permanecía aprisionado un confidente policial que fue descubierto. El arresto se llevó a cabo con fundamento en el art. 14 de la Ley de Prevención del Terrorismo de 1989, la cual era una disposición temporal. De conformidad con el art. 3 de la Ordenanza de Pruebas Criminales de 1988 (Irlanda del Norte), el solicitante fue advertido por la policía en los siguientes términos: "no tiene que decir nada a menos que desee hacerlo, pero debo advertirle que si no menciona algún hecho que vaya a invocar en su defensa ante un tribunal, el hecho de no aprovechar esta oportunidad para mencionarlo puede ser tratado en el tribunal como respaldo de cualquier evidencia relevante en su contra. Si desea mencionar algo, lo que diga podrá ser presentado como evidencia", a lo que el solicitante respondió que no tenía nada que decir.

A su llegada a la Oficina de Policía, el solicitante se negó a dar sus datos personales, manifestando más tarde que deseaba consultar con un abogado. El acceso a un abogado fue demorado por autoridad del detective superintendente, de conformidad con la sección 15 (1) de la Ley de Irlanda del Norte de 1987 (Disposiciones de emergencia). La demora fue autorizada por un período de 48 horas desde el momento de la detención, sobre la base de que el detective superintendente tenía "motivos razonables" para

---

Quinn v. Ireland (STEDH 21 de diciembre de 2000); *Caso Weh v. Austria* (STEDH 8 de abril de 2004); *Caso Shannon v. The United Kingdom* (STEDH 4 de octubre de 2006); *Caso O'Halloran and Francis v. The United Kingdom* (STEDH 29 de junio de 2007).

creer que el ejercicio de dicho derecho podría "interferir" con la recopilación de información sobre la comisión de actos terroristas o dificultaría la prevención de un acto de terrorismo.

Horas más tarde, un agente de policía requirió al solicitante —de conformidad con el art. 6 de la Ley—, que explicara su presencia en la casa donde fue arrestado, advirtiéndole que si se negaba a hacerlo, un tribunal, un juez o un jurado, podrían realizar inferencias sobre tal rechazo como les pareciera apropiado. En respuesta a esta advertencia, el solicitante declaró "nada que decir".

Durante los días siguientes, el solicitante fue entrevistado en la oficina de policía en doce ocasiones, en las cuales le fue repetida la advertencia contenida en el art. 3 de la Ley. Durante las primeras diez entrevistas, el solicitante no respondió a pregunta alguna, y tuvo acceso a su abogado hasta el segundo día de su detención. Ese día en la noche, el solicitante fue entrevistado nuevamente y le fue recordada la advertencia prevista en el art. 3, a lo cual respondió: "mi abogado me ha aconsejado que no responda a ninguna de sus preguntas". En la entrevista final, el solicitante permaneció en silencio y su abogado no fue autorizado para estar presente en ninguna de las entrevistas.

El solicitante fue acusado formalmente por el juez de primera instancia, quien actuando de conformidad con el artículo 4 de la Ordenanza, instó a cada uno de los ocho acusados a prestar declaración en su propia defensa. El juez de primera instancia les informó que "la ley también me exige que le diga que si se niega a subir al estrado de los testigos para prestar juramento o si, después de haberlo prestado, se niega, sin una buena razón, a responder cualquier pregunta, al decidir si usted es culpable o no, el tribunal puede considerar en su contra en la medida en que considere adecuada, su negativa a prestar declaración o a responder a cualquier pregunta".

Siguiendo el consejo de su abogado, el solicitante optó por no presentar ninguna prueba, siendo declarado culpable de haber cometido el delito de complicidad en la detención ilegal del confidente policial y condenado a ocho años de prisión. El solicitante apeló la sentencia pero la misma fue desestimada.

Ante el TEDH, el solicitante argumentó que el derecho que le asistía a guardar silencio en el proceso penal en su contra y a no autoincriminarse, fue vulnerado, toda vez que las disposiciones de la Ordenanza de 1988, las cuales permitían realizar inferencias del hecho de que el acusado no respondiera a las preguntas de la policía ni proporcionara pruebas, con la finalidad de determinar su culpabilidad; eran contrarias a lo dispuesto por el art. 6 CEDH.

2.1.2. Postura del Tribunal

Por su parte, el TEDH sostuvo que aunque no se menciona específicamente en el art. 6 CEDH, el derecho a permanecer en silencio durante el interrogatorio policial y el privilegio contra la autoincriminación, son normas internacionales generalmente reconocidas que constituyen el núcleo de la noción de un procedimiento equitativo de conformidad con el art. 6, resultando incompatible con dichas inmunidades fundamentar una condena única o principalmente en el silencio del acusado o en su negativa a responder preguntas o a presentar pruebas; sin embargo, el tribunal consideró igualmente obvio que esas inmunidades no pueden ni deben impedir que se tenga en cuenta el silencio del acusado, en situaciones que claramente requieren una *explicación* de su parte, al evaluar la convicción de las pruebas presentadas por la fiscalía, deduciendo de esta forma que la cuestión de si el derecho al silencio es absoluto debe responderse *negativamente*.

El Tribunal señaló que en el caso enjuiciado, la extracción de conclusiones en aplicación de la Ordenanza de pruebas Criminales de 1988, estaba sujeta a una serie de garantías para hacer respetar el derecho a la defensa y limitar la extensión que había que darle a tales inferencias, garantías que consistían en advertir al acusado sobre las consecuencias de su silencio y la necesidad de que la acusación estableciera *prima facie* el caso —un caso en el que exista evidencia directa, que al combinarse con las inferencias legítimas, podría llevar a un jurado a tener por satisfecho, más allá de toda duda razonable, que cada uno de los elementos esenciales del delito había sido probado—. Por lo tanto, *sólo s*i la evidencia en contra del acusado *"solicita"* una *explicación* que el mismo *debería estar en condiciones de otorgar,* la omi-

sión de dicha *explicación* puede, como cuestión de *sentido común*, permitir que se haga la inferencia de que el acusado es culpable.

El Tribunal concluyó que, teniendo en cuenta la fuerza de las pruebas contra el demandante, la extracción de conclusiones derivadas de su silencio en todo momento —ausencia de explicación—, era una cuestión de sentido común, no pudiendo considerarse como injusto o irrazonable, y tampoco consideró que dichas deducciones produjeran el efecto de invertir la carga de la prueba, por lo que no resultó infringido el principio de presunción de inocencia y por lo tanto, no existió violación del art. 6 CEDH.

No obstante lo anterior, se emitieron dos votos parcialmente discrepantes en los que se señalaron diversos aspectos sobre el derecho a permanecer en silencio, que son muy importantes de destacar.

En el primero de ellos, se sostuvo que cualquier restricción que tenga el efecto de *castigar* el ejercicio del derecho a permanecer en silencio al realizar inferencias adversas contra el acusado, constituye una violación del principio; que el tribunal no puede derivar del hecho de que el acusado permanezca en silencio, ninguna información equivalente a evidencia incriminatoria; que la persona acusada es libre de confesar o no confesar, y esta es una forma de respeto por la dignidad humana; así como que el principio también corresponde a la doctrina sobre evidencia obtenida ilícitamente.

En el segundo voto, se hizo referencia a que en materia penal, la carga de la prueba de la culpabilidad más allá de toda duda razonable siempre recae sobre la acusación; por lo tanto, un caso *prima facie* significa que el material probatorio presentado por la acusación, si se tiene por cierto y no se refuta, es suficiente por ley para establecer la culpabilidad del acusado, por lo cual, aceptar el procedimiento realizado, es permitir que un tribunal penal imponga una pena a un acusado porque hace uso de un derecho procesal garantizado por el Convenio. Por estas razones, los jueces discrepantes llegaron a la conclusión de que sí fue vulnerado el art. 6 CEDH.

2.1.3. Toma de postura

Como se puede apreciar en los antecedentes del presente caso, la persecución de los delitos de terrorismo en algunos Estados, ha dado paso a la creación de una regulación procesal especial, en donde el derecho a permanecer en silencio que en general se reconoce a todo inculpado, queda reducido a una mínima expresión, ya sea porque si se ejercita, dicho silencio puede ser utilizado como *respaldo* de la evidencia que exista en su contra, o puede permitir la *inferencia* de culpabilidad cuando la evidencia presentada por la acusación requiera de su parte una "explicación".

Es claro que en este contexto, el derecho a permanecer en silencio es completamente nulificado, de tal forma que la "mención" o "advertencia" que se hace al inculpado sobre dicho derecho por parte de las autoridades que realizan el interrogatorio, es meramente simbólica.

En mi opinión, la advertencia dirigida al solicitante constituye una clara coacción, y la negativa a proporcionar la requerida "explicación" fue utilizada en perjuicio del inculpado para determinar su culpabilidad, de tal manera que el mismo fue doblemente penalizado por ejercer su derecho, lo cual, a la vez, implica una inversión de la carga de la prueba a favor de la acusación.

Si las pruebas aportadas por la acusación son contundentes en contra del acusado, dicho material probatorio debe bastar para sustentar la condena, por lo cual, resulta completamente inaceptable solicitar una "explicación" de su parte y más aún, establecer que la omisión de dicha explicación puede, como cuestión de "sentido común", permitir que se haga la inferencia de que el acusado es culpable. Ello es así, en virtud de que el "sentido común" resulta ser un término ambiguo, carente de la objetividad que debe guiar el "sentido jurídico", y que de aplicarse como criterio para llevar a cabo la interpretación de los derechos fundamentales, resulta sumamente peligroso.

Derivado de lo anterior, considero muy importante la afirmación realizada en los votos discrepantes, en cuanto a que cualquier restricción que tenga el efecto de *castigar* el ejercicio de dicho derecho al permitir realizar inferencias adversas en contra del acusado, constituye una violación al principio.

De esta forma, es posible apreciar como en una lamentable interpretación, el TEDH desterró la concepción del derecho a permanecer en silencio como un derecho absoluto[2], al establecer que el silencio del acusado puede ser tomado en consideración cuando la situación claramente requiere de una *explicación* de su parte; excepción cuyo argumento resulta completamente *inaceptable*, no sólo porque dichas situaciones no han sido concretadas por el Tribunal, sino porque la condena debe estar fundamentada en las pruebas y no en la falta de explicación por parte del acusado sobre ellas[3]. La mención que hace el TEDH sobre una "situación" que "claramente" "requiere" una "explicación", invoca una serie de criterios ambiguos y subjetivos que por supuesto, quedan fuera de un verdadero criterio jurídico.

2.2. Caso Heaney and McGuinness v. Ireland (STEDH 21 de diciembre de 2000)

2.2.1. Antecedentes

Este caso tuvo relación con una explosión ocurrida en la madrugada del 23 de octubre de 1990, en un punto de control policial del ejército británico en el condado de Derry, Irlanda del Norte; en donde murieron cinco soldados ingleses y un civil, así como también resultaron gravemente heridas una serie de personas de la armada británica.

Aproximadamente una hora después de los acontecimientos, unos oficiales de policía irlandeses que realizaban labores de vigilancia, notaron una luz encendida en una casa que se encontraba aproximadamente a cuatro millas del lugar de la explosión. Al día siguiente, se obtuvo una orden para revisar la casa en donde se encontraron una variedad de guantes y pasamontañas, entre otras cosas. Los siete hombres que estaban en la casa, incluido el dueño y los solicitantes, fueron arrestados y detenidos por la policía, con fundamento en la sección 30 de la Ley de Delitos en contra del Estado de 1939. Se sospechaba que el atentado había sido realizado por el ERI, y los solicitantes a su vez, eran sospechosos de pertenecer a dicha organización y de estar relacionados con el atentado.

---

[2]   LOZANO EIROA, Marta: "El derecho al silencio del imputado en el proceso penal", p. 3.
[3]   LÓPEZ BARJA DE QUIROGA, Jacobo: *Tratado de Derecho Procesal* Penal, p. 530.

Ambos solicitantes fueron advertidos por los oficiales de policía en los términos usuales, respecto a que no estaban obligados a decir nada a menos que lo desearan, y también se les informó que cualquier cosa que dijeran se consignaría por escrito y podría ser utilizado como evidencia en su contra.

Los solicitantes fueron cuestionados acerca del atentado y de su presencia en la casa en donde fueron arrestados, negándose ambos a responder. Los policías entonces, procedieron a dar lectura a la sección 52 de la Ley de 1939 y les requirieron con base en dicha disposición, que proporcionaran la información completa sobre sus movimientos y acciones realizadas entre el 23 y el 24 de octubre, por parte del primero; y sobre un horario determinado, respecto al segundo; negándose ambos nuevamente a responder.

El 25 de octubre, fueron llevados ante el Tribunal Penal Especial en Dublin y acusados por el delito de pertenencia a una organización ilegal (contrario a la sección 21 de la Ley de 1939) y por no haber proporcionado la información completa sobre sus movimientos (contrario a la sección 52 de la Ley de 1939); sin embargo, el 26 de junio de 1991 los acusados fueron *absueltos* del delito de pertenencia a una organización ilegal, pero cada uno fue *condenado* a seis meses de prisión por no haber proporcionado la información sobre sus movimientos durante un periodo especificado.

Al respecto, dicho tribunal rechazó los argumentos presentados por los acusados en relación a la confusión creada por los oficiales de policía, quienes primero comunican la advertencia usual acerca del derecho a permanecer en silencio y después, realizan el requerimiento de información con base en la sección 52 de la Ley.

El 23 de julio de 1996, la Suprema Corte rechazó la apelación de los acusados, sosteniendo que la sección 52 de la Ley no era inconstitucional, y que lo relevante era considerar la proporcionalidad de la restricción sobre el derecho al silencio, de cara a la excepción de *orden público* del art. 40 de la Constitución. Así, la Ley de 1939 estaba dirigida a aquellas acciones realizadas para socavar el orden público y la autoridad del Estado. De igual forma, sostuvo que una persona inocente no tenía nada que temer al dar cuenta de sus movimientos, aunque dicha persona pudiera desear hacer valer sus derechos constitucionales; sin embargo, también consideró que el derecho de los ciudadanos de tomar esa postura debía ceder ante el derecho del Estado de protegerse. El derecho a permanecer en silencio de aquellos que tienen algo importante que revelar respecto a la comisión de un delito, debe ser considerado de un orden inferior. Así, la Suprema Corte concluyó que la restricción prevista en la sección 52 de la Ley era proporcionada al derecho del Estado de protegerse a sí mismo.

Ante el TEDH, los acusados argumentaron que la sección 52 de la Ley de Delitos en contra del Estado de 1939, constituía una violación de sus derechos al silencio y en contra de la autoincriminación, garantizados por el art. 6 (1) de la Convención, e invertía la presunción de inocencia garantizada por el art. 6 (2).

Por su parte, el Gobierno señaló que la sección 52 de la Ley era una respuesta proporcionada dado la situación de inseguridad por la que pasaba el Estado irlandés respecto a Irlanda del Norte, y a la consiguiente preocupación de asegurar la efectiva administración de justicia y de preservar la paz pública y el orden; así como que el poder obtener información bajo amenaza de sanción es todavía más necesaria en asuntos penales, en donde la búsqueda de información puede ser esencial para la investigación de delitos graves y subversivos; y también afirmó que la sección 52 era parte de la Ley irlandesa en tanto se encontraba justificada por la amenaza terrorista y de seguridad existente.

2.2.2. Postura del Tribunal

Por su parte, el Tribunal reiteró su doctrina en cuanto a que el derecho a permanecer en silencio y el derecho a no autoincriminarse son estándares internacionales generalmente reconocidos que descansan en la esencia de la noción de un procedimiento justo bajo el art. 6 CEDH, y que el derecho en cuestión está estrechamente vinculado a la presunción de inocencia prevista en el art. 6 (2) CEDH.

El Tribunal consideró que a los solicitantes les fue proporcionada información *contradictoria*, toda vez que al inicio de las entrevistas se les comunicó que tenían derecho a permanecer en silencio, pero después se les comunicó que si no decían las actividades que habían realizado en un periodo determinado, se arriesgaban a que les fueran impuestos seis meses de prisión. De esta forma, el Tribunal concluyó que el grado de coacción impuesto a lo acusados con base en la sección 52 de la Ley de 1939, para que proporcionaran información relativa a los cargos en su contra, de hecho, destruyó la esencia misma de sus derechos en contra de la autoincriminación y a permanecer en silencio.

Por otra parte, en cuanto a los argumentos esgrimidos sobre el *mantenimiento del orden y la paz pública*, el Tribunal consideró que los *requerimientos generales de equidad* contenidos en el art. 6 CEDH, incluido el derecho a no autoincriminarse, *aplica a los procedimientos penales respecto a toda clase de delitos sin distinción del más simple al más complejo*. De esta forma, concluyó que *el interés público no puede ser considerado para justificar el uso de respuestas obtenidas bajo coacción en una investigación no judicial, para incriminar al acusado durante el juicio*.

De esta forma, el Tribunal reiteró que las preocupaciones de *seguridad y de orden público* alegadas por el Gobierno, *no pueden justificar una disposición que extingue la esencia misma de los derechos a permanecer en silencio y a no autoincriminarse de los acusados garantizados por el art. 6 CEDH*, por lo cual concluyó que ambos derechos fueron vulnerados, y debido al vínculo

cercano que existe entre dichos derechos y la presunción de inocencia garantizada por el art. 6 (2) CEDH, el Tribunal también concluyó que esta última disposición fue vulnerada[4].

---

4   En este mismo sentido se decantó el tribunal en el **Caso Quinn v. Ireland** (STEDH 21 de diciembre de 2000), el cual tuvo relación con un atentado llevado a cabo por el ERI, en el cual murió un policía y otro resultó gravemente herido. Aquí, el acusado fue arrestado con fundamento en la sección 30 de la Ley de Delitos en contra del Estado de 1939, bajo sospecha de ser miembro del ERI (contrario a la sección 21 de la Ley de 1939). Al ser interrogado en múltiples ocasiones, el acusado se negó a dar un informe detallado de la actividades que realizó bajó un periodo determinado, cuando la policía le requirió hacerlo con fundamento en la sección 52 de la Ley de 1939, motivo por el cual, fue sentenciado a seis meses de prisión. El acusado sostuvo ante el TEDH que la sección 52 de la Ley de 1939, era violatoria de sus derechos a permanecer en silencio, en contra de la autoincriminación y a la presunción de inocencia, garantizados por el art. 6 (1) y (2) CEDH.

2.2.3. Toma de postura

Si bien en la sentencia del Caso *Murray* se ha podido constatar, cómo en ocasiones, tanto la propia legislación como el TEDH autorizan la realización de "inferencias negativas" a partir del ejercicio del derecho a permanecer en silencio; en el presente caso, dicha interpretación fue radicalmente superada al establecerse por Ley, que el *ejercicio* de dicho derecho era considerado un *delito*, hecho que tan sólo plantear resulta sorprendente.

Tal y como se desprende de los razonamientos esgrimidos por los altos tribunales del Estado, ante los problemas estatales, la restricción de derechos fundamentales parece ser la solución más a la mano para afrontarlos. Si bien es cierto que los derechos fundamentales no son derechos absolutos, también es cierto que su restricción no puede llevarse a cabo de forma arbitraria, pero lamentablemente, parece ser que una parte importante del poder judicial se ha diluido en dicha creencia y a través de sus fallos, confirman las aberraciones legislativas. De esta forma, han sido capaces de afirmar que el ejercicio de un derecho fundamental —derecho al silencio—, puede ser entendido como delito, que ello no resulta arbitrario ni irracional y peor aún, que dicha "interferencia" no menoscaba "excesivamente" dicho derecho. Es claro que si el ejercicio de un derecho fundamental es considerado como un delito, no sólo menoscaba excesivamente dicho derecho, sino que lo destruye.

Por otra parte, en esta sentencia se hace patente el argumento relativo a la *excepción de orden público* como fundamento de la restricción del derecho a permanecer en silencio, lo cual da lugar a que la interpretación se realice con tal amplitud y discrecionalidad según sean las circunstancias, que termine por ser absolutamente arbitraria. De tal forma que si bien el tribunal rechaza dicha excepción con base en un *requerimiento general de equidad,* en mi opinión, esta excepción también debe ser rechazada con base en un *requerimiento general de certeza* o *prohibición de ambigüedad.*

Si bien la *seguridad* del Estado es un bien que a todos interesa, ello debe realizarse en condiciones —valga la redundancia—, de *seguridad* para el ciudadano. Pensar lo contrario, implicaría que cualquier situación que perturbe el ya de por sí ambiguo "orden público", pueda ser considerado un asunto que "atenta contra la seguridad del Estado", y por ello, se justifique la reducción de los derechos fundamentales que se "consideren" oportunos, lo cual más que velar por la seguridad del Estado, vela por la seguridad de un autoritarismo inaceptable.

Por ello, el hecho de que el TEDH reitere que el "interés público" no puede ser considerado para justificar el uso de respuestas obtenidas bajo coacción en una investigación no judicial para incriminar al acusado durante el juicio, advierte el peligro de adoptar tal postura y confirma que la restricción de un derecho fundamental, debe atender a criterios mucho más precisos. Así, es posible apreciar por qué el Tribunal sostuvo que las preocupaciones de seguridad y de orden público alegadas por el Gobierno, no pueden justificar una disposición que extingue la esencia misma de los derechos a permanecer en silencio y a no autoincriminarse de los acusados.

De esta forma, el Tribunal ha precisado que los requerimientos de justicia aplican a los procedimientos penales respecto a toda clase de delitos, con lo cual ha dejado en claro que el "interés público" no constituye una causa legítima para vulnerarlos, lo cual implica el establecimiento de un principio fundamental que reconoce y garantiza el derecho a permanecer en silencio, independientemente de la "gravedad" de delito o de su contexto.

Por ello, resulta muy oportuno que el Tribunal haga referencia en esta sentencia a la relación que existe entre el derecho al silencio y a la no autoincriminación con el derecho a la presunción de inocencia, porque efectivamente, parece que ello se ha olvidado por completo y se ha dado paso, por el contrario, a considerar el ejercicio del derecho al silencio como una presunción de culpabilidad.

De esta forma, sostener que el ejercicio de un derecho fundamental es un delito o presupone culpabilidad, es peor a que dicho derecho no existiera, porque de no existir, simplemente no se invoca y no hay consecuencias que lamentar; mientras que si un derecho fundamental se invoca y las consecuencias son atroces, entonces las personas quedan verdaderamente desamparadas frente al Estado y nadie sabrá lo que pueda suceder con ellas. Ello se puede apreciar claramente en los hechos que dieron origen a la presente resolución, en donde los solicitantes fueron absueltos del delito de pertenencia a una organización ilegal pero fueron condenados por ejercer su derecho a permanecer en silencio. Resulta difícil justificar mayor infamia que esa —por mucho orden público que se invoque—, hecho que tampoco cambiaría si hubieran sido considerados culpables, porque como se ha mencionado anteriormente, nadie debe ser condenado por ejercer un derecho fundamental, sea culpable o no.

Es fácil presuponer que si a un inculpado se le presenta esa doble afirmación —derecho/perjuicio—, se le estará confundiendo; sin embargo, en mi opinión, el problema más allá de la confusión generada consiste en la propia posibilidad de presentar el *perjuicio* como una *opción*.

Ante todo lo expuesto, resulta evidente la razón por la cual el TEDH consideró que la esencia misma de los derechos de los inculpados —derecho al silencio/derecho a la no autoincriminación/derecho a la presunción de inocencia—, fue vulnerada.

3. EL PLANTEAMIENTO DEL PROBLEMA EN LOS ESTADOS UNIDOS DE AMÉRICA (EUA)

Los ataques terroristas perpetrados en EE.UU. el 11 de septiembre de 2001 y la subsiguiente guerra contra el terrorismo —*War on Terror*—, renovaron el interés relativo al interrogatorio y a la confesión[5].

Derivado de la magnitud de los ataques, las dificultades en la investigación y la necesidad de prevenir futuros ataques, se alzaron voces al interior y al exterior del gobierno solicitando que se autorizara el uso de la tortura para obtener información de los presuntos terroristas, toda vez que otros esfuerzos por obtener información, como los métodos tradicionales de interrogatorio o el uso de "incentivos", tales como proporcionar una nueva identidad y vida en EE.UU. para los sospechosos y su familia; no resultaban exitosos, lo cual hizo surgir el cuestionamiento acerca de cuánta presión era posible aplicar sobre esta clase de sospechosos[6].

---

[5]   RYCHLAK, Ronald J.: "The Right to Remain Silent in Light of the War on Terror", p. 664.

[6]   PARRY, John T./WHITE, Welsh S.: "Interrogating Suspected Terrorists: Should Torture Be an Option?", pp. 743 y 744.

En este contexto, el dilema más común se plantea en situaciones en las que las autoridades desean interrogar a un sospechoso que se encuentra en custodia, sobre el conocimiento que tiene sobre una bomba de tiempo o sobre un ataque terrorista planeado; sin embargo, el escenario más realista es aquel en el que existen diversos sospechosos en custodia y alguno o algunos de ellos, *posiblemente* posean información relevante sobre un ataque terrorista planeado, pero los demás no[7].

De esta forma, el problema se puede presentar en varias situaciones. Por una parte, cuando un agente estadounidense está investigando a un sospechoso, con el objetivo de obtener información para condenar a ese sospechoso en relación a cargos que ya están pendientes en su contra; dicho agente debe tener conocimiento de los requisitos procesales necesarios para que las declaraciones de ese sospechoso sean admisibles. Por otra parte, están aquellos casos en los que si bien el sospechoso no ha sido acusado de ningún delito, un agente puede querer interrogar a ese sospechoso con la esperanza de obtener la información necesaria para presentar cargos contra él en el futuro. Finalmente, están los casos en los que se busca obtener información de inteligencia sin tener necesariamente la intención de procesar, de tal forma que sólo después de obtener la información, los agentes se percatan de que un procesamiento penal puede ser viable[8]. En estos casos en los que los interrogadores no están tratando de obtener una condena, sino buscando información, el factor tiempo resulta esencial[9].

Entre las opciones planteadas, se consideró la posibilidad de enviar a los sospechosos a otros países con la finalidad de realizar interrogatorios forzados, lo cual puede suceder en dos contextos. El primero de ellos, consiste en extraditar al sospechoso de EE.UU., opción que conlleva varias dificultades, porque por una parte, la ley nacional e internacional prohíbe la extradición de una persona a un país en el que posiblemente sea tortura-

---

7　RYCHLAK, Ronald J.: "The Right to Remain Silent in Light of the War on Terror", p. 664.

8　MAY, John David: "The Right to Remain Silent: Recent Cultivation and Its Availability to Those Detained as Enemy Combatants on Foreign Grounds in the War on Terror", p. 418.

9　RYCHLAK, Ronald J.: "The Right to Remain Silent in Light of the War on Terror", p. 680.

do; y porque los procesos de extradición o deportación no son sumarios ni inmediatos, de tal forma que si el tiempo es esencial, resultan inadecuados. El segundo contexto, consiste en llevar a cabo la extradición supervisada de un país a otro por parte del gobierno, con la finalidad de interrogar al sospechoso de formas que si bien son ilegales en EE.UU., tienen como finalidad obtener información y pruebas que sean utilizadas en territorio estadounidense; sin embargo, aunque dichas prácticas no sean violatorias de la Ley de EE.UU., la implicación de sus oficiales en dichas extradiciones e interrogatorios, está en clara tensión con las leyes tanto nacionales como internacionales en contra del uso de la tortura. De esta forma, cualquier información obtenida coactivamente por parte de los oficiales estadounidenses en un interrogatorio en el extranjero, probablemente será inadmisible en juicio debido a la participación de los oficiales estadounidenses y al riesgo de que la información obtenida resulte poco confiable[10].

Por su parte, la policía y la fiscalía consideran las confesiones no sólo persuasivas o concluyentes respecto a la culpabilidad, sino también absolutamente necesarias para el buen funcionamiento del sistema penal[11]; sin embargo, el gran problema de la tortura es que genera confesiones poco fiables, toda vez que los acusados dirán lo que sea con tal de detener el sufrimiento[12].

Si bien los planteamientos expuestos con anterioridad permiten contemplar la problemática que en la práctica se presenta al enfrentar esta situación, en realidad, el verdadero problema respecto al paradigma terrorista es que el mismo *no ha sido definido*, toda vez que ni el poder ejecutivo ni el congreso han podido hacerlo de forma consistente ni coherente, y tanto los académicos como los encargados de tomar las decisiones a nivel gubernamental, debaten en la forma en la que deben categorizarse a quienes cometen actos terroristas, es decir, si deben ser considerados como "de-

---

[10]   En este sentido *Véase* pie de página 4 en PARRY, John T./WHITE, Welsh S.: "Interrogating Suspected Terrorists: Should Torture Be an Option?", p. 744.
[11]   RYCHLAK, Ronald J.: "The Right to Remain Silent in Light of the War on Terror", p. 666.
[12]   MONK, Linda R.: *The words we live by. Your annotated guide to the Constitution*, p. 167. En el mismo sentido, RYCHLAK, Ronald J.: "The Right to Remain Silent in Light of the War on Terror", p. 679.

lincuentes" de acuerdo al paradigma del derecho penal; como "soldados" según la definición de la Convención de Ginebra[13]; o como "algo más",

---

[13]   El *Tercer Convenio de Ginebra relativo al trato debido a los prisioneros de guerra* (1949), establece en el art. 4 la definición de "prisioneros de guerra", en los siguientes términos:

"A. Son prisioneros de guerra, en el sentido del presente Convenio, las personas que, perteneciendo a una de las siguientes categorías, caigan en poder del enemigo:

1) los miembros de las fuerzas armadas de una Parte en conflicto, así como los miembros de las milicias y de los cuerpos de voluntarios que formen parte de estas fuerzas armadas;

2) los miembros de las otras milicias y de los otros cuerpos de voluntarios, incluidos los de movimientos de resistencia organizados, pertenecientes a una de las Partes en conflicto y que actúen fuera o dentro del propio territorio, aunque este territorio esté ocupado, con tal de que estas milicias o estos cuerpos de voluntarios, incluidos estos movimientos de resistencia organizados, reúnan las siguientes condiciones:

a) estar mandados por una persona que responda de sus subordinados;

b) tener un signo distintivo fijo reconocible a distancia;

c) llevar las armas a la vista;

d) dirigir sus operaciones de conformidad con las leyes y costumbres de la guerra;

3) los miembros de las fuerzas armadas regulares que sigan las instrucciones de un Gobierno o de una autoridad no reconocidos por la Potencia detenedora;

4) las personas que sigan a las fuerzas armadas sin formar realmente parte integrante de ellas, tales como los miembros civiles de tripulaciones de aviones militares, corresponsales de guerra, proveedores, miembros de unidades de trabajo o de servicios encargados del bienestar de los militares, a condición de que hayan recibido autorización de las fuerzas armadas a las cuales acompañan, teniendo éstas la obligación de proporcionarles, con tal finalidad, una tarjeta de identidad similar al modelo adjunto;

5) los miembros de las tripulaciones, incluidos los patrones, los pilotos y los grumetes de la marina mercante, y las tripulaciones de la aviación civil de las Partes en conflicto que no se beneficien de un trato más favorable en virtud de otras disposiciones del derecho internacional;

6) la población de un territorio no ocupado que, al acercarse el enemigo, tome espontáneamente las armas para combatir contra las tropas invasoras, sin haber tenido tiempo para constituirse en fuerzas armadas regulares, si lleva las armas a la vista y respeta las leyes y las costumbres de la guerra.

B. Se beneficiarán también del trato reservado en el presente Convenio a los prisioneros de guerra:

1) las personas que pertenezcan o hayan pertenecido a las fuerzas armadas del país ocupado, si, por razón de esta pertenencia, la Potencia ocupante, aunque inicialmente las haya liberado mientras proseguían las hostilidades fuera del territorio que ocupa, considera necesario internarlas, especialmente tras una tentativa fracasada de estas personas para incorporarse a las fuerzas armadas a las que pertenezcan y que estén

que refleje un híbrido entre los paradigmas "penal/prisionero de guerra".
Ello ha llevado a la adopción de numerosos términos como "combatiente
enemigo", "enemigo beligerante", "beligerante ilegal", "combatiente ilegal"

---

combatiendo, o cuando hagan caso omiso de una intimidación que les haga por lo
que atañe a su internamiento;

2) las personas que pertenezcan a una de las categorías enumeradas en el presente
artículo que hayan sido recibidas en su territorio por Potencias neutrales o no be-
ligerantes, y a quienes éstas tengan la obligación de internar en virtud del derecho
internacional, sin perjuicio de un trato más favorable que dichas Potencias juzguen
oportuno concederles, exceptuando las disposiciones de los artículos 8, 10, 15, 30,
párrafo quinto, 58 a 67 incluidos, 92 y 126, así como las disposiciones relativas a la
Potencia protectora, cuando entre las Partes en conflicto y la Potencia neutral o no
beligerante interesada haya relaciones diplomáticas. Cuando haya tales relaciones,
las Partes en conflicto de las que dependan esas personas estarán autorizadas a ejercer, con respecto a ellas, las funciones que en el presente Convenio se asignan a las
Potencias protectoras, sin perjuicio de las que dichas Partes ejerzan normalmente de
conformidad con los usos y los tratados diplomáticos y consulares".

Es importante mencionar que el Título III relativo al "Cautiverio", establece en la
Sección I denominada "comienzo del cautiverio", en el art. 17 referente al "interrogatorio del prisionero", que "El prisionero de guerra **no tendrá obligación de
declarar**, cuando se le interrogue a este respecto, más que sus nombres y apellidos su
graduación, la fecha de su nacimiento y su número de matrícula o, a falta de éste, una
indicación equivalente…".

De igual forma, el *Protocolo adicional a los Convenios de Ginebra del 12 de agosto de
1949, relativo a la protección de las víctimas de conflictos armados internacionales* (Protocolo I), del 8 de junio de 1977, establece en la Sección II relativo al "Estatuto de
combatiente y de prisionero de guerra", en el art. 43 denominado "Fuerzas armadas",
lo siguiente:

"1. Las fuerzas armadas de una Parte en conflicto se componen de todas las fuerzas,
grupos y unidades armados y organizados, colocados bajo un mando responsable de
la conducta de sus subordinados ante esa Parte, aun cuando ésta esté representada
por un gobierno o por una autoridad no reconocidos por una Parte adversa. Tales
fuerzas armadas deberán estar sometidas a un régimen de disciplina interna que haga
cumplir, *inter alia*, las normas de derecho internacional aplicables en los conflictos
armados.

Los miembros de las fuerzas armadas de una Parte en conflicto (salvo aquellos que
formen parte del personal sanitario y religioso a que se refiere el artículo 33 del III
Convenio) son combatientes, es decir, tienen derecho a participar directamente en las
hostilidades…".

Finalmente, el art. 44 denominado "Combatientes y prisioneros de guerra" establece
que "Todo combatiente, tal como queda definido en el artículo 43, que caiga en poder de una Parte adversa será prisionero de guerra…".

y "actor no estatal". El problema de no poder categorizar de forma consistente y uniformemente a quienes cometen actos terroristas, refleja las realidades y consideraciones políticas, legales y geopolíticas[14].

3.1. Los precedentes de la Suprema Corte: Miranda y Quarles

Para poder plantear posibles respuestas a los cuestionamientos anteriormente señalados, es necesario hacer referencia a dos importantes precedentes que la Suprema Corte de Justicia de los Estados Unidos de América (SCJEUA), ha emitido en relación a la admisibilidad de las declaraciones emitidas por parte de los sospechosos que se encuentran bajo custodia policial.

3.1.1. Miranda v. Arizona

En esta famosa sentencia emitida por la SCJEUA[15], se aborda el problema constitucional referente a la admisibilidad de las declaraciones obtenidas de un individuo que es sometido a un interrogatorio bajo custodia policial, y la necesidad de observar procedimientos que aseguren que al individuo le sea respetado el privilegio a no ser obligado a autoincriminarse, el cual se encuentra previsto en la Quinta Enmienda de la Constitución.

3.1.1.1. Antecedentes

Los hechos que dieron origen a esta resolución son los siguientes: El 13 de marzo de 1963, el peticionario Ernesto Miranda, fue arrestado en su casa y llevado bajo custodia a la estación de policía de Phoenix. Ahí fue identificado por el testigo denunciante y después, la policía lo llevó a la sala de interrogatorio de la oficina de los detectives, en donde fue interrogado por dos oficiales de policía en una sala en la que estaba aislado del mundo exterior. Dos horas después, el oficial salió de la sala de interrogatorios con una confesión escrita y firmada por Miranda, la cual contenía un párrafo

---

14   GUIORA, Amos N.: "Relearning Lessons of History: Miranda and Counterterrorism", p. 1164.

15   *Véase Miranda v. Arizona*, 384 U.S, 436 (1966).

mecanografiado que indicaba que la confesión se había hecho de forma voluntaria, sin amenazas o promesas de inmunidad, y en la cual constaba la frase "con pleno conocimiento de mis derechos legales, entendiendo cualquier declaración que haga se puede ser utilizada en mi contra". En su juicio ante el jurado, la confesión por escrito fue admitida como evidencia a pesar de la objeción de su abogado defensor, y los oficiales testificaron acerca de la confesión verbal previa realizada por Miranda durante el interrogatorio; sin embargo, los oficiales también admitieron en el juicio que a Miranda no se le informó que tenía derecho a que un abogado estuviera presente. Miranda fue declarado culpable de secuestro y violación y fue condenado de 20 a 30 años de prisión por cada cargo. En la apelación, la Suprema Corte de Arizona sostuvo que los derechos constitucionales de Miranda no se violaron al obtener la confesión y confirmaron la condena.

3.1.1.2. Postura de la Suprema Corte

Por su parte, la SCJEUA revocó la decisión, al considerar que, toda vez que del testimonio de los oficiales y de la admisión del acusado, se desprendía que Miranda no estaba informado de manera alguna acerca de su derecho a consultar con un abogado y a tener uno presente durante el interrogatorio, y que tampoco su derecho a no ser obligado a incriminarse estuvo efectivamente protegido; las declaraciones eran inadmisibles, toda vez que dichas advertencias no fueron realizadas.

De esta forma, la Corte estableció que:

a) La acusación no puede utilizar declaraciones, ya sean exculpatorias o inculpatorias, que surjan de interrogatorios iniciados por oficiales después de que una persona ha sido puesta bajo custodia o privada de su libertad de acción de cualquier manera significativa, a menos que demuestre el uso de salvaguardias procesales que efectivamente, aseguren el privilegio en contra de la autoincriminación contenido en la Quinta Enmienda.

b) La atmósfera y el entorno del interrogatorio en régimen de incomunicación, tal como existe hoy en día, son intrínsecamente intimidantes y sirven para socavar el privilegio contra la autoincriminación. A menos que se tomen medidas preventivas adecuadas para disipar la coacción inherente al entorno de custodia, ninguna declaración obtenida del acusado puede ser verdaderamente el producto de su libre elección.

c) El privilegio en contra de la autoincriminación, el cual ha tenido un desarrollo histórico largo y expansivo, constituye el pilar esencial del sistema adversarial estadounidense y garantiza al individuo "el derecho a permanecer en silencio a menos que decida hablar en el ejercicio irrestricto de su propia voluntad", durante un período del interrogatorio en custodia, así como ante los tribunales o durante el curso de otras investigaciones oficiales.

d) A falta de otras medidas efectivas, los siguientes procedimientos para salvaguardar el privilegio de la Quinta Enmienda, deben ser observados: la persona que esté bajo custodia debe, antes del interrogatorio, ser informada claramente de su derecho a permanecer en silencio, y de que cualquier cosa que diga será usada en su contra ante el tribunal; se le debe informar claramente que tiene derecho a consultar con un abogado y a tener al abogado presente durante el interrogatorio, y que si es indigente, se nombrará un abogado para que lo represente.

e) Si el individuo indica, antes o durante el interrogatorio, que desea permanecer en silencio, el interrogatorio debe cesar; si manifiesta que quiere un abogado, el interrogatorio debe cesar hasta que un abogado esté presente.

f) Cuando se lleva a cabo un interrogatorio sin la presencia de un abogado y se obtiene una declaración, recae sobre el gobierno la pesada carga de demostrar que el acusado renunció deliberada y conscientemente, a su derecho a un abogado.

g) El hecho de que un individuo conteste algunas preguntas durante el interrogatorio bajo custodia, no significa que el mismo ha renunciado a su privilegio y, por lo tanto, puede invocar su derecho a permanecer en silencio posteriormente.

h) La advertencia requerida y la renuncia necesaria son, a falta de un equivalente plenamente efectivo, prerrequisitos de la admisibilidad de cualquier declaración, inculpatoria o exculpatoria que realice el acusado.

i) Estas limitaciones sobre el proceso de interrogatorio requeridas para la protección de los derechos constitucionales del individuo, no deben causar una interferencia indebida en el sistema adecuado de aplicación de la ley, como lo han demostrado los procedimientos del FBI y las salvaguardas permitidas en otras jurisdicciones.

3.1.2. La excepción de seguridad pública: New York v. Quarles[16]

3.1.2.1. Antecedentes

El 11 de septiembre de 1980, aproximadamente a las 12:30 a. m., dos agentes de la policía se encontraban patrullando en Queens, N. Y., cuando una mujer se acercó a su automóvil y les dijo que acababa de ser violada por un hombre afroamericano a quien describió, y les dijo que dicho hombre acababa de entrar a un supermercado cercano y que llevaba una pistola. Los agentes condujeron a la mujer al supermercado y uno de ellos entró en la tienda mientras el otro llamaba por radio para pedir ayuda. El oficial que entró a la tienda, identificó rápidamente al sospechoso, quien se estaba acercando a una caja y quien coincidía con la descripción proporcionada por la mujer. Aparentemente, al ver al oficial, el sospechoso dio media vuelta y corrió hacia la parte trasera de la tienda, por lo cual el agente lo persiguió con el arma desenfundada. Cuando el sospechoso dobló la esquina al final de un pasillo, el oficial lo perdió de vista durante varios segundos, pero al tenerlo a la vista nuevamente, le ordenó que se detuviera y se cubriera la cabeza con las manos, de tal forma que pudo registrarlo y percatarse que llevaba una funda al hombro que estaba vacía. Después de esposarlo, el oficial le preguntó en dónde estaba el pistola, a lo cual el sospechoso asintió en dirección a algunos cartones vacíos y respondió "la pistola está allí". De esta forma, el oficial recuperó un revólver calibre.38 cargado, arrestó formalmente al sospechoso y le leyó sus derechos *Miranda*. Ante ello, el sospechoso respondió que estaría dispuesto a responder preguntas sin un abogado presente, por lo cual el oficial le preguntó al sospechoso si era el dueño del arma y dónde la había comprado, respon-

---

[16]   *Véase New York v. Quarles*, 467 U.S. 649, 690 (1984).

diendo el sospechoso que la misma era de su propiedad y que la había comprado en Miami, Florida.

3.1.2.2. Postura de la Suprema Corte

La Suprema Corte sostuvo que en este caso, durante el acto de aprehensión del sospechoso, la policía se enfrentó a la necesidad inmediata de averiguar el paradero de un arma sobre la cual tenía razones para creer que el sospechoso había sacado de su funda y la había desechado en el supermercado, de tal forma que en tanto el arma estuviera escondida en algún lugar del supermercado, con paradero desconocido, representaba un peligro para la seguridad pública, toda vez que algún cómplice podría utilizarla, o un cliente o empleado podría encontrarse con ella más adelante. De esta forma, la Corte concluyó que la necesidad de respuestas a preguntas en una situación que representa una amenaza para la seguridad pública, supera la necesidad de las advertencias *Miranda* que protegen el privilegio en contra de la autoincriminación de la Quinta Enmienda. Así, la Corte rechazó la posibilidad de colocar a los oficiales en una posición insostenible de tener que considerar —a veces en cuestión de segundos—, si lo mejor para la sociedad es formular las preguntas necesarias sin las advertencias de *Miranda* y entonces, que todas las pruebas presentadas sean consideradas inadmisibles; o que proporcionen las advertencias con el fin de preservar la admisibilidad de las pruebas, dañando o destruyendo de esa forma, su capacidad para obtener esa evidencia y neutralizar la situación que enfrentan.

Como se puede apreciar, a partir de esta resolución, la SCJEUA creo una excepción a las advertencias *Miranda*, de tal forma que si durante una investigación criminal, el interrogatorio de la policía es provocado por una *preocupación inmediata* por la *seguridad pública*, los oficiales pueden interrogar al sospechoso sin haberle comunicado primero las advertencias *Miranda*, y las respuestas del sospechoso a estas preguntas pueden ser utilizadas no solo para evitar la amenaza inmediata, sino también como evidencia en un proceso penal subsecuente contra el mismo[17], es decir, las de-

---

[17] RYCHLAK, Ronald J.: "The Right to Remain Silent in Light of the War on Terror", p. 689.

claraciones proporcionadas por el sospechoso en el contexto de seguridad pública, son admisibles en juicio[18].

3.1.3. Miranda y los interrogatorios realizados en el extranjero por agentes estadounidenses

Si bien al interior de los EE.UU. los policías deben comunicar a los sospechosos sus derechos *Miranda* antes de llevar a cabo el interrogatorio bajo custodia, ha surgido el cuestionamiento acerca de si dicha regla es aplicable a situaciones en las que el sospechoso ha sido detenido e interrogado más allá de las fronteras estadounidenses[19], y también se plantea si el hecho de hacer extensivas las protecciones *Miranda* a un presunto terrorista recientemente arrestado en territorio estadounidense, obstaculizaría significativamente la capacidad de las fuerzas del orden para interrogar a la persona, poniendo así en riesgo al público en general; o si al negar dichas protecciones se facilita el arresto de otros posibles terroristas y se previenen futuros actos de terrorismo[20].

En los asuntos penales a nivel nacional, las advertencias *Miranda* operan para proteger los derechos de los sospechosos, de donde surge la cuestión acerca de si las mismas preocupaciones que justifican el privilegio en contra de la autoincriminación a nivel doméstico, son aplicables cuando se trata de la investigación del terrorismo internacional. Al respecto, las principales preocupaciones tienen que ver con el falso testimonio obtenido durante el interrogatorio —fiabilidad—, y el tema relacionado con las brutales prácticas policiales utilizadas para extraer declaraciones incriminatorias —tortura—[21].

---

[18]   GUIORA, Amos N.: "Relearning Lessons of History: Miranda and Counterterrorism", p. 1148.

[19]   MAY, John David: "The Right to Remain Silent: Recent Cultivation and Its Availability to Those Detained as Enemy Combatants on Foreign Grounds in the War on Terror", p. 398.

[20]   GUIORA, Amos N.: "Relearning Lessons of History: Miranda and Counterterrorism", p. 1148.

[21]   RYCHLAK, Ronald J.: "The Right to Remain Silent in Light of the War on Terror", p. 679.

En realidad, lo que complica el uso de las advertencias *Miranda* en el extranjero, es el hecho de que muchos países no proporcionan a los sospechosos los derechos contenidos en *Miranda;* sin embargo, la tendencia parece inclinarse hacia el reconocimiento de que *Miranda* es aplicable "en alguna forma" en los interrogatorios que se realizan en el extranjero[22].

De esta forma, a falta de un pronunciamiento expreso sobre el tema por parte de la SCJEUA, los tribunales han sostenido que las reglas *Miranda,* fueron diseñadas con la intención de disuadir los interrogatorios policiales ilegales; sin embargo, cuando el interrogatorio es realizado por las autoridades de una jurisdicción extranjera, la regla de exclusión tiene poco o ningún efecto sobre la conducta de la policía en dicha jurisdicción. Por lo tanto, siempre que la fiabilidad de la confesión satisfaga los estándares legales —voluntariedad—, el hecho de que el acusado no reciba las advertencias *Miranda* antes de ser interrogado por la policía extranjera, no hace, por ese solo hecho, que su confesión sea inadmisible[23]. Ello, en virtud de que la Constitución de los EE.UU. no puede obligar a una acción afirmativa específica a los países extranjeros, de tal forma que la política disuasoria que subyace a la regla de exclusión de *Miranda*, resulta inaplicable a esos casos[24].

Sin embargo, dos excepciones se han reconocido a esta regla general. La primera, establece que si la conducta de los oficiales extranjeros "conmociona la conciencia de la corte estadounidense", los frutos de tal actuación serán excluidos. La segunda excepción establece que si los funcionarios estadounidenses participan en la búsqueda o en el interrogatorio en el extranjero, o si las autoridades extranjeras actúan como agentes para sus contrapartes estadounidenses, la regla de exclusión debe invocarse[25].

---

[22]   MAY, John David: "The Right to Remain Silent: Recent Cultivation and Its Availability to Those Detained as Enemy Combatants on Foreign Grounds in the War on Terror", pp. 399 y 400.

[23]   En este sentido *United States v. Chavarria,* 443 F.2d 904 (9th Cir. 1971); *United States v. Emery,* 591 F.2d 1266 (9th Cir. 1978); *United States v. Martindale,* 790 F.2d 1129 (4th Cir. 1986).

[24]   En este sentido *Kilday v. United States,* 481 F.2d 655 (5th Cir. 1973).

[25]   En este sentido *United States v. Morrow,* 537 F.2d 120, 139 (5th Cir. 1976); *United States v. Heller* 625 F.2d 594, 599 (5th Cir.1980); *United States v. Yousef,* 327 F.3d 56 (2d Cir. 2003); *United States v. Frank,* 599 F.3d 1221 (11th Cir. 2010).

Esta última excepción, es conocida como la Doctrina de la Operación Conjunta —*Joint Venture Doctrine*—, la cual establece que la evidencia obtenida a través de las actividades realizadas por funcionarios extranjeros, en las cuales particip*an significativame*nte los agentes federales estadounidenses, y en las cuales se vulneran los derechos de la Quinta Enmienda del acusad*o* —*Miranda*—; debe ser suprimida en cualquier juicio posterior que se realice en los EE.UU[26]. Por lo tanto, los funcionarios encargados de hacer cumplir la ley de los EE.UU., no pueden evadir intencionalmente los requisitos de *Miranda,* al delegar *deliberadamente* el interrogatorio a los funcionarios extranjeros encargados de hacer cumplir la ley, para luego admitir los resultados del interrogatorio en el juicio en los EE.UU[27].

En virtud de lo anterior, en la medida en que el acusado sea sujeto de un proceso penal en EE.UU., está protegido por el privilegio contra la autoincriminación garantizado por la Quinta Enmienda, a pesar del hecho de que sus únicas conexiones con los EE.UU. sean sus presuntas violaciones de la ley estadounidense y su posterior procesamiento en dicho país. Por lo tanto, la cuestión acerca de si los derechos de la Quinta Enmienda se extiendan o no para proteger a las personas mientras se encuentran fuera de EE.UU., carece de sentido, porque cualquier violación del privilegio en contra de la autoincriminación ocurre, no en el momento en que los agentes de la ley coaccionan las declaraciones durante el interrogatorio en custodia, sino cuando las declaraciones involuntarias del acusado se usan en su contra en un procedimiento penal en EE.UU. Así, la expresión *"no person"* contenida en la Quinta Enmienda, parece tener una aplicación por igual para todos los acusados que enfrentan un procesamiento de naturaleza penal en EE.UU., sin aparente consideración a la ciudadanía o conexión con la comunidad de los mismos. Resultaría insostenible afirmar que dichos acusados deben recibir un diferente nivel de la protección contenida en la Quinta Enmienda, según el nivel de su "inserción" en la sociedad estadounidense. Por lo anterior, las declaraciones realizadas ante los agentes estadounidenses en el extranjero, por quien está siendo juzgado en EE.UU. por cometer delitos contra los EE.UU. en otros países, deben

---

[26] En este sentido *Pfeifer v. United States Bureau of Prisons,* 615 F.2d 873 (9th Cir. 1980).

[27] En este sentido *United States v. Abu Ali,* 528 F.3d 210 (4th Cir. 2008).

ser precedidas por las advertencias *Miranda*, toda vez que la coacción inherente a las técnicas policiales en el interrogatorio realizado en el extranjero, no es menos problemática cuando se lleva a cabo más allá de EE.UU., e incluso, es más probable que un interrogatorio en custodia realizado en tales condiciones, represente una mayor amenaza de coacción, toda vez que lo que sucede al acusado no puede ser controlado por los estadounidenses. Así mismo, es posible que las autoridades locales pueden participar de manera privada en prácticas agresivas, tanto legales como ilegales en su propio país, pero ciertamente no toleradas dentro de los EE.UU., de tal manera que cuando los agentes estadounidenses estén finalmente disponibles para hacer preguntas por su cuenta, dichas prácticas agresivas, ya habrán hecho caer la libre voluntad del acusado[28].

De esta forma, si bien los ciudadanos extranjeros interrogados en el extranjero pero juzgados en los tribunales civiles de los Estados Unidos, están protegidos por la cláusula de la no autoincriminación de la Quinta Enmienda, ello se cumple cuando el agente de los EE.UU. informa al detenido extranjero sus derechos *conforme* a la Constitución estadounidense al ser interrogado en el extranjero. Ello es así, debido a que los agentes de los EE.UU. que actúan en el exterior, no necesitan convertirse en expertos en procedimientos penales extranjeros para cumplir con *Miranda,* por lo cual la aplicación de ese marco a interrogatorios en el extranjero, puede diferir de su aplicación nacional, de manera flexible para adaptarse a las exigencias de las condiciones locales. Esta decisión de no imponer deberes adicionales a los agentes estadounidenses que operan en el extranjero, es alentada, en parte, por el reconocimiento de que solo mediante la cooperación de las autoridades locales, los agentes estadounidenses obtienen acceso a los detenidos extranjeros, por lo cual, no se tiene intención de tensar ese espíritu de cooperación, al obligar a los agentes estadounidenses a presionar a los gobiernos extranjeros para que proporcionen derechos no reconocidos por sus sistemas de justicia penal[29].

---

[28]　En este sentido *United States v. Bin Laden*, 132 F. Supp. 2d 168, 181 (SDNY. 2001).
[29]　En este sentido *In re Terrorist Bombing of U.S Embassies in East Africa*, 552 F.3d 177 (2d Cir. 2008).

3.1.4. Consideraciones Doctrinales

Al analizar este apartado, es importante tomar como punto de partida el hecho de que cuando el gobierno *toma en custodia* a una persona y la deja indefensa, tiene el *deber* de *garantizar* su seguridad física y sus mínimas necesidades humanas, de tal forma que la tortura *incumple* este *deber*, por lo cual infligir agonía a los indefensos es contrario a la función constitucionalmente legítima del Estado[30].

De esta forma, unos autores sostienen que las consecuencias legales del interrogatorio forzado van más allá de la *inadmisibilidad* de la confesión, toda vez que el uso de la coacción en el interrogatorio es violatorio del derecho al debido proceso de la víctima, *independientemente* de que el gobierno *pretenda o no* hacer *uso* de dicha confesión. De esta forma, tanto las leyes como las previsiones Constitucionales indican que la tortura es *ilegal* e *inconstitucional* en *cualquier contexto*. Aunado a ello, la experiencia derivada de las prácticas de interrogatorio policiales abusivas del siglo pasado, ha demostrado que el uso de la tortura por parte de la policía para obtener confesiones, no es el mejor método para obtener información *fidedigna*[31].

Otros autores refieren que la gran objeción acerca de negar a los presuntos terroristas las protecciones *Miranda*, se basa en dos principales preocupaciones: primero, la gran disposición que existe para minimizar los derechos de una categoría *vagamente* definida de individuos, de cara al escrutinio público y a la crítica que se genera inmediatamente después de un ataque terrorista; y segundo, la falta de voluntad simultánea de reconocer y definir una amenaza que cumpla con estándares objetivos y actuales[32].

No obstante lo anterior, algunos autores consideran que, sin pretender en modo alguno aprobar un interrogatorio excesivamente agresivo y mucho menos la tortura; el argumento relativo a la obtención de información "potencialmente" falsa, resulta insuficiente para justificar el privilegio en

[30] KREIMER, Seth F.: "Too Close to the Rack and the Screw: Constitutional Constraints on Torture in the War on Terror", p. 298.
[31] PARRY, John T./WHITE, Welsh S.: "Interrogating Suspected Terrorists: Should Torture Be an Option?", pp. 751 y 753.
[32] GUIORA, Amos N.: "Relearning Lessons of History: Miranda and Counterterrorism", pp. 1150 y 1151.

contra de la autoincriminación, por lo menos en una situación relacionada con el terrorismo, de tal forma que no se justifica la aplicación de la regla *Miranda* en este contexto; sin embargo, también reconocen que si bien en dicho contexto podría afirmarse que todo interrogatorio se debe a una preocupación por la seguridad pública, ello no significa que todas las tácticas puedan justificarse en este escenario porque si se lleva a cabo un interrogatorio agresivo, habrá errores para determinar quién *legítimamente* es un sospechoso[33].

Por lo que hace a la aplicación de la tortura, unos autores sostienen que la tortura es violatoria de los derechos fundamentales protegidos por la Constitución y la Ley internacional, y degrada a los oficiales encargados de hacer cumplir la ley al nivel de los delincuentes que pretende aprehender[34].

Para otros autores, la tortura no constituye una mera infracción sobre la integridad corporal, sino que está diseñada para producir un dolor insoportable en quien la recibe, de tal forma que tanto la restricción contenida en la Octava Enmienda en contra el castigo cruel y los antecedentes de la cláusula en contra de la autoincriminación, están en clara oposición hacia tales tales prácticas. De esta forma, sostienen que la tortura es ajena a la Constitución de los EE.UU., tanto por tener incidencia en la integridad corporal como por agredir la autonomía y la dignidad de la víctima[35].

En opinión de algunos autores, no es posible desarrollar de antemano un regla que determine qué *nivel de presión* puede o debe aplicarse a cada nivel de amenaza en particular. De esta forma, si bien el contexto terrorista plantea un escenario diferente, también es necesario mantener un nivel básico de *moralidad* en la forma en la que se llevan a cabo las actividades gubernamentales, lo cual puede resultar complejo y requerir el desarrollo

---

[33]   RYCHLAK, Ronald J.: "The Right to Remain Silent in Light of the War on Terror", pp. 681 y 689.

[34]   PARRY, John T./WHITE, Welsh S.: "Interrogating Suspected Terrorists: Should Torture Be an Option?", p. 766.

[35]   KREIMER, Seth F.: "Too Close to the Rack and the Screw: Constitutional Constraints on Torture in the War on Terror", pp. 294 y ss.

de nuevos estándares y procedimientos, pero si se pretende vencer el terrorismo, es necesario hacerlo sin comprometer la *integridad*[36].

Por lo que hace a la excepción de seguridad pública establecida en *Quarles,* unos autores consideran que la misma resulta suficiente en el ámbito terrorista, y que una expansión más allá de ella, resulta *injustificado y peligroso,* toda vez que los *posibles* beneficios no compensan los *verdaderos* costos, precisando además que *Quarles* creó una excepción de seguridad pública específica para la *escena* del *arresto,* es decir, que no se extiende más allá del *momento* del *arresto.* En su opinión, el peligro fundamental consiste en que a falta de una definición precisa, cualquier expansión de *Miranda-Quarles* aplicaría a un extraordinariamente amplio y ambiguo grupo de "terroristas", y la realidad actual en EE.UU. es que no existe claridad acerca de si un individuo recién detenido es un terrorista a quien aplicarían las excepciones ampliadas, o si es un delincuente a quien no le serían aplicables, de tal forma que clasificar a un individuo arrestado como "sospechoso de cometer un delito", a quien le son aplicables las protecciones *Miranda* y está sujeto a la excepción de seguridad pública; o como "sospechoso de terrorismo", sujeto a la referida "expansión de la excepción"; resulta muy difícil en realidad. Por lo tanto, la posibilidad de aplicar esta expansión de la excepción en ausencia de definiciones, supone un peligro par los derechos que *Miranda* pretende proteger[37].

Finalmente, otros autores sostienen que el pronunciamiento acerca de si la Constitución permite la tortura, debe ser claro: la Constitución de los EE.UU. no consiente tales acciones, de tal forma que un funcionario que declara su fidelidad a la Constitución no puede, al mismo tiempo, atribuirse el derecho a usar métodos de esa naturaleza[38].

---

[36]   RYCHLAK, Ronald J.: "The Right to Remain Silent in Light of the War on Terror", p. 691.

[37]   GUIORA, Amos N.: "Relearning Lessons of History: Miranda and Counterterrorism", pp. 1151 y ss.

[38]   KREIMER, Seth F.: "Too Close to the Rack and the Screw: Constitutional Constraints on Torture in the War on Terror", p. 325.

De esta forma, es posible concluir que el balance entre consideraciones legítimas de seguridad nacional y derechos personales igualmente legítimos, son esenciales para llevar a cabo operaciones contraterroristas lícitas[39].

3.1.5. Toma de postura

El análisis del derecho al silencio del sospecho, es un tema añejo en la doctrina de la SCJEUA[40]; sin embargo, el caso *Miranda* planteó una nueva perspectiva en cuanto al entendimiento y observancia de este derecho, al establecer que la "coacción" en el interrogatorio, no sólo puede ser originada por el hombre, sino que esta puede provenir de un "entorno" que es "intrínsecamente intimidante", esto es, el interrogatorio bajo custodia policial; describiendo de esta forma, una coacción independiente que podemos denominar "en abstracto".

A partir de dicho planteamiento, la SCJEUA creó una regla sobre la *admisibilidad* de las declaraciones que el sospechoso realice estando en dicho entorno, estableciendo para ello que las mismas deban de ir precedidas de las salvaguardas que garanticen el privilegio en contra de la autoincriminación.

Esta regla que constituye un pilar fundamental del sistema de justicia estadounidense, tanto por que establece un entendimiento más amplio del término "coacción", como por el hecho de condicionar la admisión de la prueba —declaración del sospechoso— a la observancia de determinadas salvaguardas; impone un límite a la actuación policial que, en mi opinión, no debería menospreciarse, sino por el contrario, debería alentarnos a reproducirla en otras latitudes, porque efectivamente, un sospechoso que es aislado e interrogado bajo custodia policial, en realidad se encuentra a merced de sus "custodios" y de sus muy particulares "prácticas" o "métodos" para obtener información, de ahí que el abuso tanto físico como psicológico sobre la persona, aparezca como un riesgo bastante real que,

---

39   GUIORA, Amos N.: "Relearning Lessons of History: Miranda and Counterterrorism", p. 1168.
40   En este sentido *Véase* el Caso *Bram v. United States*, 168 U.S. 532, 572 (1897).

independientemente de la gravedad del delito que se pretenda investigar, lo pone en un estado de vulnerabilidad innegable.

Esta consideración es afirmada, como se ha visto anteriormente, por el hecho de que las salvaguardas establecidas en *Miranda* deben ser observadas en los interrogatorios que realizan los agentes estadounidenses en el extranjero, cuando el caso pretende ser juzgado en EE.UU. Resultaría sencillo creer que el hecho de realizar un interrogatorio en el extranjero permitiría ignorar los procedimientos nacionales sobre la admisión de la prueba, toda vez que los medios de "control" sobre ellos pueden ser más relajados o incluso, nulos; sin embargo, las resoluciones emitidas por los tribunales estadounidenses han confirmado que ello no puede ser así, y que si bien se acepta que las advertencias *Miranda* puedan realizarse de otras formas, atendiendo a las características propias de cada país; lo cierto es que si se quiere garantizar la admisibilidad de las declaraciones en los tribunales de los EE.UU., las mismas no pueden ser omitidas.

De esta forma, las advertencias *Miranda* aparecen como un regla prácticamente inmutable, y si bien se ha establecido sobre ella una excepción motivada por la *necesidad de respuestas* ante una *preocupación inmediata* por la *seguridad pública* —*Quarles*—, esta última, como bien afirma la doctrina, está circunscrita al momento del *arresto* del sospechoso, lo cual impone una importante restricción de índole temporal para las autoridades; sin embargo, la expresión "preocupación inmediata por la seguridad pública" que da fundamento a la excepción, recuerda a aquella relativa a las "preocupaciones de seguridad y de orden público" que fue analizada y desestimada por el TEDH con base en el *requerimiento general de equidad*.

En mi opinión, al igual que sucede a nivel europeo, el invocar las "preocupaciones por la seguridad pública" o por "la seguridad y el orden público" como fundamento para restringir el derecho a permanecer en silencio del sospechoso, no es lo suficientemente preciso, debido al margen tan amplio de interpretación que se puede dar a cada uno de esos términos, ambigüedad que representa un riesgo importante para la seguridad jurídica del ciudadano.

Por otra parte, considero que el análisis de la doctrina estadounidense, permite resaltar varios aspectos que son muy importantes para poder realizar un pronunciamiento sobre la posibilidad de admitir que los sospechosos de cometer delitos de terrorismo, puedan ser privados de su derecho a permanecer en silencio.

Por una parte, está el hecho de que ante los actos terroristas, los Estados hacen patente la función que les asiste para salvaguardar la seguridad ciudadana y, por lo tanto, las medidas que adoptarán tanto para sancionar a los responsables de dichos actos, como para prevenir futuros ataques; sin embargo, el *deber* del Estado de *garantizar* las *seguridad física* de las personas que toma en custodia, no se plantea de forma alguna en este contexto, cuando en realidad, como bien lo hace notar la doctrina, ese es un deber que también tiene asignado a nivel jurídico y que no parece estar condicionado o ser renunciable por motivo alguno.

Por otra parte, la imposibilidad de categorizar de forma uniforme y consistente a quienes cometen actos terroristas, en mi opinión, es un punto medular en el tema que nos ocupa, porque efectivamente, a falta de una definición precisa sobre esta categoría de sospechosos, se está ante un grupo amplio y ambiguo de individuos que al momento de ser detenidos, difícilmente pueden ser categorizados claramente como "terroristas". Por lo tanto, al carecerse de una categoría definida de "sujetos", difícilmente puede desarrollarse una categoría precisa y acorde de "procesos".

Ahora bien, por lo que hace a la cuestión acerca de la posibilidad de permitir la tortura sobre un sospechoso de cometer actos terroristas, además de las críticas en contra de dicha práctica expuestas anteriormente por parte de la doctrina estadounidense, también considero importante mencionar que dicho planteamiento presenta problemas desde la perspectiva de la teoría del delito, toda vez que si se pretende invocar la tortura como causa de justificación —legítima defensa o estado de necesidad—, el requisito o presupuesto temporal generalmente contenido en el término "inmediatamente" o "inminente" del ataque, resulta discutible o difícil de concretar en este contexto, es decir, faltaría una *limitación temporal precisa*, aunado al hecho de que la materialización del peligro no puede ser muy lejana en el futuro, toda vez que si lo es, puede esperarse que la información para evitarlo pueda ser obtenida por otros medios, como la investigación y las tareas efectivas de inteligencia. Aunado a ello, el aceptar la legítima defensa como causa de justificación, permitiría que el acto de tortura fuera *legal*, negando de esta forma su antijuridicidad, lo cual imposibilitaría que las víctimas de la tortura pudieran defenderse del torturador, toda vez que la legítima defensa tiene como presupuesto que el ataque sea *ilícito*[41].

Todo lo anterior, permite afirmar, como lo hace la doctrina estadounidense, que las consecuencias legales de la coacción en los interrogatorios, van más allá de la admisibilidad de las declaraciones en el juicio, especialmente en el contexto del terrorismo, porque aunado a la problemática que en dicho escenario implica la obtención de información falsa, riesgo que tampoco debe menospreciarse; la imposibilidad de desarrollar de antemano un regla que determine el nivel de presión que puede aplicarse a cada nivel de amenaza en particular, sobre una categoría igualmente indefinida de individuos, representa un grave peligro para la seguridad jurídica.

De esta forma, coincido con la doctrina estadounidense en cuanto a que los procedimientos seguidos por el Estado para llevar a cabo operaciones de contraterrorista lícitas, siempre deben tener como base consideraciones legítimas tanto de derechos personales como de seguridad nacional.

4. ¿EL DERECHO A PERMANECER EN SILENCIO ESTÁ SUJETO A UN LÍMITE TEMPORAL?

Una vez presentada la problemática desde una perspectiva general, aparece una cuestión que no han sido expresamente tratada y que considero muy importante analizar, la cual tiene que ver con el cuestionamiento acerca de la *temporalidad* del derecho a permanecer en silencio, esto es, a partir de qué momento y hasta cuándo es posible ejercitarlo.

Para ello, es necesario empezar por señalar que el derecho a permanecer en silencio es, en principio, un derecho fundamental que asiste el *sospechoso* o *inculpado* y es de naturaleza *procesal*. Lo anterior, permitiría afirmar que dicho derecho sólo puede ser invocado por quien por lo menos, es considerado probable responsable de la comisión de un(os) hecho(s) delictivo(s) en *concreto* y se encuentra bajo custodia policial, es decir, en determinado "momento" y con cierta "calidad" procesal.

---

[41]   Ver en amplio sentido AMBOS, Kai: *Terrorismo, tortura y Derecho Penal. Respuestas en situaciones de emergencia*, pp. 39 y ss.

Siendo así, podemos plantear varios escenarios:

1. Cuando el individuo se encuentra bajo custodia policial por ser considerado posible autor/coautor/participe de un delito de terrorismo *consumado*.

En este caso, claramente asiste al individuo el derecho a permanecer en silencio como sospechoso/inculpado, toda vez que sus declaraciones pueden ser consideradas como base de su condena. Este hecho es afirmado tanto por el TEDH como por la SCJEUA (Derechos *Miranda*).

2. Cuando el individuo se encuentra bajo custodia policial por considerarse posible autor/coautor/partícipe de un delito de terrorismo en el *futuro*.

En este caso y siguiendo un estricto sentido jurídico, también asistiría al individuo el derecho a permanecer en silencio, toda vez que si el mismo es quien directamente ha puesto, por ejemplo, una bomba de tiempo —autoría inmediata—, dando con ello principio a la ejecución del delito directamente, y es detenido antes de que el delito se consuma, esto es, en una clara tentativa; el individuo puede ya ser considerado un sospechoso que se encuentra bajo custodia policial.

También en el caso de que el individuo no realice de manera directa la conducta pero se estuviera sirviendo de otros como instrumento —autoría mediata—, hubiera actuado *conjuntamente* o pudiera haber tenido un grado de *participación* en el posible delito de terrorismo en el futuro; la perspectiva sería la misma, esto es, el individuo puede ser considerado ya un sospechoso que se encuentra bajo custodia policial y, por lo tanto, le asiste el derecho a permanecer en silencio.

Es en estos casos en los que con más frecuencia se llega a plantear si es posible aplicar tortura al individuo, con tal de obtener la información necesaria para evitar que el delito de terrorismo llegue a consumarse.

Como se ha expuesto en líneas precedentes, dicha consideración carece de fundamento jurídico, por lo cual, la aplicación de la tortura para extraer declaraciones por parte del sospechoso es ilegal desde cualquier perspectiva que se pretenda invocar.

3. Cuando el interrogatorio de un individuo resultar de interés como *fuente de información* sin que necesariamente se tenga la intención de procesarle.

Este supuesto es muy importante, teniendo en cuenta que en muchas ocasiones, la persona puede tener conocimientos que resulten de gran utilidad para los servicios de inteligencia de un país.

Ello replantea el aspecto relativo a la *temporalidad* del derecho a permanecer en silencio, esto es ¿el mismo puede invocarse fuera de un procedimiento penal por hecho propio? Si partimos del hecho de que el derecho a permanecer en silencio es, en principio, un derecho del *inculpado*, a primera vista la respuesta más evidente sería que no; sin embargo, en mi opinión, ello no necesariamente debe ser así, y esta afirmación tiene como base otro criterio desarrollado por la SCJEUA.

Por lo general, cuando una persona tiene conocimiento sobre hechos o circunstancias que pueden ser de utilidad para esclarecer alguna controversia en la que no es parte, la autoridad suele requerir su declaración y dicha persona —testigo—, está *obligada a* hacerlo[42]; sin embargo, en EE.UU. la Suprema Corte ha establecido que el privilegio en contra de la autoincriminación forzada, autoriza *a toda persona que testifica,* ya sea la parte acusada o a *cualquier testigo,* tanto en asuntos penales como civiles, administrativos o judiciales, de investigación o adjudicatorios; a *negarse a responder preguntas* si las respuestas incriminarán *directamente* al testigo o *establecerán un vínculo en la cadena de evidencia necesaria para procesarle*[43].

---

[42]   En España, por ejemplo, la Ley de Enjuiciamiento Criminal (LECRIM) establece en el Título V denominado "De la comprobación del delito y averiguación del delincuente", en el Capítulo V "De las declaraciones de los testigos",lo siguiente:

Art. 410 "Todos los que residan en territorio español, nacionales o extranjeros, que no estén impedidos, tendrán obligación de concurrir al llamamiento judicial para declarar cuanto supieren sobre lo que les fuere preguntado si para ello se les cita con las formalidades prescritas en la Ley".

[43]   CAMMACK, Mark E./GARLAND, Norman M.: *Advanced Criminal Procedure in a nutshell*, p. 424.

En este sentido *Véanse* los siguientes precedentes:

McCarthy v. Arndstein, 266 U.S. 34 (1924): "The privilege is not ordinarily dependent upon the nature of the proceeding in which the testimony is sought or is to be

En la hipótesis que se analiza —individuo como fuente de informa-ción—, podemos plantear como posible escenario, aquellos casos en los que el individuo ya ha sido juzgado y sentenciado, y está cumpliendo condena por determinado(s) delito(s), pero es interrogado con la fina-lidad de obtener información sobre terceras personas, por ejemplo, el nombre de los integrantes de una determinada organización criminal, la estructura jerárquica al interior de la misma, sus métodos de financia-miento, etc.

Si bien en esos casos el individuo ya no es sujeto de un procedimiento penal como en los dos casos anteriores, es decir, no es un sospechoso/inculpado que se pretende condenar por lo hechos que dan origen al interrogatorio; lo cierto es que la información que se pretende obtener

---

used. It applies alike to civil and criminal proceedings, wherever the answer might tend to subject to criminal responsibility him who gives it. The privilege protects a mere witness as fully as it does one who is also a party defendant".

Hoffman v. United States, 341 U.S. 479, 486 (1951): "The privilege afforded not only extends to answers that would in themselves support a conviction under a federal criminal statute but likewise embraces those which would furnish a link in the chain of evidence needed to prosecute the claimant for a federal crime".

Malloy v. Hogan, Sheriff, 378 U.S.1, 38 (1964): "It must be considered irrelevant that the petitioner was a witness in a statutory inquiry and not a defendant in a criminal prosecution, for it has long been settled that the privilege protects witnesses in similar federal inquiries".

Kastigar v. United States, 406 U.S. 441, 445 (1972): "The privilege reflects a complex of our fundamental values and aspirations, and marks an important advance in the development of our liberty.It can be asserted in any proceeding, civil or criminal, administrative or judicial, investigatory or adjudicatory; and it protects against any disclosures that the witness reasonably believes could be used in a criminal prosecu-tion or could lead to other evidence that might be so used".

Lefkowitz v. Turley, 414 U.S. 70 (1973): "The Amendment not only protects the individual against being involuntarily called as a witness against himself in a criminal prosecution, but also privileges him not to answer official questions put to him in any other proceeding, civil or criminal, formal or informal, where the answers might incriminate him in future criminal proceedings"

United States v. Balsys, 524 U.S. 666 (1998): The privilege "can be asserted in any proceeding, civil or criminal, administrative or judicial, investigatory or adjudicatory, in which the witness reasonably believes that the information sought, or discoverable as a result of his testimony, could be used in a subsequent state or federal criminal proceeding".

de él, puede resultar igualmente incriminatoria para su persona, toda vez que si bien dicha información correspondería *aparentemente* a otra(s) persona(s), en realidad, con ese simple hecho, podría estar afirmando su posible conexión con otros delitos, por ejemplo, la pertenencia a una organización criminal.

De esta forma, aun cuando el individuo no está siendo *investigado directamente,* es decir, no es un sospechoso en sentido estricto; el mismo está siendo interrogado con la finalidad de obtener información que posea sobre la comisión de posibles hechos delictivos *de otros,* por lo cual, la categoría procesal bajo la cual es interrogado es la de *testigo.*

Derivado de lo anterior y siguiendo el criterio estadounidense, es posible afirmar que la información que esta clase de "testigos" pudiera proporcionar sobre hechos/personas relacionados con los delitos de terrorismo, podría incriminarle directamente o establecer un vínculo en la cadena de evidencia necesaria para procesarle en un futuro; por lo cual, es posible concluir que aún en estos supuestos, puede asistir al individuo el derecho a permanecer en silencio.

Este criterio sentado por la SCJEUA, tiene una relevancia de grandes magnitudes sobre el entendimiento que en general, debe tenerse sobre el derecho a permanecer en silencio, independientemente del delito de que se trate; toda vez que a través de él, se impone a la autoridad un límite sobre el interrogatorio, el cual impide que una persona pueda ser llamada a declarar en aparente calidad de "testigo" con la consiguiente obligación de declarar, cuando en realidad, es considerado sospechoso y lo que se pretende es anular su derecho a permanecer en silencio.

De esta forma, es posible afirmar que el derecho a permanecer en silencio no debe estar condicionado a un límite temporal, es decir, a que el individuo esté sujeto a un procedimiento penal por hecho propio; toda vez que este derecho no sólo debe poder ser invocado por el sospechoso/inculpado, sino que también debe asistir a quien, *en cualquier momento,* pueda ser interrogado como *testigo,* cuando las respuestas que le sean requeridas puedan incriminarle directamente o establecer un vínculo en la cadena de evidencia necesaria para procesarle.

5. CONCLUSIONES

Si bien los razonamientos expuestos tanto por el TEDH como por la Suprema Corte y la doctrina de los EE.UU., expresan desde distintas perspectivas los problemas prácticos los que se enfrenta el derecho a permanecer en silencio en el ámbito del terrorismo, al analizarlas en conjunto y más allá de la normativa de cada país en concreto, permiten plantear importantes cuestiones que, de forma integral, aportan una visión bastante completa de cómo debe ser entendido este derecho en el contexto que se analiza, y por lo tanto, aplicado en cualquier jurisdicción o Estado.

De esta forma, podemos concluir lo siguiente:

1) El derecho a guardar silencio y el derecho a no autoincriminarse son normas internacionales generalmente reconocidas que constituyen el núcleo de la noción de un *procedimiento equitativo.*

2) El criterio establecido por el TEDH que permite la admisibilidad de las inferencias realizadas a partir del silencio de un acusado en situaciones que claramente requieren una *explicación* de su parte, es *inaceptable,* porque la condena debe estar fundamentada en las pruebas y no en la falta de explicación por parte del acusado sobre ellas.

3) Cualquier restricción que tenga el efecto de *castigar* el ejercicio de dicho derecho al permitir realizar inferencias adversas en contra del acusado, constituye una violación al principio.

4) Los requerimientos generales de *equidad*, aplican a los procedimientos penales respecto a *toda clase de delitos* sin distinción del más simple al más complejo, por lo cual *el interés público* no puede ser considerado para justificar el uso de respuestas obtenidas bajo coacción en una investigación no judicial, para incriminar al acusado durante el juicio.

5) Las expresiones relativas a las *preocupaciones de seguridad y de orden público —Heaney and McGuinness—*, o a *las preocupaciones inmediatas por la seguridad pública —Quarles—,* no son lo suficientemente precisas para autorizar legítimamente la restricción del derecho a permanecer en silencio del sospechoso, por lo cual, representan un importante riesgo para la seguridad jurídica de los ciudadanos.

6) La *comunicación* por parte de los oficiales sobre el privilegio en contra de la autoincriminación a los sospechosos que se encuentran bajo custodia o privada de su libertad de acción de cualquier manera significativa, en territorio nacional o en el extranjero, así como la necesidad de la posterior *renuncia* de dicho privilegio de forma consciente y deliberada; deben ser *prerrequisitos de la admisibilidad* en juicio de cualquier declaración que realice el acusado.

7) El derecho a permanecer en silencio no puede estar condicionado a un *límite temporal*, toda vez que además de asistir al sospechoso/inculpado, este derecho también debe poder ser invocado por cualquier *testigo*, cuando las respuestas que le sean requeridas puedan incriminarle directamente o establecer un vínculo en la cadena de evidencia necesaria para procesarle.

8) El gobierno que toma en *custodia* a una persona, tiene el *deber* irrenunciable de *garantizar* su seguridad física y sus mínimas necesidades humanas, de tal forma que la tortura *incumple* este *deber* y es contrario a la función constitucionalmente legítima del Estado.

9) El problema respecto al paradigma terrorista radica en que no se ha logrado *categorizar* de forma consistente ni coherente a quienes cometen esta clase de delitos, y tampoco es posible desarrollar de antemano un regla que determine qué *nivel de presión* puede o debe aplicarse en cada nivel de amenaza en particular.

10) No es posible permitir la tortura sobre un sospechoso de cometer actos terroristas con fundamento en una causa de justificación como la legítima defensa o el estado de necesidad, porque el requisito temporal generalmente contenido en el término "inmediatamente" o "inminente" del ataque, es difícil de precisar en este contexto y la materialización del peligro no debe ser muy lejana en el futuro.

11) Aceptar la legítima defensa como causa de justificación, permitiría que el acto de tortura fuera *legal*, negando de esta forma su antijuridicidad, toda vez que la legítima defensa tiene como presupuesto la *ilicitud* del ataque.

12) El balance entre consideraciones legítimas de seguridad nacional y derechos personales igualmente legítimos, son esenciales para llevar a cabo operaciones contraterroristas lícitas.

6. BIBLIOGRAFÍA

AMBOS, Kai (2009), *Terrorismo, tortura y Derecho Penal. Respuestas en situaciones de emergencia*, Barcelona, Atelier.

CAMMACK, Mark E./GARLAND, Norman M. (2016), *Advanced Criminal Procedure in a nutshell*, 3rd ed., St. Paul, Minnesota, Thomson/West.

GUIORA, Amos N. (2010-2011), "Relearning Lessons of History: Miranda and Counterterrorism", en 71 La. L. Rev. 1147, pp. 1147-1174.

KREIMER, Seth F. (2003-2004), "Too Close to the Rack and the Screw: Constitutional Constraints on Torture in the War on Terror", en 6 U. Pa. J. Const. L. 278, pp. 278-325.

LÓPEZ BARJA DE QUIROGA, Jacobo (2014), *Tratado de Derecho Procesal Penal*, Tomo I, 6a ed., Cizur Menor (Navarra), Thomson Reuters/Aranzadi.

LOZANO EIROA, Marta (2012), "El derecho al silencio del imputado en el proceso penal", en La Ley, No. 7925.

MAY, John David (2011), "The Right to Remain Silent: Recent Cultivation and Its Availability to Those Detained as Enemy Combatants on Foreign Grounds in the War on Terror", en 4 Fed. Cts. L. Rev., pp. 397-420.

MONK, Linda R. (2003), *The words we live by. Your annotated guide to the Constitution*, New York, Hyperion.

PARRY, John T./WHITE, Welsh S. (2001-2002), "Interrogating Suspected Terrorists: Should Torture Be an Option?", en 63 U. Pitt. L. Rev., pp. 743-766.

RYCHLAK, Ronald J. (2007), "The Right to Remain Silent in Light of the War on Terror", en 10 Chap. L. Rev, pp. 663-692.

7. ÍNDICE DE JURISPRUDENCIA

SSTEDH

Murray v. The United Kingdom (STEDH 8 de febrero de 1996)
Saunders v. The United Kingdom (STEDH 17 de diciembre de 1996)
Heaney and McGuinness v. Ireland (STEDH 21 de diciembre de 2000)
Quinn v. Ireland (STEDH 21 de diciembre de 2000)
Weh v. Austria (STEDH 8 de abril de 2004)

Shannon v. The United Kingdom (STEDH 4 de octubre de 2006)
O'Halloran and Francis v. The United Kingdom (STEDH 29 de junio de 2007).

SCJEUA

McCarthy v. Arndstein, 266 U.S. 34 (1924)
Hoffman v. United States, 341 U.S. 479, 486 (1951)
Malloy v. Hogan, Sheriff, 378 U.S.1, 38 (1964)
Miranda v. Arizona, 384 U.S, 436 (1966)
United States v. Chavarria, 443 F.2d 904 (9th Cir. 1971)
Kastigar v. United States, 406 U.S. 441, 445 (1972)
Lefkowitz v. Turley, 414 U.S. 70 (1973)
Kilday v. United States, 481 F.2d 655 (5th Cir. 1973)
United States v. Morrow, 537 F.2d 120, 139 (5th Cir. 1976)
United States v. Emery, 591 F.2d 1266 (9th Cir. 1978)
Pfeifer v. United States Bureau of Prisons, 615 F.2d 873 (9th Cir. 1980)
United States v. Heller 625 F.2d 594, 599 (5th Cir.1980)
New York v. Quarles, 467 U.S. 649, 690 (1984)
United States v. Martindale, 790 F.2d 1129 (4th Cir. 1986)
United States v. Bin Laden, 132 F. Supp. 2d 168, 181 (SDNY. 2001)
United States v. Yousef, 327 F.3d 56 (2d Cir. 2003)
United States v. Abu Ali, 528 F.3d 210 (4th Cir. 2008).
In re Terrorist Bombing of U.S Embassies in East Africa, 552 F.3d 177 (2d Cir. 2008)
United States v. Frank, 599 F.3d 1221 (11th Cir. 2010)

Capítulo XV

CONTRATERRORISMO A RAÍZ DE LA DIRECTIVA (UE) 2017/541 Y EUROPEIZACIÓN DEL DERECHO PENAL DEL ENEMIGO: ¿NECESIDAD DE REFORMAS EN LA LEGISLACIÓN PENAL ESPAÑOLA?

ELENA M. GÓRRIZ ROYO
Profesora titular de Derecho penal
Universitat de Valencia. EG

1. CUESTIONES OBJETO DE DEBATE

La Directiva (UE) 2017/541 del Parlamento Europeo y del Consejo, de 15 de marzo de 2017, relativa a la lucha contra el terrorismo y por la que se sustituye la Decisión marco 2002/475/JAI del Consejo y se modifica la Decisión 2005/671/JAI del Consejo[1], podría explicarse muy brevemente como la última reacción de la Unión Europea, por vía legislativa, frente a los recientes atentados de corte yihadista perpetrados en suelo europeo. En principio la adopción de esta Directiva para combatir el terrorismo o,

---

[1] Según el art. 28 de la Directiva europea (Trasposición), los estados miembros de la UE, deberán desarrollar disposiciones legales, reglamentarias y administrativas necesarias para dar cumplimiento a lo establecido en la presente Directiva, cuya entrada en vigor será "…a más tardar el 8 de septiembre de 2018. Informarán inmediatamente de ello a la Comisión." En nuestro país, según nota informativa de la página web del Congreso de Diputados, de 10 de abril de 2018 "El Pleno da el primer paso para la transposición de las directivas europeas sobre el sector financiero y terrorismo" (en www.congreso.es). *Vid.* además el *Plan Anual Normativo 2018*, realizado por el Gobierno de España, p. 28.

según se mire, para fomentar medidas contraterroristas, estaría justificada no solo por el nuevo marco normativo para la adopción de legislación en materia de prevención del terrorismo tras el Tratado de Lisboa, sino también por el propósito de armonizar las legislaciones penales para incorporar las obligaciones procedentes del Consejo de Europa y del Consejo de Seguridad de Naciones Unidas.

No obstante, la anterior explicación de dicha Directiva pecaría de excesivamente sucinta porque, en realidad, la misma es expresión de bastantes más objetivos y propósitos de una política criminal europea en el ámbito contraterrorista que en el presente trabajo, me propongo analizar. Ante todo puesto que, bajo la apariencia de un nuevo instrumento armonizador, puede claramente advertirse la introducción de un conjunto de medidas penales contraterroristas claramente orientadas a incrementar la respuesta punitiva de los estados miembros, en muchas ocasiones, anteponiendo la seguridad sobre la defensa de los derechos fundamentales. Tanto es así que puede cuestionarse si las medidas contraterroristas allí propuestas responden, en muchos casos, a los rasgos propios de un *Derecho penal del enemigo* cuya expansión de forma homogénea al nivel de todos los países de la Unión Europea, se pretende promocionar. O si, por el contrario, dichas medidas son expresión de una política contraterrorista que contemple seriamente una idea de *seguridad integral* según propone GONZALEZ CUSSAC, puesto que es esperable de un ente supranacional como la UE, que evalúe objetivamente la grave amenaza a la seguridad que el terrorismo global representa y su impacto en el Estado de Derecho, descartando respuestas excesivas y desproporcionadas pero también la pura inacción o la banalización de dicha amenaza[2].

Objetivo de este trabajo será, por tanto, analizar *las principales medidas contraterroristas penales que podrían enmarcarse en dicho Derecho penal del enemigo en materia de terrorismo a nivel europeo* así como cuáles son los principales riesgos y amenazas que comportan a los derechos fundamentales y libertades públicas de los ciudadanos. Se parte para ello de una aproximación estrictamente jurídica al contraterrorismo, en el sentido de

---

[2]   *Vid.* GONZÁLEZ CUSSAC, J.L., "Contraterrorismo" en *Liber Amicorum. Estudios Jurídicos en Homenaje al Prof. Dr. h.c. Juan Mª Terradillos Basoco*, Valencia, 2018, pp. 1368 y 1369.

entenderlo como las *concretas medidas legislativas cuyo teórico propósito es la protección de la seguridad frente a la amenaza global de terrorismo*. En consecuencia, cabe entender por *medidas contraterroristas*, a los efectos de este estudio, a las leyes aprobadas por el parlamento competente —incluyendo al europeo— como reacción específica frente al fenómeno del terrorismo y además aquellas normas de carácter administrativo e incluso decisiones gubernamentales o judiciales emanadas precisamente con aquel mismo fin[3].

Asimismo, como segundo propósito de esta investigación, persigo comparar las principales medidas de aquella legislación contraterrorista europea con las ya previstas en la legislación penal española, en particular introducidas a raíz de la LO 2/2015, de 30 de marzo, para, en su caso, obtener respuesta a la cuestión acerca de si es necesario prever, por vía de reforma penal, nuevos delitos, penas o cualquier otra previsión penal en la Sección 2ª, Capítulo VII del Título XXII del Código penal, donde se residencian los delitos de terrorismo.

2. TEXTO Y CONTEXTO DE LA DIRECTIVA UE 2017/541: EL TERRORISMO GLOBAL EN LA ERA DE LA "*EMOCRACIA*"

Advirtiendo que ya el suceso *epocal*[4] con el que arranca el siglo XXI, es un atentado terrorista de las dimensiones del 11-S en 2001, ha de constatarse que, además, el mismo comportó un cambio de paradigma en las políticas de seguridad[5]. Son muchos los estudios que han tratado de calibrar el impacto de aquel suceso con respecto al concepto de seguridad,

---

3   *Vid.* SERRA CRISTÓBAL, R./GÓRRIZ ROYO, E., "Contraterrorismo: plasmación legislativa reciente e impacto en las libertades y derechos fundamentales" en *Cuadernos de Estrategia 188. Seguridad Global y derechos fundamentales*, Instituto Español de Estudios Estratégicos, Ministerio de Defensa, Madrid, 2017, p. 123.

4   *Vid.* REVENGA SÁNCHEZ, M., "Terrorismo y Derecho bajo la estela del 11 de septiembre" en *Terrorismo y derecho bajo la estela del 11 de septiembre*, Valencia, 2015, p. 15.

5   *Vid.* ROACH, K., "The 9/11 effect in comparative perspective: some thoughts on terrorism law in Canada, Spain and the United States" en REVENGA SÁNCHEZ, M., *Terrorismo..., ibidem*, pág 21 y ss.

pero de lo que no cabe duda es de que, desde entonces, una ola de temor se extendió por la gran mayoría de los países occidentales, entendiéndolo como una amenaza global. De modo que, en realidad, lo que se trasmite y percibe por los ciudadanos, a partir de aquel gravísimo atentado, es la puesta en peligro de *nuestro sistema de convivencia*, de la seguridad de la UE y de la seguridad *nacional* de cada uno de sus estados miembros[6]. Y todo ello amplificado por un método de trasmitir aquellos riesgos basado en los llamados *fake news* propios de la época de la *postverdad*, en el contexto histórico en el que tiene lugar el abrupto tránsito desde el Estado del bienestar (*Welfare State*) hasta el Estado Garante —de la seguridad—, y un ulterior producto del mismo, esto es, la llamada *emocracia*[7]. Según el profesor ROMERO, este concepto alude a la estrategia de gobernar —o de aspirar a gobernar— apelando a las emociones. Y ello en un contexto de la historia europea, en el que prima la incertidumbre y donde encuentran perfecto acomodo las propuestas populistas y de "repliegue" de las sociedades europeas y el uso que se hace de ello por parte de partidos nacional populistas. Para dicha estrategia, según el citado autor, se apela "… a las emociones con todos los medios a su alcance en la era de las imágenes. A la patria, a la nación, a lo nuestro. Estigmatizando a los otros. Legitimando pulsiones xenófobas y tentaciones de recrecer muros físicos y metafóricos. Deslegitimando y socavando los pilares de la democracia representativa: partidos, instituciones, medios de comunicación, sistema judicial, lo que haga falta. Recurriendo a la mentira y fabricando 'hechos alternativos'. Desacreditando a los expertos y a todo aquello que se oponga al objetivo no tanto de defender valores como de alcanzar el poder. De ahí que se empiece a hablar de *emocracias* en lugar de democracias como sistema de gobierno"[8].

Puede decirse que este estado de cosas, propicia la comunicación o trasmisión de emociones —ante todo a través del inusitado papel protagonista que han adquirido los *mass media*— y la percepción que de ellas tienen

---

[6]   *Vid.* GONZÁLEZ CUSSAC, J.L., "Contraterrorismo", *op. cit.*, p. 1360.

[7]   *Vid.* explicando el empleo de las emociones en las democracias actuales, ARIAS MALDONADO, M., *La democracia sentimental*, 2016, pp. 303 y ss.

[8]   *Vid.* ROMERO, Joan, "Emocracias" en *Levante. El mercantil valenciano*, 11 de febrero de 2017. Agradezco al autor su amabilidad al analizar, a través de diversas conversaciones, dicho concepto.

los ciudadanos, por encima de realizar una comunicación objetiva de los hechos y conflictos sociales existentes. En consecuencia, se impide aplicar a las partes involucradas en dichos conflictos, los derechos y garantías jurídicas propias de una *Democracia*, a la que aquel otro sistema parece dirigido a suplantar, abriendo la puerta a un ejercicio *intuitivo* de dichos derechos basado en las *emociones* mayoritariamente aceptadas de forma colectiva y exacerbadas por movimientos populistas (v.gr. sentimientos de odio o desprecio contra el acusado de determinados delitos, en especial, si para éstos existe una figura estereotipada de *autor*).

Además de este cambio de escenario histórico, político y social, no cabe duda que, tras el 11-S, se produjo el nacimiento de un *nuevo* terrorismo de dimensiones globales[9]. De hecho, también Naciones Unidas adoptó una serie de resoluciones[10] instando a los Estados a tomar medidas encaminadas a prevenir la comisión de actos terroristas y salvaguardar la seguridad nacional. Asimismo, la percepción de aquella *nueva amenaza global* fue el detonante de la promulgación de la legislación contraterrorista contemporánea, actualmente, en vigor en la mayoría de países occidentales (*Post 9/11 counter terrorism legislations*). A todas ellas suele subyacer la idea de la vinculación entre el terrorismo internacional con la *mundialización*[11].

---

[9]   Sobre la mutación que ha experimentado el terrorismo en el s. XXI, *vid.* DÍAZ FERNÁNDEZ, A.M., "Terrorismo: entre el derecho penal y la seguridad nacional" en *Liber Amicorum. Estudios Jurídicos en Homenaje al Prof. Dr. h.c. Juan Mª Terradillos Basoco*, Valencia, 2018, pp. 1349-1351.

[10]   Tras los atentados del 11-S el Consejo de Seguridad de las Naciones Unidas reconoció que estos ataques constituían una amenaza contra la paz y la seguridad internacionales (Resolución número 1368, 2001) y, actuando en virtud del capítulo VII de la Carta de Naciones Unidas, adoptó la Resolución 1373 (2001) instando a los Estados a adoptar una serie de medidas destinadas a reforzar su capacidad jurídica e institucional para combatir las actividades terroristas (entre ellas tipificar como delito la financiación del terrorismo, congelar los fondos a personas que participen en la comisión de ataques terroristas, intercambiar información con otros gobiernos en relación con cualquier grupo que cometa o se proponga cometer actos de terrorismo, cooperar con otros gobiernos a fin de investigar, detectar, arrestar, extraditar y enjuiciar a personas que participen en la comisión de dichos actos). Estas previsiones fueron reforzadas en la Resolución 1624, 2005.

[11]   *Vid.* BORJA JIMÉNEZ, E., "Justicia penal preventiva y Derecho penal de la globalización" en ALONSO/CUERDA/FERNÁNDEZ (dirs.) *Terrorismo, sistema penal y derechos fundamentales*, Valencia, 2018, p. 200.

Uno de los exponentes más claros, en la historia reciente, de respuesta expeditiva a un ataque terrorista execrable, que comportó un recorte exacerbado de libertades, fue la reacción legislativa acontecida en Estados Unidos frente a los ataques del 11-S. Como es sabido, dicha reacción, ante todo, se plasmó en la conocida USA *Patriot Act* (October 2001)[12], aprobada apenas seis semanas después de aquellos ataques terroristas y que trató de ampliarse por la US *Patriot Act II* (2003)[13]. A pesar de que la legislación penal estadounidense contenida en la *Patriot Act* (2001)[14], es probablemente una de las que mejor ejemplifica la creación de una normativa penal contra-terrorista crea*da "ad hoc"* para garantizar a toda costa la seguridad de una nación, sorteando el necesario respeto a los derechos fundamentales, no podemos obviar que entrado el s. XXI se han desarrollado otras muchas legislaciones en países occidentales que, en diversos aspectos, reiteran el patrón acuñado por aquella primera ley estadounidense contraterrorista. En efecto, una de las respuestas más inminentes frente a la percepción del terrorismo internacional de corte yihadista como amenaza global, consistió en que los distintos países occidentales, en especial europeos, desarrollaran una política criminal que cristalizó en leyes antiterroristas para el endurecimiento de las sanciones penales y el adelanto de la intervención penal a través de la creación de nuevos delitos[15].

Esta tendencia políticocriminal fue reforzada a raíz de que, a los atentados del 11-S, le siguieran, en Europa, los de Madrid (2004) y Londres (2005)

---

[12]	*Vid.* The United and Strengthening America by Providing Appropriate Tools Required to Intercept and Obstruct Terrorism Act 2001 (Patriot Act), Pub. L. N°. 107-56, 115 Stat. 272 (2001).

[13]	*Vid. Domestic Security Enhancement Act (Draft-9 January 2003)*, filtrado en enero de 2003 por el Justice Department, casi al mismo tiempo en que el presidente Bush, llamó a la renovación de la primera Patriot Act en el Congreso de EEUU, en enero de 2003. Pese a que aquel borrador de ley fue archivado, por las múltiples críticas que recibió, muchos elementos allí previstos trascendieron a sucesivas leyes específicas (en materia v.gr. de inteligencia y de control de telecomunicaciones).

[14]	Para un análisis específico de los delitos y penas (federales) introducidos por estas leyes, *vid.* DOYLE, CH., "The Patriot Act: A Legal Analysis", *CRS Report for Congress*, Congressional Research Service, The Library of Congress, US, abril 2002, pp. 54 a 61.

[15]	*Vid.* RAMAJ, V.V./HOR, M./ROACH, K. "Introduction" en *Global anti-Terrorism Law and Policy*, Cambridge, 2005, pp. 5 to 7.

y más recientemente, la oleada de atentados, entre los que cabe destacar, el ataque terrorista al Semanario Charlie Hebdo (2015), los ataques en París, Londres, Berlín, o Copenhage (2015), Bruselas, Paris, Niza, Berlín (2016), Londres, Estocolmo, Manchester (2017) y Estrasburgo (2018). Asimismo, en el ámbito internacional, aquella tendencia legislativa de endurecimiento de los ordenamientos jurídicos, trajo causa en un primer momento, de la Resolución 1373 (2001) de Naciones Unidas, y más recientemente del cumplimiento de la Resolución 2178 (2014), para frenar el flujo de combatientes terroristas[16]. Desde aquellas resoluciones del Consejo de Seguridad de NU hasta hoy, las respuestas brindadas por los Estados a ese nuevo terrorismo han sido de lo más variado[17], yendo desde la respuesta militar a amplias reformas de la legislación de cada concreto estado. Cabe advertir, por tanto, que, por sus evidentes efectos simbólicos, la rama de los diversos sistemas jurídicos más enmendada a este respecto ha sido la legislación penal, que progresivamente —y como luego veremos— ha ido adquiriendo los rasgos de un *Derecho penal de excepción* que, en demasiados casos, se ha instalado de forma permanente y definitiva en los correspondientes ordenamientos jurídicos, poniendo en entredicho el respeto a los derechos fundamentales.

En este sentido, cabe destacar las nuevas leyes antiterroristas aprobadas en diversos países[18] así como la modificación de las existentes[19],que han

---

[16]   Concretamente en la Resolución 2178, de 24 de septiembre de 2014 se contiene una detallada definición de las acciones terroristas que se consideran las principales amenazas que el terrorismo de corte yihadista plantea a la comunidad internacional. Esta resolución tuvo una repercusión directa en la LO 2/2015, de 30 de marzo, de reforma del Código penal español así como en el de otros países.

[17]   Sobre las diferentes respuestas ofrecidas en la lucha contra el terrorismo internacional tras el 11-S puede verse, entre otros, ROACH, Kent (2014): "The 9/11 effect in comparative perspective: some thoughts on terrorism in Canada, Spain and the United States", en Miguel REVENGA SÁNCHEZ (director*), Terrorismo y Derecho bajo la estela del 11 de septiem*bre, Valencia, Tirant lo Blanch, pp. 21-60. Masferrer, Aniceto y Walker, Clive (eds.) (2013*): Counter-Terrorism, Human Rights and the Rule of Law, Crossing Legal Boundaries in Defence of the State*, Elgar.

[18]   *Vid.,* entre otras, la ley *"Crime and Security Act"* de Gran Bretaña, sustituida por Prevention on Terrorism Act (2005) asimismo esta última norma fue revocada el 14 December 2011por la Sección 1º de la Terrorism Prevention and Investigation Measures Act 2011

[19]   *Vid.* la ley aprobada en 2006 en Gran Bretaña bajo el título "Terrorist Act" O la Ley francesa *LOI n° 2014-1353 du 13 novembre 2014 renforçant les dispositions relatives*

encubierto, en algunos casos, la declaración de algo parecido a estados de excepción. Pero sobre todo, ha sido evidente el endurecimiento de los Códigos penales en cada estado, así como, los relevantes pasos dados, en sentido muy similar, en el ámbito de la UE[20]. En especial, el Consejo de la UE aprobó un *Plan de Acción* que contenía un conjunto de medidas para mejorar la eficiencia de la lucha antiterrorista, desde un enfoque global y multidisciplinar. Entre ellas se encontraban tres iniciativas legislativas que han sido adoptadas por el Parlamento y el Consejo: la Directiva relativa a las armas de fuego[21]; y el Reglamento que modifica el Código Europeo de Fronteras[22] y finalmente, la Directiva europea que aquí nos ocupa, sobre

---

*à la lutte contre le terrori*smo. Y ante todo la insólita declaración del Estado de emergencia en Francia a través del Decreto n°2015-1475[14] que así lo declaró a partir del 14 de noviembre de 2015 a las cero horas sobre el territorio metropolitano francés y Córcega; dicho estado fue sucesivamente prorrogado hasta incluso después del atentado en Niza el 14 de julio de 2006, de modo que el 19 de diciembre de 2016, el estado de emergencia fue prolongado de nuevo hasta el 15 de julio de 2017. Como indica CERDÁ GUZMÁN, C., la vigencia temporal de esta declaración del estado de emergencia es una de las más largas en la historia constitucional francesa y ha acarreado numerosos recortes de derechos fundamentales. Vid. "Los derechos fundamentales y la lucha contra el terrorismo: Francia bajo Estado de Emergencia" *en Revista de Derecho Constitucional europeo*, nº 27, enero-junio, 2017, *passim* (apartado 1.2.a.2)

[20] A pesar de que en el ámbito de la UE la responsabilidad principal de diseñar el sistema legal en materia de seguridad nacional y de su aplicación a nivel nacional recae en cada Estado miembro (art. 72 TFUE), la Unión se ha embarcado en la armonización de los sistemas jurídicos con el fin de lograr una mayor eficacia en la lucha contra el terrorismo (Art. 29 del Tratado de la UE. Entre otros mecanismos, procesales penales que han sido implementados a este respecto, cabe citar la Decisión del Consejo de 28 de noviembre de 2002, que establece un mecanismo para evaluar los sistemas legales y su implementación a nivel nacional en la lucha contra el terrorismo (2002/996/JHA); Directiva 2014/41/CE del Parlamento y del Consejo, de 3 de abril de 2014, relativa a la orden europea de investigación en materia penal; la Estrategia de Seguridad Interior de 2015; la Estrategia Renovada de Seguridad Interior 2015-2020, adoptado por el Consejo JAI de los días 15 y 16 de junio de 2015 y revisado el 15 de diciembre de 2015.

[21] Directiva (UE) 2017/433 de la Comisión de 7 de marzo de 2017 que modifica la Directiva 2009/43/CE del Parlamento Europeo y del Consejo en lo relativo a la lista de productos relacionados con la defensa

[22] Reglamento (UE) 2017/458 del Parlamento Europeo y del Consejo, de 15 de marzo de 2017, por el que se modifica el Reglamento (UE) 2016/399 en lo relativo al re-

Lucha contra el terrorismo (nº 2017/541)[23]. Como en seguida veremos, básicamente en ella se invita a los Estados a que se cercioren de que sus normas penales tipifiquen suficientemente determinadas actividades relacionadas con el terrorismo descrita en su articulado. Añadido a lo anterior, en el seno del Consejo de Europa se adoptó el Convenio para la prevención del terrorismo en 2005[24] y su Protocolo adicional, conocido como Protocolo de Riga, de 2015[25].

Junto a lo anterior, no puede perderse de vista que el escenario político europeo más reciente, está, asimismo, marcado por el proceso denominado *Brexit*[26], a tener muy en cuenta, como posible factor desestabilizador en Europa[27]. Al respecto, puede decirse que, a efectos internos, es posible que el abandono de la UE afecte, a medio y largo plazo, a las capacidades antiterroristas de UK, especialmente a su comunidad de inteligencia[28], dura-

---

fuerzo de los controles mediante la comprobación en las bases de datos pertinentes en las fronteras exteriores.

[23] Directiva del Parlamento Europeo y del Consejo, de 15 de marzo de 2017. Recuérdese, como se ha indicado supra, que la misma sustituyó la Decisión marco 2002/475/JAI del Consejo y modificó la Decisión 2005/671/JAI del Consejo

[24] Convenio del Consejo de Europa para la prevención del terrorismo (Convenio no 196 del Consejo de Europa), hecho en Varsovia el 16 de mayo de 2005.

[25] Protocolo adicional al Convenio para la Prevención del Terrorismo, de 22 de octubre de 2015, que tiene por finalidad dar una respuesta penal para perseguir a los llamados combatientes terroristas extranjeros.

[26] *Vid.* BAR A., "The UK, the EU and "Brexit" 1972-2017" en SOLANES CORELLA/ GÓRRIZ ROYO (dirs.) Legal Challenges of the XXI Century, Valencia, 2017, pp. 79-122.

[27] Como ha podido destacarse, ante todo, la salida del Reino Unido plantea un problema de capacidad de liderazgo en la seguridad y la defensa de la Unión Europea. *Vid.* ARTEAGA, F., "La defensa y la seguridad de la UE tras el Brexit" en *Revista Elcano*, nº 14, I Mayo-Junio, 2016, p. 86.

[28] Ante todo porque, como indican REINARES, F./GARCÍA-CALVO,C., parece evidente que con la salida de la UE, Gran Bretaña no podrá beneficiarse del acceso a bases multilaterales de datos de la UE, ni podrá contar con Europol ni con su nuevo Centro Europeo contra el Terrorismo, por lo que la capacidad preventiva de dicho país podría quedar mermada. *Vid.* "Brexit, Terrorismo y Antiterrorismo", *en Revista Elcano*, nº 14, I Mayo-Junio, 2016, pp. 82 y 83. Esta opinión ha de conectarse a los actos terroristas cometidos en UK tras el Brexit, en especial el ataque al Parlamento de Westminster en marzo de 2017 y el trágico atentado en el pabellón Arena de Manchester, en mayo de 2017.

mente criticada tras los atentados de 2017[29]. En consecuencia, parece que tanto las dificultades para mantener el liderazgo de la UE en la seguridad, dentro de actual contexto histórico, así como las posibles contradicciones entre la política antiterrorista de la UE y los derechos fundamentales individuales, van a necesitar la intervención de instituciones como el Parlamento Europeo y del Tribunal de Justicia, más allá de aprobar Directivas como la 2017/541 que ahora nos ocupa.

Entrando a analizar, brevemente, el *contenido de esta Directiva europea,* ha de destacarse que en su parte programática, esto es, en los "considerandos" —equivalentes a una exposición de motivos—, dicho instrumento comunitario declara que su finalidad, a través de los 31 artículos que contiene, es combatir *actos terroristas* entendidos como "… una de las violaciones más graves de los valores universales de la dignidad humana, la libertad, la igualdad y la solidaridad, y el disfrute de los derechos humanos y de las libertades fundamentales, en los que se basa la Unión. También representan uno de los ataques más graves contra la democracia y el Estado de Derecho, principios que son comunes a los Estados miembros y en los que se fundamenta la Unión" (Considerando 2º). En desarrollo de esta idea, la Directiva pone el acento en la *gravedad* que caracteriza a los delitos de terrorismo al considerar que "los delitos relacionados con las actividades terroristas son de extrema gravedad, ya que pueden llevar a la comisión de delitos de terrorismo y permitir que los terroristas y los grupos terroristas mantengan y sigan desarrollando sus actividades delictivas, lo que justifica la tipificación penal de dicha conducta" (Csdo. 9º). Como expresión de estas ideas, el art. 3 de la citada directiva contiene una *definición de terrorismo* que, en efecto, como destaca BERDUGO GÓMEZ DE LA TORRE, da preponderancia al rasgo de la *gravedad del delito* y a la entidad de la violencia empleada, por encima de que su finalidad sea política[30].

---

[29]   También fue muy criticada la propuesta de la Primera Ministra, Theresa May, de "cambiar las leyes de derechos humanos si se interponen en el camino de la lucha contra el terrorismo".

[30]   La definición que se contiene en el citado art. 3 Directiva, parte, en su apartado 1º, de que sean "actos intencionados, tipificados como delitos con arreglo al Derecho nacional, que, por su naturaleza o contexto, pueden perjudicar gravemente a un país o a una organización internacional, se tipifiquen como delitos de terrorismo cuando se cometan con uno de los fines enumerados en el apartado 2 (…)." Los fines a los que se

No obstante, con ello se corre el riesgo de ignorar la potencialidad de los delitos terroristas para causar terror y su finalidad política[31]. Pudiera ser que, en efecto, dada la virulencia del terrorismo que se trata de combatir, esto es, aquel de corte yihadista, procedente de organizaciones como el ISIS, se destaca, como una posible finalidad, la intensa gravedad de estos delitos. Mas la desvinculación de una finalidad política, podría confundir el fenómeno del terrorismo, cometido por una organización de estructura estable, con actos graves cometidos por una organización criminal, siendo como son cosas distintas[32].

Además de esta objeción, la Directiva suscita múltiples cuestiones, ante todo porque centra la persecución penal en dos figuras de autor, como son, de un lado, la de los llamados "combatientes terroristas extranjeros" (*foreign terrorist fighters*) esto es, quienes "viajan al extranjero con fines terroristas. Los combatientes terroristas extranjeros que regresan suponen una importante amenaza de seguridad para todos los Estados miembros. Los combatientes terroristas extranjeros han estado relacionados con atentados y complots recientes en varios Estados miembros". Junto a ellos, en segundo lugar, la Directiva se dirige a combatir la "creciente" amenaza que supone otro grupo de personas, esto es, "...personas que, aunque permanecen dentro de Europa, reciben inspiración o instrucciones de grupos terroristas situados en el extranjero" (Csdo. 4º).

---

refiere dicho apartado 1º, serían: "a) intimidar gravemente a la población; b) obligar indebidamente a los poderes públicos o a una organización internacional a realizar un acto o a abstenerse de hacerlo; c) desestabilizar gravemente o destruir las estructuras políticas, constitucionales, económicas o sociales fundamentales de un país o de una organización internacional".

31   En opinión del citado autor, para que un hecho pueda ser considerado terrorismo se necesita "...que sea una acción delictiva de gran gravedad, susceptible de producir terror, llevada a cabo desde una estructura estable y realizada con una finalidad política", en "Reflexiones sobre el terrorismo: del terrorismo nacional al terrorismo global", en *Liber Amicorum. Estudios Jurídicos en Homenaje al Prof. Dr. h.c. Juan Mª Terradillos Basoco*, Valencia, 2018, p. 1323.

32   Más aún no hay que descartar que las figuras delictivas que la Directiva insta a introducir puedan, objetivamente, servir para enjuiciar otras clases de terrorismo, por desgracia en auge en tiempos recientes, como pueden ser los de corte radical nacionalista, en donde sí predomina un componente político.

Parece evidente que los dos objetivos pretenden introducir medidas contraterroristas basadas en un *Derecho penal de autor*, con el que, en apariencia, se trataría de estigmatizar a determinados grupos de personas relacionados, en términos genéricos, con los movimientos migratorios.

Con todo, no solo esta orientación hacia concretos autores es lo más controvertido de la Directiva pues la misma incorpora diversos delitos, en especial en el Título III, que, como luego veremos, constituyen un adelantamiento evidente de la intervención penal, situándose, en muchos casos, en momentos previos al inicio de la ejecución por lo que, desde la perspectiva material, se castigan actos preparatorios de otros delitos de terrorismo que, en todo caso, se inscriben en una *política criminal preventiva*[33]. Ante todo porque lo que se promueve castigar, en los arts. 5 a 12 de dicha Directiva, son actos tales como, por ejemplo, la provocación pública —con referencia a la difusión de contenidos por Internet—, captación para el terrorismo, adiestramiento para el terrorismo, financiación del terrorismo a los que, además, le son aplicables las previsiones sobre complicidad, inducción y tentativa (art. 14 Directiva). Asimismo, como novedad de esta regulación, destacan las diversas referencia a delitos terroristas cometidos *on-line* —en especial a través de Internet y, en concreto, de redes sociales— (art. 5) y de medidas para eliminar o bloquear contenidos de índole terrorista que se puedan encontrar en línea (art. 21). Esta evidente ampliación de la intervención penal viene, por último, apuntalada por la previsión de la *responsabilidad penal de personas jurídicas* con expresa previsión de sanciones para las mismas (arts. 17 y 18), de modo que se conmina a *todos* los estados miembros a adoptar las medidas necesarias para garantizarlas, a pesar de que, en alguno de ellos aún rige el principio *"societas delinquere nec puniri potest"*.

---

[33]   Claramente, se deduce, entre otros, del Csdo. 14 de la Directiva cuando señala que "Además de este enfoque preventivo, la financiación del terrorismo debe tipificarse en los Estados miembros. La tipificación penal no solo debe abarcar la financiación de actos terroristas, sino también la financiación de grupos terroristas, así como la de otros delitos relacionados con las actividades terroristas, como la captación y el adiestramiento o el viajes con fines terroristas, con objeto de desarticular las estructuras de apoyo que facilitan la comisión de delitos de terrorismo"

A la vista de este breve repaso a los principales aspectos regulados por la Directiva parece evidente que el fenómeno del terrorismo desborda, en la actualidad, a la categoría de delito para mutar en la idea de *amenaza*[34], y ello ha servido como *ratio* para responder con consecuencias jurídicas que comprometen claramente la validez de los derechos y libertades fundamentales. Junto a ello no es menos significativo el empleo expansivo que se hace de la calificación de determinados comportamientos como "terroristas" a pesar de que, materialmente, no superan el umbral de los actos ejecutivos. Estas dos tendencias que, desde luego pueden inscribirse en el fenómeno de la *utilización simbólica del Derecho penal*[35] y, como luego veremos, verifican las características propias del *Derecho penal del enemigo*, son desde luego criticables porque la calificación formal como delitos, de actos que, materialmente, serían preparatorios, puede conducir a una devaluación de la legitimidad de esta regulación así como a contrarrestar su efecto preventivo. Pero además la desproporción en las consecuencias jurídicas debiera ser especialmente impedida en materia contraterrorista. Ante todo porque los delitos terroristas han estado tradicionalmente castigados con penas de privación de libertad y otras consecuencias muy graves que afectan a otros derechos fundamentales, de modo que la reforma *"in peius"* de dichas penas debiera no ser lo común o cuanto menos, en caso de hacerse, debería ir acompañada de una mayor fundamentación en cuanto al impacto en aquellos derechos y de mayores cautelas en relación con los fines que se persiguen con las nuevas penas previstas.

No parece, sin embargo, que esta haya sido la dirección seguida por la Directiva. De hecho, la misma adopta una postura a favor de circunscribir esta clase de terrorismo en un *contexto bélico* como se deduce del propio considerando 12, a raíz del cual pareciera que la propia UE, sería una parte beligerante en aquel conflicto y los actos terroristas que se describen aparecen como una nueva amenaza exterior. Por todo ello resulta necesario analizar si las medidas contraterroristas propuestas en dicha Directiva pueden

---

[34]   *Vid.* GONZÁLEZ CUSSAC, J.L., "Servicios de inteligencia y contraterrorismo" en *Terrorismo y contraterrorismo...*, *op. cit.*, p. 118 y ss.

[35]   *Vid.* BERDUGO GÓMEZ DE LA TORRE, I., "Reflexiones sobre el terrorismo...", *op. cit.*, p. 1325.

cristalizar en lo que GONZÁLEZ CUSSAC ha denominado, *modalidad híbrida* entre amenaza y delito, en cada ordenamiento interno, prestando especial importancia, por razones obvias, a su posible trasposición al sistema penal español.

3. PRINCIPALES MEDIDAS CONTRATERRORISTAS DE LA DIRECTIVA EU 2017/541

Para acometer el análisis más detallado de las medidas contraterroristas contenidas en esta Directiva hay que partir de que —según se avanzó líneas antes—, su principal objetivo sería el de unificar o armonizar la definición de determinados delitos de terrorismo en el espacio de la UE. Teniendo esto presente, puede decirse que las medidas contraterroristas que introduce se vertebran, principalmente, sobre cuatro ejes: a) El requerimiento para tipificar delitos relativos a los *terrorist foreing fight*ers, a fin de, teóricamente, impedir su reclutamiento y adiestramiento; b) El mandato de tipificar delitos terroristas organizados o perpetrad*os on-line* o a través de Internet y, en particular, redes sociales; c) Adelantamiento generalizado de la intervención penal, elevando a la categoría de delitos, lo que materialmene son actos preparatorios tales como el adoctrinamiento, captación o financiación de actos terroristas; d) Refuerzo de las medidas de protección, apoyo y asistencia a las víctimas.

A primera vista, estas medidas parecen dirigidas a luchar contra un concreto tipo de terrorismo, el denominado *"yihadista"* dado que las conductas que se exhorta a tipificar se basan en el *modus operandi* que, desde la perspectiva criminológica, esta clase de terrorismo suele emplear, de modo que, entre otros, se conminan actos de adoctrinamiento, captación, radicalización o adiestramiento; toda vez que parece asumirse su comisión por parte de células o individuos aislados, vinculados de manera más difusa a estructuras organizadas. No obstante lo anterior, no hay que descartar *prima facie,* que una vez tipificados como delitos alguno/s de aquel/los ilícitos en las legislaciones nacionales, puedan también dirigirse a combatir otras manifestaciones del terrorismo de diversa índole (v.gr. aquel de extrema derecha, o de corte radical nacionalista etc.).

El estudio de dichas medidas contraterroristas se abordará a continuación no solo para conocer con más detalle su contenido sino también para proceder, con posterioridad, a compararlo con la legislación contraterrorista vigente en nuestro país a fin de contestar finalmente a la cuestión acerca de si *son necesarias y político-criminalmente demandables, nuevas reformas penales en materia terrorista.*

3.1. *Identificando los delitos relativos a combatientes terroristas extranjeros*

Una de las novedades más importantes de la Directiva es que emplea el término "combatientes terroristas extranjeros" (*vid.* considerandos 4,5,6, 12 y 31) para identificar a algunas *figuras de autor* de estos delitos. Desde luego se trata de una problemática sobre la que no puede trivializarse, pues su gravedad ha comportado una amplificación de la amenaza terrorista en concretos países del entorno europeo[36]. La prevención de dicho fenómeno comenzó a promoverse desde instancias internacionales de modo que el término "*terrorist foreing fighters*" se acuñó por primera vez en la Resolución ONU 2170 (2014). En concreto, el Consejo de Seguridad entendió por tales "...las personas que viajan a un Estado distinto de su Estado de residencia o nacionalidad con el propósito de cometer, planificar o preparar actos terroristas o participar en ellos, o de proporcionar o recibir adiestramiento con fines de terrorismo, incluso en relación con conflictos armados..."[37]. No obstante, parece preciso indagar más acerca

---

[36]   Según TRAM ANH, N., de acuerdo con el Informe sobre Situación y Tendencias del Terrorismo publicado por la Oficina Europea de Policía (Europol) el 15 de junio de 2017, entre las 14 tendencias terroristas cabe incluir que "(8) Está previsto que continúe la afluencia de refugiados y migrantes a Europa desde zonas de conflicto existentes y nuevas; ISIS ya ha explotado el flujo de refugiados y migrantes para enviar individuos a Europa para cometer actos de terrorismo. ISIS y posiblemente otras organizaciones terroristas yihadistas pueden seguir haciéndolo" en "La lucha antiterrorista de la Unión Europea y perspectivas para la cooperación UE-ASEAN", p. 4 (documento on-line y también en www.fundacionalternativas.org).

[37]   *Vid.* Resolución aprobada por el Consejo de Seguridad en su 7272ª sesión, celebrada el 24 de septiembre de 2014, p. 2/9. Además, en dicha resolución el Consejo de Seguridad ya expresó "grave preocupación por quienes intentan viajar para convertirse en combatientes terroristas extranjeros". Y en el punto 4º de dicha resolución (p. 3/9)

de los orígenes de dicho fenómeno, pues aun cuando la realidad demuestra que los combatientes extranjeros, sobre todo desde 2012, constituyen un flujo dirigido a luchar, entre otras, en la guerra de Siria, en ocasiones en aquel concepto se fusionan, de manera confusa, las figuras del terrorista, del migrante —y/o refugiado— y del *yihadista*[38], sin ser evidente si, dichos extranjeros persiguen por fin, en todo caso, cometer actos terroristas[39].

Es obvio que los arts. 9 y 10 de la Directiva europea están inspirados en esa figura del *terrorista combatiente extranjero* sobre la que aquella resolución de la ONU expresaba *grave preocupación*, de modo que exhorta a los estados miembros a tipificar, respectivamente, dos delitos cuyo ilícito, realmente, queda difuminado en cuanto se aleja considerablemente de la ejecución de cualquier acto terrorista. Así sucede cuando se requiere a los estados miembros que tipifiquen los "viajes con fines terroristas" (art. 9), pudiendo tener este delito dos modalidades, dependiendo de si los viajes se realizan "a un país que *no sea ese estado miembro*" (apdo. 1º) o a "... un *Estado miembro*" (apdo.2º). En ambos casos son delitos exclusivamente dolosos, si bien ello apenas permite acotar la *amplitud del tipo penal* pues, en el caso de que el viaje sea de un Estado miembro a otro estado miembro (distinto al anterior) de la UE, la conducta se tipificará como delito si es "... a los fines de la comisión o la contribución a la comisión de un delito de terrorismo a tenor del artículo 3, de la participación en las actividades de un grupo terrorista con conocimiento de que dicha participación con-

---

se exhorta a los estados miembros a que cooperen en las iniciativas para enfrentar la "...amenaza que plantean los combatientes terroristas extranjeros, lo que incluye prevenir la radicalización conducente al terrorismo y el reclutamiento de combatientes terroristas extranjeros, entre ellos niños, evitar que los combatientes terroristas extranjeros crucen sus fronteras, obstaculizar y prevenir la prestación de apoyo financiero a los combatientes terroristas extranjeros y concebir y poner en práctica estrategias de enjuiciamiento, rehabilitación y reintegración de los combatientes terroristas extranjeros que regresen".

[38]   *Vid.* MARRERO ROCHA, I., "Foreign fighters and jihadists: challenges for international and european security" en *Paix et Securité Interna*tionales, nº 3, janvier-déc. 2015, p. 86.

[39]   De modo que si persiguieran otros fines distintos al de perpetrar el terror (v.gr. asistencia humanitaria, huir de una situación de grave peligro o investigar o recabar información sobre el conflicto bélico con fines científicos, etc.) no deberían recibir ni el calificativo de "combatientes" ni el de "terroristas".

tribuirá a las actividades delictivas de tal grupo a tenor del artículo 4, o del adiestramiento o la recepción de adiestramiento para el terrorismo a tenor de los artículos 7 y 8" (apartado 1º). Tampoco parece que el refuerzo de la intencionalidad a través de la necesaria prueba de un elemento subjetivo como es el relativo a los "fines de la comisión o contribución a la comisión de un delito de terrorismo" —de los definidos en la Directiva—, permita cerrar mucho el ámbito típico, dado que, a la postre, dicho viaje al extranjero resultará delictivo o no, dependiendo de la dificultosa prueba de unos *fines* que, en absoluto se tienen que materializar, pues para la consumación bastará probar el mero propósito.

Como se ha indicado, una segunda modalidad de conducta será aquella en que el *viaje se realice a un Estado miembro* —se entiende que desde el exterior— (apartado 2º) a los fines de la comisión de un delito de terrorismo de los definidos en la Directiva europea, o para participar en actividades terroristas si se tiene conocimiento de que con ello se contribuye a actividades delictivas o a recibir adiestramiento para el terrorismo (apartado 2º, a, art. 9). Pero es que además, la intervención penal llega a adelantarse hasta el límite de que se exhorta a tipificar *actos preparatorios* "…realizados por una persona que entre en dicho Estado miembro con ánimo de cometer o contribuir a la comisión de un delito terrorista a tenor del art. 3". Es decir, aún cuando la realización de un viaje en sí ya puede, materialmente, considerarse un acto preparatorio, se anticipa el castigo hasta el punto de punir actos realizados por la persona que *ya ha entrado* —el uso de este verbo, hace suponer que procede del "exterior" de un Estado miembro—, a un país miembro, con ánimo de cometer o contribuir a la comisión delitos terroristas. En puridad, ello implica castigar la *preparación de la preparación*, lo que comporta un censurable avance de la reacción penal, pues podrían estar castigándose actuaciones inocuas[40], tales como comprar material para realizar un viaje (v.gr. ropa, mapas) o incluso los billetes del medio de trasporte elegido.

En términos similares, la Directiva respalda la tipificación de otros delitos relativos a *"organizar y facilitar dichos viajes"* (art. 10) a Estados miem-

---

40   *Vid.* ALONSO RIMO, A., "¿Impunidad general de los a actos preparatorios? La expansión de los delitos de preparación" *Indret 4/2017*, Barcelona, octubre de 2017, p. 56.

bros cuando, realizados intencionadamente, se demuestre que con ello se ayuda a viajar a una persona con fines terroristas en los términos del art. 9.1 y 9.2 a). Puede apreciarse gran vaguedad en la definición de la conducta típica pues, en términos muy genéricos, se alude a "organizar y facilitar" viajes, sin especificar ningún medio de comisión ni conducta más concreta a este respecto. De nuevo se introduce así la punición de *actos preparatorios para la preparación (*con un viaje) de la comisión de actos terroristas, delito que además pivota sobre otro elemento subjetivo relativo a la prueba de los "fines terroristas" por los que viaja el sujeto y que, teóricamente, aumentará la dificultad para aplicar semejante delito.

3.2. *Provocación pública y apología de delitos terroristas* on-line

La segunda tendencia legislativa que la Directiva 2017/541, trata de imponer en las legislaciones penales, va referida a la tipificación de delitos de provocación pública a la comisión de delitos de terrorismo por medios *on-line*. Así lo prevé expresamente el art. 5 de la Directiva europea, viniendo éste justificado por el Considerando 10, cuando explica que "Los delitos de provocación pública a la comisión de un delito de terrorismo comprenden, entre otros, la apología y la justificación del terrorismo o la difusión de mensajes o imágenes, ya sea *en línea o no*, entre ellas las relacionadas con las víctimas del terrorismo, con objeto de obtener apoyo para causas terroristas o de intimidar gravemente a la población. Esta conducta debe tipificarse *cuando conlleve el riesgo de que puedan cometerse actos terroristas.* En cada caso concreto, al examinar si se ha materializado ese riesgo se deben tener en cuenta las circunstancias específicas del caso, como el autor y el destinatario del mensaje, así como el contexto en el que se haya cometido el acto. También deben considerarse la importancia y la verosimilitud del riesgo al aplicar la disposición sobre provocación pública de acuerdo con el Derecho nacional" (cursiva añadida).

En desarrollo de esta proclama, el art. 5 de la misma Directiva conmina a los Estados miembros a castigar como delito "…cuando se cometa intencionadamente, el hecho de difundir o hacer públicos por cualquier otro medio, ya sea en línea o no, mensajes destinados a incitar a la comisión de uno de los delitos enumerados en el artículo 3, apartado 1, letras a) a i), siempre que tal conducta preconice directa o indirectamente, a través, por ejemplo, de la apología de actos terroristas, la comisión de delitos de terrorismo, generando con ello un riesgo de que se puedan cometer uno o varios de dichos delitos".

Con respecto a los concretos actos de provocación pública que se exhorta a tipificar, destaca el hecho de que se incluya "entre otros" la apología, la justificación del terrorismo o la difusión de mensajes o imágenes. Ello unido a la literalidad del art. 5 donde, en concreto, se exhorta a tipificar los delitos de provocación pública a la comisión de un delito de terrorismo permite llegar a la conclusión de que en realidad no se trata de un delito con una lista cerrada de actos de provocación pública, sino con un sistema de "numerus apertus", dado que, en este último precepto se cita "por ejemplo" la apología. No es ésta la perspectiva que cabe adoptar para garantizar el ejercicio de un derecho fundamental tan relevante como el de libertad de expresión sino que, dado el avance de la intervención penal que ya supone castigar actos preparatorios como la provocación y la apología, el legislador europeo no debiera permitir a los estados castigar "otros" actos preparatorios de incitación a delitos terroristas que no estuvieran mejor tasados.

Según se deduce tanto del Considerando 10 como del art. 5 de la Directiva europea, en realidad, junto a la novedosa modalidad de provocación de actos terroristas *on-line*, el legislador europeo requiere tipificar la provocación pública también *off-line*, siendo esta una modalidad ya clásica en Derecho penal, aunque no por ello menos controvertida por los constatados riesgos que su castigo conlleva para el ejercicio de los derechos fundamentales a la libertad de expresión y libertad de prensa, entre otros.

Parece obvio que la preocupación por el empleo de medios *on-line*, en especial Internet y las redes sociales como medios de propagación de la incitación al terrorismo está en la base de esta norma a ella subyace la idea de que la Red es, en tiempos recientes, una fuente de radicalización en terrorismo, dado el carácter global y trasfronterizo de Internet que favorece una comunicación espontánea, dispersa y sobre todo anónima[41]. Pese a lo poco discutible de esta idea, es cuestionable, sin embargo, que la criminalización de conductas como la apología o de actos preparatorios tan genéricos

---

[41]   *Vid.* TERUEL LOZANO, G., "Internet, incitación al terrorismo y libertad de expresión en el marco europeo" *Indret* 3/2018, Barcelona, julio 2018, pp. 21 y 22.

como la provocación pública descrita en el citado art. 5 sean medios adecuados, desde la perspectiva constitucional, para atajar con aquella realidad
criminológica. Porque lo que no parece admisible es relajar las garantías
para el ejercicio de la libertad de expresión cuando se lleve a cabo en la
Red, en comparación con la protección jurídica que se brinda a este derecho cuando se ejercita por los medios de comunicación clásicos. Es cierto
que no se puede minimizar la gravedad de la presencia yihadista en Internet con fines propagandísticos pues ello sirve de base para la captación,
adoctrinamiento, adiestramiento e incluso incitación al odio, pero no lo
es menos que para erradicar dicha presencia no pueden emplearse medios
contraterroristas que restrinjan profundamente la libertad de expresión o
libertad de prensa. De hecho, probablemente el legislador europeo debió
darse cuenta de los riesgos que castigar conductas de provocación pública
y apología conllevaban para el disfrute de derechos previstos en el TUE y
otros tratados (ante todo, en el Convenio Europeo de Derechos Humanos), y por ello estableció, de manera un tanto programática en el art. 23,
apartado 2 de la Directiva, que "Los Estados miembros podrán establecer
condiciones exigidas por y en consonancia con los principios fundamentales relativos a la libertad de prensa y otros medios de comunicación, por
las que se rijan los derechos y las obligaciones y las garantías procesales de
la prensa u otros medios de comunicación, cuando tales condiciones se
refieran a la determinación o a limitación de la responsabilidad."[42]

No obstante, el carácter por completo facultativo de esta previsión (los
estados miembros "podrán"…) contrasta llamativamente con el carácter
obligatorio del requerimiento para tipificar de actos preparatorios como la
provocación o la apología de delitos de terrorismo del art. 5 de la misma
Directiva. De modo que, este precepto tendría una *función de recordatorio*
para los estados miembros.

En suma, parece que, en esta Directiva, predomina la perspectiva represiva o censora si tenemos en cuenta además que el art. 21 establece un
paquete de "medidas contra los contenidos en línea que constituyan pro-

---

[42]   El apartado 1º de dicho precepto establece que la Directiva ahora comentada "… no
      tendrá por efecto la modificación de las obligaciones de respetar los derechos funda-
      mentales y los principios jurídicos fundamentales consagrados en el artículo 6 del
      TUE."

vocación pública". Así, en primer lugar, conmina a los estados miembros a adoptar "las medidas necesarias para garantizar la rápida eliminación de los contenidos en línea albergados en su territorio constitutivos de provocación pública a la comisión de un delito de terrorismo a tenor del artículo 5. Procurarán obtener asimismo la eliminación de tales contenidos cuando estén albergados fuera de su territorio". Además para el caso en que esta eliminación "en origen" del contenidos *on-line* no sea posible, la Directiva faculta a los estados miembros a adoptar "...medidas para bloquear el acceso a dicho contenido por parte de los usuarios de internet dentro de su territorio" (apartado 2º). Y por último, la Directiva determina a los estados miembros a que "...Las medidas de eliminación y bloqueo deberán establecerse por procedimientos transparentes y ofrecer garantías adecuadas, sobre todo para garantizar que se limiten a lo necesario y proporcionado y que los usuarios estén informados de su justificación. Las garantías relativas a la eliminación o al bloqueo incluirán asimismo la posibilidad de recurso judicial."[43]

Resulta evidente que con la promoción de estas medidas y el adelantamiento de la intervención penal se está optando solo por una de las posibles estrategias para contrarrestar los mensajes radicales en Internet, pero esta opción resulta ser precisamente la más gravosa en términos de afección a derechos fundamentales tales como libertad de expresión o libertad de prensa. Parece pues que se han postergado —si no descartado—, otras alternativas de índole preventivo que, según los expertos, pueden resultar tanto o más eficaces para atajar con la presencia yihadista en Internet con finalidades propagandísticas[44], como, en especial, podría ser, el desarrollo

---

[43] Pese a que el estudio de estas medidas de bloqueo y de eliminación de contenidos online que sirvan para la provocación pública es, desde luego, una materia que requiere especial atención desde la perspectiva del respecto a los derechos fundamentales de libertad de expresión y libertad de prensa, por razón de respetar los razonables límites de este trabajo, no va a ser posible indagar más en su análisis.

[44] Otras posibles medidas serían actuaciones de observación y, en su caso, infiltración en páginas vinculadas al yihadismo militante. Pero puesto que estas tareas son más propias de los servicios de seguridad y servicios de inteligencia, no van a ser aquí considerados a efectos de preverlas en la legislación. En todo caso, como indica CANO PAÑOS, es conveniente tener en cuenta que incluso dichos servicios consideran importante tolerar un determinado número de páginas yihadistas para así poder ob-

de medidas preventivas para reducir la demanda a través, entre otras técnicas, de las denominadas "contra-narrativas"[45].

3.3. Otros delitos donde se adelanta la intervención penal y responsabilidad penal de personas jurídicas

Además de los delitos antes comentados y cuya conducta estaría integrada por lo que, desde la perspectiva material, pueden considerarse actos preparatorios, puede advertirse que en el Título III de la Directiva se incluye un listado de delitos relacionados con actividades terroristas. Así se insta a los estados miembros a castigar, entre otros, la captación para el terrorismo (art. 6[46]), el adiestramiento para el terrorismo (art. 7[47]), la recepción de adiestramiento para el terrorismo (art. 8[48]), y la financiación del terrorismo

---

servar tanto la propaganda en sí como la evolución ideológica de las organizaciones y grupos de corte yihadista. Internet como elemento ambiental" en "Odio e incitación a la violencia en el contexto del terrorismo islamista. Internet como elemento ambiental" en *Indret* nº 4/2016, septiembre 2016, p. 19.

[45] Según CANO PAÑOS, M.A., dichas medidas tienden a disminuir la esfera de acción de la propaganda yihadista, utilizando para ello argumentos ideológicos opuestos a fin de desarmar y contrarrestar el discurso yihadista de la violencia a través de visiones del mundo de carácter positivo y alternativo para así contrarrestar la soberanía interpretativa del universo yihadista en "Odio e incitación a la violencia...", *op. cit.*, pp. 28 a 33. No obstante, esta interesante labor preventiva para impedir la radicalización desde su inicio suele requerir un recorrido más largo en el tiempo y de ahí que, sean pocos los países que hayan optado por estas medidas.

[46] Solo se castigará cuando se cometa "...intencionadamente, el hecho de instar a otra persona a que cometa o contribuya a la comisión de cualquiera de los delitos enumerados en el artículo 3, apartado 1, letras a) a i), o en el artículo 4".

[47] De nuevo, se conmina a castigar solo la modalidad dolosa de la conducta consistente en "...instruir en la fabricación o el uso de explosivos, armas de fuego u otras armas o sustancias nocivas o peligrosas, o en otros métodos o técnicas concretos, a los fines de la comisión o la contribución a la comisión de cualquiera de los delitos enumerados en el artículo 3, apartado 1, letras a) a i), con conocimiento de que las capacidades transmitidas se utilizan con tales fines".

[48] En estos delitos se castigaría la conducta dolosa consistente en "...recibir instrucción en la fabricación o el uso de explosivos, armas de fuego u otras armas o sustancias nocivas o peligrosas, a los fines de la comisión o la contribución a la comisión de cualquiera de los delitos enumerados en el artículo 3, apartado 1, letras a) a i)".

(art. 11[49]). Pero es que además, todos estos delitos pueden castigarse en grado de *tentativa* según prevén los artículos 13 y 14.3[50] de la Directiva europea, lo que aún expande más el ámbito de intervención penal en esta materia, porque, *de facto*, se estaría incriminando una tentativa de un acto preparatorio, con el consiguiente riesgo de castigar conductas muy nimias en términos de ofensividad del bien jurídico.

Por otra parte, el ámbito de lo punible también se ha expandido introduciendo, con carácter obligatorio, la *responsabilidad de las personas jurídicas* (art. 17) con respecto a *todos* los delitos de terrorismo previstos en la Directiva (de los arts. 3 a 12 y 14 Directiva). Se parte para ello de definir a las personas jurídicas, excluyendo a los estados, organismos públicos y organizaciones internacionales[51]. Pese a que no se califica la naturaleza de dicha responsabilidad —penal o administrativa— lo cierto es que el sistema para establecer dicha responsabilidad de entes jurídicos se refiere a "delitos". A la vez, el modelo que se pretende instaurar es muy similar al previsto en otros países europeos —como, por ejemplo, el español— para exigir la responsabilidad penal, en tanto se diferencian claramente dos ni-

---

49   Por tal delito, el apartado 1º del art. 11 entiende la comisión dolosa del "...hecho de aportar o recaudar fondos, por cualquier medio, de forma directa o indirecta, con ánimo de que se utilicen o con conocimiento de que se vayan a utilizar, en su totalidad o en parte, a los fines de la comisión o la contribución a la comisión de cualquiera de los delitos enumerados en los artículos 3 a 10". Además, en el apartado 2º se aclara que, "cuando la financiación del terrorismo contemplada en el apartado 1 del presente artículo se refiera a alguno de los delitos establecidos en los artículos 3, 4 o 9, no será necesario que los fondos se utilicen efectivamente, en su totalidad o en parte, a los fines de la comisión o la contribución a la comisión de cualquiera de dichos delitos, ni que el responsable criminal tenga conocimiento del delito o delitos concretos para los que se van a utilizar dichos fondos."

50   Se exhorta a los estados miembros a que se castigue "...la tentativa de comisión de cualquiera de los delitos enumerados en los artículos 3, 6 y 7, el artículo 9, apartado 1 y apartado 2, letra a), y los artículos 11 y 12, con excepción de la tenencia a tenor del artículo 3, apartado 1, letra f), y del delito a tenor del artículo 3, apartado 1, letra j)".

51   Así el art. 2.2 de la Directiva europea contiene la definición de "persona jurídica" en términos de "cualquier entidad que tenga personalidad jurídica con arreglo al Derecho aplicable, con excepción de los Estados u otros organismos públicos en el ejercicio de su potestad pública y de las organizaciones internacionales públicas".

veles de imputación para "transferir" la responsabilidad penal a la persona jurídica por parte de una persona física. Así, en primer lugar, se alude a las personas físicas que, ostentando cargos de representación o directivos (art. 17.1) pueden "contaminar" de responsabilidad a las jurídicas, de modo que aquéllas pueden actuar "…de forma individual o como parte de un órgano de la persona jurídica y que tenga un cargo directivo en el seno de dicha persona jurídica, basado en:

a) poder de representación de la persona jurídica;

b) la autoridad para tomar decisiones en nombre de dicha persona jurídica;

c) la autoridad para ejercer el control de dicha persona jurídica.

Como segundo nivel de imputación (art. 17. 2º) cabe responsabilizar a las personas jurídicas por los delitos de los arts. 3 a 12 y 14 de la Directiva cuando éstos hubieran sido cometidos por "persona sometida a su autoridad" y siempre que se hubiese producido "…una falta de vigilancia o control por parte de alguna de las personas a que se refiere el apartado 1 del presente artículo haya posibilitado la comisión, en favor de la persona jurídica".

En último lugar (art. 17.3 Directiva) se declara la compatibilidad de la responsabilidad penal de la personas física y de la personas jurídica a la que aquélla hubiere imputado el delito, sin que ello vulnere el principio *ne bis in ídem*[52].

Este sistema se completa con un listado de *sanciones a personas jurídicas* (art. 18) de obligatoria previsión para los estados miembros, para el caso en que se declare responsable (según el art. 17) a una persona jurídica. De modo que se exige, que sean "sanciones eficaces, proporcionadas y disuasorias, entre las que se incluirán las multas de carácter penal o no penal y entre las que se podrán incluir otras sanciones", como por ejemplo, "inhabilitación para obtener subvenciones y ayudas públicas", "prohibición

---

[52]   A tal efecto, el apartado 3º, establece que "responsabilidad de las personas jurídicas en virtud de los apartados 1 y 2 del presente artículo se entenderá sin perjuicio de la incoación de acciones penales contra las personas físicas que sean autoras, inductoras o cómplices de cualquiera de los delitos enumerados en los artículos 3 a 12 y 14".

temporal o definitiva del ejercicio de actividades comerciales", "intervención judicial", "disolución judicial de la persona jurídica" o "cierre temporal o definitivo de los establecimientos que se hayan utilizado para la comisión del delito."

En suma, pese a que la Directiva no establece explícitamente una responsabilidad "penal" parece que puede deducirse que es de esta naturaleza puesto que se proclama que los entes jurídicos deberán ser responsables de "delitos". Por tanto, la imputación de esta categoría formal de ofensas, conlleva la exigencia de una responsabilidad de índole "penal". Si esto es así, parece que puede ser complejo, para aquellos países miembros europeos que aún no han admitido esta clase de responsabilidad penal en sus ordenamientos jurídicos, desarrollar, en este punto, las previsiones de esta Directiva.

3.4. Medidas de tutela de las víctimas

Aunque dichas medidas no sean, en sentido estricto, contraterroristas sí pueden ubicarse en el contexto de previsiones relacionadas con delitos de terrorismo. De hecho la Directiva 2017/541 empieza aludiendo a ellas en el propio Considerando 10 cuando indica que los delitos de provocación pública para cometer delitos de terrorismo, apología y difusión de mensajes o imágenes, comprenden "los relacionados con las víctimas de terrorismo". No obstante, si revisamos la literalidad del art. 5 no se alude a las "víctimas" como elemento típico del delito de provocación pública allí definido. Donde sí se alude a las víctimas es en el Título V, que contienen tres previsiones (arts. 24 a 25) para la protección de las víctimas del terrorismo. En líneas generales, se brinda un amplio apoyo y protección a las víctimas partiendo de establecer que el enjuiciamiento por delitos previstos en la Directiva será de oficio, es decir, no habrá de depender "...de la denuncia o acusación por una víctima de terrorismo y otra persona afectada por él, al menos si los hechos se cometieron en su propio territorio" (art. 24.1).

Asimismo, se insta a los estados miembros a adoptar diversos servicios de apoyo a las víctimas de terrorismo conforme a lo dispuesto en la

Directiva 2012/29/UE[53], destacando entre otros: el apoyo emocional y
psicológico, información y asesoramiento sobre cualquier asunto jurídico, práctico o financiero pertinente, incluido el derecho a la información;
asistencia sobre las solicitudes de indemnización a las víctimas de conformidad al Derecho nacional (art. 24.3). Además se establece un plazo
temporal amplio para disfrutar de dichos servicios, pues habrán de estar a
disposición de las víctimas del terrorismo "…inmediatamente después del
atentado terrorista y durante el tiempo que sea necesario" y que serán "…
confidenciales, gratuitos y de fácil acceso para todas las víctimas del terrorismo" (art. 24.2 y 3).

Una de las obligaciones más genéricas es la contenida en el art. 25 de la
Directiva europea donde se exhorta a los estados miembros a "garantizar"
medidas para la protección de las víctimas del terrorismo y sus familiares,
conforme a la Directiva 2012/29/UE. A la vista de esta regulación, puede
cuestionarse si cuando el delito del art. 5 de la Directiva 2017/541, relativo
a la provocación pública, se refiere a la difusión "mensajes" o "imágenes"
para conseguir apoyo en causas terroristas, incluye también aquellos supuestos en los que parece que solo se persiga la humillación de una víctima
del territorio. Es decir, cabría preguntarse si la Directiva promueve tipificar
una suerte de *delito de humillación de las víctimas del terrorismo*. Puesto
que, como se ha indicado, la literalidad del art. 5 de la Directiva europea
de 2017, no recoge expresamente este caso, puede concluirse sosteniendo
que dicho supuesto no podría subsumirse en un delito de provocación
pública como el que la Directiva insta a introducir en las legislaciones
nacionales.

3.5. ¿Europeización del Derecho penal del enemigo?

A fin de verificar si los delitos que la Directiva 2017/541 exhorta tipificar a los estados miembros, pueden insertarse en el fenómeno denominado
"Derecho penal del enemigo" y si, precisamente, por virtud de dicha direc-

---

[53]   Se trataría de la Directiva 2012/29/UE del Parlamento Europeo y del Consejo de 25
        de octubre de 2012, por la que se establecen normas mínimas sobre los derechos, el
        apoyo y la protección de las víctimas de delitos, y por la que se sustituye la Decisión
        marco 2001/220/JAI del Consejo.

tiva esta política punitiva puede haber alcanzado una dimensión europea, conviene delimitar los rasgos básicos de la misma para, en su caso, poder identificarlos en aquel paquete de delitos y medidas contraterroristas.

Pues bien, es evidente que el auge del Derecho penal de enemigo se inicia a partir de que, muchos estados, siguiendo las directrices internacionales, desde el 11-S y de la sucesión de execrables ataques terroristas posteriores, se inscribieran en una tendencia expansiva de la intervención penal en materia terrorista. Más aún, dicha tendencia continúa hasta la actualidad, en una espiral que parece no tener límites, a costa de reformar múltiples Códigos Penales de países de nuestro entorno jurídico que se han rearmado, añadiendo más delitos de los que suele considerarse coherente con un Derecho penal de corte liberal. Y aunque es cierto que, en tiempos recientes, en los países occidentales —como por ejemplo en España—, no se suelen aprobar *leyes de emergencia anti-terroristas específicas*, no lo es menos que, las medidas contraterroristas han ido engrosando los Códigos penales vigentes en la actualidad a través de sucesivas reformas surgiendo un "corpus" legislativo que se enmarca en lo que, desde la perspectiva teórica, se denomina el *Derecho penal de excepción o emergencia*[54]. La aparición de esta normativa contraterroristas confirma además, la tendencia político-criminal hacia el llamado *Derecho penal del enemigo ("Feindstrafrecht")*[55]. Brevemente con respecto a esta construcción dogmática, introducida por el penalista alemán G. JAKOBS a mediados de los años ochenta[56], es preciso apuntar su fundamento en construcciones teóricas que se remontaría a Carl Schmitt y su idea de la política como la contraposición entre el ciudadano *versus* el enemigo[57], a la vez que, hay que aludir a su visión de

---

[54]   *Vid.* PÉREZ CEPEDA, A.I., "El paradigma de la seguridad en la globalización: guerra, enemigos y orden penal" en FARALDO CABANA (dir.)/PUENTE ABA, L./ SOUTO GARCÍA, E.M., *Derecho penal de excepción. Terrorismo e inmigración*, Valencia, 2007, pp. 95-138.

[55]   *Vid.* CANCIO MELIÁ, M., "De nuevo ¿Derecho penal del enemigo?", en M. Canció Melia/Gómez-Jara Díez (coords.*), Derecho penal del enemigo: el discurso penal de la exclusión*, Montevideo-Buenos Aires, 2006, pp. 373 y ss.

[56]   *Vid.* JAKOBS, G./CANCIÓ MELIÁ, M., *El Derecho penal del enemigo*, Madrid, 2006, 2ª ed., pp. 47 y ss.

[57]   *Vid.* PORTILLA CONTRERAS, G., "La legitimación doctrinal de la dicotomía schmittiana en el derecho penal y procesal penal del enemigo" en *Derecho penal del ene-*

la normalidad y la excepción como categorías básicas para entender el conflicto político[58]. Desde la perspectiva histórica, el término "enemigo" tiene una connotación bélica puesto que, en efecto, pertenece a la lógica de la guerra lo que, como es sabido, comporta la negación del derecho[59]. La novedad de la figura del enemigo es relativa, pues aparece, por lo general, en regímenes políticos autoritarios y dictatoriales (v.gr. en Argentina o Chile) para caracterizar a los disidentes como "enemigos internos" o también en la lucha contra el narcotráfico en países iberoamericanos donde la noción de "enemigo" permitió movilizar y justificar el empleo de recursos militares[60]. Estos orígenes refuerzan la idea de que las legislaciones penales modernas que se instalan, como regla general, en lo excepcional o en la "emergencia" constante, reflejan una evolución —reforzada por la mutación del *Welfare State*, en un Estado *preventivo*[61] máximo, a efectos de control social—, hacia sistemas jurídicos más propios de regímenes autoritarios[62]. En especial, a raíz de las múltiples medidas contraterroristas que han pasado a engrosar una especie de arsenal punitivo en los distintos ordenamientos jurídicos o legislaciones domésticas[63], en ocasiones con el respaldo de la UE[64] y de la

---

[58] *migo. El discurso penal de la exclusión* (Cancio Meliá, M./Gómez-Jara Díaz (coords.), vol. 2, Madrid, pp. 657 y ss.

[58] *Vid.* REVENGA SÁNCHEZ, M., "Terrorismo y derecho…", *op. cit.* p. 15.

[59] *Vid.* DEMETRIO CRESPO, E., "Derecho penal del enemigo y teoría del derecho" en *Terrorismo y contraterrorismo en el siglo XXI. Un análisis penal y político criminal* (dirs. Portilla Contreras/Pérez Cepeda) Salamanca, 2016, p. 42.

[60] *Vid.* FARALDO CABANA, P., en "Un derecho penal de enemigos para los integrantes de organizaciones criminales. La Ley Orgánica 7/2003, de 30 de junio, de medidas de reforma para el cumplimiento íntegro y efectivo de las penas", en *Nuevos retos del derecho penal en la era de la globalización* (coord. Faraldo-Cabana/Puente Aba/Brandariz García), Valencia, 2004, p. 311.

[61] *Vid.* DENNINGER, E., "Der Präventions-Staat", *KJ*, 1988, n.21 (1), p. 1 y ss.

[62] *Vid.* NAZZARO, U., *Il Diritto penale del nemico tra delitto di associazione politica e misure di contrasto al terrorismo internazionale*, Academia Pontaniana, 2016, p. 107 y 108.

[63] *Vid.* GALLI, F./WEYEMBERGH, A. (eds.), *EU counter terrorism offences. What impact on national legislation and case law?*, Editions de l'Université de Bruxelles, 2012, p. 15 y ss.

[64] *Vid.*, entre otras acciones, la Decisión Marco del Consejo de 13 de junio de 2002, sobre la lucha contra el terrorismo. Considérese, entre otras, la reunión informal del Consejo de Europa de 12 de febrero de 2015 y el documento de conclusiones adoptado, tras los execrables asesinatos yihadistas a varios periodistas de la revista Charlie Hebdo. *Vid.* la Directiva (UE) 2015/849 del Parlamento Europeo y del Consejo

ONU[65]. La escasamente rebatida idea, propia de la lógica de la emergencia, según la cual cualquier conflicto social ha de hallar solución en la respuesta punitiva, está en el origen del pensamiento que aplica la intervención penal como *extrema ratio* también en materia terrorista[66], postergando cualquier posible solución política del conflicto y anulando, asimismo, cualquier atisbo de la cultura garantista que debiera inspirar también este ámbito del Derecho penal, al menos entendido éste en un sentido liberal. Se expande por tanto, el pensamiento pragmático-eficientista propio de las corrientes funcionalistas extremas en Derecho penal, que básicamente reclama la renovada vigencia de la teoría del *Estado de excepción* en las legislaciones penales[67] y que ha encontrado en el pensamiento de autores como G. JAKOBS y quienes lo desarrollan, la mejor fundamentación teórica posible para atribuir al Estado no ya el *ius puniendi*, sino el *ius bello*[68]. Como evidencia de que esto es así, cabe reparar en la penetración en la legislación penal ordinaria, de técnicas jurídicas propias de un derecho militar así como en el recrudecimiento generalizado al que asistimos, en las últimas décadas, de prácticamente todas las legislaciones penales terroristas, en donde priman las medidas "contraterroristas" reactivas a concretos atentados y dirigidas a determinar *quiénes* son los enemigos y *cómo* combatirlos del modo más severo posible. Y ello tanto desde el momento de configurar las infracciones y sanciones, pasando por la minimización de sus garantías en el proceso penal, hasta alcanzar el mayor rigor en la ejecución de las penas. El *carácter reactivo* de las leyes penales antiterroristas implica que las mismas se aprueban, por lo general, como respuesta inmediata pero poco meditada al último de los ataques terroristas (*"fight the last war"*), lo que no solo pone en peligro los principios penales garantistas y libertades públicas sino que posterga los recursos políticos con los que efectivamente se cuen-

---

de 20 de mayo de 2015, relativa a la prevención de la de la utilización del sistema financiero para la financiación del terrorismo. *Vid.* Protocolo adicional al Convenio de 2005, de 19 de mayo de 2015, en el marco del Consejo de Europa.

[65] *Vid.* las resoluciones del Consejo de Seguridad de Naciones Unidas 2170/2014, de 15 de agosto de 2014 y 2178/2014, de 24 de septiembre.

[66] *Vid.* NAZZARO, U., *Il Diritto penale del nemico...*, *op. cit.*, p. 110 y ss.

[67] *Vid.* PÉREZ CEPEDA, A.I., "El paradigma de la seguridad en la globalización...", *op. cit.*, p. 100 y ss.

[68] *Vid.* JAKOBS, G./CANCIÓ MELIÁ, M., *El Derecho penal del enemigo*, Madrid, 2ª ed., 2006, pp. 23 y ss.

ta para combatir al terrorismo. En especial, en materia terrorista, se hace evidente lo que ROACH ha denominado "politización del delito", pues las sucesivas reformas penales se ofrecen como una respuesta simbólica y barata a un conflicto social muy grave con implicaciones no solo políticas sino sociales, económicas e incluso culturales[69]. Al darles ese uso a las leyes penales antiterroristas, se convierten en el mejor exponente del fenómeno entendido por SIMON como "gobernar a través del delito" pues, ante todo en los estados neo-liberales, la amenaza terrorista trata de afrontarse, en primer instancia, con leyes penales que al menos reflejan que *se está haciendo algo* —ante la errónea creencia de que frente el terrorismo, nada sirve, excepto quizá la pena—, toda vez que así se transmite el mensaje a la sociedad de solidaridad con las víctimas inocentes[70].

Y es que, en efecto, la tendencia mayoritaria es a asumir una política criminal excluyente que trata de delimitar, en las legislaciones positivas, la figura del terrorista como un enemigo de la comunidad internacional. A este respecto, llama la atención cómo la Directiva 2017/541 insta a configurar entre otros estereotipos o figuras de autor, a los llamados "*terrorist foreing fighters*", dando pie a que, en las legislaciones de los estados miembros se pueda llegar a configurar un *Derecho penal de autor* en torno a quienes realizan "viajes" a lugares "controlados" por organizaciones terroristas con una finalidad "terrorista" siendo todos estos vagos elementos muy complejos de comprobar. Asimismo, la misma Directiva europea articula la persecución penal a través de conductas, más bien *pre-delictuales*, como se observa con el castigo ampliado de multitud de conductas (v.gr. provocación pública, adiestramiento, captación, recepción de adiestramiento, financiación del terrorismo) que, materialmente, pueden definirse como, actos preparatorios. Así, se insta a los estados miembros a que tipifiquen aquellas figuras como delitos, lo que, a la postre, ha de tender a limitar también con antelación los derechos fundamentales de los ciudadanos como, en especial, la libertad de expresión y la presunción de inocencia. Desde luego no puede trivializarse sobre la amenaza de la clase de terrorismo que, desde la pers-

---

[69]   *Vid.* ROACH, K., "The Criminal law and terrorism" en *Global Anti-Terrorism Law and Policy*, Cambridge, 2005, p. 132.

[70]   *Vid.* SIMON, J., *Governing through Crime. How the War on Crime Transformed American Democracy and Created a Culture of Fear*, 2007, Oxford-NY, pp. 259 y ss.

pectiva fáctica, emplea muchos de aquellas actuaciones como *"modus operandi"* propio para cometer execrables atentados y por ello han de recibir una adecuada respuesta desde las instituciones y organismos públicos. Pero no parece empíricamente demostrado que la respuesta más eficaz frente a ello tenga que ser la penal, a través de unos delitos en los que, en algunos casos, se llegan a difuminar tanto las conductas típicas que no son más que actuaciones nimias cualificadas por un elemento subjetivo, esto es, la finalidad de cometer un delito terrorista.

En definitiva, cabe decir que la legislación contraterrorista que insta a introducir la Directiva europea 2017/541 reúne muchos de los rasgos básicos del fenómeno del Derecho penal del enemigo[71], en su proyección a la legislación penal contraterrorista y que pueden resumirse, aludiendo a los siguientes[72]: a) incremento de los ilícitos tipificados como delitos de terrorismo, incluyendo en muchos casos, elementos o referencia que rememoran un lenguaje bélico (v.gr. "combatientes" terroristas extranjeros; *vid.* considerandos 4,5,6 y 12); b) adelantamiento de la intervención penal, de modo que se tipifican como delitos actos que, desde la perspectiva material, solo pueden ser calificados de preparatorios y/o de apología (v.gr. adoctrinamiento, adiestramiento, captación, favorecimiento de viajes, entre otros)[73]; c) aumento de las correspondientes penas y refuerzo de los poderes de policía. Al respecto, en resumen, se ha podido advertir que la Directiva amplia los ámbitos de responsabilidad al incluir, entre otras medidas ahora, la responsabilidad penal de las personas jurídicas. Asimismo se amplían también los poderes de investigación y de policía, a través de medidas con las que se faculta a poner en marcha determinados instrumen-

---

[71] *Vid.* BORJA JIMÉNEZ, E., quien también considera algunos delitos de la Directiva como expresión de la justicia penal preventiva, en "Justicia penal preventiva y Derecho penal…", *op. cit.,* pp. 203 a 205.

[72] *Vid.* MUÑOZ CONDE, F., "El nuevo Derecho penal autoritario" en MUÑOZ CONDE/LOSANO (coords.) *El derecho ante la globalización y el terrorismo,* 2004, pp. 161-184. ZAFFARONI, E.R., "El antiterrorismo y los mecanismos de desplazamiento" en *Terrorismo y Estado de Derecho* (dirs. SERRANO-PIEDECASAS/DEMETRIO CRESPO), Madrid, 2010, pp. 360 y ss.

[73] *Vid.* ALONSO RIMO, A., "La criminalización de la preparación delictiva a través de la Parte Especial del Código penal. Especial referencia a los delitos de terrorismo", en *Terrorismo, sistema penal y derechos fundamentales…, op. cit.,* p. 254.

tos de investigación, embargos y/o decomisos[74]. d) En último lugar, suele apuntarse como rasgo del Derecho penal del enemigo, la *restricción de las garantías propias del proceso penal*. Si bien la Directiva europea analizada no ahonda en aspectos procesales, sí que prevé unas medidas sobre la jurisdicción y enjuiciamiento (art. 19), donde se postula que cada estado miembro establezca jurisdicción sobre los delitos de los arts. 3 a 12 y 14, toda vez que contempla ampliar la jurisdicción de un estado miembro "...cuando el delito se haya cometido en el territorio de otro Estado miembro" (art. 19.1). Además, con respecto al concreto delito de *adiestramiento*, se establece como medida específica que "...cada Estado miembro podrá ampliar su jurisdicción al adiestramiento para el terrorismo a tenor del artículo 7 cuando el responsable criminal adiestre a nacionales o residentes de dicho Estado. Los Estados miembros deberán informar de ello a la Comisión" (art. 19.2). Cabe apreciar, por tanto, una medida que postula la aplicación ultraterritorial de la ley penal y que, por ello, puede ser conflictiva.

4. BREVE ESTUDIO COMPARATIVO CON LA LEGISLACIÓN PENAL CONTRATERRORISTA EN ESPAÑA

4.1. *Introducción a la legislación penal sobre delitos de terrorismo*

Como es sabido, en España, desde la instauración de la Constitución de 1978, la lacra del terrorismo fue una constante en las tres primeras déca-

---

[74] En concreto el art. 20 insta a los estados miembros para que las personas, unidades y servicios encargados de la investigación o del enjuiciamiento "...de los delitos enumerados en los artículos 3 a 12 dispongan de instrumentos de investigación eficaces, tales como los que se utilizan contra la delincuencia organizada u otros casos de delincuencia grave (2) Los Estados miembros adoptarán las medidas necesarias para garantizar que sus autoridades competentes embarguen o decomisen, según proceda, de conformidad con la Directiva 2014/42/UE del Parlamento Europeo y del Consejo el producto derivado de la comisión o la contribución a la comisión de cualquiera de los delitos contemplados en la presente Directiva y los instrumentos utilizados o destinados a ser utilizados para tal comisión o contribución".

das de nuestra democracia, a causa, esencialmente, de los continuos atentados de la banda terrorista ETA. Desgraciadamente, además, a principio del presente siglo se padeció la eclosión del llamado terrorismo yihadista a raíz del gravísimo atentado del 11 de marzo de 2004. Aquel primer fenómeno terrorista, propio de los años noventa y ochenta del siglo pasado, se afrontó en nuestro país, inicialmente, a través de una *ley penal especial antiterrorista*[75], si bien, desde 1995 —e incluso ya antes—[76] el grueso de los delitos de terrorismo se han ido ubicando en el Código penal[77]. Ello pareció alejar, durante unos años, la idea de que esta normativa tenía el carácter

---

[75]   *Vid.* la LO 9/1984, de 26 de diciembre, derogada en 1988. Respecto a la misma, *vide* LAMARCA PÉREZ, C., *Tratamiento jurídico del terrorismo*, Madrid, 1985, p. 196 y ss.

[76]   Durante el régimen dictatorial de Franco, la legislación contraterrorista se aglutinó, básicamente, en algunos artículos del Código penal de 1973 (Decreto 3.096/1973, de 14 de septiembre, por el que se publicó el CP, Texto Refundido conforme a la Ley 44/1971, de 15 de noviembre, en adelante ACP): los artículos 57 bis) apartados a) y b) ACP donde, respectivamente, se contenían agravantes genéricas y específicas, y 174 bis) a) y b) ACP, que preveía diversos delitos de colaboración con banda armada.

[77]   Con la entrada en vigor del llamado "Código penal de la democracia" la legislación anti-terrorista hasta entonces en vigor, experimentó una ampliación, de modo que los preceptos llamados a regular los delitos de terrorismo, se previeron en la Sección II, Capítulo IV, del Título XXII, denominada "De los delitos de terrorismo", donde, inicialmente, se preveían los arts. 571 a 590 CP. Entre las figuras allí previstas, destacaban las de pertenencia o colaboración con banda armada con realización de diversos delitos (art. 571, 572 CP), incluido el depósito de armas o municiones (art. 573 CP). También se previó una cláusula residual genérica dirigida a quienes pertenecían o colaboraban con banda armada y realizaban "…cualquiera otra infracción…" (art. 574 CP). Además se preveía una circunstancia agravante específica para casos de "…allegar fondos a las bandas armadas…" o con el fin de favorecer sus propósitos, cometieran delitos contra el patrimonio (art. 575 CP). Asimismo, se previó un delito de colaboración por cualquier otro medio con las actividades o finalidades de la banda armada (art. 576 CP) y para casos de un terrorista aislado o individual, es decir, no perteneciente a una banda armada, también se contenía un tipo agravado con respecto al concreto delito común cometido (art. 577 CP). Se castigaron los actos preparatorios de estos delitos (art. 578 CP) y se previó una medida premial atenuatoria de la responsabilidad penal, para casos de abandono voluntario y confesión de las actividades terroristas, con colaboración eficaz con la justicia (art. 579 CP), así como, por último, se admitió equiparar las condenas de los jueces extranjeros en casos de grupos terroristas, a las sentencias de jueces españoles, a los efectos de aplicar la agravante de reincidencia (art. 580 CP).

de una legislación de *emergencia*. Sin embargo, con las reformas llevadas a cabo en materia de delitos de terrorismo a partir de la LO 7/2000, de 22 de diciembre[78], se introdujeron nuevas medidas dirigidas al terrorismo procedente de ETA si bien la banda ya había comenzado su declive como organización. Así, se tipificó de forma autónoma la apología de terrorismo (art. 578 CP)[79], previendo además la LO 5/2010, de 22 de junio, la libertad vigilada[80] para estos delitos y castigándose específicas conductas de captación y adoctrinamiento o formación (art. 576.3 PC)[81].

Aún cuando nuestro ordenamiento penal se rearmó con este severo conjunto de medidas contraterroristas, las últimas reformas penales, operadas por LO 1/2015, de 30 de marzo (en vigor desde el 1 de junio de 2015) y en especial por LO 2/2015, de 30 de marzo, han vuelto a acumular más medidas excepcionales en el Código penal español[82].

4.2. *La reforma penal de 2015 en comparación con los delitos que establece la Directiva 2017/541*

La tendencia político-criminal a un rearme punitivo excepcional en materia de terrorismo se proyectó en la reforma penal de 2015, a través de dos leyes orgánicas (1 y 2/2015, de 30 de marzo) que, en esencia, ha comportado aún más si cabe, una ampliación de modalidades delictivas, junto a un aumento de los fines con los que ahora se puede caracterizar

---

[78]   Básicamente se introdujo el delito de exaltación o enaltecimiento del terrorismo en el art. 578 CP y se modificó el ya vigente art. 577 CP.

[79]   *Vid.* CAPITA REMEZAL, M., *Análisis de la legislación penal antiterrorista*, 2008, Madrid, pp. 160 y ss.

[80]   Esta reforma amplió diversos delitos del terrorismo, en especial los referidos a la financiación del terrorismo, introduciendo, entre otros, los delitos del art. 576 bis) CP 1 y 2, y previendo en aquel precepto la responsabilidad penal de las personas jurídicas por los delitos allí previstos. Además agravó las penas, previendo específicamente la medida de libertad vigilada para los condenados a pena grave privativa de libertad por uno o más delitos de terrorismo.

[81]   *Vid.* CANCIO MELIÁ, M., "The reform of Spain's antiterrorist criminal law and the 2008 Framework Decision" en *EU counter-terrorism offences. What impact on national legislation and case-law?* (ed. F. Galli/A. Weyembergh), 2012, Brussels, pp. 111 y 112.

[82]   *Vid. Una propuesta de renovación de la política criminal sobre terrorismo.* Grupo de Estudios de Política Criminal, n° 14-2013, p. 10 y ss.

a una organización como terrorista. Bajo la reforma acometida por LO 1/2015, de 30 de marzo, una de las principales novedades es la previsión de *la prisión permanente revisable* en el art. 33.2 CP con especial incidencia para determinados delitos de terrorismo. A tenor del art. 92.1 y 2 las condenas por delitos de terrorismo serán revisadas, tras el cumplimiento de 25 a 35 años, junto con otros requisitos de compleja demostración. Además, conforme al actual art. 92 CP apartado 2º, la suspensión de la ejecución de la pena de prisión permanente revisable exigirá, los requisitos generales y, adicionalmente, "…que el penado muestre signos inequívocos de haber abandonado los fines y los medios de la actividad terrorista y haya colaborado activamente con las autoridades…" Como se ha podido criticar, resulta cuanto menos contradictorio que esta pena se introduzca en el año 2015, cuando la lacra terrorista sufrida en nuestro país durante más tiempo —la de la banda terrorista ETA— ya estaba derrotada y no parecía necesario acudir a una pena de tan dudosa constitucionalidad[83]. Parece por tanto, que su previsión haya podido ser una medida simbólica para expresar firmeza ante el terrorismo o bien, un cauce con el que tratar de atajar con la otra clase de amenaza terrorista de índole internacional y de raíz yihadista que, en tiempos recientes, ha irrumpido en nuestro país. En efecto, la reacción frente a esta clase de terrorismo podría estar en la base de la previsión, si bien es cuestionable que semejante pena pueda desplegar efectos preventivo-generales frente a quienes están dispuestos a perpetrar atentados, suicidándose.

No obstante, si alguna norma está directamente relacionada con el propósito de combatir el terrorismo que se expande en el ámbito internacional con origen en el yihadismo, esa es la LO 2/2015, de 30 de marzo, que puede considerarse el principal exponente en nuestro país, de *ley contraterrorista* aprobada para contrarrestar aquel fenómeno en su dimensión globalizada. Con esta ley, que reforma la mayor parte del Capítulo VII del

---

[83]   *Vid.* CARBONELL MATEU, J.C., "Prisión permanente revisable I" en *Comentarios a la reforma del Código Penal de 2015* (dir. GONZÁLEZ CUSSAC, J.L./coords. GÓRRIZ ROYO, E./MATALLÍN EVANGELIO, A.) 2ª ed., Valencia, 2015, pp. 213 y 214.

título XXII del Código Penal[84], se abre una línea de medidas antiterroristas que han comportado una profunda transformación de los delitos de
terrorismo[85], pues van dirigidas a un fenómeno muy diverso al terrorismo
clásico en nuestro país[86]. Según la propia Exposición de Motivos de esta
ley de reforma, estas modificaciones responden a compromisos adoptado
por nuestro país con organismos internacionales. Sin ánimo de analizar
con exhaustividad todas aquellas modificaciones, cabe partir de destacar
una nueva definición del delito de terrorismo (art. 573 CP)[87], donde se
expande el campo de aplicación del mismo al desvincularse del elemento
estructural u organizativo, que tradicionalmente era propio de este grave
delito[88]. Asimismo, se añaden nuevos fines que justifican su castigo como,
entre otros, *desestabilizar gravemente el funcionamiento de una organización
internacional, provocar un estado de terror en la población o en una parte de
ella* (art. 573 CP apartados 3º y 4º)[89]. A la vista de los mismos fines, resulta
preocupante, entre otros aspectos, que —como ya se adelantó— se difumine el llamado elemento teleológico, por lo general identificado con el fin

---

84   El actual Capítulo VII del título XXII del libro II de la Ley Orgánica 10/1995, de 23
      de noviembre, del Código Penal, se divide en dos secciones y comprende los artículos
      571 a 580. La sección 1ª lleva por rúbrica "De las organizaciones y grupos terroristas"
      y se mantiene en la misma línea de la regulación vigente hasta 2015, estableciendo
      la definición de organización o grupo terrorista y la pena que corresponde a quienes
      promueven, constituyen, organizan o dirigen estos grupos o a quienes se integran en
      ellos. La sección 2ª lleva por rúbrica "De los delitos de terrorismo" y es la que ha conocido mayores reformas en sus arts. 573 (nueva definición de delito de terrorismo)
      hasta el ya existente art. 580 CP.
85   *Vid.* CUERDA ARNAU, M.L., en "Terrorismo", VIVES ANTON *et altri* (coord.
      GONZÁLEZ CUSSAC, J.L.) *Derecho penal. Parte Especial,* Valencia, 2016, p. 765.
86   *Vid.* CANO PAÑOS, M.A., "La reforma penal de los delitos de terrorismo en el año
      2015: cinco cuestiones fundamentales", en *Revista General de Derecho Penal, Iustel,*
      2015, nº 23, p. 1 y ss.
87   Conforme al art. 573.1 CP, los delitos terroristas han de tener la consideración de
      delito *grave,* y por tanto castigado con pena superior a 5 años de prisión o prisión
      permanente revisable o alguna de las penas previstas en el art. 33.2 CP. *Vid.* GARCÍA
      RIVAS, N., "Legislación penal española y delito de terrorismo" en *Terrorismo y contraterrorismo…, op. cit.,* p. 92.
88   *Vid.* CUERDA ARNAU, M.L., en "Terrorismo", *op. cit.* p. 766.
89   Esta definición de terrorismo se basa en la Decisión Marco 2002/475/JAI del Consejo de la Unión Europea, de 13 de junio de 2002, sobre la lucha contra el terrorismo,
      modificada por la Decisión Marco 2008/919/JAI, de 28 de noviembre de 2008.

de subvertir el orden político constituido o alterar gravemente la paz social[90], toda vez que se amplían los márgenes aplicativos que estos delitos, lo que incluso se establece en relación con algunos delitos informáticos (arts. 197 bis y 197 ter, 264 a 264 *quater*) CP), pues si en ellos concurre alguna de las finalidades referidas, serán considerados *delitos de terrorismo* (art. 573.2 CP). Al propio tiempo, no puede ignorarse una *agravación* de las penas, al establecerse ahora la que corresponde a cada delito de terrorismo, pero si se causa la muerte de una persona, se aplicará la pena de prisión por el tiempo máximo previsto en el Código Penal (*vid.* nuevo art. 573 bis) 1º CP). Las citadas finalidades también sirven para introducir nuevas penas agravadas si se verifican en relación con el depósito de armas o tenencia de explosivos o su fabricación (art. 574 CP).

En especial cobran inusitada relevancia las *conductas de adoctrinamiento* de modo que se adelanta de nuevo la línea de intervención penal, al castigar ahora a quien, a fin de capacitarse para cometer delitos terroristas, *recibe* adiestramiento militar o de combate o en el manejo de toda clase de armas (químicas o biológicas) y en la elaboración de sustancias o aparatos explosivos (o adiestramiento *pasivo*; art. 575.1 CP). Como es evidente, estas conductas guardan gran similitud con las previstas en el art. 8 de la Directiva 2017/541 donde, como vimos, se establece el castigo de conductas de quien, intencionadamente, recibe instrucción en la fabricación o el uso de explosivos, armas de fuego u otras armas o sustancias nocivas o peligrosas, o en otros métodos o técnicas concretos, a los fines de la comisión o la contribución a la comisión de cualquiera de los delitos terroristas. Puede decirse, por tanto, que nuestra legislación penal, *no requiere una nueva reforma* en relación con el *delito de adoctrinamiento*. Además hay que considerar que en el Código penal español se ha producido un aumento de los ilícitos referidos a *actos de colaboración* que no solo se castigarán si se prestan respecto a la organización o grupo terrorista, sino también a personas que cometan actos con finalidad terrorista (art. 577 CP). Se tipifican, en realidad, conductas de instigación indirecta, al castigar a quienes lleven a cabo conductas de captación o adiestramiento que inciten a incorporarse a una organización terrorista, toda vez que destaca la agravación prevista

---

90   *Vid.* CUERDA ARNAU, M.L., en "Terrorismo", Op. p. 767.

para casos en que aquellos actos se dirijan a menores de edad, personas discapacitadas o mujeres víctimas de trata a fin de convertirlas en cónyuges o esclavas sexuales de los autores del delito (art. 577.2 CP). Así pues, se prevé un *delito de adoctrinamiento de terceros* (art. 577.2 CP) a través de cualquier actividad de captación o adiestramiento que esté dirigida a que "por su contenido, sea idónea" para incitar a incorporarse a una organización o grupo terrorista. Al respecto, la STS núm. 512/2017, de 5 de julio, distingue entre los conceptos de "captación", "adoctrinamiento" y "adiestramiento"[91], toda vez que ya apela a la Directiva 2017/541 —incluso estando ésta en periodo de trasposición— para indicar el paralelismo que guardan los delitos de nuestro Código penal, con los del art. 5 de la Directiva (provocación pública) puestos en relación con el Considerando 10º de la misma (FD 3º), de modo que entiende que se prevén delitos similares "(…) en ambas normas, con expresa atención a que la redacción de los comportamientos típicos que contemplaban no presentaran contradicción con los derechos a la libertad de expresión y de información."

> Y sigue diciendo el TS: "Siendo así las conductas que se detallan en los hechos probados describen una actividad de permanente presencia en los foros de opinión desde su creación, que denota una labor coordinada con los restantes acusados en

---

[91]   Para ello se sostiene: "(…) el nuevo artículo 577 sanciona en su apartado segundo, dentro del precepto dedicado a los actos de colaboración —no de pertenencia o integración— y con las mismas penas contempladas en el apartado primero-prisión de cinco a 10 años y multa de 18 a 24 meses—, las actividades de captación, adoctrinamiento o adiestramiento, tal como se precisa en el Preámbulo de la Ley 2/2015, que en relación al artículo 577 dice que dicho precepto recoge la tipificación y sanción de las formas de colaboración con organizaciones, grupos o elementos terroristas o que están dirigidas a cometer delitos de terrorismo, y añade que se contemplan en el mismo específicamente las acciones de captación y reclutamiento al servicio de organizaciones, grupos o elementos terroristas o que estén dirigidas a cometer delitos de terrorismo, agravando la pena cuando se dirigen a menores, personas necesitadas de especial protección o a mujeres víctimas de trata. En el caso presente no puede aceptarse que la actuación del recurrente se limitase a esa pertenencia a dos foros de opinión y que no pueda ser subsumida en el artículo 577.2 CP. En efecto hemos de partir de que *captar*, en la acepción cuarta del diccionario de la Real Academia es *"atraer a alguien o ganar su voluntad o afecto"*. Adoctrinar *"enseñar o inculcar a alguien las ideas o conocimientos de una determinada doctrina"*. Y adiestrar *en la acepción primera es" hacer a una persona diestra en la práctica de una actividad y en la tercera "guiar, encaminar a una persona"*. (cursiva añadida al FD 3º).

los foros para persuadir a los participantes en estos a que la vía adecuada y efectiva para hacer valer sus ideas es la actuación violenta llevada a cabo por el DAESH, lo que constituye un adoctrinamiento por medios telemáticos que exceda del delito de enaltecimiento de terrorismo y que puede subsumirse en el delito del artículo 577.2 por el que ha sido condenado, que comprende cualquier actividad de captación, adoctrinamiento o adiestramiento que por su contenido resulte idónea para incitar a incorporarse a una organización o grupo terrorista, con independencia de su concreta efectividad. En efecto la comunicación a través de foros constituye el pilar de la primera labor de propaganda, que es la captación." Y sobre este razonamiento —concluido en el FD 3º— se desestima la pretensión del recurrente de excluir la aplicación del delito del art. 577.2 CP.

Ha de tenerse en cuenta además que cualquier de estos delitos de "terrorismo" puede castigarse de cometerse por *imprudencia grave* (art. 577.3 CP), por lo que es evidente que los márgenes aplicativos del delito de captación, adiestramiento y adoctrinamiento en la legislación penal de nuestro país, están lo suficientemente expandidos para no incorporar más contenidos procedentes de la citada Directiva.

De hecho, puede subrayarse que la misma está jugando un papel de criterio interpretativo restrictivo con respecto a aquellos delitos. Más aún si tenemos en cuenta que el legislador penal español incluso fue más allá de lo que requiere aquella Directiva europea y otros compromisos internacionales[92], cuando además castigó, en el art. 575.2 CP, a quien, con igual fin terrorista, *lleva a cabo por sí mismo* aquel adiestramiento (auto-adoctrinamiento o "auto-captación"), con especial mención de la conducta de quien accede a contenidos alojados en Internet o servicios de comunicación accesibles al público. Este tipo penal manifiesta, en efecto, una exigua capacidad lesiva y suscita múltiples dudas de constitucionalidad[93], puesto que, como parece claro, estas conductas de auto-adiestramiento constituyen, en realidad, delitos de sospecha[94], y son, desde la perspectiva material,

---

[92] *Vid.* Resolución ONU 2178, aprobada por el Consejo de Seguridad en su sesión 7272ª, celebrada el 24 de septiembre de 2014.

[93] *Vid.* FERNÁNDEZ HERNÁNDEZ, A., en "Concepto de radicalización. Consecuencias de su uso en el ámbito jurídico penal" en *Menores y redes sociales..., op. cit.,* p. 530.

[94] *Vid.* GARCÍA RIVAS, N., "Legislación penal española y delito de terrorismo...", *op. cit.,* p. 98.

conductas preparatorias de la realización de un delito[95], por todo lo cual la intervención penal entra en pugna con la presunción de inocencia, toda vez que colisiona con diversos derechos fundamentales, entre otros, libertad ideológica y de expresión. (*vid.* STS núm. 354/2017 de 17 de Mayo, FD 2º (*Tol 6100431*))[96].

Si además lo comparamos con las previsiones penales de delitos contenidos en la Directiva 2017/541, comprobamos que, en ella, no existe una tipificación expresa de semejante figura delictiva. Ahora bien, el Considerando 11º de la citada Directiva alude al delito de adoctrinamiento de modo que la recepción de adiestramiento para el terrorismo incluye la obtención de conocimientos, documentación o capacidades prácticas. Y, asimismo, hace mención del llamado "aprendizaje autónomo" en especial "...a través de internet o consultando otro tipo de material de aprendizaje, también debe considerarse recepción de adiestramiento para el terrorismo cuando sea el resultado de una conducta activa y se efectúe con la intención de cometer o contribuir a la comisión de un delito de terrorismo. En el contexto de todas las circunstancias específicas del caso, esta intención puede inferirse, por ejemplo, del tipo de materiales y de la frecuencia de la consulta. Por lo tanto, descargarse un manual para fabricar explosivos con el fin de cometer un delito de terrorismo podría considerarse recepción de adiestramiento para el terrorismo. Por el contrario, el mero hecho de visitar sitios web o de recopilar materiales con fines legítimos, como fines académicos o de investigación, no se considera recepción de adiestramiento para el terrorismo a tenor de la presente Directiva."

Podría pensarse que, de conectar esta explicación con lo que la propia Directiva establece en el art. 14 donde se amplía el ámbito de la puni-

---

[95]   *Vid.* CUERDA ARNAU, M.L., "La radicalización terrorista de menores...", *op. cit.,* p. 487.

[96]   Ponente: A. Palomo del Arco. Entre otras objeciones, en esta sentencia se pone de manifiesto que "el alejamiento respecto de una acción concreta, en estos comportamientos de autoadoctrinamiento ideológico, donde se incrimina un acto protopreparatorio y eventualmente un acto preparatorio de un acto preparatorio, determina su configuración como un delito de peligro" (punto 4).

bilidad al castigar actos de complicidad de delitos[97], cabría, por esa vía, castigar el delito de auto-adoctrinamiento. No obstante, no creo que sea posible realizar una interpretación tan extensiva porque para no vulnerar el principio de legalidad penal y derivado del mismo, el de seguridad jurídica, habría de tipificarse semejante delito expresamente por las graves limitaciones de derechos fundamentales que puede comportar. Por consiguiente, si descartamos que la Directiva 2017/541 inste a los estados miembros a castigar el auto-adoctrinamiento, de ello cabe extraer una primera consecuencia, pues se advierte una importante discrepancia entre la legislación penal española y la prevista en la Directiva europea. De modo que si el legislador europeo no quiso anticipar la línea de intervención penal hasta el punto que sí lo ha hecho el legislador penal español previendo un delito específico de auto-adoctrinamiento, no puede deducirse de la Directiva europea un mandato para que los estados miembros castiguen dicho delito[98]. Como segunda consecuencia, cabe extraer que puesto que en nuestro país, el auto-adoctrinamiento constituye un delito cuya interpretación puede dar lugar a vulneraciones de principios penales tales como la presunción de inocencia —art. 6.2 Convenio Europeo Derechos Humanos— habrá que optar por un entendimiento restrictivo del art. 575.2 CP[99]. Así, para ser aplicado sin vulnerar el derecho fundamental a la presunción de inocencia, cuanto menos, habrá que determinar con más precisión la *habitualidad* que allí se exige y habrá que demostrar más allá de toda duda razonable que con ello *se incita* a incorporarse a una organización terrorista, colaborar con ella o perseguir sus fines (art. 575.2 CP).

---

[97] En concreto el art. 14 prevé el castigo de la complicidad, inducción y de la tentativa. Si bien respecto a la tentativa establece que deberá castigarse en relación con "...cualquiera de los delitos enumerados en los artículos 3, 6 y 7, el artículo 9". No incluye, por tanto, el delito de adoctrinamiento del art. 8 de la Directiva.

[98] *Cfr.* BAYARRI GARCÍA, C.E., "Los nuevos delitos de terrorismo..." en *Terrorismo, sistema penal y derechos fundamentales, op. cit.,* pp. 298.

[99] En este sentido BAYARRI GARCÍA, C.E., quien no obstante advierte de la gravedad de las conductas de auto-adoctrinamiento formaría parte de las fases del proceso de adoctrinamiento diseñado e impulsado en las redes por el Estado Islámico. De modo que sostiene que no cabe una interpretación tan restrictiva que comporte una cuasi-inaplicabilidad de facto del precepto legal, refiriéndose al respecto a la STS (Sala 2ª) nº 661/2017, de 10 de octubre, en "Los nuevos delitos de terrorismo..." en *Terrorismo, sistema penal y derechos fundamentales, op. cit.,* pp. 291, 297.

Por otra parte, en la reforma penal de 2015 el legislador español también trató de dar respuesta con un nuevo delito —y según la Exposición de Motivos de la ley de reforma— al fenómeno de los *combatientes terroristas extranjeros*, y a tal efecto se castiga a quien, con aquellos fines de capacitarse para cometer delitos terroristas o para colaborar con una organización terrorista, se *traslade o establezca en un territorio extranjero* controlado por un grupo u organización terrorista (art. 575.3 CP). Parece evidente que existe un parangón entre este último delito y la regulación de las comentadas previsiones de los arts. 9 y 10 de la Directiva europea 2017/541, relativos a "viajes con fines terroristas" y a "organizar y facilitar dichos viajes". Pero también se aprecian algunas diferencias entre estos delitos y los del Código penal español, porque el delito del art. 575.3 CP impone una pena de dos a cinco años, a quien, con fines terroristas se trasladen o establezcan en territorio extranjero "controlado" por una organización terrorista, lo que, entre otras dudas plantea cuándo puede admitirse que el territorio esté bajo aquel "control"[100]. En contraste con la Directiva europea, los preceptos del Código penal español *no contemplan* el supuesto, al que alude la Directiva y relativo a quien, procedente del extranjero, viaje a un Estado miembro —en este caso, a España— con el fin de cometer un delito terrorista (art. 9.2 a) Directiva); ni tampoco se castigan los actos preparatorios realizados por esa persona que "entra" en nuestro estado con ánimo de cometer o contribuir a la comisión de dicho delito. A mi modo de ver, la ausencia de tipificación en la legislación penal española, de actos preparatorios de dichos viajes a nuestro país, ha de valorarse positivamente porque además de que constituiría una desmesurada ampliación de la responsabilidad penal, podría provocar problemas de jurisdicción con otros estados donde se hubiera "preparado" dicho viaje. Y es que, en efecto, esta última referencia no deja de suscitar dudas desde el derecho fundamental a la presunción de inocencia, por cuanto parecen delitos de sospecha, que sería deseable que el Tribunal Europeo de Derechos Humanos analizara a la luz del art. 6.2 CEDH. A la vez se desvía el problema de los combatientes hacia los flujos migratorios pues parece que solo es en este contexto donde cabe probar

---

[100] *Vid.* la crítica de GARCÍA RIVAS al carácter excesivamente ambiguo de dicho "control" en *Compendio de la Parte Especial del Derecho penal* (dir. QUINTERO OLIVARES, G.), Cizur Menor, 2016, p. 582.

que las personas que viajan pueden tener "fines terroristas". Así se percibe del art. 575.3 CP español, cuando alude a que se "traslade o establezca en un territorio extranjero controlado por un grupo u organización terrorista". A ello parece subyacer la idea de los territorios controlados por el ISIS, en Siria y otros países en situación de guerra. Y es que, de forma insólita, el Código penal, parece hacerse eco de un contexto beligerante para configurar un tipo penal, lo cual de forma clara remite a la idea de percibir a aquellos extranjeros como "enemigos" lo que, a la postre, convierte a estos sujetos no solo en exponentes de un *Derecho penal de autor* sino en los "disidentes" característicos del fenómeno del *Derecho penal de enemigo*. Semejante crítica se ha suscitado también en países como Italia[101], donde se cuenta con delitos referidos a combatientes terroristas extranjeros[102].

La última modificación importante en el art. 575 CP es la prevista en el apartado 5º, relativa a la previsión de sanciones de *multas* para conminar a las personas jurídicas que, en su caso, cometan delitos de terrorismo conforme al novedoso sistema del art. 31 bis) CP, basado en el la "contaminación" o trasferencia de responsabilidad de la persona física a la jurídica. En consecuencia, cuando la persona física cometa un *delito de financiación de terrorismo* (art. 576.1, 2, 3 o 4 CP) castigado con pena de prisión de más de cinco años, la persona jurídica a la que se impute dicho delito, será sancionada con multa de dos a cinco años. Y cuando el delito de financiación de terrorismo cometido por la persona física se conmine con prisión

---

[101] Así en la legislación penal italiana se ha adelantado la intervención penal a actos preparatorios que, en algunos casos, van teóricamente dirigidos a perseguir el fenómeno de los "foreing fighters" si bien, plantean —como en el caso de nuestro ordenamiento penal— numerosos problemas de constitucionalidad por posible vulneración de las garantías penales como la presunción de inocencia y de otros derechos fundamentales. *Vid.* NAZZARO, U., *Il Diritto penale del nemico tra delitto di associazione política e misure di contrasto al terrorismo internazionale...op. cit.,* pp. 201 y ss. No es de extrañar que, por ello, la doctrina penal italiana también critique esta nueva legislación penal como un claro exponente en aquel país del *Derecho penal del enemigo*.

[102] *Vid.* DONINI, M., "Diritto penales di lotta v. diritto penale del nemico" en *Delitto politico e diritto penale del nemico..., op. cit.,* pp. 131 y ss.; FIANDACA, G., "Diritto penale del nemico. Una teorizzazione da evitare, una realtà da non rimuovere" en *Delitto politico e diritto penale del nemico..., op. cit.,* pp. 179 y ss. KOSTORIS, R., "Processo penales, delitto politico e "diritto penale del nemico" en *Delitto politico e diritto penale del nemico..., op. cit.,* pp. 299 a 301.

de más de dos años —y, se entiende, menos de 5 años—, la multa que corresponderá imponer a la persona jurídica a la que se impute dicho delito será de uno a tres años. Este régimen penal está en la línea del previsto en la Directiva 2017/541, en sus apartados 17 (responsabilidad de personas jurídicas) y 18 (sanciones a personas jurídicas), si bien es cierto que dicha regulación europea extiende la responsabilidad penal a *todos* los delitos de terrorismo previstos en la Directiva y no solo a los de financiación terrorista. Pese a ello, tampoco en este punto la legislación penal española requiere una actualización o reforma, puesto que se cumple con el requisito de *prever la responsabilidad penal de personas jurídicas* con respecto al grupo de delitos (financiación de terrorismo) más directamente *susceptibles* de ser cometidos por dichos entes.

Una última novedad de la reforma de LO 2/2015 va referida al ya de por sí polémico delito de *enaltecimiento y humillación a las víctimas de los delitos de terrorismo* (arts. 578 CP) cuya previsión típica antes de la reforma penal de 2015 ya acarreaba múltiples objeciones en tanto puede servir, en realidad, de subterfugio para criminalizar *delitos de opinión* o de discrepancia política e ideológica[103], con la consabida vulneración de derechos fundamentales. No en vano, este grupo de delitos ha sido denominado, de "propaganda, apología débiles y delitos de expresión" pues, en general, plantean tantas fricciones con derechos fundamentales que puede decirse que son un exponente claro del nuevo derecho penal de autor en este ámbito[104]. A pesar de ello, la reforma penal de 2015, endurece las penas de este delito si el enaltecimiento o la humillación se llevan a cabo mediante la difusión de servicios o contenidos accesibles a través de medios de comunicación, Internet o el uso de TIC's (art. 578.2 CP). También podrá agravarse la pena, si se prueba el poroso elemento típico referido a que aquellos hechos resulten "idóneos" para *alterar gravemente la paz pública* o *crear un grave sentimiento de inseguridad o temor a la sociedad o parte de*

[103] *Vid.* MIRA BENAVENT, J., "Algunas consideraciones político-criminales sobre la función de los delitos de enaltecimiento del terrorismo y humillación a las víctimas de terrorismo" en *Terrorismo y contraterrorismo..., op. cit.,* p. 106 y ss.

[104] *Vid.* CUERDA ARNAU, M.L., "La radicalización terrorista de menores...", *op. cit.,* p. 489 a 492. ALONSO RIMO, A., "¿Impunidad general de los actos preparatorios?...", *op. cit.,* p. 66.

ella (art. 578.3 CP). Con esta cláusula indeterminada se desplaza al juez la decisión de concretar elementos típicos pendientes de valoración y de contornos moralizantes (como la referencia a la "inseguridad social"), cuya prueba se revela compleja, por todo lo cual su previsión resulta muy criticable[105]. Además, el juez también podrá imponer en estos casos, nuevas medidas cautelares como la destrucción, borrado o inutilización de libros o cualquier otro soporte usado para cometer el delito y si se hubiese hecho uso de Internet o comunicaciones electrónicas, podrá ordenar la retirada de los contenidos o servicios ilícitos y dirigir otras órdenes a los prestadores de servicios (art. 578. 4 CP)[106]. La controversia en torno a este delito[107] es tan evidente que incluso han habido iniciativas políticas para rebajar sus penas, que no han cristalizado finalmente en su reforma[108]. Por lo que aquí interesa, conviene percatarse de que la legislación penal de nuestro país relativa al enaltecimiento resulta, a mi modo, más gravosa que la prevista en la Directiva 2017/541 pues si bien la regulación del art. 578.1 CP comparte algunas similitudes, ante todo, con los delitos del art. 5 (provocación pública a cometer delitos de terrorismo), también existen importantes diferencias, dado que en la Directiva se restringe la aplicación de aquellos

---

[105] *Vid.* GARCÍA RIVAS, N., quien demanda la derogación inmediata de aquella cláusula, en "Legislación penal y delito de terrorismo...", *op. cit.*, p. 100. *Vid.* MIRA BENAVENT, J., quien aboga por la derogación del art. 578 CP en "Algunas consideraciones político-criminales...", *op. cit.*, p. 112.

[106] Por último, con respecto al art. 579 CP constituye, en líneas generales, una *ampliación de las conductas sancionables* a supuestos de difusión pública de mensajes o consignas con el fin de incitar de forma idónea a la comisión de alguno de los delitos previstos. Respecto a este delito y las dudas de constitucionalidad que plantea desde la perspectiva del art. 16.1 CE, *vide* las acertadas objeciones de FERNÁNDEZ HERNÁNDEZ, A., en "Concepto de radicalización. Consecuencias de su uso en el ámbito jurídico penal" en *Menores y redes sociales...*, *op. cit.*, pp. 530 a 532.

[107] Muy crítico MIRA BENAVENT, J., solicita que se derogue el contenido íntegro del art. 578 CP de modo que dicha derogación "...no comportará ninguna laguna de punibilidad ni tampoco restará eficacia en la prevención de los delitos de terrorismo..." en "El delito de enaltecimiento del terrorismo, el de humillación a las víctimas del terrorismo y la competencia de la Audiencia Nacional: ni delito, ni terrorismo, ni competencia de la Audiencia Nacional", en Terrorismo, sistema penal y derechos fundamentales, *op. cit.* p. 317.

[108] *Vid.* "El Gobierno rechazó reformar los delitos de odio y enaltecimiento del terrorismo" por O. López Fonseca, en *El País digital*-18 octubre 2018.

delitos. Así, —según se analizó— el Considerando 10º de esta Directiva, entiende que "esta conducta debe tipificarse cuando conlleve el riesgo de que puedan cometerse actos terroristas. En cada caso concreto, al examinar si se ha materializado ese riesgo se deben tener en cuenta las circunstancias específicas del caso, como el autor y el destinatario del mensaje, así como el contexto en el que se haya cometido el acto. También deben considerarse la importancia y la verosimilitud del riesgo al aplicar la disposición sobre provocación pública de acuerdo con el Derecho nacional."

Sobre la base de esta interpretación, ya en el periodo de trasposición por España de esta Directiva europea, el TS adoptó un entendimiento más restrictivo de los delitos del art. 578.1 CP a la luz de la misma, es decir, de los delitos de enaltecimiento y humillación de las víctimas. Así se ha impuesto una interpretación en sede judicial, acorde al elemento "tendencial", que delimita la constitucionalidad de este tipo penal, según el cual la conducta de hacer públicos —bien sea por *vía on-line u off-line*— contenidos que inciten a la comisión de delitos terroristas aunque debe ser abarcada por el "...dolo del autor, debe constatarse objetivamente: una situación de riesgo para las personas o derechos de terceros o para el propio sistema de libertades". Solo así, el delito de enaltecimiento del terrorismo del art. 578 CP, supone "...una legítima injerencia en el ámbito de la libertad de expresión de sus autores en la medida en que puedan ser consideradas como una manifestación del discurso del odio" En apoyo de este entendimiento, la STS 25 de mayo 2017 *(Tol 6114885*[109]*)*, FD 2º punto 3º consideró "... ya ineludible..." la cita a la Directiva 2017/541 para interpretar los delitos de enaltecimiento y justificación del art. 578 CP. A partir de esta sentencia y a la luz de aquella Directiva europea, el TS subrayan el requisito de incitación *indirecta* a la violencia terrorista, entre otras, la STS de 13 de julio de 2017 *(Tol 6210810*, FD 3º[110]*)* y la STS de 31 de enero de 2018

---

[109] Ponente: L. Varela Castro.

[110] Ponente: Berdugo Gómez de la Torre. En ella se reitera la importancia de la Directiva 2017/541 para concluir destacando la necesidad de comprobar "...la tendencia en la voluntad del autor, a querer incitar efectiva y realmente la comisión de delitos de terrorismo "una cosa es proclamar, incluso vociferar, lo que el sujeto "siente", es decir sus deseos o emociones, exteriorizándolos a "rienda suelta" y otra cosa que tal expresión se haga, no para tal expresión emotiva, sino, más allá, para la racional finalidad

(FD 6º)[111]. También se hace eco de la Directiva europea, pero en relación con la modalidad de conducta relativa a *la humillación de las víctimas del terrorismo*, la STS de 25 de julio de 2017 (*Tol 6214441*) para realizar una interpretación restrictiva que impidió la aplicación del tipo penal en el caso concreto, puesto que las expresiones enjuiciadas, pese a ser de mal gusto, "..., no entrañan el riesgo que exige la jurisprudencia constitucional, y la de esta propia Sala, de provocar acciones terroristas, riesgo también asumido por la Directiva de la UE 2017/541 ..."(FD 6º)[112].

Por último hay que recordar que pese a que la Directiva europea 2017/541 alude en sus considerandos a la conducta referida a la "humillación de las víctimas", de ello no cabe deducir que esta regulación

---

de procurar que el mensaje, al menos indirectamente, mueva a otros a cometer delitos de terrorismo"

[111] Ponente: A. Palomo de Arco. Además de asumir la interpretación restrictiva antes indicada, en esta resolución se atiende al "...elemento del riesgo..." considerando que "...es un elemento normativo, cuya definición y alcance puede ser corregido en el ejercicio de subsunción jurídica; pero una vez expresado su contenido normativo, en la sentencia coincidente con el expresado por esta Sala en las resoluciones antes citadas, la concurrencia del mismo es cuestión fáctica resultado de un proceso valorativo, que racionalmente motivado en la instancia, no cabe revisarse en esta sede casacional. En definitiva, dado el motivo elegido, *error iuris*, donde no cabe alteración fáctica de la narración probada, concorde el entendimiento de la norma que posibilita su compatibilidad constitucional, de conformidad con la jurisprudencia constitucional y de esta propia Sala Segunda, el motivo debe ser desestimado, pues la conducta enjuiciada no integra el comportamiento típico del art. 578 CP. Tampoco cabe predicar delito de humillación de la víctima de terrorismo, dado que además, con abstracción hecha del calificativo o juicio ético que tal humor negro merezca, desde la consideración típica que nos corresponde analizar, siendo la acusación estrictamente por un delito incluido en la sección dedicada al terrorismo, resulta obvio, que se alude a Enriqueta, exclusivamente como persona con determinada incapacidad, al margen de la causa concreta que la generó."

[112] Ponente: J. Sánchez Mengal. De conformidad con el FD 6º: "...Este riesgo no se encuentra naturalmente presente en la otra modalidad prevista en el art. 578 del Código Penal, esto es, la humillación de las víctimas del terrorismo, tipo delictivo que tiene como fundamento vilipendiar a quien ya ha sido objeto de un ataque terrorista, o bien a sus familiares, aumentando aun más si cabe el dolor que produce el terror, y con el que ningún "riesgo" puede ser confundido para su perpetración. En el caso enjuiciado, las expresiones analizadas, dada la zafiedad de sus aseveraciones, no suponen amenaza alguna ni riesgo inherente al bien jurídico protegido, por lo que debe ser desestimado el recurso.

considere la conducta consistente en realizar actos de descrédito o humillación de las mismas como un "delito terrorista", como sí se contempla el art. 578.1 CP español. De hecho, puesto que la Directiva europea no contiene indicación obligatoria para que los estados introduzcan semejante delito, son escasos los pronunciamientos de los tribunales de nuestro país que apelan a dicha Directiva, a efectos de enjuiciar la aplicación del llamado delito de humillación a las víctimas (*vid.* STS de 4 de julio 2018 (*Tol 6672383*))[113]. Ninguna reforma, por tanto, es procedente a este respecto.

Como se hace evidente a la luz de estos delitos, las vías por las que apostó el legislador penal para contener, en nuestro país, el avance del terrorismo de raíz yihadista, fueron similares a las adoptadas por la Directiva europea 2017/541. Es decir, de un lado, la *criminalización del uso de nuevas tecnologías, internet o de servicios de comunicación electrónica accesibles al público*, con la finalidad de preparar, colaborar o realizar actos terroristas. Y, de otro lado, se adelanta la línea de intervención penal hasta alcanzar casos de *adoctrinamiento propio y pasivo*, toda vez que se trata de evitar la movilización de los *combatientes terroristas extranjeros*. Podría decirse, por tanto, que tanto la reforma penal española, primero, como la Directiva europea con posterioridad, ponen más el acento en la *prevención* de este

---

[113] Ponente: V. Magro Servet. En esta sentencia se dicta una segunda resolución para casar la sentencia que condenó por un delito de humillación de las víctimas, de modo que se concluye absolviendo por el mismo sobre la base del siguiente razonamiento: "Vista la doctrina antes citada, en cualquier caso, es preciso también tratar sobre el conjunto de la exposición llevada a cabo los mensajes y también en los casos de humillación debe tenerse en cuenta el sentido, e intención de las expresiones proferidas, y no se evidencia del conjunto de los mensajes que ahora analizamos un contenido que pueda traspasar esos límites fronterizos para entrar en el ámbito del art. 578 CP como delito de humillación a las víctimas del terrorismo, en un contexto global absolutamente desacertado y rechazable pero que en esta línea de los "problemas fronterizos" entre la vía penal y la civil, o lo desacertado de las expresiones que se suceden en este caso, debe estarse a la estimación del recurso conllevando la absolución del recurrente, no sin advertir, también, la necesidad de que se adopten medidas organizativas en los prestadores de servicio para cortar la difusión inmediata de expresiones como las aquí contempladas que se exceden del objetivo de estas redes de comunicación y que, obviamente, pueden ofender a personas afectadas por estas expresiones, pero en el terreno del derecho penal debe estarse al caso concreto en estos casos, como se ha expuesto" (FD 3º, segunda sentencia).

terrorismo que solo en su represión. Sin embargo es más que dudoso que las medidas penales previstas vayan a lograr los objetivos que se espera de ellas pues, por ejemplo, el fenómeno de los combatientes extranjeros está, en realidad, más conectado con la problemática de las migraciones y con los conflictos bélicos en terceros países, que con un conflicto doméstico al que la legislación penal de cada país pueda hacer frente con regulaciones contraterroristas que —como demuestra el ejemplo de la española— no están armonizadas respecto a estos delitos. Como se deriva del postulado de *"ultima ratio"* tampoco en esta materia la intervención penal en primera instancia, va a ser la solución de un problema tan necesitado de recursos sociales, políticos y económicos.

5. A MODO DE CONCLUSIÓN: ¿NECESIDAD DE UNA NUEVA REFORMA DEL CÓDIGO PENAL ESPAÑOL A RAÍZ DE LA DIRECTIVA 2017/541?

A la vista de esta trayectoria de la legislación penal española, surge la duda de si puede afirmarse que, *de facto*, las medidas contraterroristas que insta introducir la Directiva 2017/541 del Parlamento Europeo y del Consejo, de 15 de marzo de 2017, se insertarían en el seno del llamado *Derecho penal de emergencia* y en el denominado *Derecho penal del enemigo*. Existen razones para contestar afirmativamente a esta pregunta, dado que como se ha indicado, la citada Directiva reúne muchos de los rasgos básicos del fenómeno del Derecho penal del enemigo, en su proyección a la legislación penal contraterrorista. Entre otros, cabe apreciar un aumento de delitos de terrorismo, introduciendo, en ocasiones, un lenguaje bélico (v.gr. "combatientes" terroristas extranjeros; *vid.* considerandos 4,5,6 y 12). Además, se adelanta la intervención penal de modo que se tipifican como delitos, actos que, desde la perspectiva material, solo pueden ser calificados de preparatorios y/o de apología (v.gr. adoctrinamiento, adiestramiento, captación, favorecimiento de viajes, entre otros). También se produce un aumento de las correspondientes penas y un refuerzo de los poderes de policía (a través de la puesta en marcha de instrumentos de investigación, embargos y/o decomisos), así como, se establece para *todos* los delitos terroristas, la responsabilidad de las personas jurídicas. Y aunque la Directiva no lo evidencia, claramente, estas medidas requerirán de las correspondientes modificaciones del proceso penal, probablemente en el sentido de restringir las *garantías propias del mismo.*

Bien es cierto que dicha Directiva europea, puede resultar, en líneas generales, menos estricta que la legislación penal contraterrorista de algunos estados miembros. Pero tampoco puede obviarse que la UE está transitando por una senda no muy dispar a las *"post 9/11 counter terrorism legislations"*, ya emprendida por regulaciones penales ampliamente criticadas por su dureza como, por ejemplo, ha sido la normativa británica contenida en la *Terrorist Act 2006*[114]. En particular y por lo que aquí interesa, también destaca el mayor rigor punitivo de la legislación contraterrorista prevista en nuestro país, en la Sección 2ª, Capítulo VII del Título XXII del Código penal. Como ha podido comprobarse, a raíz de las últimas reformas penales (en especial la de LO 2/2015), en la actualidad la legislación penal contraterrorista española es cuantitativamente más abundante y materialmente muy severa, al nutrirse de delitos y penas procedentes de dos tendencias legislativas que, históricamente, han tratado de hacer frente a fenómenos terroristas de perfiles muy diversos: de un lado, las medidas penales dirigidas a afrontar el terrorismo de ETA y su entorno —pese a que esta organización ya comunicó en 2005 que cesaba "…definitivamente en la lucha armada"—; de otro, las últimas previsiones penales, más específicamente dirigidas a conjurar la amenaza global del terrorismo yihadista[115]. La actual legislación penal aúna aquellas dos tendencias normativas anti-terroristas de orígenes y fundamentos muy distintos, de modo que la conjunción de aquellas dos corrientes ha contribuido al aumento exponencial en materia de delitos, penas y otras medidas penales dirigidos a conminar la actividad terrorista. Todo

---

[114]   *Vid.* CANO PAÑOS, M.A., "Odio e incitación a la violencia en el contexto del terrorismo islamista. Internet como elemento ambiental" en *Indret* nº 4/2016, septiembre 2016, p. 25. *Vid.* SPENCER, J.R., "No thank you, we've already got one. Why EU anti-terrorist legislation has made little impact on the law of the UK" *en EU counterterrorism offences. What impact on national legislation and case-law?* (ed. F. Galli/A. Weyembergh), 2012, Brussels, pp. 117 y 118.

[115]   *Vid.* GIL GIL, A., "La expansión de los delitos de terrorismo en España a través del delito de pertenencia a organización terrorista" en *Terrorismo y Derecho penal* (eds. AMBOS, K./MALARINO, E./STEINER, C.), Berlín, 2015, p. 334.

ello ha configurado, en la actualidad, una legislación penal muy severa en cuanto a las penas a imponer por delitos terroristas, adelantando la intervención penal a múltiples conductas que pueden calificarse, materialmente, de actos preparatorios, cuando no de *colaboración* en delitos terroristas en sentido muy amplio. A todo lo anterior se une el que, en las últimas reformas, se ha previsto novedosamente delitos tan criticables como el de auto-adoctrinamiento o enaltecimiento idóneo para crear un sentimiento de inseguridad o temor social, o incluso el complejo castigo de conductas consistentes en "establecerse o trasladarse" en territorios extranjeros "controlados" por grupos terroristas. Parece evidente que, estos delitos van a producir no pocas fricciones con el derecho fundamental a la libertad de movimientos y, ante todo, con libertades tales como la de expresión, la libertad ideológica y el derecho fundamental a la presunción de inocencia, entre otros.

Todo ello ha hecho que, a lo largo del tiempo y con el apoyo de movimientos populistas que apelaban a las emociones de las personas, las medidas excepcionales penales en materia terrorista hayan ido recortando el derecho a la libertad sin atenerse a las garantías constitucionales que rigen en materia de delincuencia común. Ello evidencia, la creación sin tapujos de un *Derecho penal de autor*, que se orienta hacia el castigo de ciertas formas de vida y, concretamente, tiene en la figura del "terrorista" el paradigma del "enemigo", cuyo castigo, a modo de chivo expiatorio, parece justificar cualquier quiebra de los derechos y libertades que, desde una concepción liberal, eran límites tradicionales al Derecho penal. Podrá cuestionarse que el fenómeno del terrorismo justifique todo lo anterior, pero de lo que no cabe duda es de que la devaluación de aquellas garantías procesales y penales acabará por afectarnos a la postre, a todos/as, y no solo a los que, teóricamente, parecen dirigirse.

En segundo lugar, y dada la dureza de la legislación contraterrorista española es posible contestar en sentido negativo, a la pregunta que da título a esta investigación acerca de la necesidad de reforma de nuestro Código penal. Es decir, no resulta político-criminalmente necesario reformar los delitos de la Sección 2ª, Capítulo VII del Título XXII del Código penal para endurecer o reforzar más aún dicho catálogo de delitos. Pese a ello, se han realizado algunas propuestas legislativas para introducir algunas reformas derivadas de aquella Directiva[116]. En este sentido se entiende que dado que el artículo 15.3 de la Directiva 2017/541/UE impone una pena máxima a los dirigentes de una organización o grupo terrorista superior a la del artículo 572 del Código Penal, sería preciso una reforma al respecto. Además, se apela a que aquella Directiva europea, en su artículo 12, apartado c), obliga a incluir entre los delitos terroristas la *falsedad documental*, que no estaba previsto en el artículo 573 del Código Penal. Junto a lo anterior, se postula que el delito relativo a los "viajes con fines terroristas" previsto en los arts. 9 y 10 de la Directiva 2017/541/UE, tiene una regulación más amplia que el fijado en la Resolución 2178 (2014) del Consejo de Seguridad de las Naciones Unidas que inspiró la Ley Orgánica 2/2015, de 30 de marzo, al no exigir que el viaje tenga por destino un territorio "controlado" por terroristas. Por último, se alude a que, conforme al art. 17 de la Directiva europea, se extiende la responsabilidad penal de las personas jurídicas a la comisión de *cualquier tipo de delito de terrorismo*. No obstante, de conformidad con el vigente art. 576.5, dicha responsabilidad penal solo se prevé para los delitos de *financiación del terrorismo* (art. 576.1, 2, 3 y 4 CP)

Por lo que respecta a las medidas contraterroristas de la Directiva europea estudiadas en esta investigación y pese a que existen divergencias entre aquéllas y nuestra regulación penal, hay que recordar que la Directiva europea, *de facto*, ha "convalidado" la mayoría de delitos introducidos por LO 2/2015 de 30 de marzo, en nuestro Código penal, entre otros, el de adoctrinamiento, enaltecimiento, financiación y viajes al extranjero. Con respecto a estos últimos, sí parece posible, no obstante, mejorar la redacción del art. 575.3 CP, no ya para ampliar el ámbito típico del delito, si no para especificar con la claridad que demanda el postulado de certeza, la *dirección* y el *sentido* de los viajes —como así hace la Directiva europea— acotando así la inseguridad jurídica que se deriva de la referencia a territorios "extranjeros controlados" por grupos terroristas. Evitando ade-

---

[116] *Vid.* Proposición de Ley Orgánica por la que se modifica la Ley Orgánica 10/1995, de 23 de noviembre, del Código Penal, para transponer Directivas de la Unión Europea en los ámbitos financiero y de terrorismo, y abordar cuestiones de índole internacional. Presentada por el Grupo Parlamentario Popular en el Congreso, presentada el 16 de marzo de 2018, en el BOCG, Congreso de los Diputados, VII Legislatura, Núm. 228-1

más que dicho precepto caiga en desuso, dadas las dificultades que derivan de pretender una aplicación ultraterritorial de nuestra ley penal a dichos territorios "extranjeros" para contribuir a prevenir unos ilícitos que, en el reciente contexto criminológico, no pueden ignorarse ni trivializarse. Por lo que respecta a la ampliación de los delitos susceptibles de ser cometidos por personas jurídicas, hay que recordar que la Directiva no obliga a dicha extensión a *todos* los delitos previstos en la Sección 2ª Capítulo 7º, Título XXII del Código penal, sino a *los delitos de terrorismo previstos en aquella directiva.* Y, en todo caso, la legislación española ya cumple con el requisito de *prever la responsabilidad penal de personas jurídicas* con respecto al grupo de delitos (financiación de terrorismo) más directamente *susceptibles* de ser cometidos por dichos entes. Por todo lo cual no sería preciso, a mi modo de ver, una reforma en este sentido.

En tercer lugar, hay que percatarse que el legislador penal español de 2015 incluso fue más allá con la LO 2/2015, de lo que ha anticipado la intervención penal, el legislador europeo, ante todo al prever delitos como la *humillación a las víctimas* (art. 578.1 CP) y el llamado *auto-adoctrinamie*nto (575.2 CP). Surge la duda, por tanto, de si es preciso realizar una reforma para derogar dichos preceptos y así conseguir la pretendida "armonización" con la normativa europea. De hecho, como ha podido comprobarse en esta investigación, los tribunales españoles —en particular nuestro TS— están apelando a la Directiva 2017/541/UE como criterio interpretativo para restringir el ámbito de aplicación de delitos tan controvertidos como el de *enaltecimiento de terrorismo* conforme a la compresión que se hace de un delito similar, en el art. 5 de la Directiva y en su Considerando 10. Por todo lo cual, pese a que en muchos aspectos dicha Directiva de 2017 manifiesta rasgos del llamado *Derecho penal del enemigo*, no llega a verificarlos con la intensidad con que lo hacen las legislaciones contraterroristas de algunos estados miembros, particularmente, la contenida en el Código penal español.

Como conclusión final, cabe sostener pues que no son necesarias ni político-criminalmente demandables nuevas reformas penales en los delitos de la Sección 2ª, Capítulo VII, Título XXII, a salvo de las mejoras técnicas anteriormente indicadas.

6. BIBLIOGRAFÍA

ALONSO RIMO, A., "La criminalización de la preparación delictiva a través de la Parte Especial del Código penal. Especial referencia a los delitos de terrorismo", en ALONSO/CUERDA/FERNÁNDEZ (dirs.), *Terrorismo, sistema penal y derechos fundamentales*, Valencia, 2018.
- "¿Impunidad general de los a actos preparatorios? La expansión de los delitos de preparación" *Indret 4/2017*, Barcelona, octubre de 2017
ARIAS MALDONADO, M., *La democracia sentimental*: política y emociones en el s. XXI, Barcelona, 2016.pa
ARTEAGA, F., "La defensa y la seguridad de la UE tras el Brexit" en *Revista Elcano*, nº 14, I Mayo-Junio, 2016
BAR A., "The UK, the EU and "Brexit" 1972-2017" en SOLANES CORELLA/ GÓRRIZ ROYO (dirs.) *Legal Challenges of the XXI Century*, Valencia, 2017.
BERDUGO GÓMEZ DE LA TORRE, I., "Reflexiones sobre el terrorismo: del terrorismo nacional al terrorismo global", en *Liber Amicorum. Estudios Jurídicos en Homenaje al Prof. Dr. h.c. Juan Mª Terradillos Basoco*, Valencia, 2018.
BORJA JIMÉNEZ, E., "Justicia penal preventiva y Derecho penal de la globalización" en ALONSO/CUERDA/FERNÁNDEZ (dirs.) *Terrorismo, sistema penal y derechos fundamentales*, Valencia, 2018.
CANCIO MELIÁ, M., "De nuevo ¿Derecho penal del enemigo?", en M. Cancio Meliá/Gómez-Jara Díez (coords.*), Derecho penal del enemigo: el discurso penal de la exclu*sión, Montevideo-Buenos Aires, 2006.
- "The reform of Spain's antiterrorist criminal law and the 2008 Framework Decision" *en EU counter-terrorism offences. What impact on national legislation and case-law?* (ed. F. Galli/A. Weyembergh), 2012, Brussels.
CANO PAÑOS, en "Odio e incitación a la violencia en el contexto del terrorismo islamista. Internet como elemento ambiental" en *Indret* nº 4/2016, septiembre 2016.
- "La reforma penal de los delitos de terrorismo en el año 2015: cinco cuestiones fundamentales", en *Revista General de Derecho Penal, Iustel*, 2015, nº 23
CAPITA REMEZAL, M., *Análisis de la legislación penal antiterrorista*, 2008, Madrid.
CARBONELL MATEU, J.C., "Prisión permanente revisable I" en *Comentarios a la reforma del Código Penal de 2015* (dir. GONZÁLEZ CUSSAC, J.L./coords. GÓRRIZ ROYO, E./MATALLÍN EVANGELIO, A.) 2ª ed., Valencia, 2015.
CERDÁ GUZMÁN, C., "Los derechos fundamentales y la lucha contra el terrorismo: Francia bajo Estado de Emergencia" en *Revista de Derecho Constitucional europeo*, nº 27, enero-junio, 2017.

CUERDA ARNAU, M.L., en "Terrorismo", VIVES ANTON *et altri* (coord. GONZÁLEZ CUSSAC, J.L.) *Derecho penal. Parte Especial,* Valencia, 2016.

– "La radicalización terrorista de menores y jóvenes vulnerables (una aproximación de urgencia)" en *Menores y redes sociales: ciberbullying, ciberstalking, cibergrooming, pornografía, sexting, radicalización y otras formas de violencia en la red* (coord. Fernández Hernández; dir; M.L. Cuerda Arnau), Valencia, 2016.

DEMETRIO CRESPO, E., "Derecho penal del enemigo y teoría del derecho" en *Terrorismo y contraterrorismo en el siglo XXI. Un análisis penal y político criminal* (dirs. Portilla Contreras/Pérez Cepeda) Salamanca, 2016.

DENNINGER, E., "Der Präventions-Staat", *KJ*, 1988, n. 21 (1).

DÍAZ FERNÁNDEZ, A.M., "Terrorismo: entre el derecho penal y la seguridad nacional" en *Liber Amicorum. Estudios Jurídicos en Homenaje al Prof. Dr. h.c. Juan Mª Terradillos Basoco,* Valencia, 2018.

DOYLE, CH., "The Patriot Act: A Legal Analysis", *CRS Report for Congress,* Congressional Research Service, The Library of Congress, US, abril 2002.

DONINI, M., "Diritto penales di lotta v. diritto penale del nemico" en *Delitto politico e diritto penale del nemico. Nuovo revisionismo penale,* Monduzzi, 2007.

FARALDO CABANA, P., "Un derecho penal de enemigos para los integrantes de organizaciones criminales. La Ley Orgánica 7/2003, de 30 de junio, de medidas de reforma para el cumplimiento íntegro y efectivo de las penas", en *Nuevos retos del derecho penal en la era de la globalización* (coord. Faraldo Cabana/Puente Aba/Brandariz García), Valencia, 2004

FERNÁNDEZ HERNÁNDEZ, A., en "Concepto de radicalización. Consecuencias de su uso en el ámbito jurídico penal" en *Menores y redes sociales: ciberbullying, ciberstalking, cibergrooming, pornografía, sexting, radicalización y otras formas de violencia en la red* (coord. Fernández Hernández; dir; María Luisa Cuerda Arnau), Valencia, 2016.

FIANDACA, G., "Diritto penale del nemico. Una teorizzazione da evitare, una realtà da non rimuovere" en *Delitto politico e diritto penale del nemico. Nuovo revisionismo penale,* Monduzzi, 2007.

GALLI, F./WEYEMBERGH, A. (eds.), *EU counter terrorism offences. What impact on national legislation and case law?,* Editions de l'Université de Bruxelles, 2012.

GARCÍA RIVAS en *Compendio de la Parte Especial del Derecho penal* (dir. QUINTERO OLIVARES, G.), Cizur Menor, 2016

– "Legislación penal española y delito de terrorismo" "Legislación penal española y delito de terrorismo" en *Terrorismo y contraterrorismo en el siglo XXI: un análisis penal y político criminal.* G.Portilla Contreras/A.I.Pérez Cepeda (dirs.), *Ratio legis,* 2016.

GIL GIL, A., "La expansión de los delitos de terrorismo en España a través del delito de pertenencia a organización terrorista" en *Terrorismo y Derecho penal* (eds. AMBOS, K./MALARINO, E./STEINER, C.), Berlín, 2015.

GONZÁLEZ CUSSAC, J.L., "Contraterrorismo" en *Liber Amicorum. Estudios Jurídicos en Homenaje al Prof. Dr. h.c. Juan Mª Terradillos Basoco*, Valencia, 2018.

– "Servicios de inteligencia y contraterrorismo" en *Terrorismo y contraterrorismo en el siglo XXI: un análisis penal y político criminal*/G.Portilla Contreras (dir.), A.I.Pérez Cepeda (dir.), *Ratio legis*, 2016.

JAKOBS, G./CANCIÓ MELIÁ, M., *El Derecho penal del enemigo*, Madrid, 2006, 2ª ed.

KOSTORIS, R., "Processo penales, delitto politico e "diritto penale del nemico" en *Delitto politico e diritto penale del nemico. Nuovo revisionismo penale,*Monduzzi, 2007.

LAMARCA PÉREZ, C., *Tratamiento jurídico del terrorismo*, Madrid, 1985,

MARRERO ROCHA, I., "Foreign fighters and jihadists: challenges for international and european security" en *Paix et Securité Internationales*, nº 3, janvier-déc. 2015

MIRA BENAVENT, J., "Algunas consideraciones político-criminales sobre la función de los delitos de enaltecimiento del terrorismo y humillación a las víctimas de terrorismo" en *Terrorismo y contraterrorismo en el siglo XXI: un análisis penal y político criminal*/G.Portilla Contreras (dir.), A.I.Pérez Cepeda (dir.), Ratio legis, 2016.

– "El delito de enaltecimiento del terrorismo, el de humillación a las víctimas del terrorismo y la competencia de la Audiencia Nacional: ni delito, ni terrorismo, ni competencia de la Audiencia Nacional", en *Terrorismo, sistema penal y derechos fundamentales*, Valencia, 2018.

MUÑOZ CONDE, F., "El nuevo Derecho penal autoritario" en MUÑOZ CONDE/LOSANO (coords.) *El derecho ante la globalización y el terrorismo*, 2004.

NAZZARO, U., *Il Diritto penale del nemico tra delitto di associazione politica e misure di contrasto al terrorismo internazionale*, Academia Pontaniana, 2016.

PÉREZ CEPEDA, A.I., "El paradigma de la seguridad en la globalización: guerra, enemigos y orden penal" en FARALDO CABANA (dir.)/PUENTE ABA, L./ SOUTO GARCÍA, E.M., *Derecho penal de excepción. Terrorismo e inmigración*, Valencia, 2007.

PORTILLA CONTRERAS, G., "La legitimación doctrinal de la dicotomía schmittiana en el derecho penal y procesal penal del enemigo" en *Derecho penal del enemigo. El discurso penal de la exclusión* (Cancio Meliá, M./Gómez-Jara Díaz (coords.), vol. 2, Madrid.

RAMAJ, V.V./HOR, M./ROACH, K. "Introduction" en *Global anti-Terrorism Law and Policy*, Cambridge, 2005.

REINARES, F./GARCÍA-CALVO, C. "Brexit, Terrorismo y Antiterrorismo", *en Revista Elcano*, nº 14, I Mayo-Junio, 2016.

REVENGA SÁNCHEZ, M., "Terrorismo y Derecho bajo la estela del 11 de septiembre" en *Terrorismo y derecho bajo la estela del 11 de septiembre*, Valencia, 2015.

ROACH, K., "The Criminal law and terrorism" en *Global Anti-Terrorism Law and Policy*, Cambridge, 2005.

– "The 9/11 effect in comparative perspective: some thoughts on terrorism law in Canada, Spain and the United States" en REVENGA SÁNCHEZ, M., *Terrorismo y derecho bajo la estela del 11 de septiembre*, Valencia, 2015.

ROMERO, Joan, "Emocracias" en *Levante. El mercantil valenciano*, 11 de febrero de 2017.

SERRA CRISTÓBAL, R./GÓRRIZ ROYO, E., "Contraterrorismo: plasmación legislativa reciente e impacto en las libertades y derechos fundamentales" en *Cuadernos de Estrategia 188. Seguridad Global y derechos fundamentales*, Instituto Español de Estudios Estratégicos, Ministerio de Defensa, Madrid, 2017.

SIMON, J., *Governing through Crime. How the War on Crime Transformed American Democracy and Created a Culture of Fear*, 2007, Oxford-NY, pp. 259 y ss.

SPENCER, J.R., "No thank you, we've already got one. Why EU anti-terrorist legislation has made little impact on the law of the UK" *en EU counter-terrorism offen*ces. *What impact on national legislation and case-law?* (ed. F. Galli/A. Weyembergh), 2012, Brussels.

TERUEL LOZANO, G., "Internet, incitación al terrorismo y libertad de expresión en el marco europeo" *Indret* 3/2018, Barcelona, julio 2018

TRAM ANH, N., en "La lucha antiterrorista de la Unión Europea y perspectivas para la cooperación UE-ASEAN", p. 4 (documento on-line y también en www.fundacionalternativas.org)

ZAFFARONI, E.R., "El antiterrorismo y los mecanismos de desplazamiento" en *Terrorismo y Estado de Derecho* (dirs. SERRANO-PIEDECASAS/DEMETRIO CRESPO), Madrid, 2010.

Capítulo XVI

LA AFECCIÓN DE LAS MEDIDAS ANTITERRORISTAS AL DERECHO DE REUNIÓN

ROSARIO SERRA CRISTÓBAL
Prof. Titular de Derecho Constitucional Acreditada a Catedrática
Universidad de Valencia

1. INTRODUCCIÓN

El derecho de reunión y manifestación constituye uno de los pilares básicos de cualquier Estado democrático, sin ellas no es posible una de las facetas más importantes de la libertad de pensamiento y conciencia cual es la libre expresión de las mismas de una forma colectiva[1]. Un Estado democrático se fundamenta en la pluralidad política e ideológica y en la libertad para manifestarla de modo individual o colectivo y de muy diversas maneras. El Estado no solo debe proteger tales derechos, sino que está obligado a fomentar dicha participación, como se desprende del art. 9.2 de la Constitución española. El derecho de reunión forma parte de lo que se califican como derechos políticos, que son el corolario de los de libertad personal, pues los complementan, proyectando el ejercicio de las libertades individuales sobre la libertad colectiva. Constituye un instrumento fundamental para la formación de la opinión pública, alcanzando a la preformación de la voluntad política. Es más, estamos hablando de un derecho que en muy buena medida puede compensar las oportunidades de influencia en la formación de la opinión de ciertos sectores o grupos sociales con menor capacidad de estar representados y hacerlo de una manera direc-

---

[1] TORRES, Ignacio (1991), *Derecho de reunión y manifestación*, Madrid, Civitas; GONZÁLEZ PÉREZ, Jesús (2002), *Derecho de reunión y manifestación*, Madrid, Civitas.

ta e inmediata[2]. Resaltar todas las virtualidades del derecho de reunión y subrayar ahora su valía es importante para entender posteriormente como las limitaciones que puedan imponerse a su ejercicio han de constituir siempre la excepción.

A pesar de la centralidad de este derecho en democracia, y al igual que otros derechos fundamentales, los derechos son realidades limitadas. No hay derechos absolutos o ilimitados. Su ejercicio puede verse restringido por la protección de otros intereses o para la salvaguarda de determinados valores. Y esto es lo que ha venido sucediendo en el intento de salvaguardar la seguridad frente a los ataques terroristas. A nadie se le escapa que la lucha contra el terrorismo ha conducido tradicionalmente a los Estados a la adopción de medidas que son limitativas de derechos fundamentales y que esa limitación ha sufrido un incremento global desde los atentados del 11-S, y más aún en Europa desde la escalada de atentados yihadistas perpetrados en 2004 (Madrid) y 2005 (Londres) y desde comienzos de 2015 en Francia y muchas otras ciudades europeas.

Se preguntaba Ronald Dworkin[3]: "¿Qué ha hecho al-Qaeda a nuestra Constitución, y a nuestros estándares de justicia y decencia? Desde el 11-S, el gobierno ha aprobado leyes, adoptado políticas y forzado procedimientos que son incoherentes con nuestras leyes y valores y que hubiesen sido impensables en el pasado". Esta reflexión que iba dirigida a la respuesta estadounidense tras los atentados yihadistas de 2011 es perfectamente aplicable a la respuesta normativa y política de muchos gobiernos europeos a la serie de atentados ocurridos en suelo europeo desde aquellas fechas a la actualidad; y paradigmática, en ese sentido, ha sido la reacción de Francia. El Consejo constitucional francés ha reconocido en el pasado que el interés de la justicia en la persecución y represión del delito y el mantenimiento del

---

[2]   SOLOZABAL ECHEVARRÍA, Juan José (2001), "La configuración constitucional del derecho de reunión", *Parlamento y Constitución*, nº 5, p. 107

[3]   "What has al-Qaeda done to our Constitution, and to our national standards of fairness and decency? Since September 11, the government has enacted legislation, adopted policies, and threatened procedures that are not consistent with our established laws and values and would have been unthinkable before". DWORKIN, Ronald (2002), "The threat to patriotism", *The New York Review Books*, 28 February 2002, p. 1.

orden público son bienes constitucionales que legitiman la lucha antiterrorista[4]. Pero, las medidas que en los últimos años se han aprobado en este país para desarrollar tal cometido han recibido severas críticas por parte de académicos, juristas y organizaciones defensoras de los derechos humanos.

Desde luego, en todo Estado, la salvaguarda de la seguridad, el orden público, y la persecución del delito (entre ellos, la lucha contra el terrorismo), constituyen una constante. A los efectos de este trabajo nos interesa especialmente determinar qué puede afectar al orden público y a la seguridad de tal modo que justifique una limitación en el ejercicio del derecho de reunión tal como reconoce el art. 21.2 CE, u otras Constituciones o textos supranacionales. Todo ello sin olvidar que pueden plantearse diversos escenarios: Uno es aquel en el que se adoptan medidas prospectivas ante la sospecha de que la reunión pudiera ser ilegal; otra posible es que los propios participantes en una reunión puedan estar llevando a cabo un acto ilícito en la celebración de la misma o quebrar el orden público con su actuación; y otra distinta es la prohibición de reuniones en determinados lugares para salvaguardar la seguridad. Es decir, para evitar un riesgo para la seguridad de los ciudadanos porque, por ejemplo, la aglomeración de individuos pueda ser objetivo de un posible ataque terrorista. Asimismo, interesa analizar si en esa lucha contra el terrorismo cabe, y de qué modo, limitar el ejercicio del derecho de reunión en un lugar cerrado, lo cual ha cobrado notoriedad en relación a las mezquitas, donde las reuniones de carácter presuntamente religioso han sido utilizadas para adoctrinar en la lucha yihadista.

2. EL DERECHO DE REUNIÓN PACÍFICA Y SUS LIMITACIONES

El derecho de reunión constituye la más elemental de las libertades individuales de ejercicio concertado[5]. Es un derecho de libertad o de autonomía referido a un ámbito de autodeterminación de la conducta de

---

4   Entre otras, *Décision du Conseil Constitutionnel* 2005-532, de19 de enero de 2006.
5   En este sentido, véase STC 85/1988, de 28 de abril.

la persona, consistente precisamente en su libertad para congregarse con otras según sus propias preferencias. En todo caso, nuestra Constitución, tal y como sucede con otros derechos y libertades, no define lo que deba entenderse por reunión. Tampoco lo hace la Ley L.O. 9/1983, de 15 de julio, reguladora del derecho de reunión, aunque sí establece una delimitación de las reuniones sujetas a sus prescripciones. En realidad, el hecho de que no exista una definición legal de reunión resulta razonable si se parte del carácter omnicomprensivo que se pretende dar a la protección que otorga el derecho constitucional de reunión[6].

El derecho de reunión es un único derecho que encierra diversas modalidades de ejercicio: puede tratarse de reuniones en lugares cerrados o en lugares de tránsito público, pudiendo ser estas últimas estáticas o dinámicas como las manifestaciones.

Las reuniones requieren de un concierto previo[7], esto es, de un conocimiento previo de la convocatoria de la reunión a la que posteriormente se asiste con carácter voluntario y con un fin determinado, que ha de ser lícito[8]. Y es que, el derecho de reunión amparable en nuestro texto constitucional, al igual que en otros textos constitucionales de nuestro entorno y en el Convenio Europeo de Derechos Humanos (art. 11)[9], es el derecho a una reunión pacífica (art. 21 CE)[10]. Así pues, el carácter *pacífico* es un elemento constitutivo del contenido esencial del derecho de reunión, no

---

[6] El Tribunal Constitucional definió el derecho de reunión como un derecho autónomo intermedio entre la libertad de expresión y el derecho de asociación, de titularidad individual y ejercicio colectivo para la exposición y debate de ideas, la defensa de intereses o la publicidad de problemas (STC 85/1988, de 28 de abril)

[7] En consecuencia, se inclina por desestimar la existencia de una reunión en lugar de tránsito público cuando en dicha reunión no se aprecia con claridad el elemento de la concertación previa. La reunión conlleva una concurrencia concertada —y no una mera aglomeración o confluencia casual de transeúntes— con un propósito lícito. Así pronunció el Tribunal Constitucional en su STC 85/1988, de 28 de abril.

[8] Entre otras, STC 85/1988, de 28 de abril.

[9] Véase también el art. 20.1 de la Declaración Universal de Derechos Humanos, de 10 de diciembre de 1948; en el art. 21 del Pacto Internacional de Derechos Civiles y Políticos, de 19 de diciembre de 1966; art. 12 de la Carta de los derechos fundamentales de la Unión Europea de 2000.

[10] El que la reunión sea pacífica y sin armas, es recogido por todos los textos constitucionales modernos que lo toman a su vez de la Constitución francesa de 1791. TORRES

se trata realmente de un límite. Cuando la reunión no es pacífica no se está ejercitando el derecho de reunión protegido por nuestra Constitución. Ello excluye cualquier tipo de violencia sea física o moral sobre terceros de carácter intimidatorio o sobre la propiedad.

De esta naturaleza pacífica que ha de tener el derecho de reunión y de la necesidad de salvaguardar el ejercicio de los derechos de terceros o bienes individuales o generales cabe derivar limitaciones a su ejercicio. Como decíamos más arriba, al igual que muchos otros derechos, el derecho de reunión no es un derecho absoluto y caben restricciones en su ejercicio[11]. Posiblemente el Convenio Europeo de Derechos Humanos sea el que recoja un listado más amplio de causas de posible limitación de la libertad de reunirse, lo cual puede comprobarse, si se atiende al tenor literal de su art. 11: "El ejercicio de estos derechos no podrá ser objeto de otras restricciones que aquellas que, previstas por la ley, constituyan medidas necesarias, en una sociedad democrática, para la seguridad nacional, la seguridad pública, la defensa del orden y la prevención del delito, la protección de la salud o de la moral, o la protección de los derechos y libertades ajenos". Nos iremos deteniendo más abajo en este trabajo en gran parte de estos elementos limitadores.

El modelo constitucional español opta por el ejercicio del derecho de reunión como una libertad que solo requiere de comunicación a la autoridad gubernativa cuando se vaya a desarrollar en un lugar de tránsito público. El art. 21.2 CE indica que, en los casos de reuniones en lugares de tránsito público y manifestaciones, se dará comunicación previa a la autoridad, que sólo podrá prohibirlas cuando existan razones fundadas de alteración del orden público, con peligro para personas o bienes. Así, la autoridad gubernativa tiene la facultad de prohibir una manifestación si estima *razonadamente* que concurren indicios de que ello pueda producirse (STC 66/1995, de 8 de mayo; STS de 4 de marzo de 2002, Sala Tercera). La alteración del orden público como causa de suspensión o disolución de

---

DEL MORAL en GIMENO SENDRA et al. (2007), *Los derechos fundamentales y su protección jurisdiccional*, 1a ed. Madrid, Edisofer, p. 194.

[11]   Probablemente la sentencia que de forma abordó de forma más clara por primera vez las limitaciones al derecho de reunión y manifestación fue la STC 66/1995, de 8 de mayo.

reuniones en lugares de tránsito público y manifestaciones se encuentra estrechamente ligada al carácter pacífico como constitutivo del derecho de reunión constitucionalmente protegido. La expresión "orden público" tiene aquí un sentido material al imbricarse expresamente con el peligro para las personas y los bienes. Se refiere a una situación de hecho concreta: se transgrede el orden público cuando el desorden externo en la calle pone en peligro la integridad de personas o bienes. En todo caso, las razones han de ser fundadas y ha de respetarse el principio de proporcionalidad[12] a la hora de tomar la decisión prohibitiva.

Por otro lado, hay reuniones que, por contrariar ese fin pacífico que deben tener las reuniones, son consideradas ilícitas. Así, la L.O. 9/1983, de 15 de julio, establece también que "son reuniones ilícitas las así tipificadas por las leyes penales" (art. 1.3). En efecto, el art. 513 del Código Penal contempla dos supuestos de ilicitud. En primer lugar, "las reuniones que se celebren con el fin de cometer algún delito". Y en segundo lugar, "aquellas a las que concurran personas con armas, artefactos o explosivos u objetos contundentes o de cualquier otro modo peligrosos"; estas serían constitutivas de un delito de los que se denomina de peligro abstracto. De forma similar, serán suspendidas y disueltas las reuniones en las que los asistentes hagan uso de uniformes paramilitares (art. 5.c de la Ley Orgánica que regula el Derecho de Reunión), en la presunción de que las reuniones en las que la mayor parte de los asistentes aparezcan ataviados con uniformes paramilitares tendrán por objeto la comisión de actos violentos.

Otra ley que vino a establecer de forma más determinada y restrictiva el ejercicio de la libertad de reunión es la Ley 4/2015, de protección de seguridad ciudadana (ese y otros motivos llevaron a conocerla por el ca-

---

[12]   Por ello advierte el Tribunal Constitucional que, incluso en los supuestos en los que existan razones fundadas de que una concentración puede producir alteraciones del orden público con peligro para personas y bienes, la autoridad gubernativa, aplicando criterios de proporcionalidad, antes de prohibirla deberá utilizar, si ello es posible, la facultad que le reconoce el citado artículo 10 LO derecho reunión (STC 66/1995), por lo que sólo podrá prohibirse la concentración en el supuesto de que, por las circunstancias del caso, estas facultades de introducir modificaciones no puedan ejercitarse.

lificativo popular de "Ley mordaza"[13]). Dicha Ley prohíbe las reuniones/ manifestaciones en las que se causa violencia sobre las personas, los agentes de autoridad, destrozos en el mobiliario público, se escalan edificios o monumentos, se tratan de remover vallas de seguridad, las que se realizan frente a las cámaras parlamentarias nacionales o regionales, o junto a infraestructuras críticas como centrales nucleares. Pero, a su vez, se limitan otro tipo de reuniones, lo que ha causado mayores críticas, como las que pudieran llevarse a cabo delante de una asamblea parlamentaria o los denominados escraches.

Por último, debemos recordar que el derecho de reunión, como otros, es uno de los que cabe limitar en caso de declararse el estado de excepción o el de sitio. Es interesante subrayar esto pues, precisamente, los ataques terrorista yihadistas han obligado a algunos Estados al uso de instrumentos de excepcionalidad para hacer frente a dicha situación, trayendo como consecuencia una minoración de las garantías del derecho de reunión (entre otros).

3. PROHIBICIÓN DE CELEBRACIÓN DE UNA REUNIÓN POR ENALTECIMIENTO O APOLOGÍA DEL TERRORISMO

Una cuestión sobre la que se debe reflexionar es sobre cuándo podemos considerar que una reunió se va a celebrar para la comisión de un delito y por lo tanto prohibirla, porque si la comisión del delito se produce durante la celebración de la misma, la respuesta parece más sencilla. En todo caso, en el análisis posterior una cosa nos llevará a la otra. Cuando nos planteamos la posibilidad de impedir preventivamente la celebración de una reunión, de lo que hablamos es de la licitud de la finalidad de la reunión. Ahora bien, como recordaba Solozabal, "el examen del objeto de las reuniones a celebrar no permite otra cosa que el excluir la celebración de reuniones

---

[13]   Un estudio crítico de dicha ley puede encontrarse en SÁNCHEZ DÍEZ, Ingrid Estíbaliz (2016), *Evolución de la concepción de la seguridad. Contribución de la Estrategia de Seguridad Nacional 2013 y las Reformas Legislativas de la X Legislatura*, Lisboa, Editorial Juruá, pp. 200-234.

ilícitas desde un punto de vista penal, y no las inconvenientes o nocivas, inadecuadas o *incorrectas* desde un punto de vista constitucional"[14].

Por acercar la cuestión a nuestro tema de estudio, la pregunta sería si una reunión es ilícita, por ejemplo, por el mero hecho de haber sido convocada por personas relacionadas con organizaciones terroristas y que tienen suspendidas sus actividades por ello. Como señalan Martínez Garay y Mira Benavent[15], para que ello sea así, es necesario que la convocatoria suponga la realización de una conducta prevista en el Código Penal como ilícita. Esta es una cuestión que se ha suscitado en el pasado respecto de manifestaciones convocadas por partidos políticos cercanos al entorno de ETA. Así, por plantear una hipótesis, si un grupo de personas cercanas al entorno de Al-Qaeda o que hayan sido condenados por actividades terroristas convocase una manifestación, ¿sería esta penalmente ilícita? Cabría plantearse si ello supone un delito de pertenencia a banda armada (516 CP), lo cual queda descartado, pues la mera actividad de convocar o asistir a una reunión, incluso aunque se vitorease a Bin Laden, no podría nunca significar pertenencia a grupo terrorista, pues no supone ningún tipo de ayuda o soporte material a la actividad delictiva del grupo terrorista. De hecho, el Tribunal Supremo (STS 618/2008, de 7 de octubre) afirmaba respecto de un caso de fundamentalismo islamista ("Operación nova") que la mera comunión ideológica con esas doctrinas, incluso la aprobación expresa de los métodos violentos de una organización terrorista, en si misma considerada, no es suficiente para integrar el delito de pertenencia a banda armada, sino ejercicio de la libertad ideológica y de expresión.

Por las mismas razones, la convocatoria de una manifestación o reunión por personas cercanas a un grupo terrorista no puede constituir delito de

---

[14] SOLOZÁBAL ECHAVARRÍA, Juan José (2001), "La configuración constitucional del derecho de reunión", *Parlamento y Constitución. Anuario*, nº 5, p. 106.

[15] MARTÍNEZ GARAY, Lucía y MIRA BENAVENT, Javier (2009), "Ámbito de aplicación del art. 129 del Código Penal y anulación de derechos fundamentales en procedimientos penales por integración en organización terrorista: el caso del derecho de reunión y manifestación", en J.C. CARBONELL MATEU, J. L. GONZÁLEZ CUSSAC Y E. ORTS BERENGUER (dir.) y M. L. CUERDA ARNAU (coord.), *Constitución, derechos fundamentales y sistema penal*, Valencia, Tirant lo Blanch, pp. 1261-1313.

colaboración con banda armada, que precisaría de un favorecimiento material y apoyo, que vaya más allá de lo meramente ideológico, a ese grupo terrorista.

Mayores dificultades tiene la determinación de si una reunión o manifestación es punible por ilícita (art. 513 del CP) si tuviera como fin la comisión de un delito de enaltecimiento del terrorismo (art. 578 CP).

El código penal español castiga en el art. 578 el enaltecimiento o la justificación públicos de los delitos de terrorismo o de quienes hayan participado en su ejecución o la realización de actos que entrañen descrédito, menosprecio o humillación de las víctimas de los delitos terroristas o de sus familiares. La pena será mayor cuando los hechos, a la vista de las circunstancias, resulten idóneos para alterar gravemente la paz pública o crear un grave sentimiento de inseguridad. Igualmente, el art. 579.2 CP castiga al que, públicamente o ante una concurrencia de personas, incite a otros a la comisión de alguno de los delitos de terrorismo. Este tipo de actuaciones delictivas pueden cometerse durante la celebración de una reunión o manifestación, e incluso convocar la reunión para realizar alguna de ellas, como el enaltecimiento público del terrorismo o de quienes hayan participado en el mismo. Al igual que ilícito sería cualquier tipo de reunión concertada para captación, adoctrinamiento o adiestramiento, que esté dirigida o que, por su contenido, resulte idónea para incitar a incorporarse a una organización o grupo terrorista, o para cometer cualquiera de los delitos (art. 577.2 CP), con las consiguientes responsabilidades para los convocantes de la misma.

Obviamente para considerarla ilícita no bastaría con la expresión de exclamaciones aisladas a favor del ISIS o, como en el pasado, vitoreando a ETA, al IRA o cualquier otro grupo terrorista. Ello no puede convertir a toda la reunión o manifestación en ilícita y generar responsabilidad penal para sus convocantes. Como recuerdan Martínez Garay y Mira Benavent, lo que se exige es que desde antes de la celebración los convocantes hayan decidido y así se haya asumido que la finalidad global de la entera manifestación sea la comisión de un delito[16]. Podría considerarse enaltecimiento del terrorismo, por ejemplo, el homenaje a una persona condenada por

---

16 MARTÍNEZ GARAY, Lucía y MIRA BENAVENT, Javier (2009), "Ámbito...", *op. cit.*, p. 1301.

delitos de terrorismo, o el encabezamiento de una manifestación con una pancarta con un lema apologético del terrorismo, pero no lo serían manifestaciones del tipo "fuera de aquí fuerzas opresoras" o, si fuese el caso, "Al-Andalus es nuestro". No son pocos los casos que ha instruido la fiscalía ante la Audiencia Nacional en España tras las decenas de homenajes celebrados en honor de miembros de la banda terrorista ETA. Muchos de ellos han sido archivados cuando los participantes no han ido más allá de manifestaciones de júbilo por la excarcelación de sus compañeros o similares, pero, igualmente, otros casos han acabado con resoluciones condenatorias por enaltecimiento del terrorismo.

Podemos encontrar supuestos de similar naturaleza en otros puntos de Europa y el TEDH ha tenido que pronunciarse en más de una ocasión sobre ellos. El caso *Güler y Uqur c. Turquía*, de 2 de diciembre de 2014, se refería a la condena de los demandantes por su participación en un servicio religioso organizado en los locales de un partido político en memoria de tres miembros de una organización ilegal (el PKK) que habían sido asesinados por las fuerzas de seguridad. Turquía consideraba que ello suponía homenajear a terroristas y, por lo tanto, hacer apología o propaganda de dicho movimiento terrorista. Los demandantes alegaron que su condena se había basado en su participación en un servicio religioso que había consistido en una simple manifestación pública de su práctica religiosa. También sostuvieron que su condena no había sido suficientemente previsible, habida cuenta de la imprecisa redacción de la Ley turca contra el terrorismo. La Corte entendió que la pena de prisión impuesta a los demandantes equivalía a una injerencia en su derecho a la libertad de manifestar su religión, junto con otros derechos, y ello a pesar de que las personas en memoria de las que se hubiese prestado el servicio fueran miembros de una organización ilícita o que el servicio se hubiese celebrado en los locales de un partido político en el que se habían expuesto símbolos de la organización ilegal.

4. LA PROHIBICIÓN DE UNA REUNIÓN POR RIESGO PARA EL ORDEN PÚBLICO O LA SEGURIDAD PÚBLICA

La posibilidad de prohibir la celebración de una reunión u obligar a disolver la que se está celebrando se puede dar siempre que ello responda a las razones fijadas en el ordenamiento, fundamentalmente, porque sea una reunión con armas, o celebrada para cometer un delito, o altere el orden público. A las dos primeras nos hemos referido más arriba, por lo que ahora nos centraremos en la posible amenaza de una reunión para el orden público.

Ridaura Martínez recordaba que la noción de orden público, sea coincidente con el significado metajurídico en el que se identifica el orden público como "buen orden de la comunidad" (Otto Mayer), o sea entendido como orden jurídico establecido por el Derecho para garantizar la libertad del ciudadano (Ranelletti), hace referencia al orden necesario para el ejercicio de los derechos fundamentales y de las libertades públicas[17]. El orden público constituye, al mismo tiempo, una garantía para el ejercicio de los derechos de unos y un límite en el ejercicio del derecho de otros. Así sucede con el derecho de reunión o con la expresión de la libertad ideológica, religiosa y de culto.

De todos modos, cuando hablamos del orden público como límite del ejercicio de tales derechos, nos estamos refiriendo, como decía el Tribunal Constitucional, al mantenimiento del orden "en sentido material en lugares de tránsito público, no al orden como sinónimo de respeto a los principios y valores jurídicos y metajurídicos que están en la base de la convivencia social y son fundamento del orden social, económico y político" (STC 66/1995, F.J. 3, idem STC 193/2011, F.J. 8). Y no olvidemos que, en todo caso, cualquier limitación al derecho de reunión por razón de orden público debiera ceñirse a las causas legítimamente justificadas (STC 193/2011).

Directamente relacionada con el orden público y muy difícil de diferenciar del mismo se encuentra, como se ha señalado[18], la seguridad pública[19].

---

[17] RIDAURA MARTÍNEZ, M. Josefa (2014), "La seguridad ciudadana como función del Estado", *Estudios Deusto*, vol. 62, p. 330.

[18] IZQUIERDO CARRASCO, M. (2015), *La seguridad privada. Régimen jurídico-administrativo*, Valladolid, Lex Nova, 2004, pp. 41-43; CASINO RUBIO, Miguel: *Seguridad Pública y Constitución*, Madrid, Tecnos, p. 44.

[19] Seguridad pública que ha de diferenciarse a su vez de otros conceptos de seguridad como la seguridad nacional, identificada inicialmente con la preservación de la unidad y la integridad territorial del Estado, la defensa, el ejercicio de la disuasión y la

Ésta es otra razón que puede delimitar el ejercicio del derecho de reunión. Si intentamos precisar, la seguridad pública es una noción más concreta que la de orden público, al centrarse la primera en la actividad dirigida a la protección de personas y bienes, y al mantenimiento de la tranquilidad u orden ciudadano, mientras que el orden público incluye también cuestiones, como, por ejemplo, la salubridad, y, por tanto, es más amplio (STC 33/1982, de 8 de junio). La noción de seguridad pública hace referencia a la necesidad de protección de los bienes jurídicos colectivos y la vigilancia frente a los peligros que acechan a esos bienes como podrían ser todas aquellos que puedan acarrear un daño grave para un sector de la sociedad. De ahí que la prohibición de la celebración de determinadas reuniones en ciertos lugares puede responder más bien a una razón de seguridad en el sentido que indicábamos. Este es el caso, por ejemplo, de la prohibición de manifestaciones ante una central nuclear.

Igualmente, cabe platearse la posibilidad de prohibir o limitar el ejercicio del derecho de reunión, por razones de "seguridad ciudadana" (que se refiere más a la protección de personas y bienes frente a acciones violentas o agresiones, situaciones de peligro o calamidades públicas) porque la aglomeración de gente pueda ser objetivo de un ataque terrorista. Como sabemos, los lugares donde se aglutina mucha gente han sido especial objetivo de los ataques yihadistas que se han vivido en Europa en los últimos años. También dice la Ley de Seguridad Ciudadana que los agentes de las fuerzas y cuerpos de seguridad pueden limitar o restringir la circulación y permanencia en vía y lugares públicos y establecer zonas de seguridad

---

subordinación de la política exterior, y relacionada, con el tiempo, con la capacidad de un Estado de proseguir con el desarrollo de su vida interna sin interferencias serias, o amenazas de interferencia, de potencias extranjeras, una seguridad centrada en la prevención de riesgos y amenazas. O diferenciarse de otro concepto como la seguridad humana, una idea muy relacionada con los derechos de las personas y su garantía como una prioridad básica y superior a los intereses de índole estatal y más relacionado con la promoción de políticas de desarrollo que con el empleo de herramientas militares o de defensa. Junto a ello vamos a encontrar otros conceptos de seguridad como seguridad global, seguridad europea, etc. *Vid.* DE LA CORTE IBÁÑEZ, Luis y BLANCO NAVARRO, José María (2014) *Seguridad nacional, amenazas y respuestas*, Madrid, Biblioteca ICFS, pp. 25 y 26. PÉREZ DE ARMIÑO, Karlos y MENDIA AZKUE, Irantzu (2013) *Seguridad humana. Aportes críticos al debate teórico y político*, Madrid, Tecnos.

cuando existan indicios racionales de que pueda producirse una alteración de la seguridad ciudadana o de la pacífica convivencia (art. 17.1). Esa noción de seguridad ciudadana se identifica en realidad con la de seguridad pública, de modo tal modo que nuestra Constitución emplea ambas con el mismo sentido[20].

En relación con esos riesgos para los bienes y los derechos y libertades de terceros, el Tribunal Constitucional español ha construido en su doctrina la noción de "peligros indirectos para el orden público", sosteniendo que los mismos justifican medidas prohibitorias de celebración de manifestaciones. Ello incluye los peligros para personas o bienes consecuencia de las acciones violentas que pudieran derivarse de la celebración inicialmente pacífica de la concentración, ya sea porque la misma cree situaciones que provoquen directamente esos peligros, ya porque imposibilite la realización de actividades tendentes a evitar o paliar los citados peligros (STC 66/1995, de 8 de mayo). Esto sucedería si, por ejemplo, resulta imposibilitada la prestación de servicios esenciales con incidencia en la seguridad de las personas o bienes. Obviamente, ello solo debiera ser permitido cuando estas medidas preventivas resulten imposibles de adoptar, o sean infructuosas para alcanzar el fin propuesto, o tuvieran que adoptarse medidas desproporcionadas. Por lo tanto, han de existir graves y demostradas razones para prohibir la manifestación. Como indicaba Torres Muro, siempre que haya una medida alternativa, aunque sea más difícil y costosa, ha de emplearse para garantizar los derechos y bienes que pudieran estar en peligro, pues el funcionamiento de un Estado democrático como el que pretende ser España tiene su precio, "precio que seguro que todos pagamos con gusto con sólo recordar las alternativas"[21] que beben de la prohibición y la represión. La doctrina del peligro indirecto, por otro lado, puede conducir

---

[20] M. Josefa RIDAURA precisa, sin embargo, que la seguridad pública es un concepto amplio que abarca no sólo la seguridad en la calle, sino que incluye peligros o amenazas contra el medio ambiente, o la salud pública; mientras que la noción de seguridad ciudadana que utiliza el artículo 104 de la Constitución abarca las medidas de actuación policial, tanto de prevención como de reparación, que tienen como finalidad garantizar el desarrollo libre de la convivencia y del ejercicio de los derechos fundamentales. "La seguridad ciudadana…", *op. cit.*, pp. 336 y 337

[21] TORRES MURO, Ignacio (1995) "Limitando del derecho de reunión", *Revista Española de Derecho Administrativo*, nº 98, p. 590.

a que un excesivo y restrictivo uso de las facultades gubernativas prohibitivas, cercene una de las libertades fundamentales de nuestra democracia, pues con una interpretación restrictiva siempre cabe pensar que cualquier reunión potencialmente puede poner en riesgo el orden público. Esta posibilidad obviamente no constituye una simple reflexión hipotética, pues, como luego se verá en el apartado siguiente, se ha ejemplificado en Francia.

Hoy la seguridad pública/ciudadana representa una de las principales preocupaciones ciudadanas. Vivimos en sociedades intranquilas por los riesgos que las amenazan. Por ello no es de extrañar las cada vez más frecuentes reivindicaciones ciudadanas que reclaman una mayor eficacia policial y judicial. Lo cierto es que la expansión de las responsabilidades del Estado en aras a la seguridad pública está adquiriendo una nueva dimensión en los últimos tiempos. Decía Huster que el término riesgo se está convirtiendo en un concepto clave, mientras que el concepto de "precaución" o "prevención" determina la responsabilidad del Estado con respecto a la seguridad de sus ciudadanos[22]. Y en esos riesgos, la amenaza terrorista ha pasado a ocupar un papel protagónico, un terrorismo que además presenta un carácter difuso y sistémico.

Hay que recordar, además, que el concepto de seguridad no describe ninguna situación claramente definida. Como recuerda Huster, en muchos aspectos, este concepto es más bien una construcción social que depende de nuestra percepción de la realidad[23]. Y el terrorismo yihadista ha creado una percepción de amenaza muy elevada (o así nos lo han hecho percibir). Y la percepción y el sentimiento de inseguridad de la gente son bazas en favor del Estado que nos hace admitir como justificado o normal la adopción de medidas preventivas que vienen a constituir limitaciones a nuestra libertad.

De todos modos, no debemos olvidar que incluso en los supuestos en los que existan razones fundadas de que durante una concentración se pueden producir alteraciones del orden público con peligro para personas y

---

[22]   HUSTER, Stefan (2010), "Terrorismo y derechos fundamentales", en Stefan HUSTER, Ernesto GARZÓN VALDÉS y Fernando MOLINA, *Terrorismo y Derechos fundamentales, Madrid, Fundación Coloquio Jurídico Europeo*, p. 15.

[23]   *Ibidem*, p. 30.

bienes, la autoridad gubernativa, aplicando criterios de proporcionalidad, antes de prohibirla debería utilizar mecanismos de salvaguarda, o proponer las modificaciones de fecha, lugar o duración al objeto de que la reunión pueda celebrarse. Cierto es que el riesgo o peligro de la ruptura de la normalidad protegida por el ordenamiento con posibles daños para personas y bienes habilitan la acción de los agentes de seguridad que consiste prioritariamente en medidas de prevención dirigidas a evitar que ese riesgo pueda actualizarse.

5. LAS LIMITACIONES AL DERECHO DE REUNIÓN EN UN ESTADO DE EXCEPCIONALIDAD

Decíamos al comienzo de este trabajo que el derecho de reunión es uno de esos tantos que puede ver afectado su ejercicio en una supuesta declaración de un estado de excepción[24].

Podemos observar como en muchos países occidentales se han adoptado en los últimos años un conjunto de reglas de excepción o derogatorias del Derecho común como respuesta al terrorismo yihadista y prevención de nuevos ataques. El nuevo terrorismo no es solo un peligro concreto, sino un peligro difuso y se ha extendido la percepción de que las salvaguardas constitucionales tradicionales corren peligro de verse minadas. Se considera que los fundamentos constitucionales se han visto desafiados por una situación aparentemente excepcional, es decir, similar a una emergencia[25].

---

[24] Por ejemplo, en España la Ley Orgánica de los estados de alarma, excepción y sitio, establece que cuando la declaración del estado de excepción prevea la posible suspensión del derecho de reunión, la autoridad gubernativa podrá someter a autorización previa o prohibir la celebración de reuniones y manifestaciones (art. 22). Igualmente, se permite la disolución de las reuniones y manifestaciones que se estuvieren celebrando, incluso en el supuesto de que estuvieran autorizadas. Además, en los locales que tengan lugar reuniones los agentes de la autoridad gubernativa pueden entrar sin necesidad de una autorización judicial, pero sí deberán ir provistos de una orden formal y escrita de dicha autoridad. Ni siquiera esto último sería necesario en el supuesto de que en dichos locales se estuvieran produciendo graves alteraciones del orden público o flagrante delito.

[25] HUSTER, Stefan (2010), "Terrorismo y derechos fundamentales", *op. cit*, p. 11.

Como consecuencia los Estados se han sentido obligados a adoptar medidas excepcionales con las incómodas consecuencias que ello supone para el ejercicio de la libertad y demás derechos por parte de los ciudadanos.

Muchas de esas medidas han comprometido seriamente el *status quo* de los derechos fundamentales haciendo recaer la balanza en favor de la seguridad y en detrimento del normal ejercicio de las libertades.

La declaración de un estado de excepción, en principio, constituye una garantía de la propia Constitución y de las instituciones y derechos en ella reconocidos. Cuando la Constitución es súbitamente confrontada con una situación distinta a la normalidad, no prevista, la Constitución puede no encontrarse en condiciones de garantizar su propia eficacia[26]. Es por eso que las Constituciones posteriores a la segunda guerra mundial incluyeron previsiones para supuestos de anormalidad, que pueden suponer el sacrificio temporal de las garantías de determinados derechos, en aras a salvaguardar la supervivencia del sistema constitucional mismo, el normal funcionamiento de las instituciones y el restablecimiento del *status quo* de los derechos de los ciudadanos. Pero, como decía Cruz Villalón, "el derecho de excepción debe cumplir el objetivo de protegerse frente a sí mismo, es decir, tiene que garantizar no solo la superación de la crisis, sino la vuelta a la Constitución legítima"[27].

Debemos entender el estado excepcional como Derecho de excepción basado en el mantenimiento sustancial del orden constitucional incluso en situaciones de crisis, si bien con la previsión de una serie de competencias extraordinarias taxativamente enumeradas, que suponen la suspensión (solo temporalmente)[28] de la Constitución en alguno de sus extremos. Lamentablemente, la situación de emergencia/crisis que los atentados islamistas generaron en Europa, llevó a algunos países a declarar un estado

---

[26]   CRUZ VILLALÓN, Pedro (1984), *Estados excepcionales y suspensión de garantías*, Madrid, Tecnos, p. 17.

[27]   *Ibidem.*, p. 24.

[28]   REVENGA SÁNCHEZ, Miguel (2006-7) indicaba que "lo que dota de sentido a las medidas excepcionales es su carácter limitado en el tiempo y su función de instrumento para la recuperación de la normalidad", en "Garantizando la libertad y la seguridad de los ciudadanos en Europa: Nobles sueños y pesadillas en la lucha contra el terrorismo", *Parlamento y Constitución*, n. 20, p. 61.

de excepción que habilitaba a los poderes públicos a hacer uso de esas medidas extraordinarias. Especialmente llamativo, por la extensión en el tiempo de dicha situación de excepcionalidad y por su calado, fue Francia. El legislador francés, en distintas ocasiones, había reafirmado el propósito de combatir con eficacia a los que matan indiscriminadamente[29], pero la respuesta nunca había sido tan fuerte y tan contestada como la que se dio tras los atentados del 13 de noviembre en Paris. Francia cerró fronteras y declaró el estado de emergencia, con una prórroga de dicha situación que iba a mantenerse hasta julio de 2016 cuando sobrevino el atentado de Niza, lo que perpetuó ese estado de excepcionalidad hasta la aprobación de la *Loi du 30 octobre 2017 renforçant la sécurité intérieure et la lutte contre le terrorisme*, que ha venido a incluir en el Derecho común muchas de esas medidas excepcionales que solo eran posibles en un estado de emergencia[30]. Cruz Villalón ya advertía de uno de los fenómenos que más reservas suscita en relación con el derecho de excepción, que es la tendencia a incorporar al ordenamiento, de forma prácticamente permanente, institutos hasta entonces considerados, por su carácter, específicos del derecho de excepción. Este autor contaba como en la R.F. de Alemania se produjo la prohibición permanente de acceder a distintos puestos de trabajo a los ciudadanos pertenecientes a asociaciones hostiles a la Constitución o la limitación permanente de la inviolabilidad de las comunicaciones[31]. Esta viene a ser precisamente la crítica que se ha vertido sobre Francia, el haber convertido en normativa ordinaria parte de lo que era legislación de excepcionalidad.

---

[29]   Desde el 2011 se adoptaron en Francia sucesivas leyes para dar respuesta al terrorismo yihadista como: la Ley de Fortalecimiento de la Lucha Antiterrorista, de 22 de julio de 1996, la Ley de Seguridad Cotidiana, de 15 de noviembre de 2001, la Ley de Seguridad Interior, de 18 de marzo de 2003, la Ley de Adaptación de la Administración de Justicia a la Evolución de la Criminalidad Organizada, de 9 de marzo de 2004, y la Ley de Lucha contra el Terrorismo, de 23 de enero de 2006.
BARRERO ORTEGA, Abraham (2010), "La legislación antiterrorista tras el 11-S: la experiencia francesa", Revista de Derecho Político, nº 78, pp. 299-316.

[30]   Las nuevas medidas legislativas, inspiradas en la *Loi sur l'état d'urgence*, han sido incluidas en el *Code de la sécurité intérieure*.

[31]   CRUZ VILLALÓN, Pedro (1984), *Estados...*, *op. cit.*, p. 35.

La declaración de un estado de excepción puede implicar la limitación temporal del ejercicio de derechos como el derecho de reunión y manifestación (o de circulación en determinadas zonas). Así está previsto en España para los estados de excepción y de sitio.

Respecto al derecho que nos ocupa, y por lo que antes advertíamos respecto de Francia, la declaración de esa excepcionalidad implicó la limitación temporal del ejercicio del derecho de reunión y manifestación (y de circulación en determinadas zonas, "a toda persona susceptible de obstaculizar o suponer una amenaza para la seguridad y el orden público", art. 5 *Loi n° 55-385 du 3 avril 1955 relative à l'état d'urgence*). El *Code de la Securité interieur* en su art. 211 regulaba el derecho de reunión y manifestación en Francia, inicialmente, en términos bastante similares a como se hace en nuestro país. Pero, la *Loi du 30 octobre 2017 renforçant la sécurité intérieure et la lutte contre le terrorisme* vino a consolidar las previsiones de la Ley que regulaba la situación de excepcionalidad (état d'urgence) y a dar más cobertura a las fuerzas de seguridad para prohibir la celebración de manifestaciones por motivos de seguridad en la lucha contra la amenaza terrorista, fundamentalmente, por el amplio margen de apreciación y de disponibilidad de sus facultades prohibitivas.

Desde los inicios se denunció que esas facultades que brinda la Ley francesa en el estado de excepción, especialmente desde 2016, podían ser utilizadas, sin demasiada justificación, por los poderes públicos para prohibir la participación en manifestaciones de cualquier naturaleza. Por ejemplo, el art. 8 establece que "las marchas, desfiles y reuniones de personas en la vía pública pueden ser prohibidas cuando la autoridad administrativa justifique que no hay modo de garantizar la seguridad, con los medios de que dispone". Así, entre noviembre de 2015 y el 5 de mayo de 2017, se dictaron 155 órdenes que prohibían las reuniones públicas, especialmente debido a la falta de medios necesarios para garantizar el mantenimiento del orden. Subrayando estos datos, Amnistía Internacional ha venido denunciando que las medidas previstas en el estado de emergencia francés han estado siendo utilizadas de forma abusiva por limitar las manifestaciones pacíficas comunes[32]. Un

---

[32]   AMNISTÍA INTERNACIONAL (2017), "France: un droit, pas une menace: restrictions disproportionnées à la liberté de réunion pacifique sous couvert de l'état d'urgence en France", Rapport du 31 mai 2017, n° d'index. EUR 21/6104/2017.

ciudadano, al que se le negó la posibilidad de participar en una gran manifestación contra la Ley del trabajo, planteó una cuestión ante el Consejo Constitucional francés. Este órgano consideró finalmente inconstitucional el art. 5 de dicha Ley, precepto citado más arriba, por desproporcionado. Según la decisión, la redacción del mismo permitiría a la policía prohibir la permanencia o circulación en cualquier zona sin ninguna relación con el orden público y menos con la existencia de una amenaza terrorista[33]. En definitiva, se han estado prohibiendo determinadas manifestaciones al amparo de la emergencia terrorista, en un nuevo claro e injustificado desequilibrio entre seguridad y derechos de los ciudadanos.

Este mismo tipo de denuncias se han producido en informes elaborados en otros países, como el elaborado por el Comité de Derechos humanos del parlamento británico que denunciaba cómo la policía amparándose en leyes antiterroristas ha abusado de su poder para limitar el pacífico ejercicio del derecho de reunión en Reino Unido[34].

Tanto si hablamos del ejemplo de Francia como si lo hacemos de las medidas adoptadas en otros Estados, la cuestión de fondo es la misma: este tipo de mecanismos de prevención y de persecución de los presuntos terroristas puede conducir, como se ha demostrado, a la restricción considerable de los derechos y libertades no de los presuntos terroristas, sino también del resto de ciudadanos.

6. LA LIMITACIÓN DE LA LIBERTAD DE REUNIÓN PARA CELEBRAR ACTOS DE CULTO Y EL CIERRE DE MEZQUITAS

El derecho de reunión constituye además un derecho instrumental del ejercicio de otros derechos como la libertad religiosa. La religión, junto a una vertiente individual (conciencia individual), se manifiesta indefec-

---

[33] Décision nº 2017-635 QPC du 9 juin 2017.
[34] Parliamentary report HL37/HC282, joint committee on human rights, "Counter-Terrorism Policy and Human Rights (Fourteenth Report): Annual Renewal of Control Orders Legislation 2009", 27 february 2009.

tiblemente también como una realidad social[35]. Y esa vertiente colectiva de expresión externa, como la participación en las actividades de culto, conlleva en muchas ocasiones la necesidad de reunirse. Tan esencial es esta faceta de la libertad religiosa que cuentan que el César Galerio, próximo a la muerte, decidió proclamar un Edicto que vino a constituir el primer estatuto oficial de tolerancia frente a aquella que se preveía como nueva religión en el Imperio. El Edicto rezaba: "existan de nuevo los cristianos y celebren sus asambleas y cultos, con tal de que no hagan nada contra el orden público"[36].

La Ley Orgánica 7/1980, de Libertad Religiosa (LOLR) indica que esta libertad comprende el derecho de toda persona "a reunirse o manifestarse públicamente con fines religiosos". Bien es cierto que este contenido concreto no aparece en los textos supranacionales de reconocimiento de derechos humanos, tan solo se recoge expresamente en la Declaración de la ONU sobre la Eliminación de todas las formas de intolerancia y discriminación fundadas en la religión o las convicciones (25 de noviembre de 1981), que indica como uno de los contenidos de la libertad religiosa: "el practicar el culto *o celebrar reuniones en relación con la religión o las convicciones*, y de fundar y mantener lugares para estos fines" (art. 6.1 a).

El ejercicio de la libertad religiosa que supone al tiempo ejercicio del derecho de reunión se puede llevar a cabo en lugares públicos cerrados (ej. ceremonias en un templo), que se rigen por la LOLR[37] o en lugares de tránsito (ej. ceremonias en la vía pública o procesiones), que quedan bajo la regulación de la Ley Orgánica que regula el Derecho de reunión.

---

[35]   MARÍA MARTÍ, José (2003), "Derecho común de reunión y asociación y fenómeno religioso", Alberto de la Hera, Agustín Motilla y Rafael Palomino (coords.), *El ejercicio de la libertad religiosa en España. Cuestiones disputadas*, Madrid, Ministerio de Justicia, pp. 17 y 18.

[36]   PRIETO ÁLVAREZ, Tomás (2010), *Libertad religiosa y espacios públicos*, Madrid, Thomson Reuters, p. 137.

[37]   La ley Orgánica 9/1983 exime de su ámbito de aplicación las reuniones que se celebren en lugar cerrado "las entidades legalmente constituidas", esto es, la situación en la que se encuentran al menos, la Iglesia Católica y las confesiones musulmana, protestante y judía. En todo caso, las reuniones en lugares cerrados ni siquiera han de comunicar a la autoridad competente su celebración, excepto para solicitar presencia o colaboración de las mismas.

Se ha defendido que la participación en una celebración religiosa constituye ejercicio del derecho de reunión, incluso aunque no exista una convocatoria previa formal, como puede producirse en otras reuniones[38]. Por lo tanto, a las reuniones de carácter religioso le asisten las mismas garantías que a la libertad de reunión y la libertad religiosa e igualmente las mismas limitaciones que el ordenamiento les reserva. Baste recordar ahora las limitaciones que arriba indicábamos respecto del derecho de reunión y las que se imponen al ejercicio de la libertad religiosa: derechos y libertades de los demás, la seguridad pública, la salud pública y la moralidad pública. No se recoge, sin embargo, expresamente en el ordenamiento que la seguridad nacional pueda ser un límite al ejercicio de la liberta religiosa.

Por lo que ahora nos interesa, lo cierto es que las medidas adoptadas en la lucha contra el terrorismo islamista han afectado especialmente a esa faceta del derecho de reunión que confluye con el ejercicio de la libertad religiosa.

En concreto, en España, los lugares donde se llevan a cabo las reuniones con carácter religioso y los actos de culto constituye un tema objeto de litigio en cuanto a su regulación. Las mayores dificultades las han encontrado las comunidades islámicas para hacer efectivo art. 2 del Acuerdo firmado por esta Confesión con el Estado español aprobado por Ley 26/1992, de 10 de diciembre, que les reconoce el derecho a tener un lugar de culto. Más que con las autoridades, la oposición a la apertura de tales centros de culto (mezquitas y oratorios islámicos) ha venido bastantes veces de los vecinos próximos a tales lugares[39]. Disposiciones de los poderes públicos que ponen trabas a la construcción de mezquitas, por la tendencia a relacionarlas con un posible foco de islamismo radical y por la islamofobia que late en el fondo, pueden encontrarse igualmente en Italia[40] o Suiza[41].

---

[38] LÓPEZ ALARCÓN, M. (1996), "Tutela de la libertad religiosa", en J. Ferrer Ortiz (coord.) *Derecho Eclesiástico del Estado español*, Pamplona, p. 172.

[39] MARÍA MARTÍ, José (2003), "Derecho común de reunión...", *op. cit.*, p. 37

[40] MARCHEI, N. (2017), "Le nuove leggi regionali antimoschee", *Stato, Chiese e pluralismo confessionale*, nº 25.

[41] TEDH asuntos *Ouardini c. Suiza* y *Asociación "Liga de musulmanes de Suiza" c. Suiza*, de 26 de junio de 2011.

En relación con los lugares de culto, después de los atentados del 11-M surgieron en España propuestas directamente relacionadas con la preservación de la seguridad pública y el ejercicio de la libertad religiosa, según se desprendió de algunas resoluciones judiciales. Se puso de manifiesto como las mezquitas, "practicando con libertad plena la religión musulmana, progresivamente empezaron a ser utilizadas para convencer a los que allí concurrían acerca de la imperiosa necesidad de defender a ultranza sus postulados religiosos e imponerlos a todo no creyente o infiel por cualquier medio, por coercitivo que fuera, incluyendo acabar con la vida de todo humano que, integrado en una sociedad democrática o no, se opusiera a la instauración de un Estado islámico bajo el imperio de la *sharia* o Ley islámica en su interpretación más radical, extrema y minoritaria. Para ello pretendían crear un profundo terror colectivo en dichas sociedades para conseguir por este medio doblegarlas y someterlas a sus postulados"[42]. El problema fundamental se sitúa en los oratorios o lugares de culto clandestinos vinculados a comunidades islámicas no inscritas que, al no poderse calificar jurídicamente de lugares de culto quedan a salvo de la aplicación de la Ley Orgánica reguladora del derecho de reunión[43] y donde las dificultades para suspender las actividades ilegales que en ellas pudieran realizarse son mucho mayores. Así sucedió, en cierto modo, con la denominada "mezquita" de Ripoll (Barcelona) donde, según el Auto de la Audiencia Nacional de 22 de agosto de 2017, predicaba Abdelbaki Es Satty, que se relacionó con los atentados de la Rambla (agosto 2017). Era un lugar que no cumplía con los requisitos exigidos por la normativa de centros de culto y que, sin embargo, seguía funcionando como lugar de reunión y culto religioso.

De igual modo, desde que comenzó la oleada de atentados en Francia en 2015, en las autoridades de este país, se despertó un particular interés por las reuniones en determinados lugares de culto religioso, de nuevo las

---

[42] José Antonio RODRÍGUEZ GARCÍA pone como ejemplo la Sentencia de la Audiencia Nacional 36/2005, de 26 de septiembre, en *Libertad religiosa y terrorismo islamista*, Madrid, Dykinson, 2017, p. 50. Idem en STS 1064/2002; STS 556/2006, de 31 de mayo; STS 3691/2016, de 27 de julio; STS 1643/2017, de 26 de abril). RODRÍGUEZ GARCÍA, José Antonio (2017), *Libertad religiosa y terrorismo islamista*, Madrid, Dykinson.

[43] RODRÍGUEZ GARCÍA, José Antonio (2017), *Libertad religiosa op. cit.*, p. 175.

Mezquitas, por ser espacios donde se ha producido una radicalización de feligreses asistentes. Por dicha causa, con posterioridad a los atentados de 2015 se cerraron una treintena de ellas en Francia. La *Loi relative à l'état d'urgence* se modificó en 2016 incluyendo la potestad del Ministro del interior o el Prefecto de un Departamento de "ordenar el cierre provisional...de lugares de culto en el seno de los cuales se conoce del propósito de provocar el odio o la violencia o una incitación a la comisión de actos de terrorismo o que sean apología de tales actos" (art. 8)[44]. La medida, aun pudiendo estar justificada, es limitativa de la libertad religiosa y afecta también al derecho a reunirse para practicar actos de culto o intercambiar opiniones. Tras las elecciones presidenciales de mayo de 2017 en Francia, se anunció la reapertura de la mezquita Al-Rawda, pero con grandes medidas de seguridad, entre ellas el establecimiento de un sistema de videovigilancia para "prevenir la constitución de grupos incontrolados, susceptibles de difundir mensajes radicales", o "comportamientos y expresiones contrarias a los valores de la República" en ese lugar de culto o en sus alrededores[45].

El establecimiento de la videovigilancia de los lugares de culto islámico también se planteó en España. Estamos de acuerdo con Rodríguez García[46] en que ello no haría más que criminalizar a la religión musulmana, pero conforme a la Ley Orgánica 4/1997, de 4 de agosto, de utilización de video-cámaras por las fuerzas y cuerpos de seguridad, está permitido el uso de cámaras fijas en las vías y espacios públicos, y entre ellos cabría pensar en las inmediaciones de una mezquita, siempre que se dé la publicidad sobre la presencia de dichas cámaras que exige la Ley.

---

[44]   El periodo máximo de cierre está establecido en 6 meses. Cuando se decida dicho cierre se conceden a los responsables de dicho centro un periodo de 48 hs. para interponer un recurso administrativo ante los tribunales administrativos.

[45]   VICENT, Elise (2017), "Le ministère de l'intérieur autorise la réouverture de la mosquée de Stains", *Le Monde*, 11 de mayo de 2017.
http://www.lemonde.fr/societe/article/2017/05/11/le-ministere-de-l-interieur-autorise-la-reouverture-de-la-mosquee-de-stains_5125784_3224.html#ma74qFvMi0QoDQWA.99

[46]   RODRÍGUEZ GARCÍA, José Antonio (2017), *Libertad religiosa..., op. cit.*, p. 181

Alguna decisión del TEDH también ha constatado como las mezquitas son utilizadas como lugares de reunión de fundamentalistas islámicos para difundir sus doctrinas y reclutar adeptos para la *Jiyad*[47].

En el pasado ya había acaecido en Europa algún caso que podría recordarnos a lo descrito. Uno de ellos fue conocido por la Corte de Estrasburgo en 2010. En el asunto *Ahmet Arslan y otros c. Turquía* (2010), los recurrentes, que pertenecían a un grupo religioso musulmán, participaron en una ceremonia religiosa junto a una mezquita llevando sus vestimentas religiosas. En el transcurso de dicha reunión pública se produjeron varios incidentes, muchos de los partícipes fueron arrestados ante el Tribunal de Seguridad Nacional por haber incumplido la legislación antiterrorista y poner en riesgo la seguridad pública. Luego fueron procesados por ello, negándose a quitarse su indumentaria religiosa, a pesar de haberlo solicitado el tribunal, y finalmente fueron condenados. El Tribunal Europeo de Derechos Humanos indicó que los condenados eran ciudadanos ordinarios y el modo en que vestían en ese acto religioso en un lugar público no pudo suponer en ningún caso una amenaza para el orden público o para terceros, ni ejercieron ningún tipo de presión a los viandantes, por lo que consideró que se habían vulnerado sus derechos fundamentales.

7. ALGUNAS REFLEXIONES FINALES

Estaremos de acuerdo en que, para un efectivo y pleno disfrute de los derechos fundamentales, es imprescindible la base previa de un nivel mínimo de garantía de la pacífica convivencia ciudadana y unas condiciones mínimas para ejercicio de los derechos de todos. Obviamente un atentado terrorista perturba gravemente ese orden público. Al igual que es obvio que, por ejemplo, el adoctrinamiento en ideas de carácter fundamentalista o salafista es el inicio de un proceso de radicalización que puede convertir a estos asistentes a oficios religiosos en potenciales terroristas y que, por lo tanto, han de tomarse medidas que corten esa deriva.

---

[47]   Asunto *Belkacem c. Bélgica*, de 27 de julio de 2017.

La legislación antiterrorista se orienta a la salvaguarda del libre y pacífico disfrute de los derechos y libertades y, en concreto, a la salvaguarda de la seguridad[48]. Lógicamente la prevención de ataques terroristas, que pueden dañar gravemente estos bienes y valiosos derechos de los ciudadanos, constituye una razón suficiente para establecer limitaciones al ejercicio de ciertos derechos. Esto, que en teoría resulta tan sencillo, tiene muchas aristas y zonas grises. No siempre está claro cuándo el orden público puede quedar alterado, los presuntos riesgos contra la seguridad no siempre están suficientemente sopesados y la proporcionalidad entre estos fines perseguibles y la limitación de derechos que se impone no es fácil de establecer.

El argumento de la seguridad pública o la seguridad nacional puede constituir una razón justificada para el Estado para imponer límites a derechos como el de reunión, pero, en algunos ordenamientos jurídicos las previsiones legales lo han convertido en un argumento de fácil y libre disposición por parte de quien gobierna. En este punto resulta interesante no olvidar cómo en la Primera sesión de la Asamblea Consultiva del Consejo de Europa cuando se estaba elaborando el texto del Convenio Europeo de Derechos Humanos, el francés Pierre Henry Teigten afirmaba: "(…) en el origen de nuestra unión se encuentra inscrita esta afirmación fundamental: toda persona, por su origen, su naturaleza y su destino, es titular de unos derechos imprescriptibles frente a los que no puede valer ninguna razón de Estado"[49]. No se hacía más que recordar el daño que el abuso de esa razón de Estado puede suponer para el ejercicio de los derechos fundamentales.

Por ello, surge la pregunta de cuáles son los propios límites del Estado al establecer límites a las libertades cuando se pretende salvaguardar el orden público o la seguridad. Aquí es donde entra en juego, por un

---

[48]   Artículo 3 de la Ley española36/2015, de Seguridad Nacional: A los efectos de esta ley se entenderá por Seguridad Nacional la acción del Estado dirigida a proteger la libertad, los derechos y bienestar de los ciudadanos, a garantizar la defensa de España y sus principios y valores constitucionales, así como a contribuir junto a nuestros socios y aliados a la seguridad internacional en el cumplimiento de los compromisos asumidos.

[49]   Así lo recuerda Miguel REVENGA SÁNCHEZ en *Seguridad Nacional y Derechos Humanos. Estudios sobre la Jurisprudencia del Tribunal de Estrasburgo*, Cizur Menor, Aranzadi, 2002, p. 23.

lado, los límites al Estado en los supuestos de excepcionalidad y, por otro lado, la consabida proporcionalidad. En caso de duda serán los Tribunales nacionales, y en última instancia los supranacionales, los encargados de definir los términos indicados y de perfilar el mejor de los equilibrios entre seguridad y las libertades.

Revenga Sánchez advertía acertadamente que "cuando, en nombre de la seguridad, se vulnera un derecho, se produce una erosión en los cimientos del sistema que causa daños en ambos lados, en el de la libertad y en el de la seguridad. La pérdida de la libertad, por ocasional y aislada que resulte, es en definitiva algo que resta también peso al valor de la seguridad" y afirmaba: "la *seguridad nacional* no puede, en suma, ser utilizada como válvula para interrumpir el despliegue normalizado del sistema de los derechos, sin producir al mismo tiempo *inseguridad constitucional*[50]". En esa situación la cuestión se salda con un desequilibrio en favor de la seguridad y en detrimento de los derechos fundamentales.

En todo caso, los límites que se establezcan han de ser los idóneos para asegurar el fin que se persigue: el orden público, la seguridad, evitar mensajes que supongan la apología del terrorismo…Además, debe ser una limitación necesaria y proporcional al verdadero daño que se pretende evitar, escogiendo de entre las posibles medidas limitadoras de derechos aquellas que sean menos gravosas para estos.

Todo ha de hacerse desde el paradigma del Estado de Derecho. Como recordaba Dworkin: "lo que nuestros enemigos, principalmente, esperan lograr a través de su terror es la destrucción de los valores que ellos odian y nosotros veneramos. Debemos proteger esos valores lo mejor que podamos, incluso mientras luchamos contra los terroristas. Eso es difícil: requiere discernimiento, imaginación y honestidad"[51].

---

[50] *Ibidem*, pp. 49-50. La cursiva es del autor de la cita.

[51] "But what our enemies mainly hope to achieve through their terror is the destruction of the values they hate and we cherish. We must protect those values as well as we can, even as we fight the terrorists. That is difficult: it requires discrimination, imagination, and candor" (DWORKIN, Ronald (2002), "The treath to patriotism", *op. cit.*, p. 11).

Las políticas públicas de prevención en materia de seguridad pública deben abarcar políticas educativas, antidiscriminatorias, sociales y otras, dirigidas a la integración de las minorías. Esas políticas han de prestar especial atención al componente de diversidad social, cultural y religiosa como estrategia para facilitar la integración social y evitar la radicalización violenta. Precisamente el ejercicio del derecho de manifestación ha sido utilizado por los propios ciudadanos musulmanes como muestra de voluntad y mecanismo de integración a través de su participación en manifestaciones en las que han mostrado su solidaridad y absoluto rechazo a los atentados yihadistas y han querido romper toda imagen que pueda relacionar al terrorismo yihadista con cualquier feligrés musulmán.

Capítulo XVII

LIBERTAD DE EXPRESIÓN E INCITACIÓN AL TERRORISMO: LOS MODELOS EUROPEO Y NORTEAMERICANO

ANA VALERO HEREDIA

Profesora Titular Derecho Constitucional acreditada de la UCLM

1. LA "INCITACIÓN INDIRECTA" A LA COMISIÓN DE ACTOS TERRORISTAS COMO CAUSA DE RESTRICCIÓN DE LA LIBERTAD DE EXPRESIÓN

Es indiscutible que la seguridad nacional o global es un bien jurídico ponderable con la libertad de expresión, cuya protección puede limitar legítimamente el ejercicio de ésta. El problema surge, sin embargo, cuando las respuestas jurídicas, principalmente penales, adoptadas para dicho fin consideran a la libertad de expresión y, por ende, a la libertad ideológica, como un instrumento más de la propia actividad terrorista.

En el ámbito europeo, con carácter general, la respuesta adoptada tanto a nivel normativo como jurisprudencial prescinde de que los discursos enjuiciados contengan o no un llamamiento directo a la realización de actos terroristas o que exista un riesgo real de que estos se produzcan para sancionarlas penalmente. Tanto es así que, en el ámbito del Consejo de Europa, se ha incluido la "incitación indirecta" a la comisión de actos terroristas como causa de restricción de la libertad de expresión.

Así, el "Convenio número 196 del Consejo de Europa para la prevención del terrorismo", de 2005, en su artículo 5, bajo el título *"provocación pública para cometer delitos terroristas"*, establece:

"1. A los efectos del presente Convenio, se entenderá por 'provocación pública para cometer delitos terroristas' la difusión o cualquier otra forma de puesta a disposición del público de mensajes con la intención de incitar a cometer delitos terroristas, cuando ese comportamiento, ya preconice *directamente o no* la comisión de delitos terroristas, cree peligro de que se *puedan* cometer uno o varios delitos".

Además, el artículo 8 del mismo Convenio dispone que no es necesario que el acto terrorista llegue a cometerse para que el discurso enjuiciado pueda ser considerado delictivo.

Una definición similar se encuentra en la legislación de la Unión Europea desde que en 2008 se aprobó la "Decisión Marco del Consejo de la Unión, que modificaba la de 2002, sobre la lucha contra el terrorismo"[1]. Así, su artículo 1.1, relativo al *"delito de provocación pública para cometer un delito de terrorismo"*, señalaba:

"La distribución o difusión pública, por cualquier medio, de mensajes destinados a inducir a la comisión de cualesquiera de los delitos enumerados en el artículo 1, apartado 1, letras a) a h), cuando dicha conducta, independientemente de que promueva o no directamente la comisión de delitos de terrorismo, conlleve el riesgo de comisión de uno o algunos de dichos delitos".

Pues bien, este carácter abierto y poco acotado se mantiene en la recientemente aprobada "Directiva (UE) 2017/541 del Parlamento Europeo y del Consejo, de 2017, relativa a la lucha contra el terrorismo" en los mismos términos.

De dicha normativa, que define lo que podría considerarse el modelo europeo en la materia, se derivan dos aspectos problemáticos en relación con la libertad de expresión. Por un lado, la cuestión de la "incitación indirecta" y, por otro, el alcance del término "peligro" de comisión de delitos de terrorismo, pues ambos son conceptos imprecisos y no aparecen expresamente descritos en ninguna de las dos normas vigentes, por lo que cabe preguntarse: ¿en qué consiste promoción o provocación indirecta? y, ¿cuál es el nivel de riesgo que debe producirse? ¿es necesaria la inminencia o basta con la posibilidad de que el delito de terrorismo sea cometido?

---

[1]   https://www.boe.es/buscar/doc.php?id=DOUE-L-2002-81127

Para tratar de dar respuesta a estos interrogantes se hace necesario analizar la jurisprudencia del Tribunal Europeo de Derechos Humanos en la materia.

2. LA JURISPRUDENCIA DEL TRIBUNAL EUROPEO DE DERECHOS HUMANOS EN MATERIA DE INCITACIÓN AL TERRORISMO Y SUS DIFERENCIAS CON EL MODELO ESTABLECIDO POR LA CORTE SUPREMA NORTEAMERICANA

Cabe iniciar dicho análisis señalando que, en materia de incitación al terrorismo, el Tribunal de Estrasburgo rechaza como regla general que los discursos de apología, incitación, instigación o enaltecimiento de la actividad terrorista sean posibles manifestaciones de la libertad de expresión por considerar que una de las principales características de la democracia reside en la posibilidad que ésta ofrece de resolver las disputas desde el diálogo y sin recurrir a la violencia.

Sin embargo, si se estudian sus pronunciamientos sobre la materia, se observa que su doctrina es de tipo casuista partiendo de la idea de que, en la sensible cuestión de la lucha contra el terrorismo, el mantenimiento de la seguridad pública, la defensa del orden y la prevención de los crímenes, constituyen fines legítimos que pueden justificar la limitación del derecho de libertad de expresión.

De conformidad con la letra del Convenio del Consejo de Europa de 2005 para la prevención del terrorismo, el Tribunal Europeo de Estrasburgo admite que puede haber incitación al terrorismo en casos en que los discursos, expresiones o mensajes divulgados no contengan una apelación directa a la perpetración de actos terroristas, a la resistencia armada o a la insurrección.

Y, como ahora se expondrá al analizar su jurisprudencia, la Corte atiende a una serie de criterios para determinar si existe "incitación" tales como: el contexto político/social en que se produzca la difusión del mensaje; el medio empleado para su difusión; el impacto social del mensaje; la intención del emisor y su estatus; o la idoneidad de la expresión para incitar a la violencia.

Veamos diversos casos que lo ejemplifican.

El primero de ellos es el caso *Zana c. Turquía,* de 25 de noviembre de 1997[2], en el que el Tribunal Europeo estimó conforme al artículo 10 del Convenio Europeo de Derechos Humanos la detención de un antiguo alcalde que, en el transcurso de una entrevista, manifestó su adhesión al movimiento de liberación nacional del PKK y a sus actuaciones, a pesar de reconocer que éste había cometido matanzas de mujeres y niños por error.

El TEDH realizó la correspondiente ponderación a través del llamado *"test de Estrasburgo"* atendiendo al contexto de extrema tensión existente en el sudeste de Turquía en ese momento; al hecho de que se tratase de un cargo político de la mayor ciudad en esa zona; y que la entrevista había sido publicada en un diario de gran difusión, para llegar a la conclusión de que se trataba de un mensaje lo suficientemente peligroso como para exacerbar el clima ya explosivo de la región, en la que existía una realidad de violencia terrorista.

En palabras del Tribunal:

> "La declaración no puede (…), considerarse aisladamente. Dadas *las circunstancias del caso tuvieron una gran repercusión* que el demandante no podía ignorar. (…) La entrevista coincidió con atentados mortales perpetrados por el PKK contra civiles en el sudeste de Turquía, lugar donde reinaba, en el momento de los hechos, una *tensión extrema.* En estas circunstancias, el apoyo al PKK, calificado de "movimiento de liberación nacional", por parte del *antiguo alcalde de Diyarbakir, la ciudad más importante del sudeste de Turquía,* en una entrevista publicada en *un gran periódico nacional,* podría agravar una situación ya de por sí explosiva en esa región".

En el caso *Sürek c. Turquía,* de 8 de julio de 1999[3], se abordaba la compatibilidad con el artículo 10 del Convenio de la condena penal impuesta al director de una revista por publicar dos cartas al director en las que se criticaban duramente las operaciones militares turcas en el sudeste del país.

---

[2]   http://hudoc.echr.coe.int/eng?i=001-58115
[3]   http://hudoc.echr.coe.int/eng?i=001-58279

Las cartas acusaban a Turquía de conspirar para la detención, la tortura y el asesinato de los luchadores por la liberación del pueblo kurdo, y afirmaban que cabía tomar por la fuerza los derechos que les son propios.

Pues bien, la Corte de Estrasburgo consideró que:

> Por un lado, existía una clara intención de estigmatizar a la otra parte en el conflicto por el uso de términos tales como "ejército fascista turco", "la banda de los asesinos turcos" y "asesinos a sueldo de imperialismo";
> Y, por otro, que las cartas equivalían a una llamada a una venganza sangrienta porque despertaban instintos primarios y reforzaban prejuicios ya arraigados que se habían ido expresando a través de la violencia mortal.

Además, atendió al contexto político-social de la zona, el estado de emergencia, para llegar a la conclusión de que:

> "(…) el lector tiene la impresión de que *el uso de la violencia es una medida necesaria y justificada de autodefensa contra el agresor*".

En el caso *Arslan c. Turquía*, de 8 de julio 1999[4], se dirimía el secuestro de un libro en aplicación de la legislación antiterrorista que, bajo el género de narrativa histórica literaria, presentaba a los turcos como invasores crueles. Y afirmaba que el pueblo kurdo, a través de su resistencia, había anunciado *la feliz noticia del día en que destruirán la fortaleza de violencia del chovinismo turco*".

En relación con el contexto social y político de la región, el Tribunal señala nuevamente la sensible la situación de inseguridad en el sudeste de Turquía.

Por lo que atañe a la intención del autor, afirma que está claro que la contenida en el libro no es una descripción "neutral" de hechos históricos ya que, a través de su libro, el autor pretendía criticar la acción de las autoridades turcas en el sureste del país y alentar a la población interesada a oponerse.

Sin embargo, el Tribunal mantiene que el demandante era un mero particular que difundió sus tesis por medio de una obra literaria y no a tra-

---

4   http://hudoc.echr.coe.int/eng?i=001-58271

vés de los medios de comunicación, por lo que su impacto potencial en la "seguridad nacional", el orden" o "integridad territorial" del Estado turco era limitado. Y llega a la conclusión que, si bien hay en el libro algunos pasajes especialmente duros, que describen un retrato negativo de la población de origen turco, estos no alientan el uso de violencia, la resistencia armada o el levantamiento.

En el caso *Karatas c. Turquía*, de 8 de julio 1999[5], se dirimía la condena del autor de un libro de poemas que, en palabras de la Corte, contenía pasajes muy agresivos con respecto al poder turco.

Sin embargo, estima que la incidencia de una expresión poética —que se dirige, por definición, a un grupo reducido de personas— en la seguridad nacional, en el orden público y en la integridad territorial del Estado era muy limitada. Y es precisamente el argumento de la escasa divulgación y la naturaliza artística del texto lo que determina, para el Tribunal, su carácter no apologético.

El problema kurdo está también en el origen del caso *Erdogdu contra Turquía*, de 19 de junio de 2000[6], en el que se dirimía la compatibilidad con el artículo 10 del Convenio de la condena al redactor jefe de un periódico que publicó un artículo escrito por uno de los lectores en el que llamaba a los turcos "fascistas" y "fundamentalistas".

La Corte afirmó que la publicación cuestionada se produjo en el contexto de la situación en el sudeste de Anatolia y del problema kurdo que había sido objeto de considerable controversia durante años.

Por lo tanto, admite que el artículo no es un mero estudio "neutral" de este problema y afirma que, a través de él, el autor, aunque sea indirectamente, estigmatiza tanto la ideología política dominante del Estado como la conducta de las autoridades turcas en esta área.

Sin embargo, la Corte considera que, si bien algunos términos empleados confieren una cierta virulencia a la crítica política del autor, el artículo en sí no puede ser considerado como "una llamada a la venganza

---

5   http://hudoc.echr.coe.int/eng?i=001-58274
6   http://hudoc.echr.coe.int/eng?i=001-58275

sangrienta" ni puede llevar al lector a pensar que el uso de la violencia es una medida necesaria y justificada de autodefensa contra el Estado turco.

El caso *Ceylan contra Turquía*, de 11 de octubre de 2005[7], es similar al anterior pues el TEDH trataba de la condena de un sindicalista que publicó un artículo en el que acusaba al Estado turco de adoptar medidas represoras contra la clase trabajadora en su conjunto. Y ello en el marco de la legislación antiterrorista prevista para dar respuesta al asunto kurdo, llamado a la movilización de todos los demócratas contra el estado opresor.

El Tribunal de Estrasburgo tuvo en cuenta las circunstancias que rodeaban el caso y, en particular, las dificultades ligadas a la lucha contra el terrorismo, sin embargo, llegó a la conclusión de que, si bien que determinados pasajes del artículo litigioso ofrecen una imagen muy negativa del Estado turco y le otorgan un carácter hostil, sin embargo, no exhortaban al uso de la violencia, ni a la resistencia armada, ni a la sublevación.

Un caso especialmente relevante, por no versar sobre la cuestión kurdo-turca y por mostrar muy claramente la doctrina de la Corte de Estrasburgo, es *Leroy c. Francia*, de 6 de abril de 2009[8]. En él se conocía de la condena impuesta por apología del terrorismo al dibujante del semanario vasco-francés "Ekaitza" que publicó, dos días después del ataque a las Torres Gemelas de Nueva York en 2001, un dibujo que representaba dicho ataque acompañado de un texto imitativo del slogan publicitario de la marca Sony: "Todos lo soñábamos… *Hamas* lo hizo", con la intención, en sus palabras, de representar la destrucción del imperio estadounidense el día del ataque en Nueva York.

En la correspondiente ponderación, la Corte de Estrasburgo prestó especial atención a los términos utilizados para ilustrar el dibujo: que se trataba de una caricatura que puede ser una forma de expresión artística por definición provocativa, por un lado, y que ésta se publicó en un contexto político de lucha contra el terrorismo, por otro.

Sin embargo, señaló que concurrían unas circunstancias particulares que el autor no debía haber ignorado: el hecho de que la caricatura y el tex-

---

[7]   http://hudoc.echr.coe.int/eng?i=001-58270
[8]   http://hudoc.echr.coe.int/eng?i=001-88715

to que la acompañaba se hubieran publicado el 13 de septiembre, solo dos días después de los atentados, momento en que todo el mundo se hallaba conmocionado por los hechos, sin tomar ninguna precaución lingüísticas por su parte. Según el Tribunal, esta dimensión temporal es de tal entidad que aumenta la responsabilidad del dibujante, por lo que su caricatura debía interpretarse como de apoyo a un hecho trágico, tanto desde un punto de vista artístico como periodístico.

Además, continuaba la Corte señalando que el impacto de tal mensaje en una región políticamente sensible como la vasca, no debía haberse descuidado.

Por otro lado, y en relación con el criterio de la audiencia, señaló que la solidaridad mostrada por los trabajadores de la revista con su compañero y los emails y cartas de los lectores en su apoyo —publicados en el número siguiente de la Revista—, evidenciaban que la caricatura generó reacciones que podían incitar a la violencia, a pesar de la escasa difusión del medio.

En consecuencia, el Tribunal de Estrasburgo estima que la obra no critica al imperialismo estadounidense, como defiende su autor, sino que apoya y glorifica su destrucción mediante la violencia.

En la misma línea, en el caso *Yavuz y Yaylali c. Turquía*, de 17 de diciembre de 2013[9], la Corte de Estrasburgo ha sido muy explícita al incluir en la incitación a la violencia discursos que no constituyen una apelación directa a la misma.

El caso trataba de unos manifestantes condenados por hacer propaganda a favor de una organización terrorista —el llamado Ejército Popular de Liberación—. Estos habían participado en una manifestación en protesta por la muerte de diecisiete personas en un enfrentamiento con las autoridades turcas. En el evento se leyó un comunicado de prensa en el que los manifestantes acusaron a los funcionarios involucrados en el enfrentamiento de matar a estas personas en violación de la ley y de la mutilación de los cadáveres. Afirmando que el Estado no respetaba el Estado de Derecho y que estaba lejos de ser un estado democrático. Asimismo, se corearon consignas como: *"Estado asesino tendrá que rendir cuentas"*, *"los mártires de*

---

9   http://hudoc.echr.coe.int/eng?i=001-139661

la revolución son inmortales", "Viva la solidaridad revolucionaria en vivo" o "nosotros hemos pagado el precio, nosotros lo vamos a hacer pagar".

La doctrina de la Corte en este caso es especialmente importante, porque afirma expresamente que ciertas formas de identificación con una organización terrorista y especialmente su glorificación, pueden considerarse en sí mismas como un apoyo al terrorismo y la incitación a la violencia y al odio. Y sostiene que la difusión de mensajes de elogio hacia el autor de un atentado, la denigración de las víctimas, o la llamada a financiar organizaciones terroristas pueden constituir actos de incitación a violencia terrorista.

Pero, en relación con el presente caso, el Tribunal afirmó que la reacción de las demandantes a las muertes mencionadas supuso una crítica de los actos cometidos por las autoridades oficiales, pero no incitó al uso de la violencia, a la resistencia armada o al levantamiento. A la luz del contenido de las consignas críticas enjuiciadas, la Corte llega a la conclusión de que no constituyen propaganda a favor de una organización terrorista, afirmando que las autoridades de un Estado democrático deben tolerar las críticas vertidas sobre los actos cometidos por sus autoridades.

No podemos cerrar este estudio jurisprudencial sin hacer referencia a **una recientísima e importantísima sentencia de 28 de agosto de 2018, en el caso** *Savva Terentyev contra Rusia*[10]. Importante porque, por primera vez, la Corte de Estrasburgo emplea expresamente el criterio del riesgo "real e inminente" de la jurisprudencia de la Corte Suprema norteamericana.

A diferencia del modelo europeo de represión penal, el modelo norteamericano tradicionalmente ha condicionado la criminalización de la incitación a la violencia a la existencia de un riesgo "claro e inminente" de provocar con ella una acción ilegal inminente y a la intención de causarla.

La protección preferente de la libertad de expresión, también la "odiosa", encuentra su fundamento en la aportación que todo discurso puede hacer al *marketplace of ideas,* es decir, a la arena pública donde todos los

---

[10]   http://hudoc.echr.coe.int/eng?i=001-185307

ciudadanos pueden, a través del *public discourse*[11], expresión de la *self governance*, plasmar su imagen de la sociedad y del Estado. En palabras de RAWLS, el modelo norteamericano de protección de la libertad de expresión bien podría definirse a través de la siguiente frase: "suprimir la libertad de expresión, incluida la expresión subversiva, implica siempre una supresión parcial de la democracia"[12]. Anclado en la tradición política, cultural y económica del liberalismo, el sistema jurídico norteamericano opta por el *laissez faire* y la estricta abstención y neutralidad del Estado frente a los discursos presentes en la sociedad, siendo el debate público de las ideas y opiniones más extremistas y odiosas, una garantía de la buena salud democrática. En palabras del Tribunal Supremo estadounidense "si hay un principio fundamental que subyace en la Primera Enmienda, es que el Gobierno no puede prohibir la expresión de una idea simplemente porque la sociedad considera que la idea en sí misma es ofensiva o desagradable"[13].

En dicha línea, ya en el año 69, el Tribunal Supremo norteamericano acuñó el llamado "estándar Brandenburg" *en* el caso *Brandenburg vs. Ohio* de 1969[14], esto es, el llamado "test de la violencia clara e inminente" o *"Brandenburg Test"*.

El caso enjuiciaba a un dirigente del *Ku Klux Klan* que, en un mitin de dicha organización, filmado y retransmitido por un medio de comunicación, afirmó, dirigiéndose a un público cargado con cruces en llamas y armas, que los negros deberían retornar a África y los judíos a Israel, y que si el Presidente, el Congreso y el Tribunal Supremo seguían actuando en contra de la raza blanca, no tendrían más remedio que adoptar algunas medidas por su cuenta.

Los procesados fueron condenados a pena de prisión y multa conforme a una ley del Estado de Ohio que prohibía incitar al uso de la violencia como medio para lograr reformas laborales o políticas. Pero la Corte Suprema con-

---

[11]   Robert C. POST: "The Constitutional Concept of Public Discourse: Outrageous Opinion, Democratic Deliberation, and Hustler Magazine v. Falwell", *Harvard Law Review*, 103, 1990, pp. 601-686.
[12]   J. RAWLS.: *Sobre las libertades*, Barcelona, Paidós, 1996.
[13]   Virginia v. Black, 538 U.S. 343 (2003).
[14]   395 U.S. 444 (1969).

sideró que la ley estatal vulneraba la Primera Enmienda constitucional, que proclama la libertad de expresión, en tanto que, discursos como éstos sólo podían ser reprimidos por la ley si estaban "dirigidos a incitar o producir *inminentes acciones desenfrenadas*, y existía la *probabilidad de que efectivamente las incitase y produjera*", no siendo éste el caso. De modo que, el dirigente del Ku Klux Klan había abogado por la violencia contra afroamericanos y judíos, pero no había incitado de forma clara e inminente a ella.

De tal manera que, para que puedan imponerse límites al mercado de las ideas en Estados Unidos, las expresiones o discursos deben superar dicho test del "daño claro e inminente", que se mantiene desde el año sesenta y nueve hasta épocas muy recientes como estándar constitucional para enjuiciar los casos relativos al discurso del odio, teniéndose en cuenta, además, que el término "inminente" debe ser interpretado de forma que, en un espacio de tiempo muy breve, se produzca alguna acción violenta[15].

El modelo norteamericano es claro, la libertad de expresión es una de las "libertades básicas" y, por tanto, goza de especial preeminencia. De modo que ésta sólo puede ser restringida cuando incite a la violencia y genere un "peligro claro e inminente" sobre el colectivo al que se dirige el discurso odioso.

Como se ha puesto de manifiesto *supra,* los principios sobre los que se asienta dicha concepción tienen una clara inspiración en el liberalismo, especialmente en la versión que propuso STUART MILL en su libro *Sobre la Libertad*, donde se delimita la intervención del Estado y de terceros respecto a la autonomía individual y se enuncia el llamado principio del "daño a terceros": "el único propósito para el que puede ejercitarse legítimamente el poder sobre cualquier miembro de una comunidad civilizada, contra su voluntad, es evitar que perjudique a los demás. Su propio bien, sea físico o moral, no constituye justificación suficiente"[16].

En esta misma línea DWORKIN sostiene, a través de lo que ha dado en llamar el *derecho a la independencia moral*, que "las limitaciones a la libertad de expresión como las relativas al *hate speech,* provienen de una suerte

---

[15]   *Hess vs. Indiana*, 414 U.S. 105 (1973).

[16]   John Stuart MILL: *Sobre la Libertad*, Espasa Calpe, Austral Universal, Madrid, 1991, pp. 74-75.

de autoritarismo que no trataría a los ciudadanos como libres e iguales, al imponerles determinados criterios y privarles de su capacidad de decisión. La prohibición del discurso del odio permitiría al Estado, de este modo, delimitar el contenido del discurso que puede autorizarse, atribuyéndole un excesivo poder que violaría su necesaria neutralidad moral acerca de las distintas opiniones existentes en la sociedad. En otros términos, la legitimidad de las leyes contra la violencia o la discriminación pasa por dejar hablar a sus oponentes"[17].

Volviendo al caso *Savva*, el demandante, un joven bloguero, fue condenado a un año de cárcel por haber incitado al odio a través de comentarios insultantes sobre la actuación de agentes de policía durante un proceso electoral en la provincia de Komi (Rusia), que fueron publicados en un blog. Entre sus comentarios es especialmente hostil el que afirmaba que:

> "Sería genial si en el centro de cada ciudad rusa, en la plaza principal… *hubiera un horno, como en Auschwitz, en el que ceremonialmente todos los días, y mejor aún, dos veces al día policías infieles fueran quemados.* La gente los estaría quemando. Este sería el primer paso para limpiar a la sociedad de esta inmundicia policial".

En relación con el contexto, es especialmente relevante el siguiente párrafo de la Sentencia en el que, por primera vez, el Tribunal Europeo de Derechos Humanos apela al criterio del riesgo real e inminente de que se produzca un acto constitutivo de delito o de violencia que, como se ha señalado, es la piedra angular la doctrina de la Corte Suprema norteamericana sobre la libertad de expresión desde el año 69, el llamado "estándar Brandenburg":

> "En el presente caso no hay ninguna indicación en las decisiones de los tribunales nacionales o en las presentaciones del Gobierno de que el comentario del solicitante se haya publicado en un contexto social o político delicado, o que la situación general de seguridad en esa región sea tensa, o que hubo enfrentamientos, disturbios o disturbios contra la policía, o que existía una atmósfera de hostilidad y odio hacia la policía, o cualquier otra circunstancia particular en la que las declaraciones impugnadas podían dar lugar a *acciones ilegales inminentes* con respecto a la policía y exponerlos a una *amenaza real* de violencia física".

---

[17]   Ronald DWORKIN: *A matter of principle*, Oxford, Clarendon Press, 1ª ed. de 1985, Cambridge, Harvard University Press, 1986, p. 364.

En relación con las circunstancias concretas del presente caso, la Corte señala que el pasaje que habla sobre la "incineración" de "policías infieles" en hornos como los de Auschwitz es particularmente agresivo y hostil en su tono. Sin embargo, no considera que pueda interpretarse en realidad como una llamada para que la gente común "extermine físicamente a los agentes de policía", sino que más bien fue utilizado como una metáfora provocativa, por lo que no puede considerarse una incitación a cualquier acción ilegal, incluida la violencia.

Y sostiene que, aunque la redacción de las declaraciones impugnadas era, de hecho, ofensiva, insultante y virulenta, no pueden verse como elementos que despiertan emociones de base o prejuicios incrustados en un intento de incitar al odio o la violencia contra los oficiales de policía rusos; si no que se trataba más bien la reacción emocional del demandante a lo que vio como una conducta abusiva del personal de la policía.

La Corte afirma que solo en los casos en los que existe en un contexto muy sensible de tensión, conflicto armado y lucha contra el terrorismo o disturbios letales cabe estimar que las declaraciones relevantes pueden alentar a una violencia capaz de poner a los miembros de las fuerzas de seguridad en riesgo, y que sólo en tales casos cabe aceptar que la interferencia en la libertad de expresión, algo que no se da en el presente caso.

Otro elemento importante para la Corte de Estrasburgo es el impacto potencial que tiene el mensaje controvertido en la sociedad. Y en relación con el caso concreto señala que, en el momento de los hechos, el solicitante no era un blogger conocido o un usuario popular de las redes sociales y mucho menos una figura pública o influyente. En tales circunstancias, el Tribunal considera que el potencial del comentario del solicitante para llegar al público y así influir en su opinión era muy limitado.

3. CRITERIOS EUROPEOS PARA DELIMITAR LA LIBERTAD DE EXPRESIÓN EN CASOS SOBRE TERRORISMO

Los casos estudiados ponen de manifiesto que son diversos los factores que el Tribunal de Estrasburgo toma en consideración para decidir cuándo resulta admisible una restricción a la libertad de expresión. Pero el examen de los mismos pone de manifiesto que no siempre son empleados con coherencia.

En primer lugar, puede observarse que el criterio del contexto en que es emitido el mensaje aparece en todos y cada uno de los casos estudiados:

En la medida en que la mayor parte de los mismos versan sobre el problema kurdo, la Corte señala en todos ellos la importancia de tener en cuenta el clima de tensión en que se encuentra el sudeste de Turquía y la lucha contra el terrorismo (Casos *Zana, Sürek, Arslan* y *Ceylan*). Contexto, el de la lucha contra el terrorismo, que también aparece en el caso *Leroy*, dado que la publicación se lleva a cabo en un diario vasco-francés, con la violencia terrorista de ETA de fondo. A este respecto, es importante destacar, asimismo, que a pesar de que el criterio del contexto es importante, el Tribunal no aprecia incitación a la violencia terrorista si no concurre, además, algún otro de los criterios que se exponen a continuación (Casos *Ergogdu y Ceylan*).

Otro de los criterios empleados por la Corte europea para dirimir si ha habido o no incitación es el relativo al impacto del mensaje en la ciudadanía u opinión pública, para lo cual tiene en cuenta el formato o medio a través del que se le da difusión.

A este respecto, vemos cómo el Tribunal de Estrasburgo distingue entre formatos periodísticos —artículos, cartas del lector o entrevistas— (Casos *Zana, Zürek* o *Leroy*) de gran difusión; y obras literarias que, a su entender, se dirigen a un público más reducido, estimando que en estos casos el impacto del mensaje es mucho menor (Casos *Arslan* y *Karatas*).

Sin embargo, el criterio del impacto del mensaje no siempre es empleado con coherencia. Por ejemplo, en el caso *Leroy*, el Tribunal estima suficientes los emails recibidos por los lectores de la Revista en que se publicó el mensaje, para determinar *la capacidad de influencia y la idoneidad de la caricatura publicada para incitar a la violencia*, a pesar de reconocer expresamente que se trata de un medio de escasa difusión.

Ligado al anterior se encuentra el criterio del status del autor del mensaje. A este respecto, por regla general, la Corte de Estrasburgo estima una mayor capacidad de influencia del mensaje cuando éste es emitido por una personalidad política reconocida (Caso *Zana*).

Otro de los criterios relevantes para la Corte es el de la intención del autor del discurso o mensaje, el cual aparece normalmente ligado a otro de los criterios empleados.

Así, en el caso *Arslan*, Estrasburgo liga dicha intención al contexto político-social del lugar en que es emitido el mensaje para determinar que no es neutral. Y, en el ca*so Leroy*, es la dimensión temporal —esto es, el momento en que es publicado el discurso— lo que determina la responsabilidad del autor, entendida por la Corte como de indudable apoyo a la actuación terrorista.

En los casos *Zürek* y *Ergogdu*, la Corte atiende al criterio de la estigmatización de "la otra parte en el conflicto" o de la "conducta de las autoridades estatales". Sin embargo, llama la atención que le atribuya relevancia aunque dicha estigmatización se produzca indirectamente y no a través del tenor literal de los términos empleados en el mensaje o discurso. Pues, sostiene Estrasburgo, que la intención de estigmatizar puede llevar a considerar que hay incitación a la violencia aunque se trate de comentarios sobre hechos históricos, sociales o políticos.

El último y quizás decisivo criterio empleado por la Corte, es la valoración de si el discurso o mensaje es idóneo para incitar a la violencia, esto es, si éste traslada a la opinión pública que el recurso a la violencia es una medida necesaria y justificada. Y a este respecto, es importante tener presente que, según la doctrina del Tribunal Europeo de Derechos Humanos, basta con que el mensaje "glorifique la violencia" para que esto se produzca pues con ello se "suscitan emociones primarias y/o refuerzan prejuicios ya arraigados que se han manifestado en violencia letal" (Casos *Leroy* y *Yavuz y Yaylali*).

Sin embargo, el recientísimo caso *Savva*, muestra un claro y auspicioso cambio doctrinal en la Corte de Estrasburgo, pues apela por primera vez a la necesaria existencia de un riesgo "real e inminente" de violencia consecuencia del mensaje difundido para considerar que existe incitación, acercando claramente el modelo europeo al norteamericano. Esperemos que esta importantísima Sentencia no se convierta en la excepción que confirma la regla.

4. AUSENCIA DE CRITERIOS HERMENÉUTICOS CLAROS PARA PROTEGER LA LIBERTAD DE EXPRESIÓN CUANDO DE TERRORISMO SE HABLA

La doctrina del "test de Brandemburgo" establecida por la Corte Suprema norteamericana en materia de libertad de expresión parece no mantenerse en USA cuando de terrorismo se trata. Pues, tanto la legalidad vigente como los últimos pronunciamientos jurisprudenciales, parecen indicar que la libertad de expresión recibe un trato más restrictivo cuando se está ante casos de apoyo o ensalzamiento de organizaciones u actos terroristas.

En este país, después de los atentados terroristas del 11 de septiembre, la "lucha contra el terror" ha creado nuevas presiones sobre la Primera Enmienda que ni el propio "test de Brandenburg" parece poder soportar, inclinándose la balanza hacia el lado de la seguridad.

Así, la legislación estadounidense penaliza conductas relacionadas con la expresión que apoya o fomenta actos de violencia, incluidos los actos de terrorismo, entre las que destaca el delito de proporcionar a sabiendas "apoyo material" o "recursos" a una organización terrorista.

Desde la perspectiva jurisprudencial destaca el caso *Holder v. Humanitarian Law Project*, de 21 de junio de 2010[18]. En él se enjuiciaba la actuación de una asociación que había proporcionado formación en materia de Derecho Humanitario y Derechos Humanos en tramitación de solicitudes de ayuda a organizaciones internacionales por catástrofes naturales o en negociaciones de paz, a dos grupos considerados legalmente como terroristas —el Partido de los Trabajadores de Kurdistán y los Tigres Tamiles—. Se trataba de un tipo de asesoramiento que tenía como fin la búsqueda de una salida pacífica a los conflictos kurdo y tamul, y llevar las causas de ambos pueblos ante las Naciones Unidas.

El Tribunal Supremo norteamericano consideró que a dicha actividad le era aplicable la *Antiterrorism and Effective Death Penalty Act* de 1996, reformada en 2002, que prohíbe penalmente el apoyo sustantivo —*material*

---

[18]   561 U.S. 1 (2010).

support— prestado en coordinación o bajo la dirección de una organización terrorista extranjera.

La Corte sostuvo que tipificar como conducta delictiva el brindar apoyo material a una organización terrorista es una medida preventiva legítima contra los ataques terroristas cuya probabilidad de ocurrencia aumenta debido a dicho apoyo. En sus palabras:

> "Este apoyo libera otros recursos de la organización que pueden dirigirse a fines violentos. También ayuda a otorgar legitimidad a grupos terroristas extranjeros, legitimidad que hace que sea más fácil para esos grupos pervivir, reclutar miembros y recaudar fondos, todo lo que facilita más ataques terroristas".

No cabe subestimar la trascendencia del presente pronunciamiento pues con él se abre la puerta a la posibilidad de prohibir cualquier discurso relacionado con una organización terrorista cuando se realice en coordinación con ella o bajo su dirección, sin importar su carácter pacífico.

Otro ejemplo significativo del cambio producido en la interpretación de la Primera Enmienda constitucional lo encontramos en el caso *Tarek Mehanna*. El 6 de octubre de 2014, la Corte Suprema norteamericana denegó el *writ of certiorari* a Tarek Mehanna, ciudadano americano condenado en base a lo dispuesto en el U.S. Code 23339A-23339B, que sanciona el apoyo material a determinadas organizaciones terroristas incluidas en una lista del Departamento de Estado, por haber proporcionado *political advoc*acy al movimiento terror*ist*a *Al-Qaed*a. La citada normativa prevé, de hecho, la integración del delito *de material suppo*rt bajo *la Antiterrorism and Effective Death Penalty Ac*t, de 1996. En el caso concreto, el señor Mehanna estaba acusado de traducir al inglés material propagandístico de Al-Qaeda, incitador a participar en la yihad, y el envío del mismo a la web at-Tibyan. Sin embargo, no había quedado probada la existencia de un vínculo real entre la web a la que el demandante ante la Corte Suprema envió sus traducciones y la organización terrorista.

Se observa cómo, cuando de terrorismo se trata, el tratamiento que recibe el *hate speech* se aleja de la tradición jurisprudencial norteamericana acuñada por la Sentencia *Brandenburg v. Ohio,* que garantizaba la difusión de todos los *political speech,* en el seno de los cuales, sin duda, puede incluirse el *advocacy* a favor de una organización terrorista, con el sólo límite del "peligro concreto e inminente".

Pues bien, el estudio jurisprudencial que se ha llevado a cabo pone de manifiesto que tanto la Corte Suprema norteamericana como el Tribunal Europeo de Derechos Humanos, aun cuando emplean estándares hermenéuticos opuestos —salvo en el reciente ca*so Savv*a del Tribunal Europe—, ambos los aplican de manera selectiva y pocas veces coherente, y en ello, quizás, radica la debilidad de ambos modelos.

Así, se ha visto cómo, en Estados Unidos, el modelo originario de la teoría propuesta por Holmes defendía que la restricción del derecho en juego —la libertad de expresión— sólo era justificable cuando existiese un peligro "claro e inminente" de la producción de un daño sustantivo. De modo que, la "claridad" del peligro se vincula con su probabilidad estadística de producción, y la "inminencia" con la continuidad temporal entre la expresión enjuiciada y la materialización del peligro. Pues bien, se ha podido comprobar cómo cuando de cuestiones de terrorismo se trata, la Corte estadounidense no se muestra tan exigente.

Dicha laxitud en la aplicación de los criterios hermenéuticos propios también caracteriza al Tribunal Europeo de Derechos Humanos, pues muchas veces la revisión europea se limita a enjuiciar que lo acaecido en el ordenamiento interno no es manifiestamente irrazonable y prescinde de optimizar la garantía de la libertad de expresión.

Ahora bien, a modo de conclusión, debe señalarse la mayor proximidad que desde aquí manifestamos con el modelo norteamericano, cuando éste es aplicado con coherencia. Y ello por dos motivos: en primer lugar, porque un tratamiento unitario de todos los casos potencialmente encuadrables en una categoría general —a través de la ley penal, por ejemplo— ignoraría, desde nuestro punto de vista, matices trascendentes existentes en las diferentes tipologías de mensajes. Y, en segundo lugar, porque, restringir el ejercicio de la libertad de expresión más allá de los supuestos en los que efectivamente exista un riesgo efectivo y real de incitación a la violencia, supondría tanto como limitar "cautelarmente" tal derecho fundamental.

5. BIBLIOGRAFÍA

Ronald DWORKIN: *A matter of principle*, Oxford, Clarendon Press, 1ª ed. de 1985, Cambridge, Harvard University Press, 1986, p. 364.

John Stuart MILL: *Sobre la Libertad*, Espasa Calpe, Austral Universal, Madrid, 1991, pp. 74-75.

Robert C. POST: "The Constitutional Concept of Public Discourse: Outrageous Opinion, Democratic Deliberation, and Hustler Magazine v. Falwell", *Harvard Law Review*, 103, 1990, pp. 601-686.

John RAWLS.: *Sobre las libertades*, Barcelona, Paidós, 1996.

Capítulo XVIII

CIUDADANÍA Y DERECHOS HUMANOS EN LA LUCHA CONTRA EL TERRORISMO

CHIARA VITUCCI
Prof. Catedrática de Derecho Internacional
Universidad de la Campania "Luigi Vanvitelli"

1. INTRODUCCIÓN

Poco después los atentados del 11 de septiembre de 2001, Antonio Cassese escribió un artículo cuyo título, *Terrorism is also disrupting some crucial legal categories of international law*, es muy llamativo[1]. En él se hablaba de nuevas definiciones de legítima defensa y crímenes de lesa humanidad. Pero, con la escusa de la "guerra" al terrorismo, algunos gobiernos y parlamentos han reaccionado de manera enérgica, poniendo en entredicho las garantías jurídicas propias del Estado de Derecho. Frente a dicha situación, varios órganos de Naciones Unidas (y no solo)[2] han replicado con toda una gama de iniciativas para recordar que el respecto de los derechos humanos es imprescindible en la lucha contra al terrorismo: el terrorismo constituye un ataque contra los valores fundamentales de los derechos humanos pero el Estado no puede tomar medidas que destruyan o amenacen estos mismos valores fundamentales[3]. Por ejemplo, en abril de 2005, la Comisión

---

[1]   CASSESE, Antonio (2003), *Terrorism is also disrupting some crucial legal categories of international law*, European Journal of International Law, Vol. 12 No. 5, 993-1001.

[2]   Véase a título de ejemplo *las Líneas Directrices del Consejo de Europa sobre Derechos Humanos y sobre la lucha contra el terrorismo adoptas el 11 de julio de 2002 por el Comité de Ministros del Consejo de Europa.*

[3]   El elenco sería larguísimo: nos limitamos a indicar el interrogatorio "robusto" (enhanced interrogation techniques) a sospechosos de terrorismo y la inclusión en la

de Derechos Humanos, en su resolución 2005/80, decidió designar por un período de tres años un Relator Especial sobre la promoción y protección de los derechos humanos y las libertades fundamentales en la lucha contra el terrorismo. Como en el caso de otros procedimientos especiales, este mandato fue asumido después por el Consejo de Derechos Humanos.

En este marco, nos preguntamos si la privación de nacionalidad prevista en algunas legislaciones para las personas sospechosas de terrorismo y para los combatientes enemigos representa una violación de un derecho humano. A este respecto, es preciso en primer lugar reconstruir si existe un derecho humano a la nacionalidad y, para comprender plenamente el alcance de su reglamentación, es importante recordar las normas y principios específicos enunciados en los instrumentos internacionales universales y regionales.

2. ¿EXISTE UN DERECHO HUMANO A LA NACIONALIDAD?

Empezamos con una premisa: ciudadanía y nacionalidad son sinónimos. Con la primera palabra se suele indicar el aspecto interno, nacional. Cada Estado decide a quién conceder la ciudadanía, si a las personas nacidas en el territorio o a los hijos de ciudadanos. Pero aunque la ciudadanía se rija esencialmente por el derecho interno, hay unos límites establecidos por el derecho internacional. Cuando se habla del aspecto internacional, el término que se utiliza es nacionalidad.

Ahora nos preguntamos si el derecho a la nacionalidad es un derecho o un privilegio.

Lista relativa a las sanciones contra Al-Qaida del Comité establecido en virtud de las resoluciones 1267 (1999) y 1989 (2011). Los derechos fundamentales de las personas incluidas en la lista resultan restringidos sólo sobre la base de informes de los servicios de inteligencia.

2.1. Marco jurídico

En el artículo 15 de la Declaración Universal de Derechos del Hombre de 1948[4] señala que "1. Toda persona tiene derecho a una nacionalidad". Y que "2. A nadie se privará arbitrariamente de su nacionalidad ni del derecho a cambiar de nacionalidad". En el ámbito regional el mismo año algunos meses antes ya se había adoptado la Convención Americana de los Derechos y Deberes del Hombre, cuyo artículo 19 dispone que "toda persona tiene derecho a la nacionalidad que legalmente le corresponda y el de cambiarla, si así lo desea, por la de cualquier otro país que esté dispuesto a otorgársela"[5].

Por importantes que sean, las Declaraciones no son instrumentos jurídicamente vinculantes, como los tratados que vamos a examinar[6]. El Pacto Internacional de Derechos Civiles y Políticos[7], que sí es un instrumento vinculante sólo prevé en el párrafo 3 del artículo 24 que "Todo niño tiene derecho a adquirir una nacionalidad". Lo mismo hace la Convención sobre los Derechos del Niño[8], cuyo artículo 7 dispone que el niño será inscrito inmediatamente después de su nacimiento y tendrá derecho a adquirir una nacionalidad, y que los Estados partes velarán por la aplicación de estos derechos de conformidad con su legislación nacional y con sus obligaciones internacionales, sobre todo cuando el niño pueda resultar, de otro modo, apátrida". Según el artículo 8, los Estados se comprometen a respetar el derecho del niño a preservar su identidad, incluida la nacionalidad, de conformidad con la ley y sin injerencias ilícitas.

---

[4] Adoptada por la Asamblea General de Naciones Unidas en su resolución 217 (III) de 10 de diciembre de 1948.

[5] Declaración Americana de los Derechos y Deberes del Hombre, aprobada en la Novena Conferencia Internacional Americana en Bogotá, Colombia, en abril de 1948, http://www.oas.org/es/cidh/mandato/Basicos/declaracion.asp.

[6] Para preparar esta lista hemos utilizado el informe del Secretario General de las Naciones Unidas, A/HRC/13/34 de 14 de diciembre de 2009.

[7] Adoptado y abierto a la firma, ratificación y adhesión por la Asamblea General de Naciones Unidas en su resolución 2200 A (XXI) de 16 de diciembre de 1966.

[8] Adoptada y abierta a la firma y ratificación por la Asamblea General de Naciones Unidas en su resolución 44/25 de 20 de noviembre de 1989.

La Convención Internacional sobre la Eliminación de todas las Formas de Discriminación Racial[9] dispone, en el párrafo inicial y el párrafo d) iii) de su artículo 5, que "los Estados partes se comprometen a prohibir y eliminar la discriminación racial en todas sus formas y a garantizar el derecho de toda persona a la igualdad ante la ley, sin distinción de raza, color y origen nacional o étnico, particularmente en el goce de (entre otros derechos) el derecho a la nacionalidad".

El artículo 9 de la Convención sobre la eliminación de todas las formas de discriminación contra la mujer[10] prevé que "los Estados partes otorgarán a la mujer los mismos derechos que al hombre con respecto a la nacionalidad de sus hijos". Según la Convención, "los Estados partes otorgarán a las mujeres iguales derechos que a los hombres para adquirir, cambiar o conservar su nacionalidad. Garantizarán, en particular, que ni el matrimonio con un extranjero ni el cambio de nacionalidad del marido durante el matrimonio hagan que cambie automáticamente la nacionalidad de la esposa, la conviertan en apátrida o la obliguen a adoptar la nacionalidad del cónyuge". La Convención sobre la Nacionalidad de la Mujer Casada[11] establece garantías similares sobre la nacionalidad de las mujeres casadas.

Según el artículo 18 de la Convención sobre los derechos de las personas con discapacidad[12], "los Estados partes reconocerán (entre otras cosas) el derecho a adquirir y cambiar una nacionalidad y a no ser privadas de la suya de manera arbitraria o por motivos de discapacidad". La Convención también dispone que los niños con discapacidad tendrán derecho a adquirir una nacionalidad.

[9] Adoptada y abierta a la firma y ratificación por la Asamblea General de Naciones Unidas en su resolución 2106 A (XX) de 21 de diciembre de 1965.
[10] Aprobada y abierta a la firma, ratificación y adhesión por la Asamblea General de Naciones Unidas en su resolución 34/180 de 18 de diciembre de 1979.
[11] Abierta a la firma y ratificación por la Asamblea General de Naciones Unidas en su resolución 1040 (XI) de 29 de enero de 1957.
[12] Aprobada por la Asamblea General de Naciones Unidas en su resolución 61/106 de 13 de diciembre de 2006.

La Convención Internacional sobre la protección de los derechos de todos los trabajadores migrantes y de sus familiares[13] dispone, en su artículo 29, que "los hijos de los trabajadores migrantes tendrán derecho a tener un nombre, al registro de su nacimiento y a tener una nacionalidad".

En el ámbito regional, numerosos instrumentos también garantizan el derecho a la nacionalidad. Por ejemplo, el artículo 6 de la Carta Africana sobre los Derechos y el Bienestar del Niño[14] establece que "todo niño tiene derecho a adquirir una nacionalidad. Los Estados Parte en la presente Carta se comprometerán a garantizar que su legislación constitucional reconozca los principios según los cuales un niño adquirirá la nacionalidad del territorio donde haya nacido si, al tiempo de su nacimiento, no se le ha otorgado la nacionalidad por otro Estado de acuerdo con sus leyes".

El artículo 20 de la Convención Americana sobre Derechos Humanos[15] dispone que "toda persona tiene derecho a una nacionalidad y que toda persona tiene derecho a la nacionalidad del Estado en cuyo territorio nació si no tiene derecho a otra". La Convención también establece que a nadie se privará arbitrariamente de su nacionalidad ni del derecho a cambiarla.

La Carta Árabe de Derechos Humanos en su versión de 2004[16] dispone, en su artículo 29, que "toda persona tiene derecho a una nacionalidad y que nadie puede ser privado arbitraria o ilegalmente de su nacionalidad". La Carta dispone asimismo que "los Estados partes tomarán, conforme a su legislación sobre la nacionalidad, las medidas que juzguen apropiadas para que el niño pueda adquirir la nacionalidad de su madre, teniendo debidamente en cuenta, en todos los casos, el interés superior del niño".

---

[13]   Aprobada por la Asamblea General de Naciones Unidas en su resolución 45/158 de 18 de diciembre de 1990.

[14]   http://www.acnur.org/fileadmin/Documentos/BDL/2010/8025.pdf.

[15]   Convención Americana sobre derechos humanos suscrita en la Conferencia especializada interamericana sobre derechos humanos (B-32), San José, Costa Rica, 7 al 22 de noviembre de 1969, https://www.oas.org/dil/esp/tratados_b-32_convencion_americana_sobre_derechos_humanos.htm.

[16]   http://hrlibrary.umn.edu/instree/loas2005.htm;   http://www.eods.eu/library/LAS_Arab%20Charter%20on%20Human%20Rights_2004_EN.pdf.

El artículo 7 del Pacto sobre los Derechos del Niño en el Islam[17] dispone que "el niño tiene derecho, desde su nacimiento, a que se determine su nacionalidad y que los Estados parte preservarán la identidad del niño, incluyendo su nacionalidad, y harán todo lo posible para resolver el problema de la apátrida de los niños nacidos en su territorio o de los hijos de ciudadanos suyos residentes fuera de su territorio". Además establece que los niños de filiación desconocida tienen derecho a una nacionalidad.

El párrafo 3 del artículo 19 de la Carta sobre la Seguridad Europea de la Organización para la Seguridad y la Cooperación en Europa reafirma "el reconocimiento de que toda persona goza del derecho a poseer una nacionalidad y de que no podrá privarse arbitrariamente a ninguna persona de su nacionalidad"[18].

Finalmente, el artículo 4 del Convenio Europeo sobre la Nacionalidad[19] dispone que "las normas de cada Estado parte sobre la nacionalidad deben fundarse en los principios de que toda persona tiene derecho a una nacionalidad, de que se debe evitar la apatridia y de que no se puede privar arbitrariamente a nadie de su nacionalidad". Otras disposiciones del Convenio establecen la obligación de los Estados de poner en práctica esos principios.

El marco jurídico en materia de derechos humanos que se acaba de exponer se complementa con la Convención para reducir los casos de apatridia[20] y con la Convención sobre el Estatuto de los Apátridas[21], que tratan específicamente de la cuestión de la apatridia. En particular, los artículos 1

---

[17]   http://ww1.oic-oci.org/english/convenion/Rights%20of%20the%20Child%20
       In%20Islam%20E.pdf.
[18]   https://www.osce.org/es/node/125812.
[19]   Convenio Europeo sobre la Nacionalidad (STE nº 166), adoptado por el Consejo de
       Europa el 6 de noviembre de 1997, que entró en vigor en 2000, https://www.coe.int/
       en/web/conventions/full-list/-/conventions/treaty/166.
[20]   Adoptada en Nueva York el 30 de agosto de 1961 por una Conferencia de Pleni-
       potenciarios que se reunió en 1959 y nuevamente en 1961, en cumplimento de la
       resolución 896 (IX) de la Asamblea General de Naciones Unidas de 4 de diciembre
       de 1954.
[21]   Adoptada en Nueva York el 28 de septiembre de 1954 por una Conferencia de Ple-
       nipotenciarios convocada por el Consejo Económico y Social en su resolución 526 A
       (XVII) de 26 abril de 1954.

y 4 de la Convención para reducir los casos de apatridia disponen que los Estados partes adoptarán salvaguardias para impedir los casos de apatridia concediendo la nacionalidad a las personas que de otro modo serían apátridas y que, bien hayan nacido en su territorio, bien sean hijos nacidos en el extranjero de uno de sus nacionales. La Convención también exige que los Estados partes impidan la apatridia en caso de pérdida o privación de la nacionalidad. Conforme al artículo 32 de la Convención sobre el Estatuto de los Apátridas, los Estados facilitarán en todo lo posible la asimilación y naturalización de los apátridas.

2.2. Los derechos humanos y la privación arbitraria de la nacionalidad[22]

Aunque la adquisición y la pérdida de la nacionalidad se rigen esencialmente por la legislación interna, esa reglamentación afecta directamente al orden internacional. A este respecto, la Comisión de Derecho Internacional declaró, en su proyecto de artículos sobre la nacionalidad de las personas naturales en relación con sucesión de Estados, que "la competencia de los Estados en esa esfera solo puede ejercerse dentro de los límites establecidos por el derecho internacional"[23]. Por ejemplo, el artículo 1 del Convenio sobre ciertas cuestiones relativas al conflicto de leyes de nacionalidad, de 1930, dispone que "Incumbirá a cada Estado determinar con arreglo a su propio ordenamiento jurídico quiénes serán nacionales suyos. Los demás Estados reconocerán esa reglamentación en la medida en que sea compatible con los convenios internacionales, el derecho consuetudinario internacional y los principios de derecho generalmente reconocidos en materia de nacionalidad". La Comisión de Derecho Internacional también recordó que esa disposición sigue el razonamiento de la Corte Permanente de Justicia Internacional en su Opinión consultiva n. 4 sobre los decretos

---

[22]   Para preparar esta lista hemos utilizado el informe del Secretario General de las Naciones Unidas, *Los derechos humanos y la privación arbitraria de la nacionalidad*, A/ HRC/25/28 de 19 de diciembre de 2013, así como la Opinión separada del juez Pinto de Albuquerque en el caso *Ramadan c. Malta*, decidido por el Tribunal Europeo de Derechos Humanos, véase *infra* nota 32.

[23]   *Anuario de la Comisión de Derecho Internacional*, 1999, vol. II, segunda parte, p. 26.

de nacionalidad promulgados en Túnez y Marruecos[24], en la que la Corte declaró que la cuestión de si un asunto era de la competencia exclusiva de un Estado era, en lo esencial, una cuestión relativa, pues dependía de cuál fuera la evolución de las relaciones internacionales. También consideró que, incluso cuando se trataba de casos no regulados en principio por el derecho internacional, el derecho del Estado a ejercer sus facultades discrecionales podía verse limitado por las obligaciones que hubiera contraído con respecto a otros Estados, de modo que su competencia quedaba limitada por normas de derecho internacional.

Como recordó la Comisión de Derecho Internacional en su comentario al proyecto de artículos sobre la nacionalidad de las personas naturales, desde 1945 la evolución de los derechos humanos en el plano internacional ha hecho que cambie fundamentalmente el planteamiento tradicional basado en la preponderancia de los intereses estatales sobre los intereses de las personas. La Comisión también afirmó que el derecho de los Estados a decidir quiénes son sus nacionales no es absoluto y que, en particular, los Estados han de cumplir sus obligaciones en materia de derechos humanos en lo que se refiere a la concesión de la nacionalidad[25]. Este enfoque se ha puesto aún más de relieve por la práctica seguida por los tribunales regionales competentes en materia de derechos humanos; por ejemplo, la Corte Interamericana de Derechos Humanos, en su opinión consultiva de 1984 sobre las enmiendas propuestas a las disposiciones de la Constitución de Costa Rica sobre la naturalización, indicó que la forma en que los Estados regulan las cuestiones relacionadas con la nacionalidad no puede considerarse hoy día exclusivamente sobre la base de la jurisdicción; estas facultades del Estado están limitadas también por su obligación de garantizar la plena protección de los derechos humanos[26]. En la opinión la Corte afirma también que "El derecho a la nacionalidad del ser humano está reconocido como tal por el derecho internacional. Así lo recoge la Convención en su artículo 20, en un doble aspecto: el derecho a tener una nacionalidad signi-

---

24   Permanent Court of International Justice, Advisory Opinion n. 4, 7 February 1923, *Nationality Decrees issued in Tunis and Morocco*.

25   *Documentos oficiales de la Asamblea General, sexagésimo primer período de sesiones, Suplemento n. 10* (A/61/10), cap. IV, comentario al artículo 4, párrafo 6.

26   http://www.corteidh.or.cr/docs/opiniones/seriea_04_esp. pdf, párrafo.

fica dotar al individuo de un mínimo de amparo jurídico en las relaciones internacionales, al establecer a través de su nacionalidad su vinculación con un Estado determinado; y el de protegerlo contra la privación de su nacionalidad en forma arbitraria, porque de ese modo se le estaría privando de la totalidad de sus derechos políticos y de aquellos derechos civiles que se sustentan en la nacionalidad del individuo"[27].

La Corte Interamericana de Derechos Humanos confirma esa actitud en el caso *Castillo Petruzzi y otros v. Perú* de 1999, en el cual declara que el Estado no violó el artículo 20 de la Convención Americana sobre Derechos Humanos[28].

En consecuencia, como señaló en su tercer informe el Relator sobre la nacionalidad en relación con la sucesión de los Estados[29], los Estados deben asegurarse de que ejercen sus facultades discrecionales en lo que se refiere a las cuestiones relativas a la nacionalidad de manera compatible con sus obligaciones internacionales en materia de derechos humanos. Non obstante esa consideración, se hace hincapié en que los principios en materia de la nacionalidad de las personas naturales en relación con la sucesión de Estados sólo se refieren a situaciones de sucesión de Estados. Al mismo tiempo, los instrumentos universales vinculantes hacen referencia al derecho a la nacionalidad de particulares categorías de personas (niños, mujeres, trabajadores migratorios…). Por lo tanto, resulta difícil afirmar en con carácter general la existencia de un derecho de toda persona a la nacionalidad. Lo que sí es indiscutible son los límites impuestos por el derecho internacional.

La libertad de los Estados de decidir sobre la nacionalidad y su privación ha sido confirmada en el proyecto de artículos de la Comisión de derecho internacional sobre expulsión de extranjeros. En el artículo 8 se lee que "Un Estado no convertirá a su nacional en extranjero, privándolo de su nacionalidad, con el único fin de expulsarlo", y del comentario de ese artículo queda claro que "el proyecto de artículo 8 no pretende limitar la aplicación de la legislación en materia de concesión o pérdida de la na-

---

27   *Ibidem*, párrafo 34.
28   http://www.corteidh.or.cr/docs/casos/articulos/seriec_52_esp. pdf, párrafo 100.
29   *Anuario de la Comisión de Derecho Internacional*, 1997, vol. II, primera parte, p. 22.

cionalidad; por lo tanto, no puede interpretarse en el sentido de que afecta al derecho de un Estado a privar a una persona de su nacionalidad por un motivo contemplado en la legislación de ese Estado"[30].

En varios instrumentos se ha destacado el derecho de toda persona a conservar la nacionalidad; este derecho corresponde a la prohibición de la privación arbitraria de la nacionalidad. Como se ha indicado más arriba, en numerosos instrumentos internacionales figura una prohibición explícita y general de la privación arbitraria de la nacionalidad. En particular, hay que señalar que el artículo 15 de la Declaración Universal de Derechos Humanos dispone expresamente que a nadie se privará arbitrariamente de su nacionalidad. La Asamblea General, en su resolución 50/152, también reconoció la naturaleza fundamental de la prohibición de la privación arbitraria de la nacionalidad.

Eso es muy importante por la demonstración que sigue porque en la lucha contra al terrorismo los Estados han intentado sin garantías privar de su nacionalidad a personas sospechosas de actos de terrorismo.

Por un lado, el marco jurídico en materia de apatridia nos sugiere que se preste gran atención a los efectos de la privación de la nacionalidad en situaciones en que las personas afectadas se puedan convertir en apátridas.

Por otro lado, la resolución del Consejo de Seguridad 2178 de 2014, que exhorta a los Estados a adoptar medidas para luchar contra los combatientes terroristas extranjeros (*foreign fighters*), reafirma que todos los Estados deberán impedir la circulación de terroristas, pero parece referirse especialmente a las personas que tienen más de una nacionalidad[31]. La misma resolución reafirma que los Estados deben cerciorarse de que las medidas que adopten para combatir el terrorismo se ajusten a todas las obligaciones que les incumben en virtud del derecho internacional. La

---

[30] *Documentos oficiales de la Asamblea General, sexagésimo noveno período de sesiones, Suplemento n. 10* (A/69/10), cap. IV, comentario al artículo 8.

[31] Aprobada por el Consejo de Seguridad de las Naciones Unidas el 24 de septiembre de 2014; véase el párrafo 19 del Preámbulo.

doctrina ha venido señalando cómo las medidas de la resolución pueden impactar con muchas obligaciones del Estado[32].

3. LEYES INTERNAS EN MATERIA DE PRIVACIÓN DE NACIONALIDAD

Empezamos con una premisa: en muchísimas leyes nacionales es posible privar de su nacionalidad a los ciudadanos y el motivo mas común de privación de la nacionalidad es el fraude. El *leading case* en la materia del Tribunal Europeo de Derechos Humanos se refiere a esta hipótesis para negar que en el caso concreto haya habido una violación del artículo 8 del Convenio para la Protección de los Derechos Humanos y de las Libertades Fundamentales, en adelante Convención Europea de Derechos Humanos[33].

Otro motivo de privación de la nacionalidad concierne a los actos gravemente perjudiciales para los intereses esenciales del Estado: cuando una persona haya perpetrado este tipo de actos, "puede estimarse que ha incumplido el deber de lealtad que deriva de la nacionalidad. Por consiguiente, los Estados pueden disponer que se prive de la nacionalidad, sea como sanción o como respuesta a la aparente ruptura de la relación de lealtad"[34].

También se suele considerar que los servicios prestados a un gobierno o ejército extranjero constituyen un motivo legítimo para privar de la nacionalidad, y en esta hipótesis entra el caso de los combatientes extranjeros.

---

[32]   CONTE, Alex (2015), "An Old Question in a New Context: Do States Have to Comply with Human Rights When Countering the Phenomenon of Foreign Fighters?", https://www.ejiltalk.org/an-old-question-in-a-new-context-do-states-have-to-comply-with-human-rights-when-countering-the-phenomenon-of-foreign-fighters; CIPOLLETTI, Chiara (2016), "La privazione della cittadinanza nel contrasto ai *foreign terrorist fighters* e il diritto internazionale", *Rivista di Diritto Internazionale*, p. 125 ss.

[33]   European Court of Human Rights (Fourth Section), *Case of Ramdan v. Malta*, Application n. 76136/12, Judgment of 21 June 2016.

[34]   Véase el informe *Los derechos humanos y la privación arbitraria de la nacionalidad*, párrafo 12, *op. cit.*, *supra* nota 21.

Para responder a la inquietud cada vez mayor que genera el terrorismo, algunos Estados han ampliado las facultades para privar de la nacionalidad por delitos contra la seguridad nacional[35].

Entre las distintas leyes nacionales hay unas diferencias notables. Algunas exigen que la persona haya sido condenada por un delito que ponga en riesgo la seguridad del Estado, mientras que otras permiten retirar la nacionalidad si se estima que responde al interés publico.

En el momento en que escribimos la disposición más reciente es el *Decreto sicurezza*, también llamado *Decreto Salvini* por el nombre del Ministro del interior, aprobado en Italia por el Consejo de Ministros el 24 de septiembre de 2018. En el artículo 14 del decreto-ley se encuentran modificaciones a la Ley 5 febrero de 1992, n. 91, sobre nacionalidad. A dicha ley se añade el artículo 10-bis que prevé que "La cittadinanza italiana acquisita ai sensi degli articoli 4, comma 2, 5 e 9, è revocata in caso di condanna definitiva per i reati previsti dall'art. 407, comma 2, lettera a), n. 4), del codice di procedura penale, nonché per i reati di cui agli articoli 270-ter e 270-quinquies del codice penale. La revoca della cittadinanza è adottata, entro tre anni dal passaggio in giudicato della sentenza di condanna per i reati di cui al primo periodo, con decreto del Presidente della Repubblica, su proposta del Ministro dell'interno". El *Decreto Salvini* nos sirve para subrayar algunos datos relevantes en la comparación entre varias leyes internas. En primer lugar, observamos que se distingue entre las modalidades de adquisición de la nacionalidad, porque el nuevo artículo sólo se refiere a la nacionalidad italiana concedida a extranjeros por naturalización y no a la nacionalidad *iure sanguinis*. A este respecto se nos plantea la inmediata duda de si esta distinción es contraria al principio de no discriminación[36].

---

[35]   ZORZI GIUSTINIANI, Flavia (2016), "Deprivation of nationality: In defence of a principled approach", *Questions of International Law Núm.* 31, http://www.qil-qdi. org/deprivation-nationality-defence-principled-approach.

[36]   Véase, por ejemplo, el artículo 5, párrafo 2 del Convenio Europeo sobre la Nacionalidad, donde se lee "Each State Party shall be guided by the principle of non-discrimination between its nationals, whether they are nationals by birth or have acquired its nationality subsequently". En el mismo sentido véase también el artículo 14 del Convenio para la Protección de los Derechos Humanos y de las Libertades Fundamentales "El goce de los derechos y libertades reconocidos en el presente Convenio ha de ser asegurado sin distinción alguna, especialmente por razones de sexo, raza, color,

Por otro lado, vemos que la privación de la nacionalidad mantiene algunas garantías porque se puede aplicar sólo una vez dictada una sentencia de condena.

En el Reino Unido una ley de 2014[37] ha modificado el *British Nationality Act* de 1981. El artículo 40 sobre "Deprivation if conduct seriously prejudicial to vital interests of the UK" también sólo se refiere a la nacionalidad obtenida por naturalización. En este caso queda la posibilidad de revocar la nacionalidad incluso si con ello se da lugar a la apatridia, bajo la única condición de que "The Secretary of State has reasonable grounds for believing that the person is able, under the law of a country or territory outside the United Kingdom, to become a national of such a country or territory"[38]. Esta facultad se debe a la reserva formulada por el Reino Unido en el momento de adoptar la Convención para reducir los casos de apatridia de 1961[39]. Los tribunales británicos ya han decidido varios casos sobre privación de nacionalidad (por ejemplo Al-Jedda y Pham) pero los resultados no son unívocos: en el último caso la Corte Suprema ha considerado legítima la privación de la nacionalidad.

En Francia los artículos 25 y 25-1 del Código Civil prevén la privación de la nacionalidad por personas naturalizadas como franceses si el individuo "est condamné pour un acte qualifié de crime ou délit constituant une atteinte aux intérêts fondamentaux de la nation;… s'il s'est livré au profit d'un Etat étranger à des actes incompatibles avec la qualité de français et préjudiciables aux intérêts de la France; s'il a été condamné en

---

lengua, religión, opiniones políticas u otras, origen nacional o social, pertenencia a una minoría nacional, fortuna, nacimiento o cualquier otra situación".

37 Immigration Act, http://www.legislation.gov.uk/ukpga/2014/22/contents/enacted.

38 HARVEY, Alison (2014), "Recent Developments on Deprivation of Nationality on Grounds of National Security and Terrorism resulting in Statelessness", *Immigration, Asylum and Nationality Law Núm.* 28 (4), p. 345; HARVEY, Alison (2016), "Deprivation of nationality: Implications for the fight against statelessness", *Questions of International Law Núm. 31*, http://www.qil-qdi.org/deprivation-nationality-implications-fight-statelessness.

39 La Convención de 1961 acepta que los Estados contratantes conserven la facultad para privar a una persona de su nacionalidad por ese motivo incluso si da lugar a la apatridia, únicamente si la legislación nacional ya lo preveía en el momento de la adhesión y se formuló una declaración a tal efecto.

France ou à l'étranger pour un acte qualifié de crime par la loi française et ayant entraîné une condamnation à une peine d'au moins cinq années d'emprisonnement". Se destaca la presencia de varias garantías: la necesidad de una condena, una intervención del Consejo de Estado y los límites temporales previstos por el artículo 25-1. Sin embargo, aquí también se distingue entre ciudadanos por nacimiento y por naturalización. Hace poco estas disposiciones del Código Civil han sido examinadas por el *Conseil Constitutionnel* que finalmente ha dicho que eran constitucionales, por ser proporcionadas a la gravedad de los delitos y porque no producían apatridia[40]. Después de los ataques terroristas también en Francia se ha presentado un proyecto de ley para privar de la nacionalidad a cualquier persona (incluidos los combatientes extranjeros), reintroduciendo el crimen de "indegnité national", pero la propuesta no ha sido aprobada[41].

En Canadá el 19 de junio de 2014, fue aprobada una ley, *Strengthening Canadian, Citizenship Act,* que enmienda la ley de nacionalidad, haciendo posible quitar la nacionalidad a personas condenadas por actos de terrorismo que poseen una doble nacionalidad[42].

La nueva ley austriaca sobre nacionalidad parece más respetuosa de los derechos humanos. Ha sido modificado el artículo 33, párrafo 2 de la ley

---

[40]   https://www.conseil-constitutionnel.fr/decision/2015/2014439QPC.htm. Véase especialmente el párrafo 19: Considérant que les dispositions contestées subordonnent la déchéance de nationalité à la condition que la personne a été condamnée pour des actes de terrorisme; qu'elles ne peuvent conduire à ce que la personne soit rendue apatride; qu'eu égard à la gravité toute particulière que revêtent par nature les actes de terrorisme, les dispositions contestées instituent une sanction ayant le caractère d'une punition qui n'est pas manifestement disproportionnée; que, dès lors, le grief tiré de la méconnaissance des exigences de l'article 8 de la Déclaration de 1789 doit être écarté". Véase el comentario de MILLET, François Xavier (2015), "Full-fledged Citizens vs. Citizens on Probation in France. On the *Conseil Constitutionnel* Judgment Relating to Deprivation of Nationality", *Quaderni di SIDIBlog Núm. 2*, p. 444.

[41]   Véase las varias propuestas de ley introducidas por Philippe Meunier: http://www2.assemblee-nationale.fr/documents/notice/14/propositions/pion0996/(index)/propositions-loi;   http://www.assemblee-nationale.fr/14/propositions/pion2570.asp. Ninguna de estas propuestas ha sido aprobada: por el debate, véase http://www2.assemblee-nationale.fr/documents/notice/14/rapports/r2403/(index)/rapports/(archives)/index-rapports.

[42]   https://www.parl.ca/LegisInfo/BillDetails.aspx?billId=6401990&Language=E.

de 1985 sobre nacionalidad[43] y el nuevo texto prevé expresamente que un ciudadano que participe como combatiente extranjero en operaciones terroristas podrá ser privado de su nacionalidad sólo si la consecuencia de esa medida no es la apatridia[44].

4. CONSIDERACIONES CONCLUSIVAS

La pérdida o la privación de la nacionalidad convierte a la persona en extranjera en su antiguo Estado de nacionalidad, lo que le hace perder los derechos de que gozaba como ciudadana. Así, se puede dar pie a una acumulación de violaciones de los derechos humanos, lo que puede llegar a ser especialmente grave si la consecuencia de la pérdida o la privación es la apatridia.

Una de las principales funciones de la nacionalidad según el derecho internacional es otorgar al titular el derecho a entrar y residir en su Estado. Sin ese vínculo jurídico, la persona en cuestión, en calidad de extranjera, pasa a estar sometida a las leyes de inmigración[45]. Al convertir en extranjero a un ciudadano, la pérdida o la privación de la nacionalidad "lo hace pasible de expulsión del Estado del que poseía hasta ese momento la nacionalidad"[46]. Sin embargo, la Comisión de Derecho Internacional ha sugerido que "un Estado no podrá convertir a su nacional en extranjero, privándolo de su nacionalidad, con el único fin de su expulsión"[47]. Según el Comité de Derechos Humanos, en su Observación general sobre el artículo 12 del Pacto Internacional de Derechos Civiles y Políticos, la referencia al derecho de las personas a entrar en "su propio país" en el artículo 12 es más amplia que el concepto de "país de su nacionalidad"[48]. Cuando los "nacionales de un país… hubieran sido privados… de su nacionalidad

---

[43] https://www.ris.bka.gv.at/Dokumente/BgblPdf/1985_311_0/1985_311_0.pdf.
[44] https://www.parlament.gv.at/PAKT/VHG/XXV/I/I_00351/fname_372674.pdf.
[45] Comité de Derechos Humanos, Observación general n. 15 (1986) sobre la situación de los extranjeros con arreglo al Pacto.
[46] A/CN.4/594, párrafo 29.
[47] Sin cursiva en el original. Véase *supra* nota 29.
[48] Comité de Derechos Humanos, Observación general n. 27 (1999) sobre la libertad de circulación, párrafo 20.

en violación del derecho internacional"[49], una persona cuya nacionalidad se haya retirado seguirá teniendo derecho a entrar y residir en ese país, puesto que es su "propio país" según el derecho internacional. Del mismo modo, la persona podrá seguir disfrutando de su vida privada o familiar en ese país, lo que puede suponer también una barrera para su expulsión[50]. Asimismo, cuando una persona pase a ser apátrida por la pérdida o la privación de la nacionalidad, se puede pedir al Estado que le conceda el derecho a la residencia para hacer efectivos los derechos garantizados a las personas apátridas en la Convención sobre el Estatuto de los Apátridas de 1954 y el derecho de los derechos humanos[51].

Así, aunque el derecho internacional autoriza a privar de la nacionalidad en ciertas circunstancias, esa privación ha de ser conforme a la legislación nacional y ha de estar en consonancia con unas normas procesales y sustantivas específicas, en particular el principio de proporcionalidad. Las medidas que lleven a la privación de la nacionalidad han de responder a una finalidad legítima que sea compatible con el derecho internacional y, en particular, con los objetivos del derecho internacional relativo a los derechos humanos. Tales medidas han de ser el instrumento menos perturbador de los que puedan conducir al resultado deseado y han de ser proporcionadas a los intereses que hayan de protegerse. A este respecto, la noción de arbitrariedad se aplica a todas las medidas del Estado, tanto legislativas como administrativas y judiciales. La noción de arbitrariedad puede interpretarse en el sentido de que incluye no solo los actos que sean contrarios a la ley sino también, en un sentido más amplio, elementos de improcedencia, de injusticia y de imprevisibilidad[52].

---

[49]   *Ibid.*

[50]   Como queda protegida, por ejemplo, por el artículo 17 del Pacto Internacional de Derechos Civiles y Políticos y el artículo 8 de la Convención Europea de Derechos Humanos. Véase también la jurisprudencia del Tribunal Europeo de Derechos Humanos sobre la expulsión de extranjeros y la Comisión Africana de Derechos Humanos y de los Pueblos, comunicación n. 97/93, *Modise v. Botswana*, 2000.

[51]   Véase ACNUR, *Directrices sobre la apatridia n. 3: La condición de las personas apátridas a nivel nacional*, 17 de julio de 2012, HCR/GS/12/03, párrafo 28.

[52]   Véase el informe *Los derechos humanos y la privación arbitraria de la nacionalidad*, párrafo 25, *op. cit., supra* nota 21.

En conclusión, en el derecho internacional contemporáneo hay varias normas que limitan la discrecionalidad de los Estados para retirar la nacionalidad a las personas. Mayormente se trata de disposiciones procesales que desempeñan un papel muy importante en la prevención de la privación arbitraria de la nacionalidad.

Acabamos recordando las palabras de Hannah Arendt que decía que la nacionalidad consistía en el derecho a tener derechos. Y, para explicar mejor el pensamiento de la filósofa, podemos hacer referencia a algunos casos decididos o que están pendientes de ser resueltos por el Tribunal de Estrasburgo. En K2 contra Reino Unido[53] el Tribunal declara inamisible el caso de un hombre con doble nacionalidad (sudaní y británica) porque considera suficientes las garantía previstas por el procedimiento de privación de la nacionalidad. El Tribunal, aunque de forma más formal que sustantiva, consideró que "the applicant was not rendered stateless by the decision to deprive him of his British citizenship, as he was entitled to —and has since obtained— a Sudanese passport"[54]. La decisión ha sido muy criticada por su carácter más formal que sustantivo[55]. El 23 de mayo de 2017 la sección quinta del Tribunal ha admitido un nuevo caso sobre privación de la nacionalidad, esta vez en contra de Francia[56]. En este caso los individuos invocan los artículos 8 y 14 de la Convención Europea para afirmar "que la déchéance de nationalité prononcée contre eux porte atteinte à leur droit au respect de la vie privée en ce qu'il comprend le droit à l'identité". Queda entonces por ver si el Tribunal, cambiando su jurisprudencia respecto al caso Ramadan, dirá que la nacionalidad forma parte de la identidad del individuo, como sugería Hannah Arendt con sus palabras sobre el derecho a tener derechos.

---

[53] European Court of Human Rights (First Section), *Case of K2 v. The United Kingdom*, Application n. 42387/13, Decision of 7 February 2017.

[54] *Ibidem*, párrafo 62.

[55] JAGHAI, Sangita (2017), "Citizenship deprivation (non) discrimination and statelessness. A case study of the Netherlands", Statelessness Working Paper Series Núm. 7 http://www.institutesi.org/WP2017_07.pdf.

[56] Cour européenne des droit de l'homme (Cinquième Section), *Ghoumid c. France et 4 autres affaires*, requêtes nn. 52273/16, 52285/16, 52290/16, 52294/16 and 52302/16, Communiquées le 23 mai 2017.

5. BIBLIOGRAFÍA

BORELLI, Silvia, VITUCCI, Maria Chiara (2016), "The fight against terrorism, democracy and the power to revoke citizenship", *Questions of International Law Núm. 31*, http://www.qil-qdi.org/fight-terrorism-democracy-power-revoke-citizenship.

CIPOLLETTI, Chiara (2016), "La privazione della cittadinanza nel contrasto ai *foreign terrorist fighters* e il diritto internazionale", *Rivista di Diritto Internazionale Núm. XCIX.*

CONTE, Alex (2015), "An Old Question in a New Context: Do States Have to Comply with Human Rights When Countering the Phenomenon of Foreign Fighters?", https://www.ejiltalk.org/an-old-question-in-a-new-context-do-states-have-to-comply-with-human-rights-when-countering-the-phenomenon-of-foreign-fighters.

GIBNEY, Matthew (2014), "The Deprivation of Citizenship in the United Kingdom: A Brief History", *Journal of Immigration Asylum and Nationality Law Núm. 28 (4).*

HARVEY, Alison (2014), "Recent Developments on Deprivation of Nationality on Grounds of National Security and Terrorism resulting in Statelessness", *Immigration, Asylum and Nationality Law Núm.* 28 (4).

HARVEY, Alison (2016), "Deprivation of nationality: Implications for the fight against statelessness", *Questions of International Law Núm. 31*, http://www.qil-qdi.org/deprivation-nationality-implications-fight-statelessness.

JAGHAI, Sangita (2017), "Citizenship deprivation (non) discrimination and statelessness. A case study of the Netherlands", Statelessness Working Paper Series Núm. 7 http://www.institutesi.org/WP2017_07.pdf.

KINGSTON, Rebecca (2005), "The Unmaking of Citizens: Banishment and the Modern Citizenship Regime in France", *Citizenship Studies Núm. 9 (1).*

MACKLIN, Andrew (2014), "Citizenship Revocation, the Privilege to Have Rights and the Production of the Alien", *Queen's Law Journal Núm. 40.*

MILLET, François Xavier (2015), "Full-fledged Citizens vs. Citizens on Probation in France. On the *Conseil Constitutionnel* Judgment Relating to Deprivation of Nationality", *Quaderni di SIDIBlog Núm. 2.*

PANELLA, Lina (2015), "La revoca della cittadinanza nel quadro della lotta al terrorismo internazionale", *Ordine internazionale e diritti umani*, http://www.rivistaoidu.net/sites/default/files/3_Panella.pdf.

SCHACHAR, Ayelt, BAUBÖCK, Rainer, BLOEMRAAD, Irene, VINK, Maarten eds. (2017), *The Oxford Handbook of Citizenship*, Oxford University Press, Oxford.

WAUTELET, Patrick (2015), "Priver les djihadistes de leur nationalité belge: les garde-fous à respecter", Journal des Tribunaux, http://www.ilecproject.eu/Publications.

ZORZI GIUSTINIANI, Flavia (2016), "Deprivation of nationality: In defence of a principled approach", *Questions of International Law Núm.* 31, http://www.qil-qdi.org/deprivation-nationality-defence-principled-approach.